DATE DUE

IKONOGRAPHIE DER CHRISTLICHEN KUNST · BAND 3

GERTRUD SCHILLER

Ikonographie
der christlichen Kunst

Band 3

Die Auferstehung und Erhöhung Christi

GÜTERSLOHER VERLAGSHAUS
GERD MOHN

1. Auflage · ISBN 3 579 04137 1
© Gütersloher Verlagshaus Gerd Mohn, Gütersloh 1971
Umschlagentwurf: M. Kortemeier
Gesamtherstellung: Druck + Verlag Kassel
Library of Congress Catalogue Card Number: 66–25 808
Printed in Germany

Inhalt

DIE AUFERSTEHUNG CHRISTI

DER ERHÖHTE CHRISTUS

Abkürzungen der biblischen Bücher
(in Klammern die katholische Bezeichnung)

Am	Amos	1 u. 2 Kor	1. und 2. Korintherbrief
Apg	Apostelgeschichte	Lk	Lukasevangelium
Apk	Apokalypse =	Mal	Maleachi (Malachias)
	Offenbarung des Johannes	Mi	Micha (Michäas)
1 u. 2 Chron	1. und 2. Chronik	1 u. 2 Makk	1. und 2. Makkabäerbuch
Dan	Daniel	Mk	Markusevangelium
Eph	Epheserbrief	Mt	Matthäusevangelium
Esr	Esra (1. Esra)	1–5 Mos	1.–5. Buch Mose
Est	Esther	Nah	Nahum
Gal	Galaterbrief	Neh	Nehemia (2. Esra)
Hab	Habakuk	Ob	Obadja (Abdias)
Hag	Haggai (Aggäus)	1 u. 2 Petr	1. und 2. Petrusbrief
Hebr	Hebräerbrief	Phil	Philipperbrief
Hes	Hesekiel (Ezechiel)	Phlm	Philemonbrief
Hi	Hiob (Job)	Pred	Prediger
Hl	Hoheslied =	Ps	Psalmen
	Canticum Canticorum		(Ps 11–146 = kath. 10–145)
Hos	Hosea (Osee)	Ri	Richter
Jak	Jakobusbrief	Röm	Römerbrief
Jer	Jeremia	Sach	Sacharja (Zacharias)
Jes	Jesaja (Isaias)	1 u. 2 Sam	1. und 2. Buch Samuelis
Joh	Johannesevangelium		(1. und 2. Könige)
1, 2 u. 3 Joh	1., 2. und 3. Johannesbrief	Sir	Jesus Sirach
Jon	Jona	Spr	Sprüche
Jos	Josua	1 u. 2 Thess	1. und 2. Thessalonicherbrief
Jdt	Judith	1 u. 2 Tim	1. und 2. Timotheusbrief
Jud	Judasbrief	Tit	Titusbrief
Kl	Klagelieder	Tob	Tobias
1 u. 2 Kön	1. und 2. Königsbuch	Weish	Weisheit
	(3./4. Könige)	Zeph	Zephanja (Sophonias)
Kol	Kolosserbrief		

Literaturabkürzungen

AA   Archäologischer Anzeiger, Beiblatt z. Jb. d. Deut-
      schen Archäologischen Instituts Berlin, 1896 ff.
BKV   Bibliothek der Kirchenväter, München 1911 ff.
Cah. Arch.
      Cahiers Archéologiques. Fin de l'antiquité et moyen
      âge. Paris 1945 ff.
CSEL Corpus scriptorum ecclesiasticorum Latinorum
JbAC Jahrbuch für Antike und Christentum,
      Münster 1958 ff.
JbLH Jahrbuch für Liturgik und Hymnologie, Kassel
      1955 ff.
LCI   Lexikon der Christlichen Ikonographie,
      Bd. I, Freiburg 1968.
MPG   Patrologia Graeca, ed. J. P. Migne,
      Paris 1857—66.
MPL   Patrologia Latina, ed. J. P. Migne,
      Paris 1878—90.
RAC   Reallexikon für Antike und Christentum,
      hg. von T. Klauser,
      Stuttgart (Leipzig) 1941 ff.
RDK   Reallexikon zur Deutschen Kunstgeschichte,
      Stuttgart 1937 ff.

RGG   Die Religion in Geschichte und Gegenwart,
      3. Aufl., Tübingen 1957 ff.
RQ   Römische Quartalsschrift für christl.
      Altertumskunde und für Kirchengeschichte,
      Freiburg/Br. 1887 ff.
ThLZ Theologische Literaturzeitung, Berlin 1875 ff.
WK   Wilpert, J., Le pitture delle catacombe romane,
      2 Bände, Rom 1903.
WMM   Wilpert, J., Die römischen Mosaiken und Malereien
      der kirchlichen Bauten vom 4. bis 13. Jh., 4 Bände,
      Freiburg 1916.
WS   Wilpert, J., I sarcofagi cristiani antichi,
      Rom 1929—1932
ZKG   Zeitschrift für Kirchengeschichte,
      Stuttgart 1876 ff.
ZNW   Zeitschrift für die neutestamentliche
      Wissenschaft, Berlin 1881 ff.
ZThK Zeitschrift für Theologie und Kirche,
      Tübingen 1891 ff.

Vorwort

Die Themen der Auferstehung und der Erhöhung Christi stehen zwar in engem Zusammenhang mit der Passion, sie finden jedoch in der bildenden Kunst eine so vielfältige Darstellung, daß sie in einem besonderen, dem hier vorliegenden Band behandelt werden mußten.

Die Thematik, der sich dieser Band zuwendet, läßt sich durch bildliche Darstellung letztlich nicht erfassen. Dennoch ist in immer neuer Weise versucht worden, den Glaubensvorstellungen bildlichen Ausdruck zu verleihen, die das Credo von Christus in den Sätzen formuliert: »... niedergefahren zur Hölle, am dritten Tage auferstanden von den Toten, aufgefahren gen Himmel, sitzend zur Rechten Gottes, des allmächtigen Vaters, von dannen er kommen wird, zu richten die Lebendigen und die Toten«. Die einzelnen Darstellungsgruppen werden in der Reihenfolge ihrer zeitlichen Entstehung behandelt. Allerdings folgen die Kapitel »Die Erscheinungen des Auferstandenen« und »Die Himmelfahrt Christi« sinngemäß erst auf die Auferstehung aus dem Grabe, obwohl ihre Anfänge in die frühchristliche Kunst zurückreichen.

Nur wenige Bildthemen knüpfen an biblische Texte an. Zumeist handelt es sich um Vorstellungsbilder, deren Genesis zum Teil auf das Alte Testament oder auf die antike Herrschaftssymbolik zurückgeht, vielfach auf beides zugleich. Es war deshalb in diesem Band notwendig – wenn auch in gebotener Kürze –, antike Bildvorstellungen mit einzubeziehen und auf die Abwandlungen, Umdeutungen und neue Sinngebungen vorchristlicher Symbolik einzugehen. Dabei mußte manches fragmentarisch bleiben und kann nur als Hinweis genommen werden. Die vielen Überschneidungen der Darstellungsgruppen und Gestalttypen beeinträchtigen des öfteren eine klare Abgrenzung. Einige Themen setzen sich nicht, wie dies bei anderen, an Bibelstellen gebundenen Darstellungen der Fall ist, im Mittelalter fort; andererseits werden neue, erst dem Mit-telalter wichtige Gehalte aufgenommen; so rücken die ursprünglich als eschatologische Herrlichkeitsbilder aufgefaßten Kompositionen in die Nähe der Themen Wiederkunft Christi und Jüngstes Gericht; diese werden im vierten Band behandelt. Ebenso gilt der Illustration der Apokalypse, der für die Darstellung der Erhöhung Christi vom späten 4. Jahrhundert an Einzelmotive entnommen werden, erst im nächsten Band ein Kapitel. Hier konnte auf einzelne Visionen nur eingegangen werden, soweit es zum Verständnis der in diesem Band behandelten Bildkompositionen notwendig war.

Der erste Teil des Bandes wurde im Herbst 1969, der zweite im Sommer 1970 abgeschlossen. Das Literaturverzeichnis nennt auch in diesem Band nur die benutzte Literatur und erstrebt keine Vollständigkeit. Auf die für den zweiten Teil angegebenen zahlreichen Aufsätze aus der Archäologie sei auch als Ergänzung zu den hier kurz gehaltenen Ausführungen hingewiesen.

Zu danken habe ich wieder Professor D. Georg Kretschmar, der mich in theologischen und dogmengeschichtlichen Problemen in sehr hilfreicher Weise beraten hat. Ebenso schulde ich Professor Lic. Dr. Klaus Wessel für wertvolle Hinweise Dank. Die Erstellung des Abbildungsverzeichnisses und der Register übernahm Gunhild Schütte; ich danke ihr sehr für ihre Mitarbeit.

Der Hamburgischen Wissenschaftlichen Stiftung und der Evangelisch-lutherischen Kirche im Hamburgischen Staate, die ihr Interesse an dieser ikonographischen Arbeit erneut durch Zuschüsse bewiesen haben, spreche ich für ihre Förderung meinen besonderen Dank aus. Den Museen, Bibliotheken und Foto-Instituten danke ich für die Bereitstellung der Fotos.

Grafrath-Wildenroth, Dezember 1970

Gertrud Schiller

DIE AUFERSTEHUNG CHRISTI

Einführung

Seit dem Urchristentum gilt die Auferstehung des Herrn als das heilsgeschichtliche Ereignis schlechthin, von dem aus das Handeln Gottes an den Menschen durch Christus erst ganz begriffen werden kann. »Das Evangelium verkündigen« bedeutet vor allem bezeugen, daß Gott Christus von den Toten erweckt hat (Röm 10,9; vgl. 1 Kor 15,12 ff.), Glaube ist die Annahme oder Aneignung dieses Zeugnisses. Die Auferstehung Christi bedeutet Überwindung von Tod und Satan und Offenbarwerden der Erhöhung des Herrn. »Dazu ist Christus gestorben und auferstanden und wieder lebendig geworden, daß er über Tote und Lebendige Herr sei« (Röm 14,9; vgl. auch 1 Petr 3,22; Eph 1,20–22 u.a.m.). Das Herabsteigen ins Totenreich, der descensus ad inferos, ein in der frühesten Zeit noch nicht belegtes Motiv, ist einerseits Umschreibung des Todes und insofern Vollendung der Menschwerdung, andererseits bereits Einbruch des Sohnes Gottes in den Herrschaftsraum des Todes und insofern bereits Anfang der Auferstehung, die sich in der Himmelfahrt und dem Antritt der ewigen Herrschaft vollendet. Dem zum Kyrios Erhöhten ist alle Macht verliehen (Phil 2,9–11). Er wird wiederkommen zum Gericht und dann die Schöpfung vollenden. Das durch die Auferstehung begründete Königtum dieses zu Gott erhöhten zukünftigen Richters (Apg 1,11) wird bei seiner Wiederkunft vor aller Welt offenbar werden. Das Kreuz des Todes ist das Holz des Lebens und das Zeichen des Triumphes über den Tod. Es ist auch das Zeichen der Wiederkunft (vgl. Bd. 2, vor allem Kap. 1 und Arma Christi). Das Zeugnis von der Auferstehung Christi setzt die allgemeine Erwartung der endzeitlichen Totenauferstehung voraus, es begründet sie aber zugleich neu (1 Kor 15,21–26). So umgreift die Auferstehungsbotschaft den Sieg am Kreuz, den Abstieg in das Totenreich, um die Macht des Todes und des Satans zu zerstören, die Auferstehung aus dem Grabe, die Himmelfahrt und den Glauben an die Auferstehung der Toten.

So ausführlich die Evangelien Leiden und Tod des Herrn schildern, so knapp sind die Aussagen über die Auferstehung, die nur das Faktum feststellen. Selbst Mt 28,2 f. spricht nur von der Herabkunft eines Engels, der den Stein vom Grabe wälzt, nicht aber von der Auferstehung selbst. Wichtig ist den synoptischen Evangelien die Botschaft dieses Grabengels an die Frauen, die zum Grabe kommen und es leer vorfinden. Nach Joh 20,3 ff. haben auch zwei der Jünger das leere Grab gesehen. Bei den Erscheinungen des Auferstandenen, von denen alle vier Evangelien erzählen – das Markusevangelium nur in dem nachträglich angefügten Schluß (16,9–20) –, offenbart sich Christus den Jüngern in der Herrlichkeit des Kyrios (Joh, Mt) oder in der neuen Verhüllung des nur noch verborgen unter den Jüngern Anwesenden (Lk 24,13–35; Joh 21,4.7). In diesen Perikopen geht es einerseits darum, die Identität des Auferstandenen mit dem Gekreuzigten deutlich zu machen, zum anderen, um den Sendungsbefehl, also die Beauftragung der Zeugen und darin wiederum die Verkündigung der Botschaft. Die

Himmelfahrt wird bei Lukas und in dem Markusschluß mit einem Satz erwähnt und nur in der Apostelgeschichte des Lukas, 1,4–12, etwas ausführlicher geschildert. Danach verheißen zwei Engel nach der Himmelfahrt den Jüngern die Wiederkehr des Herrn. Die Paulusbriefe befassen sich weder mit der Auferstehungsgeschichte noch gar mit dem Motiv des leeren Grabes. Nach 1 Kor 15; Phil 2,9; Röm 8,34 ist der Auferstandene der von Gott zum Himmel Erhöhte. Dem Tode am Kreuz steht die Verherrlichung gegenüber, ohne daß ein Wort über den Vorgang der Auferstehung oder den Vollzug der Verherrlichung gesagt wäre. In Eph 4,10 sind Menschwerdung und Erhöhung zueinander in Beziehung gesetzt: »Der hinunter gefahren ist, das ist derselbe, der aufgefahren ist über alle Himmel, auf daß er alles erfüllte.«

1 Kor 15,21 f., vgl. Röm 5,14, ist Adam, der den Tod in die Welt brachte, Christus gegenübergestellt, durch den die Auferstehung der Toten zum ewigen Leben bewirkt wurde. Die Vorstellung der Totenerweckung beim Anbruch der messianischen Zeit war dem Judentum vertraut. Auch für Paulus ist sie ein endzeitliches Ereignis. Deshalb hat für ihn mit der Auferstehung Christi die Endzeit schon begonnen. In der Bindung an Christus vollziehen sich Sterben und Auferstehen der an ihn Glaubenden nun bereits in der Gegenwart, verhüllt als Anfang des zukünftigen Seins (2 Kor 5,17; Phil 3,21 f.; Röm 8,1.10); dieser Gedanke ist in besonderer Weise Bestandteil der Tauflehre des Apostels; Röm 6,3 ff. und Kol 2,12 setzen Auferstehung und Taufe zueinander in Beziehung.

Uneinheitlich sind auch die Äußerungen des Neuen Testaments über den zeitlichen Ablauf der Ereignisse. Im allgemeinen werden die Ostererscheinungen als Offenbarungen des Auferstandenen aus seinem neuen Sein, und insofern als Erscheinungen vom Himmel her geschildert. Das gilt für Joh 20,19.26, aber auch für Lk 24,13–35, Joh 21 und wohl ebenso für Mt 28,16–20. Deshalb können in einer alten Traditionsschicht Auferstehung und Himmelfahrt, ja die Spendung des heiligen Geistes auf einen Tag fallen. Die in Joh 20,22 aufgenommene Überlieferung setzt anscheinend voraus, daß Christus unmittelbar nach der Begegnung mit Magdalena zum Himmel aufgefahren und danach den Jüngern als der Erhöhte erschienen sei[1]. Nimmt man

die Grabesgeschichten für sich, so liegt die Auffassung, die Himmelfahrt sei vom Grabe aus geschehen, sehr nahe. Aus dem Schluß des Markus- und des Lukasevangeliums geht ebenfalls hervor, daß Auferstehung und Himmelfahrt sich an einem Tag vollzogen haben.

Dagegen spricht Lukas in Apg 1,3 von 40 Tagen, in denen sich der Auferstandene sehen ließ und mit den Jüngern vom Reich Gottes sprach. Anschließend wird die Entrückung des Auferstandenen geschildert, die als Himmelfahrt die Erhöhung und zugleich die Trennung von den Jüngern manifestiert und damit die Zeit der Ostererscheinungen von der Zeit der Kirche scheidet, in der Christus durch den Geist, nicht mehr leibhaftig den Seinen gegenwärtig ist. Diese lukanische Chronologie, nach der zwischen Ostern und Himmelfahrt 40 Tage liegen und die Geistausgießung am Pfingstfest, nämlich 50 Tage nach Ostern stattfindet, setzt sich erst allmählich durch. Dies gilt auch für den frühchristlichen Festkalender. Das christliche Osterfest ist allem Anschein nach daraus entstanden, daß die Christen Palästinas das jüdische Passafest ursprünglich weiter feierten, ihm aber nun von Kreuz und Auferstehung Jesu und von der Erwartung auf seine Wiederkunft her einen neuen Sinn gaben. Christus ist das wahre Passalamm; so schreibt es bereits Paulus 1 Kor 5,7 b. Und der Bericht von der Einsetzung des Passafestes sowie der Rettung des Gottesvolkes in der Auszugsnacht 2 Mos 12 ist – als Typus und Verheißung des Heilsgeschehens, das den neuen Bund begründete, verstanden – auch der älteste christliche Ostertext. In Kleinasien gab es noch im zweiten Jahrhundert Gruppen, die dieses christliche Passafest zum alten Termin in der Vollmondnacht des Frühlingsmonats Nisan begingen. Daneben und davon abgeleitet ist nun das Osterfest an dem auf diesen Termin folgenden Sonntag festgelegt, der sich schließlich in der Kirche durchgesetzt hat, weil er den wöchentlichen Gedenktag der Auferstehung, den Sonntag, mit dem Jahresgedenkfest der Erlösung schlechthin verbindet. Ist der Gehalt des Osterfestes, vor allem der Feier der Osternacht die Auferstehung Christi, so impliziert dies doch zugleich das Gedächtnis des ganzen Heilsgeschehens. Seit dem ausgehenden 2. Jahrhundert werden nachweisbar

[1]. H. Kraft, ThLZ 76, 1951, Sp. 570.

in dieser Nacht auch die Katechumenen getauft. Die Ausgliederung einzelner Festgehalte und ihre Verteilung auf verschiedene Tage, Karfreitag, Ostern, Himmelfahrt setzt sich erst seit dem 4. Jahrhundert durch. Das Pfingstfest ist wahrscheinlich zumindest im syrischen Osten ähnlich wie das christliche Passafest dadurch entstanden, daß man das jüdische Wochenfest am 50. Tag nach Passa weiterfeierte, mit diesem Tag aber nun das Gedenken der Himmelfahrt Christi verband. Erst allmählich wird dieser archaische Festkalender aufgrund der Chronologie der Apostelgeschichte umgebaut[2]. Diese Konzentration des ganzen Heilsgeschehens auf Ostern wird in neuer Weise noch – oder wieder – das Anastasisbild des Ostens bestimmen. Sie läßt sich aber auch an den alten Legenden ablesen, die in apokryphen Evangelien überliefert sind und später verschiedene Bildformulierungen mitbeeinflußt haben.

Das Petrusevangelium, das vermutlich gegen 200 entstanden ist, beschreibt den Aufstieg zum Himmel vom Grabe aus: »In der Nacht aber, in welcher der Herrntag aufleuchtete, als die Soldaten, jede Ablösung zu zweit, Wache standen, erscholl eine laute Stimme am Himmel, und sie sahen die Himmel geöffnet und zwei Männer in einem großen Lichtkranz von dort herniedersteigen und sich dem Grabe nähern. Jener Stein, der vor den Eingang des Grabes gelegt war, geriet von selbst ins Rollen und wich zur Seite, und das Grab öffnete sich und beide Jünglinge traten ein. Als nun jene Soldaten das sahen, weckten sie den Hauptmann und die Ältesten – auch diese waren nämlich bei der Wache zugegen. Und während sie erzählten, was sie gesehen hatten, sehen sie wiederum drei Männer aus dem Grab herauskommen und die zwei den einen stützen und ein Kreuz ihnen folgen. Und das Haupt der zwei bis zum Himmelreich reichen, desjenige des von ihnen an der Hand geführten aber die Himmel überragen. Und sie hörten eine Stimme aus den Himmeln rufen: Du hast den Entschlafenen ge-

predigt, und es wurde vom Kreuze her die Antwort laut: Ja. Jene erwogen nun miteinander, hinzugehen und dies dem Pilatus zu melden. Und während sie noch beratschlagten, sieht man wieder, wie die Himmel sich öffnen und ein Mensch heruntersteigt und ins Grab hineingeht. Als die Leute um den Hauptmann dies sahen, eilten sie in der Nacht zu Pilatus und verließen das Grab, das sie bewachten, und erzählten alles, was sie gesehen hatten, voller Unruhe und sprachen: Wahrhaftig, er war Gottes Sohn.«

Von den Frauen heißt es hier: »Und als sie hingingen, fanden sie das Grab geöffnet. Und sie traten hinzu, bückten sich nieder und sahen dort einen Jüngling sitzen mitten im Grab, anmutig und bekleidet mit einem hell leuchtenden Gewande, welcher zu ihnen sprach: Wozu seid ihr gekommen? Wen sucht ihr? Doch nicht jenen Gekreuzigten? Er ist auferstanden und weggegangen. Wenn ihr aber nicht glaubt, so bückt euch hierher und sehet den Ort, wo er gelegen hat, denn er ist nicht da. Denn er ist auferstanden und dorthin gegangen, von woher er gesandt worden ist. Da flohen die Frauen voller Entsetzen[3].«

Der Auffassung des Petrusevangeliums verwandt ist der Bericht des altlateinischen Codex Bobbiensis, 3./4. Jh. Er geht in einer Bemerkung zu Mk 16,3 vermutlich auf eine noch ältere Quelle zurück, die anscheinend auch für das Petrusevangelium benutzt worden ist[4]. In dem apokryphen Bericht von der »Himmelfahrt des Jesaja« werden die Auferstehung (der Engel der Kirche und Michael öffnen das Grab und Christus tritt heraus) und die »Auffahrt in den siebenten Himmel, woher er gekommen ist«, als zwei getrennte Akte gesehen[5], während Firmicus Maternus kurz nach 343 in »Über den Irrtum der heidnischen Religionen« den strahlenden Aufstieg aus dem Grabe und die Auffahrt zum Himmel im Triumphwagen in Begleitung der Gerechten schildert (vgl. Kol 2,15)[6].

Das sog. Nikodemus-Evangelium, eine apokryphe Schrift, die wahrscheinlich im 4. Jh. entstand und in

---

2. B. Lohse, Das Passafest der Quartadecimaner, Gütersloh 1953; G. Kretschmar, Himmelfahrt und Pfingsten, ZKG 66, 1954/55, S. 209–253; J. Beck, Die Entwicklung der altkirchlichen Pentekoste, JbLH 5, 1960, S. 1—45.

3. E. Hennecke–W. Schneemelcher, Neutestamentliche Apokryphen I, 3. Aufl. Tübingen 1959, S. 122 f.

4. A. Resch, Agrapha, 2. Aufl. 1906, S. 41.

5. Hennecke-Schneemelcher II, 1964, S. 458.

6. BKV Bd. 14, 268 ff.

karolingischer Zeit mit den »Pilatusakten« zum Nikodemus-Evangelium zusammengezogen wurde, liegt in einer griechischen und zwei lateinischen Fassungen vor. In dieser Dichtung erzählen die aus Furcht geflohenen Grabeshüter das Auferstehungsereignis in Anlehnung an Mt 28,11–14 den Hohepriestern in der Synagoge. Mit Bestechungsgeldern werden die Hüter zum Schweigen gezwungen[7]. Die Hadesfahrt Christi wird in dieser apokryphen Schrift von Carinus und Leucius, den Söhnen des Simeon (vgl. Darbringung, Lk 2,25), berichtet, die beim Sterben Christi aus den sich öffnenden Gräbern mit befreit wurden und nach Jerusalem kamen, Mt 27,52 f. Diese Matthäusstelle ist wichtig für die Bildung der Höllenfahrtsvorstellung und der Legende. Nikodemus schildert ausführlich die Ankunft Christi in der Hölle, seinen Sieg über den Tod und den Satan und die Befreiung der Gerechten. Dabei klingt die paulinische Adamstypologie an (zum Text siehe bei Höllenfahrt).

Ephraem der Syrer (306–377) sieht gleichfalls Auferstehung und Himmelfahrt als ein Ereignis. Er läßt die beiden Engel im Grabe wachen, »je mehr die Nacht floh, desto mehr leuchtete das Grab, und Lobgesänge ertönten von innen ... Als der Sabbat vorbei war, begannen die Himmlischen herabzusteigen. Der Fuß des Leichnams bewegte sich zu schreiten ... Als die Zeit des Sonnenaufgangs kam, begann der Begrabene sich zu verwandeln. Und als der Augenblick der Augenblicke eintrat, begann der Begrabene zum Leben zurückkehren. Im Vollzug des letzten Nu richtete er sich auf und stellte sich auf seine Füße. Im Grab hat er sich aus dem irdischen Leib einen geistigen gemacht.« Der »Sohn des unsterblichen Gottes« ging, ohne die Siegel des Grabes zu verletzen, in seiner Glorie zum Vater. Im Himmel empfingen ihn die Engel Gabriels[8]. Es ist erstaunlich, wie lange sich die alte Tradition der »Himmelfahrt vom Grabe aus« im Schrifttum hielt, obwohl in der Liturgie die Himmelfahrt spätestens mit Beginn des 4. Jh. am vierzigsten oder fünfzigsten Tag nach der Auferstehung gefeiert wurde. In der Kunst

klingt diese Tradition noch bis zum 13. Jh. an. Gnostische Kreise (bei Irenäus zitiert) vertraten sogar den Gedanken der Himmelfahrt vom Kreuze aus. Dabei wird Lk 23,43; 24,26; Apg 2,24 als Entrückung Christi unmittelbar nach dem Tod gedeutet, doch können die beiden letzten Stellen ebenso die Erhöhung vom Grabe aus voraussetzen.

Die frühchristliche Kunst stellt die Auferstehung Christi nicht als ein Ereignisbild dar, sondern begnügt sich mit Umschreibungen und symbolischen Hinweisen. Wir haben im 2. Band schon auf die Bedeutung des Kreuzes als Sieges- und Triumphzeichen hingewiesen. Die »crux invicta« bildet auf Sarkophagen als Auferstehungszeichen den Mittelpunkt von Passionsszenen, vgl. Bd. 2, S. 15 ff., Abb. 1. Triumph heißt Triumph über den Tod. Neben der Deutung und der Darstellung des Kreuzes als Siegeszeichen wurde das Kreuz auch als Lebenszeichen, als Lebensbaum oder Holz des Lebens im Sinne von Apk 22,2 gedeutet (Irenäus). Auch darauf ist im 2. Band hingewiesen worden; ebenfalls war von der kosmischen Bedeutung des Kreuzes schon die Rede. Aus diesen Deutungen des Kreuzes, die sich in der Kunst widerspiegeln, geht ebenso wie aus der Liturgie hervor, daß Tod und Auferstehung des Herrn und seine ewige Herrschaft als eine Einheit gesehen werden.

Den erhöhten Christus, der dem Irdischen zwar enthoben ist, aber in seinem Göttlichen Sein der Welt zugewandt bleibt, hat die frühe Kunst in vielfältiger Weise dargestellt; sei es als Lehrer oder als Herrscher, als Basileus oder Gesetzgeber, als der im Lichte Seiende oder als Kosmokrator und Pantokrator. In all diesen Bildtypen des zu Gott Erhöhten, die wir im zweiten Teil dieses Bandes behandeln, ist der Sieg am Kreuz und die Überwindung des Todes – die Auferstehung – vorausgesetzt und mit ausgesagt. Die Auferstehung Christi aus dem Grab als ein gesondertes Ereignis ist jedoch – abgesehen von einigen Psalterillustrationen – bis zur Jahrtausendwende nicht dargestellt worden,

7. Hennecke-Schneemelcher I, S. 342. Die Übergabe des Bestechungsgeldes wurde ganz selten dargestellt, das früheste bekannte Beispiel findet sich in dem byzantinischen Pantokratorpsalter des 9. Jh.

8. Hymni et sermones I, ed. Th. J. Lamy 1882, S. 524 ff. Siehe dazu H. Schrade, Zur Ikonographie der Himmelfahrt Christi, in: Vorträge der Bibl. Warburg, Leipzig und Berlin 1930, S. 93 f.

vielleicht mit deshalb, weil in ihr eine Vorstufe zur Himmelfahrt gesehen wurde. Die Entstehung des Himmelfahrtsbildes reicht in das 4. Jh. zurück. Unter den frühen Bildtypen des ewigen Christus gibt es eine Formulierung, in der speziell die Überwindung des Satans und des Todes durch das sieghafte Stehen auf dem Feind bildlichen Ausdruck findet. Wir behandeln deshalb diesen Darstellungstypus, der »Christus victor« zuweilen auch »Christus triumphans« bezeichnet wird, im Zusammenhang mit der Auferstehung. Das ist auch im Hinblick auf seine spätere Entwicklung gerechtfertigt.

Eine andere Möglichkeit, den Sieg des Lebens über den Tod zu verdeutlichen, ist für die frühe Kunst die Darstellung typologischer Motive. Vor allem in der Auferweckung des Lazarus (siehe Bd. 1), die hier sehr häufig vorkommt, aber auch in der Erweckung des Jünglings zu Naim und in manchen alttestamentlichen Errettungsszenen sah man den Sieg über den Tod präfiguriert. Von diesen sind die wichtigsten: Noah in der Arche, Daniel inmitten der Löwen und die Errettung des vom Wal verschlungenen Propheten Jona (vgl. Bd. 1, S. 107, 140 ff., 162; Bd. 2, S. 14, 138 f., 184). Im frühchristlichen Bildkreis sind diese typologischen Szenen, die im Zusammenhang festgefügter Totengebete stehen, Zeichen der Errettung aus dem ewigen Tode und weisen oft gleichermaßen auf die Taufe und auf die Auferstehungshoffnung. In der mittelalterlichen Kunst werden diese alttestamentlichen Bildmotive im unmittelbaren Bezug zur Auferstehung Christi dargestellt. Es könnte jedoch sein, daß in der römischen Sarkophagplastik des 4. Jh. das Heilsgeschehen von Kreuz und Auferstehung Jesu schon in einer anderen typologischen Bildkomposition angesprochen wurde: in der Zuordnung von Abrahams Opfer (1 Mos 22) und der Gesetzesübergabe an Mose (2 Mos 19) als den alttestamentlichen Präfigurationen von Opfertod und Himmelfahrt des Herrn[9]. Wir gehen darauf in den Kapiteln Symbolik und Typologie und Himmelfahrt ein. Die Auferweckung des Lazarus ist in der frühen Kunst beides: Vorbild oder Typus der Auferstehung Christi und Ausdruck der Gewißheit der Auferstehung der Toten zum Heil.

[9] Siehe dazu G. Kretschmar in: Abraham unser Vater. Festschrift für Otto Michel, Leiden-Köln 1963.

Diese wird in der frühen Zeit außerdem in der Paradiessymbolik, soweit sie sich auf die Teilhabe am ewigen Leben bezieht, veranschaulicht. Im Mittelalter ist dann die Auferstehung der Toten selbst, und zwar in unmittelbarem Zusammenhang mit der Kreuzigung Christi, dem Weltgericht, der Höllenfahrt und vereinzelt auch mit der Auferstehung Christi, dargestellt worden.

Abgesehen von diesen vielfältigen Hinweisen und Umschreibungen der Auferstehungsbotschaft wird diese seit dem 3. Jh. durch das Bild der »Frauen am Grabe«, die vom Engel die Botschaft vernehmen, zum Ausdruck gebracht. Dieser Darstellungstypus nimmt im Abendland bis zum 12. Jh. die Stelle des Auferstehungsbildes ein und verliert auch dann nur allmählich seine Bedeutung. Das Bild wird oft als »resurrectio« bezeichnet. Außerdem sind schon für das 4. und 5. Jh. einige Darstellungen von Erscheinungen des Auferstandenen nachzuweisen, die vom 9. Jh. an häufiger werden. Unter ihnen spielt das Thema der Erscheinung vor den zwei Frauen, die sich vielfach neben oder vor dem Grab vollzieht, in der östlichen Kunst eine ähnliche Rolle wie die drei Frauen am offenen Grab.

Im Osten kommt spätestens um 700 die Darstellung der Höllenfahrt auf; sie wird vom 9. Jh. an als »Anastasis« (Aufstieg, Auferstehung) bezeichnet und nach dem Bilderstreit als kanonisches Auferstehungsbild in den Festkreisbildzyklus der griechischen Kirche aufgenommen. Die Auferstehung Christi ist bei diesem Bild im Zusammenhang mit der Auferstehung der Erlösten gesehen worden. Daneben bleibt im Osten das Bild der Frauen am offenen Grabe weiterhin erhalten, ist aber niemals kanonisiertes Festbild gewesen. Im Abendland kommt es erst im 10. Jh. zu eigenen abgewandelten Formulierungen des Höllenfahrtsbildes, nachdem Otto I. die schon im Karolingerreich verbreitete Fassung des Glaubensbekenntnisses mit dem Einschub »niedergefahren zur Hölle« in Rom durchgesetzt hatte.

Die Darstellung der Auferstehung Christi aus dem Grabe ist im Gegensatz zur Höllenfahrt eine abendländische Bildprägung, die sich bis ins frühe 11. Jh. zurückverfolgen läßt, sich aber erst vom Ende des 12. Jh. an verbreitet. In dieser Zeit ist das Bedürfnis der Sichtbarmachung oder Anschaubarkeit der Glaubensgehalte so gesteigert, daß nun auch das Auferstehungsgeheimnis in zunehmendem Maße als eine Aktion dargestellt wird.

Eine weitere Triebkraft für die Bildformulierung ist das wachsende Interesse am historischen Ablauf der Geschichte Jesu, das für den Westen charakteristisch ist. Solange dieses neue Auferstehungsbild noch nicht verbreitet war, ist manchmal die Erhöhung Christi vom Grabe aus – wie schon auf einem frühchristlichen Elfenbeintäfelchen – mit der Darstellung der Frauen am Grabe verbunden worden. Die Himmelfahrt Christi als selbständige Szene gehört, wie schon gesagt, zu den frühesten Bildmotiven der christlichen Kunst.

Die Frauen am Grabe
(Mt 28,1–10; Mk 16,1–8; Lk 24,1–9)

Bei dieser Szene wurde – entsprechend den biblischen Texten – die Auferstehung Christi als vollzogen vorausgesetzt. Im lateinischen Westen nennt man diesen Darstellungstyp »resurrectio« – Auferstehung, weil er, wie schon erwähnt, bis zum 12. oder 13. Jh. allgemein das Bild der Auferstehung Christi aus dem Grabe vertrat. Im Osten, wo die Anastasis das kanonisierte liturgische Osterbild ist, nennt man ihn häufig »Die Salbenträgerinnen« (Myrophoren).

Die drei Bildelemente sind: das geöffnete leere Grab, das die Auferstehung des Herrn repräsentiert; die Frauen, die den Toten nicht mehr im Grabe vorfinden, jedoch als erste die Botschaft der Auferstehung vernehmen: »Was suchet ihr den Lebendigen bei den Toten? Er ist nicht hier, er ist auferstanden. Gedenket daran, wie er euch sagte, da er noch in Galiläa war, und sprach: ›Des Menschen Sohn muß überantwortet werden in die Hände der Sünder und gekreuzigt werden und am dritten Tage auferstehen‹« (Lk 24,5–7); Mk 16,6: »Entsetzet euch nicht. Ihr suchet Jesum von Nazareth, den Gekreuzigten; er ist auferstanden und ist nicht hier; siehe da die Stätte, da sie ihn hinlegten. Gehet aber hin und sagt seinen Jüngern und Petrus, daß er vor euch hingehen wird nach Galiläa; da werdet ihr ihn sehen, wie er euch gesagt hat.« Matthäus erwähnt einen Engel – das dritte Element des Bildes –, der vom Himmel herabkam und den Stein von dem Eingang zum Grab wegwälzte und sich daraufsetzte. Markus spricht gleichfalls von einem Engel, der jedoch im Grab, das als Felsenhöhle (vgl. Grablegung) vorzustellen ist, saß; Lukas dagegen von zwei Engeln, die zu den bekümmerten Frauen traten, als diese den Toten nicht im Grab fanden. Bei Matthäus sind zwei, bei Markus und Lukas drei Frauen genannt; die Mutter Jesu ist nicht erwähnt, doch ist sie seit dem 6. Jh., ausgehend von Syrien, häufig unter der »anderen Maria«, Mt 28,1, verstanden worden. Nach Markus kamen die drei Frauen[1] bei Sonnenaufgang zum Grab; und nach dem 2. und 3. Evangelium trugen sie Spezereien mit sich, um den Leichnam zu salben, während Matthäus nur vom Besuch am Grabe spricht. Aufgrund der verschiedenen Texte wird die Szene in der Kunst sowohl mit zwei als auch mit drei Frauen und ebenso mit einem oder zwei Engeln dargestellt. Vereinzelt sind es auch vier Frauen, dann ist die nicht ausdrücklich genannte Mutter Jesu den drei Frauen hinzugefügt. Da in der Osterliturgie der Ostkirche der Matthäustext bevorzugt wird, sind in der orientalischen und byzantinischen Kunst in der Regel zwei Frauen wiedergegeben. Außerdem wird hier häufig neben diesem Grabesbild die nur von Matthäus erzählte Begegnung des Auferstandenen mit den beiden Frauen, als diese vom Grab weggegangen waren, dargestellt. Aus der frühchristlichen Kunst des Westens ist eine Darstellung mit den drei Frauen erhalten, *Abb. 12*; vom 9. Jh. an sind, falls nicht ein unmittelbarer östlicher Einfluß vorliegt, in der Regel drei Frauen, die Gefäße tragen, wiedergegeben. Darin spiegelt sich die Tatsache, daß in der lateinischen Kirche seit der Reform der Festtagsliturgie unter Gregor d. Gr. (590–604) am Ostermorgen Mk 16 gelesen wird[2].

Die frühen Darstellungen. Das älteste bekannte Bild der Frauen am Grabe, dessen Erhaltungszustand noch einen ungefähren Eindruck vermittelt, befand sich in dem um 250 errichteten christlichen Kultraum (Baptisterium) in Dura-Europos am Euphrat, *Abb. 1*. Die Fresken sind nach den Ausgrabungen in Dura abge-

---

1. Maria Magdalena, Maria des Jakobus Mutter und Salome. Lk 24,10 nennt statt Salome Johanna. Da Jakobus als Bruder Jesu galt, wurde in dessen Mutter zugleich die Mutter Jesu gesehen.

2. Th. Klauser, Das römische Kapitulare Evangeliorum, I, Typen, Münster 1935.

nommen worden und befinden sich heute in der Yale Art Gallery, New Haven, USA[3].

Zu erkennen ist die Seitenwand eines sehr hohen, geschlossenen Sarkophags. Die zwei Sterne zu beiden Seiten des Giebels bedeuten die beiden Engel. Es ist für die syrische Kunst kennzeichnend, daß für sie Stern und Engel als Zeichen göttlicher Epiphanie auswechselbar sind (vgl. Bd. 1, Anbetung der Könige). Diese Identität von Stern und Engel ist auch in der Bibel zu finden, z. B. Hiob 38,7; Apk 9,1; ferner in der spätjüdischen Apokalyptik; mehrfach auch bei syrischen Theologen. In dieser frühen Zeit lag es ohnehin nahe, Sterne statt Engel darzustellen, weil die Kunst Mitte des 3. Jh. die Engel noch gar nicht in menschlicher Gestalt wiedergab. Drei Frauen (zwei sind teilweise, die letzte ist fast ganz zerstört, die Reste sind nicht mit abgebildet) schreiten hintereinander auf den Sarkophag zu, sind aber dem Betrachter zugewandt. Sie tragen brennende Fackeln und Schalen oder Gefäße. Dieser Darstellungstypus scheint bald wieder aufgegeben worden zu sein; es ist kein zweites Beispiel dafür bekannt.

Die Darstellung des einen der vier Londoner Elfenbeintäfelchen, 420–430, *Abb. 4*, die vermutlich aus Oberitalien stammen und ursprünglich ein Kästchen bildeten, scheint von dem Bild der Totenwache der Frauen, die in der nachikonoklastischen Kunst noch erhalten ist, *vgl. Bd. 2, Abb. 566, und hier Abb. 177*, und von dem des von Hütern bewachten Grabes abzuhängen. Eine Gürtelschnalle der 1. Hälfte des 6. Jh., die im Grab des Caesarius von Arles (503–542) gefunden wurde, zeigt nur das geschlossene Grab und zwei schlafende Soldaten *Abb. 2*. Die von Pilatus erbetenen (Mt 27,64 ff.) und am Grab oft schlafend dargestellten Wächter werden als Vertreter der Feinde und der Todesmacht aufgefaßt, die den Gegenpol zum triumphierenden Christus, der trotz Wache und Versiegelung des Grabes auferstehen wird, bilden. Wenn mehrere Bild-

motive fortlaufend dargestellt sind, kann das Grab zweimal wiedergegeben sein; am Schluß der Passionsszenen ohne die Frauen und zu Beginn der Auferstehungsdarstellungen mit diesen, wie auf dem Mailänder Elfenbeindiptychon (spätkarolingische Nachbildung eines spätantiken Diptychons oder oberitalienisches Original, gegen 500), *vgl Bd. 2, Abb. 276 und hier Abb. 268;* ebenso auf der Elfenbein-Situla (Weihwassergefäß), um 980, London, *Abb. 3 u. 10;* beide weisen in einigen Motiven Übereinstimmungen auf (Judas).

Ein solches von zwei oder vier Hütern bewachtes verschlossenes Grab, wie es diese drei Werke zeigen, könnte als Vorbild für das Londoner Elfenbeintäfelchen gedient haben. Auf den Grabesdarstellungen des Diptychons und der Situla sind vorn zwei schlafende Hüter, die sitzend Lanzen halten und sich auf große Schilde stützen, zu sehen; über ihnen zwei weitere. Anstelle dieser oberen Wächter sitzen auf dem Londoner Täfelchen zwei Frauen auf einem beiderseits des Grabes treppenartig nach oben gestuften Felsen. Beide stützen ihren Kopf mit der Hand. Die Gesamthaltung drückt Trauer und ein dumpfes Vor-sich-hin-Sinnen aus. Der Engel fehlt. Das Grab (quadratischer Unterbau mit rundem Aufbau) in der Mitte der symmetrischen Komposition füllt etwa die Hälfte der Bildfläche. Die Tür ist gesprengt, und man sieht im Innern einen geöffneten Sarg, über den das Leichentuch herabhängt[4]. Da die Wächter schlafen und die Frauen ganz in ihrer Trauer befangen sind, bleibt das Wunder der Auferstehung – angedeutet durch die geöffnete Tür – unbemerkt. Einen weiteren Hinweis auf die Auferstehung Christi gibt das Relief auf der unzerstörten Tür, das die Auferweckung des Lazarus zeigt. Die trauernde Frau im unteren Türfeld wird als Martha gedeutet, die noch um ihren toten Bruder trauert, obwohl er schon von Christus erweckt ist – eine Parallele zu den trauernden Frauen am offenen Grab.

3. A. Grabar setzt sich in: La fresque des Saintes Femmes au tombeau à Dura, in: Cahiers Archéologiques, VIII, 1956, S. 9—26, mit den verschiedenen Deutungsversuchen dieses Freskos auseinander. Er vertritt die Ansicht, daß es sich nur um den Besuch der Frauen am Grab handeln kann und nicht, wie auch angenommen wurde, um die klugen Jungfrauen. Grabars Meinung ist durch die

abschließende Arbeit zu den Fresken von C. H. Kraeling: The Excavations at Dura-Europos, Final Report VIII, part II, The Christian Buildings, New York 1967, bestätigt.

4. Das Vorbild für das Motiv der offenen Grabestür ist die offene Hadestür auf antiken Sarkophagen, siehe E. Panofsky, Grabplastik, Köln 1964, Abb. 116 und 135.

Ein Sarkophag aus S. Celso, Mailand, gibt auf der rechten Seite im Anschluß an die »traditio legis« die Frauen am Grab und die Erscheinung des Auferstandenen vor Thomas wieder, *vgl. Abb. 341.* Das Grab hat die Form eines Rundturmes, in der Öffnung liegen unten die zusammengelegten Grabestücher. Über den Frauen (von denen nur eine abgebildet ist) erscheint als Halbfigur der Engel, den diese jedoch nicht sehen.

Ganz anders gibt ein vermutlich ebenfalls oberitalienischer Diptychonflügel, um 400, der sich in der Sammlung Trivulzio in Mailand befand, die Frauen am Grab wieder, *Abb. 11.* Auch hier sehen wir einen zweigeschossigen Grabbau. Die Tür im Unterbau, auf der wiederum die Erweckung des Lazarus dargestellt ist, steht offen, doch kann man in ihn nicht hineinblicken. Vor dem Grab sitzt eine jugendliche Gestalt, die oft als Engel gedeutet wurde. Aber sie hält den rotulus, der als Attribut des Lehrers nicht dem Engel zukommt, sondern ein Christusattribut ist. Ebenfalls können die Proskynese der einen Frau und die Verehrungsgeste der anderen Maria sowie die des einen der Wächter, die auf dem Dach vor dem oberen Geschoß knien, nur Christus gelten. Ein Engel wird niemals in dieser Weise verehrt (vgl. Apk 22,8 f.). Dazu kommt, daß die Thronwesen, von denen sich der Stier und der Mensch über dem Grabe in den oberen Bildecken befinden – die beiden anderen müssen auf der verlorenen zweiten Tafel gewesen sein –, in dieser Zeit als Verherrlichungssymbole auf den erhöhten Christus bezogen werden. So offenbart sich hier Christus als der Auferstandene den Frauen vor dem offenen Grabe. Vermutlich handelt es sich um eine Verschmelzung der Verse Mt 28,5 und 10. Bei der Erscheinung des Auferstandenen vor den Frauen heißt es: »Und sie traten zu ihm, griffen an seine Füße und fielen vor ihm nieder.« Dieses Elfenbeinrelief wird in der Regel den Darstellungen der Frauen am Grabe zugeordnet. Deutet man die sitzende Gestalt als Christus, dann kann es ebenso der Erscheinung des Auferstandenen vor den Frauen zugerechnet werden, denn

diese steht in engem Zusammenhang mit dem Grab, siehe unten.

Beide Szenen sind im Rabula-Codex, 586, auf einer ganzseitigen Miniatur unterhalb der Kreuzigung dargestellt, *Abb. 7* (Gesamtdarstellung *vgl. Bd. 2, Abb. 327*)[5]. Das Grab steht in der Mittelachse der Bildseite und in der Mitte beider Auferstehungsszenen. Durch die nur wenig geöffnete Grabestür brechen Lichtstrahlen hervor, die nach Mt 28,3 f. von dem Engel im Grab ausgehen, der den Stein wegwälzte. Von ihm heißt es: »Seine Gestalt war wie der Blitz.« Zwei der Hüter sind, von den Strahlen erschreckt, niedergestürzt, wobei einer von ihnen den Rundschild weggeworfen hat. Ein dritter wendet sich zur Flucht. Das Erschrecken der Hüter vor dem Engel ist hier als ein besonderes Motiv mit den damals schon bekannten Bildtypen des Gesprächs der Frauen mit dem Grabesengel und der Erscheinung des Auferstandenen vor den beiden Frauen verbunden worden. Die Form des von Säulen umgebenen hohen Rundbaus (tholos) mit Kranzgesims und Kuppel ist von der durch die Perser im 7. Jh. zerstörten konstantitischen Umbauung des Grabes Christi, der Anastasisrotunde innerhalb der Grabeskirche in Jerusalem, abgeleitet. Sie tritt im frühen östlichen Bild an die Stelle des biblischen Felsengrabes, das erst die mittelbyzantinische Epoche wiedergibt[6]. Vor dem Grabbau liegt ein Steinblock, um dessen Mitte ein goldenes Band geführt ist. Es handelt sich wahrscheinlich um den im biblischen Bericht erwähnten Stein, der das Felsengrab verschloß und hier mit der Anastasisrotunde verbunden wurde. Bei der ersten Szene sitzt der Engel auf einer Steinplatte. Die Frau, die mit ihm spricht, ist durch den großen Nimbus und das tiefblaue Gewand als die Mutter Jesu gekennzeichnet. Das Ölgefäß in ihrer Hand weist ebenso wie das Weihrauchgefäß, das die andere Frau trägt, auf die mit dem Grabgang verbundene Absicht, den Leichnam des Herrn zu salben. Die Bäume verdeutlichen den Garten, in dem sich das Grab Christi befand. Dagegen ist der einzelne Blütenzweig oder Baum des Mailänder

---

5. Ob die ganzseitigen Miniaturen ursprünglich zu der syrischen Handschrift gehörten, steht nicht mit Sicherheit fest. Siehe C. Cecchelli, G. Furlani, M. Salmi, The Rabbula-Gospels, Olten und Lausanne 1959.

6. C. R. Morey bringt in der Festschrift für Paul Clemen, Bonn 1926, Seite 197, Abbildung 15, eine Karte mit 31 Grabformen (nach B. Smith) der verschiedenen Kunstzentren.

Diptychonflügels, der offenbar aus dem Grab hervorwächst, als Lebensbaum und damit als Auferstehungszeichen zu deuten, *Abb. 11*.

Auf dem Bildzyklus des palästinensischen Kästchens, 6./7. Jh., im Museo Sacro der Vatikanischen Bibliothek, *Abb. 9* (Gesamtbild *Bd. 2, Abb. 329*), sind die Bäume bei dem Osterbild wiederum Landschaftselemente. Die eine der beiden Frauen, die keine Gefäße tragen, ist als Mutter Jesu gekennzeichnet; durch lebhafte Gesten wird das Gespräch mehr hervorgehoben als auf anderen Darstellungen. Die Tür des Grabes, das baldachinartig von einer Kuppel überwölbt ist, steht offen. Im Innern ist in Aufsicht der quadratische Altar wiedergegeben, der in der Jerusalemer Anastasisrotunde gestanden haben soll[7]. Der Engel sitzt links vom Grabeingang auf der gleichen Steinplatte wie auf der Rabula-Miniatur. Die Frauen treten von rechts zum Grab, Maria schnellen Schrittes. Die gedankliche und kompositorische Einheit von Kreuzigung und Auferstehung, wie sie die Darstellung der Ölampullen des späten 6. Jh. unter Verwendung älterer Bildmotive aufweisen, *Abb. 5* (vgl. auch *Bd. 2, Abb. 324, 325*), ist im syrischen Rabula-Codex und auf dem palästinensischen Holzkästchen insofern aufgegeben oder doch gelockert, als die Kreuzigung einen größeren Teil der Bildfläche einnimmt als die Grabesszene. Unter den Ampullen gibt es einige, die auf der einen Seite nur die Kreuzigung und auf der anderen nur die Frauen am Grabe darstellen, *Abb. 6*. Die Form des Grabes lehnt sich auch hier an die Anastasisrotunde der Grabeskirche an. Die vier Säulen, die

---

7. H. Schrade erwähnt in: Ikonographie der christlichen Kunst, Die Auferstehung Christi, Berlin 1932, S. 32, einen Bericht von 670, in dem es heißt, daß der vom Grabe Christi weggewälzte Stein in Jerusalem aufbewahrt wurde. Als er eines Tages zerbrach, diente der eine nun quadratische Teil als Altar in der Anastasisrotunde und wurde »quadratum altare« genannt. Es ist auffallend, daß in der bildlichen Darstellung der Engel (auf der Mailänder Elfenbeintafel Christus) häufig auf einem quadratischen Block sitzt, der in der nachikonoklastischen Kunst viel größer ist als auf den frühen Werken. Die umfassende Arbeit von Schrade ist vor allem für das im Mittelalter entstandene Bild der Auferstehung Christi aus dem Grab grundlegend, doch geht er eingangs auch kurz auf die frühen Darstellungen der Frauen am Grabe ein.

bei der Übertragung der Architektur in die Bildfläche nebeneinander stehen, sind als die Träger der verschieden gebildeten Überwölbungen zu verstehen. Auf der einen Darstellung ist das Grab geschlossen, auf der anderen geöffnet, und im Innern ist der Altar zu sehen.

Im Mosaikzyklus der südlichen Seitenwand von S. Apollinare Nuovo in Ravenna, 520–526, fehlt die Kreuzigung. Hier schließt an die Kreuztragung die Szene der zwei Frauen am Grabe an, *Abb. 8*: eine symmetrische Komposition; links von der Grabrotunde, in deren Öffnung die schräggestellte Grabplatte (oder die aufgebrochene Tür?) zu sehen ist, stehen die zwei Frauen in frontaler Ansicht, rechts von ihr sitzt der Engel auf einem ähnlichen Steinblock, wie ihn die Mailänder Elfenbeintafel zeigt, *Abb. 11*. Die Hüter fehlen, ebenso wie auf den Ampullen und auf dem kleinen Bild des palästinensischen Kästchens. Auch auf die Salbgefäße ist verzichtet. Der Engel hebt die rechte Hand im Redegestus und hält in der anderen einen langen Stab. Das Grab ist auch auf diesem ravennatischen Mosaik ein von Säulen umstellter Rundbau, der jedoch durch den dreistufigen Sockel Ähnlichkeit mit einem antiken Tempel bekommt.

Die Grabbauten der frühen oberitalienischen Darstellungen, *Abb. 4, 11, 12*, sind zweigeschossig; über einer Grabkammer mit quadratischem Grundriß erhebt sich ein rundes Obergeschoß mit einer flachen Kuppel. Die Wiedergabe des Grabes weicht auf einem der kleinen Reliefs der Holztür von S. Sabina in Rom, vollendet 432, *Abb. 15*, von der östlichen und spätantiken Grabform erheblich ab. Gezeigt sind zwei Frauen, wie sie vor einer gemauerten Wand, der ein Giebel eingefügt ist, auf den auffallend großen Engel zuschreiten. Dieser steht in voller Frontalität vor einem Bogen, der auf zwei Säulen ruht. Das Stehen des Engels ist ebenso ungewöhnlich wie diese flächige Architekturkulisse für das Grab und die Aufgabe des Kompositionsschemas, das den Grabbau zwischen die Frauen und den Engel stellt. Es ist kein diesem Relief ikonographisch vergleichbares Werk bekannt. Verschiebt sich die übliche Anordnung von Grab und Figuren in der frühen Zeit etwas, *Abb. 11, 12*, so ist dies thematisch bedingt. Das Kompositionsschema wird allgemein erst im 9. und 10. Jh. abgewandelt, und zwar sowohl in der karolingischen wie auch in der byzantinischen Kunst. Eine

Zwischenform zeigt der silberne Kreuzbehälter des Museo Sacro im Vatikan, der unter Papst Paschalis um 820 entstanden ist, *Abb. 54 links.* Hier sitzt der Engel auf einer Platte, die über einen Stein gelegt ist, vor dem Grabbau mit dem Rücken zu ihm. Der Abstand zu den Frauen wird dadurch geringer. Ein Sondermotiv ist ihre angstvolle Wendung zur Flucht (Mk 16,8), das in abgemilderter Form auch in der nachikonoklastischen byzantinischen Kunst zu finden ist.

Auf einem weitgehend zerstörten Fresko der Basilica dei SS. Martiri in Cimitile, um 900, ist hinsichtlich der Anordnung der Figuren die gleiche Übergangsform zu finden. Auch hier sitzt der Engel mit dem Rücken zum Grab und wendet sich den Frauen zu, die von der anderen Seite kommen als auf dem Behälter. Das Grab büßt durch diese Zurückdrängung seine Aussagekraft als Zeugnis der Auferstehung weitgehend ein. Auf den frühen östlichen Darstellungen, einschließlich der Holztür in Rom und dem unteritalienischen Fresko, treten die Frauen vom Betrachter aus gesehen von links in den Bildraum, auf dem Mosaik von Ravenna, *Abb. 8,* und den beiden Elfenbeintafeln, *Abb. 11 und 12,* kommen sie von der anderen Seite – ebenso auf von der weströmischen Kunst abhängenden karolingischen Werken, *Abb. 13, 14, vgl.* auch *Bd. 2, Abb. 365, 371.* An diesen frühen Beispielen wird bereits die Vielfalt der Abwandlungen des Darstellungstypes deutlich. Weder die Anzahl der Frauen und Wächter noch die Bewegungsrichtung noch die Form des Grabes sind festgelegt.

Die karolingische und ottonische Darstellung. Im Utrecht-Psalter, um 830, *Abb. 16,* bilden die Frauen am Grabe die Mitte einer Illustration zu Ps 16(15),9–11. Diese Verse läßt Lukas in Apg 2,26–28 Petrus in seiner Pfingstpredigt zitieren: »Darum freut sich mein Herz, und meine Seele ist fröhlich; auch mein Leib wird sicher liegen. Denn du wirst mich nicht dem Tode überlassen und nicht zugeben, daß dein Heiliger die Grube sehe. Du tust mir kund den Weg zum Leben. Vor dir ist Freude die Fülle und Wonne zu deiner Rechten ewiglich.« Die einzelnen Sätze oder Wortbilder der Psalmen sind bei der Psalterillustration meistens unmittelbar in ein Bild übersetzt, wobei der Bezug zwischen der jeweiligen liturgischen Evangelienlesung und der Psalmstelle zu erkennen ist bzw. der Grundgedanke des Evangeliums im Hauptbild zum Ausdruck kommt. Auf der linken Bildseite des Utrechtpsalters ist bei der Illustration dieses Psalms die Höllenfahrt in einer verkürzten Form dargestellt. Rechts liegen einige Männer auf Bettgestellen; es sind diejenigen, die in der Hoffnung auf die Auferstehung ruhen. Über ihnen verweist die Schar der Lobpreisenden auf den ersten der zitierten Verse. Im Innern des Grabes ist der Leichnam Christi zu sehen, obwohl der Engel den Frauen schon die Auferstehung verkündet. Die neue Anordnung des Grabes im Rücken des Engels und die dadurch erreichte Verringerung des Abstandes zwischen diesem und den Frauen ist hier ausgebildet. Das Wort: »Du wirst mich nicht dem Tode überlassen« gilt zuerst für Christus selbst, denn er ist der Erstling derer, die Gott vom Tode auferweckt. So ist hier die den Frauen verkündete Auferstehungsbotschaft gleichzeitig mit dem Leichnam Christi im Grabe gezeigt. Auch seine Herrlichkeit ist zu sehen: über den Wolken preisen die Engel den Auferstandenen. Der Mann oberhalb der drei Frauen, der mit ausgestreckten Händen einen Kelch (in der Form des damals üblichen Henkelkelches) auf das Grab zu hält, wird aufgrund von Vers 4 als Psalmist gedeutet. Der Strick, der um seine Hand und um seinen Leib gewunden ist, bedeutet vielleicht die Fessel des Todes. Der Kelch ist in dem karoligischen Kreuzigungsbild der »Kelch des Heils« und so ein eucharistisches Zeichen[8]. Er muß bei dieser Illustration im Zusammenhang mit dem Todesopfer, dem Grab und dem Leichnam Christi und ebenso mit der Auferstehung gesehen werden. In Vers 4 lehnt der Psalmist die falschen Opfer der Gottlosen ab[9].

Einige karolingische Elfenbeintafeln, die die Kreuzigung in ihrer umfassenden Heilsbedeutung und kosmo-

---

8. Wir haben im 2. Band aus derselben Handschrift eine Darstellung abgebildet, *vgl. Bd. 2, Abb. 357,* die einen Mann unter dem Kreuz zeigt, der mit einer Hand den Kelch zum Kruzifixus emporhebt, in der anderen, die er zu einem Altar ausstreckt, aber einen Teller mit Hostien

hält.

9. Zu allen von uns erwähnten Darstellungen des Utrecht-Psalters siehe E. T. De Wald, The Illustrations of the Utrechtpsalter, Princeton und Leipzig 1932. Vgl. zu dieser Illustration auch H. Schrade, 1932, S. 36 ff.

logischen Wirkung darstellen, nehmen als Osterbild die Frauen und den Engel am Grab auf, *vgl. Bd. 2, Abb. 365, 371*, und zwar im karolingischen Kompositionsschema. Die Szene kann aber auch eine Bildreihe von Erscheinungen des Auferstandenen einleiten, wie auf zwei Buchdeckeln um 870 (oder gegen 500) und um 900, *vgl. Abb. 268 und 307*, und auf der schon erwähnten Situla, um 980, *Abb. 3 und 10*. Die frühen Grabformen sind entweder übernommen, *Abb. 14*, oder – wie in der Metzer Schule – ersetzt durch ein offenes rechteckiges Grabhaus mit Giebel, *Abb. 307*, bzw. durch ein zeitgenössisches Kirchengebäude. Der Grabbau innerhalb einer reichgeschmückten D-Initiale des Drogo-Sakramentars, um 830[10] ist jedoch dem des Rabula-Evangeliars auffallend ähnlich, der allerdings zwischen Kranzgesims und Kuppel kein zweites Geschoß hat. Dieses ist auf der karolingischen Miniatur nach vorn offen, so daß zwei Engel, die an den Schmalseiten des geöffneten Sarkophags sitzen, zu sehen sind. Der Verkündigungsengel sitzt vor dem offenen Untergeschoß.

Dem Engel dient entweder die Steinplatte, die den Eingang zum Grab verschloß, oder der offene Sarkophag bzw. dessen Deckplatte als Sitz. Die Elfenbeintafel der Hofschule Karls d. Gr., *Abb. 13*, ist ein frühes Beispiel für die isolierte Platte, denn das geschlossene Grab mit den im Stehen schlafenden Wächtern im unteren Teil der Bildfläche ist als gesondertes Bildmotiv zu verstehen. Zur karolingischen Kunst vergleiche auch das Harrach-Diptychon, *Bd. 1, Abb. 164*.

Vom 10. Jh. an sind, vermutlich unter byzantinischem Einfluß, im Innern des Grabbaus die zusammengelegten Leinentücher zu sehen, wobei nach Joh 20,7 das Schweißtuch gesondert liegt und oft geknotet ist, *Abb. 14*. Auf der oberitalienischen Situla, um 980, *Abb. 10*, ist auf den Grabbau verzichtet und offenbar versucht, das biblische Felsengrab insofern zu berücksichtigen, als ein reich verzierter Sarkophag auf einem Felsen steht. Es ist nicht klar zu erkennen, ob das glatt gefaltete Leinentuch über die Rückwand oder über die hochgeklappte Platte des Sarkophags gelegt ist. Die Engel setzen ihre Füße auf die aus dem Schlaf auffah-

renden Wächter, die erschrocken aufblicken. Auch in der Handhaltung der einen Frau kommt die Furcht beim Anblick der Engel zum Ausdruck. Ob die Zweizahl der Frauen hier auf frühchristliche Werke oder auf einen direkten östlichen Einfluß der Zeit zurückgeht, muß offenbleiben. Die Furcht beim Anblick des Engels spiegelt sich ebenso in der vordersten Frau auf dem Elfenbeinrelief vom Anfang des 9. Jh., *Abb. 13*, dagegen hebt hier die etwas erhöht stehende grüßend die Hand. Der Weg zum Grab ist auffallend markiert. Der Gang der Frauen zum Grab bekommt in der Darstellung allmählich Gewicht. Diese Tafel gehört zu einem Diptychon, von dessen zweitem Flügel die obere Hälfte mit der Darstellung der Kreuzigung in Berlin verbrannte; der untere Teil mit einer Himmelfahrtsdarstellung, die als Gegenstück zu dem geschlossenen Grab gesehen werden muß, befindet sich in Darmstadt[11].

Der Sprechgestus des Engels ist ebenso wie auf den frühen Darstellungen in der karolingischen Kunst betont; in der linken Hand hält der Grabesengel häufig den Blüten- oder den Kreuzstab, die in seiner Hand Auferstehungszeichen sind. Der Kreuzstab kommt schon auf den Ampullendarstellungen vor. Gegen 1000 tritt vereinzelt, *Abb. 17, vgl. auch Bd. 2, Abb. 371*, im 12. Jh. allgemein der Zeigegestus des Engels, mit dem er in das leere Grab weist, auf. Die Botschaft wird konkretisiert durch das Sehen: »Er ist nicht hier ... sehet die Stätte, da der Herr gelegen hat.« Der Zeigegestus ist vermutlich eine Übernahme aus der byzantinischen Kunst, wo er in nachikonoklastischer Zeit anzutreffen ist. Die andere Hand des Engels kann weiterhin sprechend erhoben sein oder den Kreuzstab halten. Die Reichenauer Schule, um 1000, hält an dem Sprechgestus, den sie intensiviert, und an dem Kreuzstab fest.

Die Hüter stehen durch das betonte Schlafen im krassen Gegensatz zu ihrem Auftrag. Doch wird gerade dadurch auf das Mysterium der Auferstehung hingewiesen: von niemandem wurde wahrgenommen, wie Christus das Grab verließ. Als Schlafende können sie auch nicht die Osterbotschaft vernehmen. Mt 28,4 spricht bei der Herabkunft des Engels von der Furcht der Hü-

---

10. Wir halten uns wie im zweiten Band an die Datierung des Drogosakramentars, die A. Raddatz in seiner Dissertation 1960 (Humboldt-Univers. Berlin, Theol. Fak.,

Maschinenschr.) gibt.

11. Siehe Katalog der Ausstellung Karl d. Gr., Aachen 1965, Nr. 525.

ter. Diese wird in der karolingisch-ottonischen Kunst jedoch nur vereinzelt zum Ausdruck gebracht; auf der Darstellung des Mailänder Elfenbeinreliefs, *vgl. Abb. 268,* flieht allerdings ein Hüter entsetzt.

Um die Jahrtausendwende erhält die Darstellung durch die Reihung der Frauen mit gleichem Bewegungsrhythmus oder durch die Hervorhebung der Salben- und Weihrauchgefäße oft liturgischen Charakter. Meist fehlen die Hüter, oder sie sind so in die Landschaft eingefügt, daß sie nicht ins Auge fallen. Auf der Miniatur eines Perikopenbuches aus der Abtei Prüm, zweites Viertel des 11. Jh., *Abb. 19,* liegen sie auf ovalem Schilde unauffällig zwischen blühenden Pflanzen, die in ihrer Betonung wie der einzelne Baum auf spätantiken Darstellungen Gleichnis des wiedererstandenen Lebens sind. Im Reichenauer Perikopenbuch Heinrichs II., 1007 oder 1012, *Abb. 20,* sind die Frauen auf einer eigenen Bildseite dem Engel auf der anderen gegenübergestellt. Ihre Isolierung vor einem völlig neutralen Goldgrund und die innere Monumentalität der Gestalten steigern die liturgische Feierlichkeit des Ganges zum Grabe. Die Gebärde des Engels erfüllt geistig den Raum zwischen ihm und den Frauen. Auf den beiden Darstellungen der großen Evangeliare der Echternacher Schule (Nürnberg und Escorial) schreiten die Frauen in vorgebeugter Haltung ehrfürchtig zum Grab. Der Ausdruck eines feierlichen Ritus ist zwar um 1000 in der Reichenauer Malschule und ihrem Ausstrahlungsgebiet stilbedingt, aber er hängt auch mit den liturgischen Osterspielen zusammen, die seit dem 10. Jh. in Kirchen, vor allem da, wo es Heilig-Grab-Kapellen gab, von Geistlichen gespielt wurden *(vgl. Bd. 2, S. 195 ff.).* Vermutlich nahmen sie ihren Anfang in der Abtei St. Benoît-sur-Loire. Da sich am Witigomünster auf der Reichenau Ende des 10. Jh. eine Grabkapelle befand, waren höchstwahrscheinlich diese Spiele dort bekannt[12].

Die Darstellung der Frauen am Grab zusammen mit der Erhöhung des Auferstandenen. Eine Sondergruppe bilden die Darstellungen, die mit dem Zeugnis des

Engels am Grabe die Erhöhung Christi verbinden, wobei die Auffassung von der Himmelfahrt vom Grabe aus, auf die bereits hingewiesen wurde, vorausgesetzt ist. Sie gehören der Zeit an, in der die Darstellung der Auferstehung Christi aus dem Grab noch nicht verbreitet war. Aus der frühchristlichen Kunst sind zwei Belege und aus der hochmittelalterlichen mehrere für die Darstellung der Himmelfahrt Christi vom Grabe aus in der Verbindung mit den Frauen und dem Engel erhalten. Es sei hierfür noch einmal an das auch dem Mittelalter bekannte apokryphe Petrusevangelium, um 200, erinnert, in dem entgegen Mt 28,7 und Mk 16,7 der Engel zu den Frauen sagt: »Er ist auferstanden und dorthin gegangen, von wo er gesandt worden ist« – also zu Gott.

Die sogenannte Reidersche Tafel in München, eine um 400 in Oberitalien oder Gallien entstandene Elfenbeinschnitzerei, *Abb. 12,* zeigt beide Szenen getrennt, doch sind sie durch den Grabbau formal und gedanklich miteinander verknüpft. Die Darstellung der Frauen am Grab im unteren Teil unterscheidet sich von allen frühchristlichen durch die Wiedergabe der drei Frauen, die in der späteren Entwicklung für das Abendland ebenso typisch ist wie der Bildtypus der Himmelfahrt Christi im oberen Teil. Es handelt sich bei der Verbindung der Szenen offenbar um eine weströmische Erfindung. Ein flügelloser Engel sitzt im Profil auf einem felsigen kleinen Hügel vor der verschlossenen Grabestür. Einer der Hüter schläft stehend, der andere blickt am Obergeschoß des Grabes vorbei zu den Frauen. Hinter der Kuppel des Grabes ragt ein Baum auf, an dessen Früchten zwei Vögel picken – ein in der frühen Kunst verbreitetes Motiv der Teilhabe der Gläubigen am ewigen Leben (siehe dazu unten). Die Bildkomposition fügt den zueinander in Beziehung gesetzten vertikalen und horizontalen eine diagonale Bewegungsrichtung ein. Auf einem steilen Hügel schreitet Christus mit weitausholendem Schritt empor, seine ausgestreckte rechte Hand wird von der Dextera Dei ergriffen. Zwei Jünger sind Zeugen dieses Aufstieges des Sohnes zum Vater; der eine verhüllt wie geblendet sein Angesicht, der andere blickt mit Gesten der Ehrfurcht staunend und erschrocken nach oben. Die Frauen, der Engel und die Hüter gewahren Christus nicht[13]. Im Gegensatz zu fast allen früh-

---

12. Siehe Gustav Cohen, The Influence of the Mysteries Art in the Middle Ages, in: Gaz. des Beaux-Arts, 24, 1943, S. 327 f.

christlichen Darstellungen ist auf dem Münchner Elfenbeinrelief das untere Geschoß des Grabes verschlossen. Bei jenen gehört das offene, leere Grab zu der Auferstehungsbotschaft des Engels. Da hier jedoch der Aufstieg zum Himmel dargestellt ist, betont die verschlossene unversehrte Tür das Wunder der Auferstehung[14].

Ein Marmorrelief, Teil eines in Ravenna gefundenen Kästchens des frühen 5. Jh., *Abb. 22*, gehört ebenfalls in diesen Vorstellungskreis, wenn auch der Ansatz für die Darstellung nicht das Gespräch des Engels mit den Frauen ist, sondern die Erscheinung des Auferstandenen vor den zwei Frauen, die sich hier am Grab vollzieht. Die Frauen knien, wie meistens bei dieser Begegnung. Sie wollen den Auferstandenen, der, mit dem Rücken zu ihnen gewandt, emporschreitet, festhalten. Christus trägt das Stabkreuz als Siegeszeichen. Während er sich noch zu den Frauen umwendet, ergreift die Gotteshand sein Handgelenk.

Die aus dem 11. und 12. Jh. erhaltenen Darstellungen dieses Vorstellungsbereiches stammen aus ganz verschiedenen Kunstkreisen. Von ihnen ist die Grabesdarstellung, die den Auferstehungszyklus der katalanischen Farfa-Bibel aus S. Maria in Ripoll, 1. Hälfte 11. Jh., einleitet, *Abb. 24, vgl. 287*, offensichtlich von dem apokryphen Petrusevangelium beeinflußt. Während der eine Engel im Grab sitzt und der Verkündigungsengel vor dem Grab mit den Frauen spricht, ist der Auferstandene, von zwei Engeln gestützt, dem flachen Dach des Mausoleums entstiegen und blickt empor. Dieses Motiv der Geleitengel aus dem Petrusevangelium ist auch bei einer Illustration zu Ps 19 (18) im Utrechtpsalter, um 830, zu finden, *vgl. Abb. 183*, doch ohne die Frauen und den Engel am Grab.

Ein angelsächsisches geschnitztes Kreuz (Walroßzahn), Mitte 12. Jh., zeigt auf dem Eckwürfel des linken Querarms die Frauen am Grabe, *Abb. 23 Ausschnitt*. Der Engel, der ein breites Schriftband (Mk 16,6) mit beiden Händen hält, sitzt auf dem Sarkophag und entzieht die Gestalt des Auferstandenen den Blicken der drei Frauen. Christus steht hinter dem Sarkophag, über dem das Grabestuch hängt, und ist im Begriff, »zu dem zurückzukehren, der ihn gesandt hat«. Er hält den Kreuzstab mit der Osterfahne in der rechten Hand und hebt sein Antlitz und die geöffnete, mit dem Wundmal gezeichnete linke Hand empor. Blick und Geste sind auf die göttliche Hand bezogen, die über dem Kruzifixus angebracht ist. Die Handergreifung ist bei der Anordnung der Motive auf diesem Kreuz nicht zu realisieren, doch ist sie gedanklich in der Darstellung enthalten. Sockelartig liegen fünf schlafende Hüter eng nebeneinander – »als wären sie tot« –. Diese Lage und die vermehrte Anzahl der Wächter ist für die englische Kunst des hohen Mittelalters typisch. Auf zwei von ihnen, die nur teilweise sichtbar sind, stehen zwei der Frauen[15]. Von der dritten Frau zeigt der Ausschnitt nur einen Teil des Gesichts.

Auf einer Darstellung des Stammheimer Missale aus Hildesheim, um 1160, *Abb. 21*, entweicht der Auferstehende durch das Dach eines Baldachingrabes, das den leeren Sarkophag und den Engel mit den Frauen überwölbt. Zwei Spruchbänder geben die Vorstellung eines Gespräches zwischen Christus und Gott-Vater wieder; man liest den Vulgatatext von Ps 57(56),9: »Wache auf, mein Ruhm. – Mit der Frühe will ich aufwachen.« Anstelle des aktiven Aufstiegs zum Vater und der Handergreifung ist ein passives Emporschweben Christi wiedergegeben. Das Durchdringen des verschlossenen Grabes ist schon in der syrischen Kirche in bezug zur Inkarnation durchreflektiert und im Zusammenhang mit dem verschlossenen Schoß Marias

---

13. Auf diesen Himmelfahrtstypus, der der Mosestypologie angeglichen ist, gehen wir bei der Behandlung des Himmelfahrtsbildes ein.

14. Pia Wilhelm vertritt in einer unveröffentlichten Arbeit die Ansicht, daß das eine nicht gemauerte Feld zwischen den Säulen des Obergeschosses als offene Tür zu verstehen sei, durch die Christus das Grab verließ. Ob die Tür wirklich offen ist, vermag ich nicht festzustellen, denn man kann nicht ins Innere des Raumes sehen, wie bei anderen geöffneten Grabbauten.

15. Dieses Kreuz des Metropolitan Museums wurde zum erstenmal von W. Mersmann publiziert und überzeugend der englischen Kunst zugewiesen. Wallraf-Richartz-Jb., XXV, 1963, S. 7 ff. Die Verfasserin datiert das Kreuz in das 2. Drittel 11. Jh., dagegen ist es von F. Rademacher, Zu den frühesten Darstellungen der Auferstehung Christi, in: ZKG 28, 1965, S. 204 f., und von P. F. Horing, The Burr St. Edmunds Cross, in: The Metropolitan Museum of Arts Bulletin, Juni 1964, S. 317–340, der Mitte des 12. Jh. zugewiesen.

in christologischem Verständnis gesehen worden, siehe oben. Analog zur Auferstehung aus dem verschlossenen Grab steht die Erscheinung durch die verschlossene Tür, Joh 20,19ff. Neben dem mittleren Bildfeld, den schlafenden Hütern gegenüber, weist der Prophet Jesaja in das leere Grab. Auf seinem Schriftband steht: »Sein Grab wird sein Ruhm sein«. (Zu den alttestamentlichen Szenen siehe unten bei Typologie.)

In der Plastik des 12. Jh. gibt es ein Beispiel, das die Himmelfahrt vom Grabe durch Zeichen andeutet. Ein Steinrelief am Chor der Kirche St. Paul in Dax (Landes), Mitte 12. Jh., *Abb. 25,* zeigt zwei Engel, die auf Steinbänken zu beiden Seiten des Sarkophags sitzen. Sie heben dessen Deckel etwas hoch, um den Frauen zu zeigen, daß das Grab leer ist. Ungewöhnlich ist die Verteilung der Frauen auf beide Seiten des Grabes, die durch die aufgrund des Bildgehaltes erforderliche Stellung des Grabes in der Bildmitte bedingt ist. Die zwei von oben herabkommenden Hände symbolisieren liturgische Engel; sie schwingen Weihrauchgefäße. In der Mitte hält die Dextera Dei ein Kreuz, das hier als Zeichen für den zum Vater erhöhten Sohn zu verstehen ist. Ihm, dem erhöhten Sohn, gilt der Weihrauch, der immer Gott gespendet wird. Die Frauen und die Grabesengel sind real wiedergegeben, das Geheimnis der Auferstehung und der Erhöhung ist dagegen durch Zeichen angedeutet. Warum die Frauen außer den Nimben auch Kronen tragen, ist nicht mit Sicherheit zu sagen. Vielleicht sind sie als Salbenträgerinnen in Parallele zu den drei Königen mit ihren Gaben gesehen worden[16].

Schließlich ist auf der Schmalseite des Obergeschosses eines Kölnischen Elfenbeinschreins, 1. Hälfte 13. Jh., Stuttgart, *Abb. 26,* der erhöhte Christus zwischen zwei Engeln oberhalb der Frauen am Grab dargestellt. Die Rundbauten mit Kuppeln über der Szene am offenen Grab am Untergeschoß verweisen auf Jerusalem. Das Obergeschoß des Schreins mit den Wächterengeln auf den Türmen an der Dachschräge bedeutet insgesamt

das himmlische Jerusalem. Verglichen mit den erwähnten Bildbeispielen ist hier der Zusammenhang zwischen der Grabesszene und der Erhöhung Christi nicht so unmittelbar wie bei diesen. Es wird auch nicht ganz deutlich, ob die Ankunft im Himmel gemeint ist oder Christus als Herr des Himmels verstanden werden soll. Sein erhobenes Angesicht spricht gegen diese zweite Deutung; Zepter und Kronreif weisen allerdings in diese Richtung. Auf jeden Fall besteht eine Beziehung zur Auferstehung, die das leere Grab und die Botschaft des Engels repräsentieren.

Die Darstellung auf einem Scheibenkreuz in der Benediktiner-Abtei in Kremsmünster, 1150–1160, *vgl. Abb. 412,* gibt die Verschmelzung von Auferstehung und Himmelfahrt auf und zerlegt das Ereignis in zwei Szenen. Bei der Auferstehung sind die Frauen, hinter dem Grabe stehend, als Zeugen der Auferstehung des Herrn wiedergegeben; der Engel ist nicht anwesend. Ähnliche Verbindungen des alten und des neuen Osterbildes kommen noch in der Tafelmalerei des 14. und 15. Jh. vor, *vgl. Abb. 221, 225.*

Aufs ganze gesehen ist die Anzahl der erhaltenen Darstellungen, die die Frauen am Grabe mit der alten Vorstellung der Erhöhung des Auferstandenen vom Grabe aus kombinieren, gering und die Behandlung des Themas unterschiedlich, so daß hierfür keine Bildgeschichte gegeben werden kann und wir die bekannten Beispiele, die dem 11. und 12. Jh. – also der Zeit vor der Verbreitung des neuen Auferstehungsbildes – angehören, nur zusammenstellen. Vgl. hierzu auch die beiden Kruzifixausschnitte bei Himmelfahrt, *Abb. 443, 444.*

Die Lichtsymbolik. Ein neues Motiv ist im Bild der Frauen am Grabe im 11. Jh. die im antiken Sinne personifizierte Sonne. Zunächst veranschaulicht sie die frühe Morgenstunde, »als die Sonne aufging«. Darüber hinaus kann die Sonne als symbolisches Zeichen auf den neuen Weltentag, der mit der Auferstehung beginnt, und schließlich noch auf Christus Sol, auf die Sonne der Gerechtigkeit, Mal 3,20 (4,2), verweisen. Auf dem letzten Bildfeld des Aachener Antependiums, um 1020, *Abb. 27 (Gesamt siehe Bd. 2, Abb. 13),* steht die Sonne über dem Engel in der Mitte. Drei Strahlen gehen von ihr aus: zum leeren, offenen Grab, zum

---

16. Eine sächsische Elfenbeintafel im Landesmuseum in Braunschweig zeigt über der Majestas Domini die drei Frauen am Grabe und darunter die Anbetung der drei Könige, Abb. bei A. Goldschmidt, Elfenbeinskulpturen III, 57. Es war demnach dieser Bezug nicht ganz unbekannt.

Engel, zu den beiden Frauen – oder anders gesagt: zu den Zeichen der Auferstehung, der Osterbotschaft und des Osterglaubens. Die Autorenseite des Markus im Uta-Evangelistar, 1002–1025, zeigt oben in der rechten Ecke die Frauen am Grabe, *Abb. 28, Ausschnitt.* Hinter dem sie umschließenden Kreis geht die Sonne auf. Und schließlich steht sie, von Wolken umgeben, über den Frauen auf einem kölnischen Walroßzahnrelief, 2. Viertel 12. Jh., *Abb. 29.*

Eine lichte Krone hängt von dem Architekturbogen auf der Darstellung des böhmischen Krönungs-Evangelistars, 1085–1086, *Abb. 32,* und des Evangeliars Heinrichs des Löwen, um 1175, *vgl. Bd. 2, Abb. 571,* herab. Auch sie kann als Lichtsymbol gelten, haben doch die großen Radleuchter das Himmlische Jerusalem, das keiner Sonne bedarf, »denn die Herrlichkeit Gottes erleuchtet sie« (Apk 21,23), symbolisiert. Ist eine einfache Lampe im Innern der Grabarchitektur wiedergegeben, so handelt es sich um die Totenlampe oder lediglich um eine Beleuchtung für den Raum. Die Sonnensymbolik wird in der Renaissance wieder aufgegriffen. Auf dem Mömpelgarter Altar, 1525–1530, Wien, geht hinter den Bergen eine außergewöhnlich große Sonne auf, die sicher nicht nur auf die frühe Tagesstunde verweisen soll. Auf der Miniatur eines Sakramentars aus Limoges, um 1100, *Abb. 30,* fährt ein inzensierender Engel herab; er vollzieht gleich den Engeln auf dem Steinrelief, *Abb. 25,* eine Zeremonie, die Ehrfurcht vor Gott bezeugt und sich auf den Auferstandenen bezieht, auch wenn er nicht sichtbar ist.

Das Bild der mittelbyzantinischen Epoche. Die nachikonoklastische Kunst verwendet in den beiden Tetra-Evangeliaren des 11. Jh., Paris (B. N. Ms. gr. 74) und Florenz (Laurenziana Plut. VI, 23) einen einfachen Bildtypus: Auf einem hohen Steinwürfel, in dem vermutlich das »altare quadratum« der alten Anastasisrotunde noch weiterlebt, sitzt der Engel; zwei Frauen stehen vor ihm. In einigem Abstand liegen die Hüter schlafend vor einer kleinen quergestellten Mauer, die wohl als Eingang zum Grab zu deuten ist. In einem Lektionarfragment Mitte des 10. Jh., Leningrad, *Abb. 33,* sitzt der Engel frontal auf einem sehr hohen Steinbock, der die gleiche Form wie der Sarkophag bei der Totenwache der selben Handschrift hat, *vgl.*

Bd. 2, Abb. 565, nur daß er aufgrund der umgekehrten Perspektive in Aufsicht wiedergegeben ist und dadurch noch höher wirkt. An ihn schließt sich ein turmartiges Gebäude an. Die Figurenreste an der beschädigten Stelle rechts unten lassen keine eindeutige Identifizierung zu. Die beiden Frauen sind eng aneinandergeschmiegt und blicken ängstlich fragend auf den Engel, der mit seiner rechten Hand zum Grab zeigt. Diese in das leere Grab weisende Geste, die den alten Redegestus ablöst, ist, wie oben schon erwähnt, typisch für die Darstellungen der mittelbyzantinischen Epoche, sie illustriert Mt 28,6. Im 11. Jh. hat die byzantinische Kunst die Grabarchitektur aufgegeben und zeigt neben dem Engel, der auf dem Stein sitzt und kompositorisch die Bildmitte einnimmt, das geöffnete Felsengrab, in dem die Grabestücher zu erkennen sind. Der Engel wird durch diese Anordnung stärker als zuvor Träger der Botschaft. Auf einer Bildseite im Tetra-Evangeliar in Parma, Ende 11. Jh., *Abb. 35,* schließt sich die Szene an die Beweinung an. Der Fels steigt hinter dem sehr großen Steinblock diagonal an, neben dem Engel ist durch eine schmale Öffnung des Felsengrabes das Leichentuch zu sehen. Die dem Engel zunächststehende Frau hält eine brennende Öllampe in der Hand, mit der auf die frühe Dämmerstunde des Grabbesuches hingewiesen wird.

Auf dem Osterbild im Psalter der Königin Melisande, 11. Jh., *Abb. 36,* ist die Öffnung des Felsengrabes vergittert. Der Psalter enthält lateinische Texte, die Miniaturen sind weitgehend von der byzantinischen Ikonographie abhängig, bei dieser Darstellung hielt man sich allerdings bezüglich der Anzahl der Frauen und der Größe des Steinblocks nicht an sie. Auch die Miniatur des Gereon-Sakramentars aus Köln, 996–1002, *Abb. 34,* wandelt die byzantinischen Einflüsse frei ab und verzichtet auf das Felsengrab. Der Engel sitzt auf der schräg gestellten Grabesplatte und deutet hinab in den Sarkophag. Zwischen ihm und der Platte zieht das verzierte, mehrfach geschlungene Grabestuch den Blick auf sich. Die Hüter schlafen nicht, sondern unterhalten sich lebhaft. Der eine hält eine Hand vor die Augen, als ob er geblendet wäre. Möglicherweise ist es aber Longinus, der durch diese Handbewegung, die auf die Heilung seiner Augen hinweist, charakterisiert ist. Da jeder Bezug der Hüter zu dem

Engel und den Frauen fehlt, soll vielleicht durch ihre Selbstbeschäftigung, ebenso wie auf anderen Darstellungen durch ihr Schlafen, darauf hingewiesen werden, daß ihnen das Auferstehungsgeheimnis verborgen bleibt. Hier tritt als konsequente Weiterführung der Zeigegeste noch ein anderes Motiv auf, das im Abendland erst vom 13. Jh. an, *Abb. 42*, üblich wird: Maria beugt sich über das Grab und folgt so der Aufforderung des Engels. Ihre verhüllten Hände hebt sie im Schmerz an ihre Wangen.

Eine Silber-Treibarbeit, Deckel eines Reliquiars des späten 11. oder frühen 12. Jh. aus St. Denis, *Abb. 37*, entspricht innerhalb der byzantinischen Kunst in ihrem künstlerischen Rang den beiden Reichenauer Miniaturen im Perikopenbuch Heinrichs II., *Abb. 20*. Hier ist in zwei verschiedenen Epochen und Kunstbereichen ein höchster Ausdruck der Formensprache und der Darstellung geistiger Erfülltheit erreicht. Der Felsen mit seinen weichen Konturen steht wie eine Aura hinter dem Engel. In der Grabesöffnung ist die Bindenwicklung des Leichnams und oben, wo das Haupt lag, das Schweißtuch zu sehen. An der schadhaften Stelle unten befanden sich die Hüter. Genau wie auf der Miniatur, *Abb. 32*, will eine der Frauen fliehen. Ihre Füße sind bildauswärts gesetzt (vgl. die beiden Frauen auf dem Silberkasten, um 820, *Abb. 54*), doch schmiegt sie sich in ihrem Bangen an die Gefährtin und wendet das Antlitz zurück zum Engel. Die auf der Fläche der Silbertafel verteilten Schriftgruppen sind Zitate aus den Evangelien: Über dem Engel ist zu lesen: »Kommt her und sehet die Stätte, da der Herr gelegen hat«, und über den Frauen: »Es war sie Zittern und Entsetzen angekommen.« Auf dem Rand steht ein Text einer griechischen Hymne: »In welcher Glorie erscheint der Engel den Frauen, von fern her sieht man den Glanz seiner angeborenen Würde und seiner transzendenten immateriellen Reinheit. Seine Schönheit verkündet den Glanz der Auferstehung, er ruft laut: Der Herr ist auferstanden!«

Der Einfluß des mittelbyzantinischen Bildes auf die gleichzeitige abendländische Darstellung ist gering, da diese in einer alten Tradition steht. Das Felsengrab mit dem großen Steinblock wird nur vereinzelt aufgenommen, *Abb. 48*. In Italien tritt im 11. Jh. in Parallele zur Grablegung das Baldachingrab mit dem Sarkophag auf. Zuerst sitzt der Engel neben ihm auf dem großen Steinblock: Fresko in S. Angelo in Formis, 1072–1087, *Abb. 38;* dann aber auf dem Sarkophag im Innern des Baldachingrabes: Bronzerelief der Türe von Benevent, Ende 12. Jh., *Abb. 39*. Schon an der Darstellung des Uta-Evangelistars, 1. Viertel 11. Jh., *Abb. 28*, ist zu beobachten, wie das Turmgrab zu einem Baldachingrab mit Sarkophag umgeformt wird. Im 12. Jh. kommt es auch in der englischen Malerei vor, *Abb. 31*, während anderweitig sich die Grabesarchitektur zu Kulissen oder rahmenden Formen verfestigt und manchmal zu dem Bild der Stadt Jerusalem erweitert wird, *Abb. 30, 32, 42, 43, vgl. 275.* Im 13. Jh. nimmt die italienische Malerei den Felsen des byzantinischen Bildes im Sinne eines Landschaftselementes auf; nördlich der Alpen werden die Architekturelemente eliminiert. Der freistehende offene Sarkophag ist von da an überall die Form des Grabes beim Besuch der Frauen.

Die Zuordnung anderer Bildmotive. Die Gültigkeit der Darstellung der Frauen am Grabe als Osterbild auch noch im 12. und 13. Jh. beweist unter anderem auch die Tatsache, daß ihr im Abendland die Auferstehungstypologie zugeordnet worden ist und sie Zyklen der Erscheinungen des Auferstandenen einleitet oder deren Hauptdarstellung bildet. Darauf soll hier nur mit wenigen Beispielen hingewiesen werden; im Zusammenhang behandeln wir die Auferstehungstypologie im Anschluß an das Bild der Auferstehung Christi aus dem Grabe. Die schon erwähnte Miniatur des Stammheimer Missale aus Hildesheim, um 1160, *Abb. 21*, ordnet um das Baldachingrab in der Mitte folgende Szenen: Elisa erweckt einen Jüngling; Simson trägt die Tore von Gaza auf einen Berg; Benaja (Benaias) zerreißt einen Löwen; David besiegt Goliath. Diese alttestamentlichen Typen bezeugen alle die Macht über den Tod oder den Feind und präfigurieren im Sinne der christlichen Deutung des Alten Testaments die Todesüberwindung Christi. Eine Miniatur im Evangeliar aus Helmarshausen, Wolfenbüttel, 1195, *Abb. 41*, ordnet dem Grabesbild, das hier zusammen mit dem ungläubigen Thomas dargestellt ist, vier Propheten, die Errettung des Jona und den Löwen von Juda zu. Eine dem gleichen Kunstkreis angehörende Miniatur im Evangeliar Heinrichs des Löwen, *vgl. Bd. 2, Abb. 571*, fügt den beiden Grabesdarstellungen in den vier Bildecken Phönix, Pelikan, Löwe und Adler bei, zu ihrer Bedeutung siehe unten.

Auf einem Triptychon, einer Emailarbeit aus der Maasgegend, um 1150, im Victoria and Albert Museum, *vgl. Abb. 435*, befindet sich auf der Mitteltafel das leere Grab über dem Kreuz und unter diesem die Höllenfahrt im Sinne des Auszugs aus dem Totenreich. Die Osterbotschaft des Grabesengels nimmt hier den Platz ein, den auf den italienischen Tafelkreuzen die Himmelfahrt, auf Kruzifixen und anderen Kreuzigungsdarstellungen oft die Dextera Dei als Zeichen des vollbrachten Sieges über den Tod und der Erhöhung des Herrn einnehmen. Durch die personifizierten kosmischen Zeichen – sol und luna oben, mare und terra unten (zu beiden Seiten im Rahmen) – ist der Gekreuzigte als Herr des Kosmos gekennzeichnet; durch die Caritas (oben) und die Justitia (unten) wird auf das Richteramt des Auferstandenen oder auf den Zusammenhang von Kreuzestod – Auferstehung – Gericht hingewiesen[17]. Die Seitenflügel des Triptychons zeigen im geöffneten Zustand sechs typologische Bildmotive, auf die wir unten eingehen.

Auf der Patene aus dem Kloster Wilten, 1160–1170, *vgl. Abb. 275*, ist die Darstellung des Gesprächs am Grab Hauptdarstellung, die die Vertiefung des Tellers einnimmt, während auf dem Rand Erscheinungen des Auferstandenen und die Himmelfahrt dargestellt sind. Die Frauen am leeren Grabe können mit der Grablegung, der Kreuzigung oder der Kreuzabnahme, *Abb. 46*, der Höllenfahrt, *Abb. 17*, einer Erscheinung des Auferstandenen, *Abb. 41*, auf spätmittelalterlichen Altären mit der Auferstehung Christi, jedoch auch mit der Geburt Christi zusammen dargestellt sein, vgl. das karolingische Elfenbeindiptychon der Sammlung Harrach, *vgl. Bd. 1, Abb. 164*. Formal aufeinander abgestimmt sind die beiden Reliefs eines belgischen

Elfenbeintäfelchens des 11. Jh., das nur zur Hälfte erhalten ist, *Abb. 40*. Der Krippentrog entspricht weitgehend dem offenen Sarg; die beiden Gestalten hinter Maria den beiden Frauen am Grab. Die formalen Bezüge weisen auf die inhaltlichen hin, auf: Menschwerdung und Auferstehung des Gottessohnes, auf Beginn und Vollendung seines irdischen Lebens. Die Mitte des Kreuzes, das die Elfenbeintafel in vier Felder teilte, nahm das Lamm Gottes ein. Welche Szenen auf der anderen Seite dargestellt waren, ist nicht mehr festzustellen.

Auf dem Tympanonfeld des frühen 12. Jh. der Puerta del Perdón am Südquerschiff von S. Isidoro in León (Nordspanien), *Abb. 46*, sind unmittelbar neben der Kreuzabnahme die Himmelfahrt und die Frauen mit dem Grabesengel einander gegenübergestellt. Der Engel nimmt den Deckel von der Sargkiste und blickt ebenso wie die Frauen staunend ins leere Grab. In dieser Motivkomposition kommt möglicherweise wieder die alte Vorstellung der Erhöhung des Herrn vom Grabe aus zum Ausdruck, denn die Himmelfahrt ist ohne die Jünger dargestellt. Engel geleiten und stützen den Auferstandenen bei der Auffahrt, siehe unten.

Die weitere Entwicklung der Darstellung. Abgesehen von den erwähnten neuen Gesten und Grabformen, die vom späten 11. Jh. in das Bild der Frauen am Grabe aufgenommen werden, ändert sich oft auch die Anordnung der Figuren. Auf einer Miniatur der Bibel von Avila, 13. Jh., *Abb. 43*, sitzen zwei Engel auf dem Grab, einer weist ins Grab, einer hebt sprechend die Hand. Die drei Frauen sind durch stehende Hüter vom Grab getrennt, deren negative Bedeutung durch das kleine Format zum Ausdruck gebracht ist. Die Szenerie des Bildes ist offensichtlich von den Osterspielen beeinflußt, bei denen meistens zwei Engel – einer zu Häupten, einer zu Füßen – das Grab bewachten. Die Frauen kommen schon in Darstellungen des 12. Jh. häufig nicht mehr von der Seite, sondern treten von hinten heran, *Abb. 42*, wobei die Vorstellung des Ganges zum Grab wegfällt. In der Plastik ist die Szene im Zusammenhang mit den Heilig-Grab-Kapellen (siehe Bd. 2), an Kapitellen (Saint Nectaire, Moissac u. a. m.), ferner an Bronzetüren (Nowgorod, Pisa, Monreale) zu finden. In Südfrankreich, vor allem aber in Nordspanien

---

17. Vgl. das Kreuzreliquiar des gleichen Kunstkreises, das oben den Richter und unten die Auferstehenden zeigt, *Bd. 2, Abb. 650*. Ein weiteres Reliquiar mit dieser Gegenüberstellung befindet sich in London, Victoria and Albert Museum.

ist sie auffallend häufig. Das Relief an dem Chor der Kirche in St. Paul in Dax (Südwestfrankreich), Mitte 12. Jh., dem Passionsszenen vorangehen, ist schon besprochen, *Abb. 25;* ebenso die Tympanondarstellung von S. Isidoro in León, *Abb. 46.* Ein Kapitell in Pamplona (Navarra, Nordspanien), um 1145, *Abb. 47,* gibt die österliche Grabesszene sehr dramatisch wieder. Man gewinnt den Eindruck, daß alles im selben Augenblick geschieht: das Erscheinen des Engels, der weder sitzt noch steht, das Abwärtsstürzen (kopfüber) der erschrockenen Hüter, das Öffnen des Grabes, wobei eine der Frauen hilft. Das Öffnen des Sarges ist ein in Südfrankreich und Nordspanien – zwei Gebiete, die durch die Jakobspilgerfahrt im hohen Mittelalter in enger Beziehung standen – beheimatetes Motiv. In ihm äußert sich der Drang nach dem Anschauen der verkündeten Botschaft und der Anteilnahme daran, der seit der 2. Hälfte des 12. Jh. allgemein zu beobachten ist (vgl. auch Kapitelle in Oviedo und Huesca). Eine Holzgruppe in Kopenhagen, Mitte 13. Jh., *Abb. 45,* zeigt den Engel mit einem Palmzweig in der Hand, der ein Zeichen des Sieges über den Tod ist. Die Herkunft der Gruppe ist nicht geklärt (Jütland?), vermutlich gehörte sie zu einem größeren Altar.

Der Einkauf der Salben beim Krämer war eine Szene der Osterspiele, die u. a. auf einem Relief der Hl.-Grab-Kapelle des Münsters in Konstanz, 13. Jh., auf dem Kapitellfries der Portalzone der Kirche von St.-Gilles-du-Gard (Südfrankreich) und auf einem Weihwasserbecken des 12. Jh. in Modena (Oberitalien) festgehalten wurde, *Abb. 44.* Auch hierfür gibt es spanische Beispiele, z. B. ein Kapitell des Klosters S. Cugat de Valles.

Auf Altarretabeln vertrat im frühen 13. Jh. die Darstellung der Frauen am Grabe noch das Bild der Auferstehung Christi aus dem Grabe, das sich in der Buchmalerei im Laufe des 12. Jh. entwickelte. So schließt das dreiteilige Soester Retabel der 1. Hälfte des 13. Jh., Berlin, mit diesem Bild im byzantinischen Darstellungstypus ab, *Abb. 48.* Auffallend ist die große Zahl der schlafenden Wächter. In den vier Ecken außerhalb des Kreises stehen Halbfigurenbilder von Propheten. Das im Krieg zerstörte niedersächsische kleeblattförmige Retabel aus der Mitte des 13. Jh. zeigte dann anstelle der Frauen am Grabe die Auferstehung Christi.

Allerdings stehen bis zum ausgehenden Mittelalter auf großen Altarwerken oft beide Szenen nebeneinander; vielfach ist als drittes Bild auch die Höllenfahrt eingefügt, wie auf der großen »Goldenen Tafel« aus Lüneburg, um 1418, *vgl. Bd. 2, Abb. 22 und 23 unten.* Die Frauen am Grabe, *Abb. 52,* folgen der Auferstehungsszene.

Duccio, der von der byzantinischen Ikonographie beeinflußt ist, stellt die Auferstehung Christi auf der Rückseite des Sienser Hochaltars, 1308–1311, nicht dar, jedoch eine Reihe von Erscheinungen des Auferstandenen. Bei der Darstellung der Frauen am Grabe, *Abb. 49,* übernimmt er den im Abendland üblichen Sarkophag, den er vor einen in byzantinischer Manier wiedergegebenen abgestuften Felsen in eine Landschaft stellt (vgl. für die Szenerie das gleichzeitige italienische Bild der Beweinung und Grablegung, *Bd. 2, Abb. 577*). Der Engel hat sich auf der schräg gestellten Verschlußplatte niedergelassen, die in karolingisch-ottonischer Zeit schon in Verbindung mit dem architektonischen Grab oder isoliert als Sitz des Engels diente.

In der 2. Hälfte des 14. Jh. entwickelte sich in Italien ein neuer Bildtypus der Auferstehung des Herrn, der Christus über dem Grab schwebend zeigt. Seine frühen Formulierungen lassen erkennen, daß es sich zunächst um die Verschmelzung einer neuen Bildidee mit dem alten österlichen Grabesbild handelt. Es klingt dabei noch einmal die Erhöhung Christi vom Grabe aus als ein zweites Thema der Darstellung der Engelsbotschaft an die Frauen an. Innerhalb des Passions- und Auferstehungszyklus auf einer Seite der sogenannten Ravennabibel, um 1350, in Berlin, *Abb. 50,* entschwebt zwischen den Frauen und dem Engel der Auferstandene dem Grab. Eines der Fresken des Andrea da Firenze im Gewölbe der Spanischen Kapelle, Florenz, 1365–1368, *Abb. 51,* Ausschnitt, gibt drei Frauen und die Begegnung des Auferstandenen mit Magdalena zu beiden Seiten des Grabes, auf dem zwei Engel sitzen, wieder. Darüber erscheint Christus in Profilhaltung, als schritte er hinweg. Das Fresko steht oberhalb der Kreuzigung, vgl. deren Mittelteil, *Band 2, Abb. 510.* Dagegen ist auf einem Fresko Fra Angelicos im Kloster S. Marco zu Florenz, 1436–1145, *Abb. 53,* das Gespräch des Engels mit den Frauen noch einmal das Hauptthema des Bildes. Der Grabesengel weist

nach oben, wo der Auferstandene in einer Strahlenglorie schwebt, und zugleich nach unten in das leere
Grab, über das sich die Gottesmutter beugt; sie hält,
geblendet von einem Licht, das sie nicht erkennt,
die Hand über die Augen. Die Trauer der Frauen bedingt ihr Unvermögen, den verklärten Christus zu
erkennen. Die Wolke zwischen Maria und dem Auferstandenen könnte in der Renaissancemalerei, die das
Bild der Auferstehung dem der Himmelfahrt annähert,
als Hinweis auf die Himmelfahrt verstanden werden,
doch hat sie in dieser Bildkomposition eine formal-
künstlerische Funktion.

Nördlich der Alpen wird seit der Mitte des 14. Jh.
die Auferstehung des Herrn aus dem Grab manchmal
mit der älteren Szene verbunden. Da die Frauen dem
Auferstehenden gegenüber als Nebenfiguren wirken
und, abgesehen von dem erwähnten Flabellum, keine
Verbindung zwischen ihnen und Christus besteht,
zeigen wir hierfür zwei Beispiele bei den Auferstehungsbildern: Hohenfurther Altar, 1346–1356, *vgl.
Abb. 221*, und Raigerner Altar, um 1420, *vgl. Abb. 225*.
Beide Bildformulierungen sind verschiedene Ausläufer
des alten Osterbildes, das vom 3. Jh. an die Auferstehungsbotschaft veranschaulichte, jedoch vom 14. Jh. an
von dem neuen Auferstehungsbild allmählich aufgenommen, abgelöst und in ein nur konventionelles Weiter-
terleben verdrängt wird. Ende des 16. Jh. werden die
Frauen auf einigen Darstellungen erneut mit der Auferstehung verbunden. Die Gegenreformation spricht
sich dann aber gegen diese Verbindung aus. Auch die
Teilnahme der Mutter Jesu beim Besuch des Grabes
wird abgelehnt[18].

Bemerkenswert ist noch, daß die Meditationes (Pseu-
do-Bonaventura), die in Italien in der 1. Hälfte des
14. Jh. entstanden, von mehreren Frauen am Grab
sprechen, so daß danach vereinzelt sogar bis zu fünf
dargestellt wurden. Der Mömpelgarter Altar, 1525–
1530, der der Kunst der Reformation angehört, setzt
auf jede Bildtafel den Bibeltext und gibt die Parallelstellen an. Der Meister dieses Altars dürfte die Anregung zur Wiedergabe der fünf Frauen jedoch nicht
von mittelalterlichen Schriften erhalten haben, sondern

von den Evangelien, in denen insgesamt fünf Frauen
genannt werden. In Lk 24,10 heißt es, daß auch noch
andere mit ihnen waren. In Parallele zum Auferstehungsbild dieser Zeit ist das Grab hier wieder
als Felsengrab dargestellt. Unmittelbar neben den fünf
Frauen, zu denen zwei Engel sprechen, die vor ihnen
stehen, ist die Erscheinung des Auferstandenen vor
Magdalena wiedergegeben; die aufgehende große
Sonne wurde schon erwähnt[19].

Petrus und Johannes am leeren Grab
oder Der Wettlauf der Jünger zum Grab
(Joh 20,3–9; vgl. auch Lk 24,10–12)

Im Johannesevangelium ist der Gang der drei Frauen
zum Grabe nicht berichtet, dafür aber der Magdalenas, 20,1–3. Als sie gesehen hatte, daß der Stein vom
Grab gewälzt war, eilte sie zurück und erzählte Petrus
und dem »anderen Jünger«, also Johannes, davon, die
daraufhin zum Grab eilten. Johannes lief schneller
und blickte zuerst ins Grab. Petrus ging danach hinein
und sah das Linnen und das Schweißtuch gesondert
liegen. Nach Lukas berichteten die Frauen den Jüngern
von ihrem Erlebnis am Grab, so daß es in der östlichen Kunst auch einige Darstellungen gibt, die mehrere Jünger am Grab zeigen.

Im Abendland gehört die Perikope zu den Lesungen
der Osterwoche. Die Bildformulierung dieser Szene
stammt aus der östlichen Kunst und ist vermutlich im
8. Jh., wenn nicht schon früher, ausgebildet worden.
Vom 9. Jh. an ist sie im Westen zu finden. Auf einer
der Seitenwände des silbernen Kastens, der um 820
unter Paschalis I. für ein Gemmenkreuz angefertigt
wurde, *Abb. 54*, stehen Petrus und Johannes am Grab
den beiden Frauen mit dem Engel am Grab gegenüber.
Die Szene hat so den Platz, der ihr vom Evangelium
her als Bezeugung des leeren Grabes zukommt. Dazwischen – an der den anderen Kreuzarm abschließen-
den Fläche – ist der Gang der Jünger mit Christus
nach Emmaus dargestellt. Johannes, als der Jüngere
gekennzeichnet, ist dem Graben am nächsten, sein

---

18. Molanus, lib. IV, cap. 13. Federigo Barromeo, De
pictura sacra, lib. II, cap. 4.

19. Zu dem Altar siehe Kap. Erscheinungen des Auferstandenen.

rascher Lauf wird durch den großen Schritt angedeutet. Ein Wandbild, 3. Viertel 9. Jh., befindet sich in S. Egiziaca, einer in den Tempel der Fortuna Virilis am Forum boarium in Rom unter Papst Johannes VIII. (872–882) eingebauten Kirche, *Abb. 55*. Johannes steht mit dem Rücken zum Grab; er hat offenbar schon in das Grab geblickt und berichtet nun Petrus, daß der Leichnam des Herrn nicht mehr vorhanden sei. Die Darstellung im byzantinischen Tetra-Evangeliar, Leningrad, *Abb. 56*, zeigt, wie Petrus im Begriff ist, in das Grab hineinzugehen, während Johannes scheu zurückgetreten ist. In dem Tetra-Evangeliar des 11. Jh. in Florenz[1] wird der Gang der beiden Jünger und ihre Ankunft am Grab geschildert.

Die abendländische Kunst übernimmt diese Szene des Ostermorgens in die Buchmalerei (Drogosakramentar, Metz, um 830) und die Bildmotivreihe der Heilig-Grab-Kapellen. Sie ist heute noch zusammen mit den Frauen am Grab an der Grabkammer der Grabkapelle in St. Cyriakus in Gernrode erhalten, die vermutlich um 1100, vielleicht etwas früher erbaut wurde[2]. An der nördlichen Außenwand sind Christus und Magdalena dargestellt, zur westlichen Außenwand *vgl. Abb. 403*.

Der Auferstehungszyklus der katalanischen Farfabibel, Anfang 11. Jh., zeigt die Jünger am Grab in der vierten Reihe nach der Darstellung des Noli me tangere, *vgl. Abb. 287*. Innerhalb der sehr ausführlichen Schilderung der Auferstehungsgeschichten auf dem 2. Einzelblatt der Bury St. Edmunds School, 2. Viertel 12. Jh., *vgl. Abb. 266 oben rechts*, sind die Jünger zweimal wiedergegeben: beim Gang zum Grab geht Johannes mit weit ausgreifendem Schritt voran, und dann Petrus, wie er sich über das sarkophagartige Grab beugt und die Leichentücher ergreift; Johannes sieht staunend zu. Auf einer Miniatur einer Handschrift des Meisters Bertolt aus Regensburg, 2. H. 11. Jh., steigt Petrus in den Sarg, *Abb. 57*. Das Hineingehen in das Grab ist wörtlich genommen, obwohl das Felsengrab durch den Sarkophag ersetzt ist. Ebenso enthält das Perikopenbuch aus St. Erentrud, Salzburg, das alle

Perikopen der Osterwoche illustriert, eine ähnliche Darstellung. Auf einer Miniatur im Gisle-Codex, 14. Jh., Osnabrück, steht Petrus im Sarg. Die Illustration in dem böhmischen Passionale der Äbtissin Kunigunde, 1314–1321, *Abb. 58*, unterscheidet das Schweißtuch, nach dem Johannes greift, von dem Leichentuch und betont beide durch Inschriften; auf einer Miniatur im Evangelistar des Kuno von Falkenstein, 1380, *Abb. 59*, hebt Johannes ehrfürchtig das schleierartige Tuch hoch. Der Wettlauf der zwei Jünger zum Grab ist zwar sehr viel seltener als die zwei oder drei Frauen am Grab dargestellt worden, kommt jedoch vom 9. Jh. an immer wieder vor.

Christus victor – Der triumphierende Christus steht auf den Tieren

Einer der Gestalttypen der in nachkonstantinischer Zeit weitgehend in Anlehnung an die kaiserliche Triumphikonographie entstandenen Christusdarstellungen, mit denen der Sieg, die Macht und die ewige Herrschaft des erhöhten Christus zum Ausdruck gebracht wird (vgl. Teil 2 dieses Bandes), ist unmittelbar dem Bildkreis der Auferstehung zuzurechnen, weshalb wir ihn schon hier einfügen. Er wird »Christus victor« oder auch »Christus triumphans« genannt. Es handelt sich um die Darstellung des auf Tieren stehenden sieghaften Christus. Diese Bildvorstellung des Sieges geht bis in den alten Orient zurück und ist den Römern durch den Hellenismus wahrscheinlich schon im 1. Jh. übermittelt worden. Das alte Bild zeigt als den überwundenen Feind den Drachen. Er galt in konstantinischer Zeit als Sinnbild des Satans, der durch die Kaiser, die die Christen verfolgten, die Kirche bedrängt hatte.

Die Vita Constantini des Eusebius (III, 3) berichtet, daß über dem Eingang des kaiserlichen Palastes in Konstantinopel ein Mosaikbild angebracht gewesen sei, das Konstantin und seine Söhne über einem durchbohrten Drachen, der in den Abgrund stürzt, und

---

1. Millet, Recherches sur l'Iconographie de l'Evangile aux XIVe, XVe, et XVIe siècles d'après les monuments de Mistra, de la Macedoine et du Mont Athos, Paris, Neu-

druck 1960, Abb. 594.

2. H. K. Schulze, Das Stift Gernrode, in: Mitteldeutsche Forschungen, Bd. 38, Köln-Graz 1965.

oben das »heilbringende Zeichen« darstellte[1]. Damals war schon der Fußtritt (die calcatio) eine der Zeremonien, mit denen die kaiserlichen Siege gefeiert wurden. Nach einer Schlacht ließ sich der Kaiser den Anführer der Besiegten vorführen und setzte seinen Fuß auf den Kopf oder den Nacken des Unterworfenen. Auf Münzen des 4. und 5. Jh. ist der Kaiser, der seinen Fuß auf Löwe und Basilisk oder auf die Schlange setzt, dargestellt; daneben gibt es auch Münzprägungen, die das Labarum (siehe unten) auf der Schlange stehend zeigen. Eine solche Münze des Britischen Museums trägt die Inschrift »Hoffnung des Volkes«, *vgl. Abb. 524*[2].

Die Symbolik der calcatio ist verschiedentlich auch im Alten Testament zu finden. Dort werden gefährliche Tiere genannt, die später als Gleichnis für den Satan galten. So heißt es Ps 91(90),13 (LXX): »Über Aspis und Basilisk wirst du gehen und treten auf junge Löwen und Drachen.« Im Zusammenhang des Psalms ist dieser Vers die Verheißung, vor allen Gefahren geschützt zu werden. Die christologische Deutung sieht darin ein Bild für Christus, der den Kampf gegen Satan und Tod gewonnen hat, denn über die Tiere gehen oder auf sie treten, bedeutet wie bei der politischen calcatio Triumph über den besiegten Feind. Man wird in diesem Zusammenhang auch auf den Fluch über die Schlange 1 Mos 3,15: »Derselbe soll dir den Kopf zertreten« verweisen können (vgl. die Schlange unter dem Kreuz Bd. 2, S. 124). Im Hinblick auf das kommende Gericht heißt es bei Maleachi 3,20 f. (4,2 f.): »Ihr werdet die Gottlosen zertreten.« Das Wort ist verbunden mit der messianischen Verheißung: »Euch soll aufgehen die Sonne der Gerechtigkeit und das Heil.« Die Vernichtung von Basilisk und Aspis, Jes 11,8, ist nach Hieronymus ein Zeichen des zukünftigen paradiesischen Friedensreiches[3], vgl. auch Jes 59,5. Im Anschluß an Ps 110(109),1 sagt Paulus in dem Auferstehungskapitel 1 Kor 15,25 f.: »Er muß aber herrschen, bis daß er alle seine Feinde unter seine Füße lege. Der letzte Feind, der aufgehoben wird, ist der Tod.« In solchen messianischen und eschatologischen Prophetien sind die zentralen Motive für diesen frühen Bildtypus des über den Satan – und nach Augustins Auslegung zu Ps 72 (71) gleichermaßen über den Tod – triumphierenden Auferstandenen enthalten[4].

Die christliche Kunst übernahm im 4. Jh. aus der politischen den Typus der calcatio für die Darstellung Christi als Sieger über Tod und Teufel. Im Gegensatz zu dem Auferstandenen, der als Sonne der Gerechtigkeit oder als Sol invictus verstanden wurde, ist der Feind identisch mit den finsteren Mächten. Dieser Gegensatz kommt vor allem bei der Darstellung der Höllenfahrt, in die die calcatio ebenfalls übertragen wurde, zum Ausdruck.

Dem 4. Jh. gehört ein Sarkophag in Gerona an, der auf der Vorderwand als Abschluß verschiedener Szenen Christus und daneben Isaaks Opferung zeigt, *Abb. 61*[5]. Christus steht auf einem zähnefletschenden Löwen, um den sich eine Schlange windet. Der Widder, der stellvertretend für Isaak geopfert wird, steht in der Achse mit dem Haupt des Löwen. Die rechte Hand Christi ist zerstört; sie hielt wahrscheinlich den Rotolus. In unserem Zusammenhang ist es aufschlußreich, daß der auf den Tieren stehende Christus unmittelbar neben dem alttestamentlichen Typus des Opfertodes Christi dargestellt ist, denn von daher wird seine Deutung als Bild des Auferstandenen, der den Tod überwand, schon für das 4. Jh. wahrscheinlich.

Aus der frühchristlichen Kunst sind noch mehrere Darstellungen des Christus victor in verschiedenen Zusammenhängen bekannt. In der Kleinkunst zeigen ein Goldglas aus Ostia, 4./5. Jh., und einige Öllämpchen aus Ton diese Christusgestalt. Von einem Tonlämpchen bilden wir eine Nachzeichnung, *Abb. 60*, ab: Christus steht in frontaler aufrechter Haltung auf der Schlange und setzt den Kreuzstab auf sie. Links und rechts ist

---

1. RAC IV, 178—180 (C. Andresen).

2. E. Weigand, Zum Denkmälerkreis des Christogramm-Nimbus, in: Byz. Ztschr. 1932, S. 72 ff.

3. Vgl. die Glosse von Hieronymus, MPL 113, col 1251 B.

4. MPL 36, 727 f. nach Herbert Schrade, Das Paradies und die Imago Dei, in: Probleme der Kunstwissenschaft, 2. Bd., Berlin 1966, S. 171. Vgl. auch E. Dinkler-von Schubert, Der Schrein der heiligen Elisabeth zu Marburg, Marburg 1964, S. 26 u. S. 124, Anm. 726.

5. Gesamtfront siehe bei J. Wilpert, Sarkophage I, CXII, 2.

je ein schlangenartiges Tier, Aspis und Basilisk und darunter der Löwe eingefügt. Zwei Engel verehren den Sieger. Dem Psalmvers kommt diese Darstellung durch die Wiedergabe der vier Tiere und der Engel, deren Funktion umgedeutet ist, sehr nahe. Im Baptisterium der Orthodoxen in Ravenna zeigt ein Stuckrelief, um 450, *Abb. 62*, eine jugendliche Christusgestalt, die das Kreuz geschultert trägt und das offene Buch in der linken Hand hält. Christus tritt auf den Kopf von Löwe und Drachen. Die Darstellung bezieht sich in einer Taufkapelle auch auf die Taufe, die den eschatologischen Sieg über Sünde und Tod bewirkt. Das Mosaik der Märtyrerprozession in S. Apollinare Nuovo in Ravenna zeigt zu Beginn den ravennatischen Palast. Im Tympanon des Hohen Tores befindet sich ein Mosaik, das Christus mit dem geschulterten Kreuz wiedergibt. Er steht zwischen zwei Aposteln und tritt auf die Schlange, *Abb. 63*. Es wird angenommen, daß ein solches Mosaik tatsächlich eines der Tore Ravennas schmückte[6]. Ein weiteres Mosaik mit der Darstellung des siegreich auf dem Löwen und dem Basilisk stehenden Christus befand sich nach einem von Bischof Agnellus überlieferten Titulus in der ehemaligen – von Galla Placidia gestifteten – Kirche S. Croce in Ravenna. Dieses Mosaik stand an der Innenseite über dem Eingang. Noch heute ist an der gleichen Stelle in der Erzbischöflichen Kapelle, Ravenna, ein Mosaik, das um 500 entstand, teilweise im Original erhalten, *Abb. 64*. Der jugendliche Sieger trägt unter dem purpurfarbenen Königsmantel (Chlamys) das Panzerhemd und ist so als »Christus militans« gekennzeichnet. In dem offenen Buch ist sein Selbstzeugnis zu lesen: »Ich bin der Weg, die Wahrheit und das Leben«[7]. Die Tatsache, daß aus einem Zeitraum von 50 Jahren dreimal das Bildmotiv in Ravenna erhalten und eines überliefert ist, zeigt seine Verbreitung, die wohl auch für andere Kunstzentren angenommen werden darf. Es liegen bezüglich der Anzahl der Tiere drei verschiedene Varianten vor.

Die im 4. und 5. Jh. ausgebildeten Motive werden in die Darstellungen des Mittelalters übernommen: der Kreuzstab, den Christus als Siegestrophäe geschultert trägt oder auf eines der Tiere stößt, das offene Buch, das Panzerhemd, der verehrende Engel und die vier Tiere, von denen mehrmals nur zwei wiedergegeben sind. Bis zum 13. Jh. kommt der Darstellungstypus häufiger vor, oft als Psalterillustration. Als sich das Bild der Auferstehung des Herrn verbreitet, tritt er zurück, hört aber nie ganz auf. Er wird dann in der Kunst der Reformation aufgrund der theologischen Verbindung von Höllenfahrt und Auferstehung neu formuliert und in der Barockzeit in die Darstellung des Triumphes des Auferstandenen übernommen. Aus der nachikonoklastischen byzantinischen Kunst sind keine Darstellungen bekannt.

Der Sieg des göttlichen Helden über die dämonische Macht der Finsternis war den Germanen eine vertraute Vorstellung. Es ist deshalb nicht verwunderlich, daß schon die vorkarolingische Kunst Umformungen und Bereicherungen durch eigene Bildvorstellungen des von der Spätantike überlieferten Darstellungstypus vornahm. Die Ritzzeichnung des 7. Jh. auf der einen Seite des merowingischen Grabsteins aus Niederdollendorf am Rhein, im Landesmuseum Bonn, zeigt Christus als Sieger über den dämonischen Gewalten, *Abb. 65*. Sein Haupt ist von einem sonnenartigen Strahlennimbus umgeben. Anstelle des Kreuzstabes trägt er eine Lanze, die als germanisches Königssymbol ihn als Himmelskönig kennzeichnet. Der Kreis auf der Brust ist wahrscheinlich die Bulla, die nach etruskischer Tradition der Triumphator bei Triumphzügen trug[8]. Christus als lichtumstrahlten Himmelskönig aufzufassen, entspricht dem Geist des späteren Heliand. Die ineinandergreifenden Zickzacklinien, in denen manche Interpreten eine Schlange sehen, sind kürzlich als ein »verflochtener dämonischer Wurm« gedeutet worden. Auch wenn es sich hier um ein vorchristliches dämonisches Zeichen handelt, so kann doch in dieser

---

6. Die Palastarchitektur stammt noch aus dem ursprünglichen Mosaikfries, 520—526, während die damit in Zusammenhang stehenden Figuren der Märtyrerprozession nach der Herrschaft Theoderichs entfernt oder durch andere ersetzt wurden.

7. Der untere Teil des Mosaiks war zerstört, ist aber aus den Reststücken und Ergänzungen wiederhergestellt worden.

8. Vgl. Art. Bulla in RAC 2, 800 f., und Enciclopedia Italiana, Bd. VIII, S. 104.

Darstellung höchstwahrscheinlich die älteste erhaltene Umformung des frühchristlich-spätantiken Bildtypus des Christus victor im merowingisch-fränkischen Kulturbereich gesehen werden[9].

Das 4,50 m hohe schottische Hochkreuz von Ruthwell, vermutlich 3. Drittel 8. Jh., zeigt auf der Westseite eine Darstellung des über zwei Tieren stehenden Christus[10]. Sie wird manchmal der Gruppe der Christus-victor-Darstellungen zugerechnet, doch legen die Inschrift »Bestiae et dracones cognoverunt in deserto Salvatorem mundi« und die erhobenen und gekreuzten Pranken der Bestien eine andere Deutung nahe. Die Tiere beten Christus, den Retter der Welt, an (vgl. Mk 1,13). Es ist eine alte jüdische Vorstellung, daß im Messianischen Reich die Tiere Gott dienen und ihn verehren (Apok Baruch LXXIII, 6), die in die Versuchungsgeschichte aufgenommen wurde. Darauf bezieht sich die Inschrift. Über Christus ist zu lesen: Jesus Christus, der nach Billigkeit richtet (Judex aequitatis). Der Akzent liegt also nicht bei dem Triumph über die besiegten Todesmächte, sondern bei der Anerkennung des Siegers und Richters. Eine ähnliche Darstellung befindet sich auf dem Newcastle-Cross.

Eindeutiger als auf dem Niederdollendorfer Grabstein ist in der Figur auf einer Miniatur einer westgotischen, von der irischen Kunst beeinflußten Handschrift Christus zu erkennen, *Abb. 66*. Er hat den Kreuznimbus, hält in der Linken das Buch seiner neuen Königsherrschaft und hebt die Rechte sprechend vor die Brust. Dieser Gestalttypus des sich offenbarenden göttlichen Lehrers ist in der frühchristlichen Kunst geprägt worden, siehe unten, und wurde hier für die Darstellung des auf den Tieren stehenden Christus verwendet. Die beiden Tiere sind übereinstimmend als Drachen wiedergegeben. Dadurch ergibt sich eine Ähn-

lichkeit mit der gleichzeitigen Darstellung des Daniel zwischen zwei Löwen, die nicht zufällig oder stilbedingt sein dürfte, da der Gehalt beider Bildaussagen in Beziehung zueinander steht. Auf den Schultern der Christusgestalt stehen zwei nimbierte Vögel, die als Antithese zu den Tod und Satan vertretenden Tieren Sinnbilder der Licht- und Geistesmacht sind. In der weiteren Entwicklung des Bildtypus kommen außer den vier Tieren, auf die Christus tritt, häufig auch zwei völlig gleich gestaltete Tiere vor, zum Beispiel auf der Krücke eines englischen Bischofsstabes aus Alcester, 11. Jh., *Abb. 67*.

Aus karolingischer Zeit sind drei Elfenbeintafeln erhalten, die alle vier Tiere zeigen. Aspis ist eine Giftschlange. In Ps 58(57),5 f. wird das Wüten der Gottlosen mit ihr verglichen; es heißt da von ihr, daß sie ihr Ohr verstopft, um die Stimme des Beschwörers nicht zu hören. Die Bestiarien schildern, wie sie ein Ohr an die Erde legt und das andere mit dem Schwanz verstopft. Das wird einerseits als die Verstocktheit des Judentums, andererseits allgemein als die Sünde und Verhärtung des Herzens gedeutet[11]. Der Löwe war in der Spätantike ein Sinnbild des Todes; heidnische Sarkophage tragen im 3. Jh. Löwenköpfe. 1 Petr 5,8 geht der Teufel wie ein brüllender Löwe umher; vgl. 2 Tim 4,17; Hebr 11,33[12]. Unter dem Basilisk verstand man eine giftige Schlange mit einem Kopfschmuck, der wie eine kleine Krone wirkt. Seine Gefährlichkeit, die man ihm von altersher zusprach, geht auch aus Jes 59,5 und Jer 8,17 hervor. In Bestiarien wird er auch als Mischwesen von Hahn und Schlange geschildert, das mit seinem Gifthauch Tiere und mit seinem Blick Menschen töten kann. Später sind im Speculum ecclesiae des Honorius Augustodunensis (1. H. 12. Jh.) die Tiere theologisch erklärt worden: Aspis = Sünde; Basilisk

---

9. Hajo Vierck behandelt in: Ein Relieffibelpaar aus Nordendorf, Bayer. Vorgeschichtsblätter, 32, Heft 1/2, 1967, im Zusammenhang anderer Werke dieser Zeit den Krieger auf der anderen Seite des Grabsteins aus Niederdollendorf und deutet, von den vorchristlichen Zeichen dieser Darstellung ausgehend, das Gebilde, auf dem Christus steht, als einen dämonischen Wurm.

10. Publiziert und erläutert von F. Saxl, The Ruthwell Cross, in: Journal of the Warburg and Courtauld Institute, 6, 1943, S. 1 ff. Ferner Meyer Schapiro, The religious

meaning of the Ruthwell Cross, in: The Art Bulletin, 1944, Bd. 26, S. 232 ff., R. T. Stoll / J. Roubier, Britannia Romanica, Wien und München 1966, S. 308, Abb. 121. Saxl datiert das Kreuz Ende 7. Jh. Da aber Verse des Gedichtes »Der Traum vom Kreuz«, das man heute Cynewulf zuschreibt, der um 750 in Nordhumbrien geboren wurde, eingeritzt sind, kann es erst im 3. Drittel des 8. Jh. entstanden sein.

11. Literatur des Mittelalters s. RDK I, 1147 ff.

12. Siehe zum Löwen unten Kap. Symbolik.

= Tod; Löwe = Antichrist; Drache = Teufel. Vorstufen zu dieser Deutung finden sich bereits bei Augustin.

Auf einem Diptychonflügel von Genoels-Elderen,
Rhein-Maas-Gebiet, letztes Drittel 8. Jh., *Abb. 70*,
steht der bartlose jugendliche Christus mit geschultertem Kreuz und dem geschlossenen Buch in der Hand
zwischen zwei Engeln. Er tritt auf Löwe und Drache,
Aspis und Basilisk. Die Inschrift oben bezieht sich auf
Ps 90(91),13. Im Nimbus steht: »Rex«. Diese Bezeichnung ist bei diesem Bildtypus selten, kommt aber beim
Typus des thronenden Christus mehrfach vor. Der
fünfteilige Flügel eines Elfenbeindiptychons im Museo
Sacro des Vatikans diente ursprünglich zusammen mit
dem 2. Flügel, der sich im Victoria and Albert Museum
London befindet, als Einband für das Lorscher Evangeliar, um 810, *Abb. 71*. In der Mitte, unter einem
Arkadenbogen, steht Christus auf dem Rücken des
Löwen und des Drachen. Aspis und Basilisk schlän-
geln sich an beiden Seiten. Der Triumphierende hält
nicht das Stabkreuz, wie auf fast allen Darstellungen
dieses Bildtypus, sondern hebt lehrend im antiken
Redegestus die eine Hand, in der andern hält er das
Buch. Das kämpferische Moment, das auf anderen Darstellungen durch das geschulterte Kreuz gegeben ist,
fällt hier weg. Zwei Engel mit Zeremonienstäben und
rotolus in Händen schreiten auf Christus zu, zwei
weitere halten oben die crux triumphalis im Clipeus
über dem Sieger. Im unteren Teil des Diptychons
nimmt das Kind die Huldigung der Magier entgegen.
Das Elfenbeindiptychon geht wie das von Genoels-
Elderen auf spätantik-christliche Vorbilder zurück.
Der andere Lorscher Buchdeckel stellt die thronende
Gottesmutter und unten die Geburt Christi dar.

Bewegter und in der Gewandbildung reicher ist die
sieghafte Christusgestalt auf dem Buchdeckel der Bodleian Library Oxford, Anfang 9. Jh., *vgl. Bd. 1, Abb.
427*. Sie steht, wie auf der Tafel von Genoels-Elderen,
auf den vier Tieren, doch schlängelt sich die Aspis seitlich bis zur Hand Christi hinauf, die das geöffnete Buch
hält. In dem Buch ist zu lesen: IHS XPS und SUP(er)
ASP(idem) – Jesus Christus über der Aspis. Im Rand
sind vier Bildmotive aus der Kindheitsgeschichte Jesu,
seine Taufe und sechs Wunder dargestellt. In den Wun-

13. Siehe RDK I, 1488 ff.

dern hat sich Christus, der im Hauptbild in der Erhöhung gezeigt wird, auf Erden als der Herr über
Sünde und Tod erwiesen. Ebenso wie die Lorscher Einbanddeckel ist auch dieser in der Hofschule Karls d. Gr.
gearbeitet worden, zwar von verschiedenen Händen
und nach verschiedenen Vorlagen, insgesamt aber stehen beide künstlerisch der christlichen Spätantike noch
nahe. Auf den drei Buchdeckeln sind, jedesmal in anderer Weise, die Inkarnation des Herrn und sein Sieg
über den Tod zueinander in Beziehung gesetzt. Die
Buchmalerei gibt häufig nur zwei Tiere wieder: Drache
und Löwe oder Schlange (Aspis) und Löwe; der Basilisk ist allerdings vom Drachen oft nicht zu unterscheiden. Auf einer Textillustration in den Homilien Gregors d. Gr., die um 800 in Oberitalien (Nonantola)
geschrieben wurden, *Abb. 72*, setzt Christus seinen Fuß
nur auf den Nacken des Löwen. In dem geöffneten
Buch, das er in der Linken hält, ist »Lux« zu lesen. Er
ist nicht der Kämpfer im Sinne des Christus militans,
sondern der Christus, der als das Licht der Welt die
Finsternis besiegt.

Dagegen gibt die Illustration zu Ps 91(90),13 im
Stuttgarter Psalter, 820–830, nordfranzösisch, *Abb. 69*,
die Gestalt des Christus militans im Panzerhemd wieder, die offensichtlich auf ein frühchristliches Werk
zurückgeht. Mit dem Fußtritt ist der Lanzenstoß in das
Maul des Drachen verbunden. Der Sieg wird anerkannt und bestätigt durch die Dextera Dei, der Sieger
wird verehrt von einem herbeieilenden Engel. Die
Überwindung der Satansmächte ist auf diesem Blatt
zur Versuchung Christi in Beziehung gesetzt, die oberhalb des triumphierenden Christus dargestellt ist *(vgl.
Bd. 1, Abb. 389)*. In einer Psalterhandschrift aus St.
Bertin, 989–1008, *Abb. 85*, ist diese Beziehung noch
unmittelbarer zum Ausdruck gebracht. Christus, der
auf Löwe und Drache steht, ist ein kleiner schwarzer
Satan gegenübergestellt: der Versucher, der Christus
mit beiden Händen Steine reicht. Demonstrativ hält
ihm Christus das Buch – das Wort Gottes – entgegen,
Mt 4,4.

Die Psalterillustration deutet jedoch nicht nur Ps
91(90) durch ein Bild des Christus victor, sondern auch
Ps 68(67),2 und Ps 65(64), einen Psalm, der zu Lesungen der Totenmesse gehört. Im Utrecht-Psalter, Reimser Schule, um 830, illustriert ihn eine Motivkompo-

sition, die deutlich macht, daß der Christus victor auf den Tieren als der Auferstandene verstanden wurde[14]. Wir bilden nur den oberen Teil der Illustration ab, *Abb. 68*. In einem großen Kreis, der die Figuren umschließt, stehen die Tierkreiszeichen. Er bezieht sich somit auf das Jahr, das Gott mit seiner Güte krönt, Vers 12, aber auch auf den Ablauf der Zeit. Die Verse 8 und 9 sprechen von den wechselnden Geschehnissen, vom Kommen und Gehen der Menschen und Völker und von den Zeichen Gottes, vor denen sich die Menschen fürchten. Christus steht auf einem Berg und tritt auf Löwe (Tod) und Drache oder Aspis (Teufel). Während er seinen Kreuzstab, der in den Jahreskreis hineinragt, in den Rachen des Drachen stößt, neigt er sich sprechend zwei Männern zu. Begleitet wird der Auferstandene von zwei Engeln; unterhalb von ihnen entsteigen zwei Männer (nur einer in diesem Ausschnitt teilweise sichtbar) ihren Sarkophagen und strecken ihre Hände Christus entgegen. In der gleichen hochgereckten Haltung lobpreisen neben den Gräbern fünf Männer den erhöhten Herrn.

Auch Ps 91(90) ist im Utrecht-Psalter illustriert, *Abb. 73, Ausschnitt*, doch in dieser Christusgestalt mit dem Speer in der Hand wird der Kampf und die Anstrengung verdeutlicht, die der Speerstoß und, in der Gegenbewegung, der Fußtritt erfordern. Ein kriegerischer Engel krönt den Kämpfer mit dem Siegeskranz. Zu Beginn des 9. Jh. war das abendländische Bild Michaels als Drachentöter schon bekannt; ein Elfenbeinrelief der Hofschule Karls d. Gr. (Leipzig) mit dieser Darstellung wird um 814 datiert[15]. So ist es sehr wohl möglich, daß der Speerstoß in den Rachen des Drachen schon im 9. Jh. von Michaelsdarstellungen übernommen wurde. Die anderen Bildmotive der Illustration beziehen sich auf weitere Verse des Psalms. Die zentrale Figur innerhalb des erregten Kampfgeschehens ist Christus, der siegreiche Kämpfer. Er ist eine der vorherrschenden Gestalten der karolingischen Kunst.

Aus dem 11. und 12. Jh. sind eine Reihe sehr verschiedener Darstellungen erhalten, die den Akzent entweder auf das sieghafte Stehen auf den Bezwungenen und das demonstrative Halten von Kreuz und Buch oder aber auf den Kampf mit den feindlichen Mächten legen. Zur ersten Gruppe gehören die Darstellungen des Werdener Psalters, 2. Viertel des 11. Jh., *Abb. 74* – durch die Mandorla ist die Erhöhung des Siegers betont –, und des Psalters aus Peterborough, um 1000, *Abb. 76*. Hier klingt das Motiv des Emporschreitens an, allerdings nur gering. Es gibt der Figur eine Leichtigkeit, aber keine Aufwärtsbewegung. Ein Steinreif krönt das Haupt des siegreichen Königs. Die Darstellungen der anderen Gruppe sind viel bewegter. Der Kreuzstab erhält oft das Speereisen, so daß er, wie schon im Utrecht-Psalter, Waffe und Siegeszeichen zugleich ist. Die Illustration im Hamilton-Psalter, Ende 11. Jh., der ältere Vorlagen benutzt, *Abb. 75*, zeigt alle vier Tiere mit gewundenen Drachenschwänzen; sie gehen feindselig aufeinander los. König David weist auf die Erfüllung seiner Prophetie. Auf einer Kanonseite im Arenberg-Evangeliar, 11. Jh., *Abb. 78*, liegt die Bewegung vor allem in der Christusgestalt. Die calcatio ist verbunden mit einer starken Kontrapoststellung, die den Eindruck eines energischen Emporschreitens erweckt. Dieser große Schritt nach oben bei bildparalleler Körperhaltung ist für eine Gruppe der byzantinischen Anastasisdarstellung typisch und hat dort den gleichen Sinn der Erhöhung nach dem Sieg wie hier. Die beiden verehrenden Engel werden, ebenso wie die Gestalt des Siegers, von einer dramatischen Bewegung erfaßt[16]. Auf den süditalienischen Exultetrollen des 10. bis 12. Jh., die als Illustration der Ostertexte mehrmals die Höllenfahrt wiedergeben, findet sich neben dem auf dem Hades oder Teufel stehenden Christus die Inschrift »Christus victor«. Daraus geht hervor, daß das hohe Mittelalter in dem als Sieger auf den Tieren stehenden Christus und in dem Tod und Hölle überwindenden Christus gleichermaßen den Auferstandenen sah.

Der ebenfalls angelsächsische Albani-Psalter, 1. Hälfte 12. Jh., fügt der Initiale E – exurgit Deus – zu Ps 68(67),2: »Es steht Gott auf, daß seine Feinde zerstreut

---

14. Vgl. E. T. De Wald, The Illustrations of the Utrechtpsalter, Princeton/Leipzig 1932, und H. Schrade, 1966, S. 172 ff.

15. Vgl. Abbildung, Bd. 4.

16. Eine Apokalypsehandschrift um 1000, Trier, Stadtbibl. Cod 31, zeigt Christus mit einem Fuß auf dem Löwen stehend. Vgl. auch eine bayrische Miniatur, Ende 11. Jh., Cod. CLXI, Badische Landesbibl., Karlsruhe.

werden, und die ihn hassen, vor ihm fliehen« eine Illustration ein, auf der Christus mit aller Wucht auf das eine der Tiere tritt und gleichzeitig den Kreuzstab auf den Kopf des anderen stößt, *Abb. 79*. Die Tiere sind hier teuflische Mischwesen, wie auf den gleichzeitigen Höllenfahrtsdarstellungen. Außerdem ist im Albani-Psalter auch Ps 91(90),13, illustriert, *Abb. 81*. Hier tritt Christus im Schreiten auf die vier Tierköpfe. Er geht über die Tiere, wie es im Psalm heißt. Diese Aktivität der Gestalt, die vor allem der angelsächsischen Darstellung eigen ist, könnte, wie schon für den Lanzenstoß festgestellt wurde, von der Darstellung des Michael als Drachentöter beeinflußt sein, die von der Jahrtausendwende an große Verbreitung findet. Doch kann sie ebenso für diese Christusfigur erfunden sein, um den Kampf mit dem hartnäckigen Feind hervorzuheben. Die Beziehung zwischen beiden Gestalttypen ist offensichtlich. Ein Elfenbeindiptychon des 12. Jh. im Nationalmuseum in Florenz zeigt Christus auf Löwe und Aspis und Michael als Töter des Teufels auf den beiden Tafeln nebeneinander (Abbildung Bd. 4).

Im Gegensatz zu der erfindungsreichen Psalterillustration kehrt auf Elfenbeintafeln, *Abb. 77*, und auf Metallarbeiten des 11. und 12. Jh. die repräsentative Darstellung wieder, wobei das bewegte Gewand allerdings vielfach erhalten bleibt. Der Odo-Schrein, um 1080, zeigt den Sieger über Tod und Satan im königlichen Gewand auf Drache und Löwe stehend, *Abb. 83*, der Hadelinschrein, 1070–1080, *Abb. 86*, im Anschluß an die spätantike und karolingische Kunst im Panzerhemd mit seitlich gehaltener Chlamys. Noch um 1400 kommt dieser alte Typus mit Panzerhemd auf einer florentinischen(?) Majolikaschale vor (Abegg-Stiftung, Bern).

Auf einer Einbandplatte des Hildesheimer Ratmann-Missale, 1159, *Abb. 84*, hält Christus statt des Stabkreuzes die zweigeteilte Weltscheibe – Himmel und Erde – als ein Herrschaftszeichen in der rechten Hand.

Alpha und Omega (Apk 1,8) kennzeichnen ihn ebenfalls als den ewigen Herrscher und den Allmächtigen. Auf dem orbis terrarum steht ein Jeremiazitat: »coelum et terram ego impleo«; in dem geöffneten Buch: »Ego sum dominus deus vester.« Die Weltkugel in der Hand des Christus-Sieger kommt schon auf der Einbandplatte des Poussey-Evangeliars, 1036, vor.

Die Majestasvorstellung findet auf der Silberplatte des Vorderdeckels vom Dalby-Buch, Anfang 13. Jh., durch die zwei Seraphim gesteigerten Ausdruck, *Abb. 87*. Der Auferstandene mit den Wundmalen an den Füßen steht auf einem großen Drachen, der alle Mächte der Finsternis vertritt. Der zu Christus aufblickende Mann links unten (es sind nur Kopf und Schultern zu sehen) ist vermutlich Adam, der als Vertreter der durch den Salvator Mundi erlösten Menschheit oft unter dem Kreuz dargestellt ist und bei der Höllenfahrt vom Auferstandenen aus der Gewalt des Todes befreit wird[17].

Im 12. Jh. greift auch die Bauplastik dann und wann das Thema auf (Relief am Dom zu Ferrara). In Troia (Süditalien) nimmt der sieghafte Christus zwischen zwei Engeln das Tympanonfeld des Nordportals der Kathedrale ein, *Abb. 82*.

Die Hervorhebung der Majestät des Herrn im 12. Jh. führt zu der Verschmelzung des auf den Tieren stehenden Christus mit dem thronenden Christus. Sie ist selten, reicht allerdings in das frühe 5. Jh. zurück, doch fehlen bis zum 12. Jh. weitere Beispiele[18].

Die Vorderfront des sogenannten Pignatta-Sarkophags, 400–410, in Ravenna, *Abb. 88*, *Ausschnitt*, *Gesamt vgl. Abb. 628*, zeigt Christus zwischen zwei akklamierenden Aposteln. Er setzt die Füße auf Löwe und Drache und hebt die rechte Hand; der Gestus ist nicht mehr zu erkennen. Der Darstellungstypus gehört der frühchristlichen Gruppe des herrschenden Christus

---

17. Die Deutung dieses männlichen Kopfes als Adam verdanke ich den Herren Tue Gad und Kare Olsen, Kopenhagen, Kgl. Bibliothek. Literatur zu dem Einband: C. A. Jensen, Greek and latin manuscripts X–XIII centuries in Danish collections, Copenhagen 1921, S. 10.

18. Man könnte vielleicht die Illustration zu Ps 72 (71) des Utrecht-Psalters in dem Zusammenhang sehen: Christus thront in einer von zwei Engeln getragenen Mandorla und tritt mit seinen Füßen auf eine nackte menschliche Gestalt, die aber im Zusammenhang des Textes, Vers 4, als Lästerer bzw. Bedränger zu deuten wäre. Doch kann in ihr auch der vom Auferstandenen überwundene Tod gesehen werden. Vgl. unten die Illustration zu Ps 110 (109) der gleichen Handschrift, Abb. 672.

an, die immer als eine Repräsentation des erhöhten Christus im Paradies gemeint ist. An jeden der Apostel schließt sich eine Palme an, die zu den Symbolen des Paradieses zählt, ebenso der Phönix auf der einen Palme[19].

Fast gleichzeitig mit dem Einband des Ratmann-Missale in Hildesheim entstand das Metall-Altarretabel aus Lisbjerg, um 1150, das sich im Nationalmuseum in Kopenhagen befindet, *Abb. 90, Ausschnitt*. In der Mitte der oberen Bildreihe thront Christus. Außer den Buchstaben Alpha und Omega sind ihm die Gestirnzeichen Sol und Luna (vgl. Bd. 2, Kreuzigung, vor allem S. 15 und 120f.) zugeordnet. Bei der Verschmelzung der beiden Darstellungstypen fällt das für den Christus victor typische Siegeskreuz weg; Christus hebt segnend oder sprechend die rechte Hand. Das Buch ist Attribut beider Christustypen. Die Tiere unter den Füßen Christi sind auf dem Antependium als zwei Löwen wiedergegeben.

Hier herrscht ebenso wie bei der Darstellung im Tympanon an der Nordseite des Mainzer Domes, Anfang 13. Jh., wo die Tiere auf einen Drachen reduziert sind, der Majestasausdruck vor, *Abb. 89*. Das ist auch auf einer Miniatur eines englischen Psalters, 1. Viertel 13. Jh., der Fall, *Abb. 91*, wo Christus von den vier Thronwesen umgeben ist. Drache und Löwe sind in der gleichen nach oben schwingenden Haltung wiedergegeben wie oft bei dem stehenden Christus. – Das Aspismosaik im Dom zu Pisa, 1301–1302, zeigt unter den Füßen des Thronenden, der sich durch die Inschrift im offenen Buch als das Licht der Welt bezeugt, die vier im Psalm 91 genannten Tiere, auf die sich eine Inschrift am Thron bezieht, *vgl. Abb. 654*. Innerhalb der Darstellungstypen des thronenden Christus und der Maje-

stas Domini ist im Mittelalter das Siegesmotiv des Fußtritts häufiger zu finden. Den Anstoß für diese Verbindung hat Ps 110(109),1 und 1 Kor 15,25–27 gegeben, *vgl. Abb. 672, 677, 710*[20].

Steht im 12. und auch noch im frühen 13. Jh. beim Christus victor neben dem Kampfmotiv der Majestasgedanke im Vordergrund, so daß es in einer kleinen Gruppe von Werken zur Verschmelzung der thronenden Majestas Domini mit dem Sieger über die Tiere kommt, so wandelt sich vom 13. Jh. an die Gestalt des Christus victor in die des Christus der Auferstehung und nimmt zugleich Züge des Richters und des Schmerzensmannes an. Die Umwandlung des Gestalttypus ist an der Stirnseite des Eleutheriusschreins, vollendet 1247, *Abb. 92*, vollzogen. Die rechte Brust Christi ist entblößt, so daß die Seitenwunde sichtbar ist. In der linken Hand hält er nicht mehr das Buch, sondern die Auferstehungsfahne. Die rechte Hand ist geöffnet erhoben. Diese in ihrer ursprünglichen Bedeutung triumphale Geste ist umgedeutet in die des Vorweisens der Wunde, eine Geste, die oft dem Weltenrichter und dem Schmerzensmann eigen ist (vgl. zu dieser Ostentatio vulnerum Bd. 2, Schmerzensmann).

Andererseits nimmt das Auferstehungsbild manchmal die Drachentötung auf. So ist in einer Handschrift der 2. Hälfte des 13. Jh. des bernhardinischen Auferstehungssermons, *vgl. Bd. 2, Abb. 448 oben*, der auferstehende Christus dargestellt, wie er beim Verlassen des Grabes auf den Drachen tritt. Auf einer Miniatur in einem Collectionar von Ottobeuren, 1181, *Abb. 80*, durchbohrt er, im Sarkophag stehend, mit der Fahne den Drachen, befreit zugleich einen Menschen aus der Hölle und drängt ihn ins Paradies[21].

---

19. Der Sarkophag gehört der Zeit an, in der die Stadt, nachdem der Hof der weströmischen Kaiser nach der Eroberung durch Alarich 401 von Mailand nach Ravenna übergesiedelt war, kulturell aufblühte und sich der Austausch zwischen oströmischen und oberitalienischen Werkstätten vollzog. Siehe J. Kollwitz, Die Sarkophage Ravennas, Freiburg 1956.

20. Ein etwas unbeholfener Meister hat im Tympanon der ehemaligen Klosterkirche in Isen bei Wasserburg am Inn, 1220—1240, Christus unmittelbar auf den Bestien

thronend wiedergegeben. Abbildung in: H. Karlinger, Die romanische Steinplastik in Altbayern und Salzburg 1250–1260, Augsburg 1924, S. 95. Die auf dem Drachenthron sitzende Christusfigur in Plaimpied, 12. Jh., ist vermutlich ebenfalls in diesem Zusammenhang zu sehen.

21. Diese Deutung der Befreiung aus der Hölle geben Schrade und andere. Mir scheint es richtiger, die Pforte als Paradiesespforte zu deuten, denn blühende Pflanzen gehören nicht zur Hölle. Die vier von einem Mittelpunkt

Seine blutenden Wunden weist der auf der Schlange stehende Christus in der J-Initiale eines Lektionars aus Bruchsal vor, 1197–1198, *Abb. 95*. Der Ausdruck des Leidens verdrängt den des Triumphierens oder Kämpfens. Aus der Zeit um 1200 kennen wir weder die Einzelfigur des Schmerzensmannes noch die des Auferstandenen. Um so erstaunlicher ist es, daß hier eine Gestalt des Christus auf den Tieren den Aussagegehalt des späteren Bildes des Schmerzensmannes aufnimmt. In dieser Entwicklungslinie ist auch eine Eckfigur an den Kanzeln von Niccolo und Giovanni Pisano zu sehen, die die Kennzeichen und den Sinngehalt des Christus victor, des Auferstandenen und des Schmerzensmannes in sich vereint, auf die Trinität bezogen ist und durch die Lebensbaumsymbolik auf die mystische Gemeinschaft des Auferstandenen mit den Gläubigen verweist. An der Kanzel des Niccolo im Dom zu Siena, 1266 bis 1268, steht sie an der Ecke zwischen den Bildfeldern der Passion und des Gerichts, *vgl. Bd. 2, Abb. 507;* auf der des Giovanni in S. Andrea zu Pistoia, 1298–1301, *Abb. 94,* zwischen denen der Geburt Christi und der Anbetung der Könige. Christus steht auf zwei Tieren. Er ist nur mit dem Manteltuch umhüllt, wobei die linke Brust unbedeckt ist. Aus der Seitenwunde wächst der Lebensbaum, der sich um die ganze Figur rankt; seine Äste umschließen Selige verschiedenen Alters, die teilhaben an Tod und Auferstehung Christi. In der leichten Knickung des Körpers und der Neigung des Hauptes kommt die Zuwendung des Erlösers zu den Menschen zum Ausdruck. Über ihm erscheint die Hand Gottes und die Taube des Heiligen Geistes, verbunden mit dem leeren Thron, der für Christus bereitet ist, für den, der sitzen wird zur Rechten Gottes, und für den, der wiederkommen wird zum Gericht (zum Thron siehe unten).

In der französischen Kathedralplastik des 13. Jh. ist der repräsentative Typus des Christus über den Tieren mit dem lehrenden Christus verbunden worden. Schon auf der frühmittelalterlichen Miniatur und auf

dem Einbanddeckel des Lorscher Evangeliars hebt Christus die Rechte im Sprechgestus und hält in der Linken das Buch, das nicht nur Attribut des erhöhten Christus ist, sondern auch des lehrenden. Die Sprechgeste ist im Mittelalter zur Segensgeste umgewandelt worden, allerdings wird zwischen Sprech- und Segensgeste nicht immer streng unterschieden[22]. Die auf den Tieren stehende Figur Christi ist in der französischen Kathedralplastik an den Weltgerichtsportalen am Trumeau (Türpfosten) – Chârtres, Paris, Reims, Amiens, Bourges, zum Teil allerdings erneuert – angebracht. Sie ist in der axialen Anordnung auf den Weltenrichter im Tympanon, jedoch auch auf die im Türsturz dargestellte Auferstehung der Toten bezogen. In diesem Zusammenhang repräsentiert sie unter einem neuen Gesichtspunkt als Todesüberwinder die Auferstehung. In der Kathedralplastik des 13. Jh. fehlt die Auferstehung des Herrn aus dem Grab, obwohl sie damals schon verbreitet war. Sie wird durch diese Figur des sieghaften und lehrenden Christus vertreten. Wir bilden die älteste der Figuren ab, die sich am Südportal der Kathedrale in Chârtres befindet, 1. Viertel 13. Jh., *Abb. 93*. Diese Gestalt wird in der französischen Kathedralplastik »Beau Dieu« genannt; sie bildet für mehrere Jahrzehnte in der Entwicklung der Christusgestalt eine Sondergruppe. Die Scholastik sah im Anschluß an die Antike in der Schönheit eine Qualität göttlicher Vollkommenheit, so daß diese Figuren des Auferstandenen nach dem Schönheitsideal der frühen Gotik gestaltet wurden[23].

Der Christus über den Tieren verliert im späten 13. Jh. in der Kunst an Bedeutung, denn es verbreitet sich nicht nur das Bild der Auferstehung Christi aus dem Grabe; gegen 1300 entstehen auch die ersten plastischen Figuren des Auferstandenen, sowohl in Verbindung mit dem Sarkophag als auch als Einzelfiguren, siehe unten. Statt der besiegten Tiere können die schlafenden Grabeswächter als die Vertreter der Todesmacht vom auferstandenen Christus niedergetreten werden.

---

ausgehende Linien können die Paradiesströme sein. Wäre es die Hölle, würde der Mensch rückwärts aus ihr gehen. Bei der anderen Deutung würde er sich beim Hineingehen ins Paradies nochmals zu Christus umwenden. Der kompilierte Text unterstützt diese Deutung.

22. Antiker Redegestus: Daumen und vierter Finger berühren sich, zweiter und dritter sind ausgestreckt. Segensgestus: Daumen, zweiter und vierter Finger berühren sich, dritter und fünfter sind ausgestreckt.

23. Thomas von Aquin, Kommentar zu Ps 43(44).

Wir fügen hier die Abbildung eines Steinreliefs von einem Kreuzfuß des 13. Jh. aus Vallstena (Schweden) ein, *Abb. 96.* Der Auferstandene (Segensgeste, Fahne, entblößte linke Brust) steht auf dem Nacken des einen Schläfers und setzt den rechten Fuß auf den Kopf des etwas höher hockenden Wächters. Dieses Aufwärtsschreiten war bei manchen Darstellungen des Christus victor auch zu beobachten und begegnet, wie erwähnt, ebenso bei dem östlichen Bild der Anastasis (Höllenfahrt). An dem Steinrelief wird in anderer Weise deutlich, daß die calcatio als sinnbildliche Handlung Ausdruck der Todesüberwindung ist und den Sieg des Auferstandenen bedeutet. Dabei kann die Gestalt des überwundenen und niedergetretenen Feindes in den verschiedenen Darstellungstypen sich wandeln (die im Psalm erwähnten Tiere, der Hades, der Teufel, die schlafenden Hüter), die Bedeutung ist immer die gleiche. Auch dieser Zusammenhang rechtfertigt es, den Sieger auf den Tieren dem Bildkreis der Auferstehung des Herrn zuzurechnen.

Um 1500 greift die Druckgraphik diese Christusgestalt wieder auf. Der Heilsspiegel (Speculum humanae salvationes) der Drach'schen Druckerei in Speyer, um 1498, enthält einen Holzschnitt, auf dem der Auferstandene sein großes Kreuz dem auf dem Rücken liegenden Teufel (Ungeheuer) in den Rachen stößt und ihn mit Füßen tritt, *Abb. 97.* Und auf einem Holzschnitt der Schrift »Der geistige Streit« von Ulrich Krafft, 1517, *Abb. 98,* steht der Auferstandene breitbeinig auf Teufel und Schlangen. Die Osterfahne ist zum Kriegsbanner geworden, ihr Zeichen ist der Kruzifixus. Diese kämpferische Christusgestalt entspricht der reformatorischen Anschauung. Es ist der »wunderliche Krieg«, in dem Christus gegen den mächtigen bösen Feind den Sieg errungen hat. Dieser Kampf gegen die Höllenmächte steht im Zentrum der Osterverkündigung Luthers, so daß Auferstehung und Höllenfahrt sehr eng zusammenrücken und die für die Reformation typische Gegenwartsbeziehung erhalten. In der Kunst der Reformation, ausgehend von der Werkstatt Cranachs, kehrt der Auferstandene, der auf dem teuflischen Ungeheuer und auf dem Tod steht und ihnen den Todesstoß versetzt, in den Darstellungen der Erlösung immer wieder, *vgl. Bd. 2, Abb. 532, 534, 535, 537, 538.*

Die Verschmelzung des Auferstehungsbildes mit dem Bild des über die Feinde siegenden Christus ist das ganze 16. Jh. hindurch zu finden und auch von der Kunst der Gegenreformation übernommen. Auf einem Stich des Maerten de Vos von 1585 steht der Auferstandene, der ein wuchtiges Kreuz hält und die Hand segnend hebt, vor dem Sarkophag und tritt auf den Drachen und die Schlange. Er ist von einem großen Sonnennimbus umgeben, und der Himmel senkt sich in Gestalt von lichten Wolken bis zum Grab herab. Ein Gemälde dieses Meisters zeigt den Triumph des Auferstandenen. Statt auf dem Sarg steht er auf dem Drachen und auf dem Tod, *vgl. Abb. 251.* Selbst die plastische Einzelfigur des Auferstandenen kann auf den Tieren stehen, wie schon der »Resurrectus« des Vecchietta in Siena, der Aspis und Basilisk niedertritt, *vgl. Abb. 259.* Schließlich wird die Gestalt des Christus victor durch die des triumphierenden Salvator mundi abgelöst, der auf der Weltkugel steht, die vom Tod und von der Schlange umklammert ist, *vgl. Abb. 261.* So kann dieser Gestalttypus vom 4. Jh. an in der christlichen Kunst in immer neuen Abwandlungen und Verbindungen verfolgt werden. Nach seiner Verbreitung im frühen und hohen Mittelalter tritt er vom Ende des 13. bis zum Ende des 15. Jh. zurück, um dann von der Kunst der Reformation noch einmal aufgegriffen oder neu formuliert zu werden.

Die Höllenfahrt
Christus im Totenreich – Die Anastasis –

Die Evangelien sprechen vom Tod und Begräbnis Jesu, nicht aber von einem Abstieg in das Totenreich. Man bezieht die Hadesfahrt oft auf 1 Petr 3,19 f.: »... Er ist auch hingegangen und hat gepredigt den Geistern im Gefängnis, die vorzeiten nicht glaubten, da Gott harrte ...« Darüber hinaus wurden für das Dogma vom Descensus angeführt und zum Teil in die Osterliturgie aufgenommen: Ps 16(15),10; 24(23),7 f.; 30(29),4; 107(106),13–16; 116(115),3 f.; aber auch Hos 13,14: »Ich will sie erlösen aus der Hölle und vom Tod erretten, Tod, ich will dir ein Gift sein; Hölle, ich will dir eine Pestilenz sein.« Der Eintritt des Sohnes Gottes in den Herrschaftsbereich des Todes mußte damit enden, daß dessen Macht zerbrach. Deshalb ist das Hoseawort, das Paulus als Verheißung der künftigen, endzeitlichen Überwindung des Todes verstanden hat (1 Kor 15,55), in der späteren christlichen Tradition – ebenfalls sachgemäß – bald zur Deutung des Kreuzesgeschehens (vgl. Bd. 2, S. 117), bald zu der der Höllenfahrt herangezogen worden. Den erhöhten Christus läßt der Seher Johannes in der Offenbarung bei der ersten Vision des Menschensohns von sich sagen: »... Ich war tot und siehe, ich bin lebendig von Ewigkeit zu Ewigkeit und habe die Schlüssel der Hölle und des Todes«, Apk 1,18. Dieses Wort ist ein Bild für die durch Tod und Auferstehung errungene Herrschaft Christi über Hölle und Tod und als solches ein Gegenbild zu dem urzeitlichen Sturz des Satans auf die Erde, Apk 12,7–9, dessen Macht durch Christus gebrochen wird.

Die Auffassung der Hölle als Ort der Seelen der Verstorbenen oder als Seinszustand ist in frühchristlicher Zeit nicht einheitlich, da sich alt- und spätjüdische und hellenistische mythische Unterwelts- und Höllenvorstellungen überschneiden oder überlagern[1]. Mit Scheol und Gehenna, die Luther mißverständlich beide mit Hölle übersetzt, sind im AT zwei unterschiedliche Vorstellungen bezeichnet[2]. Die Scheol ist der Aufenthaltsort der Seelen der Abgeschiedenen oder das Schattenreich, in dem Trauer herrscht, da Gott nicht mehr gelobt werden kann. Sie entspricht in der griechischen Mythologie etwa dem Hades, in dem allerdings auch gestraft wurde (Tantalus, Sisyphus). In Hiob 11,8 ist die Scheol der äußerste Gegensatz zum Himmel. Da für die Vorstellungen und das räumliche Denken des Menschen der Himmel als göttlicher Bereich oben ist, lokalisiert man das Totenreich im Innern der Erde, tief unten. Die Gehenna hat ihren Namen vom Tal Hinnom in der Nähe von Jerusalem. Seit die Könige Ahas (734–713 v. Chr.) und Manasse (691–638 v. Chr.) hier Kinder opfern ließen, war es mit Fluch beladen und erhielt im Judentum allmählich die Bedeutung der Hölle im doppelten Sinn, als Ort und Zustand der Got-

tesferne und als Machtbereich des Satans. So wird auch das Wort im Neuen Testament verwandt (z. B. Mt 5,22.29; Jak 3,6). Schon in einzelnen Gruppen des Judentums verbinden sich unter iranischem Einfluß mit dem Totenreich Vorstellungen, die in der Scheol einen Ort der Bestrafung und Läuterung sehen (vgl. auch 1 Kor 3,12–15). In der frühchristlichen Tradition wird die Hölle als Strafort und Zustand der ewigen Verdammnis erst beim Weltgericht wirksam. Einen klaren Unterschied zwischen Totenreich und Hölle macht die apokryphe Schrift »Die Himmelfahrt des Jesaja«, wo Gott zu Christus spricht: »Geh und steige hinab durch alle Himmel und steige hinab zum Firmament und zu dieser Welt, bis zum Engel im Totenreich, aber bis zur Hölle sollst du nicht gehen[3].« 4 Esra 4,41 spricht von verschiedenen Kammern der Scheol, die auch Streifen (lat.: limbus) genannt werden. Im Mittelalter bezeichnete man den Raum für die noch vor der Taufe gestorbenen Kinder als »limbus puerorum«, die Kammer für die Gerechten des Alten Bundes, die Väter, als »limbus patrum«.

Bei anderen christlichen Schriftstellern, zum Beispiel Ephraem dem Syrer (306–373) und Johannes Damascenus (um 700–750), ist das Totenreich bereits aufgespalten; es wird die Hölle als vorläufiger Strafort vom Paradies als vorläufiger himmlischer Ruhestätte für die Gerechtfertigten unterschieden. Das Paradies ist ein Zustand der Gottesnähe, die Hölle dagegen der Gottesferne. Diese Annahme von zwei verschiedenen Stätten des Wartens auf den jüngsten Tag setzt ein vorläufiges Gericht voraus, wie auch das Gleichnis vom reichen Mann und armen Lazarus (Lk 16) und die Vorstellung von der Befreiung der Gerechten aus dem »limbus patrum«. Ps 68(67),7: »Der die Gefangenen ausführt zu rechter Zeit und läßt die Abtrünnigen bleiben in der Dürre« deutete man auf die Befreiung der Gerechten bei der Hadesfahrt.

Der Abstieg Christi in das Totenreich wird schon im 2. und 3. Jh. theologisch nach verschiedenen Seiten hin

---

1. Jos. Kroll, Gott und Hölle. Studien der Warburgbibliothek, Leipzig-Berlin 1932.

2. Das Wort Hölle ist von dem germanischen Wort Hel abgeleitet. So hieß die Beherrscherin des Totenreiches im

Mythos des Nordens. Man nannte auch den Aufenthaltsort der Toten Hel. Im Mittelalter bedeutete die Helle oder später Hölle Strafort.

3. Hennecke-Schneemelcher II, 465.

entfaltet[4]. Aufschlußreich ist eine Passa-Homilie des Melito von Sardes (2. Jh.), in der der Bischof auf die Auferstehung zu sprechen kommt. Er läßt Christus selbst sagen: »Ich habe den Tod zunichte gemacht und über den Feind triumphiert und den Hades mit Füßen getreten und den Starken gebunden und den Menschen zu den Höhen des Himmels geführt, ich, der Christus[5].« Dieser Satz ist wohl so zu verstehen, daß Christus nach seinem Sieg vom Hades zum Himmel emporgefahren sei und die Befreiten mit sich geführt habe. Hier sind drei Feinde genannt, über die Christus triumphiert: der Tod und der Hades und der Starke, unter dem der Satan als der persönliche Feind Gottes zu verstehen ist. Die Bezeichnung Hades wird wie das germanische Hel allgemein im doppelten Sinn gebraucht: für den Ort, in dem die Seelen der Gestorbenen gefangen sind, und für den Beherrscher dieses Totenreiches, der die Seelen verschlingt, wie der Tod die Leiber. Die gleiche Auffassung vom Triumph des Auferstandenen über diese Mächte vertritt Hippolyt in Rom im Eucharistiegebet seiner Kirchenordnung um 200, wo es heißt, daß Christus machtvoll als Gott hinabging, um »den Tod aufzuheben, die Bande (Werke) des Teufels zu zerbrechen, den Hades niederzutreten und die Gerechten zu erleuchten, eine Grenze zu stecken und die Auferstehung kundzutun«[6]. Auch hier sind die drei Mächte genannt, die Christus besiegt[7]. Es tritt außerdem das alte soteriologische Motiv der Erleuchtung der Gerechten, die die Heilsverkündigung in der Unterwelt mit einschließt, hinzu. Offenbar stoßen wir hier auf eine ganz alte Aussage über die Auferstehung. Es war in frühchristlicher Zeit möglich, in Aussagen, die wir zum Thema Höllenfahrt stellen würden, die zentrale Heilsverkün-

digung von Kreuz und Auferstehung zusammenzufassen. Derartige Traditionen haben vor allem im syrischen Raum weitergewirkt[8] und sind von hier aus in das lateinische Taufsymbol eingedrungen: »... niedergefahren zur Hölle ...«.

Vermutlich spielt auch bei Mt 27,52 f., wo von einer Auferstehung der Toten in Jerusalem nach dem Tode Christi die Rede ist, der Gedanke der Hadesfahrt des Herrn herein. Man kann sich die Auferstehung der Toten und ihr Erscheinen in Jerusalem nicht anders denn als eine Vorwegnahme der zukünftigen Auferstehung der Toten vorstellen. Sie gibt dem Glauben die Gewißheit der eschatologischen Teilhabe der Erlösten an der Auferstehung Christi. Bei der bildlichen Darstellung der Hadesfahrt steht Adam an der Stelle der Auferstehenden, sei es als der erste der Gerechten des Alten Bundes, die zu »den Vätern versammelt sind« (östliche Tradition), sei es als der Repräsentant der erlösten Menschheit (westliche Tradition), und zwar im gleichen Sinn, wie er auf vielen Kreuzigungsdarstellungen oder an Kruzifixen die Erlösung durch den Kreuzestod Christi verheißt (siehe Bd. 2, S. 142 ff.). Beide Bildkompositionen stehen im Zusammenhang mit der Adam-Christus-Typologie des Paulus, 1 Kor 15,45 ff. und Röm 5,17 ff.

Die Heilsbedeutung der Auferstehung wurde besonders in den östlichen Kirchen betont. Höchstwahrscheinlich ist die bildliche Darstellung der Hadesfahrt, mit der die Überwindung von Tod und Satan im Herrschaftsbereich des Todes durch den Auferstandenen manifestiert wird, in Syrien oder Palästina entstanden. An der Auferstehung der Toten, dem zweiten Thema der Darstellung, wird die universelle Heilsbedeutung

---

4. A. Grillmeier untersucht in: Der Gottessohn im Totenreich, Zeitschr. f. kathol. Theologie, Bd. 71, 1949, Wien, S. 1—53 u. 184—203, die christologischen und soteriologischen Probleme der Descensuslehre und H.-J. Schulz zeigt in: Die »Höllenfahrt als Anastasis« der gleichen Zeitschr., Bd. 81, 1959, S. 1 ff., die griechische Osterliturgie als Ausgang des Bildes des Abstiegs in das Totenreich — hinsichtlich der Darstellungen sind die Angaben nicht genau. Vor Schulz hat auf diesen Zusammenhang schon A. Baumstark hingewiesen in: Oriens Christianus WS VII/VIII, 1918, S. 164; außerdem in: Festschrift für P. Clemen, 1926, S. 168. Siehe zur Osterliturgie auch Jungmann: Missarum Sollem-

nia, Bd. 1, 1962, 5.

5. Méliton de Sardes: Sur la Paque, ed. O. Perler (Sources Chrétiennes 123). Paris 1966, 780.

6. La Tradition Apostolique de saint Hippolyte, essai de reconstitution par B. Botte (LQF 39). Münster 1963, S. 14.

7. Zur Überwindung des Satans siehe 1 Kor 15,26. 54 f.; Röm 5,12; 1 Joh 3,8; Hebr 2,14.

8. Das Material hierfür findet sich bei A. F. J. Klyn, The acts of Thomas. Suppl. Nov. Test. V, Leyden 1962, S. 189 ff. »The descensus ad inferos an integral part of Syriac christology«.

der Auferstehung Christi sichtbar. Der personifizierte Hades, den der Auferstandene niedertritt, ist immer zugleich der Tod und der Satan.

Das Niedertreten des Feindes geht als Bildmotiv ebenso wie bei der Darstellung des »Christus victor« auf den symbolischen imperialen Ritus der calcatio zurück. In beiden Darstellungstypen verschlingen sich – wie wir gesehen haben – alttestamentliche Überlieferungen und geprägte Bildformen der antiken Herrscherdarstellung – beide bedeuten Auferstehung. In dem Osterbild der Ostkirche sind der Abstieg (Katabasis) und der Aufstieg (Anabasis) ebenso eine Einheit wie beim Kruzifixus Kreuzestod und Auferstehung. Die Akzente können bei der Hadesfahrt gleich der theologischen und bildlichen Interpretation des Kreuzestodes nach der einen oder anderen Richtung etwas verschieden gesetzt werden – die Einheit bleibt hier und dort gewahrt. Sie ist in der Ostkirche das kanonisierte Osterbild, das Anastasis genannt wird. Die karolingische Kunst macht sich nicht das östliche Bild des Christus im Totenreich zu eigen; sie hat das Bild des sieghaften Christus auf den Tieren. Außerdem klingt das Niedertreten des Feindes im Bild des Kruzifixus an, wenn unter dessen Füßen sich die überwundene Schlange windet. Johannes Scotus fußt zwar in seinen Hymnen auf den Sieg des Erlösers am Kreuz auf der Schilderung des descensus im Nikodemusevangelium, siehe unten, ersetzt jedoch Hades durch serpens und draco[9].

Beim östlichen Bild gehört zum Abstieg ins Totenreich das Zertrümmern der Hadestüren und die Unterwerfung der Feinde – zum Aufstieg die Befreiung der Gefangenen, das Herausreißen aus der Todeswelt. Diese Befreiung der Gefangenen, die durch das Ergreifen des Handgelenks des vor seinem Retter knienden Adam

veranschaulicht wird, geht gleichfalls auf einen antiken Bildtypus zurück, auf den Kaiser liberator oder restitutor, den Befreier der Unterdrückten, der die vor ihm knienden Bittsteller oder die Vertreter der besiegten Provinz emporzieht.

Wie früh schon die antike Symbolik christlich gedeutet wurde, zeigen die kurzen Formeln, mit denen Melito von Sardes (gest. 190) und andere Theologen von der Auferstehung sprechen, was nur möglich war, weil sie dem Volk bekannt war[10].

Ein weiterer wichtiger Faktor in der Interpretation des Abstiegs Christi in die Unterwelt ist die Lichtsymbolik, die häufig mit Theophanien verknüpft ist (vgl. Bd. 1, Taufe, Verklärung). Parallel zur räumlichen Bezeichnung: oben – unten, Himmel – Hölle tritt die: hell – dunkel, Licht – Finsternis. Ihr entspricht die symbolische Bedeutung von Westen (Untergang, Grab, Tod) und Osten (Sonnenaufgang, Leben, Auferstehung)[11]. Die Verse 5 und 34 des 68(67) Psalms, der zur Osterliturgie gehört, wurden immer wieder in Verbindung mit dem Untergang der Sonne nach Westen und ihrem Aufgang im Osten als Gleichnis für Sterben und Auferstehen interpretiert. Athanasius sieht in dem Satz: »Machet Bahn dem, der durch die Wüste herfährt« das Kommen des Herrn vom Westen ausgedrückt und erklärt es als das Erscheinen Gottes auf Erden und als seinen Hinabstieg bis zur Unterwelt. Zu Vers 34 gibt er den Vergleich: »Wie nämlich die Sonne vom Osten zurückkehrt, so ist auch der Herr wie von den Tiefen des Hades zum Himmel der Himmel aufgestiegen[12].« Der schon zitierte Melito von Sardes verwendet das Sonnengleichnis in einer Taufexegese (Über das Taufbad). In unserem Zusammenhang ist daraus folgender Vers wichtig: »Der König der Himmel, der Herzog der

---

9. MPL 122, col 233 ff.

10. Grabar macht in: L'empereur dans l'art byzantin, Paris 1936, S. 246 ff., als erster darauf aufmerksam, daß die beiden Bildvorstellungen der römischen Imperialkunst in das Bild der Hadesfahrt übernommen wurden. Bei seiner Begründung, die Schilderung der Hadesfahrt in den Apokryphen reiche zur Formulierung des Bildes nicht aus, übersieht er allerdings, daß diese nicht als einzige literarische Quelle für das Bild in Frage kamen, sondern die Liturgie, die Predigt und das theologische Schrifttum ebenso diese Vorstellungen vermittelten. Zur Handergreifung

siehe: W. Löschke, Der Griff ans Handgelenk, Skizze einer motivgeschichtlichen Untersuchung in: Festschrift für Peter Metz, Berlin 1965, S. 46–73.

11. F. J. Dölger hat diese Symbolik im frühen Christentum ausführlich verfolgt, ausgehend von der Ostung im persönlichen Gebet und in der Gemeinde-Liturgie: Sol Salutis — Gebet und Gesang im christlichen Altertum, Münster 1952. Hier auch ein Kapitel: Christus als Sonne im Totenreich.

12. Athanasius, Expositio in Psalmum 67, MPG 27, 295 B und 303 D, nach Dölger, S. 340.

Schöpfung, die Sonne des Aufgangs, die auch den Toten im Hades schien und den Sterblichen auf Erden. Als allein wahre Sonne ging er auf in Himmelshöhen[13].« Neben vielen anderen Väterstellen ist noch ein Wort aus einer Homilie auf den Großen Sabbat, den Karsamstag, die Ephiphanius (315–403) zugeschrieben wird, aufschlußreich: »Sie haben den großen Samson gebunden, den Sonnen-Gott; er aber hat die Fesseln der Welt zerrissen und die gottlosen Fremdlinge vernichtet. So tauchte auch die Gott-Sonne Christus unter die Erde hinab und bereitete nächtliches Dunkel für die Juden. Heute ist das Heil derer über der Erde und der Toten unter der Erde. Heute ist das Heil der Welt teils sichtbar, teils unsichtbar ... die Tore des Hades öffnen sich. Die ihr vom Leben abgeschieden seid, freuet euch! Die ihr in Finsternis und Todesschatten saßet, empfanget das große Licht. Unter den Dienern verweilt der Herr, unter den Verstorbenen der Gott, unter den Toten das Leben ... mit denen in der Finsternis das Licht ohne Abend, mit den Gefangenen der Befreier ...[14]« Schließlich noch ein Zitat aus der 4. und 5. Ode des Osterkanons des Johannes von Damaskus (700–750), der während der Morgenfeier des Ostersonntags der Ostkirche gesungen wird: »Heute ist die Erlösung der Welt, denn auferstanden ist Christus, der Allmächtige ... Als die in den Banden des Hades Gehaltenen deine unermeßliche Barmherzigkeit erblickten, da eilten sie zum Lichte, Christus dem ewigen Passa zujubelnd ...[15]« Um 700 sind die frühesten Darstellungen der Hadesfahrt für Syrien und für Rom, das damals durch Päpste des Ostens unter syrischem Einfluß stand, zu belegen. Es ist erstaunlich, daß erst aus so später Zeit für den Abstieg Christi in die Unterwelt, der in der theologischen Exegese und in der Liturgie von früh an einen so großen Raum einnahm, Bildbeispiele mit Sicherheit nachzuweisen sind. Vom 9. Jh. an wird das Bild durch eine Inschrift als Anastasis (Auferstehung) bezeichnet und ist dann – wie erwähnt als kanonisches Auferstehungsbild in die Zwölffestedarstellungen (Dodekaoktion) der griechischen Kirche aufgenommen worden.

Wir fügen nun noch eine volkstümliche Schilderung der Hadesfahrt aus dem apokryphen Nikodemusevangelium des 4. Jh. an, die sich zwar an die theologischen Aussagen hält, die Hadesfahrt aber bis ins Detail wie eine historische Begebenheit dramatisch beschreibt. Der Verfasser läßt sie von den Söhnen des Simeon erzählen, die nach seinem Bericht zu den Toten gehörten, die nach dem Erdbeben beim Sterben Jesu auferstanden und vielen erschienen waren, Mt 27,52 f., also auch hier die Verknüpfung dieser Stelle mit dem Descensus Christi. Obwohl der Hades der Aufenthaltsort der Seelen ist, wird ihre leibhafte Auferstehung wie in anderen Texten als selbstverständlich angenommen. Ähnlich ist es bei Christus selbst. Nur seine Seele geht nach der griechisch-antiken Vorstellung in das Totenreich, und zwar unmittelbar nach seinem Tod – aber es ist Christus als der Menschgewordene und der Auferstandene, der im Reich der Toten wirkt.

Wir geben den apokryphen Text nur geringfügig gekürzt wieder, weil er typisch ist für die Legendenbildung, die immer dann einsetzt, wenn im Ablauf des Wirkens Christi die Evangelien eine Station nicht schildern. In diesem Fall ist sie allerdings an manchen neutestamentlichen Stellen vorausgesetzt[16].

»... Wir weilten also in der Unterwelt mit allen von Anfang der Welt an Verstorbenen. Zu mitternächtlicher Stunde drang in die dortige Finsternis etwas wie Sonnenlicht und glänzte, und Licht fiel auf uns alle, und wir sahen einander. Und sogleich wurde unser Vater Abraham im Verein mit den Patriarchen und Propheten von Freude erfüllt, und sie sprachen zueinander: Dieses Leuchten kommt von einem großen Licht. Der Prophet Jesaja, der dort anwesend war, sprach: Dieses Leuchten kommt vom Vater, Sohn und Heiligem Geist. Das habe ich prophezeit, als ich noch lebte: ... (8,23; 9,1). Da trat in die Mitte ein anderer, ein Asket aus der Wüste. Die Patriarchen fragten ihn: Wer bist du? Er antwortete: Ich bin Johannes, der letzte der Propheten. Ich habe die Wege des Gottessohnes geebnet und dem Volke Buße gepredigt zur

---

13. Dölger, S. 345, nach ihm Grillmeier, S. 13.
14. Dölger, S. 351 ff.
15. Nach H. J. Schulz, 1959, S. 29. Siehe da weitere Texte der Osterliturgie. Johannes von Damaskus ist im Bil-

derstreit des 8. Jh. der bedeutendste Verteidiger des Bildes.
16. Das Nikodemusevangelium wurde später den Pilatusakten eingefügt und ins Lateinische übersetzt, siehe Hennecke-Schneemelcher I, 1959, S. 342, 348 ff.

Vergebung der Sünden. Und Gottes Sohn kam zu mir. Als ich ihn von ferne sah, sprach ich zum Volke: Seht, Gottes Lamm, das die Sünden der Welt hinwegnimmt! (Joh 1,29). ... Und deshalb sandte er mich zu euch, damit ich verkünde, daß der eingeborene Sohn Gottes hierhin kommt, damit, wer an ihn glaubt, gerettet, wer aber nicht an ihn glaubt, gerichtet werde ...

Als Johannes nun die Toten in der Unterwelt so belehrte, da hörte das auch der Erstgeschaffene, der Urvater Adam, und er sprach zu seinem Sohne Seth: Mein Sohn, ich wünsche, daß du den Vorvätern des Menschengeschlechts und den Propheten erzählst, wohin ich dich entsandte, als ich in eine tödliche Krankheit verfiel. Darauf sprach Seth: Propheten und Patriarchen, höret! Mein Vater Adam, der Erstgeschaffene, entsandte mich, als er auf den Tod krank wurde, ganz in die Nähe des Tores zum Paradiese. Ich sollte an Gott die Bitte richten, er möchte mich doch durch einen Engel zum Baum des Erbarmens führen lassen, damit ich Öl nähme und meinen Vater damit salbte und er so von der Krankheit aufstünde. Das tat ich denn auch. Und im Anschluß an mein Gebet kam ein Engel des Herrn und fragte mich: Was wünschest du, Seth? Wünschest du wegen der Krankheit deines Vaters das Öl, das die Kranken gesund macht, oder den Baum, dem solches Öl entfließt? ... Ein Engel sagte zu ihm: Geh also und sage deinem Vater, daß nach Verlauf von 5500 Jahren seit Erschaffung der Welt der menschgewordene eingeborene Sohn Gottes unter die Erde steigen wird. Der wird ihn mit solchem Öl salben. Und er wird auferstehen und ihn und seine Nachkommen mit Wasser und heiligem Geiste taufen ... Da nun alle in solcher Freude waren, kam Satan, der Erbe der Finsternis, und sprach zu Hades: Unersättlicher, Allesverschlinger, höre meine Worte! Da gibt es einen aus dem Judenvolk, der Jesus heißt und sich Gottes Sohn nennt. Er ist (aber nur) ein Mensch, und auf mein Betreiben hin haben ihn die Juden gekreuzigt. Und da er jetzt tot ist, so sei in Bereitschaft, damit wir ihn hier einsperren. Denn ich weiß, daß er (nur) ein Mensch ist, und ich habe ihn klagen hören: Meine Seele ist betrübt bis an den Tod (Mt 26,38). Er hat mir viel Böses in der Welt droben angetan, als er mit den Sterblichen zusammenlebte. Denn, wo er immer meine Diener fand, trieb er sie aus, und alle die Menschen, welche ich bucklig, blind, lahm, aussätzig und dergleichen mehr gemacht hatte, die heilte er durch bloßes Wort, und viele, die ich reif gemacht hatte, begraben zu werden, auch die machte er durch bloßes Wort wieder lebendig. Da sprach Hades: Also so mächtig ist er, daß er durch bloßes Wort derartiges bewirkt? Kannst du ihm, der solches vermag, denn widerstehen? ... Satan erwiderte: Allesverschlingender, unersättlicher Hades, bist du in solche Angst geraten, da du von unserem gemeinsamen Feind hörtest? Ich hatte keine

Angst vor ihm, sondern wirkte auf die Juden ein, und diese kreuzigten ihn und tränkten ihn mit Galle und Essig. Mache dich also bereit, ihn, wenn er kommt, fest in deine Gewalt zu kriegen. Hades antwortete: Erbe der Finsternis, Sohn des Verderbens, Teufel, soeben hast du mir gesagt, er habe viele, die du zum Begrabenwerden reif machtest, durch bloßes Wort wieder ins Leben zurückgerufen. Wenn er also andere vom Grabe befreite, wie und mit welcher Macht wird er da von uns überwältigt werden können? Ich verschlang vor kurzem einen Toten mit Namen Lazarus, und bald danach riß mir einer der Lebenden durch bloßes Wort, mich vergewaltigend, diesen aus meinen Eingeweiden. Ich nehme an, es ist der gleiche, von dem du sprichst ... Deshalb beschwöre ich dich, bei allem, was dir und mir wert ist, bring ihn nicht her! Denn ich glaube, er kommt mit der Absicht hierher, alle Toten aufzuerwecken ...

Während Satan und Hades so miteinander sprachen, ertönte wie Donner eine gewaltige Stimme: Öffnet, ihr Herrscher, eure Tore, gehet auf, ewige Pforten! Einziehen wird der König der Herrlichkeit (Ps 23,7). Als Hades das hörte, befahl er seinen Dienern: Verrammelt gut und kräftig die ehernen Tore ... Denn kommt er herein, wird Wehe über uns kommen. Als die Vorväter das hörten, begannen alle ihn zu verspotten. Sie sagten: Du Allesverschlinger, du Unersättlicher, öffne, damit der König der Herrlichkeit einziehe! Der Prophet David sprach: Weißt du nicht, du Blinder, daß ich, als ich noch in der Welt lebte, einen solchen Ruf: ›Öffnet eure Tore, ihr Herrscher!‹ vorausgesagt habe? Jesaja sprach: Ich habe, erleuchtet vom heiligen Geist, vorausgesehen und geschrieben: Die Toten werden auferstehen, und die in den Gräbern werden auferweckt werden, freuen werden sich die unter der Erde (26,19). Wo ist dein Stachel, Tod? Wo ist, Hades, dein Sieg? (1 Kor 15,55 soll auf Jes 25,8 zurückgehen). Da erscholl wieder die Stimme: Öffnet die Tore! Als Hades die Stimme zum zweitenmal hörte, verhielt er sich wie ein Ahnungsloser und fragte: Wer ist dieser König der Herrlichkeit? Die Engel des Herrn erwiderten: Ein mächtiger und gewaltiger Herr, ein Herr, machtvoll im Kriege! (Ps 23,8). Und zugleich mit diesem Bescheid wurden die ehernen Tore zerschlagen und die eisernen Querbalken zerbrochen und die gefesselten Toten alle von ihren Banden gelöst und wir mit ihnen. Und es zog ein der König der Herrlichkeit wie ein Mensch, und alle dunklen Winkel des Hades wurden licht.

Sofort schrie Hades: Wir wurden besiegt, wehe uns! Aber wer bist du, der du solche Macht und Gewalt hast? ... Bist du Jesus, von dem der Obersatrap Satan uns erzählte, du solltest durch Kreuz und Tod die ganze Welt erben? Da packte der König der Herrlichkeit den Obersatrap Satan am Kopfe und übergab ihn den Engeln mit den Worten: Mit

Eisenketten fesselt ihm Hände und Füße, Hals und Mund! Dann übergab er ihn dem Hades und sprach: Nimm ihn und halte ihn fest bis zu meiner zweiten Ankunft. Und Hades nahm Satan in Empfang und sprach zu ihm: Beelzebub, Erbe des Feuers und der Pein, Feind der Heiligen, was zwang dich, den Kreuzestod des Königs der Herrlichkeit zu veranstalten, so daß er hierhin kam und uns entmachtete? ...

Während Hades so mit Satan sprach, streckte der König der Herrlichkeit seine rechte Hand aus, ergriff den Urvater Adam und richtete ihn auf. Dann wandte er sich auch zu den übrigen und sprach: Her zu mir alle, die ihr durch das Holz, nach dem dieser griff, sterben mußtet! Denn seht, ich erwecke euch alle wieder durch das Holz des Kreuzes. Darauf ließ er sie alle hinaus. Und der Urvater Adam, dem man ansah, daß er voller Freude war, sprach: Ich danke deiner Majestät, Herr, daß du mich aus der tiefsten Unterwelt hinaufgeführt hast. Ebenso sprachen auch alle Propheten und Heiligen. Dann segnete der Heiland den Adam, indem er das Kreuzzeichen auf seine Stirn machte. Und so tat er es auch bei den Patriarchen, Propheten, Märtyrern und Vorvätern. Dann stieg er mit ihnen aus der Unterwelt empor. Während er ging, folgten ihm die heiligen Väter und stimmten den Lobgesang an: Gesegnet sei, der da kommt im Namen des Herrn! Alleluja! (Ps 118,26). Ihm gebührt Ehre und Lob von allen Heiligen.

Der Herr ging also zum Paradiese. Er hielt den Urvater Adam bei der Hand und übergab ihn und alle Gerechten dem Erzengel Michael. Als sie nun durch das Tor des Paradieses einzogen, kamen ihnen zwei Greise entgegen. Die heiligen Väter fragten sie: Wer seid ihr, daß ihr den Tod nicht gesehen habt und in den Hades nicht hinabgestiegen seid, sondern mit Leib und Seele im Paradiese wohnet? Einer von ihnen antwortete: Ich bin Enoch, der Gottes Wohlgefallen erwarb und von ihm hierhin entrückt wurde. Und dieser ist der Thesbiter Elias. Wir sollen leben bis ans Ende der Welt. Dann aber sollen wir von Gott entsandt werden, damit wir dem Antichrist entgegentreten und von ihm getötet werden. Und nach drei Tagen sollen wir wieder auferstehen und auf Wolken dem Herrn entgegen entrafft werden.

Während sie so miteinander sprachen, kam ein anderer, ein unscheinbarer Mensch, der auf seiner Schulter ein Kreuz trug. Ihn fragten die heiligen Väter: Wer bist du, der du das Aussehen eines Räubers hast, und was ist das für ein Kreuz, das du auf der Schulter trägst? Er antwortete: Ich war, wie ihr vermutet, ein Räuber und Dieb auf Erden, und deshalb faßten mich die Juden und überlieferten mich mit unserem Herrn Jesus Christus dem Kreuzestode. Als er nun am Kreuz hing, schaute ich die Wunder, die geschahen, und glaubte so

an ihn. Und ich rief ihn an und sprach: Herr, wenn du deine Herrschaft antrittst, dann vergiß mich nicht! Und sogleich sprach er zu mir: Wahrlich, heute, sage ich dir, wirst du mit mir im Paradiese sein (Lk 23,43). Mein Kreuz tragend, kam ich also zum Paradiese, fand den Erzengel Michael und sagte zu ihm: Unser Herr Jesus, der Gekreuzigte, hat mich hergeschickt. Führe mich also zum Tor des Gartens Eden! Und da der Engel mit dem blitzenden Schwert das Zeichen des Kreuzes sah, öffnete er mir, und ich ging hinein. Dann sprach der Erzengel zu mir: Warte ein Weilchen! Denn auch Adam, der Urvater des Menschengeschlechts, kommt mit den Gerechten, damit auch sie hier eintreten. Da ich euch jetzt sah, ging ich euch entgegen. Als die Heiligen das hörten, riefen sie alle mit lauter Stimme: ›Groß ist unser Herr, und groß ist seine Kraft!‹«

Die Anastasisdarstellung des Ostens. Die ältesten nachweisbaren Darstellungen traten zu Beginn des 8. Jh. beinahe gleichzeitig in zwei Varianten auf[17]. Die syrisch-palästinensische Bildformulierung findet sich auf der Innenseite des Deckels vom Fieschi-Reliquiar, New York, um 700, *Abb. 101, (vgl. auch Bd. 1, Abb. 156)* und auf der Rückseite eines silbernen Reliquienkreuzes der Pieve von Vicopisano, 1. Hälfte 8. Jh., *Abb. 99.* Die Darstellung der Hadesfahrt im Deckel des rechteckigen Fieschi-Reliquiars (griechisch Staurothek) folgt auf die der Verkündigung, Geburt und Kreuzigung Christi; auf dem Kreuz steht sie unter der Himmelfahrt, während die Vorderseite in der Mitte die Kreuzigung, oben die Verkündigung, am Querbalken die Geburt und die Darstellung im Tempel und unten die Taufe Jesu zeigt. Die Höllenfahrt auf dem Fieschi-Reliquiar ist die älteste erhaltene Darstellung. Sie zeigt Christus, von links kommend, in Schreitstellung und mit leicht vorgebeugtem Oberkörper. Mit dieser Haltung ist seine Ankunft im Totenreich ausgedrückt; sie ist eine Vorform der Abwärtsbewegung, die etwas später den Descensus (Katabasis) charakterisiert. Der wehende Mantelzipfel unterstreicht die Be-

---

17. Siehe für die frühen Werke E. Lucchesi-Palli, Der syrisch-palästinensische Darstellungstyp der Höllenfahrt Christi, in: Römische Quartalschrift für christliche Altertumskunde und Kirchengeschichte, Bd. 57, 1962, Festschrift für Engelbert Kirschbaum S. J., I. Teil, S. 250 ff.; dieselbe in: Lexikon der byzantinischen Kunst, I. Lfg., 1963, Anastasis.

wegung. Mit einem Fuß tritt Christus auf den Kopf des personifizierten Hades, mit dem anderen auf dessen Füße. Zugleich ergreift er die ausgestreckte Hand Adams, der zu Christus emporblickt und im Begriff ist, sich zu erheben. Hinter ihm steht Eva mit bittend ausgestreckten Händen. Eva ist zwar im Nikodemusevangelium nicht erwähnt, aber sie wird fast immer mit dargestellt. Hades, nur mit einem Lendenschurz bekleidet, hält mit ausgestrecktem Arm Adams Fuß fest, um ihn am Aufstehen zu hindern. In der rechten oberen Ecke liegen die Höllentüren quer übereinander, ein Motiv, das später immer wiederkehrt und, wie hier, als symbolisches Zeichen für den Sieg über die Macht des Todes ohne Verbindung zum Hölleneingang isoliert auf der Bildfläche erscheint. Oben links stehen zwei Halbfiguren in einem Sarkophag, die an ihren Diademen als die Könige David und Salomo zu erkennen sind. Obwohl die meisten literarischen Quellen nur David nennen, wurden die Könige auf den östlichen Darstellungen in der Regel paarweise wiedergegeben.

Dieses syrische Bildschema ist auf dem genannten Kreuz von Vicopisano nur wenig abgewandelt[18]. Das Herabkommen Christi ist durch seine Haltung um eine Nuance mehr betont als beim Fieschi-Reliquiar. Von seiner Gestalt gehen Lichtstrahlen aus, ein innerhalb der weiteren Entwicklung des Darstellungstyps sehr wichtiges Motiv, das gleichbedeutend mit der Mandorla oder der Gloriole die Ankunft Christi im finsteren Totenreich als eine Lichterscheinung qualifiziert. Die Türflügel sind getrennt dargestellt, einer im Rücken Christi, einer in der rechten oberen Ecke. Christus schreitet über die kleine aufgerichtete Halbfigur des Hades, die mit der Hand nach seinem Gewandsaum greift.

Diesen Bildtypus, der innerhalb der Kleinkunst noch auf zwei Werken des Ostens aus dem 9. und 10. Jh. erhalten ist[19], übernahm vielleicht schon im 9. Jh. die kappadokische Wandmalerei; auf jeden Fall sind die

aus dem 10. bis 12. Jh. erhaltenen Malereien der Höhlenkirchen so archaisierend, daß mit ziemlicher Sicherheit angenommen werden kann, daß um diese Zeit noch auf die Frühzeit der Bildentwicklung zurückgehende Vorlagen benutzt wurden. Christus erhält auf diesen Fresken eine die ganze Gestalt umgebende Aureole oder Mandorla, die sich auf die oben erwähnte Licht-Epiphanie des Auferstandenen im dunklen Totenreich bezieht und ohnehin seit dem 5. Jh. ein vom Osten stammendes Attribut des verklärten erhöhten Christus ist. Die Könige werden im Alter unterschieden; Adam ist als Greis wiedergegeben; Christus tritt auf den Hades[20].

In Rom ist der frühe syrische Typus mit zwei Königen links oben auf einem Mosaik der S. Zenokapelle in S. Prassede aus der Zeit des Papstes Paschalis I. (817–824) nachzuweisen, doch ist nur die obere Hälfte erhalten. Ein Engel begleitet den von der Mandorla und einer Strahlenglorie umgebenen Herrn bei seiner Herabkunft. Dieser Engel, der offenbar im Westen zum erstenmal dem Bild eingefügt wurde, ist nicht als Michael, dem nach dem Nikodemusevangelium die Befreiten übergeben werden, zu deuten, sondern als Geleitengel des königlichen Herrn. Im Nikodemusevangelium wird er zusammen mit dem Licht, das von Christus ausgeht, erwähnt, Michael erst im späteren Verlauf, als die Erlösten zum Himmel kommen. Der unter dem gleichen Papst entstandene Silberkasten, *Abb. 109*, bringt eine sehr vereinfachte Darstellung: Christus führt Adam zu der geöffneten Tür, die das einzige Requisit des Hades ist. – An den Resten von zwei Fresken des 8. Jh. in S. Maria Antiqua, Rom, ist noch zu erkennen, daß diese Darstellungen zwar an den ältesten Bildtypus anknüpfen, jedoch eine entgegengesetzte Bewegungsrichtung aufwiesen. Vermutlich erfolgte auch eine Vereinfachung durch das Weglassen der Könige und der Türen, was allerdings bei dem Er-

---

18. E. Lucchesi-Palli hält es für eine italienische Nachahmung eines syrisch-palästinensischen Werkes, vielleicht von einem Goldschmied, der bei einem nach Rom geflohenen Syrer lernte.

19. Ein Enkolpion von Tschkondidi im Museum Tiflis, siehe dazu Zeitschr. f. Bildende Kunst 64, 1930/31, S. 81 ff. Und G. Tschubinaschwili, Ein Goldschmiedetriptychon des

8.—9. Jh. Dargestellt sind: Geburt — Darbringung und Anastasis — Frauen am Grab. Ferner ein Email aus Schemokmedi, 1. Hälfte 10. Jh.

20. Siehe zu den Höhlenkirchen Jerphanion: Eglises Rupestres I, Tafel 51, 2; II, 31, 3 und 34, 1; III, 190, 2. Außerdem M. Restle, Die byzant. Wandmalerei in Kleinasien, Bd. 1—3, Recklinghausen 1967.

haltungszustand nicht mehr mit Sicherheit festgestellt werden kann. Auch für Alt-St.-Peter sind eine verkürzte Darstellung unter Johannes VII. (705–707) und ein Fresko der Zeit des Formosus (891–896) durch Nachzeichnungen, die aus der Zeit vor dem Abbruch der Kirche stammen, gesichert. Der karolingische Freskenzyklus in Müstair (Graubünden) enthält eine Darstellung mit dem Mandorlatypus und dem begleitenden Engel des etwa gleichzeitigen Mosaiks von S. Prassede. In der Unterkirche von S. Clemente, Rom, sind zwei Fresken erhalten, die sich mit der Kurzfassung, jedoch in der alten syrischen Bewegungsrichtung von links nach rechts auf die Errettung Adams konzentrieren. Beide zeigen Christus in der Mandorla vorgeneigt in Schreitstellung und Adam und Eva. Auf dem älteren Fresko, das unter Leo IV. (847–855) entstand, *Abb. 100*, fehlt die Figur des Hades. Hier ist das Totenreich gleich einer aufgebrochenen Höhle, aus deren Dunkelheit die Ureltern befreit werden, wiedergegeben[21]. Adam, durch seinen großen Bart als der uralte Mensch gekennzeichnet, kniet; Eva steht hinter ihm und streckt beide Hände bittend Christus entgegen. Es ist möglich, daß die Haltung Adams das Emporsteigen aus dem Totenreich veranschaulichen soll[22]. Auf dem anderen Fresko aus dem letzten Viertel des 9. Jh., *Abb. 103*, tritt Christus auf den Hades, der emporblickt und nach dem Fuß Adams greift; Eva ist zu ergänzen, von ihr ist nur noch eine Fingerspitze zu sehen. Christus und Adam gehen aufeinander zu, stehen jedoch zugleich voreinander: der zweite Adam erlöst den ersten. Gegenüber dieser Konfrontation beider Gestalten tritt innerhalb der Gesamtkomposition das übliche Motiv der rettenden Handergreifung etwas zurück. Während auf beiden Fresken von S. Clemente Christus auf Adam und Eva zuschreitet und der Des-

census nur in der etwas vorgeneigten Haltung Ausdruck gewinnt, ist auf dem stark beschädigten Fresko der Basilika dei SS. Martiri in Cimitile (Unteritalien), um 900, *Abb. 102*, die Abwärtsbewegung betonter. Die Ureltern ragen aus einem Spalt einer felsigen Landschaft hervor; der Sarkophag fehlt, wie auch auf den beiden römischen Fresken. Zu vergleichen ist für diese Vorstellung des Aufstiegs der Ureltern aus der Unterwelthöhle das spätere Fresko in S. Angelo in Formis (Unteritalien), 1072–1087, *Abb. 104*, wo Adam und Eva, der westlichen Tradition gemäß, unbekleidet sind. Die Hand, mit der Christus auf der Darstellung in Cimitile Adam ergreift, zeigt das Wundmal; in der anderen Hand hält er den Rotulus, sein Attribut als Logos, – auf der zweiten Darstellung in S. Clemente statt dessen bereits das Stabkreuz, das regelmäßiges Signum des Auferstandenen wird. Mit dem linken Fuß tritt Christus auf die Arme des Hades, der ebenso wie auf dem zweiten Fresko in S. Clemente auf dem Bauch liegt. Rechts oben stehen in einem geriefelten Sarkophag vier Mumien anstelle der beiden Könige, wie sie auf dem älteren Reliquiar zu finden sind. Diese mumienartigen Gestalten, die nicht näher charakterisiert sind, beziehen sich auf die auferstandenen Toten von Mt 27,52. Das läßt sich durch eine von dieser Bibelstelle abgeleitete Inschrift nachweisen, die sich in der Barbarakirche in Soganle in Kappadozien neben den Mumien einer Descensusdarstellung befindet[23]. Noch im 10. Jh. kommen die vier Mumien auf einer Exultetrolle, *Abb. 133*, und in der 2. Hälfte des 11. Jh. auf einem der Elfenbeintäfelchen in Salerno, *Abb. 110*, vor.

An den frühen Darstellungen wird deutlich, daß sie drei der wichtigsten in der Literatur ausgeführten Gedanken, die sich mit dem Abstieg Christi in das Totenreich verbinden, veranschaulichen, wobei das Predigt-

21. Wir haben schon Bd. 1, S. 73 und 139 auf die symbolische Bedeutung der Hadeshöhle und ihren Bezug zur Geburts- und Taufhöhle, wie sie bereits von den Kirchenvätern gesehen wurde, hingewiesen. Siehe auch Günter Bandmann: Höhle und Säule auf Darstellungen Mariens mit dem Kinde, in: Festschrift für Gert van der Osten, Köln 1970, S. 130 ff.

22. Das Weglassen der Hadesfigur könnte darauf zurückgehen, daß schon damals die Besiegung des Todes und die Auferstehung der Gerechten auch in zwei Szenen dargestellt werden konnte, wie es vom späten 10. Jh. an in den süditalienischen Exultetrollen üblich wird.

23. Abgeb. bei Jerphanion, Eglises Rupestres III, Tafel 190, 2. Siehe dazu auch H. Belting, Die Basilika dei SS. Martiri in Cimitile, Wiesbaden 1962, S. 74. Belting nimmt S. 75 an, daß der Sarkophag mit den Mumien auf dem einen Fresko in S. Maria Antiqua am oberen zerstörten Rand wiedergegeben war. Er hält auch auf dem Mosaik der S. Zenokapelle die Figuren für Mumien, doch sind die Kronen, die sie als Könige kennzeichnen, zu erkennen.

motiv 1 Petr 3,19 fehlt: 1. das Kommen des Auferstandenen in den Machtbereich des Todes (finstere Höhle als Unterwelt) und sein Sieg über den Tod (Fußtritt), wobei unter dem gefesselten Hades, vgl. Mt 12,29, immer der Tod und zugleich Satan verstanden wird; 2. die eschatologische Befreiung der Toten, die an Adam durch die rettende Handergreifung exemplifiziert wird; dabei weisen die in den Särgen Stehenden auf Mt 27,52 bzw. die Könige auf die Errettung der Gerechten hin; 3. die Theophanie des Auferstandenen an dem von Gott entferntesten und finstersten Ort, den er erleuchtet (Gloriole). Der den Herrn begleitende Engel ist auf den wenigen erhaltenen Werken der frühen Zeit zwar nur einmal zu finden, da er aber in der abendländischen Kunst immer wieder vorkommt, kann man annehmen, daß er auf verlorenen Werken der frühen Zeit häufiger vorhanden war. Diese Vorstellungen, die auf den frühen Darstellungen anklingen, werden in der folgenden Entwicklung des Bildes variiert und erweitert.

Die mittelbyzantinische Epoche, die die überlieferten Bildformulierungen der Ankunft und des Abstieges Christi in beiden Bewegungsrichtungen übernimmt, strebt eine symmetrische Komposition an und stellt Christus deshalb in die Bildachse. Die Könige werden nun in ganzer Figur freistehend wiedergegeben, und Johannes der Täufer wird, mit dem Kreuzstab in der Hand, hinzugefügt – nach dem Nikodemusevangelium tritt er als Herold auf. Für ihn ist die auf Christus weisende Geste typisch; zugleich klingt mit seiner Gestalt das Predigtmotiv an. Diese Gruppe steht den Ureltern formal gleichwertig gegenüber. Ein frühes Beispiel hierfür ist ein Elfenbeinrelief M. 10. Jh. in Dresden, *Abb. 106*, das die Hadesfahrt und die Erscheinung des Auferstandenen vor den zwei Frauen übereinander darstellt. Die calcatio ist klarer als früher ausgebildet: Christus tritt auf den Nacken des Hades, der an Händen und Füßen gefesselt ist, doch wie in der frühen Bildgruppe zum Sieger aufblickt. Dabei richtet er sich etwas auf, was zur Folge hat, daß das Über-ihn-Hinwegschreiten Christi einen Richtungsakzent nach oben erhält, der aber durch die Neigung des Hauptes Christi wieder ausgeglichen wird. Adam steht in einem trog- oder brunnenähnlichen Grab. Rechts oben ist die vom 9. Jh. an in der Ostkirche

übliche Bezeichnung Anastasis zu lesen. Das griechische Osterbild wird auch dann Anastasis genannt, wenn die Katabasis gezeigt wird.

Im Laufe des 10. Jh. treten in der Darstellung immer mehr Personen auf, Johannes der Täufer kann den Königen auf der linken oder den Propheten und Patriarchen auf der rechten Bildseite zugeordnet sein. Das Nikodemusevangelium nennt Micha und Habakuk. In einem griechischen Lektionar Mitte 10. Jh., Leningrad, *Abb. 107*, sind die Gruppen noch ungleich, weil Adam und Eva durch die andere Bewegungsrichtung Christi der größeren Gruppe zugeordnet sind und auf der entgegengesetzten Seite nur zwei Propheten mit gestikulierend erhobenen Händen stehen. Diese Seite erhält allerdings formal durch die nach rechts ausgreifende Mandorla Christi mehr Gewicht. Gloriole und Bewegungsrichtung entsprechen den Fresken in S. Maria Antiqua in Rom. Die Höhle ist in der mittelbyzantinischen Epoche nicht Handlungsraum, sondern zu einer abstrakten Formel geworden, vor oder über deren Dunkelheit sich die Begegnung von Christus und Adam abspielt. Dieser unteren Region sind die Torflügel zugeordnet. Hades, nur an den Füßen gefesselt, blickt zu Christus auf und weist auf Adam, der in seiner Sargkiste kniet oder sich daraus erhebt.

Mit anderen Mitteln ist eine völlig symmetrische Komposition auf der Vorderwand eines kleinen Elfenbeinkästchens des 10. Jh., Stuttgart, erreicht, *Abb. 105*. Die Mittelgruppe bildet der Descensus mit der calcatio und der Befreiung des knienden Adams. Eva fehlt. Auf hügeligem Erdboden stehen zu beiden Seiten zwei Sarkophage, deren Deckel zurückgeschoben sind. In jedem von ihnen haben sich zwei Auferstehende erhoben und wenden sich mit von den Grabtüchern verhüllten Händen Christus zu. Die eschatologische Auferstehung der Toten aus ihren Gräbern – ein Motiv aus der Weltgerichtsdarstellung – steht zwar noch in bezug zu dem Christus in der Vorhölle, hat sich jedoch hier weitgehend verselbständigt. Wir kommen auf das Verhältnis beider Szenen unten noch einmal zurück.

Ein Mosaik in Daphni, um 1080, *Abb. 111*, zeigt die erweiterte Bildkomposition in der Bewegungsrichtung von rechts nach links. Hier stehen hinter dem an Händen und Füßen gefesselten Hades die Pforten überkreuz. Christus in weiter Schreitstellung setzt den einen Fuß auf Hades, den anderen auf einen der Türflügel. Er trägt das große Doppelkreuz, das in der Ostkirche von der mittelbyzantinischen Epoche an üblich ist[24], und setzt es auf den Nacken des Hades, der Adam im Reich der Toten festhalten will.

Noch das Elfenbeinrelief von Salerno, 2. Hälfte 11. Jh., *Abb. 110*, und die Darstellung des kleinen Mosaikdiptychons der 1. Hälfte des 14. Jh. in Florenz, *Abb. 108 (Gesamt Bd. 2, Abb. 12)*, bewahren den alten Bildtypus des Abstiegs, allerdings fehlt Hades; Christus tritt auf die beiden Höllentore. Auf dem kleinen Mosaik steht hinter Eva Abel mit dem Hirtenstab. Zu beiden Seiten des steil nach oben wehenden Mantels sind die beiden Namenszeichen Jesus-Christus geschrieben, die auf Christusikonen als Hinweis auf die menschliche und göttliche Natur Christi seinem Bild immer hinzugefügt sind. Der steil nach oben stehende Mantel gleicht als ein formales Motiv die Neigung der Christusgestalt aus und deutet zugleich die Rückkehr Christi nach oben an. Auf den ältesten Darstellungen weht der Mantel oft nach der Seite, von der Christus in den Bildraum eintritt, und betont so die Bewegung und den eiligen Durchgang durch das Totenreich.

Im 9. Jh. bildet sich in der byzantinischen Kunst noch ein zweites Bildschema, das im Gegensatz zu der Ankunft und zu dem Abstieg Christi in das Totenreich seinen Aufstieg aus ihm zeigt. Das früheste erhaltene Beispiel für diesen Bildgedanken ist die bereits erwähnte Darstellung des silbernen Reliquienkreuzbehälters, um 820, im Museo Sacro, Vatikan, *Abb. 109*, der mehrere Auferstehungsdarstellungen zeigt. Er gehört der Zeit Paschalis I. an, in der in Rom auch die früheste Darstellung des Descensustypus entstand. Auf diesem Silberrelief ist nur das Herausführen Adams aus der Hölle, die lediglich durch einen geöffneten Türflügel angedeutet ist, wiedergegeben. Durch die Schreitstellung erhalten beide Gestalten eine, wenn auch nur geringe, Aufwärtsbewegung. Eva fehlt; eben-

so die Besiegung des Hades, die bei diesem Aufstiegstypus nur selten vorkommt, weil sie vorausgesetzt ist. Wichtiger sind die aus den Angeln gehobenen Türflügel, auf die Christus in der Regel tritt. Nach der Ausbildung dieses zweiten Darstellungstypus wird dieses Motiv auch in das ältere Bildschema aufgenommen, wie wir an den letzten Beispielen sahen. Die Türflügel weisen nicht nur auf den Einbruch des Auferstandenen hin, sie geben auch den Weg für den Auszug aus dem Reich des Todes frei. Ebenso sind die herumliegenden Türschlösser, Riegel, Nägel und Schlüssel zu deuten.

Zu Beginn des 11. Jh. ist dieser Aufstiegstypus voll ausgebildet und tritt in der Regel gleich dem Abstiegstypus in einer symmetrischen Komposition auf. Die Bildmitte wird von der Christusgestalt beherrscht, die starke Bewegungsakzente erhält. Sie steht mit dem Doppelkreuz in der Hand auf dem Hügel, *Abb. 113, 114*, oder vor der Höhle ohne Standfläche, *Abb. 112*, bzw. auf den gekreuzten Toren, *Abb. 108, 115, 118*. Die Gestalt ist trotz der Aufwärtsbewegung in Kontrapoststellung frontal dem Betrachter zugewandt. Christus neigt hier nicht mehr das Haupt, sondern blickt geradeaus oder zu Adam, dessen Handgelenk er mit kräftigem Griff umklammert, um ihn mitzureißen. Dabei ist sein Arm nach außen gebogen oder abgewinkelt. Die Figurengruppen zu beiden Seiten variieren wie bei dem älteren Bildschema, das neben dem neuen Anastasisbild fortbesteht. Die Gloriole fehlt in dieser Epoche. Ist der gefesselte Hades dargestellt, so schreitet Christus über ihn hinweg nach oben, wie auf einem Mosaik in S. Marco, Venedig, um 1200, *Abb. 116*, oder er wird, klein und entmachtet auf dem Rücken liegend, zwischen den Türflügeln und Schlössern als Sinnbild der überwundenen Hölle gezeigt.

Auf der Anastasisdarstellung in der Bildzone über dem Weltgerichtsmosaik der Westwand im Dom zu Torcello, um 1175, *Abb. 115*, huldigt die kleine Hadesgestalt dem Sieger[25]. Dieses figurenreiche, streng symmetrisch komponierte Anastasisbild ist flankiert

---

24. Der kleine obere Balken ist auf die Schrifttafel zurückzuführen.

25. Eine Entsprechung dazu sind der huldigende Flußgott auf Darstellungen der Taufe Christi (*vgl. Bd. 1, Abb.*

355, 364, 365, 366, 368) und die zu Christus emporblickenden Personifikationen Gaia und Oceanus auf den Kreuzigungsdarstellungen karolingischer und ottonischer Elfenbeintafeln (*vgl. Bd. 2, Abb. 365, 366, 373, 374*).

von zwei Engeln in byzantinischer Hoftracht, die gleich der Christusgestalt alle anderen überragen. In den Händen halten sie die Weltkugel und das Labarum, dessen Speerspitzen auf die Schlangen unter ihren Füßen gerichtet sind. Der Überwindung des Todes durch Christus ist die Überwindung des Satans durch die Engel hinzugefügt. Mit sechs kleinen, in zwei Särgen stehenden Personen, die sich dem sieghaften Christus zuwenden, ist wie auf dem Elfenbeinkästchen, *Abb. 105*, die eschatologische Auferstehung der Toten in das Osterbild einbezogen, obwohl sie zur Weltgerichtsikonographie gehört. Schon auf dem ältesten bekannten Gerichtsbild, einem Fresko in St. Johann zu Müstair, Graubünden, sind diese Sarkophage vorhanden, und zwar befinden sie sich am oberen Bildrand[26]. In Torcello liegt keine durch räumliche Gründe bedingte Verschiebung der auferstehenden Toten in die obere Bildzone der Anastasis vor, denn die Auferstehung der Toten am Jüngsten Tag ist in der Mitte des Gerichtsbildes ganz anders dargestellt, vgl. Bd. 4. Die sechs Figuren gehören vielmehr sinngemäß zum Anastasisbild und präfigurieren die durch den Sieg Christi über den Tod bewirkte künftige Auferstehung der Toten beim Weltgericht. Über der Anastasis ist der Kreuzestod des Herrn dargestellt; an der Apsiswand gegenüber die Gottesmutter mit dem Kinde. Diese Darstellung ist durch die Inschriften ausdrücklich als Bild der Inkarnation Gottes gedeutet (siehe Bd. 1, S. 47 f.), und so ist die Menschwerdung des Sohnes seinem Heilswirken vom Kreuz bis zum Weltgericht gegenübergestellt. Die Anordnung der Anastasis kann wahrscheinlich aus der Absicht, den zweiten Artikel des Apostolischen Glaubensbekenntnisses darzustellen, erklärt werden. Sieht man jedoch die Anastasis und das Gericht, die das Auge zusammen erfaßt, als Einheit, so stellt sich die Frage, ob die letzte Station des Erdenlebens Christi seiner Wiederkunft gegenübergestellt ist oder ob die Anastasis mit der Befreiung Adams und mit der Auferstehung der Toten aus ihren Gräbern insgesamt als eine Präfiguration des Weltgerichts, das identisch ist mit der eschatologischen Auferstehung zum ewigen Leben, zu verstehen ist. Abgesehen von der Einfügung von ein oder zwei Gräbern mit Mumien gibt es von den frühesten Darstellungen an bis zu dem Mosaik von Torcello nur noch das byzantinische Elfenbeinrelief, *Abb. 105*, das die Auferstehung der Toten so stark betont[27].

Im Abendland kommt diese Verbindung in so auffallender Weise wie auf dem Elfenbeinrelief nur auf der vierten Ciboriumssäule in S. Marco, Venedig, 2. Viertel 13. Jh., vor, *Abb. 145*, in deren Darstellungen sich verschiedene Einflüsse mischen. Über der Auferstehung der Toten – zwei erheben sich aus Sarkophagen und zwei treten aus einem Grabbau (aedi-

---

26. Siehe die Beschreibung von L. Birchler zur karolingischen Architektur und Malerei in Münster-Müstair, in: Akten zum III. internat. Kongreß für Frühmittelalterforschung, Olten-Lausanne, 1954, S. 254 ff.

27. Zu einem Deutungsversuch von W. Paeseler siehe: Die römische Weltgerichtstafel im Vatican, Kunstgeschichtliche Jahrbücher der Bibliotheca Hertziana, 2. Band, 1938. P. bezieht sich auf die liturgischen Texte der Adventssonntage (insbesondere auf eine westgotische Liturgie), die beides enthalten: das Gedenken an die erste Ankunft Christi bei seiner Menschwerdung und die Erwartung seiner zweiten Ankunft zum Gericht. Im Nikodemusevangelium sind adventliche Gedanken enthalten, z. B. die Ankündigung durch den Täufer und die Übernahme von Ps 24 (23), 7, wodurch das Kommen Jesu auf Erden und sein Erscheinen im Reich der Toten in Parallele gesetzt sind. Wenn die Befreiung der Gerechten hier als letzte Station des Erdenlebens verstanden ist, so wäre Christus

nach Vollbringung seines Erlösungswerkes auf Erden, auf das die Kreuzigung hinweist, als der Auferstandene dem wiederkommenden Christus, der das Weltgericht vollführt, gegenübergestellt. Dies kann jedoch nicht im Sinne eines Gegensatzes, sondern nur des sich gegenseitigen Bedingens gemeint sein. Tod und Auferstehung Christi vollenden sich an dem Menschen im Gericht. Eine solche Deutung schließt die typologische ein: Wie der Auferstandene die Gerechten, die vor seinem Kommen auf Erden starben, aus dem Totenreich befreite, so wird er alle Gläubigen bei seiner Wiederkunft zum ewigen Leben erwecken. Bei der engen Beziehung der beiden Bildthemen ist es nicht verwunderlich, daß in den großen östlichen Bildprogrammen manchmal nur die Anastasis dargestellt ist und das Weltgericht vertritt. Darstellungen aus dem 11. und 12. Jh. sind in Daphni, Hosios Lukas, Chios, Kiew, Venedig, Monreale, Palermo und andernorts erhalten.

28. Siehe zur Datierung der früher dem 5. Jh. zugewie-

cula) hervor – ist zu lesen: »Surgunt corpora sanctorum«. Hades und Satan sind als zwei Halbfiguren wiedergegeben[28].

Bemerkenswert ist, daß Engel in der nachikonoklastischen Darstellung bis zum 13. Jh. kaum vorkommen, obwohl der Geleitengel am Anfang des 9. Jh. in Rom bekannt war (S. Prassede, S. Zeno-Kapelle) und er in der abendländischen Kunst, die für dieses Bildthema auf östliche Vorbilder angewiesen war, vom 11. Jh. an häufig ist. Das mag an der geringen Zahl erhaltener Werke liegen. Die Anastasisdarstellung im Melissande-Psalter, 11. Jh., *Abb. 113*, zeigt, ähnlich wie bei Kreuzigungsdarstellungen, zwei halbfigurige Engel mit einem Labarum und eine griechische Miniatur, 3. Jahrzehnt 12. Jh., *Abb. 114*, in einem Himmelssegment mehrere Selige mit einem Bekennerkreuz. Dieser geöffnete Himmel – die beiden Türen stehen weit auseinander – ist ein Zeichen der Verheißung, das in spiegelbildlicher Umkehrung und im farblichen Gegenklang der dunklen Todeshöhle gegenübergestellt ist.

Ein dritter Darstellungstypus, der dem Bild der Verklärung nahesteht und außerdem durch das neue Motiv des Vorweisens der Wundmale charakterisiert ist, entstand vermutlich im 10. Jh. in Lektionarhandschriften[29]. Das früheste, allerdings schlecht erhaltene Beispiel für diesen Verklärungstypus mit der Ostentatio vulnerum ist die Miniatur des Lektionars I des Klosters Iviron auf dem Athos, Ende 10. Jh., *Abb. 117*. Da die griechischen Lektionare mit den Lesungen der Osterliturgie beginnen, ist die Anastasis das Eingangsbild. Christus steht vor einer großen Mandorla allein auf einem Berggipfel, breitet die Unterarme zur Seite aus und hebt beide Hände empor, um die Wundmale zu zeigen. Am Fuße des Berges knien beiderseits Adam und Eva. Sie heben flehentlich ihre Hände zu dem verklärten Christus empor. Über ihnen sind symmetrisch je zwei Gerechte des Alten Bundes, zwei Felsen

und zwei anbetende Engel angeordnet. Die Personengruppen vor den Felsen kommen im Aufstiegstypus in gleicher Weise vor wie hier. Das Vorweisen der Wunden ist eine typische Geste für den Weltenrichter, doch sind uns Weltgerichtsbilder im Osten vor dem 10. Jh. nicht bekannt, was nicht heißt, daß es sie nicht gegeben hat, siehe Band 4. In einer anderen Form gehört die Ostentatio vulnerum jedoch unmittelbar zum Auferstandenen. Seit dem 5. Jh. wird seine Begegnung mit Thomas mit dem Hinweis auf die Seitenwunde dargestellt. Die Parallele des Lektionarbildes zur Verklärung Christi ist offenkundig, jedoch nicht willkürlich, denn die Epiphanie der Verklärung gehört als eine Präfiguration des Auferstandenen exegetisch zum Typus der Auferstehungsgeschichten. Wie schon ausgeführt, ist die Erscheinung des Auferstandenen als verklärte Lichtgestalt im finsteren Totenreich eine der wesentlichen Vorstellungen, die sich schon früh mit dieser Glaubensaussage verband[30]. Die zentrale Anordnung der ruhig und aufrecht vor der Mandorla stehenden Christusgestalt zwischen Adam und Eva ist schon in der 2. Hälfte des 9. Jh. in der Psalterillustration zu finden, *Abb. 122*, aber die Nähe zur Verklärungsdarstellung und das Vorweisen der Wunden fehlen dabei noch.

Vom frühen 14. Jh. an wird die in dieser Psalterillustration schon vorgebildete Trennung und Gegenüberstellung der Ureltern üblich. Eva steht oder kniet dann in einem eigenen Sarkophag. Ein Silberrelief, Rückseite eines Buchdeckels der Bibliothek Marciana in Venedig, 14. Jh.(?), *Abb. 118*, zeigt die frühere Form, bei der Christus nur Adams Hand ergreift und Eva, der Tradition gemäß, beide Hände verhüllt hebt. Auf einem Fresko in der Apsis der Totenkapelle (Parakleitos) der Kariye Cami (Erlöserkirche von Chora) in Istanbul, 1310–1320, *Abb. 119*, reißt der von einer blauen mit Sternen besetzten Mandorla umgebene

senen Säulen und die eingehende Beschreibung der Darstellungen E. Lucchesi-Palli: Die Passions- und Endszenen Christi auf der Ciboriumssäule von S. Marco in Venedig, Prag 1942, S. 105 ff.

29. Siehe K. Weitzmann, The narrative of liturgical Gospel-Illustrations, in: M. M. Parvés, A. P. Wikgren, New Testament Manuscript Studies, Chicago 1950, S. 151 ff.

30. Zur Verklärung, deren Darstellung in der Ostkirche sehr häufig zu finden ist, siehe Bd. 1.

31. Dieses Fresko ist zusammen mit anderen in dieser Kirche erst nach dem letzten Krieg freigelegt worden und ist ein Zeugnis der bis dahin unbekannten hauptstädtischen späteren byzantinischen Malerei, die den Übergang zur »zweiten Renaissance«, die als »kretische Schule« bekannt

Auferstandene Adam und Eva gleichzeitig aus ihren Gräbern. Auch hier steht die Anastasis wie in Torcello in Beziehung zu einem Weltgerichtsbild[31].

Die byzantinische Psalterillustration. Eine Sondergruppe bilden die Psalterillustrationen des 9. Jh., die im 11. Jh. in einigen Handschriften wiederholt werden[32]. Durch ihre Bindung an bestimmte Psalmtexte entwickelt sie andere Motive, die nicht ganz ohne Einfluß auf das Anastasisbild der mittelbyzantinischen Epoche und das Höllenfahrtsbild des Abendlandes blieben. Es handelt sich vor allem um die schon erwähnten Stellen: Ps 69(67), besonders V. 2.7.19 und 21 f., und Ps 107(106),10 ff. (»... und führte sie aus Finsternis und Dunkel und zerriß ihre Bande ... Er zerbricht eherne Türen und zerschlägt eiserne Riegel«, V. 13.14.16), die im Hinblick auf die Höllenfahrt gedeutet werden. Diese anschaulichen Wortbilder der Psalmen, die in der Liturgie immer wieder gelesen oder gesungen wurden, haben die Anastasisdarstellung der Psalterillustrationen ebenso geprägt wie das Nikodemusevangelium. In ihr fehlen die Könige und andere chrakterisierte Gerechte des Alten Bundes. Dagegen werden fliehende Feinde, die zerschmettert oder gefesselt werden, dargestellt. Ebenso kann das Zerbrechen der Türen und das Hinausführen der Erretteten aus dem Gefängnis ein eigenes Bildmotiv sein.

Der Chludoffpsalter enthält zwei verschiedene Darstellungen. Das Bild zu Ps 68(67), fol. 63, *Abb. 120*, zeigt Christus in der Mandorla ruhig stehend, etwas höher als die Ureltern. Er zieht Adam, der sich aus der knienden Haltung aufrichtet, zu sich empor. Der hinzugefügte Text bezieht sich auf die Auferstehung Adams. Hier ist der Hades als gestürzter Riese, der kopfüber in den Abgrund fällt, verbildlicht. Er hat

ist, bildet. Farbige Abbildung bei D. T. Rice — M. Hirmer, Kunst aus Byzanz, München 1959, S. 84. Die neueste Untersuchung: P. A. Underwood, The Kariye Djami, 3 Bände, London 1967.

32. Chludoffpsalter Moskau und Pantokratorpsalter Athos, 2. Hälfte 9. Jh. Der Text des Chludoffpsalters ist später überschrieben. — Theodorpsalter London, Bristolpsalter London, 2. Hälfte 11. Jh., Psalterfragment, Paris (grec 20), 10. Jh., Barberinipsalter Rom, Ende 11. oder Anfang 12. Jh.

Züge der Teufelsdarstellung angenommen. Seine befehlsgewohnte Hand ist gegen die fliehenden kleinen geflügelten Satanshelfer gewandt. Diese Satansvorstellung kommt im Chludoffpsalter und in dem ebenfalls in Konstantinopel geschriebenen und illustrierten Pantokratorpsalter zum erstenmal vor, sie findet sich, abgesehen von den Wiederholungen in der Psalterillustration des 11. Jh., im byzantinischen Anastasisbild kaum. Die zweite symmetrisch komponierte Illustration im Chludoffpsalter, *Abb. 122*, zeigt das gleiche Satans-Monstrum (sehr schlecht erhalten, der untere Teil fehlt) ebenso fallend, aber nicht kopfüber. Christus erscheint im Lichtglanz über seinem Haupt; darin klingt das Stehen auf dem Feind an. Er ergreift das Handgelenk Adams auf seiner linken Seite und segnet Eva, die hier die Vorzugsstellung zur Rechten Christi innehat. Auf der Darstellung des Pantokratorpsalters, *Abb. 121*, ist Christus nicht von der Mandorla umgeben, sondern geht über den stürzenden Satan hinweg auf Adam und Eva zu, die in der traditionellen Haltung wiedergegeben sind. Auch hier fliehen die Satansgehilfen.

Im Theodorpsalter, 1066, Britisches Museum, und im Barberinipsalter um 1100, Vatican. Bibl., kehren die Vorbilder des Chludoffpsalters wieder. Doch enthalten beide Handschriften auch eine Darstellung, die die Auferstehung der Toten hervorhebt, indem die Ureltern und Abel(?) in rhythmischen Bewegungen den Sarkophagen entsteigen und sich Christus nahen. In dem Pariser Psalterfragment, 10. Jh., *Abb. 125*, steht Christus auf dem Hades zwischen zwei sehr großen Sarkophagen. Der eine von ihnen gleicht einem Haus, die Türen sind zu Boden gefallen. Vom Auferstandenen gehen fünffach Lichtstrahlen aus. Er erfaßt mit der Rechten Adam, wendet sich jedoch den eilig von der anderen Seite zu ihm drängenden Auferstehenden zu.

Eine Miniatur der Homilien des Mönches Jacobus, von denen es in Paris und Rom illustrierte Redaktionen gibt, Ende 11. oder Anfang 12. Jh., illustriert Ps 68(67),7: »... der die Gefangenen ausführt zur rechten Zeit ...«, *Abb. 126*. Es ist die Ankunft Christi im Reich der Toten mit der calcatio und den isolierten überkreuzten Toren und unmittelbar darunter der Auszug mit den Erlösten wiedergegeben. Bei der Ankunft in der Unterwelt sind ihre Bewohner nackt, in zwei

Gruppen aufgeteilt. Die eine geht Christus entgegen, nachdem ein Engel die Ankunft des Erlösers verkündet hat. Ihrem Bitten steht die Verzweiflung der Gruppe der Abtrünnigen gegenüber. Beim Auszug – von der dunklen Höhle zu der lichten, pflanzenreichen Welt (Paradies) hinauf – sind alle Befreiten bekleidet. Die Gruppe der Erlösten links unten wird von Johannes dem Täufer aus der Tiefe der Unterwelt herausgeführt. Nun erscheinen aber Adam und Eva noch einmal in einer Nebenszene. Eva kniet vor dem hinter ihr stehenden Adam, beide wenden sich flehend zur thronenden Maria. Nach einer Legende, die in Predigten aufgenommen wurde, soll den im Totenreich auf die Erlösung harrenden Vätern bei der Geburt der Gottesmutter eine Vision zuteil geworden sein, in der sie Maria als Königin der Engel auf dem »Thron der Cherubim« geschaut haben. Eine Version dieses Bildmotivs in einem serbischen Psalter des 15. Jh., *Abb. 123*, führt diese Gedanken weiter und zeigt das Kind auf dem Schoß der Gottesmutter, wie es Adam und Eva aus ihren Gräbern befreit[33].

Die byzantinische Psalterillustration läßt erkennen, daß die antiken Hadesvorstellungen des Totenreiches, über das Hades regiert, nicht übernommen sind. Es fehlt die Höhle, die als Handlungsraum oder mehr symbolisch unterhalb des szenischen Vorgangs auf anderen Darstellungen fast immer wiedergegeben ist. Die kleine personifizierte Hadesgestalt ist auf mehreren Illustrationen zu einem Monstrum umgewandelt, in dem die Teufelsvorstellung, die im abendländischen Höllenfahrtsbild Gestalt gewinnt, in den Vordergrund tritt. Der Sieg über den Feind ist nicht durch die antike calcatio veranschaulicht, sondern durch den Sturz Satans in die Tiefe, auch wenn auf einer Illustration Christus über den satanischen Riesen hinwegschreitet. Die Errettung Adams ist, sofern nicht der Auszug der Erlösten aus der Hölle dargestellt ist, auch bei der Psalterillustration das zentrale Motiv.

In der slawischen Kunst des 13. Jh. ist der Kampf des Engels mit dem Satan, der gebunden wird, zu finden. Schon im Nikodemusevangelium heißt es, daß

Christus in der Unterwelt Satan ergriff und den Engeln übergab mit den Worten: »Mit Eisenketten fesselt ihm die Hände und Füße, Hals und Mund! Und so übergab er den Satan dem Hades und sprach: Nimm ihn und halte ihn fest bis zu meiner zweiten Ankunft.« Dieser Gedanke geht auf Apk 20,1 ff. zurück: »Ich sah den Engel vom Himmel fahren, der hatte den Schlüssel zum Abgrund und eine große Kette in der Hand. Und er griff den Drachen, die alte Schlange, welche ist der Teufel und Satan, und band ihn tausend Jahre und warf ihn in den Abgrund und verschloß ihn.« In der Ostkirche zählte die Apokalypse des Johannes vom 9.–14. Jh. nicht zu den kanonischen Büchern des Neuen Testaments. Die Fesselung des Satans durch den Engel ist als Bildidee durch die abendländische Apokalypsenillustration vor der Jahrtausendwende bekannt geworden. Im Zusammenhang mit der Höllenfahrt zeigt sie eine oberitalienische Elfenbeinschnitzerei, die Basilewsky-Situla, schon um 980, *Abb. 141*. Ein serbischer Psalter vom Anfang des 15. Jh., München, *Abb. 124*, gibt sie als Gegenstück zur Errettung der Ureltern wieder. Unmittelbar über dem auferstandenen Christus liegt sein von Engeln betrauerter Leichnam. Im Opfertod gründet die Herrlichkeit des Auferstandenen und die Erlösung der Menschen (vgl. Bd. 2, S. 186, Grablegungstuch).

Die Anastasisikone[34] dieser Zeit hält an der Christusfigur in der Glorie – Mandorla, großer Kreisnimbus oder Strahlenglorie – fest und geht damit auf den ursprünglichen Bildtypus zurück. Allerdings wird dieser unter dem Einfluß der mittelbyzantinischen Epoche durch mehrere Personen und die Felsenlandschaft erweitert. Die Höhle nimmt den unteren Teil der Ikonentafel ein, in ihr kämpfen die Engel mit Tod und Teufel, die oft ihre Beute an sich pressen.

Das Malerbuch vom Berge Athos[35], das erst dem 18. Jh. entstammt und Handwerksanleitungen für Ikonenmaler gibt, bezieht sich bei seinen Bildbeschreibungen auf Ikonen, die kompositorisch auf diesen letzten Bildtypus zurückgehen. Die Überschrift dieses betreffenden Abschnittes heißt: »Das Niedersteigen in

33. Siehe dazu: S. Esche, Adam und Eva, Düsseldorf 1957, S. 48.

34. Sie wird in der Ostkirche am Karsamstag zur Ver-

ehrung im Gottesdienst ausgestellt.

35. Nach der Übersetzung von G. Schäfer vom slawischen Institut neu herausgegeben, München 1960, S. 100.

die Hölle«. Es wird geschildert, wie in der dunklen Höhle unter dem Berg die Engel, »glänzend bekleidet«, den Herrn der Finsternis und die Teufel fesseln oder mit Lanzen verfolgen. Christus tritt auf die Tore der Hölle; Johannes der Täufer, Abel, Jonas, Jesaja, Jeremia werden genannt. Wir bilden eine diesem Text völlig entsprechende russische Ikone des 16. Jh. aus dem Museum in Wologda ab, *Abb. 128.*

Das abendländische Bild der Höllenfahrt. Die karolingische Psalterillustration enthält, wie die byzantinische des 9. Jh., einige singuläre Bildprägungen, die von den Textstellen mit bestimmt werden. Die Illustration zu Ps 16(15),10 im Utrechtpsalter, *vgl. Abb. 16,* bringt das östliche Bildschema auf eine sehr kurze Formel: Aus dem Erdboden ragen Adam und Eva hervor; Christus, der auf dem Hades steht, beugt sich sehr tief herab und ergreift die von den Ureltern ihm entgegengestreckten Hände. Ob die beiden aus einem Bodengrab oder aus der Unterwelt aufsteigen, bleibt offen. Ihre Auferstehung gehört in den gesamten gedanklichen Zusammenhang der Textillustration, siehe oben. Die sich herabneigende Christusgestalt, die nicht Sieg, sondern Erbarmen ausdrückt, kehrt im Cottonpsalter von Winchester, um 1050, *Abb. 131,* in großartiger Weise wieder, hier aber im Zusammenhang abendländischer Bildelemente, vergleiche auch die Titelseite zum Johannesevangelium im Odbertpsalter, um 1000, *Abb. 491, links.* Der Stuttgarter Psalter, Nordfrankreich, um 820–830, enthält für das Thema zwei ganz verschiedene Illustrationen. Die eine, die im Zusammenhang zu Ps 23(22),4 steht, gibt das Totenreich – »das finstere Tal« – als Hain wieder. Um einen der Bäume ringelt sich die Schlange, die im Schattenreich oder Totenhain – eine antike Vorstellung – den Tod symbolisiert. Sie wendet sich mit offenem Maul gegen Christus, der nach ihr greift und seinen Fuß auf sie setzt. Die andere Illustration, *Abb. 127,* zeigt Christus, vom Glanz der Mandorla umgeben und von

einem Engel begleitet, wie er gegen das Höllentor tritt und den Kreuzstab gegen den Riegel stößt. Hier ist Ps 24(23),7 f. illustriert, adventliche Verse, auf die auch die Ausführungen des Nikodemusevangeliums Bezug nehmen: »Machet die Tore weit ..., daß der König der Ehren einziehe! Wer ist derselbe König der Ehren? Es ist der Herr, stark und mächtig, der Herr mächtig im Streit[36].« Hinter dem Tor steht Satan, der als gefallener Engel Flügel trägt. Er ist wie die erschrockenen Bewohner der Hölle unbekleidet. Unten kauert mit gefletschten Zähnen der »Allesverschlinger«. Ein weiteres geflügeltes Höllenwesen blickt über der Tür heraus zum Engel hin. (Vgl. zu dem Gespräch mit dem ankommenden Christus den Text des Nikodemusevangeliums.)

Der frühe Darstellungstyp des Ostens ist, wie oben ausgeführt wurde, in der Zeit der griechischen und syrischen Päpste im 8. Jh. von Rom übernommen worden. Er lebte in Italien im Kontakt mit der Weiterentwicklung in der byzantinischen Kunst bis zum 11. Jh. fort und wurde von der Renaissancemalerei im 14. Jh. nochmals aufgegriffen. Das Fresko des Passionszyklus in der Abteikirche in S. Angelo in Formis, 1072–1087, *Abb. 104,* schließt noch an diese alte Bildgruppe an, zu der auch ein weitgehend zerstörtes karolingisches Wandbild in Müstair gehört. Die Höhle als Handlungsraum ist noch vorhanden; Hades fehlt; Christus tritt auf die Tore. Die Ureltern sind der abendländischen Tradition entsprechend unbekleidet. Im Gegensatz zu den Fresken des 8. bis 10. Jh. sind, wie in der mittelbyzantinischen Epoche, außer David und Johannes dem Täufer andere alttestamentliche Gestalten eingefügt.

Schon auf der Psalterillustration des frühen 9. Jh. ist die antike Vorstellung des Totenreiches aufgegeben und an seine Stelle das Inferno mit Höllenmotiven, wie sie das Weltgerichtsbild kennt, getreten[37]. Die Höllenfahrtsdarstellung des englischen Cottonpsalters, um 1050, *Abb. 131,* ersetzt die Totenhöhle und die felsige

---

36. Im 9. Jh. war es bei der Palmsonntagsprozession schon Brauch, vor dem Einzug in die Kirche mit dem Schaft eines Kreuzes an die verschlossene Tür zu klopfen. Es ist möglich, daß das Öffnen des Höllentores mit dem Kreuz auf dieser Illustration von diesem Brauch beeinflußt

wurde, gehört dieser Psalm doch auch zur Palmsonntagsliturgie.

37. Wir erinnern an den oben erwähnten Hymnus des Johannes Scotus, in dem das Wort Hades durch Schlange und Drache ersetzt ist.

Landschaft des östlichen Bildes durch einen Tierrachen. Christus tritt nicht auf den personifizierten Hades, sondern auf den gefesselten Teufel, ein Mischwesen aus Tier und Mensch; darunter steht der Drache. Obwohl das Inferno nicht als Raum aufgefaßt ist, hängt doch die geöffnete Tür in der Angel. Nur Adam und Eva sind bekleidet, während die drei anderen Gestalten, die flehentlich ihre Hände heben, nackt sind. Christus ergreift die Hand Adams und segnet Eva. Er trägt um die Stirne eine Binde, die seitlich geknotet ist. Vielleicht soll er damit als der Hohepriester, der beim Gericht »uns vertritt«, gekennzeichnet sein, Röm 8,34 b. Möglich ist dies, denn der Bezug zwischen Höllenfahrt und Gericht tritt bei dem westlichen Bild mehr hervor als bei dem östlichen, das liturgisches Osterbild ist.

Wie sehr sich die Höllenvorstellung mit der der Vorhölle und dem Descensus Christi verbinden kann, wird an einer Bildseite der katalanischen Beatus-Apokalypse in Gerona, um 975, deutlich, *Abb. 136.* Die drei farblich und durch eine geschwungene kräftige Linie voneinander abgesetzten Flächen spiegeln die mittelalterliche räumliche Vorstellung einer Vorhölle, als Ort der Läuterung, und der angrenzenden Hölle, als Ort der Verdammnis, wider. In dieser unteren braunen Hölle sitzt der Höllenfürst, er ist ebenso wie die Verdammten von Schlangen umwunden. Auf der vom Betrachter aus gesehen rechten Seite liegen die in die Hölle Gestürzten. Darüber erfaßt ein fressendes Untier, das an beiden Enden einen Kopf hat, zwei weitere Verdammte. Links reißt ein Teufel noch einen Unglücklichen in die Tiefe. An beiden Seiten zieht durch zwei Schornsteine der Rauch des Höllenfeuers der Unterwelt nach oben ab, vgl. hierfür auch *Abb. 152.* Die mittlere blaue Fläche gibt die Vorhölle, den limbus patrum, wieder. Die im Gegensatz zur byzantinischen Darstellung nackten Gestalten wenden sich nach oben, wo in einem dritten sehr lichten Bildraum Christus erschienen ist. Sein Kommen wird durch Johannes den Täufer mit ausgereckter Hand verkündet.

Links oben liegen die mit dem Christogramm gezeichneten Höllentore. Der Auferstandene hat das Handgelenk Adams ergriffen und zieht ihn aus der Vorhölle, unter ihm hebt Eva bittend die Hände[38]. Die ursprüngliche, nicht mehr erhaltene Beatus-Apokalypse ist ein Kommentar des Beatus von Liebana (Katalonien) zur Apokalypse des Johannes, der im 8. Jh. geschrieben wurde. Für die Illustrierung dienten vielleicht frei umgebildete spätantike Vorlagen. West- und Nordspanien stand im frühen und hohen Mittelalter auch in Verbindung mit dem orientalischen Christentum und nahm außerdem arabische künstlerische Einflüsse auf. Auf diese erste Beatushandschrift sind die spanischen Apokalypsenhandschriften des 10. bis 12. Jh. zurückzuführen, welche auch einige Darstellungen zu Evangeliumstexten, die nicht in der Apokalypse vorkommen, enthalten *(vgl. Bd. 2, Abb. 389)*[39].

Eine weitere Sondergruppe sind die Darstellungen der in Süditalien entstandenen Exultetrollen des 10. und 11. Jh., die in der Osterliturgie verwendet wurden. Hier mischen sich ebenfalls ältere östliche Bildmotive mit solchen, die für die abendländische Bildentwicklung wichtig werden. Sie geben mehrfach den Descensus mit der Besiegung des Teufels und die Anastasis mit der Befreiung der Gerechten getrennt wieder[40]. Auf einem Höllenfahrtsbild der Exultetrolle aus Benevent, um 981–987, *Abb. 132,* fährt Christus in einer Sternenmandorla, begleitet von zwei Engeln, herab und stößt dem gefesselten Teufel die Lanze in den Hals. Dabei reckt er die Hand gebietend aus (vgl. zu der Geste Darstellungen von Heilungen und Teufelsaustreibungen – Bd. 1). In der nach verschiedenen Richtungen hin bewegten herabfahrenden Gestalt ist die nach rechts aufwärts geführte Schreitstellung mit enthalten. Die mit einem Rautenmuster und Punkten verzierten Torflügel wirken in der winkelförmigen Anordnung innerhalb der Bildkomposition als dekorative Elemente, haben aber die gleiche Bedeu-

---

38. Farbige Wiedergabe bei Grabar-Nordenfalk, Das frühe Mittelalter, Genf 1957, S. 170.

39. Siehe W. Neuß: Die Apokalypse des hl. Johannes in der altspanischen und altchristlichen Bibel-Illustration (Das Problem der Beatus-Hss.), Münster 1931.

40. Die Exultetrollen wurden im Gottesdienst während der Lesungen über dem Ambo langsam abgerollt, so daß zum gesprochenen oder gesungenen Wort das Bild trat. Deshalb steht die Schrift zwischen den Bildern im Verhältnis zu ihnen auf dem Kopf.

tung wie auf anderen Darstellungen. Das Kampfmotiv des Lanzenstoßes, das auf dem östlichen Bild mit dem Fußtritt kaum vorkommt, kehrt auf einer Exultetrolle in Gaëta, um 1100, wieder, *Abb. 130.* Der Lanzenstoß ist im Abendland durch den Bildtypus des Christus victor auf den Tieren und durch Michael als Drachentöter seit dem 9. Jh. geläufig. – Ein zweites Bild dieser ältesten Rolle in Benevent, *Abb. 133,* zeigt Christus wiederum in der Gloriole, mit dem geschulterten Kreuz (vgl. Christus victor), im Aufstieg. Er zieht Adam hinter sich her. Das Höllenfeuer ist der byzantinischen Kunst gegenüber ein neues Motiv, der Türflügel und die mumienartigen Gestalten in den Riefelsarkophagen, die bei dieser sieghaften Auffahrt keinen rechten Sinn haben, ein übernommenes. Diese Auffahrt, die eine Exultetrolle des 11. Jh. in Capua ähnlich zeigt, *Abb. 129* – Kreuz nicht geschultert und ohne den Aufblick Christi –, muß mehr mit der Darstellung an dem syrisch beeinflußten Silberkasten, um 820, *Abb. 109,* zusammengesehen werden als mit dem mittelbyzantinischen Bildtypus des Aufstiegs, der sich wahrscheinlich erst um 1000 verbreitet hat. Die beiden Halbkreise auf der Illustration der Rolle in Capua deuten den Himmel als Ziel der Auffahrt an.

Eine andere süditalienische Exultetrolle, um 1000, heute in Manchester, *Abb. 134,* enthält zwei Darstellungen untereinander. Das obere Bild, das beim Gebrauch der Rolle das zweite ist, zeigt die Abhängigkeit vom Christus victor, der auf dem Feind stehend mit der Kreuzlanze zustößt. Die mit einem Bogen verbundenen Kirchenarchitekturen, aus denen die Auferstandenen gleich zwei Chören in Gruppen treten, sind entsprechend der Christus-victor-Darstellung als eines außerirdischen Triumphbildes Sinnbild des Himmels oder des Paradieses. Die untere Darstellung, *Abb. 135,* bringt in Anlehnung an die alte Bildform den Fußtritt in Verbindung mit der Befreiung Adams. Neu ist die große Anzahl der Auferstehenden, die, abgesehen von Adam und Eva, nackt sind. Die Gruppe

der schon Erlösten links oben ist bekleidet[41]. Mit der Befreiung der Gerechten ist das Gericht über die Verworfenen verbunden. Einige von ihnen stürzen in den Feuerofen der Höllenarchitektur im Hintergrund, rechts unten werden zwei Könige, als Halbfiguren wiedergegeben, von einem Teufelswesen umklammert.

Eine in der Ikonographie völlig neue Auffassung der Höllenfahrt als Gericht wird hier um die Jahrtausendwende sichtbar, als mit dem Wiederaufkommen chiliastischer Gedanken die Erwartung des Jüngsten Gerichts im religiösen Bewußtsein mehr hervortritt als vorher. Der Gedanke, daß der Predigt des Christus in der Unterwelt eine Scheidung der Geister folgt (Markion), taucht literarisch bereits im 2. Jh. auf. In den bildlichen Darstellungen kommt dieses Motiv nicht vor (abgesehen von der Johannesgestalt), weil die Errettung Adams als Hauptmotiv beibehalten wird. Die Scheidung zwischen den Erlösten und Verdammten in Verbindung mit der Höllenfahrt ist ein Sondergut dieser Exultetrolle und der katalanischen Buchmalerei.

Abgesehen von diesen Sondergruppen unterscheidet sich das Höllenfahrtsbild des lateinischen Mittelalters trotz deutlicher Einflüsse in wesentlichen Zügen immer von der ältesten in Rom bekannten Bildtradition der östlichen Anastasisdarstellung. Die Psalterillustration, die von bestimmten Textstellen ausgeht, hat auf das abendländische Höllenfahrtsbild eingewirkt, während das liturgisch gebundene Osterbild im Osten davon unberührt blieb. Da eine solche Bindung im Westen fehlt, kommt es nie zu einer einheitlichen Bildformulierung. Die Bezeichnung Höllenfahrt – descensus ad inferos – besagt, daß die antike Hadesvorstellung aufgegeben ist und an ihre Stelle allgemein die der Hölle oder Vorhölle tritt. Die gefesselte Figur, unter der ursprünglich der entmachtete Hades und der Tod verstanden wurde, wird nun im Abendland allgemein als gebundener Satan und oft als fratzenhaftes Mischwesen dargestellt. Der Akzent liegt nicht auf der Befreiung der Gerechten des Alten Bundes aus dem Bereich des Todes, sondern auf dem Machterweis des Auferstandenen in der Hölle. Verbunden ist damit sein Kommen zu den Seelen in der Vorhölle oder im Purgatorium, um ihnen die Erlösung zu verheißen. Im frühen Mittelalter ist in die lateinische Liturgie die Fegefeuer-

---

41. Im gleichzeitigen Weltgerichtsbild sind die Toten bei der Auferstehung aus ihren Gräbern ebenfalls unbekleidet dargestellt; erst wenn das Urteil gefällt ist und sie als die leiblich Auferstandenen in das Paradies eingehen oder zur Hölle getrieben werden, sind sie bekleidet.

vorstellung aufgenommen worden, die der griechischen Kirche fremd blieb. Die westliche Höllenfahrtsvorstellung ist von ihr mit beeinflußt worden. Zu dem Machterweis Christi gehören die Geleitengel und das Kampfmotiv, das heißt, der Speerstoß gegen den Teufel, der für die abendländische Darstellung charakteristisch ist.

Obwohl das Bild umgedeutet wird, behält es im Mittelalter in den meisten Fällen das Motiv der Handergreifung Adams bei. Auch Eva ist neben Adam dargestellt. Oft heben sie sich nur wenig von den anderen Seelen der Toten ab, doch sind sie aufgrund der alten Bildtradition manchmal bekleidet, während die anderen Toten, wie im Gerichtsbild vor ihrer Erlösung, nackt sind und jede Charakterisierung fehlt. Die Vorhölle wird durch Motive, die im Weltgerichtsbild den Ort der ewigen Verdammnis veranschaulichen, wiedergegeben: als eine Art Feuersumpf, als Rachen des Löwen (Ps 22[21],14) oder des Leviathan (Hiob 40,25 [20] ff.), der ebenso wie der Löwe (siehe unten) als Sinnbild des Bösen und Furchtbaren gilt. Manchmal ist die Hölle als »Gefängnis« durch ein Gelaß oder ein burgähnliches Haus, das von Teufeln verteidigt wird oder brennt, veranschaulicht. Als Limbus ist sie gekennzeichnet, wenn verschiedene Kammern wiedergegeben sind.

Das abendländische Descensusbild ist demnach nur mit Einschränkung als Auferstehungsbild zu verstehen, obwohl es bei zyklischen Leben-Jesu-Darstellungen häufig zwischen der Kreuzigung bzw. der Grablegung und der Auferstehung steht. Der Grund dafür ist die Verankerung der Höllenfahrt zwischen Grablegung und Auferstehung im Glaubensbekenntnis der römischen Kirche seit dem 10. Jh. Da für das Höllenfahrtsbild nicht wie für das kanonisierte liturgische Anastasisbild der Ostkirche ein fester Darstellungstypus vorliegt und es keinen biblischen Text als Grundlage gibt, kommt es im Westen zu keiner ganz eindeutigen Bildformulierung.

Die schon erwähnte Höllenfahrtsdarstellung des Auferstehungszyklus auf der Basilewsky-Situla, um 980, *Abb. 141*, ist vom alten Bildtypus abhängig und gibt die Begegnung von Christus und Adam in großer Eindringlichkeit wieder. Sie fügt der Szene die Fesselung des Satans durch einen Engel ein. Diese ist in la-

teinischen Redaktionen der Nikodemuserzählung des Mittelalters ausführlich geschildert und dadurch wahrscheinlich zuerst in die westliche Darstellung aufgenommen und später von der Kunst der Ostkirche übernommen worden. Das Elfenbeinrelief deutet den Limbus nur durch einen Torbogen an, durch den Christus, von der Mandorla umgeben und von zwei Engeln begleitet, eingetreten ist. Er trägt das Stabkreuz in der Form eines Gemmenkreuzes geschultert, tritt auf einen Torflügel und ergreift die Hand des vor ihm knienden Adam. Wie selbständig die Überlieferung umgeformt ist, zeigt neben der Fesselung des Satans auch die kniende Eva. In der byzantinischen Kunst ist sie regelmäßig hinter dem aus dem Grab sich erhebenden Adam stehend gezeigt.

Eine Reichenauer Miniatur, um 1018, *Abb. 139*, greift die Darstellung des herabkommenden Christus in einer seiner Bewegung angepaßten schräg gestellten Mandorla, die in Rom schon im 9. Jh. vorkommt, wieder auf. Die vier Geleitengel nehmen Anteil an der Errettung der Menschen, während sich zwei weitere herabneigen und gleich Christus Seelengestalten befreien. Der Gefesselte ist von der Hadesgestalt abgeleitet. Auf einer Inferno-Darstellung eines Echternacher Perikopenbuches, um 1040, *Abb. 137*, sind um den gefesselten Höllenfürsten, der einen Stirnreif trägt und besiegt auf dem Rücken liegt, sechs Teufelsköpfe zu sehen, aus deren Mäulern Flammen schlagen. Christus steht inmitten der Seelen im Feuer. Eine Beischrift zu dieser Darstellung lautet: »Der Herr hat die Gewalt der Hölle gebrochen und dadurch die Seelen erlöst.« Dagegen bleibt Christus auf einer Miniatur der Salzburger Schule des 12. Jh., *Abb. 138*, außerhalb der Hölle, die als Limbus wiedergegeben ist. Aus einer der Kammern treten die Ureltern hervor, die andere ist dem von Schlangen oder Würmern umgebenen Teufel vorbehalten. Eine andere Höllenfahrtsminiatur, 2. Viertel 13. Jh., gibt den Vertretern der Stände verschiedene Kammern, *Abb. 150*. Hier sind die Seelen ausnahmsweise bekleidet.

Die archaisierende Höllenfahrtsdarstellung in zwei Szenen auf einem Metallantependium des 12. Jh. aus Oelst im Nationalmuseum in Kopenhagen, die sich unterhalb der Majestas Domini befindet, gibt zwei Szenen, *Abb. 142*. Im ersten Bildfeld ist der Teufel, ein

Mischwesen zwischen Tier (Fell, Klauen, Horn) und Mensch (Gesicht), sitzend an eine Säule gefesselt, um die sich eine Schlange windet. Aus dem Blattkapitell der Säule fährt ein Tierkopf und zerbeißt die Schlange. Da Baum und Säule typenmäßig in enger Beziehung zueinander stehen, ist es nicht auszuschließen, daß mit der Säule der Baum des Sündenfalles gemeint ist. Christus, der in die Hölle eingetreten ist, hebt beschwörend die Hand. Daß es sich um die Höllenfahrt handelt, wird an den überkreuzten Türen und am nächsten Bildfeld deutlich, auf dem Johannes der Täufer, Adam und Eva (nackt, aber nimbiert) aus dem Tor treten und Christus die Hände der Ureltern ergreift. In der Kontrapoststellung des Befreiers klingt das Motiv des Aufstiegs an.

Auf einem fragmentarischen Steinrelief, um 1050, im Südquerhaus der Kathedrale zu Bristol, *Abb. 143,* steht der Auferstandene auf dem Satan, hinter ihm der offene Höllenrachen, als wäre er Satan ausgespien worden. Adam und Eva, die klein und unbekleidet wiedergegeben sind, stehen vor Christus und recken sich empor. Der obere Teil der Figur Evas ist zerstört, ihre – für das östliche Bild typischen – erhobenen Hände sind jedoch noch erkennbar. Christus ergreift mit der einen Hand Adam, mit der anderen hält er das Stabkreuz über die Menschen und segnet sie. – Auf einem englischen Taufstein, 1140–1170, in Eardisley (Herfordshire) ist dagegen in Anlehnung an die östliche Tradition die Befreiung Adams dargestellt: Christus steigt aus der Hölle auf, schreitet weit aus und zieht Adam mit sich[42]. Auf einem Feld der in Magdeburg gegossenen Bronzetür der Sophienkirche in Nowgorod, 1152–1154, ist dagegen der Speerstoß gegen das Ungeheuer, in dessen Rachen drei Köpfe zu erkennen sind, isoliert wiedergegeben, *Abb. 144.* (Der untere Teil der Lanze – vielleicht der umgedrehte Kreuzstab – ist abgebrochen.) Christus trägt ein mit Borten reich verziertes Gewand und steht in diagonaler Haltung auf einem Schemel oder Kissen frei im Raum[43]. Auffal-

lend ist hier der offene Rotulus in seiner Hand und seine darauf weisende Geste. Darin kommt das selten dargestellte Motiv der Predigt in der Unterwelt zum Ausdruck.

Die wenigen mittelalterlichen Werke, die, meist in Verbindung mit dem Niedertreten des Feindes, den Auszug aus der Hölle zeigen, wie das dem Kunstkreis der Maas entstammende Email-Triptychon des 12. Jh., *vgl. Abb. 435,* oder das Herausreißen der Ureltern aus der Hölle, das Nikolaus von Verdun auf dem Klosterneuburger Altar, 1181, *Abb. 146,* und auf dem Marienschrein in Tournai, 1205, *Abb. 147,* veranschaulicht, sind östlich beeinflußt. Das gilt vor allem für das ältere Werk des Verduner Meisters, das noch nicht den Höllenrachen wiedergibt, sondern durch die geöffneten Tore an der Vorstellung eines Gelasses festhält. Auch die in zwei Richtungen bewegte Christusgestalt und der Fußtritt lassen – im Gegensatz zu der aufrecht stehenden Figur des Schreins – die größere Nähe zum byzantinischen Vorbild erkennen. Ebenso ist das Doppelkreuz östlicher Herkunft. Dagegen weicht die Handergreifung – auf dem älteren Werk Eva, auf dem jüngeren beide – von Vorbildern ab. Die Umschrift beim Emailtäfelchen lautet: »Die starke Macht, Christus, hat das Recht des Todes bezwungen.« Links oben hält der Prophet ein Schriftband, dessen Worte auf Hos 13,14 verweisen: »Ich will sie erlösen aus der Hölle und vom Tod erretten.« Zu den typologischen Darstellungen siehe unten[44]. Auf der Ciboriumssäule in Venedig, *Abb. 145,* führt Christus nur Adam aus dem Totenreich. Die Miniatur des thüringischen Landgrafenpsalters, 2. Jahrzehnt des 13. Jh., *Abb. 140,* deutet den Auszug aus dem brennenden Todesrachen durch die Wendung der Gestalt des Befreiers in die bildauswärts gerichtete Schrittstellung an. Das Höllenfahrtsbild eines niedersächsischen Evangeliars, Ende 12. Jh., der Herzog-August-Bibliothek in Wolfenbüttel, *Abb. 156, Ausschnitt,* zeigt Christus von der Mandorla umgeben in den entgegengesetzten Bewegungen des Nieder-

---

42. R. T. Stoll, 1966, Abb. 111.

43. Diese kleine Standfläche könnte vielleicht mit dem Suppedaneum zusammenhängen, das schon in der frühchristlichen Kunst in Entsprechung zum byzantinischen Hofzeremoniell als Zeichen der Erhöhung ver-

wandt wurde.

44. Wir beziehen uns wie in den beiden ersten Bänden bei allen Darstellungen des Klosterneuburger Altars des Nikolaus von Verdun auf F. Röhrig, Der Verduner Altar, 1955, herausgegeben vom Stift Klosterneuburg.

beugens und des Aufstiegs. Außerdem gehen die Höhle, die Hervorhebung des Fußtritts und die Ureltern, die im Gegensatz zu den anderen namenlosen Seelengestalten bekleidet sind, auf östliche Vorlagen zurück. Die Seelen und die Fahne sind westliche Motive. Über der Höllenfahrt ist die Grablegung und in der Rahmenleiste, die beide Szenen zusammenfaßt, sind vier Propheten dargestellt. Die Schrift ihrer Bänder ist nicht mehr lesbar.

Christus trägt auf dem Höllenfahrtsbild bis zum 14. Jh. nicht die Wundmale, abgesehen von einigen Ausnahmen, die vom Christustypus der Auferstehung ausgehen, *Abb. 146, 153 (vgl. auch Bd. 2, Abb. 476 unten)*. Er trägt fast immer das Stabkreuz, vom 12. Jh. an meistens mit dem Fahnentuch, das im Abendland Attribut des Auferstandenen ist. Manchmal ist die Fahne dreigeteilt wie die der sieghaften Ekklesia unter dem Kreuz auf karolingischen und späteren Darstellungen. Auf dem Freckenhorster Taufstein um 1129, *Abb. 157*, ist der Eingang zur Hölle durch ein Tor vor einem Stollen verbildlicht, von dem eine Brücke in die Freiheit führt. Auf dem oberen Teil einer deutschen Elfenbeintafel des 12. Jh., Leningrad, *Abb. 155, Ausschnitt*, die als Hauptdarstellung die Kreuzigung zeigt, geht Christus auf einem Weg vom geöffneten Grab zur Hölle. Er hebt die rechte Hand segnend, während er mit der linken die Hand eines ihm aus der Hölle Entgegenkommenden ergreift.

Aus dem Bereich der der Zerstörung am meisten ausgesetzten Wandmalerei sind nur wenige Darstellungen des hohen Mittelalters erhalten[45]. Auf einem Fresko in der Krypta von St. Nicolas in Tavant (Indre-et-Loire), Mitte 12. Jh., *Abb. 148*, erhält der Satan, der gleich einem maskierten aufrecht stehenden Tier mit erhobenen Pranken lamentiert, da er seine Beute herausgeben muß, einen zwiefachen Todesstoß: vom Auferstandenen und von der Hand Gottes, die aus der Höhe mit einem Speer zustößt. Mit der Rechten ergreift Christus die Hände des emporsteigenden Adam

und entreißt ihn dem Machtbereich des Todes und des Satans. – Ein Gewölbefresko des neutestamentlich-typologischen Zyklus von St. Maria Lyskirchen zu Köln, um 1250, *Abb. 149*, zeigt als einziges Bild zur Auferstehung die Höllenfahrt, die auf die Kreuzabnahme folgt. Der Tod, nach der byzantinischen Ikonographie personifiziert, ist gefesselt, trägt jedoch als Fürst des Reiches der Finsternis eine große Krone auf dem Haupt[46]. Die Hölle ist als brennende Burg oder als Eingangstor zur Unterwelt verbildlicht. Ein Wächter bläst wie bei einem Überfall ins Horn. Der sieghafte Christus stößt die Kreuzesfahne gegen den Tod und reißt Adam, dem Johannes der Täufer folgt, aus den Flammen der Hölle. Als typologische Gegenüberstellung ist Simson mit den Toren von Gaza dargestellt, siehe zu Typologie unten.

Zwei englische Psalterhandschriften, der Albanipsalter, 1. Hälfte 12. Jh., im Besitz der Kirche St. Godehard, Hildesheim, *Abb. 152*, und der Arundelpsalter, Ende 13. Jh., im Britischen Museum, London, *Abb. 153*, machen sehr deutlich, daß es sich im Abendland bei dem mittelalterlichen Bild nicht um die Befreiung der Gerechten des Alten Bundes handelt, auch wenn Adam und Eva innerhalb der Gestalten erkennbar oder sogar hervorgehoben sind, sondern vielmehr um den Machterweis Christi im Totenreich, der letzten Station seines Erdenlebens, und um den Zuspruch der Auferstehungsverheißung an die Seelen der Verstorbenen. Adam und Eva sind nicht Vertreter des Alten Bundes, sondern der auf Erlösung harrenden Menschheit. Auf der Darstellung im Albanipsalter blicken die drei fliehenden Teufel, die durch Flügel als gefallene Engel gekennzeichnet sind, gehässig zu ihren einstigen Gefährten hinüber; auf der anderen englischen Miniatur stößt ein Teufel, mit Bockshörnern und Fledermausflügeln ausgestattet, als Stadtwächter in das Horn, um vor dem Eindringling in die Hölle zu warnen. Einer der Türflügel ist so betont in diagonaler Richtung vor den Bildgrund gesetzt, daß er an

---

45. Zu den Resten der Höllenfahrtsdarstellung in der Krypta der Martinskirche in Emmerich, Mitte des 12. Jahrhunderts, siehe P. Clemen, Die Romanische Monumentalmalerei in den Rheinlanden, Düsseldorf 1916.

46. Nach F. Goldkuhle, Mittelalterliche Wandmalerei in Maria Lyskirchen, Düsseldorf 1954, Anmerkung 298, ist die Herkunft der Inschrift: Chirographum mort(is), die etwa mit »eigenhändige Schrift des Todes« übersetzt werden müßte, nicht festzustellen.

die Grabplatte auf Auferstehungsbildern erinnert. Zwei inhaltlich parallele Zeichen, die zwei verschiedenen Darstellungstypen angehören, werden formal aneinander angeglichen. – Die gegebenen Bildbeispiele zeigen die Fülle der aufgenommenen Motive und die Abwandlung der Bildgedanken, die, wie oben schon gesagt wurde, zu keinem festen Bildtypus führt.

Bei zyklischen Darstellungen vom 11. Jh. an wird die Höllenfahrt als eine historische Szene der Passionsgeschichte behandelt. Die Vorstellung, Christus sei nach seinem Sterben in das Reich der Toten und der Finsternis hinabgestiegen und habe, während sein irdischer Leib im Grabe lag, Tod und Hölle endgültig besiegt, äußert sich manchmal in der Szenenfolge. Die Höllenfahrt kann stehen: erstens zwischen der Kreuzigung und der Himmelfahrt, so auf einem Elfenbeinkästchen des Museums in S. Paolo f.l.m., Rom, 1070 bis 1075, *Abb. 154*, wo sie kompositorisch mit der Himmelfahrt in einem Bildfeld verbunden ist, und auf dem Freckenhorster Taufstein, 12. Jh., *Abb. 157*, wo der Engel am Grabe in das Bildfeld der Befreiung der Ureltern einbezogen ist und die Himmelfahrt auf dem nächsten Bildfeld folgt; zweitens zwischen Grablegung und Auferstehung, so beim Klosterneuburger Altar, 1181, *Abb. 146;* drittens zwischen den Frauen am Grabe und der Himmelfahrt, so auf dem Eilbertustragaltar, 1150–1160, *vgl. Abb. 720,* oder im Anschluß an die Grabesszene, *Abb. 156.* Wie eng gerade diese beiden Szenen verknüpft sind, zeigt nicht nur die Darstellung am Freckenhorster Taufstein, wo die schräg liegende Grabplatte identisch ist mit dem Türflügel des Höllen-Hauses und eine Art Brücke bildet, über die Adam und Eva aus der Hölle herausgehen, sondern ebenso das deutsche Elfenbeinrelief in Leningrad, 12. Jh., *Abb. 155,* wo vom Grab ein Weg zur Hölle führt, auf dem Christus hinübergeht, während der Engel mit den Frauen spricht. Auf dem schon erwähnten Triptychon der Maasgegend in London, 12. Jh., *vgl. Abb. 435,* sind die Frauen am Grab und der Auszug aus der Hölle als Auferstehungsbilder der Darstellung des Christus am Kreuz zugeordnet. Die Bibel in's-Gravenhage, E. 12. Jh., *vgl. Abb. 176,* enthält eine Bildseite mit den Darstellungen der Grablegung und Auferstehung, des Auszuges aus der Hölle und der Auferstehung der Toten. Im Arundelpsalter, *Abb. 153,*

ist auf einer Bildseite die Höllenfahrt der Kreuzabnahme, der Bereitung des Leichnams (Grablegung) und der sehr selten dargestellten Übergabe des Bestechungsgeldes an die Grabeshüter, Mt 28,11–15, vorangestellt. In einer englischen Handschrift, 1120–1140, *vgl. Abb. 291,* leitet sie den Zyklus der Erscheinungen des Auferstandenen ein.

Zwei Werke des 14. Jh. bringen allerdings die Verbindung der Grablegung oder der Grabesruhe mit der Höllenfahrt in einer Weise zum Ausdruck, die sinnfälliger als manches erwähnte Beispiel das Reich des Todes und des Satans als die letzte Station des Erdenweges und des Erlösungswerkes Christi zeigt. Auf einem bestickten Seidenparament von Narbonne, 1374–1378, Paris, Louvre, *Abb. 158,* schwebt der Auferstandene vom Grab aus, wo sein Leichnam betrauert wird, zum Höllenrachen hinab, tötet den Satan und befreit Adam. Ganz rechts ist er am Ostermorgen bei der Begegnung mit Magdalena noch einmal dargestellt. Bei beiden Szenen verweisen fünf blutende Wunden des Auferstandenen auf sein Todesopfer. Ebenso ist auf einer mittelrheinischen Altartafel, um 1380, *Abb. 159,* Christus mehrfach wiedergegeben. Als Leichnam liegt er im Grab, am Kreuz hängend wird er von Gott-Vater vorgewiesen – ein Gnadenstuhlbild –, als der Auferstandene entsteigt er dem Sarkophag und bringt, noch auf seinem Grab stehend, Adam und Eva die Auferstehungsbotschaft. Der Höllenrachen ist verdoppelt, so daß zwei nach entgegengesetzter Richtung geöffnete »Kammern« entstehen, die als Vorhölle und als eigentliche Hölle, in der die Verdammten gequält werden, zu verstehen sind.

Auf den spätmittelalterlichen Passionsaltären fehlt die Höllenfahrt selten *(vgl. Bd. 2, Abb. 22).* Im 14. Jh. übernimmt auch die deutsche Kunst das Motiv des Todesrachens, das seit der Jahrtausendwende in England und Frankreich üblich ist. Meister Bertram gibt auf dem Passionsaltar in Hannover, Ende 14. Jh., *Abb. 160,* den Erretteten bürgerliche Kleidung. Schon auf dem Kölner Wandbild, Mitte 13. Jh., *Abb. 149,* trägt Eva, die von Adam weitgehend verdeckt wird, eine Haube. Die zeitgenössische Kleidung ist nicht nur stilbedingt, sondern auf die Absicht zurückzuführen, die Errettung durch Christus als ein gegenwärtiges Geschehen vor Augen zu stellen.

Im Prager Passionale der Äbtissin Kunigunde, 1314 bis 1321, *Abb. 161,* und in anderer Weise auch auf dem geschnitzten Hochaltarrahmen von Derik Jaeger in der Nikolaikirche in Kalkar, Ende 15. Jh., *Abb. 163,* wird die Anstrengung, deren Christus bedarf, um den Menschen dem Tod zu entreißen, im Sinne der spätmittelalterlichen individuellen Passionsfrömmigkeit (vgl. Bd. 2) aufgezeigt. Wie eng mit dem Glauben an die Auferstehung Christi die Vorstellung der Besiegung des Teufels verbunden ist, macht eine Illustration eines Nürnberger Speculums, um 1420, *Abb. 162,* deutlich. Es wird nur die Tötung des Teufels, der im Rachen des Todes sitzt, durch den Auferstandenen gezeigt.

In der Reformation stehen die beiden Auffassungen der Höllenfahrt, die sich durch das ganze Mittelalter hindurchziehen, nebeneinander. Im sogenannten »Höllenstreit« faßte Äpin die Höllenfahrt als die tiefste Erniedrigung und Vollendung der Strafersatzleistung auf, während Melanchthon in ihr den Sieg über Tod und Hölle als eine aktive Leistung erblickte. Beide bezogen sich auf Luthers theologia crucis und seine Hervorhebung des Kampfes Christi wider Tod und Teufel. Fest steht für die Reformatoren, daß Christus »tota persona«, als Mensch und als Gott in die Hölle hinabstieg und ebenso zum Himmel emporfuhr[47]. Luther sieht die Auferstehung und die Höllenfahrt, »den wunderlichen Krieg«, zusammen: »In dem selbigen Durchgang (Passa) hat er Sünde, Tod, Teufel und Hölle erleget und geschlagen und aus diesem ägyptischen (Ägypten ist von alters her Sinnbild für die Widersacher) Gefängnis alle seine Christen und Gläubigen erlöset und führt sie seinem himmlischen Vater zu.« Es sind hier nicht die Ureltern und Patriarchen gemeint, die aus der Gewalt des Todes befreit werden, sondern alle Christen.

Dürer in seiner großen Holzschnittpassion, um 1510, *Abb. 165,* und an ihn anschließend Brüggemann im Bordesholmer Altar, 1515–1521, *Abb. 166,* haben das Hinabsteigen Christi, Dürer sogar sein Niederknien vor dem Gelaß betont. Andererseits wird, wie in der italienischen Renaissance, die Räumung der Hölle dargestellt, der im 12. Jh. in der Kunst nördlich der Alpen

schon einige Darstellungen des Auszuges aus dem Totenreich vorangingen. Neu ist bei Brüggemann die intensive Konfrontierung Christus–Adam, der als letzter aus dem finstern Gelaß emporsteigt, während Eva, Johannes der Täufer, Mose und andere schon befreit sind. Auf Dürers Holzschnitt steht Adam oben bei den Befreiten. Der bärtige Mann mit dem Kreuz ist der begnadigte Schächer, den auch die italienische Renaissance in das Bild aufnimmt. Auf Dürers Holzschnitt wird er allerdings auch als Adam gedeutet. Dem steht entgegen, daß Adam niemals mit dem Kreuz dargestellt wurde, während im Nikodemusevangelium erwähnt wird, daß der Schächer mit seinem Kreuz zum Paradies kam und eingelassen wurde.

Wir haben oben schon gesagt, daß der Christus victor auf Kreuzigungsbildern und Darstellungen der Erlösung von Cranach und anderen Meistern der Reformation auf dem besiegten Drachen und der Schlange unter dem Kreuz steht *(vgl. Bd. 2, Abb. 532, 534)* oder in dem Augenblick, da er aus dem Grab steigt, die Kreuzesfahne auf den Tod setzt *(vgl. Bd. 2, Abb. 538).* Auf einem Werkstattbild Cranachs, 1537–1540, Museum Aschaffenburg, *Abb. 164,* sind die Auferstehung und die Höllenfahrt Christi in einer Bildkomposition zusammengefaßt. Die Erlösten befinden sich vor dem Höllentor, in ihrer Mitte steht Christus und erfaßt die Hand Adams. Dieses symbolische Motiv der Befreiung aus der Gewalt des Todes und des Teufels bleibt bis in die letzten Ausläufer der Bildentwicklung erhalten. Die Teufel, um ihre Beute betrogen, sind in ihrem Aufruhr ohnmächtig. Die fratzenhaften Tiergestalten schwirren zwar bis zum oberen Bildrand, doch drängt sie die das Bild beherrschende Gloriole des Auferstandenen ganz an den Rand.

Das Höllenfahrtsbild wird Ende des 16. Jh. allmählich von dem Auferstehungsbild verdrängt, kommt allerdings, wie die Darstellung der Frauen am Grab, in konventioneller Form in Bildzyklen weiter vor. Es sei aber noch an den Darstellungstypus des »Lebenden Kreuzes« erinnert, auf den wir im 2. Band Seite 171 ff. eingingen. Von den vier handelnden Händen, die aus den Kreuzenden hervorgehen, schließt eine die Hölle auf. Dieses Motiv wird im 16. Jh. zur Höllenfahrt oder zur Tötung von Hölle, Tod und Teufel erweitert *(vgl. Bd. 2, Abb. 529, 530, 531).*

47. Form. Concord. Art. 9.

Das italienische Bild vom 14. bis 16. Jahrhundert. Die italienische Wand- und Tafelmalerei bleibt dem frühen, vom Osten bestimmten Bild sehr viel näher als die mittelalterlichen Werke nördlich der Alpen. Im Gegensatz zu diesen bilden die italienischen Darstellungen eine einheitliche Gruppe, die zwar Variationen enthält, in ihren Grundzügen aber bis zum 16. Jh. gleich bleibt. Sie zeigt nicht die Hölle, sondern den »limbus patrum« als Höhle, vor dessen Eingang Christus erscheint, und übernimmt aus der byzantinischen Ikonographie die Vielzahl der Vertreter des Alten Bundes und deren Charakterisierung, faßt sie aber zu einer Gruppe am Ausgang der Höhle zusammen. Auf Darstellungen der ersten Hälfte des 14. Jh. (Duccio, Hochaltar Siena; Pietro Lorenzetti, Fresko westliches Querschiff der Unterkirche von Assisi) kniet Adam, mit langem Bart und Haar als der Urvater gekennzeichnet, an der Spitze der aus der Höhle herausdrängenden Gruppe. Die Gestalt des Hades ist umgewandelt in die des Teufels. Über sie schreitet Christus hinweg und ergreift die Hand Adams. Durch die Individualisierung der alttestamentlichen Zeugen wird deutlich, daß die Befreiung wieder denen gilt, die des Messias harrten und die ihn nun im auferstandenen Christus erkennen. Diese Wiedergewinnung des alten Bildgehaltes ist nicht nur auf den bewußten Rückgriff auf alte Bildtypen zurückzuführen, sondern ebenso auf das Bekanntwerden der alten apokryphen Texte mit ihrer Schilderung des Vorgangs, die sich jetzt erst in dem erzählenden Bild ganz auswirken. Außerdem beeinflussen die Passions- und Osterspiele, die sich im 14. Jh. vom geistlichen Spiel im Gottesdienst zum Volksspiel in der Stadt wandeln, die Bildformulierung[48]. Giottos Wandbildzyklus in Padua enthält weder die Darstellung der Höllenfahrt noch die der Auferstehung Christi aus dem Grabe. Doch nimmt er den Gedanken der Befreiung der Gerechten aus dem Totenreich in das Bild der Himmelfahrt auf: Mit Christus schweben einige alttestamentliche Gestalten empor, *vgl. Abb. 513.* Schon vor ihm ist dieser Gedanke auf einer Emailtafel zum Ausdruck gebracht, die Christus über der Hölle zum Himmel auffahrend zeigt, *vgl. Abb. 478.* Das gleichfalls Anfang des 14. Jh. entstandene Wandbild der Cavallini-Schule in Neapel, *vgl. Abb. 217,* verbindet die Höllenfahrt mit der Auferstehung Christi zu einer Bildkomposition. Die Höhle befindet sich unmittelbar unterhalb des geschlossenen Grabes, auf dem der Auferstandene steht. Oben stürzen die Krieger vor Furcht zu Boden oder wenden sich entsetzt ab, unten begleiten die himmlischen Krieger, die unter ihrem Mantel die gleiche Rüstung tragen wie die irdischen, den sieghaften Christus in das Totenreich und binden dort die Teufel. Hinter Adam und Eva, die beide knien und bekleidet sind, knien zwei Erzväter, Abraham und Isaak, von letzterem sind nur noch die Hände und der Bart zu erkennen. Auch andere Gestalten sind der Zerstörung anheimgefallen.

In der Spanische Kapelle bei S. Maria Novella in Florenz setzte Andrea da Firenze um 1365–1368 in den Gewölbezwickeln die Auferstehung Christi mit den drei Frauen am Grab und die Erscheinung Christi im limbus patrum zueinander in Beziehung. Außerdem sind noch die Himmelfahrt und die Ausgießung des Heiligen Geistes dargestellt. Christus schwebt bei der Errettung der Gerechten in einer Strahlenglorie vor dem limbus patrum, *Abb. 167.* Aus einer besonderen Kammer der Höhle sehen die Teufel machtlos der Befreiung der Gerechten zu, deren Zahl hier aufgrund der Vorliebe der florentinischen Malerei dieser Zeit für die Wiedergabe von Volksmengen vermehrt ist. Hinter Adam ist Abel mit dem Lamm zu erkennen, hinter ihm Noah mit der Arche; David ist durch das Notenblatt als Sänger gekennzeichnet; neben ihm steht Mose mit der Gesetzestafel in den Händen und den ihn charakterisierenden Strahlen auf dem Haupt[49]. Diese durch Attribute charakterisierten alttestamentlichen Personen gehören auf einigen Weltgerichtsbildern der Gruppe der Seligen an. Fra Angelico hat den Auszug aus der Totenwelt auf einem Fresko des Klosters S. Marco in Florenz, 1437–1445, *Abb. 170,* dargestellt. Beim Eintritt Christi in die Höhle verbergen die Teufel sich in den Felsenspalten vor ihm; auf einen

---

48. K. W. C. Schmidt, Die Darstellungen von Christi Höllenfahrt in den deutschen Schauspielen des Mittelalters, Diss. Marburg 1915.

49. Sie beziehen sich auf sein glänzendes Angesicht, das die Israeliten sahen, als er vom Berg der Gesetzgebung herabkam.

ist die eingeschlagene Tür gefallen. Schnellen Schrittes kommen aus der Tiefe der Höhle die Erretteten Christus entgegen.

Die formale Abhängigkeit von dem östlichen Vorbild verliert sich im Laufe des 15. Jh. Wenn die alttestamentlichen Personen nun unbekleidet wiedergegeben sind, so handelt es sich nicht um einen Einfluß des mittelalterlichen Bildes, sondern um künstlerische Prinzipien der Renaissanceepoche, die mit der Nacktheit die neue Leiblichkeit der vom Tode Erstandenen künstlerisch zur Anschauung bringen will. Das Mittelalter drückte mit ihr die Unleiblichkeit der in der Vorhölle harrenden Seelen aus. Jacopo Bellini stellt auf der Predella eines Altars in Padua, um 1460, *Abb. 168*, die Höhle in eine Landschaft, in die die Teufel entfliehen. Neu ist hier die Hinzufügung des Schächers mit dem großen Kreuz, den später auch Dürer aufnahm. Aus dem Wort Christi zu dem Schächer »Heute wirst du mit mir im Paradiese sein« wurde gefolgert, er sei der erste im Paradies gewesen. Die Nikodemusdichtung läßt ihn am Eingang zum Himmel mit den aus dem Limbus Befreiten zusammentreffen. Auf Bellinis Bild erwartet er vor dem Limbus die Geretteten des Alten Bundes, die gleich ihm »heute noch« in das Paradies geführt werden. Dieses gilt als der Ort, in dem die Erlösten auf die ewige Herrlichkeit des »neuen Himmels und der neuen Erde« warten. Daß dieser Gedanke der Auffahrt in das Paradies auf Giottos Himmelfahrtsbild in Padua veranschaulicht ist, wurde schon erwähnt.

Die Höllenfahrt, die Auferstehung und die Himmelfahrt vergegenwärtigt höchst dramatisch ein Bronzerelief der Kanzel in S. Lorenzo zu Florenz, das um 1460 in der Werkstatt Donatellos gearbeitet wurde, *Abb. 169*. Christus erwartet nicht die Erlösten, sondern ist durch ein Tor in das Totenreich eingetreten, eilt, in der einen Hand die Osterfahne haltend, zwischen den ihn erregt umdrängenden Gestalten hindurch und ergreift die Hand Adams. Von der anderen Seite kommt ihm Johannes der Täufer mit weit ausgereckter Hand entgegen. Bei Donatello ist der äußerste Grad einer realistischen Wiedergabe des vorgestellten Geschehnisses erreicht. Jenseits des zweiten Höllentores steigt Christus, eine derbe, gedrungene Gestalt, von der Vorhölle aus an den Grabeswächtern vorbei auf das offene

Grab und drängt weiter vorwärts, *vgl. Abb. 231*. In keinem anderen Werk werden die lapidaren Worte des Glaubensbekenntnisses: »... niedergefahren zur Hölle, am dritten Tage auferstanden von den Toten, aufgefahren gen Himmel ...« als Ereignisablauf so wirklichkeitsnah vor Augen geführt. Vom 16. Jh. an drängt auch in Italien das Auferstehungsbild die Höllenfahrtsdarstellung zurück. Ein später Ausläufer ist ein Gemälde von Bronzino, 1552, aus S. Croce, Florenz, heute im Museum der Kirche, *Abb. 172*. Christus tritt hier in die Mitte der auf die Befreiung Harrenden. Er ist wie bei der Auferstehung nur mit einem Tuch, das um die Lenden und Schultern geschlagen ist, bekleidet. Jesaja links oben, der an dem Attribut der Säge zu erkennen ist[50], streckt seine Hand redend aus, als wolle er die Erfüllung seiner Messiasprophetie konstatieren. Aus der Tiefe der Erde drängen immer mehr Gestalten in den Raum, so daß der Eindruck einer unzählbaren Schar entsteht. Auch hier ist am Eingang hinter Johannes dem Täufer, der den Kreuzstab hochhebt, der Schächer mit dem großen Kreuz zu sehen. Sie wenden sich einander zu – stehen sie doch beide in einer unmittelbaren Beziehung zu Christus. Hinter einer Felswand, welche die Hölle vom limbus patrum trennt, tauchen über dem Höllenfeuer spukhafte Teufelsfratzen auf.

Mit dem Bild der Höllenfahrt von Tintoretto, 1568, *Abb. 171*, das im Altarraum von S. Cassiano in Venedig als Auferstehungsbild der Kreuzigung gegenübergestellt ist, erreicht die Entwicklung des abendländischen Bildes ihren Abschluß. Christus betritt nicht die Hölle, sondern neigt sich im Schweben durch eine Drehung des Oberkörpers herab zu Adam und Eva. Aus der Entfernung streckt er ihnen seine mit dem Wundmal gezeichnete Hand entgegen. Die große Aura, die sein Haupt umgibt, strahlt Licht aus; sakrales und natürliches Licht sind auf dem Bild kaum zu unterscheiden. Auf Adam fällt ein von Christus ausgehender Schein, während es unbestimmt bleibt, woher Evas neuer Leib der Auferstehung, der in makelloser Schönheit leuchtet, das Licht empfängt. Unter der stark bewegten Christusfigur liegen die Türflügel der Hölle überkreuz, und ein Engel hält eine große Kette in der

---

50. Jesaja wurde von Manasse zersägt. Siehe Hennecke-Schneemelcher II, S. 459.

Hand, um den Satan zu binden. Die Diagonalbewegung dieses herabfahrenden Engels wird rechts oben von dem emporfliegenden Engel aufgenommen. Seine Aufgabe im Bild ist es, das Aufsteigen Christi gleichsam vorzubereiten oder die Richtung zu weisen, in der der Auferstandene vom Reich der Toten auffahren wird zum Reich Gottes. Auch die große Leiter ist ein Symbol der Verbindung von unten nach oben und deutet in diesem Zusammenhang auf die Himmelfahrt Christi sowie auf die Aufnahme der Befreiten ins Paradies hin.

Die Auferstehung der Toten als Osterbild

Die eschatologische Auferstehung der Toten aus ihren Gräbern ist im Abendland innerhalb des Gerichts- und Kreuzigungsbildes etwa 200 Jahre früher dargestellt worden als die Auferstehung des Herrn aus dem Grab, allerdings erst nach der Mitte des 11. Jh. in der Form einer verselbständigten Darstellung, die in direktem Bezug zur Auferstehung Christi steht. Das christliche Theologumenon von der Auferstehung der Toten hat seinen alttestamentlichen Anknüpfungspunkt in der Vision Hes 37, bei der der Prophet von Gott im Geist auf ein Feld voller Totengebeine geführt wurde und sah, wie sich aufgrund des ihm vom Herrn gegebenen Wortes die Gebeine erhoben und vereinigten und die Toten Israels zu neuem Leben erweckt wurden. Die Bildgeschichte dieser Vision ist bis ins 3. Jh. zurückzuverfolgen: Bekannt sind ein Fresko in der Synagoge in Dura-Europos, Mitte 3. Jh.[1], ein Goldglas, 1. Hälfte 4. Jh., Britisches Museum, und einige Sarkophagreliefs. Das Spätjudentum hatte die griechische Auffassung des Todes als Trennung von Seele und Leib übernommen. So ist bei dieser Szene vielfach die Beseelung der zerstückelten Leichname durch »Psyche-Wesen« veranschaulicht[2]. Eine Bildformulierung der byzantinischen Hofkunst der 2. Hälfte des 9. Jh. enthält die Handschrift

der Homilien des Gregor von Nazianz, Paris (B. N., Cod. gr. 510, fol. 438 v), 880–886. Ein Engel führt den Propheten auf das Totenfeld, wo sich die Gebeine zusammenfügen und Fleisch annehmen[3], vgl. auch Bd. 5.

Die westliche Bildform der endzeitlichen Auferstehung, die die Toten zeigt, wie sie sich nackt oder mit Leichentuch aus den Gräbern erheben, hat sich unabhängig von der östlichen Darstellung der Hesekielvision entwickelt. Als Bestandteil des Gerichtsbildes (siehe Band 4) läßt sie sich bis 800 zurückverfolgen, die ältesten Darstellungen befinden sich an der Westwand der Kirche in Müstair, Graubünden, und auf einer karolingischen Elfenbeintafel in London. Auch bei der Illustration der Gerichtsvision in Apokalypsehandschriften kommt die Auferstehung der Toten (Apk 20, 11–15) seit dem 8. Jh. vor, vgl. Bd. 4.

Für die Kreuzigungsdarstellung mit der Auferstehung der Toten sind die frühesten karolingischen Beispiele eine Initiale im Drogosakramentar, vgl. Bd. 2, Abb. 364, und der Elfenbeinbuchdeckel, der heute als Einband des Perikopenbuches Heinrichs II. dient, vgl. Bd. 2, Abb. 365. Die Totenauferstehung ist in diesem Zusammenhang bis zum 11. Jh. zu finden, vgl. Bd. 2, Abb. 366, 371, 373, 377, 381, 385, 410, und wird im 12. Jh. noch einmal mit der Gestalt des auferstandenen Adam unter dem Kreuz, deren Vorläufer in die östliche Kunst zurückgehen, aufgegriffen, vgl. Bd. 2, Abb. 409, 435, 436, 437, 438, 439, 440, 441, 478, 479. Im Kreuzigungsbild bezieht sich die Auferstehung der Toten zunächst auf Mt 27,52 f., doch weist sie auch auf die durch die Auferstehung des Herrn bewirkte eschatologische Auferstehung hin, wie sie im Gerichtsbild gezeigt wird. Sie ist im karolingischen Kreuzigungsbild oft den Frauen am Grab benachbart, dem Osterbild der Zeit, und steht ebenso in einem antithetischen Zusammenhang mit der toten Schlange am Kreuzesstamm, deren Sinngehalt der gleiche ist wie der des Hades oder des Teufels, den Christus niedertritt. Wir bilden hier nur eine kölnische Elfenbeintafel, um 1000, ab, Abb. 173,

---

1. Abbildungen siehe: C. H. Kraeling, The Synagogue (The Excavations at Dura-Europos, Final Report VIII, 1, New Haven 1956).

2. Siehe zu dem Problem der Auferstehung des Fleisches im frühchristlichen Schrifttum G. Kretschmar, Auf-

erstehung des Fleisches. Zur Frühgeschichte einer theologischen Lehrformel. In: Leben angesichts des Todes. Tübingen 1968.

3. Farbige Abbildungen bei Rice-Hirmer, Kunst aus Byzanz, 1959, Tafel I und VII.

die acht Auferstehende in vier Gräbern zu beiden Seiten der überwundenen Schlange zeigt. Die Acht ist im Christentum die Zahl der Auferstehung, die über die Sieben des letzten Tages der Erschaffung der Welt im eschatologischen Sinn hinausgeht. Der achte Tag ist identisch mit dem ersten Tag der neuen Schöpfung. Sie hebt mit der Auferstehung Christi vom Tode an. Die Auferstehenden sind – im Gegensatz zu anderen Darstellungen – von Tüchern umhüllt und wenden sich in der gleichen Hingabe nach oben zu dem Kruxifixus wie die sechs Engel nach unten. Auf den Gerichtsbildern der Zeit stehen die Toten gleichfalls oft paarweise in den Gräbern.

Der Zusammenhang der Hadesfahrt Christi mit der Auferstehung der Toten wurde bereits besprochen. Das Öffnen der Einzelgräber und die leibliche Auferstehung als eschatologischer Vorgang sind jedoch nur selten in das Höllenfahrtsbild aufgenommen worden, vgl. das Stuttgarter Elfenbeinrelief, *Abb. 105*, und die Ciboriumssäule in S. Marco, Venedig, *Abb. 145*, auch das Mosaik in Torcello, *Abb. 115*. Die Totenauferstehung fügt sich der Hadesvorstellung, von der das Anastasisbild ausging, ebenso schlecht ein wie dem westlichen Höllenfahrtsbild, in das die Fegefeuer- und Höllenvorstellung eindrang. Verheißung und Erfüllung gehen auf dem Osterbild der Ostkirchen ineinander über, die Gräber sind offen, wenn der Auferstandene erscheint.

Unter den eingangs erwähnten Darstellungen, die die eschatologische Auferstehung der Toten unmittelbar zur Auferstehung Christi in Beziehung setzen, fällt die Miniatur im böhmischen Krönungsevangelistar, dem Wys'schrader Codex in Prag, 1085/86, *Abb. 174*, dadurch auf, daß sie die Totenauferstehung sogar an die Stelle der Auferstehung Christi setzt. Die Totenauferstehung folgt ganzseitig auf eine Seite mit Dornenkrö-

nung, Kreuzigung und Grablegung. Die Darstellung der Frauen am Grabe schließt sich auf der nächsten Seite an die Auferstehung der Toten an (vgl. Abb. 32). Die Bildseite zeigt vor Goldgrund zwölf ungleich große Särge, deren Deckplatten weggestoßen sind[4]. In den Särgen richten sich die Toten auf, einige sitzen, einige steigen nach vorn oder nach hinten heraus. In ihren lebhaften Bewegungen geben sie das neuempfangene Leben kund. Der größte Mann mit Bart und langem Haupthaar, ein Tuch über der Schulter, darf als Adam gedeutet werden, die Frau im Sarg darunter als Eva. Das um das Bildfeld geführte Schriftband lautet: »Niemand zweifle am Wiedergewinn des Lebens nach dem Tode, als ob der Mensch nicht könnte, was der Herr vermochte. Nicht allein wollte Christus vom Tode auferstehen, sondern sehet, er fügt es, daß mit ihm viele Zeugen auferstehen[5]!«

Die letzten Worte beziehen sich auf Mt 27,52 f., sie sind nicht so zu verstehen, daß Christus im Kreis der anderen Auferstandenen zu suchen wäre. Man kann keine der Figuren mit Sicherheit als Christus deuten, abgesehen davon, daß seine Auferstehung wohl schwerlich so unauffällig der Auferstehung anderer Menschen eingefügt wäre[6]. Aber die Inschrift macht deutlich, daß sich für den Glauben die Auferstehung des Herrn in der leiblichen Auferstehung der Toten realisiert, wie sie nach dem Evangelium seinerzeit für die Menschen in Jerusalem in den aus ihren Gräbern auferstandenen Toten, die nach dem Sterben Christi erschienen, sichtbar wurde.

Auf der stark erneuerten, aber in ihrem ikonographischen Bestand von 1108 erhaltenen Deckenmalerei (Tonnengewölbe) des Presbyteriums der Kirche St. Gilgen (Aegidien) in Klein-Komburg schließt an die Kreuzigung (vgl. Bd. 2, Abb. 432) die Auferstehung Christi

---

4. Im Perikopenbuch Heinrichs II. der Reichenauer Schule, 1007 oder 1012, steht dem Gerichtsbild eine der böhmischen Miniatur ähnliche Seite mit der Auferstehung der Toten gegenüber, der aber vier Gerichtsengel, die die Auferstehenden aus allen Himmelsrichtungen rufen, eingefügt sind.

5. Übersetzung nach H. Schrade, 1932, S. 78.

6. Bei langem Betrachten fällt, abgesehen von Adam, allerdings eine Gestalt auf, rechts die dritte von oben. Sie hat als erste schon fast das Grab verlassen und blickt inten-

siv auf den Betrachter oder durch ihn hindurch in die Ferne. Der junge Mann darüber weist auf ihn. Wir machen, von dem Wort der Rahmenleiste angeregt, auf diese Beobachtung aufmerksam, ohne die Gestalt mit Sicherheit deuten zu können. Was den Eindruck des aktiven Heraussteigens anlangt, so würde sie sich der Auferstehungsikonographie des 11. Jh. nicht einfügen lassen. Doch müssen wir uns bei allen Feststellungen dessen bewußt sein, daß wir nur von einem zufällig erhaltenen Teil der Kunstwerke ausgehen können.

an; diesem gerahmten Bildfeld ist ein Grab mit zwei Auferstehenden eingefügt, *Abb. 175.* Zu beiden Seiten stehen zwei Propheten, die Texte ihrer Spruchbänder sind nicht mehr zu lesen. Darüber steht Christus in einem niedrigen Sarg. Ihm sind statt der sonst üblichen Engel vier Apostel (?) mit Schriftbändern als Zeugen hinzugefügt. Es sind zu wenig Wandmalereien des hohen Mittelalters auf uns gekommen, als daß wir beurteilen könnten, wieweit die Zuordnung der Auferstehung der Toten zu der Auferstehung Christi üblich war. In der Buchmalerei ist nur ein Beispiel bekannt. Eine Bildseite einer Bibelhandschrift der Königlichen Bibliothek in 's-Gravenhage vom Ende des 12. Jh., *Abb. 176*, gibt auf vier Feldern die Salbung des Leichnams, die Auferstehung Christi, die Höllenfahrt und die Auferstehung der Toten wieder. Wie in Klein-Komburg steht letztere unterhalb der Auferstehung des Herrn. Die Zerlegung eines Heilsgeschehens in mehrere Bildszenen ist typisch für abendländisches Denken und Gestalten. Die bartlose, nimbierte Figur im letzten Bildfeld, hinter der das Gesicht einer zweiten und noch die oberen Ränder von zwei weiteren Nimben sichtbar sind, kann nur als Apostel verstanden werden. Er weist, ebenso wie auf dem Deckenbild die Propheten, auf die Auferstehenden. Als kleine Nebenszene ist die Auferstehung der Toten auf dem Herrenberger Altar, 1518–1519, dem Landschaftshintergrund des Bildes der Auferstehung Christi eingefügt, *vgl. Abb. 240.*

Der Aufstieg Christi aus dem Grab

Das abendländische Auferstehungsbild, das den Aufstieg Christi aus dem Grab zeigt, entsteht, wie schon erwähnt, im frühen 11. Jh. Es bleibt bis zum Beginn des 13. Jh. mit wenigen Ausnahmen auf die Buchmalerei und auf Metall- und Emailarbeiten beschränkt. Innerhalb der Buchmalerei begegnet es weniger in den Evangeliaren als in Antiphonaren, Epistolaren, Sakramentaren und Psalterien. Erst im 13. Jh. verbreitet sich das neue Bild, vor allem nördlich der Alpen, und verdrängt allmählich die Darstellungen der Höllenfahrt und der Frauen am Grabe; diese bleiben freilich in zyklischen Bildreihen noch längere Zeit neben dem neuen Auferstehungsbild bestehen. Dem abendländi-

schen Auferstehungsbild gehen jedoch Psalterillustrationen des 9. bis 11. Jh. voraus, die eine Sondergruppe bilden.

In der Kunst der Ostkirche gibt es, abgesehen von diesen Psalterillustrationen und von wenigen sehr späten und unter westlichem Einfluß entstandenen Darstellungen, die manchmal den Anastasisikonen als Nebenszenen eingefügt sind, die Auferstehung aus dem Grabe nicht. Dort behält die Anastasis ihren Rang als Osterfestbild. Da Niccolo und Giovanni Pisano, Giotto und Duccio von der östlichen Ikonographie ausgehen, ist bei ihnen das westliche Auferstehungsbild noch nicht zu finden, doch um 1320 hat es auch die italienische Monumentalkunst aufgenommen[1].

Das apokryphe Petrusevangelium, um 200, und die Ephraemdichtung des 4. Jh. (siehe Einleitung), deren Schilderungen auf die bildliche Darstellung Einfluß hatten, beruhen beide auf der Vorstellung der Erhöhung Christi in den Himmel vom Grabe aus. Wir haben die Bildbeispiele, die sie in Verbindung mit den Frauen und dem Grabesengel darstellen, oben schon behandelt, *vgl. Abb. 12, 21–26.* Sie fallen zeitlich mit den ersten Darstellungen der Auferstehung aus dem Grabe zusammen, fügen aber die alte Vorstellung der Erhöhung vom Grabe aus dem traditionellen Osterbild ein. In diesen wenigen, ihrer künstlerischen Herkunft nach verstreuten Darstellungen können Vorstufen zum neuen Auferstehungsbild gesehen werden, in denen sich der Drang, das Auferstehungsmysterium sinnfällig zu veranschaulichen, äußert. Es ist nicht ausgeschlossen, daß es eine für uns nicht mehr zu verfolgende Bildtradition für die Himmelfahrt vom Grabe aus gab, deren Wurzeln in frühchristlicher Zeit liegen, doch fehlen von dem Münchener Elfenbeintäfelchen, *vgl. Abb. 12,* bis zum 11. Jh. alle Zwischenglieder. Zu der Erhöhung Christi in Verbindung mit dem Kruzifixus siehe unten bei Himmelfahrt.

1. Dem schon genannten grundlegenden Werk von H. Schrade, 1932, ders. auch RDK I, 1230–1240, und dem Aufsatz von R. Rademacher, in: Zeitschr. f. Kunstgesch. 28, 1965, S. 195 ff. sind Aurenhammer I, 232–249 und W. Braunfels: Die Auferstehung, Düsseldorf 1951, hinzuzufügen. Eine Kritik zur grundsätzlichen Bildauffassung von Braunfels siehe J. Kollwitz in: ThLZ 1953, S. 300. In jüngster Zeit LCI I, Sp. 201–218 (P. Wilhelm).

Die frühe Psalterillustration. Die literarischen Quellen für die byzantinische und karolingische Psalterillustration sind die Psalmverse und die frühchristlichen apokryphen Schriften. Sie stehen für sich und hatten wenig Einfluß auf das Bild der Auferstehung Christi aus dem Grabe. Gerade weil der Osten das westliche Auferstehungsbild nicht kennt, ist es interessant, daß nach dem Bilderstreit in Klöstern Konstantinopels versucht wird, den Auferstehungsvorgang bildlich zu veranschaulichen, und diese Bildprägungen noch im 11. Jh. in weiteren byzantinischen Psalterhandschriften wiederholt werden. Dabei fällt die Einbeziehung von König David auf, der sowohl als Repräsentant der Psalmendichtung und der Messiasprophetie wie auch als Vorfahre des Menschen Jesus figuriert, hier jedoch als eine Art Gegenfigur zu dem auferstehenden Christus auftritt. Petrus nennt in seiner Pfingstpredigt, Apg 2,29 ff., David als Propheten der Auferstehung. Mehrere Psalmverse, die eine direkte Anrede enthalten, sind bei diesen Illustrationen durch die Gestalt des David gleichsam verkörpert.

Eine der Marginalillustrationen des in Konstantinopel geschriebenen Chludoffpsalters der 2. Hälfte des 9. Jh., für die möglicherweise syrische Vorlagen benutzt wurden, zeigt untereinander zweimal das verschlossene Grab, *Abb. 177.* Zuerst steht David horchend neben einem turmartigen Grabbau mit einem Dreistufensockel. Die Frauen sitzen wie bei der Grabeswache abseits. Zwei Hüter mit Lanzen und Rundschilden liegen vor dem Grab; der eine voll sichtbare Wächter ist unverhältnismäßig groß. Diese Gruppe bildet die Überleitung zum zweiten Grabesbild. Hier lauschen nun die Frauen angespannt auf Geräusche im Innern des Grabes. Die Architektur des Grabbaues ist nur geringfügig abgeändert, wobei die Vergrößerung der Tür auffällt. Es ist anzunehmen, daß diese Illustrationen von dem Bericht Ephraem des Syrers beeinflußt wurden. Er spricht von der Verwandlung des Toten zum Lebenden und schildert, wie das verschlossene Grab innen leuchtet, obwohl weder Lampe noch Kerze da waren, und von innen Lobgesänge ertönten, obwohl niemand heraus- oder hineintrat[2]. Im Pantokratorpsalter, 2. Hälfte 9. Jh., *Abb. 178,* zeigt die Illustration zu Ps 31(30),5 Christus, wie er mit erhobenem Angesicht vor dem bewachten Turmgrab steht. Das Mißverhältnis der Größe zwischen Christus und dem Grab kommt im abendländischen Auferstehungsbild ebenso vor, im 12. Jh. gleichfalls der Aufblick. Andere Illustrationen des byzantinischen Psalters lassen Christus aus dem Grab herausschreiten, während David zusieht. Einmal liegt der quadratische Steinblock vor dem Turmgrab, der auf der Darstellung der Frauen am Grab bis zum 12. Jh. oft vorkommt[3].

Wir geben einige Illustrationen des Theodorpsalters, der 1066 von Theodorus von Cäsarea für Michael, Abt des Studiosklosters in Konstantinopel, geschrieben und illustriert wurde. Er befindet sich heute im Britischen Museum, London. Seine Psalmillustrationen gehen auf die Vorbilder des 9. Jh. zurück. Hier ist auch das Turmgrab, zu dem drei Stufen hinaufführen, wiedergegeben. Die Illustration zu Ps 7,7 »Stehe auf, Herr, in deinem Zorn, erhebe dich über meine Feinde und wache auf zu mir« stellt den am Grab lauschenden David dar, *Abb. 179.* Durch die gebeugte Stellung ist der Ausdruck des Horchens gegenüber dem Chludoffpsalter gesteigert. Offenbar horcht David am Schlüsselloch. Die Krone, die bei dieser Neigung des Körpers herunterfallen würde, liegt auf der nach oben gewandten Gesichtsseite. Die Illustration zu Ps 10,12(9,33) »Stehe auf, Herr; Gott, erhebe deine Hand, vergiß der Elenden nicht« gibt David ebenfalls vor dem Grab stehend wieder, *Abb. 182.* Die Grabarchitektur ist etwas reicher als bei Abb. 179. Der König lauscht hier nicht, sondern hebt sprechend die Hand. Offenbar ruft er: »Stehe auf, Herr!« Christus liegt halb aufgerichtet mit erhobener Hand vor der geschlossenen Tür des Grabes. Er ist vermutlich als im Grab liegend vorzustellen, was jedoch bei der verschlossenen Tür nicht anschaulich gemacht werden konnte (Schrade). Bei der Deutung von Ps 31(30),5 »Du wollest mich aus dem Netze ziehen, das sie mir gestellt haben« ist im Hinblick auf die Auferstehung unter dem Netz der Feinde der Tod zu verstehen. Die Illustration zu

2. Sancti Ephraem Hymni et Sermones, ed. Th. J. Lamy, 1882, I, 524 ff.

3. Siehe S. Dufrenne, L'Illustration des Psautiers grecs du Moyen Age, I, Abb. PL 4, fol. 26, Paris 1966, und A. Grabar, L'Iconoclasme byzantine. Dossier archéologique, Paris 1957, Abb. 149.

diesem Vers zeigt den Auferstandenen neben dem geschlossenen Grab stehend, *Abb. 181.* Aus dem Himmel fliegt ein Engel herab; von den Grabeshütern blickt einer zum Auferstandenen hoch. Christus hat einen Fuß, der abwärts gerichtet ist, auf die Stufe gesetzt und ist offenbar im Begriff, herunterzuschreiten. Über ihm sind die beiden Namenszeichen zu lesen, die in der byzantinischen Kunst auf die Einheit von menschlichem und göttlichem Sein in Christus hinweisen. Die Auferstehung aus dem verschlossenen Grab geht auf Mt 28,2 zurück, sie wird von Ephraem und anderen Kirchenvätern betont. Der Bezug der Illustration zum Psalmvers ist gering, dagegen hat anscheinend wieder die Ephraemdichtung Anregungen gegeben. Dort heißt es: »Als der Sabbat herum war, begannen die Himmlischen herabzusteigen. Der Fuß des Leichnams bewegte sich zu schreiten ... Im Vollzug des letzten Nu's richtete er sich auf und stellte sich auf seine Füße.«

Schließlich ist noch Ps 44,24(43,20) im Theodorpsalter illustriert worden: »Erwecke dich, Herr! Warum schläfst du?«, *Abb. 180.* David steht mit der im Redegestus erhobenen rechten Hand neben dem Grab, unter dessen Eingang Christus steht. Die Tür des Grabes ist von innen weggestoßen, vielleicht liegt hierfür auch die Vorstellung des Petrusapokryphons zugrunde, nach der der Stein von selbst zur Seite wich. Wahrscheinlich hat eine Lazaruserweckung als Vorbild gedient, denn der Auferstandene steht mumienähnlich mit Binden umwickelt im Eingang des Grabes, wie Lazarus auf früheren Darstellungen. David nimmt den Platz ein, den bei dieser Erweckung Christus innehatte (*vgl. Bd. 1, Abb. 559 ff.*).

In der abendländischen Psalterillustration kommt einige Male die »Todesruhe« vor. Es ist oben schon eine Federzeichnung des Utrechtpsalters, die die Frauen am Grabe mit der Todesruhe verbindet, erläutert worden, *vgl. Abb. 16.* Der in Nordfrankreich entstandene Stuttgarter Psalter, 820–830, gibt zu Ps 143 (142),3: »Denn der Feind verfolgt meine Seele und schlägt mein Leben zu Boden; er legt mich ins Finstere wie die, so längst tot sind« eine Illustration, die über diese Klage hinausführt, *Abb. 185.* Man blickt in das Innere der überwölbten Grabkammer. Christus richtet sich im Sarkophag auf, erhebt den Blick und streckt die Hand empor. Diese Zuwendung zum Jenseits weist

auf den transitus, auf das Hinübergehen zu Gott hin; sie kommt im 12. Jh. in einer Bildgruppe vor, die den Auferstandenen im Grab stehend zeigt. Der quadratische Block mit dem Türmchen ist eine der vielen Varianten, mit denen das Heilige Grab nachgebildet wurde[4]. Die Inschrift daneben lautet: De Monumentum Domini dicit.

Das Erwachen aus dem Todesschlaf hat noch um 1000 eine Handschrift in Boulogne-sur-Mer als Illustration zu Ps 3,6 dargestellt, *Abb. 184.* Hier wird die Zuversicht, die in dem Wort »denn der Herr hält mich« liegt, durch die über dem Erwachenden erscheinende Hand Gottes veranschaulicht. Der erwachte Schläfer – Schlaf und Tod sind identisch – hat keinen Nimbus, sondern eine Binde um den Kopf.

Eine in unserem Zusammenhang wichtige Illustration enthält der Utrechtpsalter der Hofschule in Reims. Sie bringt die christologische Deutung von Ps 19(18) mit der Schilderung der Auferstehung nach dem Petrusapokryphon in Verbindung, *Abb. 183.* Dieser schon im Kapitel Höllenfahrt erwähnte Psalm, ein alter Sonnengesang, wurde in der Patristik als Gleichnis für den Weg Christi durch das Erdenleben, Tod, Grab und Hölle (als der dunklen Seite des Sonnenweges) und für seinen Aufstieg als des Christus Sol aus der Finsternis des Todes gedeutet. Die Illustration des Utrechtpsalters zeigt Christus, wie er von zwei Engeln geführt auf einem offenen tempelartigen Grabhaus heraus- und die Treppen herabschreitet. Christus überragt die beiden Engel, die ihn aus dem Grab führen, wie es im Petrusevangelium geschildert wird. Neben der Seitenmauer des Gebäudes erscheint der Sonnengott als Halbfigur mit einer brennenden Fackel in der Hand und blickt zu Christus, der wahren Sonne, der als »sol invictus« den Tod überwand. Die Sonne selbst verweist auf den anbrechenden Tag im doppelten Sinn: den Tag der Auferstehung Christi und den neuen Weltentag, dessen Sonne nicht untergeht. Zu demselben Psalm gibt der englische Albanipsalter, 1. Hälfte 12. Jh., *Abb. 186,* in einer C-Initiale den Auferstandenen wieder, wie er, das dreiblättrige Lebenszeichen in der Hand, aus dem Grabe tritt und zu dem Sonnenantlitz emporschaut.

4. Siehe dazu bei »Frauen am Grabe«.

Die abendländische Darstellung der Auferstehung im hohen Mittelalter. Aus der Reichenauer Schule der ottonischen Zeit sind zwei Buchmalereien bekannt, von denen die eine in einem Epistolar des späten 10. Jh., verbunden mit einer E-Initiale, die Osterepistel einleitet, die andere in einem Evangeliar aus dem Bamberger Domschatz, um 1020, in Beziehung zu dem Autorenbild des Markus steht. Die erste Miniatur, *Abb. 189,* zeigt Christus im Typus des erhöhten Herrn als Halbfigurenbild. Er hebt die Rechte segnend und hält in der Linken die Weltkugel als Herrschaftszeichen. Über ihm leuchten im oberen Bogen des Buchstabens Sterne. Die Erscheinung des Herrn am Himmel ist durch eine Inschrift als resurrectio bezeichnet. Im unteren Teil des Buchstabens befinden sich zu beiden Seiten eines Baumes zwei aufblickende Engel mit verehrenden Gesten. Die anbetenden Engel stammen aus der Majestasikonographie und sind hier zugleich Zeugen der Auferstehung. Ein Baum ist schon auf frühchristlichen Darstellungen dem Grab Christi als Lebenszeichen eingefügt, *vgl. Abb. 11, 12,* mehrere geben den Garten an, in dem sich das Grab befand, *vgl. Abb. 7.* Der Baum dient bei dieser Erscheinung des erhöhten Auferstandenen vermutlich als Hinweis auf das Grab.

Die Autorenseite des Bamberger Evangeliars, *Abb. 187, Ausschnitt,* zeigt den Evangelisten Markus unter einer Arkade sitzend, wie er über sich im Bogenfeld Christus im Grab stehend schaut. Obwohl der Auferstandene mit einer Hand den Kreuzstab als Siegeszeichen hält und die andere segnend hebt, ist er doch völlig aktionslos. Dieser Eindruck wird durch die frontale Haltung verstärkt. Als Lebender steht er an der Schwelle zwischen Diesseits und Jenseits. Auf der breiten purpurfarbenen Leiste unterhalb des Bogenfeldes steht ein die Figur deutendes Wort: »Siehe, der tapfere Löwe überschreitet die Schwelle des Todes.« Der Löwe ist einerseits Symbol für Markus, andererseits aber für den auferstandenen Christus, der selbst als Löwe bezeichnet wird (siehe zu der Auferstehungssymbolik unten). In dieser Doppelbedeutung tritt der Löwe hier neben dem Auferstandenen und über dem Evangeli-

sten auf. Wenn sich Christus und der Löwe auch nicht anblicken können, so sind sie doch durch die Stellung ihrer Augen aufeinander bezogen. Markus hat sein Angesicht und beide Hände erhoben und schaut mit weit geöffneten, staunenden Augen den Auferstandenen. Unterhalb des Evangelisten befindet sich noch eine Schriftleiste (nicht mit abgebildet), auf der zu lesen ist: »Markus, der die Botschaft überliefert, bestaunt die gewaltigen Taten.« Die Scheu gegenüber der Darstellung der Auferstehung Christi aus dem Grabe, die dem frühen Mittelalter eigen ist, kommt hier in der Tatsache, daß sie als Vision dem Autorenbild eingefügt ist, zum Ausdruck. Die nächsten bekannten Darstellungen gehören dann schon dem 12. Jh. an. Viele Denkmäler mögen zerstört sein, doch setzte sich zweifellos die neue Bildformulierung nur sehr langsam durch[5].

Obwohl die Vorstellung, Christus sei aus dem verschlossenen Grab auferstanden und der Engel habe erst danach den Stein vom Grabe weggewälzt, weit verbreitet war, zeigen die meisten Darstellungen die Auferstehung aus dem offenen Grab. Im Gegensatz zu dem sehr viel älteren Darstellungstypus der Frauen am Grab, der bis zum 12. Jh. an Nachbildungen des Heiligen Grabes in Jerusalem festhält und sich erst im Laufe des 13. Jh. von den dann schon sehr stilisierten Architekturformen löst, ist bei dem westlichen Auferstehungsbild von Anfang an das Grab mit dem Sarkophag identifiziert und nur ausnahmsweise im Anschluß an das ältere Osterbild ein Grabmonument wiedergegeben. Der Sarkophag ist auf der Reichenauer Miniatur sehr niedrig und steht in keinem wirklichen Größenverhältnis zur Figur. Ähnliche Grabkisten kommen auch bei der Darstellung der Lazaruserweckung vor und gehen letzten Endes wahrscheinlich auf die ältesten Darstellungen des Noah in der Arche, ein frühchristliches Errettungsbild der Sepulkralkunst, zurück[6]. Das Grab tritt, auch wenn es später höher wird, in dem neuen Auferstehungsbild nicht sonderlich hervor. Dagegen wird vom 12. Jh. an die Grabplatte der Bildkomposition betont eingefügt. Sie steht häufig

---

5. Vgl. zu der Reichenauer Handschrift die Darstellung des Agnus Dei neben dem Stier über dem Evangelisten Lukas, *Bd. 2, Abb. 402,* und die Himmelfahrt neben dem

Adler über Johannes, *unten Abb. 486.*

6. Siehe G. Fink, Noe der Gerechte in der frühchristlichen Kunst, Münster-Köln 1955; F. Rademacher, 1965, S. 200.

schräg vor oder hinter dem Sarg und ist oft so verselbständigt, daß sie in ihrem diagonalen Richtungsakzent einen Gegenpol zu dem bildparallel stehenden Grab bildet. In der gleichen Weise wie im Anastasisbild die Türflügel Zeichen für die Öffnung des Totenreiches sind, ist die Grabesplatte Zeichen für das offene Grab und den Sieg der Auferstehung.

Der frühen Bildformulierung eng verwandt ist das Deckenbild des Presbyteriums der Kirche St. Gilgen in Klein-Komburg, um 1108, *vgl. Abb. 175.* Auch hier steht Christus frontal in einem niedrigen Sarkophag. An die Stelle des Evangelisten im unteren Bildteil sind zwei Propheten getreten. Zu beiden Seiten des Grabes stehen weitere vier Männer unterschiedlichen Alters; sie sind vermutlich als Jünger zu deuten, haben aber in keiner Darstellung eine Parallele. Ein schlafender Wächter liegt vor der Grabplatte. Die Propheten kommen auch bei einer Darstellung innerhalb einer M-Initiale auf einem Einzelblatt des 12. Jh. vor, *Abb. 191.* Die Handbewegung Christi ruft hier den Eindruck hervor, als schiebe er die Grabplatte beiseite. Im 12. Jh. bilden sich mehrere Varianten dieses Grundtypus, die nebeneinander vorkommen und die Gestalt des Auferstandenen verschieden akzentuieren. Bei allen Bildformulierungen ragt sie höher aus dem Grab auf als bei der frühesten Darstellung, so daß das Verlassen der Todeswelt mehr zum Ausdruck kommt.

Den frontal im Grab stehenden Christus mit der Siegesfahne zeigt eine Miniatur eines oberösterreichischen Missale im Stift St. Florian, 2. Hälfte 12. Jh., *Abb. 190.* Der Sarkophag hat hier die natürliche Höhe. Die Deckplatte liegt schräg vor dem Grab, dessen Geöffnetsein durch die umgekehrte Perspektive anschaulich gemacht ist. Christus hält in der linken Hand die Siegesfahne, die im 12. Jh. das Stabkreuz ablöst. Für die Hüter sind auf allen Grabesbildern die großen Schilde und die zeitgenössische Rüstung charakteristisch. Einer von ihnen ist wach und blickt furchtsam auf. Dieser Bildtypus verzichtet auf jede Aktion des Auferstandenen und ist bis zum 13. Jh. zu finden. Er verleiht der Gestalt die Majestät zeitloser Repräsentanz. Der Segensgestus und das Halten der Siegesfahne sind Sinngebung, aber keine Handlungen. Aus der biblischen Erzählung sind lediglich die Grabes

wächter aufgenommen. Eine der letzten Darstellungen dieser Bildgruppe ist das Relief der Holztür des Domes zu Gurk, um 1220, *Abb. 211.*

Bei einer zweiten kleinen Bildgruppe ist noch ein letztes Umfangensein vom Tode spürbar: Christus wendet sich etwas zur Seite und hält das Grabestuch in der Hand. Auf einer Emailarbeit 1165–1170, Rhein-Maas-Gegend, weist er es als Zeichen des Erlösertodes vor, *Abb. 193;* auf der Miniatur in der E-Initiale der Osterepistel (1 Kor 5,7 f.) in dem Perikopenbuch aus dem Salzburger Kloster St. Erentrud, um 1140, *Abb. 192,* betrachtet er es leidvoll sinnend. Die Gestalt vergegenwärtigt mehr das vollbrachte Opfer als den Sieg über den Tod. Der Stimmungsgehalt und der Hinweis auf den Opfertod sind hier vermutlich von der Leidensmystik des Bernhard von Clairvaux beeinflußt. Doch wird der Leidensausdruck durch die farbigen Blumenranken, die als Lebenszeichen das nicht von Hütern bewachte Grab umspielen, ausgeglichen. Der Text, zu dem diese Initiale gehört, spricht von Christus als dem Passalamm. –

Eine dritte Gruppe zeigt den Auferstandenen in der Zuwendung zum Himmel. Hier klingt die Erhöhung vom Grabe aus an: der transitus, das Hinübergehen in eine andere Welt und Seinsweise – die Rückkehr zum Vater. Aber das alles ist nur angedeutet. Im Gegensatz zu den oben behandelten Darstellungen der Erhöhung vom Grabe aus, *vgl. Abb. 21, 23, 24,* steht hier Christus noch im Grab, und es erscheint auch nicht die Hand Gottes als Zeichen der Erhöhung des Sohnes. In dem Aufblicken und der erhobenen Hand des aus dem Grabe auferstehenden Herrn scheint sich seine Antwort auf den Ruf des Vaters auszudrücken. Neben der Auffassung der Auferstehung Christi aus eigener Kraft spiegelt sich in dieser Bildgruppe die andere Akzentuierung der Osterbotschaft, die sich etwa in dem lukanischen Satz der Pfingstpredigt des Petrus zeigt: »Diesen Jesus hat Gott auferweckt«; Apg 2,32; vgl. auch Eph 1,20. Sie hat vermutlich diese Bildgruppe, die sich auf das 12. Jh. beschränkt, bestimmt. Die beiden frühesten Darstellungen gehören der 1. Hälfte des Jahrhunderts an, aus der nur ganz wenige Auferstehungsbilder erhalten sind. Auf einer Miniatur eines westdeutschen Perikopenbuches, *Abb. 188,* sind das Grab und die drei schlafenden Hüter einer hügeligen Landschaft eingefügt. Der horizontal gelagerten irdischen Welt wirkt die Vertikale der drei nach oben gewandten Figuren entgegen. Die adorierenden Engel bezeugen die Göttlichkeit des Auferstandenen. Sie können nicht als die Grabesengel des Evangelientextes verstanden werden, denn sie sind ausschließlich auf Christus bezogen. In ihnen müssen himmlische Zeugen der Auferstehung und Zeichen der göttlichen Herrlichkeit Christi gesehen werden. Aus der gleichen Zeit stammt eine englische Handschrift der Briefe des Hieronymus, die für den Abt Stephan Harding in Citeaux geschrieben wurde. Darin ist einer Osterbetrachtung ein Auferstehungsbild zugeordnet, das die Bewegungsrichtung der Christusgestalt nach oben intensiviert, *Abb. 197.* Der Auferstandene steht nicht mehr frontal, sondern in Dreiviertelansicht, hebt das Angesicht und beide Hände empor und setzt einen Fuß auf den Rand des Sarkophags. Sarkophag und Deckplatte, beide reich verziert, bilden ein Diagonalkreuz. Die Deckplatte liegt mit ihrem einen Ende auf den dicht nebeneinander ausgestreckten, schlafenden Hütern, deren Lage für die englische und nordfranzösische Kunst bis ins 12. und 13. Jh. typisch ist. Ihre beiseite gelegten Lanzen fügen der an Richtungsakzenten reichen Komposition noch einen weiteren hinzu. Die Engel schweben und halten Zweige mit Blättern; vermutlich sind damit Palmwedel gemeint, die als Zeichen des Sieges und Friedens gelten.

Zu dieser Gruppe gehören die Miniaturen eines westdeutschen Evangeliars des 3. Viertels 12. Jh., *Abb. 198,* der Gumbertusbibel, um 1180, *Abb. 199,* des Psalters aus St. Fuscien in Amiens, letztes Viertel 12. Jh., *Abb. 200,* und der nordfranzösischen Bibel in 's-Gravenhage, Ende 12. Jh., *vgl. Abb. 176.* Die beiden zuerst genannten Beispiele verbinden in Anlehnung an das ältere Osterbild die Grabesarchitektur mit dem Sarkophag. Der Christus der Gumbertusbibel hebt das Angesicht in freudiger Hingabe, als schaue er Gott, der ihn rief. Die Auferstehung ist aber nicht mit der Himmelfahrt zusammengezogen, diese schließt an jene an. Die Hinwendung zu Gott, die dieser ganzen Bildgruppe eigen ist, drückt das neue von Gott gegebene Leben aus. Der Auferstandene ist bei allen erwähnten Darstellungen mit Gewand und Manteltuch bekleidet. Nur auf der Psalterillustration aus St. Fuscien ist das

Leichentuch über seine Schultern gelegt, so daß der ausgemergelte Körper mit dem Zeichen des Todes zum Teil sichtbar ist. Das Angesicht ist erhoben, doch wird die Aufwärtsbewegung nicht von der Hand aufgenommen, da sie auf den Rand des Sarkophags gestützt ist. Es entsteht sogar durch das herabhängende Bein eine Gegenbewegung. Das Grab ist als ein hochgestellter Wannensarkophag wiedergegeben, unter dem zwei Hüter hocken; der dritte steht schlafend rechts als Gegenbild zu dem nach oben gewandten Engel links. Unter der Auferstehung steht auf dieser Buchseite die Höllenfahrt. – Die Darstellung der nordfranzösischen Bibel, *Abb. 176,* vom Ende des 12. Jh. intensiviert diesen Leidenshinweis. Das Grabestuch ist nur um die Hüften des Auferstandenen geschlagen, die Todeswunden bluten. Die Fahne setzt Christus auf die hinter ihren Schilden kauernden Hüter. Eine Ausnahme ist die Umkehrung der Bewegungsrichtung der Christusgestalt.

Das Hauptwerk dieser Gruppe ist die Emailtafel des Klosterneuburger Altars, vollendet 1181, *Abb. 194.* Die Auferstehung folgt auf die Höllenfahrt; das Bild der Frauen am Grab fehlt. Auf der Rückseite einer der Tafeln zum Weltgericht ist allerdings die Vorgravierung für die Frauen vorhanden[7]. Diese Darstellung war demnach geplant, gelangte jedoch nicht zur Ausführung, weil inzwischen das neue Auferstehungsbild bekannt war. Die Rückseite der vorgravierten Platte verwandte man für eine spätere Darstellung des Bildzyklus, so daß wir durch sie Kenntnis von der thematischen Änderung haben. Die Aufwärtsbewegung ist in der Christusfigur der Auferstehung wie in der Gumbertusbibel von freudiger Hingabe an das Jenseits erfüllt. Mit erhobenem Angesicht und weit ausgebreiteten, von den Wundmalen gezeichneten Händen steigt Christus im Grab auf. Das Stabkreuz steht neben ihm. Sein linkes Knie ist zu einem Schritt nach oben hochgezogen, aber er tritt noch nicht aus dem Grab. Christus trägt den Mantel des Richters, der die rechte Brust frei läßt, so daß die Seitenwunde sichtbar ist. Das ihr entströmende Blut ist golden, ein Zeichen dafür, daß das Leiden in der Auferstehung verklärt ist. Die sichtbare Seitenwunde des Auferstandenen geht auf die

---

7. F. Röhrig, 1955, Abbildung S. 53.

Thomasdarstellung zurück; für sie ist die ostentatio vulnerum, das Vorweisen der Wunden geschaffen worden, allerdings in Verbindung mit einer anderen Armhaltung Christi, als sie der Weltenrichter hat, siehe unten. Die Unterschrift der Auferstehung des Emailaltars deutet den sieghaft Auferstandenen als Agnus paschalis – als Osterlamm, das immer mit der Wunde des Opfertodes dargestellt wird, weil es die Überwindung des Todes repräsentiert. Die Umschrift lehnt sich an Eph 1,20 an und bezeugt die Auferstehung als von Gott gewirkt: »Das Leben gibt der Vater dem, der drei Tage im Grabe lag.« Das Wort legt nahe, die Bewegung der Christusfigur und die Geste der erhobenen Hände in dieser Bildgruppe als Antwort auf den göttlichen Ruf zum Leben zu verstehen[8]. Diese erhobenen, geöffneten Hände entsprechen der priesterlichen Gebetsgeste. Sollte diese hier auf das Hohepriestertum des zur Rechten Gottes Erhöhten hinweisen, der als das Osterlamm uns vertritt? Möglich ist das. Dieselbe Haltung der von den Wunden gezeichneten Hände kommt im 12. Jh. bei mehreren Darstellungen des Weltenrichters vor und weist hier auf sein Leiden um der Sünde der Menschen willen hin, *vgl. Bd. 2, Abb. 646, 648, 650–653 und 713, 714.* Deutet man die Handhaltung als Gestus des Richters, braucht man für den Klosterneuburger Altar das Vorbild nicht weit zu suchen, denn der Weltenrichter dieses Werkes, *vgl. Bd. 2, Abb. 651,* ist mit der gleichen Handhaltung, allerdings in frontaler Ansicht thronend, wiedergegeben[9]. Da diese Handhaltung bei der Auferstehung im Mittelalter nur im Klosterneuburger Altar vorkommt, dürfte sie hier tatsächlich vom Weltenrichter abgeleitet sein. Es gab zwar schon in frühchristlicher Zeit bei Darstellungen des Noah in der Arche, des Daniel in der Löwengrube, der drei Männer im Feuerofen und der Oransfiguren diese Handhaltung. Sie müßte jedoch bei der Auferstehung häufiger vorkommen, wenn sie auf diese alttestamentlichen Typologien, die im christlichen Verständnis Errettung aus dem Gericht und dem ewigen Tod bedeuten und so auf die Auferstehung hinweisen, zurückgehen würden.

den. Formal bedeuten die beiden erhobenen Hände ein Geöffnetsein nach oben, das mit dem erhobenen Angesicht übereinstimmt. Auf der Emailtafel erscheint oberhalb des Arkadenbogens zweimal David mit Spruchbändern. Auf diesen stehen Psalmverse, die, wie die Osterliturgien zeigen, auf die Auferstehung bezogen wurden. Links ist aus Ps 76(75) zu lesen: Terra tremuit; der Psalm spricht vom Erbeben der Erde, wenn Gott aufsteht zum Richten. Angesichts eines solchen Wortes erhöht sich die Annahme, daß hier ein Bezug zwischen der Gestalt des Auferstehenden und des Weltenrichters gewollt war. Die Assoziation Auferstehung und Richteramt war dem hohen Mittelalter geläufig. Sie kommt beim Auferstehungsbild selten so deutlich zum Ausdruck wie hier, aber der Mantel und die Wunden, die für die Gestalt des Richters charakteristisch sind, werden allmählich immer häufiger auf die des Auferstandenen übertragen, vgl. Bd. 4.

Eine vierte Darstellungsvariante des 12. Jh. zeigt Christus in frontaler Ansicht hoch aufgerichtet in der Bildachse stehend. Das Stehen ist zugleich Aufstieg aus dem Grab. Die Aktion ist jedoch als Zustand erfaßt. Ein Fuß ist auf den Grabrand gesetzt. Dadurch entsteht der Eindruck des Thronens, der die Majestät der Figur steigert. Der Sarg ist oft so niedrig, daß er wie ein Sockel oder ein breites Suppedaneum für die Gestalt wirkt. Eine frühe Darstellung dieser Bildgruppe zeigt eine O-Initiale im Ratmann-Missale aus Hildesheim, *1159, Abb. 195.* Hier trägt der Auferstandene zum erstenmal den Mantel so, daß die linke Brust mit dem Wundmal frei bleibt, *vgl. Abb. 200.* Diese Drapierung ist in der folgenden Zeit für die Figur des Auferstandenen charakteristisch. Der Ausdruck des Herrschertums kann durch die beiden adorierenden Engel, die der Majestasikonographie entstammen, erhöht werden, wie auf einem Buchdeckel aus der St. Chapelle, Paris, Mitte 13. Jh., *Abb. 209,* und auf dem Dachrelief des Albinusschreins aus St. Pantaleon in Köln, um *1186, Abb. 196.* Der Bewegung, die hier das Hochziehen des Grabestuches hervorruft, wirkt das ruhige Stehen entgegen. Die Inschrift unten lautet:

---

8. In Eph 1,20 heißt es wörtlich: »... der ihn von den Toten auferweckt hat und gesetzt zu seiner Rechten im Himmel.« Röm 8,34 fügt hinzu: »und uns vertritt«.

9. H. Appuhn vertritt in seinem Aufsatz: Der Auferstandene und das heilige Blut zu Wienhausen, in: Niederdeutsche Beiträge zur Kunstgesch. I, 1961, diese Meinung.

»Die Gewalt des Todes brechend, erhebt sich Jesus, der starke Löwe.« Die Wächter in Panzerhemden liegen erstarrt auf dem Erdboden, »als wären sie tot«, Mt 28,4. Sie bilden mit der niedrigen Sargkiste und dem hinter ihr parallel hochgestellten Deckel eine dreifach akzentuierte Horizontale, zu der die hoch aufgerichtete Erscheinung des Auferstandenen mit der Siegesfahne kontrastiert. Frontalität steigert immer die Bedeutung der Gestalt, sie drückt zugleich Zuwendung und Entrückung, Ferne und bleibende Nähe aus, betont jedoch immer das Gegenüber.

Auch dann, wenn bei dem frontalen Aufstiegstypus im 13. Jh. Christus mit einem Fuß das Grab überschreitet, wie auf der Federzeichnung einer österreichischen Handschrift des Stiftes Heiligenkreuz, 1. Viertel 13. Jh., *Abb. 202*, oder wenn er auf einen schlafenden Wächter tritt, wie auf der Miniatur eines sächsischen Psalters, um 1235, *Abb. 201*, ändert sich nichts am Majestasgehalt der Gestalt des Auferstandenen, in dem zugleich der Erhöhte und der kommende Richter gesehen wird. Dieser Eindruck wird allerdings bei der seitlichen Wendung der Gestalt etwas abgeschwächt, *Abb. 204, 205, 206, 212*, weil durch die Aufgabe der hieratischen Haltung eine, wenn zunächst auch geringe, Beziehung zum Betrachter entsteht.

Der Fußtritt auf einen der schlafenden Wächter gehört, wie schon erwähnt, derselben symbolischen Gestentypik an, die für die drei Darstellungstypen des sieghaften Auferstandenen verwandt wurde: Beim Anastasisbild tritt Christus den Hades und in der abendländischen Version den Teufel nieder; der Christus victor steht auf zwei oder vier Tieren, die die Gott feindlichen Mächte verkörpern, und in dem letzten der Osterbildtypen tritt der Auferstandene in Darstellungen des 13. Jh. oft auf einen der schlafenden Wächter, die der Todeswelt angehören. Da sie von den jüdischen Priestern erbeten und von Pilatus gesandt sind, gelten sie als Werkzeuge des Unglaubens und der Gewalt. Außerdem wird im Neuen Testament das Schlafen zur unrechten Stunde im Gegensatz zum Wachsein, das Sehen und Glauben bedeutet, als Sinnbild für den Unglauben verwandt. Der Ruf aufzuwachen und aufzustehen vom Schlaf, Röm 13,11, Eph 5,14, schließt die Mahnung ein, die Werke der Finsternis abzulegen. Schlaf, Finsternis, Sünde und Tod

stehen im Neuen Testament in Verbindung. Deshalb ist der schlafende Grabeshüter, der am Boden hockt oder liegt, nicht nur als Gegenbild zu dem im Grab hoch aufgerichtet stehenden Christus zu sehen, sondern auch als Verkörperung des Unglaubens, im Sinne des Feindes, über den Christus in seinem Sterben und Auferstehen siegt. Wir erwähnten oben schon die Illustration des Ostersermons von Bernhard von Clairvaux, *vgl. Bd. 2, Abb. 448*, auf der vor dem Grab nur ein Hüter liegt, daneben jedoch ein Drache, auf den Christus tritt, *vgl. auch Abb. 80*. Auf der oben genannten Darstellung am Osterleuchter in Vallestena (Schweden), 13. Jh., tritt der Auferstandene im Emporschreiten auf mehrere Hüter, *vgl. Abb. 96*[10].

Noch am Ende des 12. Jh. bildet sich in Oberitalien eine fünfte Abwandlung der Christusfigur beim Verlassen des Grabes. Der Auferstandene steht auf der vorderen Sarkophagwand. Dieses Stehen auf dem Grab kann wie der Tritt auf einen Hüter in Parallele zu dem Stehen auf dem Feind gesehen werden, denn das Grab wird nicht nur als Auferstehungs-, sondern auch als Todeszeichen aufgefaßt. Das Niedertreten des Grabes ist jedoch zugleich Erhöhung. Das Grab wirkt wie ein Sockel für die dadurch erhöht stehende Figur: Fenster in Bourges, 1. Viertel 13. Jh., *vgl. Abb. 438*, und weitere in Le Mans und Tours. Häufiger wird dieser Typus erst in der italienischen Renaissance; er kommt da nicht nur in der Malerei, sondern auch in der Plastik vor. Ein Grabmal, 1423–1426, für Brenzone, von Nanni di Bartolo, gen. Rosso, in S. Fermo zu Verona, *Abb. 234, Ausschnitt*, gibt diese erhöht stehende Figur des Auferstandenen wieder und fügt einen Engel, der den Deckel des Sarkophages hält, ein. Zu dem auf dem geschlossenen Sarkophag stehenden Christus siehe unten, *Abb. 217, 224*.

Im 13. Jh. setzt sich allmählich der Segensgestus durch, den der Auferstandene mit der rechten Hand vollzieht, während er die Osterfahne – nur vereinzelt

10. Siehe zu der Fußtritt-Schläfer-Typik bei den Grabeswächtern E. Dinkler-von Schubert, Der Schrein der heiligen Elisabeth, 1964, S. 22–26; zu der Rechts-Links-Symbolik der Wächter unter dem Siegeskreuz der Passionssarkophage des 4. Jh. E. Dinkler, in: Signum Crucis, Das Kreuz als Siegeszeichen, S. 59, Tübingen, 1967. Erste Veröffentlichung in: ZThK 62, 1965.

noch das Stabkreuz – in der linken hält. Ebenso sind nun fast immer die Wunden des Erlösers sichtbar, was in der 2. Hälfte des 12. Jh. nur vereinzelt der Fall war. Wenn nicht die rechte Brust der Gestalt entblößt ist, so befindet sich im Gewand an der Stelle der Seitenwunde ein Schlitz, *Abb. 205, 213, 214, 235, vgl. außerdem 362.* Durch beides – Segensgestus und Zeigen der Wundmale – wird die Gestalt des Auferstandenen etwas mehr auf den Betrachter bezogen. Es werden Empfindungsgehalte aufgenommen, die sich im Bild des Schmerzensmannes, das dem 12. Jh. kaum bekannt, vom späten 13. Jh. an jedoch verbreitet war, voll entfalten (siehe Bd. 2, S. 210 ff.). Das erklärt sich aus der allgemeinen Frömmigkeitshaltung, die seit der 2. Hälfte des 12. Jh. zu beobachten ist. Wir sind im 2. Band an vielen Stellen auf diesen Wandel der Frömmigkeit eingegangen, der durch Bernhard von Clairvaux, die Franziskaner und andere geistige Bewegungen bis hin zur devotio moderna des ausgehenden Mittelalters, jedoch auch durch das 2. Laterankonzil 1215 und die darauf folgenden kirchlichen Beschlüsse repräsentiert wird. In diesen Zusammenhang gehört auch das Schaubedürfnis der Gläubigen, das sich nicht mit Hinweisen auf die Glaubensmysterien oder verhüllten Reliquien begnügt, sondern verlangt, sie zu sehen. Dieses Bedürfnis ist mit ein Grund für die Verbreitung des Auferstehungsbildes, das an die Stelle des Bildes vom leeren Grab mit der Engelsbotschaft an die Frauen tritt. Der in vielen Varianten wiederholte Darstellungstypus des Schmerzensmannes, der Christus frontal im Grab stehend zeigt, hat hinsichtlich des Gestalttypus Ähnlichkeit mit den frühesten Auferstehungsdarstellungen, die Christus gleichfalls frontal im Grab stehend zeigen. Übereinstimmende Motive vermitteln gedankliche Bezüge.

Die wichtigste neue Formulierung im 13. Jh. ist der übernatürliche Aufstieg aus dem verschlossenen Grab, der als Durchdringung der Grabesplatte dargestellt wird. Im 15. Jh. ist das Motiv von neuem aufgenommen worden. Schon die Miniatur des Stammheimer Missale aus Hildesheim, um 1160, *vgl. Abb. 21,* gehört in diesen Vorstellungskreis, doch ist diese Darstellung, die in Verbindung mit dem Bild der Frauen am Grabe steht und Christus durch das Dach eines Baldachingrabes entweichen läßt, von dem Gedanken der Erhöhung

Christi vom Grabe aus bestimmt. Im 13. Jh. verbindet sich das Thema des Aufstieges aus dem verschlossenen Sarkophag, der das Wunder der Auferstehung und die Gottheit des auferstehenden Herrn hervorhebt, mit den liturgischen und sakramentalen Tendenzen der bildlichen Darstellung der Zeit. Dieser Aufstieg steht in Parallele zu der Erscheinung des Auferstandenen durch die verschlossene Tür (siehe unten); als alttestamentliche Präfiguration galt die Stelle von der verschlossenen Tempelpforte, durch die nur der erwartete Messias treten kann, Hes 44,2 f. Wir haben schon im 1. Kapitel darauf hingewiesen, daß diese verschlossene Tempelpforte bereits in frühchristlicher Zeit gleichermaßen als Präfiguration für die Inkarnation und Auferstehung Christi gedeutet wurde. Ephraem der Syrer bezieht sich auf beide Deutungen, wenn er sagt: »In einem Augenblick ging er wie ein Blitz heraus. Er zerstört die Siegel des Grabes nicht, wie er die Siegel des Magdtums seiner Gebärerin nicht gelöst hat.« Eine rheinische Miniatur, um 1198, *Abb. 210,* illustriert die Vision Hesekiels und zeigt, wie Christus durch die geschlossene Tempelpforte, die mit der Grabestür identisch ist, dringt. Aus einem Himmelssegment ragt die Dextera Domini hervor, die ein Schriftband hält. Zu ihr blickt Hesekiel, gleichfalls mit einem Schriftband in der Hand, empor.

Auf der Vorderseite des Goldblechbuchdeckels eines Evangeliars der St. Chapelle in Paris, Mitte 13. Jh., *Abb. 209,* ist der liturgische Charakter der Auferstehungsdarstellung durch die Form des Grabes hervorgehoben. Der Sarkophag steht auf Säulen und wirkt dadurch wie eine Altarmensa, auf der der Auferstandene zu thronen scheint. Er ist in dem älteren frontalen Aufstiegstypus mit dem auf die Sarkophagwand gesetzten Fuß wiedergegeben. Die beiden Engel knien anbetend auf dem »Altar-Grab« und erhalten dadurch eine liturgische Funktion. Die Darstellungen auf dem Rahmen treten formal gegenüber dem Hauptbild zurück, gedanklich bilden sie jedoch mit ihm eine Einheit. Die Apostel zu beiden Seiten gehören zur Himmelfahrt, die in der oberen Rahmenleiste dargestellt ist, so daß unmittelbar über dem Auferstandenen seine Entrückung zu sehen ist. Im unteren Rahmenstreifen erscheint der Auferstandene Maria Magdalena und Thomas und führt die Ureltern aus dem Rachen des Todes (Höllenfahrt).

Der Aufstieg aus dem verschlossenen Grab ist durch den in Aufsicht wiedergegebenen Sarkophag auf der Darstellung des Suitbertschreins, um 1264, *Abb. 213*, noch sinnfälliger wiedergegeben als auf dem Buchdeckel. Hier erweckt das Grab die Vorstellung eines blockförmigen Altars, hinter dem zwei Engeldiakone stehen und Kerzen halten. Das Wunder der Überwindung der Materie tritt hinter dem eindringlichen Hinweis auf die sakramentale Gegenwart des auferstandenen und erhöhten Christus bei der Eucharistiefeier am Altar zurück.

In kaum einem anderen Werk kommt die der Zeit entrückte Repräsentanz des auferstandenen Christus in einem dreifachen Bezug – zur Eucharistie, zur Osterliturgie und zu seiner Erhöhung und Weltherrschaft – so zum Ausdruck wie in dem vollplastischen Bildwerk im Kloster Wienhausen, *Abb. 214*. Es gilt als eine Lüneburger Arbeit um 1290, ist jedoch in mancher Beziehung noch dem Gehalt der Auferstehungsdarstellungen des 12. Jh. verpflichtet. Andererseits reiht es sich in die um 1300 entstehenden deutschen Andachtsbildwerke ein und steht im Ausdrucksgehalt der Johannesminne nahe[11]. Vor dem großen einst mit farbigen Edelsteinen und Goldblech besetzten Nimbus erscheint das jugendliche Antlitz wie vom Traum umfangen beim »Erwachen in der Frühe«, Ps 57(56),9. Mit der erhobenen Rechten bezeugt sich der vom Tod Erstandene als der Lebende. Die lichte Anmut, die der Gestalt eigen ist, deutet auf die überirdische Seinsweise des Auferstandenen hin. Ursprünglich trug er außer dem Nimbus eine Krone und hielt in der linken Hand die Osterfahne. Zwei Engel, von denen nur noch Flügel erhalten sind, waren auf beiden Seiten angebracht. Ihre Reste werden mit denen der roten Fahne noch im Kloster verwahrt. Der mit kostbaren

Steinen geschmückte Sarkophag wirkt hier wie ein Thron, dem die Wächter als Nischenfiguren eingefügt sind. Der Eindruck des königlichen Thrones dieser hohen Gestalt ist so vorherrschend, daß das Motiv des Fußtritts kaum wahrgenommen wird. Die Wunden weisen auf den Opfertod des Erlösers, doch zugleich auf sein ewiges Königtum hin: »Ich war tot, siehe, ich bin lebendig von Ewigkeit zu Ewigkeit«, Apk 1,18.

Das Bildwerk stand gleich einem Retabel auf dem ehemaligen Altar des Nonnenchors, an dem eine Reliquie des heiligen Blutes verehrt wurde, die vermutlich in dem Grabkasten verwahrt war. Die Figur des Auferstandenen umschloß eine geweihte Hostie, die der Figur die Bedeutung gab, den Herrn real zu repräsentieren. Deshalb war diese Skulptur nicht nur Andachtsbild, sondern hatte als Reliquienträger eine Funktion im Kult[12]. Eine ähnliche plastische Wiedergabe der Auferstehung befand sich in einem Tympanon von St. Croix in Lüttich, 1300–1330, heute im Museum, *Abb 216*. Hier sind zwei Engel mit Weihrauchgefäßen noch erhalten, so daß man sich von daher auch die ehemalige Dreifigurenkomposition in Wienhausen vorstellen kann.

In Italien ist die Auferstehung erst vom 14. Jh. an häufiger zu finden. Wir haben im Kapitel zur Höllenfahrt schon das Fresko des Passions- und Auferstehungszyklus in S. Maria Donnaregina zu Neapel, um 1320, erwähnt, das mit der Auferstehung Christi seinen Abstieg in den Limbus bildeinheitlich verbindet, *Abb. 217*. Während sich im unteren Bildteil von beiden Seiten die Personengruppen auf Christus zu bewegen und dieser voll Aktivität handelnd auftritt, streben die zehn Grabeshüter im oberen Bildteil fluchtartig nach beiden Seiten weg und isolieren dadurch die Christusfigur. Ganz oben bewegen sich sechs waagerecht fliegende Engel wieder auf die Mitte zu. Der Auf-

---

11. Unter Johannesminne versteht man jene Zweifigurengruppe, bei der sich Johannes an Christus anschmiegt. Wenn sie auch in engem Zusammenhang zum Abendmahl steht, so kann sie doch nicht nur als eine aus der szenischen Darstellung herausgelöste Gruppe gesehen werden. Sie ist Ausdruck der mystischen Liebe zwischen Christus und dem Glaubenden, die den meditativen Schriften Bernhards zugrunde liegt. Vorläufer des um 1300 entstandenen, von

der Beseeltheit frühgotischer Kunst erfüllten Andachtsbildwerkes sind in der Buchmalerei in den Autorenbildern zu Beginn des Johannesevangeliums zu finden. Siehe RDK III, Sp. 658—670. Ferner H. Wentzel, Die Christus-Johannes-Gruppe des XIV. Jh., Stuttgart 1960.

12. *Vgl. Bd. 2, S. 153* und die Christusfigur des Heiligen Grabes im gleichen Kloster, *Abb. 640*. Siehe dazu auch H. Appuhn, 1961, S. 73 ff.

erstandene steht in einer großen Strahlenmandorla auf dem geschlossenen Grab. In der linken Hand hält er den Globus, das Zeichen der Weltherrschaft, die rechte ist segnend erhoben; das Haupt ist ein wenig gewendet, so daß der Blick nicht geradeaus geht. Die überirdische Erscheinung des Siegers über Tod und Teufel bewirkt das Entsetzen und angstvolle Zurückblicken der fliehenden Soldaten. Den letzten Sieg vollbrachte Christus im Reich der Toten; nun steht er auf dem eigenen Sarg, dessen Siegel unverletzt blieben, und wendet sich als der Erhöhte in einer neuen Weise der Welt zu.

Im westlichen Querschiff der Unterkirche in Assisi, 1342–1348, sind beide Ereignisse einander gegenübergestellt, also gleichfalls aufeinander bezogen. Pietro Lorenzetti gibt hier jedoch eine andere Auffassung der Auferstehung als das Fresko in Neapel, *Abb. 218.* Durch das Zwickelfeld bedingt ist die Christusfigur an die Seite des Grabes gerückt. Die Bewegungen sind natürlicher als in der nordalpinen Kunst des 13. Jh., so daß bei dem Motiv des auf den Grabrand gesetzten Fußes nun der Eindruck entsteht, der Auferstandene sei im Begriff, das Grab zu verlassen. Es gibt jedoch einige frühere Darstellungen, wo der hier entstehende Eindruck schon realisiert ist. Eine der süditalienischen Exultetrollen des 12. Jh., *Abb. 203,* enthält ein Bild, auf dem Christus auf der Schmalseite des Sarges das Grab verläßt und, das Leichentuch in einer Hand haltend, zu den schlafenden Hütern zurückblickt, als wolle er sich vergewissern, daß er nicht gesehen wird. Hier sind Bildgedanken und Motive des späten Mittelalters vorausgenommen. In einer E-Initiale einer Psalterhandschrift, um 1250–1260, *Abb. 219,* ist das Heraussteigen aus dem Grab, das die Altarform hat, verbunden mit zwei inzensierenden Engeln, die aber in der himmlischen Sphäre bleiben. Christus wendet sich dem einen mit erhobener Sprechgeste zu.

Das Auferstehungsbild im späten Mittelalter, in der Renaissance und im Barock. Im späten Mittelalter verschiebt sich im Auferstehungsbild der Akzent zum historischen Ereignisbild. Dabei halten einzelne Darstellungen auch mit den neu gewonnenen Stilmitteln an der Majestät der Erscheinungsweise des Auferstandenen fest. Der Aufstieg aus dem verschlossenen Grab wird im 15. Jh. im Zusammenhang des gesteigerten Interesses an den Vorgängen des Lebens Jesu häufig dargestellt. Er ist Mt 28,1 ff. vorausgesetzt; außerdem heben die dem späten Mittelalter geläufigen Legenden das Wunder der Auferstehung durch die Schilderung des verschlossenen Grabes hervor. Diese Kunstepoche, die sich realistischer Stilmittel bedient, versucht innerhalb ihres künstlerischen Ausdrucksbereiches mit diesem Motiv das von keinem Zeugen gesehene Geheimnis der Auferstehung zu veranschaulichen. Das gilt auch für die Weiterentwicklung der Überschreitung des Sarkophags bis zum von niemandem beobachteten Verlassen der Todesstätte.

Die beiden Engel, die auf Darstellungen des 12. und 13. Jh. den Auferstandenen verehren oder Weihrauchgefäße schwingen, werden, sobald sich die Auferstehung zum Ereignisbild wandelt, nur noch selten dargestellt. Es tritt lediglich der Verkündigungsengel auf, wenn mit der Darstellung der Auferstehung die der drei Frauen verbunden ist, *Abb. 220, 221.* Auf einem Tafelbild, um 1425, aus dem Kreis des Konrad von Soest, Braunschweig, halten ausnahmsweise vier Engel die Grabplatte, so daß ein direkter Bezug zu der ursprünglichen Funktion des Engels nach der Auferstehung erkennbar ist. Das gilt auch für den auf der Grabplatte stehenden, *Abb. 229,* und für den die Platte hochhebenden Engel, *Abb. 234.*

Die Zahl der Grabeswächter wird vom 14. Jh. an oft vermehrt, vor allem in Italien. Auf dem Fresko in Neapel, *Abb. 217,* das einen Zyklus von Osterdarstellungen einleitet, löst das Erschrecken über die Erscheinung des Auferstandenen ihre Flucht aus. Weder in der Frühzeit noch im Mittelalter ist dieser Moment wiedergegeben worden. In den verschiedenen Reaktionen der Wächter spiegeln sich jetzt die unterschiedlichen menschlichen Verhaltensweisen dem Wunder der Auferstehung gegenüber: vom stillen Staunen bis zur Furcht, von der erschreckten Flucht bis zur Angriffsbereitschaft. Der Fußtritt gegen einen der schlafenden Hüter bleibt auf die Darstellungen des 13. Jh. beschränkt und kommt auch in dieser Zeit nicht in allen Kunstkreisen vor. Longinus wird in der Renaissancekunst manchmal durch eine große Lanze von den anderen Wächtern unterschieden. Oft sitzen vier Hüter an den vier Ecken des Grabes und bewachen es von allen Seiten. Das hängt ebenso mit der Erfassung des Raumes im Bild zusammen wie die Schrägstellung des Sarkophags, durch die der Tiefenraum der Landschaft erschlossen wird.

Schon Mitte des 13. Jh. wird nördlich der Alpen die Auferstehung in die Bildzyklen der Altarretabel und später in die der Flügelaltäre aufgenommen und oft mit den Frauen am Grab und der Höllenfahrt im Anschluß an die Passionsszenen dargestellt. Hier ist die spätere Entwicklung der Auferstehungsdarstellung am deutlichsten zu verfolgen. Das älteste bekannte Beispiel innerhalb der Altartafelmalerei wies das im letzten Krieg verbrannte kleeblattförmige Retabel aus Quedlinburg, um 1250, Berlin, auf, *Abb. 207.* Der Wandel in der Christusfigur ist dann an dem Holzbildwerk in Wienhausen vom Ende des 13. Jh. und an dem westfälischen Retabel in Hofgeismar, um 1320, *Abb. 215,* die in ihrer Entstehung nur dreißig Jahre auseinanderliegen, abzulesen. Bei der hoch aufgerichteten plastischen Figur sind die Wundmale der Gesamtaussage eingefügt, auf der Hofgeismarer Tafel weist der Erlöser anstelle des Segnens das Wundmal als Zeichen des durchlittenen Todes vor. Nicht der Ausdruck der Hoheit oder des neuen Lebens zeichnen diese Christusgestalt aus, vielmehr ist die Neigung zu dem einen der Engel als erbarmende Zuwendung zu den Menschen zu verstehen. So gewinnt in der Figur des Auferstandenen das neue, vom Schmerzensmann geprägte Christusbild Gestalt, während die beiden Engel aus der Bildvorstellung des 13. Jh. übernommen sind.

Die Tafel des Hohenfurther Altars, dessen Gesamtaufbau heute nicht mehr mit Sicherheit rekonstruiert werden kann, böhmisch 1346–1356, *Abb. 221,* verbindet die Auferstehung mit den Frauen im Gespräch mit dem Engel, aber es besteht zwischen diesen und Christus nur ein formaler Bezug durch die Fahne und das Grab. Der Auferstandene, in einem Brokatgewand und weißem Manteltuch, entsteigt dem Grab, ohne von den Frauen und dem Engel gesehen zu werden. Obwohl die Aktion fortgeschrittener ist, bleibt der Gesamteindruck der Gestalt der einer unrealen, vor dem dunklen Grab schwebenden lichten Erscheinung. Christus gehört einer anderen Welt an. Die beiden wachen Hüter erschrecken nicht, sie blicken nur verwundert empor.

Durch Vergeistigung und Reduzierung der Körperlichkeit gelang dem Meister von Wittingau auf einer Tafel eines ebenfalls böhmischen Altars um 1380, *Abb. 224,* die Unwirklichkeit der Erscheinung des Auferstandenen zu veranschaulichen. Der geschlossene und versiegelte Sarg steht in einer Felsenlandschaft, die das außerhalb der Naturgesetze stehende Wunder nach hinten abschirmt. Die Hügel bilden eine nach oben offene Dreiecksform. In sie ragt das von einem sehr großen Nimbus umgebene Haupt Christi hinein. Zum erstenmal ist bei einem Auferstehungsbild die nächtliche Stunde durch die Sterne angedeutet. Der rote Bildgrund ist ein im späten 14. Jh. für kurze Zeit aufkommendes künstlerisches Mittel, das den Goldgrund ablöst. Im Gegensatz zu der Ostertafel des Wittingauer Meisters thront Christus auf der des Raigerner Altars, um 1420, gekrönt auf dem verschlossenen Grab, *Abb. 225,* und der Wurzacher Altar von Hans Multscher, 1437, zeigt die Durchdringung des verschlossenen Grabes, *Abb. 226.* Multscher verbindet mit der geheimnisvollen Aufhebung der Gesetze irdischer Materie die realistische Körperhaftigkeit der Gestalt und den Ausdruck geistiger Mächtigkeit. Der Sarg steht schräg im Garten, zum Teil in einer Felsenhöhle. Damit bringt der Maler den in der bildlichen Darstellung üblichen Sarkophag mit dem biblischen Felsengrab, Joh 19,41, in Einklang. Der Unruhe, die durch die Führung der Felsenkonturen und die Richtungsgegensätze in den Bewegungen der vier Hüter entsteht, wirkt der den Garten umschließende hohe Zaun entgegen; er hat weniger die Aufgabe, den natürlichen Garten der Grabstätte zu umgrenzen, als einen Raum für das übernatürliche Geschehen zu schaffen. Christus erhebt sich in frontaler Haltung, den Blick geradeaus gerichtet. In dem gedrungenen, ausgemergelten Körper mit seinen blutenden Wunden ist der leibliche Tod noch gegenwärtig; aber die gebietend erhobene Hand und die Gesamthaltung bezeugen die Überwindung dieses Todes. Das Haupt des Auferstandenen überragt zwar nicht die Landschaft, aber es ist dem Bild so eingefügt, daß es Brennpunkt ist und über die mannigfaltige irdische Welt, der auch die in schweren Schlaf gefallenen Hüter angehören, hinausweist.

Auf der erwähnten Altartafel aus dem Kloster in Raigern, um 1420, ist der für Multscher typische Realismus nicht in dem Maße ausgebildet. Hier ist das ereignishafte Thronen des Auferstandenen auf dem verschlossenen Grab die wesentliche Aussage. Der Ausdruck der Hoheit wird etwas beeinträchtigt durch die Aufgabe der Frontalität, die durch die leichte Wendung zu den Frauen ausgelöst ist. Die mangelnde Würde in der Haltung der Gestalt wird jedoch gleichsam ersetzt durch die Krone auf dem Haupt des Auferstandenen und die Darbringung von Herrschaftszeichen durch zwei Engel: Weltkugel und Zepter. Die Krone kommt beim Auferstandenen selten vor, sie ist für die Figur in Wienhausen nachgewiesen; außerdem trägt sie Christus, der aus dem Grab herausgetreten ist, auf einer thüringischen Altartafel aus Arnstadt, Anfang 15. Jh., *Abb. 227.* Über den Frauen erscheint auf der Raigerner Tafel Gott-Vater, nicht mehr durch die Hand versinnbildlicht, sondern durch ein Brustbild veranschaulicht. Das Spruchband mit dem Auferstehungsruf: »Erhebe dich, mein Ruhm!« deutet hier den Frauen, die Christus nicht erblicken, das Wunder der Auferstehung als ein von Gott gewirktes. Auf dem thüringischen Bild erscheint Gott-Vater in der Bildachse über Christus.

Das Heraustreten aus dem offenen Grab wird in verschiedenen Stadien gezeigt. Auf dem Passionsaltar von Meister Bertram in Hannover, Ende 14. Jh., *Abb. 222,* steht Christus mit erhobener Segenshand vor dem Sarkophag. Diese ist auf Darstellungen des 13. Jh. Ausdruck des Triumphes, hier aber Hinweis auf die Wunden Jesu. Dieser Aussage entspricht das von Leid gezeichnete Angesicht. Meister Franckes Auferstehungsbild des Thomasaltars, um 1424, in der Hamburger Kunsthalle, *Abb. 223,* ist nur aus der allen Vorgängen im einzelnen nachgehenden populären Passionsbetrachtung, in die die Auferstehung einbezogen wurde, zu verstehen. Heimlich überklettert Christus die Rückwand des Sarges und stützt sich dabei mit einer Hand auf den Rand des Grabes, während er mit der anderen den Kreuzstab umklammert und ihn gegen den Sarg stemmt. In seinem Nimbus steht: Resurectio Domini. Bei der Auferstehung der Toten im Prager Krönungsevangelistar um 1086, *vgl. Abb. 174,* und auf Gerichtsdarstellungen ist das mühevolle Überschreiten der Rückwand des Grabes bei einigen der Auferstehenden schon vorgebildet. Aus der gleichen Zeit wie der Altar von Francke stammt eine Miniatur im Turiner Stundenbuch des van-Eyck-Kreises, *Abb. 220.* Christus steigt über die Schmalseite des Sarkophags, während der Engel mit den Frauen spricht und in das leere Grab weist. Mit dem Zurückblicken Christi und der Vergewisserung, daß ihn die Frauen nicht sehen, ist das über 200 Jahre zurückliegende Motiv des Auferstehungsbildes einer Exultetrolle wieder aufgenommen, das in der Zwischenzeit nicht zu verfolgen ist, *Abb. 203.* Auch hinter diesem realistischen Motiv des heimlichen vorsichtigen Herauskletterns, das zunächst rein menschlich wirkt, steht die Absicht, das Wunder der von niemandem wahrgenommenen Auferstehung vom Tode im Bild zu verdeutlichen.

Auf der Auferstehungstafel des Wildunger Flügelaltars des Konrad von Soest, 1403, *Abb. 228,* tritt Christus zwischen die Hüter. Er ist in der Bewegung wiedergegeben; der Oberkörper leicht geneigt, der Blick, wie nach innen gerichtet, gesenkt. Dennoch sieht er einen der Wächter an und wendet die Segenshand ihm zu. Der Meister der Münchener Gefangennahme, vor 1464, *Abb. 229,* stellt den Auferstandenen in die Mitte eines weiten Landschaftsraumes neben den Sarkophag. Er blickt zu dem Betrachter, dem die erhobene Segenshand gilt, und geht vom Grab weg. Es bleibt jedoch unbestimmt, welche Richtung er einschlägt. Vielleicht soll die Schrittstellung deutlich machen, daß er nach Galiläa geht, wie der Engel den Frauen verkündet hat. Das Bild zeigt im Hintergrund mehrere Wege, auf dem einen begegnet Magdalena dem Herrn, ein anderer führt zum Berg, von dem aus Christus in den Himmel aufgenommen wird. Die Wirklichkeitserfassung in der Malerei des Spätmittelalters führt bei diesem niederländischen Meister zu einer historisierenden Verbildlichung der biblischen Berichte.

In Italien ist das Auferstehungsbild in verschiedenen Abwandlungen vom 12. Jh. an zu finden, *Abb. 203, 217, 218,* häufiger wird es aber erst von der 2. Hälfte des 15. Jh. an, obwohl noch im 14. Jh. ein neuer Bildtypus entwickelt wird. Das Durchdringen der geschlossenen Grabplatte und das Herausklettern kommen überhaupt nicht vor, das Stehen neben dem offenen Sarkophag ganz selten.

Piero della Francesca und Mantegna, um nur zwei der großen Meister der Renaissance zu nennen, stehen hinsichtlich der Bildkomposition noch in der mittelalterlichen Tradition. Piero malte um 1460–1464 ein Auferstehungsbild, *Abb. 233,* für den Rathaussaal seiner Heimatstadt, Borgo S. Sepolcro, von der die Legende sagt, sie sei vom Auferstandenen selbst gegründet. Der Maler behält das Motiv des Aufsteigens aus dem Sarg in frontaler Haltung bei. Vor einer Landschaft, deren Hügel – der eine kahl, der andere bewachsen, entsprechend auch die Bäume – zur Mitte hin etwas abfallen und einem großen Himmel Raum geben, steht der Sarkophag. Longinus ragt über die scharf gezogene Grenze hinaus, sein Speer erreicht die grünende Baumkrone. In der Mitte der Bildfläche und des Bildraumes erhebt sich die mächtige Gestalt des Herrn. Die zufällige Bewegung der Hand betont die Gelassenheit und das selbstverständliche Dasein der Figur. Durch sinnliche Schönheit und Vollkommenheit beschwört die Kunst der Renaissance das Übersinnliche.

Mantegna hat auf der Predella des Altars für S. Zeno in Verona, 1457–1459, *Abb. 232,* dem Auferstandenen eine Gloriole gegeben; sie besteht aus Goldstrahlen und kleinen Engelköpfen mit blauen und roten Flügeln, den späten Nachfolgern der Cherubim und Seraphim. Der Sarkophag steht bildparallel vor einer großen Höhle, aus deren Dunkelheit der Besieger des Todes hervortritt. Aus der Höhe fällt Licht auf den kräftigen Leib des Auferstandenen, der jedoch in der grünlichen Farbe die Spuren der Verwesung an sich trägt. Das Irdische und das Überirdische ist für Mantegna in gleicher Weise Wirklichkeit. So ist das den Auferstandenen verklärende sakrale Licht natürlich gegeben, indem es Schatten wirft; es strahlt nicht vom Körper aus, sondern es kommt ihm aus der göttlichen Welt entgegen. Diesem neuen künstlerischen Mittel zur Sichtbarmachung der Verklärung wird das der Gestalt hinzugefügte überlieferte Attribut der Glorie unterworfen, obwohl dadurch der Widerspruch entsteht, daß ein Lichtsymbol beschattet wird.

Einmalig ist die Darstellung an einer der Kanzeln in S. Lorenzo in Florenz, um 1460, *Abb. 231,* die an das Relief der Höllenfahrt anschließt, *vgl. Abb. 169.* Donatello überbietet den Realismus Multschers und unterscheidet sich von ihm durch die Dynamik. Er ist besessen von

dem Willen, die diesseitige Wirklichkeit: Menschen, Bewegungen, Dinge und Raum in ihrer Erdgebundenheit wiederzugeben. Für ihn ist auch das Häßliche darstellungswürdig. Das Tor der Vorhölle verlassend, tritt Christus jäh auf die Schmalseite des Sarges, nicht hochaufgerichtet, sondern sich duckend, fast keuchend unter der Last der Fahne, die seine beiden Hände umklammern, den Blick drohend nach vorn ins Leere gerichtet. Dieser gehetzte Mann mit dem gedrungenen Körper, mit wirrem Haar, das Leichentuch um den Leib gerafft, trägt die Spuren des harten Kampfes wider Tod und Teufel an sich. Keine Erhöhung, kein strahlender Sieg, keine Glorie, keine Wandlung des Leibes, keine Verheißung, kein Begegnen – aber der Knecht Gottes, beladen mit der Schuld der Menschen und der Erfahrung des Todes (Jes 53). Donatello hat keine Nachfolge gefunden, er erreichte, ähnlich wie später Rembrandt, eine Grenze, die nicht überschritten werden konnte[13].

Der erwähnte neue Bildtypus, der in Italien in der Mitte des 14. Jh. entstand, zeigt Christus über dem Grab schwebend. Die frühesten Beispiele dieses Schwebetypus sind – ebenso wie im hohen Mittelalter nördlich der Alpen die Erhöhung Christi vom Grabe aus – mit der Darstellung der drei Frauen am Grabe verbunden, *Abb. 50, 51, 53.* Das Fresko in der Spanischen Kapelle, um 1365–1368, zeigt den Auferstandenen im Profil auf Wolken über dem Grab mit dem Engel und den Frauen schweben. Er bewegt sich nicht nach oben, sondern zur Seite. Schon um 1370 ist auf einem Fresko des Nicolò di Pietro Gerini in der Sakristei von S. Croce zu Florenz der neue Typus verselbständigt. Die Christusgestalt schwebt in frontaler Haltung über dem Grab, *Abb. 235.* Sie ist von einer Strahlenglorie umgeben und der Erde noch so nah, daß sie fast die Blumen berührt, die mit den in den Baumkronen spielenden Vögeln sinnbildhaft auf das neue Leben verweisen. Die Welt hält den Auferstandenen noch fest, in seiner Gestalt ist keine Aktivität, keine Bewegung, man kann kaum von einem Schweben sprechen. Er ist gegenwärtig, und zwar als der Verklärte und zum Leben Erstandene. Das bezeugt die Gestalt selbst, wird aber auch in der Gesamtordnung des Bildes deutlich[14]. Ge-

---

13. Siehe zu den Erläuterungen dieser Darstellungen auch H. Schrade, 1932. Wir fußen in vielen Aussagen auf

diesem grundlegenden Werk.

14. Die gleiche Haltung Christi und die Nähe zum

rini hat noch ein zweites Mal den schwebenden Auferstandenen dargestellt, und zwar über der Beweinung *(vgl. Bd. 2, Abb. 528).* – Sano di Pietro zeigt um 1430 auf einer Tafel des Wallraf-Richartz-Museums in Köln den Auferstandenen in einer Lichtgloriole vor dem Eingang zum Felsengrab schwebend. Die Kurve der Gestalt erweckt den Eindruck der Aufwärtsbewegung, während der Blick und die Handhaltung auf den Betrachter bezogen sind. Wesentlich höher, aber den Blick leicht gesenkt, schwebt der Auferstandene über dem geschlossenen Grab auf einer Tafel um 1370 des ehemaligen Hochaltars von S. Pietro Maggiore zu Florenz, heute in der Nationalgalerie London.

Das Tafelbild von Giovanni Bellini, um 1479, *Abb. 236,* gibt – zum erstenmal – die Auferstehung als einzigen Gegenstand eines Altarbildes wieder, nicht nur als Teil einer größeren Altartafel oder eines Flügelaltars. Vor dem vom frühen Morgenlicht erhellten Himmel erscheint Christus über einer Landschaft, deren Schwerpunkt die den geschlossenen Sarg bergende Felsenhöhle bildet. Johannes ist mit zwei Frauen auf dem Weg zum Grabe, die dritte ist zurückgeblieben im Dunkel der Landschaft. Eine reale Beziehung zwischen Grab und Auferstandenem besteht hier nicht mehr. Nur durch den am Eingang stehenden Lanzenträger und dem Krieger auf dem Weg, die beide aufblicken, ist eine Verbindung von unten nach oben hergestellt. Der Blick des Auferstandenen geht über die Welt hinaus, während die Gestalt mit der erhobenen Segenshand still verharrt. Ein Teil des um seine Lenden geknoteten Leichentuches und die Fahne flattern zur Seite und enthalten weit mehr Bewegung als die Gestalt selbst. Die Entblößung des Körpers hat nicht die Aufgabe, die Seitenwunde sichtbar zu machen – diese ist kaum zu sehen –, sie bringt vielmehr die Makellosigkeit und Kraft des neuen Leibes zur Anschauung. Nicht das über dem Horizont der Landschaft aufgehende Morgenlicht bescheint ihn, er empfängt das Licht aus der Höhe. Man ist versucht, in diesem Bild die Himmelfahrt zu sehen. Doch ist hier mit den künstlerischen Mitteln der Renaissance die Auferstehung in ihrem umfassenden Gehalt dargestellt. Die Verwandlung des irdischen Leibes in den himmlischen wird entweder durch Steigerung der Schönheit und der Kraftfülle des Leibes oder durch Auflösung seiner plastischen

Formen und seine Wandlung in Licht zum Ausdruck gebracht. Mit dieser Darstellung der über der Todeswelt im Licht erscheinenden Christusfigur versucht die Malerei dieser Zeit, den Glauben an die neue Schöpfung und die zukünftige Auferstehung aller Toten zu einem neuen Leben zu veranschaulichen.

Die deutsche Malerei übernimmt um 1500 den »Schwebetypus« und zeigt ihn sowohl in Verbindung mit dem offenen und dem geschlossenen Sarkophag als auch mit dem geschlossenen Felsengrab. Die Wiederaufnahme des Felsengrabes, das im Gegensatz zur italienischen Kunst geschlossen ist, erfolgt nördlich der Alpen erst in der 2. Hälfte des 15. Jh., und zwar zuerst mit der vor ihm stehenden Gestalt Christi: Hans Memling, Detail aus der großen Tafel um 1480, München, Alte Pinakothek, *Abb. 230.* Auf dem Holzschnitt der großen Passion Dürers, 1510, *Abb. 237,* schwebt Christus unmittelbar über einem niedrigen versiegelten Sarkophag, seine Füße scheinen sich kaum von ihm gelöst zu haben. Und doch ist der Auferstandene ganz herausgehoben aus dem irdischen Bereich in das Licht. Die Wolken, die ihn aufnehmen, bilden ein nach oben offenes Dreieck. An die Stelle der abstrakten Zeichen, mit denen das Mittelalter den Himmel im Sinne des Jenseits kennzeichnete, treten natürliche Wolkenformen. Dürer übernimmt nicht die horizontale Trennung der oberen und unteren Bildhälfte des italienischen »Schwebetypus«. Er zeigt die Durchdringung beider Welten oder die Überwältigung des irdischen Dunkels durch das Licht des Himmels, das die machtvolle Gestalt des zum Leben Erstandenen umleuchtet. Nach Zeichnungen von Dürer, 1510[15], ist das Kalksteinrelief des Epitaphs für Ulrich Fugger (gestorben 1510) in der Fugger-Grabkapelle in St. Anna zu Augsburg gearbeitet, das den Auferstandenen umgeben von einer Wolken-Engel-Gloriole über dem offenen Grab schwebend zeigt, *Abb. 239* (ohne das Abbild des Toten und die Inschrift-

Grab und zur Erde kommen noch 1443 auf einem Lünettenrelief aus dem Florentiner Dom des Lucca della Robbia vor.

15. Sie befinden sich in Braunschweig und Wien; die unmittelbare Vorlage ist verloren. Siehe F. Winkler, Die Zeichnungen Albrecht Dürers, 4 Bände, Berlin 1936—39, Bd. 2, Abb. 485 u. 487.

tafel). Die Auferstehung Christi war seit dem 15. Jh. in Italien und Deutschland für Epitaphien ein beliebter Bildgegenstand.

Matthias Grünewald hat auf einem Seitenflügel des Isenheimer Altars, vollendet 1515, *Abb. 238*, als erster in der deutschen Malerei den im Licht hoch über dem Grab schwebenden Auferstandenen dargestellt, der die Welt in Dunkelheit und Bestürzung zurückläßt. Die gewaltsame Öffnung des Sarges spiegelt sich in den Wächtern, von denen zwei nach hinten geschleudert werden. Im Gegensatz zu Dürer ist das Körperhafte in der Christusgestalt nicht betont, sondern durch dessen Schwerelosigkeit und Wandlung in Licht entwertet oder beinahe aufgehoben. Entgegen allen vorhergehenden Darstellungen ist auf die Osterfahne bzw. das Stabkreuz als Attribut verzichtet. Der Auferstandene hebt beide Hände empor, deren Wunden zu Quellen des Lichtes und zu Gnadenzeichen gewandelt sind. Durch diese Armhaltung entsteht ein Halbkreis, der das lichte Haupt gegen die heftigen Bewegungen des Gewandes und des mit nach oben gerissenen Leichentuches abgrenzt. Gleich einer riesenhaften Sonne aus dem Jenseits dringt Licht in die Nacht der Welt und verbindet sich mit dem Leuchten des verklärten Leibes.

Auf einer Tafel des Hochaltars der Nikolaikirche in Kalkar von Jan Joest, 1505–1508, *Abb. 243*, schwebt der Auferstandene unmittelbar vor der verschlossenen Grabeshöhle und ist noch ganz im irdischen Bereich. Sein Blick ist gesenkt, die Rechte segnend erhoben. Daß es sich bei der Auferstehung um einen jähen Vorgang handelt, wird nicht in der Gestalt des Auferstandenen, sondern in der des Hüters, der voll Entsetzen flieht, sichtbar gemacht. Im Hintergrund befreit der Auferstandene aus der brennenden Satansburg die Ureltern und durchbohrt mit der Osterfahne den Drachen. Das versiegelte, hoch aufragende Felsengrab auf dem Auferstehungsbild des Herrenberger Altars von Jörg Ratgeb, 1518–1519, *Abb. 240*, trennt die derbe Landsknechtsszene von der Erscheinung des schwebenden Auferstandenen. Die streng frontale Haltung ist aufgegeben, Christus wendet das Angesicht etwas zur Seite, reckt die rechte Hand in die Höhe und hält in der nur wenig gesenkten linken eine von einem Metallreif umschlossene Lichtkugel, auf welcher das Stabkreuz mit dem Fahnentuch steht. Das von den Wunden Chri-

sti ausstrahlende Licht bildet durchsichtige Kugeln, Zeichen der zukünftigen Gotteswelt – durch die Wunden Christi erschlossen. Die Wandlung des vergänglichen Leibes in den unvergänglichen ist weniger in der Gestalt selbst als in ihrer Ausstrahlung sichtbar gemacht. Auf einer aus dunklen Wolken herabkommenden Lichtbahn schweben zwei kleine Engel. In einem auffallend starken Gegensatz zu der visionären Erscheinung des Auferstandenen steht die naturalistische Darstellung der als Gärtner verkleideten Christusgestalt bei der kleinen Nebenszene der Begegnung mit Maria Magdalena. Auf der anderen Seite des Felsens erheben sich im Hintergrund einige Tote aus Bodengräbern und Grabbauten. Dieser Hinweis auf die Auferweckung der Toten ist zwar sehr versteckt gegeben, aber er ist wegen seiner Seltenheit innerhalb des Auferstehungsbildes wichtig. Die Auferstehung des Mömpelgarter Altars, 1525–1530, Kunsthistorisches Museum Wien, *Abb. 244*, gehört ebenfalls dieser Gruppe des »Schwebetypus« in Verbindung mit dem geschlossenen Felsengrab an[16]. Auch hier hält Christus eine vom Kreuz überhöhte Lichtkugel in der Hand. Dieser Szene geht die Darstellung der Öffnung des Grabes durch den Engel nach dem Matthäustext voraus. Ein kleines Bild der Altdorfer Schule, 1527, in Basel, *Abb. 241*, gibt den Auferstandenen hoch über der felsigen Landschaft schwebend, doch sein Blick ist gesenkt und der Segensgestus auf die Welt bezogen. Die Gegensätzlichkeit von Hell und Dunkel ist symbolhaft ausgeweitet – eine Vorwegnahme Rembrandtscher Gestaltungsprinzipien. In bedeutungsvoller Steigerung leuchten die drei Lichtzentren aus der nächtlichen Finsternis: rechts unten gibt das Lagerfeuer der Hüter einen matten Schein; die Höhle ist von dem Glanz, der vom Engel am Grab ausgeht, erfüllt; oben leuchtet die überirdische Glorie des Auferstandenen, deren Licht von den Wolkenrändern zurückstrahlt. Diese Konzentration der Lichtfülle in der Höhe, deren Quelle der Auferstandene selbst ist, läßt die weltüberwindende Kraft der Auferstehung schaubar werden. Ein Gemälde der Werkstatt des Lukas Cranach d. Ä., 1537–1540, das die Auferstehung Christi und die Höl-

16. H. Modern, Der Mömpelgarter Flügelaltar, in: Jb. der Kunsthistor. Slg. des allerhöchsten Kaiserhauses, Wien, Bd. 7, 1896, S. 307 ff.

lenfahrt in einer Bildkomposition zusammenfaßt, haben wir oben schon erwähnt, *vgl. Abb. 164.* Sarg und Höllentor stehen auf derselben Ebene. Durch die Hochführung des Höllengetiers auf der einen Seite und der Hüter und des dürren Baumes auf der anderen scheint der Auferstandene, obwohl ihn die große Gloriole umgibt, in der Welt festgehalten zu werden. Ebensowenig wie bei den anderen Darstellungen des schwebenden Auferstandenen darf Christus hier wegen der Gloriole als zum Himmel entrückt aufgefaßt werden.

Obwohl seit 1500 auch in der deutschen Kunst der Typus des schwebenden Auferstandenen weit verbreitet war, leben die älteren Bildformen doch weiter, allerdings in verschiedener Weise bereichert. So stellt Hans Holbein d. Ä. auf dem Frankfurter Passionsaltar, 1501, *Abb. 242,* die Schmalseite des Sarkophags fast bildparallel ganz nach vorn. Der Auferstandene steht auf dem etwas vorspringenden Sockel dem Betrachter zugewandt und völlig unberührt von dem, was hinter ihm geschieht. Während von der einen Seite die drei Frauen zum Grab treten, wenden sich auf der anderen drei Männer verärgert zum Gehen. Diese Einfügung der in der Legende erwähnten Juden, denen Holbein offensichtlich porträthafte Züge von Zeitgenossen gibt, ist neu und entspricht dem Bedürfnis nach der vergegenwärtigenden Schilderung der Vorgänge. Der Auferstandene ist zwar die für den Betrachter am nächsten stehende Gestalt, aber durch das unbewegte Stehen und die Übertragung der Vera-Ikon-Typik auf die Darstellung erhält die Figur bei allem Mangel an Monumentalität doch etwas Überpersönliches, was sie von den anderen Personen des Bildes unterscheidet.

Albrecht Altdorfer gibt auf der Darstellung der Predella des Sebastian-Altars aus St. Florian, um 1518, *Abb. 245,* den Auferstandenen auf dem verschlossenen Sarkophag stehend wieder und verzichtet zugunsten eines natürlich bewegten Körpers auf die Frontalität. Gleichsam aus dem Innern der Grabeshöhle, die seitlich aufsteigend die ganze Szene übergreift, erblickt der Betrachter zusammen mit dem wachen Hüter den am Ausgang der Höhle stehenden Auferstandenen. Das die Gestalt umspielende Leichentuch flattert gleich einer lichten Wolke empor und leitet ebenso wie der leuchtende große Nimbus hinter dem Haupt Christi zu dem in allen Sonnenfarben lodernden Morgenhimmel über.

Die Helligkeit, die der Christusgestalt eigen ist, kehrt in der Fahne und ganz oben unterhalb des Randes der Höhle wieder. Das Lagerfeuer am Fuße des Berges flackert nur schwach. Wie Grünewald hat Altdorfer das Wunder und Geheimnis der Auferstehung durch Licht und Farbenglut veranschaulicht. Da die Farben bei Altdorfer jedoch an die Natur gebunden sind, bedeuten sie die Verheißung der neuen Schöpfung (Röm 8,18–23). Das Licht dringt weder von außen ein noch strahlt es von der Gestalt des Auferstandenen aus; es ist vielmehr ein die Welt verwandelndes Leuchten, das seine höchste Helligkeit in der Gestalt Christi sammelt. Nicht die Entrückung des Auferstandenen, sondern die Verwandlung der Welt kraft der Auferstehung ist veranschaulicht. Nur der eine der Engel weist gen Himmel und deutet so auf die Himmelfahrt. Christus senkt den Arm, um den erwachten Hüter zu segnen. Beider Blicke begegnen sich. Mit dieser Zuwendung zu einem Menschen wird die Verheißung des neuen Lebens angedeutet, während das Gesamtthema des Bildes der Anbruch der neuen Schöpfung ist.

Die italienische Hochrenaissance versteht dann die Auferstehung als ein dynamisches Ereignis, in dem alle irdischen Gesetze aus der eigenen Kraft des Auferstehenden überwunden sind. Dabei kann auf die Wiedergabe des Grabes sogar verzichtet werden, oder es können die Wächter durch Heilige ersetzt sein. Letzteres ist auf einem Gemälde der Schule des Leonardo da Vinci, um 1500, Berlin, der Fall, *Abb. 248.* Christus fährt mit erhobenen Händen aus dem Grab hoch. Durch die starke Drehung und die verschiedenen Richtungsakzente entsteht der Eindruck, als bewege sich die Gestalt aus eigener Kraft nach oben. Das gleiche gilt von der Darstellung auf dem Mittelfeld einer fünfteiligen Tafel Tizians, 1520–1522, in SS. Nazzaro e Celso, Brescia, *Abb. 246.* Hier fehlt das Grab, aber zwei Hüter sehen den über einem Ort, hinter dem die Sonne aufgeht, schwebenden Christus. Die Dynamik der Bewegung ist durch die entgegengesetzte Richtung der Arme gegenüber dem älteren Bild gesteigert. Die rechte Hand, die die Fahne hält, ist nicht nur erhoben, sondern stößt in die Raumtiefe; die linke ist etwas gesenkt und weist den Grabeshütern das Wundmal vor. Dieser Beziehung zu den Menschen entspricht der zu ihnen gesenkte Blick; beides hält den aus der überwundenen Todeswelt Auffahrenden noch im irdischen Raum, obwohl in der starken Aufwärtsbewegung der Figur die Himmelfahrt mit enthalten ist. Tizian fügt der Auferstehung auf den oberen Seitenteilen die Verkündigung an Maria hinzu (nicht mit abgebildet) und setzt so die Menschwerdung Gottes in Beziehung zu seiner Auferstehung kraft seiner Göttlichkeit.

Eine Kreidezeichnung Michelangelos, um 1532, im Britischen Museum (Entwurf zu einer Rundbogenfüllung der Medici-Kapelle in Florenz), *Abb. 247*, die Christus in diagonaler Richtung über dem Grab emporschwebend zeigt, hat die künftige Darstellung weitgehend bestimmt. Auf einem großen Gemälde Tintorettos, 1579–1581, Scuola di S. Rocco in Venedig, *Abb. 253*, scheint das Felsengrab wie auseinandergebrochen, und aus seinem Innern wird von einer ungeheuren Kraft in einer Flut von Licht Christus herausgeschleudert. Entgegen der Bewegungsrichtung senkt er den Blick und die vom Todesmal gezeichnete Segenshand zur Erde. Wie eine Flamme lodert die Fahne hinter seinem Haupt. Vier Engel halten die schwere Steinplatte: so mühevoll ihr Tun ist, so überflüssig wirkt es. Hier ist der äußerste Gegenpol zu der Darstellung des majestätischen Aufstiegs aus dem Grab erreicht, wie ihn noch Piero della Francesca darstellte. Die Dramatik des Geschehens ist in diesem frühbarocken Bild der venezianischen Malerei gegenüber Grünewald gesteigert, sie ergreift die Gestalt selbst. Dagegen wirkt sie sich auf dem Bild an der Schwelle des Mittelalters zur Neuzeit nur in den Nebenfiguren, die weggeschleudert werden, und im emporgerissenen Leichentuch aus. Christus selbst erscheint auf dem Isenheimer Altar in vollkommener Ruhe im Licht als verklärte Lichtgestalt.

Auf dem hohen, schmalen Bild von El Greco, um 1595, im Prado, Madrid, *Abb. 249*, ist der Auferstandene der zum Himmel Auffahrende. Er wird von einer großen Lichtgloriole aus dem Chaos der ekstatisch erregten und durcheinander stürzenden und steigenden Leiber der Grabeswächter emporgehoben. Das Licht huscht gespenstisch über ihre Nacktheit. Das Grab fehlt, das Chaos ist selbst Grab. Christus schwebt nackt empor. Ein Zipfel der großen aufgeblähten Fahne, die mehr Volumen vortäuscht als der Körper Christi, ersetzt das Lendentuch. Der Mantel hinter Christus ist nur ein dekoratives Motiv. Die Macht des neuen Lei-

bes, wie sie die italienische Kunst als Verheißung der leiblichen Auferstehung darstellt, fehlt bei El Greco. Der Einfluß der spanischen Mystik und das künstlerische Prinzip des Manierismus führen zum Gegenteil. Die Erregung bemächtigt sich nur der Wächter, von denen einige die Hand zum Schlag, andere das Schwert zum Stoß gegen Christus heben. Doch werden sie ohnmächtig wieder zurücksinken, unfähig zum Handeln.

Pieter Coecke van Aelst nimmt in seinem Auferstehungsaltar, um 1540, Karlsruhe, *Abb. 252*, schon die barocke Gestaltungsweise voraus. Er setzt die große Anzahl der bewegten Figuren mit der vielteiligen weiträumigen Landschaft in Beziehung. Dem Hauptbild der Auferstehung sind zwei Seitentafeln hinzugefügt, von denen eine die drei Männer im Feuerofen als ein großes Schauspiel im Hintergrund und die andere den vom Wal ans Land geworfenen Propheten Jona ganz vorn zeigt: beides alttestamentliche Szenen der Errettung aus dem Tod und deshalb Typologien für die durch die Todesüberwindung des Auferstandenen bewirkte Erlösung des Menschen. Die Jonastypologie ist in der Kunst des Protestantismus sehr beliebt, siehe unten. Drei Lichtzentren verbinden die aufeinander bezogenen Darstellungen: links der hohe Rauchschwaden, der vom Feuerofen aufsteigt; rechts das Licht, das Gott-Vater umgibt, und in der Mitte die große helle Wolke, auf der der Auferstandene zugleich thront und schwebt. – Philipp von Uffenbachs Radierung von 1588, *Abb. 250*, verzichtet auf die Christusgestalt. Vor dem Grab steht eine große Sonne. Daneben verweist ein Flügel auf den Engel, dessen Erscheinen durch Blitze veranschaulicht ist.

Die Kunst der Reformation bedient sich aller im ausgehenden Mittelalter üblichen Darstellungsformen. Einerseits gibt sie sehr detaillierte biblische Bilderzählungen, wie zum Beispiel auf dem Mömpelgarter Altar, 1525–1530, wo die Auferstehung in mehreren Bildern wiedergegeben ist. Andererseits sucht sie den gedanklichen theologischen Gehalt der Erlösung bildlich darzustellen. Wir haben schon in den vorhergehenden Kapiteln und im 2. Band auf die Einbeziehung der Gestalt des Auferstandenen als Sieger über Tod und Teufel in das reformatorische Bild der Kreuzigung oder der Gegenüberstellung von Sündenfall und Erlösung hingewiesen. Bei Cranach und seinem Umkreis ist die Gestalt des auf Tod und Drachen stehenden Auferstandenen einem größeren Bildzusammenhang eingefügt. Der Holländer Maerten de Vos macht den Triumph des Auferstandenen zum Hauptgegenstand eines Gemäldes, um 1590, Antwerpen, *Abb. 251*. Das Stehen auf Drache und Tod mindert nicht den Eindruck des Emporschwebens der aus der italienischen Kunst übernommenen Gestalt. Zwei Engel bringen Siegeskränze herbei, einen Lorbeer- und einen Rosenkranz. In ihren anderen Händen halten sie Ölzweige, Zeichen des Friedens. Im Vordergrund sitzen Petrus und Paulus, jeder hält die offene heilige Schrift. Petrus führt den Blick des Betrachters durch seine Handbewegung zu Christus, Paulus durch sein Aufblicken.

Rubens und Rembrandt verzichten auf die schwebende Christusgestalt und finden eigene Bildformulierungen. Der Auferstandene einer Predellentafel von Rubens, 1617–1619, *Abb. 255*, stürmt aus der dunklen Grabeshöhle mit solcher Gewalt und so drohendem Blick, daß einer der Hüter, von Grauen gepackt, die Flucht ergreift, ein anderer sich geblendet niederduckt und die übrigen im Stürzen noch vorwärtsdrängen. Es hat den Anschein, als gehe der Kampf wider Sünde und Tod noch weiter und Christus treibe seine Feinde vor sich her. Alles Licht geht von der heroisierten Christusgestalt selbst aus. Mit dem Pathos des Triumphes hebt er die Rechte, während seine Linke mit hartem Griff die Siegesfahne umfaßt. Die Beziehung zum Betrachter ist durch die Profilansicht und durch die Bewegung zur Seite hin aufgegeben. Nur der Hüter, welcher dem Grabausgang am nächsten sitzt, schließt an die alte Bildtradition an.

Eine völlig entgegengesetzte Auffassung zeigt ein frühes Bild von Rembrandt, 1639, München, *Abb. 254*. Es gehört zu dem Zyklus, den der Herzog von Oranien Rembrandt in Auftrag gab *(vgl. Bd. 2, Abb. 816)*. Die Macht des Jenseitigen bricht mit dem strahlenden Engel plötzlich in die Dunkelheit des Todes ein. Er öffnet das Grab; das Licht, das ihn umgibt, weckt den Toten. Müde, noch vom Todesschlaf gehalten, erhebt sich Christus. Rembrandt hat die Menschwerdung Christi so ernst genommen, daß er auch an dem Auferstandenen sein Unterworfensein unter den kreatürlichen Tod betont und auf jedes Zeichen der Verklärung und Erhöhung verzichtet. Christus erleidet die

Auferstehung und läßt Gottes Willen an sich geschehen. Auch Donatello gab dem Auferstandenen keinen Schimmer der Schönheit, aber Kraft und Aktivität. Er bestand den Kampf. Bei Rembrandt ist alle Kraft und alles Sieghafte ausgelöscht. Rechts unten tauchen aus der Dunkelheit zwei Frauen auf, die verzweifelt die Hände ringen. In ihnen wird die Verlorenheit der Kreatur sichtbar. Beide wenden sich vom Engel ab. Obwohl sein Licht sie erreicht, erkennen sie ihn nicht. In dem Bild äußert sich eine dem Mittelalter fremde Frömmigkeit, die nicht vom kirchlichen Kult bestimmt ist, sondern ausschließlich von der Bibel und der individuellen religiösen Erfahrung ausgeht. Dieses Bild Rembrandts stellt die Auferstehung des Herrn als Auferweckung, gleich der des Lazarus, dar, *vgl. Bd. 1, Abb. 58*. Zu dem Zyklus gehört noch eine Himmelfahrt, die viel mehr von der barocken Malerei der Zeit abhängig ist und nicht eine so persönliche Aussage bedeutet wie dieses Bild, *vgl. Abb. 519*.

Die Auferstehung ist als Einzelbild von der Mitte des 17. Jh. an nur noch selten anzutreffen; für das 19. Jh. sei auf Tischbeins Altargemälde für die Michaeliskirche in Hamburg hingewiesen. In der Reliefplastik begegnet sie jedoch noch häufig auf Epitaphien, *vgl. Abb. 441*. Auch in der Deckenmalerei des 18. Jh. kommt sie vereinzelt vor; wir zeigen den Entwurf für ein Deckenbild von Paul Troger, um 1722, *Abb. 256*. Es verschmelzen hier Auferstehung und Gericht: Tod und Teufel stürzen übereinander hinab in die Tiefe. So auch 1775 auf dem Deckenfresko der Abteikirche Neresheim von Martin Knoller. Als Beispiel für die Nachwirkung von Grünewald nennen wir noch ein Fresko in einer Seitenaltarnische der Stadtkirche zu 1758–1760, das den Leib Christi in eine phosphoreszierende Erscheinung übersetzt. Als Kuppeldarstellung ist die Auferstehung von Joh. Mich. Rottmayr in der Stiftskirche zu Michaelbeurn bemerkenswert und für die Kunst der evangelischen Kirche die Deckenmalerei der Schloßkapelle in Strechau, auf deren Bildprogramm wir im Abschnitt zur Typologie eingehen, *vgl. Seite 139 und 140*.

Für den Barockaltar der evangelischen Kirche bildet sich im 17. Jh. ein Schema aus, nach dem über dem Abendmahl auf der Predella die Kreuzigung oder die Grablegung als Hauptbild steht und der Auferstandene als vollplastische Figur den Aufbau bekrönt. Ist die Auferstehung als Relief oder innerhalb biblischer Bildreihen dargestellt, so ist bis ins 18. Jh. oft die Nachwirkung des Holzschnittes von Dürer zu erkennen, da der Protestantismus in der Kunst Dürers eine Äußerung der dem Reformationsglauben entsprechenden Frömmigkeit sah und sie deshalb lange Zeit als richtungweisend betrachtete.

Die plastische Einzelfigur des Auferstandenen ist im Mittelalter selten. Wir fügen hier zwei frühe Figuren ein, eine vom Ende des 13. Jh. aus Visby auf Gotland, *Abb. 257*, die andere aus dem Diözesanmuseum in Graz, um 1310, *Abb. 258*. Bei der gotländischen Figur fehlt der obere Teil des Nimbus und die Fahne in der linken Hand. Die rechte Seite des Oberkörpers ist entblößt, während die Figur aus Linz ganz bekleidet ist und das Gewand nur einen Schlitz vor der Seitenwunde hat. Auch bei ihm ist die Fahne verlorengegangen. Dieses Attribut und der Segensgestus unterscheiden die Figuren des Auferstandenen von der des Schmerzensmannes, die von 1300 bis zum Beginn des 16. Jh. vorherrscht, dann aber allmählich durch den Salvator Mundi einerseits und den Ecce-homo-Christus andererseits verdrängt wird. Die Leidensmale trägt die Christusgestalt beider Figurengruppen. Wie nahe sich diese beiden Gestalttypen kommen können, wird an der Christusfigur Michelangelos in S. Maria sopra Minerva, Rom, *vgl. Bd. 2, Abb. 704*, und an der des Vecchietta in Siena, 1476, *Abb. 259*, deutlich. Im Gegensatz zu Michelangelos Figur herrscht bei der des Vecchietta der Leidensausdruck vor, obwohl er auf Aspis und Basilisk steht, während die Christusgestalt Michelangelos, die oft als Auferstandener bezeichnet wird, die Leidenswerkzeuge in der Hand hält.

Als Figur des Auferstandenen ist vor allem der »Christo della Libertà« von Giambologna von 1579 im Dom zu Lucca zu nennen, *Abb. 260*. Sein Aufblick und die erhobene Hand sind aus dem Auferstehungs-

bild des 16. Jh. in die plastische Einzelform übernommen. Von seinem Schüler Adriaen de Vries stammt die das Grabmal des Fürsten Ernst von Schaumburg-Lippe bekrönende Figur im Mausoleum zu Stadthagen, 1617–1620[17]. Für das 18. Jh. ist die kleine Statuette des Ignaz Günther, 1765–1770, ein wichtiges Beispiel. Solche kleinen Figuren, die stark bemalt waren, sind während der Ostergottesdienste bis zu Himmelfahrt auf dem Altar aufgestellt worden.

Die Bekrönung des Hochaltarstabernackels in der Kirche zu Aldersbach von J. M. Götz, 1723, *Abb. 261*, gibt den triumphierenden Auferstandenen auf der Weltkugel stehend wieder. Die gegensätzlichen Bewegungen und die Drehung des Körpers erwecken den Eindruck, er bewege sich nach oben. Die Weltkugel wird von der Gestalt des Todes gehalten und ist von der Schlange mit dem Apfel im Maul umwunden. Sie hat keine glatte Oberfläche, ihr sind die Spuren der über sie hinkriechenden Schlange eingeprägt. Im Besitz des Todes und gezeichnet von der Sünde (Schlange), ist sie in der Barockzeit Sinnbild der von Christus besiegten und erlösten Welt, *vgl. Bd. 2, Abb. 793 und 795*[18]. Das Motiv ist jedoch älter. Auf einer Radierung von W. Dietterlen d. Ä., 16. Jh., steht der Auferstandene auf einer gläsernen Weltkugel, in der Tod und Teufel verschlungen sind. Die von der Reformationskunst häufig variierte Tötung von Tod und Teufel durch den Auferstandenen als eine unmittelbare Aktion verblaßt in der Barockkunst zu einem allegorischen Bild der Welt, über die der Auferstandene triumphiert.

Überblickt man die bisher behandelten verschiedenen Darstellungsgruppen zum Thema Auferstehung Christi, so fallen die mannigfachen Querverbindungen und die immer wiederkehrende theologische und ikonographische Typik auf. So stehen das Öffnen oder Zertrümmern der Pforten des Hades und das Öffnen des Grabes in Beziehung. Beides wird in der Regel nicht als Aktion dargestellt, sondern vorausgesetzt und einmal

---

17. Zu den Skulpturen des Auferstandenen in Verbindung mit Grabmälern des 16.—18. Jh. siehe RDK I, Sp. 1238.

18. Nach Mitteilung des Pfarramtes Aldersbach wird die Plastik heute noch am Karsamstag aufgestellt. Wäh-

rend der Ostertage hält die Gestalt eine große Fahne in der Hand. — Bei der Bildunterschrift zu der erwähnten Abb. 795 in Bd. 2 ist ein Druckfehler richtigzustellen: Statt »Inkarnation Christi« muß es heißen: Inthronisation Christi.

durch die isolierten Hadespforten, auf die Christus oft tritt, zum anderen durch die offene Tür des Grabmonuments und durch die Sarkophagplatte, die der Bildkomposition ganz verschieden eingefügt sein kann, zum Ausdruck gebracht. Dem Durchdringen des verschlossenen Grabes im Auferstehungsbild entspricht die Erscheinung Christi vor den Jüngern bei der verschlossenen Tür. Der Sieg des Erlösers über den Tod und die Sünde wird durch das Niedertreten des Feindes beim Christus victor und in der Höllenfahrt symbolisiert und kommt im Auferstehungsbild vereinzelt durch den Fußtritt auf das Grab oder auf einen der Hüter vor. In der Einzelfigur des Auferstandenen der Barockzeit wirkt die alte Gestalt des Christus victor auf den Tieren, die Cranach als Ausdruck reformatorischen Gedankengutes neu formuliert und aktualisiert, nach. Die aufwärts gerichtete Schrittstellung ist im Bild der Anastasis am klarsten ausgebildet, kommt aber auch beim Christus victor und in einer frühen Gruppe der Auferstehungsdarstellung vor. Wir werden ihr in sehr ausgeprägter Weise beim Himmelfahrtsbilde wieder begegnen. Die Parallele von auferstandenem, erhöhtem und richtendem Christus kann sich in den drei Bildgruppen äußern. Das Vorweisen der Todeswunden, das auf die Erscheinungen des Auferstandenen vor seinen Jüngern zurückgeht, bezieht die Auferstehung auf den Kreuzestod und setzt den Auferstandenen in eine Relation zu dem Richter und zu dem Schmerzensmann. Während im östlichen Anastasisbild Christus durch die Gloriole als der Verklärte veranschaulicht wird, zeigt das abendländische Auferstehungsbild ihn erst seit der 2. Häfte des 14. Jh. in der Gloriole, und es übernimmt dann gleichzeitig das Schweben der Gestalt des Himmelfahrtsbildes. Das visionäre Auferstehungsbild der Hochrenaissance drängt alle anderen Themengruppen, auch die Himmelfahrt, zurück. Es behält diese Vorherrschaft bis zum 18. Jh. Daneben werden mittelalterliche Bildtypen weiter variiert, bis schließlich der Triumph des Auferstandenen über die besiegte Welt, in den das reformatorische Kampfmotiv und die Repräsentation des Salvator mundi einmünden, die Entwicklung der Auferstehungsdarstellungen abschließt.

Die Erscheinungen des Auferstandenen

Die Zyklen. In der Einleitung zum ersten Teil dieses Bandes ist schon auf die Erscheinungen des Auferstandenen im Gesamtkomplex der Auferstehung kurz eingegangen worden. Je nachdem wie die Auferstehung Christi aufgefaßt wird, entweder als Entrückung und Erhöhung unmittelbar nach dem Tode (Apg 2,24.32–36, Phil 2,5 ff. u. a. m.) oder als vorübergehende (40 Tage) Rückkehr in die Welt bis zu seiner Himmelfahrt (Apg 1,1 ff.), werden die Erscheinungen Christi vor den Frauen und den Jüngern als Offenbarungen seiner Herrlichkeit und Vorwegnahme der in eschatologischer Zukunft erwarteten Parusie (Wiederkehr) oder als Bezeugung seiner leiblichen Auferstehung aufgefaßt. Die Berichte der Erscheinungen in den vier Evangelien lassen beide Auffassungen zu, denn die mit ihnen verbundenen Wunder heben die neue, nicht von irdischen Gesetzen abhängige Existenzform des Auferstandenen hervor. Sein Auftreten gleicht einer Erscheinung: er ist plötzlich da, tritt durch die verschlossene Tür und entschwindet ohne wegzugehen, oder er wird entrückt. Das Vorweisen seiner Wunden bestätigt den Aposteln seine Identität mit dem Gekreuzigten. Als der Gekreuzigte und der Auferstandene hat er die Vollmacht, die Jünger zu senden und ihnen ihr Amt zuzuweisen. Ob die Erscheinungen und die Sendung der Apostel von dem Auferstandenen her, der in geheimnisvoller Weise noch auf Erden weilte, oder von dem zur Rechten Gottes erhöhten Kyrios gleich einer Vision, wie sie Paulus bei seiner Berufung zuteil wurde, geschahen, ist für die Bezeugung der Auferstehung, die immer die Erhöhung Christi zu Gott einschließt, nicht ausschlaggebend, vor allem nicht für die bildliche Darstellung. Die Erscheinungen sind im Zusammenhang mit der Osterbotschaft des Grabesengels und nicht als historische Ereignisse zu sehen. Bei den lateinischen und griechischen Kirchenvätern findet sich seit Origines der Gedanke, daß der Auferstandene in der Form erschienen ist, in der die Frauen und Jünger ihn fassen konnten.

Seit konstantinischer Zeit sind Darstellungen der Erscheinungen des Auferstandenen, die neben der Darstellung der »Frauen am Grab« auch als Osterbilder gelten, bekannt. Unter den Mosaiken des 6. Jh. in der

Apostelkirche zu Konstantinopel, von denen wir durch eine literarische Beschreibung des Mesarites, 9. Jh., wissen, befand sich ein Zyklus mit sechs Erscheinungen, wobei die Begegnung am See Tiberias in vier Einzelbildern besonders hervorgehoben war[1]. Die Erscheinung vor den Frauen und vor dem ungläubigen Thomas finden sich im Westen schon auf Sarkophagen der 2. Hälfte des 4. Jh., auf anderen Werken sind sie im 5. Jh., im Osten im 6. Jh. nachzuweisen. Es sind die beiden Bildmotive, die die Ostkirche zu allen Zeiten bevorzugt; in ihrer Liturgie werden diese Texte an den beiden Sonntagen nach Ostern gelesen.

Die zyklische Darstellung von mehreren Erscheinungen, die vom 9. Jh. an häufiger wird, kann im Zusammenhang von Leben-Jesu- oder Passionszyklen stehen; sie schließen an das alte Auferstehungsbild der Frauen am Grab, gelegentlich auch an die Höllenfahrt an, *Abb. 268, 275, 276, 288, 291, 332*. Die Anzahl der Bildmotive schwankt dabei, für die Auswahl und Reihenfolge gibt es keine Regel, es sei denn, daß die Perikopen in Evangelistaren, Perikopenbüchern und Sakramentaren fortlaufend illustriert sind[2]. Auch bei der vollständigen Darstellung der Erscheinungen oder ihrer literarischen Erwähnung schwankt die Anzahl entsprechend den Parallelen und Varianten der einschlägigen Texte in den Evangelien. In der lateinischen Liturgie wurden in der Osterwoche vom Montag bis zum Weißen Sonntag sieben Texte zu den Erscheinungen des Auferstandenen gelesen; dabei fehlt die vor den Frauen. Wie oben schon erwähnt, ist das Evangelium in der römischen Kirche am Ostersonntag Mk 16,1–7 und nicht, wie im Osten, Mt 28,1–10, das die Begegnung mit den Frauen enthält. Deshalb ist diese Szene im Osten häufig, im Abendland nur selten dargestellt worden. Eingefügt ist in der lateinischen Liturgie der Wettlauf des Petrus und Johannes zum Grab, der aber, wie die Frauen am leeren Grab, nicht zu den Erscheinungen gehört. Die Perikope zum Oktavsonntag enthält zwei Erscheinungen. Die übliche Periko-

penordnung der Gottesdienste der Osterwoche ist folgende: Ostersonntag Mk 16,1–7; Montag Lk 24,13–35; Dienstag Lk 24,36–47; Mittwoch Joh 20,1–14; Donnerstag Joh 20,11–18; Freitag Mt 28,16–20; Samstag Joh 20,1–9 (früher 20,19–23); Oktavsonntag Joh 20,19–31. Diese Ordnung gilt nicht für die Ostkirche.

Die frühesten erhaltenen Zyklen der Erscheinungen gehören der karolingischen Epoche an. Doch hat es offenbar schon um 500 in der römisch-gallischen Kunst zyklische Darstellungen gegeben, denn die Mailänder Elfenbeintafel, *Abb. 268*, geht auf ein spätrömisches Vorbild zurück, wenn sie nicht überhaupt gegen 500 anzusetzen ist[3], und dem Aachener Einbanddiptychon, Hofschule, 1. Viertel 9. Jh., *Abb. 331 a und b*, liegt vermutlich ein früher oberitalienischer Bildzyklus zugrunde, aus dem der karolingische Elfenbeinschnitzer die Bildmotive auswählte. Die Szenenfolge ist für das Mittelalter einmalig, weil Motive aufgenommen sind, die sonst fehlen. Auf dem Vorderdeckel ist unten der Gang nach Emmaus, darüber eine Mahlszene mit 7 Jüngern und oben ein Gespräch der Jünger dargestellt, das sich auf den Bericht der Emmausjünger beziehen kann. Offenbar sind in der Darstellung des Mahles, das auf Grund der Draperien im Hintergrund in einem Innenraum stattfindet, die drei Mahlszenen der Auferstehungsgeschichten vereint und auf das Abendmahl (dem die Gegenwart des auferstandenen Herrn verheißen ist) bezogen. Beim Emmausmahl, um das es sich angesichts der Anordnung handeln könnte, waren nur zwei Jünger zugegen; bei dem Mahl nach dem Fischzug sieben, es fand jedoch im Freien statt. Bei der Erscheinung vor den elf Jüngern reichten diese Christus auf seine Bitte hin Fisch und Honig, sie selbst aßen nicht, Lk 24,40–43. So kann nur eine Kombination verschiedener Bildmotive vorliegen. Die Rückseite des Einbandes zeigt drei Erscheinungen vor Jüngern, von denen die untere sich auf die Unterweisung der Jünger Lk 24,45 beziehen könnte. Die mittlere hat im Zusammenhang der oberen Darstellung des un-

---

1. A. Heisenberg, Grabeskirche und Apostelkirche, zwei Basiliken Konstantins, II, Leipzig 1908.

2. Siehe eine Zusammenstellung von Themen und Werken und der Perikopen der Osterwoche RDK 59. Lief., Sp. 1295—1310.

3. F. Steenbock datiert in: Der kirchliche Prachteinband im frühen Mittelalter, Berlin 1965, Kat. Nr. 6, das Mailänder Diptychon gegen 500, während es sonst für eine spätkarolingische Kopie eines frühen oberitalienischen Vorbildes gehalten wird.

gläubigen Thomas vermutlich Joh 20,19–23 zum Gegenstand, eine Stelle, die seit dem frühen Mittelalter als Einsetzung des Bußsakramentes gilt. Möglicherweise ist aber mit der Darstellung des mittleren Feldes die Segnung der Jünger vor Bethanien Lk 24,50 gemeint. Die drei Architekturkulissen geben für die Deutung keine Aufschlüsse, siehe auch unten bei den Einzelmotiven. Das Fehlen der biblischen und der liturgischen Szenenfolge legt die Vermutung nahe, daß es sich um die Auswahl aus einem größeren Zyklus handelt, den man sich in der Art der spätantiken fünfteiligen Diptychen vorstellen kann, ähnlich wie *Bd. 1, Abb. 391, 427*, wobei vielleicht als Hauptbild die Frauen am Grabe zu denken sind[4]. Der unter Paschalis I. um 820 gearbeitete Silberbehälter eines Gemmenkreuzes aus der heiligen Kapelle des alten Laterans, heute im Museo Sacro der vatikanischen Bibliothek, weist den ältesten erhaltenen Zyklus von Erscheinungen auf. Er bringt mehrere ungewöhnliche Sondermotive; wir bilden den größten Teil dieser Reliefs jeweils bei den einzelnen Themen ab.

Das Drogosakramentar der Metzer Schule um 830 (850) ist die älteste erhaltene Handschrift, die zu den Perikopen der Osterwoche Illustrationen in der liturgischen Folge bringt. Evangeliare und andere liturgische Handschriften enthalten vom Ende des 10. Jh. an oft Einzeldarstellungen und geschlossene Zyklen zu den Ostertexten: Wir geben als Beispiele für die zyklische Buchillustration den Mittelteil einer Seite der katalanischen Farfabibel, 1. Hälfte 11. Jh., *Abb. 287*[5], zwei Seiten aus einem englischen Evangeliar, 1120–1140, Cambridge, *Abb. 291* und *332*, und ein ebenfalls englisches Einzelblatt 2. Viertel 12. Jh., *Abb. 288*. Dieses Blatt schildert in ungewöhnlicher Ausführlichkeit im Anschluß an die Bitte der Juden vor Pilatus, den Leichnam Jesu vom Kreuz nehmen zu dürfen,

und der Beweinung die biblischen Auferstehungsmotive von den Frauen am Grab bis zur Himmelfahrt und schließt mit der Aussendung des Hl. Geistes[6]. Die Salzburger Handschriften des 11. und 12. Jh. enthalten auffallend viele Erscheinungsdarstellungen, das Perikopenbuch aus St. Erentrud bringt sie zu allen Lesungen der Osterzeit.

Die Patene von Wilten, 1160–1170, *Abb. 275*, ist ein Beispiel für Osterdarstellungen auf Abendmahlsgeräten, die den inneren Zusammenhang von Eucharistie und Auferstehung deutlich machen. Dem Auferstehungsbild in der Mitte dieses Hostientellers, das umschrieben ist »Es leuchten die Triumphzeichen des lebendigen Gottes, der das Leben spendet und dem Tod jedes Recht verwehrt«, sind am Rand drei Erscheinungen und die Himmelfahrt Christi zugeordnet. Auf dem ehemaligen Hochaltar des Domes zu Siena von Duccio, 1308–1311, sind auf der Rückseite der Haupttafel mit dem großen Passionszyklus im Anschluß an die Höllenfahrt und die Frauen am Grabe der Gang nach Emmaus und die Begegnung mit Maria Magdalena dargestellt; sechs weitere Ostermotive waren ursprünglich darüber in der Zwickelzone angebracht[7].

Vom Beginn des 14. Jh. an werden die außerbiblischen Legenden, die die Erscheinungen des Auferstandenen zum Gegenstand haben, bekannt, da sie von einer Reihe populärer Schriften aufgenommen sind: die Legenda Aurea des Jacobus a Voragine; die Meditiationes vitae Christi aus dem Kreis der Franziskaner, die Vita Christi des Ludolf von Sachsen und die Vita beatae Virginis Mariae et salvatoris rhythmica, die sich zum Teil auf die Historia Scholastica des Petrus Comestor (1169–1173 geschr.) berufen[8]. Einige dieser Schriften nennen zusammen mit den biblischen zwölf bis vierzehn Erscheinungen. Sie werden, abgesehen von

---

4. Siehe dazu auch F. Steenbock, Der kirchliche Prachteinband . . ., Berlin 1965, S. 83.

5. Vgl. die Frauen am Grabe, *Abb. 24*, mit denen die Bildfolge beginnt; an sie schließt sich in der oberen Reihe der Gang nach Emmaus an. Die hier ebenfalls nicht abgebildete untere Reihe zeigt: Himmelfahrt, Pfingsten und Marientod. Vgl. die Ausschnitte aus den **Passionsseiten** *Bd. 2, Abb. 28 und 391*.

6. Vgl. die Ausschnitte einer 2. Seite der gleichen, sonst

verlorenen Handschrift mit Passionsdarstellungen, *Bd. 2, Abb. 285, 300*.

7. Siehe die Stellungnahme zur Rekonstruktion des Altars von Weigelt in: Sienesische Malerei des 14. Jh., Florenz 1930, S. 69 ff., bei C. Brandi, Duccio, Florenz 1951, Auferstehungsdarstellungen Abb. 88—96. Außerdem H. Hager, Die Anfänge des italienischen Altarbildes, München 1962 S. 146 f.

8. Nach RDK Liefg. 59, Sp. 1291 f.

den Illustrationen zu einer Handschrift der Meditationes von 1422, niemals alle zusammen dargestellt, kommen aber einzeln und in Verbindung mit einigen biblischen Erscheinungen mehrfach vor[9]. Ein so wichtiger Freskenzyklus wie der der Schule Cavallinis um 1320 in S. Maria Donnaregina zu Neapel gibt im Anschluß an den Passionszyklus und die Auferstehung, vgl. Abb. 217, außer sieben biblischen vier apokryphe Erscheinungen wieder[10]. Für das frühe 16. Jh. ist der Wandteppich mit der Geschichte des Auferstandenen des ehemaligen Benediktinerinnenklosters Lüne bei Lüneburg, 1503, mit acht biblischen Erscheinungen, von denen die am See Tiberias in vier Szenen aufgegliedert ist, und zwei apokryphen zu nennen[11]. Er ist ein Pendant zu dem Osterteppich, vgl. Abb. 431. Der Altar aus Mömpelgart, 1525–1530 (Rhein-Rhône-gebiet), Kunsthist. Mus. Wien, schließt die alt- und neutestamentliche Bildfolge, die 157 Darstellungen zählt, mit einem ausführlichen Auferstehungszyklus ab. Der Flügelaltar wurde für die von den Deutschen benutzte Stiftskirche Mainboeuf, gleich nachdem diese den protestantischen Predigern zur Verfügung gestellt worden war, in Auftrag gegeben (Schäuffelein?). Jedem Bildfeld ist der dazugehörige Text nach der Lutherübersetzung mit Parallelstellen hinzugefügt. Der Altar steht mit seiner umfangreichen fortlaufenden Erzählung der biblischen Geschichten innerhalb der großen Altäre des ausgehenden Mittelalters allein. Zu vergleichen sind nur die illustrierten Bibeldrucke der Reformationszeit. Bezüglich des Auferstehungszyklus wäre lediglich der erwähnte Lüner Teppich zu nennen.

Die Erscheinung vor den Frauen. Mt 28,8–10. Diese an den Besuch der Frauen am Grabe anschließende Erscheinung kommt nur bei Matthäus vor; es sind zwei Frauen genannt, Maria Magdalena und die andere Maria. Unter dieser wurde nach der alten syrischen Tradition meistens die Mutter Jesu verstanden,

was literarisch bezeugt und am Gestalttypus zu erkennen ist. Magdalena ist immer als die Jüngere wiedergegeben, *vgl. Abb. 7.* Es sind der zweiten Frauengestalt inschriftlich gelegentlich auch andere Bezeichnungen beigeschrieben, da bei Mk 16,1 Maria Jakobi und Joh 19,25 Maria Kleopas genannt sind. Wie die Anzahl der Frauen – entsprechend den Differenzen der biblischen Texte – im Bild von den Frauen am Grabe schwankt und zu zwei Darstellungstraditionen geführt hat, so kommen auch bei der Erscheinung des Auferstandenen im Abendland öfters drei Frauen vor. In der byzantinischen Kunst sind drei Frauen eine Ausnahme. Die franziskanischen Meditationes sprechen bei der Begegnung mit dem Auferstandenen von mehreren Frauen; da diese literarische Quelle auf die Kunst Einfluß hatte, dürfte sie Anlaß für eine größere Anzahl der Frauen auf Darstellung vom 14. Jh. angegeben haben.

Die wichtigsten Motive der Darstellung, die sich aus der Schriftstelle herleiten, sind: die räumliche Nähe zum Grab, die bis etwa 1000 üblich ist, manchmal mit Engel und Hütern; der Hinweis auf den Garten, in dem sich das Grab befand, durch einige Bäume; die tiefe Verneigung (Proskynese) oder das Niederknien der Frauen, die grüßende oder sprechende Geste des Herrn.

Während im Osten das Bildmotiv eine Vorrangstellung einnimmt, ist es im Westen im Gegensatz zu der Darstellung des Noli-me-tangere immer selten geblieben und auf den Einfluß der byzantinischen Kunst zurückzuführen. Die Perikope wird, wie schon gesagt, in der lateinischen Liturgie der Osterwoche nicht gelesen. Die ostkirchliche Kunst kennt dagegen die Darstellung der Erscheinung vor Maria Magdalena als Sonderszene kaum, verbindet aber den Ausdrucksgehalt des Noli-me-tangere oft mit der Darstellung der Erscheinung vor den Frauen, indem sich Christus unmittelbar Magdalena zuwendet, zugleich aber zurückweicht. Sehr deutlich kommt das auf einem Mosaik

---

9. Wir behandeln von den apokryphen Motiven nur die Erscheinung vor Maria im 4. Band, für die übrigen verweisen wir auf RDK Lfg. 59, Sp. 1320 ff. vor »Jakobus«, Sp. 1323 ff. vor »Joseph von Arimathia«, Sp. 1350 ff. vor »Maria«, Sp. 1361 vor »Petrus«. Die Petruslegende knüpft

an Lk 24,34 und 1. Kor 15,5 an.

10. G. Chierici, Il restauro della chiesa di S. Maria Donnaregina a Napoli, Neapel 1934.

11. M. Schütte, Gestickte Bildteppiche und Decken des Mittelalters, Leipzig 1927, Bd. I, S. 48 ff., Tf. 50.

der Kirche in Monreale zum Ausdruck, wo sogar das Wort Christi Joh 20,17 über der Darstellung der Erscheinung vor den Frauen steht. Auch die Zuordnung Magdalenas zu einem Baum bzw. die Trennung zwischen Christus und den Frauen durch ihn kann auf das andere Bildthema zurückgehen.

Von Anfang an sind zwei Kompositionstypen formuliert worden, ein symmetrischer, monumentaler, bei dem Christus frontal zwischen den beiden knienden Frauen steht, und ein asymmetrischer, bei dem Christus frontal oder zur Seite gewandt vor den Frauen steht, die hinter- oder nebeneinander knien[12]. Der asymmetrische Typus war Ende des 4. Jh. in der römischen und gallischen Sarkophagplastik bekannt, und zwar mit zwei und mit drei Frauen. Vom 5. Jh. an gibt es im Westen eine Variante, die die Frauen stehend zeigt. Sie beschränkt sich auch in der weiteren Entwicklung auf das Abendland.

Ein Kupferstich des Giovanni Antonio Bosio von 1651 gibt einen Sarkophag wieder, der sich ehemals im Vatikan befand, *Abb. 262*. Hier ist die Erscheinung vor den Frauen der Verehrung des Triumph- oder Anastasiskreuzes durch die Apostel eingefügt, und zwar an der Stelle, an welcher sonst bei diesem Kreuz die Grabeswächter stehen. Die Frauen knien vor einem Turmgrab in gebeugter Haltung; Christus reckt seine Hand grüßend aus. Auf dem nur in Bruchstücken erhaltenen Sarkophag von Servannes (Südfrankreich) knien drei Frauen hintereinander vor dem Grabbau[13].

Eine weitere frühchristliche Darstellung des asymmetrischen Typus befindet sich auf der zweiten Tafel des Mailänder Elfenbein-Diptychons, das als karolingische Nachbildung eines oberitalienischen spätantiken Vorbildes gilt, neuerdings jedoch für ein Original um 500 gehalten wird, *Abb. 268*[14] (vgl. die Passionstafel dazu *Bd. 2, Abb. 276*). Wie auf den Darstellungen des Sarkophages von Servannes knien die Frauen mit übereinstimmenden Gesten hintereinander, jedoch nur

zwei. Die von Säulen getragene Platte, über die einer der Grabeswächter hinwegeilt, ist nicht zu erklären. Bei der vorhergehenden Grabesszene sind gleichfalls nur zwei Frauen wiedergegeben. Da hier kein Bezug zur Noli-me-tangere-Darstellung vorliegen kann, die es um 500 noch nicht gab, weist der Baum ebenso wie der oben hinter dem offenen Grab allgemein auf den Garten hin. In diese Tradition gehört auch die Darstellung der oberitalienischen Elfenbein-Situla, um 980, die sich an frühchristliche Arbeiten anlehnt, *Abb. 273*. Der Sprechgestus Christi ist hier zu einem Segensgestus abgewandelt. Der ältere Bildtypus des Sarkophags findet in der karolingischen Kunst im Utrechtpsalter um 830, *Abb. 265*, eine selbständige Weiterbildung. Etwas entfernt von einem rechteckigen Grabhaus mit Tonnengewölbe und Rundturm, dessen Türen weit offenstehen, so daß der geschlossene Sarkophag zu sehen ist, steht Christus im Profil mit dem Rücken zum Grab. Vor ihm, getrennt durch einen kleinen Abstand, knien mit aufgerichtetem Oberkörper und erhobenen Händen die beiden Frauen eng nebeneinander.

Die Variante des asymmetrischen Typs ist auf einem Holzrelief der Tür von S. Sabina, Rom, vollendet 432, *Abb. 263*, zum erstenmal festzustellen. Es zeigt die Frauen auf Christus zuschreitend, sie heben grüßend die vom Gewand verhüllte Hand. Christus steht frontal zwischen zwei Bäumen. Ein dritter Baum trennt die Frauen, die sonst bei dem asymmetrischen Typus eine eng gefügte Gruppe bilden. Die stehenden Frauen sind ebenfalls auf einem Elfenbeinbuchdeckel der 2. Hälfte des 10. Jh. aus Trier, heute Manchester, *Abb. 264*, zu finden. Die Trauergeste Marias bezieht sich auf den Besuch des Grabes, das unmittelbar hinter den Frauen, vom Engel bewacht, aufragt, vgl. zum Engel, *Abb. 270*. Christus blickt über Maria hinweg zu Magdalena[15]. Ferner sind die Frauen auf einer Miniatur des Sakramentars aus Fulda, in Göttingen, gegen 975, gehend wiedergegeben, *Abb. 271*. Hier scheint ein Noli-me-

12. Zu den byzantinischen Typen siehe G. Millet, Recherches, 2. Aufl. 1960, S. 542 ff. Zum Gesamtthema: RDK V, 59. Lfg., Sp. 1310/19, LCI I, Sp. 666/67.

13. Zum Sarkophag von Servannes siehe Bd. 2, S. 16 f. Rekonstruktion und Abbildung bei Wilpert, Sarkophage I, Rom 1929, und K. Wessel, Der Sieg über den Tod, Berlin

1956.

14. F. Steenbock, Berlin 1965, S. 72.

15. Auf dieser Tafel sind außerdem die Himmelfahrt und die Ausgießung des Heiligen Geistes dargestellt, auf der dazugehörigen: Verkündigung an Maria, Geburt Christi und Taufe.

tangere-Bild durch die Hinzufügung von Maria zur Erscheinung vor den Frauen umgewandelt worden zu sein, denn die nach zwei Richtungen bewegte Gestalt Christi, das Emporschreiten und zugleich das Abwehren in der Zurückwendung, ebenso der große trennende Baum sind für diese typisch. Auffallend ist, daß auf dieser Miniatur für die vorangehende Darstellung der Frauen am Grab nach der westlichen Tradition drei Frauen wiedergegeben sind, obwohl auch hierfür nach dem Matthäustext zwei möglich wären und in der byzantinischen Kunst bei der Grabesszene immer zwei Frauen dargestellt wurden. Auf der Wiltener Patene, 1160–1170, *Abb. 275*, ist der Bezug zum Noli-me-tangere durch die Haltung Magdalenas und das Schriftband mit diesen Worten in der Hand Christi, der hier die seit dem späten 12. Jh. im Auferstehungsbild übliche Osterfahne hält, gegeben.

Der asymmetrische Typus ist für den Osten ebenfalls nachzuweisen, allerdings erst für das 6. Jh., was nicht besagt, daß es nicht weiter zurückliegende Darstellungen dieses Typus gegeben hat. Auf der Kreuzigungsminiatur im syrischen Rabula-Codex, 586, schließt diese Erscheinung im unteren Bildstreifen unmittelbar an die Frauen am Grab an, *vgl. Abb. 7* und Gesamtdarstellung *Bd. 2, Abb. 327*. Christus ist in Schreitstellung gegeben, in der einen Hand hält er die Schriftrolle, die andere ist im Sprechgestus erhoben. Die Frauen richten sich aus der Proskynese auf, um emporzublicken, eine Haltung, die hier zum erstenmal dargestellt ist und von der byzantinischen Kunst beibehalten wird. Der Garten ist auf beiden Darstellungen durch mehrere Bäume gekennzeichnet. Auffallend ist, daß Christus vom Grab her kommt und die Frauen aus der entgegengesetzten Richtung, während auf den westlichen Darstellungen, mit Ausnahme der Federzeichnung im Utrechtpsalter, textgemäß die Bewegungsrichtung entgegengesetzt ist und auch dann, wenn kein Grab wiedergegeben ist, beibehalten wird. Das gilt ebenfalls für die Darstellung des in Rom unter Paschalis I., um 820, entstandenen Silberbehälters eines Gemmenkreuzes, *Abb. 269*. Die Proskynese und das Berühren des Fußes Christi durch beide oder eine der Frauen ist ein Motiv, das sich nur

in der östlichen Kunst findet[16]. Eine Miniatur der Bibel des Klosters von Floreffe (Maasgegend), um 1155–1165, *Abb. 272*, schließt sich an diese Bewegungsrichtung an. Sie gibt drei Frauen in der Proskynese und die Berührung des Fußes wieder. – Vergleiche auch den byzantinischen Diptychonflügel, Mitte 10. Jh., *Abb. 116*, auf dem der asymmetrische Typus dieser Erscheinung zusammen mit der Anastasis dargestellt ist.

Das Kommen Christi vom Grab ist nur aus dem Gesamtzusammenhang der frühen Auferstehungsdarstellungen zu verstehen. Die Auferstehung wird in der Kunst im ersten Jahrtausend durch das leere Grab und die Engelbotschaft an die Frauen bezeugt. Es gibt nur eine Darstellung der frühchristlichen Kunst, auf der Christus anstelle des Engels vor dem Grab sitzt, die Haltung der Frauen entspricht dem biblischen Text zu der Erscheinung Christi vor ihnen, *vgl. Abb. 11, S. 20*. Im Pantokratorpsalter (Athos) des 9. Jh. befindet sich eine Darstellung, die Christus links neben dem Grab stehend zeigt und auf seiner anderen Seite die beiden Frauen in Proskynese[17]. Diese Verschmelzung von Grab und Erscheinung des Auferstandenen vor den Frauen der Psalterillustration klingt noch in einer Miniatur im byzantinischen Tetra-Evangeliar der Laurenziana des 11. Jh. an, *Abb. 267*. Der Engel ist im Gegensatz zu *Abb. 269 und 270* in den Vorgang einbezogen und bildet nicht nur einen Hinweis auf die biblische Erzählung. Er scheint die Worte Christi zu hören, die Bewegung seiner im Sprechgestus ausgestreckten Hand geht auf die Frauen zu. Am Fuß des Hügels in der Mittelachse, hinter dem die Christusgestalt beherrschend aufragt, sitzen die schlafenden Hüter. Man ist versucht, in dieser Darstellung eine Sonderform des Auferstehungsbildes zu sehen. Auf jeden Fall liegt diese Tendenz im byzantinischen Bild der Erscheinung vor den Frauen, und daraus erklärt sich, daß Christus vom Grab auf der linken Bildseite kommt und nicht, wie im Abendland nach der biblischen Erzählung, die Frauen. Eine Verschmelzung beider Traditionen bedeutet es, wenn auf dem Silberbehälter, *Abb. 269*, die Erscheinung des Auferstandenen vor den Frauen mit der westlichen Figurenanordnung unmittelbar vor dem Grab stattfindet.

---

16. Als frühestes Beispiel hierfür ist beim symmetrischen Typus das Mosaik der Apostelkirche 6. Jh. literarisch bezeugt.

17. Abbildung bei Dufrenne, 1966, pl. 16, fol. 109 r.

Hier ist auch der trennende Baum eingefügt und die Haltung der beiden Frauen verschieden. Während die eine den Fuß Christi umfaßt, richtet sich die andere auf und streckt bittend beide Hände Christus entgegen. Von der Geschichte der Magdalena her (siehe Bd. 1, Kap. große Sünderin) liegt es nahe, daß sie die Füße Christi berührt; die bittende Geste der anderen Frau und die einseitige Zuwendung Christi zu ihr macht es jedoch wahrscheinlich, daß Magdalena unter der aufgerichteten Frau zu verstehen und hier das Noli-me-tangere-Motiv einbezogen ist.

Der symmetrische Kompositionstypus ist spätestens im 6. Jh. im Osten entstanden. Er lag nach der Beschreibung des Mesarites dem Mosaik in der Apostelkirche in Konstantinopel zugrunde und ist aus der Zeit vor der Jahrtausendwende in der in Konstantinopel 867–886 geschriebenen Handschrift der Homilien des Gregor von Nazianz (Paris Cod. grec. 510) und in einem Lektionarfragment, Mitte 10. Jh., aus Trapezunt (Leningrad Cod. 21), erhalten. Aus der Monumentalkunst geben wir als Beispiel ein Mosaik in S. Marco, Venedig, um 1200, *vgl. Abb. 349.* Die Erscheinung vor den Frauen steht hier neben dem ungläubigen Thomas unterhalb der Anastasis, *vgl. Abb 116.* Ein Glasfenster der Oberkirche in Assisi, 2. Hälfte 13. Jh., gibt ebenfalls die strenge Form wieder, aber die Frauen leisten nicht die Proskynese, sondern knien aufgerichtet.

In der Darstellung eines Elfenbeinreliefs des 10. Jh.(?) im Museo Sacro der Vatikanischen Bibliothek, *Abb. 270,* ist vielleicht die älteste Form der symmetrischen Darstellung der syrisch-palästinensischen Kunst erhalten. Auch hier ist im oben ausgeführten Sinn die Erscheinung vor den Frauen mit der Auferstehung verschmolzen. Die zwei Engel zu beiden Seiten Christi gehen auf das Petrusevangelium zurück, das schildert, wie zwei Engel Christus beim Verlassen des Grabes geleiten, *vgl. Abb. 183.* Der große Grabesengel sitzt in hieratischer Strenge vor dem Grab, ohne durch Blick oder Gestus mit der Gruppe daneben verbunden zu sein[18].

Die apokryphe Auferstehungsschilderung ist hier mit Mt 28,9 f. in Einklang gebracht. Die Bezeugung der Auferstehung des Herrn wird durch die Verehrungszeremonie der Frauen, die in dieser Form der Proskynese nur Gott zukommt, zum Ausdruck gebracht. – Der Grabesengel des Trierer Elfenbeindiptychons, *Abb. 264,* läßt erkennen, daß diese westdeutsche Arbeit ein östliches Vorbild verwendet hat, während die stehenden Frauen der westlichen Tradition entstammen.

Das Fresko der Kirche in Cimitile (Unteritalien), um 900, übernimmt die symmetrische Komposition, doch in einer seit dem 9. Jh. sich in Byzanz allmählich anbahnenden Auflockerung. Die Gestalt Christi ist nach zwei Richtungen bewegt und in weitausholender Schreitstellung mit der Zurückwendung des Oberkörpers dargestellt. Die zwei Frauen haben sich aus der Proskynese halb aufgerichtet, ihre Gesten stimmen überein[19]. Aber Christus wendet sich nur einer der Frauen zu. So liegt hier durch diese Christusgestalt, die für das abendländische Noli-me-tangere-Bild typisch ist, beim symmetrischen Kompositionsschema die gleiche Einbeziehung von Joh 20,14 vor, wie sie in verschiedenen Varianten beim unsymmetrischen Typus zu beobachten ist. Ein ebenfalls unteritalienisches Werk, ein Relief des Elfenbeinantependiums von Salerno, 2. Hälfte 11. Jh., *Abb. 266,* unterscheidet die Frauen durch ihre Haltung; Christus wendet sich Magdalena zu und hält seine Hand über sie.

Im Abendland ist die strenge symmetrische Kompositionsform kaum zu finden. Da vom 14. Jh. an fast ausschließlich drei Frauen dargestellt werden, ergibt sich die Auflockerung von selbst. Auf den Chorschranken von Notre-Dame, Paris, 1318–1344, die eine Reihe von biblischen und apokryphen Erscheinungen wiedergeben, kniet bei dieser Szene zu beiden Seiten Christi je eine Frau, während die dritte steht. Das böhmische Passionale der Kunigunde, Äbtissin des Klosters auf der Prager Burg, 1314–1321, *Abb. 274,* ebenso das Evangelistar des Kuno von Falkenstein, 1380,

---

18. Das Turmgrab, das auf Darstellungen des unsymmetrischen Kompositionstypus bis zum 12. Jh. begegnet, *Abb. 275,* hat — wie das der byzantinischen Psalterillustration des 9. Jh. — vermutlich in der syrisch-palästi-

nensischen Kunst seinen Ursprung.

19. H. Belting, a. a. O., 1962, Abbildung und Nachzeichnung fig. 40 u. 41.

in Trier und die illustrierte Handschrift der »Meditationes« von 1422, London, stellen die drei Frauen in einer Gruppe Christus gegenüber. In der Neuzeit ist das Bildthema noch seltener als im Mittelalter; zu erwähnen sind die Gemälde des Aert de Gelder, um 1715, der Bayrischen Staatlichen Gemäldesammlungen (Aschaffenburg) mit zwei in einer großen Landschaft in der Nähe der Grabeshöhle vor Christus knienden Frauen des J. Jordaens, vor 1618, Berlin Ost, das Christus in Anlehnung an die in dieser Zeit noch häufig dargestellte Begegnung des Auferstandenen mit Maria Magdalena als Gärtner zeigt, und des Laurent de la Hire, Mitte 17. Jh., Paris, auf dem Christus herabschwebt, eine Formulierung, die sonst nicht vorkommt[20].

Christus erscheint Maria Magdalena – Noli me tangere, Joh 20,11–18; Mk 16,9. Siehe Bd. 1, S. 167. Maria Magdalena wird Mk 15,40 und 47 als eine der Frauen genannt, die bei der Kreuzigung und bei der Grablegung dabei waren. Mt 28,1 nennt sie als eine der beiden Frauen, die zum Grabe gingen und denen der Auferstandene erschien; Mk 16,9 erwähnt, daß ihr der Auferstandene zuerst erschien; das Johannesevangelium bringt eine ausführliche Erscheinungsszene anstelle des Besuchs der zwei oder drei Frauen am Grab. Hier werden zwei Engel genannt, die zu Häupten und zu Füßen saßen, »da sie den Leichnam hingelegt hatten«. In der folgenden Begegnung zwischen der sich umwendenden Magdalena und dem Auferstandenen fällt dann das Wort, das dem Bildtypus den Namen gibt: »Rühre mich nicht an (noli me tangere), denn ich bin noch nicht aufgefahren zu meinem Vater und zu eurem Vater.« Dieses Wort, in dem ein Hinweis auf die unmittelbar bevorstehende Himmelfahrt des Herrn gesehen wurde, bestimmt die Darstellung, die seit karolingischer Zeit im Abendland nachzuweisen ist[21].

Schon im 9. Jh. gibt es zwei Bildformen. Eine zeigt

nur die Begegnung des Auferstandenen mit Magdalena, die andere gibt außerdem auch das Grab mit den beiden Engeln wieder. Zu den Grabformen vgl. oben das Kap. Frauen am Grabe. Die D-Initiale zu Joh 20,11 im Drogosakramentar, *Abb. 277*, überträgt den Text sehr genau ins Bild; Magdalena blickt nach vorn in gebeugter Haltung in die Grabkammer des von zwei Engeln bewachten zweigeschossigen Mausoleums. In spiegelbildlicher Haltung ist sie ein zweites Mal gegeben, nun aber Christus zugewandt, der auf sie herabblickt. Erschrocken erkennt sie die Wundmale an seinen Händen. Christus ist nur halb sichtbar; darin kommt die Überwirklichkeit seiner Erscheinung zum Ausdruck. In derselben Handschrift ist in dem reich verzierten Bogen der D-Initiale, die die Darstellung der Frauen am Grab umschließt, die Begegnung von Christus und Magdalena ein zweites Mal, jedoch ohne Grab, dargestellt. Auf einer Elfenbeintafel, die in Metz wahrscheinlich noch im 9. Jh. gearbeitet wurde, *Abb. 276, zweite Bildszene,* stehen Christus und Magdalena auf der gleichen Standfläche, getrennt durch einen Baum. Dieser ist nicht nur Hinweis auf den Garten, sondern eine Formel, die den durch das Wort des Auferstandenen gebotenen Abstand ausdrückt und deshalb sehr oft wiederkehrt. Dem geöffneten Grab mit den schlafenden Hütern, seit früher Zeit ein generelles Zeichen der Auferstehung, ist auf dieser Tafel oben ein eigenes Bildfeld eingeräumt, wie mehrfach in der karolingischen Kunst. An die Magdalenenszene schließen sich Szenen der synoptischen Evangelien an.

Während die Reichenauer Buchmalerei Magdalena in tiefer Verbeugung neben dem Sarkophag mit den beiden Engeln, Egbert-Codex, um 980, *Abb. 278*, oder sich aus der Verneigung aufrichtend zeigt, sogenanntes Evangeliar Ottos III., München, Ende 10. Jh., *Abb. 280*, gibt das Hildesheimer Evangeliar Bernwards, 1011 bis 1014, *Abb. 279*, Magdalena, wie sie nach den Füßen Christi greift, wieder. Dieses Motiv läßt sich aus ihrer

---

20. RDK-Artikel, Abb. 12.

21. Réau II, 558, deutet eine Darstellung einer hinter Christus knienden Frau auf der Vorderseite des Elfenbeinkastens von Brescia um 370 als »Noli me tangere«. Abgesehen von dem Baum hinter der Säule deutet nichts auf das Magdalenenmotiv. Da die kniende Frau das Ge-

wand Jesu berührt und dieser sich im Gehen nur zurückwendet, handelt es sich um die Heilung des blutflüssigen Weibes. Es ist auch keine andere Darstellung des Noli me tangere aus der frühchristlichen Kunst bekannt. Siehe auch J. Kollwitz, Die Lipsanothek von Brescia, Berlin—Leipzig 1933, S. 21.

Geschichte erklären, sofern sie mit der großen Sünderin von Lk 7 identifiziert wird, es stammt aus der Szenerie der Erscheinung vor den Frauen; zum Johannestext gehört es nicht. Christus steht auf den Reichenauer Miniaturen etwas höher als Magdalena, der Abstand zu ihr wird durch die Neigung und die ausgereckt sprechende Hand Christi überbrückt. Auf der Münchener Miniatur klingt allerdings durch das Aufblicken der Frau und ihre ausgestreckte Hand sowie durch den größeren bildauswärts gerichteten Schritt Christi der Ausdrucksgehalt, der die Bildentwicklung vom 11. Jh. an bestimmt, schon an. Das an Bilderfindungen reiche Bernward-Evangeliar umgibt den Auferstandenen, der sich Magdalena offenbart und zugleich entzieht, mit einer Mandorla, die ihn dem Irdischen enthebt. Die Grabesengel, die auf den beiden anderen Darstellungen auf Christus bezogen sind, fehlen hier. Das Grabmonument ist – als Nachbildung der Grabeskirche – besonders reich gestaltet und zusammen mit den Bäumen, die goldene Früchte tragen, selbst Verkündigung der Auferstehung des Herrn. Dem Untergeschoß sind die zusammengelegten Grabestücher eingefügt.

Im Gegensatz zur Magdalenengestalt der Reichenauer Buchmalerei zeigt der Auferstehungszyklus der katalanischen Farfabibel, 1. Hälfte 11. Jh., *Abb. 287 Mitte*, Magdalena alt und aufrecht stehend, wie auf dem Metzer Elfenbeinrelief, doch in einem größeren Abstand zu Christus. Dagegen übernehmen andere Darstellungen des 11. und 12. Jh. aus ganz verschiedenen Kunstkreisen für Magdalena die Haltung der Proskynese aus der von der syrisch-palästinensischen Kunst geprägten Darstellung der Erscheinung vor den Frauen, wobei der Grad der Aufrichtung oder der Ableitung von dieser Haltung variiert, *Abb. 288 zweite Bildreihe, 281, 285, 282, 284, 286, 291, 292.* Vom 13. Jh. an herrscht die aufrecht kniende Haltung vor, *Abb. 290.*

Wie oben ausgeführt, hat die byzantinische Kunst das Noli me tangere in die Erscheinung nach Mt 28 einbezogen, bei der das Niederfallen vom Text her motiviert ist. Nur reich illustrierte byzantinische Handschriften des 11. und 12. Jh., wie das Tetra-Evangeliar der Laurenziana in Florenz oder Manuskript grec. 74 der Bibliothèque Nationale in Paris enthalten die Darstellung der Magdalena in der Proskynese vor Christus

als gesonderte Szene: die Miniatur der Pariser Handschrift schließt sich an die symmetrische Bildform der Erscheinung vor den Frauen an und läßt die andere Maria weg. Christus steht frontal zwischen zwei Bäumen; Magdalena, einem der Bäume zugeordnet, hebt den Kopf und die verhüllten Hände nur wenig über den Boden hoch. Im Abendland fällt die Verhüllung der Hände weg, selbst bei Werken, die so stark unter byzantinischem Einfluß stehen wie die Bronzetür in Monreale, *Abb. 284.* Dadurch kommt in Magdalenas Handhaltung die flehentliche Bitte oder das Verlangen, den Herrn, der sich ihr als der Lebende offenbart, zu berühren, zum Ausdruck – darüber hinaus kann die ganze Gestalt zu dieser Gebärde werden.

Bei der Christusgestalt wird die Aufwärtsbewegung und dadurch auch die Neigung zu Magdalena intensiviert, wodurch die entgegengesetzte Bewegung entsteht, die für Christus bei der Auffahrt aus dem Totenreich, vor allem aber für die Himmelfahrt, wenn er sich den Aposteln noch zuwendet, charakteristisch ist. Die Figur der Noli-me-tangere-Darstellung auf der Bronzetür in Hildesheim, 1008–1015, *Abb. 281,* ist zu Recht mit der Elfenbeintafel von Weimar, die die Himmelfahrt zeigt, *vgl. Abb. 483,* verglichen worden[22]. Der Auferstandene mit dem Triumphkreuz in der Hand steht auf dem Bronzerelief auf zwei ungleich hohen Bodenerhebungen, der Körper ist nach oben gewandt, die Auffahrt gen Himmel wird nur durch das Wort an Magdalena verzögert: »Gehe aber hin zu meinen Brüdern und sage ihnen: Ich fahre auf ...« Die beiden auffliegenden Adler zwischen den Weinreben verweisen als Symbol der Himmelfahrt ebenfalls auf die Entrückung Christi. Der Vogel auf dem Magdalena zugeordneten Baum ist nicht mit Sicherheit zu identifizieren. Ein fränkisches Elfenbeinrelief, um 1090, *Abb. 283,* zeigt zwei ganz ähnliche Vögel – leider fehlen die Köpfe – auf einem Baum mit drei Kronen, dessen Stamm in der Mittelachse der Bildfläche aufragt. Vielleicht sind diese Vögel mittelalterliche Nachfahren der frühchristlichen Pfauen, die als Sinnbilder der Unsterblichkeit im Baum des Paradieses oder im Baum des Lebens sitzen. Das Siegeskreuz neben dem Stamm ragt bis in die Baumkro-

---

22. R. Wesenberg, Bernwardinische Plastik, Berlin 1955, S. 80, Anm. 199. W. beruft sich auf Panofsky.

nen; das des Hildesheimer Reliefs bildet den höchsten Punkt der Bildkomposition, zu dem die diagonale Bewegung, die in der Frauengestalt beginnt, ebenso aufsteigt wie die senkrechte des turmartigen Grabes.

Auf einem Kapitellrelief der Kathedrale zu Autun, 2. Viertel 12. Jh., *Abb. 282*, ruft die beinahe tänzerische Bewegung der schlanken, mit einem schleierartigen Gewand umhüllten Gestalt Christi den Eindruck des Emporschwebens hervor. Nur der Blick ist noch gesenkt. Auf der rechten Seite ist Magdalena ein zweites Mal wiedergegeben. Sie geht, das Salbengefäß in der Hand, von dannen, um den Jüngern zu berichten. Die tänzerische Bewegung, allerdings in etwas derberer Weise, hat auf einem nordspanischen Elfenbeinrelief beide Gestalten ergriffen, *Abb. 285*. In der ruhig stehenden Christusgestalt der Bronzetür von Monreale, 1186, *Abb. 284*, läßt sich der byzantinische Einfluß erkennen; dagegen findet sich in der Darstellung der Exultetrolle aus dem Kloster Monte Cassino, 11. Jh., *Abb. 286*, die abendländische Christusgestalt. Der Echternacher Codex Aureus, 1020–1030, ehemals Gotha, heute im Germanischen Nationalmuseum zu Nürnberg, wandelt ein Vorbild der Heilung des blutflüssigen Weibes ab, ohne es durch den psychologisch differenzierten Ausdrucksgehalt des Noli me tangere als Auferstehungszeugnis zu bereichern. Das Perikopenbuch aus St. Erentrud in Salzburg, um 1140, *Abb. 289*, zeigt die selten vorkommende stehende Magdalenenfigur.

Das ohnehin im 11. und 12. Jh. im Abendland häufige Bildthema, das oft als Ergänzung zu dem traditionellen Osterbild der Frauen am leeren Grabe tritt, wird durch den aufkommenden Magdalenakult im 13. Jahrhundert, vor allem in Italien, ein beliebtes Thema und ist dort oft auf mehrszenigen Tafeln zu finden, frühestes Beispiel der florentinischen Malerei um 1280, *Abb. 292*. Giottos Bildkomposition im Freskenzyklus der Arenakapelle in Padua, 1305–1307, *Abb. 293*, die wieder den Sarkophag mit den Engeln und den schlafenden Wächtern mit dem Noli me tangere verbindet, wird für lange Zeit für die Malerei südlich und nördlich der Alpen bestimmend. Es sind die überlieferten Einzelmotive, die in neuer Weise zueinander in Beziehung gesetzt sind. Der Auferstandene, auf dessen Fahne »victor mortis« steht, ist ganz an die Bildgrenze gesetzt und bleibt als der Hinwegschreitende dennoch die be-

herrschende Figur. Die Gegenüberstellung von Christus und Magdalena auf einer der vier zwischen 1330 und 1335 dem Klosterneuburger Altar hinzugefügten bemalten Tafeln eines österreichischen Meisters, *Abb. 294*, ist ohne Giotto nicht denkbar, erhält jedoch einen völlig neuen gesteigerten Ausdrucksgehalt. Wo Giotto die Figuren auf gleicher Ebene anordnet und durch die Körperlichkeit ihre reale Gegenwärtigkeit betont, vergeistigt der österreichische Meister durch einen ausdrucksstarken Linienstil die Begegnung beider und entrückt die sich aus dem Irdischen loslösende Figur Christi, indem er sie auf eine Erdscholle stellt und so über Magdalena erhöht.

Im ausgehenden Mittelalter wird mehrfach der Grabesbesuch Magdalenas betont und die Begegnung mit dem Auferstandenen als Nebenszene behandelt. Schon der Hofgeismarer Altar um 1310 zeigt auf der der Auferstehung Christi folgenden Tafel nur noch Magdalena im Gespräch mit dem Engel. Die Hervorhebung des Grabesbesuches bringt es mit sich, daß Magdalena vom 15. Jh. an immer das Salbengefäß in der Hand hält oder neben sich stehen hat; im hohen Mittelalter ist dies ganz selten. Die Wiedergabe des Felsengrabes im 15. Jh. steht in Parallele zum Auferstehungsbild. Auf der Rückseite von Altdorfers Engelglorienbild, um 1525, in der Alten Pinakothek München, *Abb. 295*, steht im Bildvordergrund der Sarkophag mit den beiden Engeln, der überwölbt ist von der Höhle des Felsengrabes, in das Magdalena eingetreten ist. Durch die Öffnung der Höhle ist der Blick in eine Phantasielandschaft freigegeben: Die Sonne ist über den Bergen aufgegangen, und ihr Licht verklärt die Landschaft, der als kleine Nebenszene die Begegnung Magdalenas mit dem Auferstandenen eingefügt ist. – Andererseits wird die Noli-me-tangere-Szene, ebenso der Gang der Frauen zum Grab, manchmal der Auferstehungsdarstellung als kleine Nebenszene im Hintergrund eingefügt, *vgl. Abb. 230, 240*. Der Mömpelgarter Altar, 1525–1530, Wien, setzt vor das Felsengrab die Erscheinung vor Magdalena und direkt daneben das Gespräch der zwei Grabesengel mit fünf Frauen.

Christus, der auf den frühesten Darstellungen in der linken Hand die Schriftrolle, dann das Stabkreuz als Siegeszeichen und vom späten 12. Jh. an vielfach die Auferstehungsfahne trägt und die rechte sprechend oder abwehrend ausreckt, hält in der florentinischen Malerei vom 14. Jh. an oft anstelle der Fahne eine Harke. Nördlich der Alpen wird er vom 14. Jh. an zunächst vereinzelt, in der Neuzeit aber sehr häufig als Gärtner mit einem Hut und einem Spaten in der Hand gezeigt, zuweilen sogar als Gärtner arbeitend. Diese Betonung des momentanen Irrtums Magdalenas drängt die Erscheinung des Auferstandenen in die menschliche Sphäre ab, in welcher der eigentliche Sinn dieser Begegnung nicht zum Ausdruck gebracht werden kann, vielleicht ist das in der Neuzeit auch gar nicht mehr beabsichtigt worden.

Ein Motiv, das ursprünglich auf die Darstellung von Krankenheilungen zurückgeht und nur vereinzelt schon früh bei der Begegnung mit den zwei Frauen zu finden ist, *Abb. 273*, wird offenbar durch Memling, der es mehrfach verwendet, erneut aufgenommen: Christus berührt mit zwei Fingern die Stirn Magdalenas. Die Geste ist als Segen vor dem Abschied oder überhaupt als Ausdruck des Abschieds zu verstehen, widerspricht aber dem von Christus gebotenen Abstand zwischen ihm und Magdalena, der als ein vom Text her wesentliches Ausdrucksmotiv in den Darstellungen des Mittelalters gewahrt blieb und nur durch das Wort, verbildlicht durch den Redegestus, überbrückt worden ist.

In der gesamten europäischen Malerei ist das Bildthema vom 16. bis 18. Jh. sehr häufig zu finden: Correggio, 1515, Madrid Prado; J. Cornelisz von Amsterdam, 1507, Kassel; Tizian, 1511–1515, London, National Gallery; Fontana Lavinia di Bologna, um 1600, Nachfolger des Nicolas Poussin, Mitte 17. Jh., Madrid, Prado; La Hire, 2. Viertel 17. Jh., etc. Wir bringen als Beispiel für die italienische Malerei ein Gemälde von Federico Barocci, 1590, München, *Abb. 296*. Die Begegnung wird in eine ruinenartige Grabeshöhle verlegt. Auf einem Felsen sind die drei Kreuze zu sehen. Diese genaue Ortsschilderung ist typisch für das historische Interesse der Zeit. Magdalena sitzt, mit einem Brokatgewand bekleidet, neben dem Sarkophag. Von der Offenbarung des Auferstandenen und dem Erkennen Magdalenas enthält das Bild kaum noch etwas. Es gibt lediglich eine Unterhaltung wieder. Auch Rembrandt

bleibt auf dem frühen Gemälde von 1638, London, Buckingham Palace, *Abb. 297*, im Bereich der erzählenden Motive und stellt den Augenblick dar, bevor Magdalena Christus, der als Gärtner verkleidet ist, erkennt. Sie blickt zwar erstaunt zu ihm auf, aber sie scheint noch nicht bei ihrem Namen gerufen zu sein[23].

Der Bericht der Frauen an die Jünger. Mt 28,10; Joh 20,18; Mk 16,10.17 f. Sowohl den zwei Frauen als auch Magdalena gebietet der Herr, den Jüngern zu berichten. Einmal läßt er ihnen sagen, daß sie nach Galiläa gehen sollen, wo er sich ihnen zeigen werde, zum anderen läßt er ihnen seine bevorstehende Himmelfahrt ankünden. Doch sagt der Grabesengel ebenfalls den Frauen, sie sollten eilends zu den Jüngern gehen und ihnen sagen, daß Christus auferstanden sei.

Mesarites erwähnt den Bericht der Frauen bei der Beschreibung des Bildschmucks in der Apostelkirche, Konstantinopel, 6. Jh.[24] Doch ist die Szene später äußerst selten dargestellt worden. Die beiden genannten reich illustrierten byzantinischen Handschriften, Paris und Florenz, des 11. Jh. enthalten sie, ebenfalls gibt ein Bildfeld des Elfenbeinantependiums von Salerno, 2. Hälfte 11. Jh., das Gespräch wieder, *Abb. 298*. Die Frauen stehen hier mit lebhaft bewegten, erhobenen Händen vor einer stehenden Männergruppe, deren Sprecher Petrus ist. Im 16. Jh. taucht der Bericht der Frauen noch einmal auf dem Mömpelgarter Altar auf. Zwischen ihm und den Frauen am Grab ist die ebenfalls sehr selten gezeigte Bezahlung der Bestechungsgelder an die Grabeshüter eingefügt, Mt 28,11–15, und auf den Bericht der Frauen folgt der Grabbesuch von Johannes und Petrus. Ob Zwischenglieder einer Traditionslinie verlorengingen oder ob für diesen umfangreichen Altar, der sich genau an die biblischen Ausführungen hält, die Szene nach dem Text neu formuliert wurde, muß offenbleiben. Wahrscheinlich ist das letztere der Fall.

Das Zeugnis Magdalenas »Ich habe den Herrn gesehen ...« kommt in Entsprechung zur häufigen Darstellung ihrer Begegnung mit dem Auferstandenen in der abendländischen Kunst mehrmals in ganz verschiede-

---

23. A. Pigler, Barockthemen I, Budapest und Berlin 1956, nennt 154 Gemälde für die Zeit des 16.—18. Jh.,

Italien und die Niederlande sind führend.

24. Heisenberg II, S. 68 f.

nen Kunstgebieten vor. Es haben sich zwei Formulierungen herausgebildet: eine mit den sitzenden Jüngern, die die ältere zu sein scheint und gleichfalls in den beiden byzantinischen Handschriften vorkommt; die andere mit den stehenden Jüngern, die im Abendland bevorzugt wird. Die Zahl der Jünger schwankt, sie ist vermutlich von der zur Verfügung stehenden Bildfläche abhängig.

Ein Kapitell aus dem Kreuzgang der Kathedrale von Pamplona (Provinz Navarra, Nordspanien), gegen 1145, zeigt auf der vierten Seite den Bericht Magdalenas, *Abb. 299*[25]. Magdalena spricht erregt den erstaunten Petrus direkt an, während zwei Jünger mit Spannung zuhören. Die mit Pflanzenornamenten geschmückte Umrahmung Petri bezieht sich vermutlich auf die Höhle, in die sich nach einer legendären Überlieferung (Legenda aurea unter Berufung auf Petrus Comestor, Historia Scholastica) Petrus nach Jesu Tod aus Reue über seine Verleugnung des Herrn zurückgezogen haben soll. – Das Passionsfenster der Kathedrale in Chartres zeigt drei stehende Jünger, eine Emailtafel um 1160 im Hildesheimer Domschatz nur Petrus und Johannes innerhalb einer Stadtarchitektur, vor der Magdalena mit sprechend erhobener Hand steht[26], während die Buchmalerei in der Regel alle elf Jünger wiedergibt. Im englischen Albanipsalter, 1. Hälfte 12. Jh., Hildesheim, St. Godehard, *Abb. 300*, stehen sie unter einem Arkadenbogen, über dem eine freie Nachbildung der Grabeskirche auf Jerusalem verweist. Ebenfalls stehen die Apostel, jedoch nur sieben, auf einer Miniatur des Evangeliars Heinrichs des Löwen um 1175, *Abb. 302*, dagegen sitzen sie auf einer Pariser Miniatur, Ingeborgpsalter, um 1200, *Abb. 301*, darüber der Gang nach Emmaus. Immer ist ein Abstand zwischen der hoch aufgerichteten Magdalena und den Aposteln, denen sie verkündet: »Ich habe den Herrn gesehen.« In der niedersächsischen Handschrift wird die Isolierung durch eine Erdscholle, auf der sie allein steht, noch betont. Den Hintergrund bildet hier ein gemusterter Stoff. Zwischen Magdalena und Petrus

sind in drei Medaillons Adler zu erkennen. Sie dürften – wie auf dem Noli-me-tangere-Relief der Bronzetür in Hildesheim – absichtlich an diese Stelle gesetzt sein, um als Himmelfahrtssymbol auf die Joh 20,17 Magdalena aufgetragene Botschaft an die Jünger hinzuweisen. Im späten Mittelalter tritt das Bildthema, dem vor allem das 11. und 12. Jh. Beachtung schenkte, wieder zurück.

Die Emmausjünger. Lk 24,13–35. Die Perikope zerfällt in zwei Teile, die beide unabhängig voneinander oder zusammen dargestellt werden: a) die Begegnung Christi mit den Jüngern auf dem Weg nach Emmaus und ihr Gespräch, bei dem die Jünger den Begleiter nicht erkennen; b) das Mahl in Emmaus, bei dem sie den Herrn erkennen, als er das Brot bricht. Beide Teile der Geschichte können in Einzelszenen zerlegt werden, so daß, abgesehen von dem gemeinsamen Gang und Gespräch, auch das Treffen auf dem Weg und die Ankunft am Stadttor gezeigt sein kann, bei der die Jünger den Fremden nötigen, mit ins Haus zu kommen. In Emmaus selbst kann außer dem Mahl mit dem Brotbrechen das Entschwinden des Herrn »vor ihren Augen« dargestellt sein. Vereinzelt sind auch nur die beiden Jünger bei Tische sitzend gegeben, während der Platz Christi bereits leer ist. Und schließlich wird als Parallele zum Bericht der Frauen mitunter auch der letzte Vers, der von der Rückkehr zu den Jüngern spricht, als Heimweg oder als Bericht illustriert. Die Geschichte erfreut sich in der abendländischen Kunst einer solchen Beliebtheit, weil sie das Evangelium des Ostermontags und überdies eine Abendmahlsgeschichte ist; außerdem wird sie durch die vom 12. Jh. an gespielten geistlichen »Peregrinusspiele« weithin bekannt[27]. Nach Vers 18 hieß einer der Emmausjünger Kleophas, in dem anderen sah die Tradition gern Lukas. Entsprechende Beischriften findet man in den Darstellungen, so zum Beispiel auf einer Miniatur des Reichenauer Egbert-Codex, in dem sehr häufig die dargestellten Personen benannt sind[28].

---

25. Er steht im Anschluß an die Kreuzabnahme, *vgl. Bd. 2, Abb. 557*, die Grablegung und die Frauen am Grab, *vgl. Bd. 2, Abb. 569 und hier Abb. 47*.

26. Abbildung in RDK 50. Lfg., Sp. 230.

27. Karl Young, The Drama of the Medieval Church, Oxford 1933, Bd. 1, S. 451 ff.

28. RDK 50. Lfg., Sp. 228–242; LCI I, Sp. 623 bis 626.

Der Gang nach Emmaus wird in der Kunst früher dargestellt als das Mahl. Das älteste Beispiel befindet sich in der oberen Bildzone der Südwand von S. Apollinare Nuovo, Ravenna, wo die Darstellung zu den drei Auferstehungsszenen, mit denen der Passionszyklus abschließt, gehört, *Abb. 303*. Die drei Gestalten sind von rechts nach links gehend im Gespräch wiedergegeben; Christus in der Mitte überragt die Jünger. Auf einem Hügel im Hintergrund befindet sich eine nicht besonders gekennzeichnete Stadtarchitektur. Abgesehen von den Landschaftselementen gehört die Darstellung auf dem Silberbehälter, um 820, *vgl. Abb. 54*, der gleichen Tradition an.

Im Freskenzyklus von S. Angelo in Formis (Unteritalien), letztes Viertel 11. Jh., *Abb. 306*, folgt ebenfalls wie in Ravenna der Gang nach Emmaus auf die Darstellung der Frauen am Grab. Die Bewegungsrichtung ist der von Ravenna entgegengesetzt. Die Anordnung der Gestalten ist die gleiche, aber Christus ist mit einem kurzen Wanderrock bekleidet und trägt die Abzeichen der Pilger: Tasche, Stab und einen kappenartigen Hut. Auf einem der hohen Steinreliefs an einem Pfeiler des Kreuzgangs in S. Domingo (Nordspanien), 1085–1100, *Abb. 315*, trägt Christus, der hier voranschreitet, sich aber im Gespräch zurückwendet, gleichfalls die Pilgerzeichen. Mehrfach sind auch die Jünger durch Hüte oder Stäbe als Pilger gekennzeichnet. Der obere Teil des nordspanischen Elfenbeinreliefs, *Abb. 285*, läßt den letzten der drei Wanderer als Pilger auftreten, doch ohne Kopfbedeckung; diese trägt aber in der üblichen kappenartigen Form der erste, der sich auf einen Krückstock stützt. Alle drei Männer haben einen Nimbus, doch ist der Pilger nicht, wie auf anderen Darstellungen, durch den Kreuznimbus als Christus gekennzeichnet. Er wird daher auch als der in Spanien hochverehrte Pilgerheilige Jakobus (St. Jago) gedeutet, obwohl er nicht die Muschel, sein Attribut, hat. In den beiden anderen werden Heilige gesehen. Aber wie käme diese Heiligendarstellung zu der Zusammenstellung mit der Noli-me-tangere-Szene? Außerdem wird in

einer Elfenbeinplatte mit der Darstellung der Frauen am Grab in Leningrad das Gegenstück zu dieser Platte gesehen. Es handelt sich also doch wohl um ein Diptychon mit Auferstehungsszenen und demzufolge um den Gang nach Emmaus[29].

Auf der Rückseite des ehemaligen Hochaltars des Sieneser Doms von Duccio, 1308–1311, die nur diese erste Emmausszene zeigt, trägt Christus als Pilgertracht einen Fellmantel, der aber schon im 12. Jh. auf den Miniaturen des Albanipsalters, *Abb. 312 u. 313*, und auf dem Relief der Bronzetür am Dom von Monreale vorkommt. Auf dem Bronzerelief trägt der letzte Jünger gleichfalls einen kurzen Rock, und über dem geschulterten Wanderstab hängt der Mantel. Die Pilgerkleidung ist nicht weiter als bis in die 1. Hälfte des 11. Jh. zurückzuverfolgen. Auch auf mittelbyzantinischen Werken kommt sie vor[30].

Die Kleinkunst differenziert diesen ersten Teil der Geschichte und zeigt schon im 9. und 10. Jh. die Ankunft in Emmaus, bei der Christus weitergehen will, aber von den Jüngern genötigt wird, mit ins Haus zu kommen, Vers 29. Die byzantinische Handschrift, Paris, grec. 74, stellt den Gang und die Ankunft unmittelbar nebeneinander dar, so daß zweimal drei Figuren von links nach rechts gehen. Dabei trägt Christus, der als letzter geht und die Hand redend hebt, Stab und Strohhut. Wie weit die Darstellung der Ankunft in der byzantinischen Kunst zurückgeht, läßt sich nicht sagen. Auf dem karolingischen Elfenbeinbuchdeckel des Aachener Domschatzes vom Anfang des 9. Jh., Hofschule, *Abb. 331 rechts unten*, stehen die drei Figuren vor einer Kirche, die als Emmauskirche für die Stadt steht. Die Jünger – ein Greis und ein Jüngling – blicken fragend auf den Herrn, aber es fehlt ein direkter Hinweis auf ihre Bitte an den Fremden, mit ihnen hierzubleiben. Diesen geben dann etwas spätere Darstellungen sehr deutlich. Ein Buchdeckel der Metzer Schule, 9./10. Jh., Paris, *Abb. 307*, zeigt in der dritten Bildzone die gleiche Langhauskirche wie die Aachener Tafel, jedoch von der Stadtmauer umschlossen. Der

29. Goldschmidt, Elfenbein I., S. 32 f. deutet die Szene als Gang nach Emmaus. Siehe aber W. W. S. Cook / J. Gudiol Ricart, Ars Hispania VI, S. 291, ferner P. de Palol, Spanien, München 1965, S. 67.

30. Paris, Bibl. Nat. Cod. Grec. 74 und Florenz, Laurenziana VI, 23. Siehe H. Omont, Evangiles avec Peintures Byzantines du XIe siècle, p. 141.

Weg führt an der Stadt entlang. Vor dem Stadttor sind die Jünger stehengeblieben, während Christus weiterschreitet, sich jedoch zurückwendet, offenbar weil die Jünger, von denen einer auf die Stadt deutet, ihn bitten, bei ihnen zu bleiben. Der gleiche Moment der Aufforderung zur Einkehr ist auf einer Elfenbeintafel derselben Schule, 2. Hälfte 9. Jh., Sammlung Kofler-Truniger, *Abb. 308*, nur etwas abgewandelt, wiedergegeben. Daran schließt sich das Mahl in der Stadt an[31]. Eine dritte Elfenbeintafel der Metzer Schule, 9.–(10.) Jh., ehemals Darmstadt, *Abb. 276*, ändert die Bewegungsrichtung, so daß alle drei Wanderer vor der Stadt ankommen; die besonderen Gesten der Nötigung zur Einkehr fehlen. Die Metzer Schule hat demnach zwei Traditionen für den Gang nach Emmaus.

In der englischen Buchmalerei des 12. Jh. ist eine besondere Vorliebe für die Ankunft in Emmaus festzustellen, und zwar wird durch die zur Sonne deutende Geste eines der Jünger auf das Wort: »Herr, bleibe bei uns, denn es will Abend werden, und der Tag hat sich geneigt« hingewiesen: Albanipsalter, Anfang 12. Jh., *Abb. 312*, Evangeliar in Cambridge, 1120–1140, *Abb. 291 Mitte*, und Einzelblatt, 2. Viertel 12. Jh., *Abb. 288, zweiter Bildstreifen*. Das Motiv wird durch das Zurückblicken der Wanderer besonders hervorgehoben. Die Stadt Emmaus fehlt auf den Darstellungen des 12. Jh. Vielleicht läßt sich auf dem Steinrelief, *Abb. 315*, und auf dem Mosaik in Monreale, *Abb. 316*, der erhobene Arm des einen Jüngers von der auf die Sonne deutenden Geste her erklären. Das englische Einzelblatt mit dem ausführlichen Auferstehungszyklus bringt als erste Szene zur Emmausgeschichte das Zusammentreffen von Christus und den Jüngern, die von dem unbekannten Pilger eingeholt werden[32]. Eine Miniatur des Evangeliars aus St. Peter, Salzburg, Mitte 11. Jh., zeigt die beiden Jünger mit

dem Rücken zur Stadt stehend, ihnen gegenüber Christus. Obwohl es sich um die Ankunft in Emmaus handelt, geben die beiden Schriftbänder Worte aus dem Gespräch auf dem Wege wieder. Das der Jünger bezieht sich auf Lk 24,18, das in der Hand Christi auf Vers 26[33]. Schließlich ist für die Nötigung, mit in die Herberge zu gehen, die süditalienische Exulterolle des 12. Jh. Nr. 3 in Troia zu nennen, deren Vorlagen auf Benevent zurückgehen. Hier halten die Jünger den Mantel des noch unerkannten Begleiters, der enteilen möchte, fest[34]. Neben diesen Sondermotiven wird weiterhin das Gespräch auf dem Weg in der einfachen Form wiedergegeben; gelegentlich auch in der Architekturplastik des 12. Jh.

Das Mahl in Emmaus. Die Darstellung dieser Szene läßt sich bis ins frühe 9. Jh. verfolgen. Das Drogosakramentar, um 830(844), *Abb. 304*, verbindet den Gang mit dem Mahl in einer D-Initiale und ordnet sie untereinander an, die Koflersche Elfenbeintafel, 2. Hälfte 9. Jh. – beide Metz – *Abb. 308*, nebeneinander. Die Miniatur gibt durch die Draperien einen Innenraum an, für das Relief sind Stadt und Herbergsraum identisch. Die Jünger sitzen Christus gegenüber und öffnen ihre Hände zum Empfang des Brotes, das Christus bricht beziehungsweise in der Hand hält und segnet, siehe auch *Abb. 276* und vergleiche die karolingische Abendmahlsdarstellung, *Bd. 2, Abb. 79*. Auf der Darstellung der Seitenwand des kreuzförmigen Silberbehälters, um 820, *Abb. 305*, sitzt Christus frontal in der Mitte und reicht einem der Jünger das Brot, das dieser mit verhüllten Händen und gebeugter Haltung ehrfürchtig empfängt. Der Tisch hat die Form des Sigma wie bei der frühen Eucharistiedarstellung des Ostens, *vgl. Bd. 2, Abb. 67*, u. a. m., und der Empfang des Brotes entspricht dem der Kommunion, *vgl. Bd. 2*,

---

31. Siehe zu dieser Einzeltafel die Untersuchungen von H. Schnitzler, Eine Metzer Emmaustafel, in: Wallraf-Richartz-Jb. XX, 1958, S. 41 ff. und V. H. Elbern, Vier karolingische Elfenbeinkästen, in: Zeitschr. d. Dt. Ver. f. Kunstwiss. XX, H. 1/2, 1966, S. 1 ff. Elbern versucht eine Rekonstruktion des verlorenen Kastens, zu dem die Koflersche Tafel gehört haben könnte, und gibt dabei wichtige Hinweise auf die theologische Konzeption der karolingischen Kästen.

32. Christus trägt den gleichen Palmwedel wie auf der Emailplatte in Hildesheim. RDK-Artikel Abb. 2. Wenn es sich auch um ein unbedeutendes Einzelmotiv handelt, so zeigt es doch den oft beobachteten Zusammenhang der englischen mit der niedersächsischen Kunst im 12. Jh.

33. G. Swarzenski, Salzburger Malerei, Leipzig 1908, Abb. 59.

34. Abbildung: M. Avery, The Exulter Rolls of South Italy, Tf. 171.

Abb. 56. Die elf Zeichen auf dem Tisch und auf dem herabhängenden Tischtuch können nicht als schmückende Ornamente betrachtet werden. Sie setzen vielmehr als Hinweis auf die elf Jünger dieses Mahl mit dem auferstandenen Herrn in Emmaus in Beziehung zur Einsetzung des Herrenmahls und zugleich zu jeder Eucharistiefeier der Gläubigen, bei der sich die Verheißung der Gegenwart des auferstandenen Herrn erfüllt.

In einer Purpurhandschrift, Reichenau (?), Anfang 9. Jh., befinden sich zwei ungefärbte Blätter, von denen eines auf beiden Seiten Szenen der Geburtsgeschichte und das andere Erscheinungen des Auferstandenen wiedergibt, *Abb. 322 und 372.* Alle Bildmotive sind einer Kreuzform eingefügt, außerhalb dieser sind die vier Evangelistensymbole wiedergegeben. Die Darstellungen weichen stilistisch und zum Teil auch ikonographisch vom 9. Jh. ab, so daß in ihnen Nachbildungen von spätantiken Vorlagen gesehen werden. Es wird sogar die Meinung vertreten, es handele sich um frühe Originale, die dem Codex des 9. Jh. eingeheftet worden seien. Auf den beiden Seiten mit Auferstehungsszenen sind oben zwei Jünger im Gespräch wiedergegeben. Ob es sich dabei um den Gang nach Emmaus handelt, ist nicht mit Sicherheit zu sagen. Unterhalb der Erscheinung am Meer Tiberias, *Abb. 372,* befindet sich eine Darstellung des Mahls, die Christus mit zwei Jüngern hinter einem Tisch zeigt. Es ist die Frage, ob hiermit das Mahl in Emmaus gemeint ist, das aus dem 5. oder 6. Jh. sonst nicht bekannt ist, oder das Mahl am See Tiberias, das zwar auch aus der frühen Kunst nicht bekannt ist, aber mit der Szene darüber in Einklang stehen würde. Den drei anderen Bildmotiven liegen Texte des Johannesevangeliums zugrunde, die Seite steht in dem Codex auch zu Beginn des 4. Evangeliums, doch weisen der Bildtypus und die Anzahl der Jünger beim Mahl auf das Emmausmahl, das nur bei Lukas vorkommt. Die Frage läßt sich nicht entscheiden.

Der Kommunioncharakter des Emmausmahles, der in der Anordnung der Gruppe, vor allem aber im Segnen, Brechen oder Darreichen des Brotes zum Ausdruck kommt, bleibt über Jahrhunderte erhalten. In der Darstellung der Jünger wandelt sich der Ausdrucksgehalt: an die Stelle des demütigen Empfangens des Brotes tritt allmählich das Staunen im Blick und in

den Gesten. Oft sind wie beim Abendmahlsbild Brot und Fisch die Speisen, oder es steht ein Kelch in der Mitte des Tisches. Beispiele: Egbert-Codex, 980 (RDK-Art. Abb. 1), hier brechen Christus und ein Jünger zusammen das Brot. Emailtafel Hildesheim, um 1170 (RDK-Art. Abb. 2), Wiltener Patene, 1160–1170, *Abb. 275,* Englische Handschriften, 12. Jh., *Abb. 288, 291, 313,* Mosaikzyklus Monreale, 1182–1190, *Abb. 316;* italienisches Tafelkreuz, Pisa (Nr. 15), 2. Hälfte 12. Jh., zusammen mit dem Eintritt in die Herberge, *Abb. 309, vgl. Gesamt Bd. 2, Abb. 499.* Auf diesem Tafelkreuz ist ebenso wie auf dem vom Anfang des 13. Jh. im Museo Civico (Nr. 20), Pisa, die strenge Kommunionsform aufgegeben. Ein älteres Beispiel hierfür ist die Miniatur des Echternacher Codex, 1020 bis 1030, im Germanischen Nationalmuseum, Nürnberg, die die karolingische Anordnung weiterführte. Christus ist auf dem italienischen Kreuz entsprechend der Darstellung des Auferstandenen im 13. Jh. mit dem Manteltuch, das die eine Brustseite freiläßt, bekleidet. Die Pilgerzeichen kommen beim Mahl nicht vor. Ein Wandbild des Lavraklosters auf dem Athos, 1535, *Abb. 310,* das wir nur im Ausschnitt wiedergeben, ist, ungemindert durch die Einfügung einer dienenden Gestalt (eine zweite auf dem nicht abgebildeten Bildteil), ein ausgesprochenes Kommunionbild.

Dem 12. und frühen 13. Jh. gehören noch einige Darstellungen auf Kapitellen (Westportal Chartres, Dourade Toulouse, Vezelay, S. Paul Issoire u.a.m.), ein Bronzerelief der Tür in Benevent, Ende 12. Jh., ein Portalrelief der Kathedrale von Lincoln, um 1230, und Glasfenster der Kathedralen in Chartres, Tours und Le Mans an. Das Mahl findet sich auch in der Deckenmalerei im Braunschweiger Dom, die in die 2. Hälfte des 13. Jh. datiert wird, und in einem Freskenzyklus in S. Maria Donnaregina in Neapel, um 1320. Im allgemeinen tritt die Darstellung des Mahles vom 14. bis zum 16. Jh. beinahe ganz zurück, während die Erscheinung Christi auf dem Weg nach Emmaus in Zyklen noch mehrmals vorkommt.

Die Darstellung der Entrückung Christi ist vermutlich eine englische Erfindung des 10. oder 11. Jh. und steht in Parallele zu dem gleichen Motiv im englischen Himmelfahrtsbild, wo es seit der 2. Hälfte des 10. Jh.

zu beobachten ist. Der Platz zwischen den Aposteln ist leer, darüber sind am oberen Bildrand noch die Füße Christi zu sehen. Entweder kommt eine Wolke herab und »nimmt ihn vor den Augen der Jünger weg«, wie es in der Apostelgeschichte bei der Himmelfahrt heißt, *Abb. 311,* oder der Bildrand schneidet die Figur ab, *Abb. 314;* vergleiche auch das Hildesheimer Kreuz, *Bd. 2, Abb. 476, linkes Emailtäfelchen;* ebenso die französische Miniatur im Evangeliar der Sainte Chapelle, 1266–1270 (RDK Abb. 3). Bei dieser Szene kommt mehr als beim Mahl das Erkennen und Erschrecken und außerdem das anschließende Gespräch der Jünger: »Brannte nicht unser Herz in uns, da er mit uns redete auf dem Wege ...« zum Ausdruck. In dem Auferstehungszyklus des englischen Einzelblattes, *Abb. 288,* hat der erfindungsreiche realistische Miniaturist diese Szene abgewandelt. Während sich Christus einem der erstaunten Jünger zuwendet, beginnt er vorsichtig von seinem Sitz aufzustehen; am Bildrand ist er ein zweites Mal dargestellt, wie er im Begriff ist, den Raum zu verlassen. Es finden sich in England um 1300 auch einige Beispiele, die Christus am Tisch sitzend und zugleich oben die Füße des Entschwindenden zeigen. Mit einem Gestalttypus wird in der Regel auch dessen Gehalt übernommen. Tatsächlich ist das Entschwinden Christi während des Mahles in Emmaus als Himmelfahrt gedeutet oder als Begründung für die Erhöhung unmittelbar nach dem Tod betrachtet worden, siehe erstes Kapitel. Der Mosaikzyklus in Monreale gibt den Schluß der Geschichte nüchterner wieder, *Abb. 317.* Christus ist nicht mehr da, und die Apostel sitzen trauernd am Tisch. Anschließend folgt dann ihr Bericht vor den anderen Jüngern.

Die Rückkehr der Jünger und ihr Bericht ist sehr selten dargestellt worden, gehört aber zu den frühesten Bildmotiven der Emmausgeschichte. Sie ist auf dem Silberbehälter, um 820, und auf dem Elfenbeinbuchdeckel des Aachener Münsterschatzes, Anfang 9. Jh., *Abb. 331 rechts oben,* zu finden[35] und schließt, wie erwähnt, den Emmauszyklus im Dom zu Monreale ab. Die Exultetrolle Nr. 3 in Troia gibt als vierte

Emmausszene den Rückweg der beiden Jünger ohne den Bericht bei den anderen Jüngern wieder, ebenso der Zyklus der Handschrift in Cambridge, *Abb. 291.* Nach dem 12. Jh. fehlt die Szene. Selbst bei so ausführlich den biblischen Bericht erzählenden Werken wie dem Mömpelgarter Altar, 1525–1530, beschränkt sich die Darstellung der Emmausgeschichte auf die Hauptszenen, die in einer Bildkomposition zusammengefaßt sind.

In der Neuzeit gehört das Emmausthema, das im späten Mittelalter, einschließlich der Graphik, kaum zur Darstellung kommt, zu den beliebtesten biblischen Bildgegenständen, vor allem in Italien, Flandern, Holland und Spanien. Selbst das 19. Jh. weist mit dem Gemälde des Delacroix von 1852, New York, und mit dem zu einem »Tischgebet« umgedeuteten Bild Uhdes noch bekannte Darstellungen auf. Den etwa 240 Werken der Renaissance- und Barockmalerei dieser Länder stehen nur etwa 22 deutsche gegenüber, darunter ist keines von Bedeutung[36]. Beim Gang nach Emmaus, der seltener vorkommt als das Mahl, gilt das Hauptinteresse der Landschaft. Die Wiedergabe des Mahles wird oft im Sinn einer profanen Mahlzeit erweitert; vorbereitet ist diese Erweiterung schon auf spätmittelalterlichen Darstellungen durch die Einbeziehung von ein oder zwei Dienern. Daneben ist die Tendenz zum Stilleben und zu Lichteffekten häufig zu beobachten. Andererseits bleibt der Bezug des Emmausmahles zum eucharistischen Mahl auf manchen Gemälden, die sich auf das Segnen oder das Brechen des Brotes konzentrieren, erhalten. Hierzu ist Caravaggios Gemälde, 1606, Mailand, *Abb. 318,* zu rechnen. Es hat in der holländischen Malerei nachgewirkt, z. B. Jan Vermeer van Delft, Rotterdam, Boymans Museum. Rembrandt griff das Emmausthema mehrmals auf. Eine Radierung zeigt die plötzliche Entrückung Christi durch eine Lichterscheinung an der Stelle, wo er mit den Jüngern bei Tische saß. Von seinen vier Emmausgemälden ist das von 1648, in Paris *Abb. 319,* in seiner Vereinfachung das verinnerlichste. Er verzichtet wie Caravaggio auf jede in der Barockmalerei

---

35. Zu der mittleren Darstellung der rechten Tafel, die offenbar mehrere Berichte eines Mahles des Auferstande-

nen mit seinen Jüngern kombiniert, siehe oben.

36. Nach A. Pigler, Barockthemen, I, S. 346—354.

häufige Ausschmückung und konzentriert sich auf die Offenbarung des Auferstandenen beim Brotbrechen. Das Unbeteiligtsein des Dieners erhöht den Ausdruck des gläubigen Erkennens der Jünger.

Die Erscheinung bei verschlossener Tür. Joh 20,19–23. Die Erscheinungen vor den Jüngern der vier Evangelien ähneln einander in vielen Zügen. Sie sind daher in der bildlichen Darstellung sehr oft nicht klar voneinander zu unterscheiden[37]. Besonderes Merkmal gegenüber der lukanischen Erscheinung vor den elf Jüngern, 24,36–40, ist bei Johannes die Spendung des Geistes. Auch Zeit- und Ortsangaben differieren: am Abend des Auferstehungstages, »da die Jünger (außer Thomas) versammelt und die Türen verschlossen waren«. Christus tritt mitten unter sie, spricht den Friedensgruß und zeigt ihnen seine Wundmale. Darauf erfolgt die Spendung des Heiligen Geistes und die Beauftragung der Jünger. Der Text ist als johanneische Pfingstgeschichte auf Grund von Vers 23 seit karolingischer Zeit auch als Einsetzung des Bußsakramentes verstanden worden. In diesem letztgenannten Sinn ist die Erscheinung auf dem Elfenbeinbuchdeckel (Vorderdeckel) des Drogo-Sakramentars, Metzer Schule, dessen Bildmotive sich alle auf die Sakramente und auf geistliche Handlungen des Priesters beziehen, dargestellt. Christus steht inmitten der Jünger und breitet seine Arme mit nach unten gekehrten Handflächen über sie aus. Ein Raum ist nicht angedeutet. Ganz ähnlich ist die Segnung der Apostel nach Lk 24,49–50, bei der es heißt, daß Christus die Hände aufhob, auf der gleichen Tafel dargestellt, aber mit dem Unterschied, daß zwei Bäume auf den Handlungsort verweisen. Da die Hände Christi etwas mehr hinabreichen als auf dem anderen Relief, entsteht der Eindruck eines Umgreifens der Gruppe[38]. Der gleiche Bildtypus kommt als Nebenszene im Zusammenhang der Himmelfahrt auf einem Elfenbeinrelief um 1100 vor, *vgl. Abb. 481.*

In der johanneischen Version erscheint der Auferstandene (bei Abwesenheit des Thomas) zehn Jüngern. Wegen der Parallelität der Sendung der Jünger von V. 21 zu dem erwähnten lukanischen Text werden jedoch auch bei der Darstellung der johanneischen Erscheinung bei der verschlossenen Tür oft elf Jünger gezeigt, obwohl die Architektur der johanneischen Situation entspricht. In der östlichen Kunst verselbständigt sich ein eigener Bildtypus der Sendung der zwölf Apostel, siehe unten. Andererseits steht die Darstellung der Erscheinung bei der verschlossenen Tür in engem Bezug zu der daran anschließenden Erscheinung vor Thomas, die im selben Raum mit der verschlossenen Tür stattfindet, so daß für beide Darstellungen die gleiche Architektur verwendet sein kann. Der Tradition nach, die in mittelalterlichen Schriften aufgegriffen wurde, sind die Jünger im Coenaculum auf dem Berg Zion (Sion) in Jerusalem versammelt, in das auch die Ausgießung des Heiligen Geistes zu Pfingsten verlegt wird, ebenso die Erscheinung beim Mahl, Mk 16,14.

Die Darstellung der johanneischen Erscheinung vor den Jüngern läßt sich seit dem frühen 9. Jh. nachweisen, die Thomasszene ist älter. Die Regel ist ein symmetrisches Kompositionsschema. Christus breitet die Arme aus, was sich nur auf das Vorweisen der Wunden beziehen kann, oder erhebt die Rechte im Redegestus.

Das mittlere Bildfeld der linken Tafel des Aachener Elfenbeindiptychons, Anfang 9. Jh., *Abb. 331 a,* schließt sich an die Darstellung des Einbanddeckels des Drogo-Sakramentars an, zeigt aber nur fünf Jünger. Das Relief kann, wie oben schon erwähnt, die Erscheinung bei der verschlossenen Tür oder die Segnung der Jünger bei Bethanien, Lk 24,50, darstellen. Für die erste Deutung spricht der Zusammenhang mit der Thomasgeschichte, die darüber steht, für die zweite könnte die Stadtarchitektur sprechen, die aber gleichfalls bei einigen der anderen Szenen des Diptychons vorkommt. Die Anzahl der Apostel gibt keinen Hinweis.

Das Drogo-Sakramentar zeigt fol. 65 a zu Joh 20, 19–23 eine Illustration mit elf Jüngern, die in zwei Gruppen etwas entfernt von Christus stehen, als seien

---

37. RDK V, Lfg. 59, Sp. 1327—1349 faßt die verschiedenen Erscheinungen vor den Jüngern zusammen. LCI I, Sp. 671.

38. Abbildung der Elfenbeintafel siehe Bd. 4, Kap. Kirche, oder F. Steenbock, Der kirchliche Prachteinband, Berlin 1965, Abb. 27.

sie bei seiner Erscheinung furchtsam zurückgewichen. Bei einer streng symmetrischen Komposition der Erscheinung vor zehn Jüngern der Exultetrolle Nr. 3 in Troia, 12. Jh., fallen zwei Jünger nieder und berühren die Fußwunden Christi. Auf diese Darstellung folgt auf der Rolle die der Thomasszene. Der Silberbehälter, um 820, *Abb. 321*, zeigt die Erscheinung bei verschlossener Tür hinter einer halbhohen Mauer mit einer angelehnten Tür, die wie eine Brüstung wirkt. Sie stammt aus einer älteren Bildtradition, denn sie kommt, mit einer verschlossenen Tür oder ohne Tür und durch Türme zu einer Stadtmauer umgedeutet, auch bei anderen Erscheinungen vom 9. Jh. an vor, *Abb. 276 unten*, vor allem auf Thomasdarstellungen im süditalienischen Bereich. Noch zu Beginn des 14. Jh. ist die Mauer bei der Erscheinung nach Johannes auf dem Fresko der Kirche S. Maria Donnaregina zu Neapel zu finden. Auf der Basilewsky-Situla, um 980, *Abb. 325*, ist die Mauer beiderseits nach hinten weitergeführt, so daß ein umschlossener Raum entsteht. Die Tür auf der linken Seite ist verschlossen, die rechte bezieht sich vermutlich auf die folgende Szene. In dem erwähnten Reichenauer (?) Purpur-Codex des frühen 9. Jh., deren Darstellungen auf spätantike Bildkompositionen zurückgehen, ist auf einer völlig singulären Formulierung schon die halbhohe Mauer zu finden, die die zehn Jünger, die in Profilansicht in einer Reihe sitzen, umschließt, *Abb. 322*. An den beiden schmalen Seiten sind der wie eine Stadtmauer wirkenden ovalen Umfassung geschlossene Tore angefügt. Christus schreitet auf eines dieser Stadttore zu, während Thomas, die Hand an die Wange haltend (Geste der Trauer), außerhalb des andern sitzt. Diese Stadtmauer, die von oben Einblick gewährt und ebenso im Mittelalter beim Emmausmahl vorkommt, geht demnach auf spätantike Vorbilder zurück. Das könnte hinsichtlich der beiden seitlichen Türen der Mauer auf der Darstellung der oberitalienischen Situla auch der Fall sein. Dieses Werk weist

ohnehin Parallelen zum Mailänder Diptychon auf (wenn auch nicht für diese Szene), in dem neuerdings ein frühchristliches Original gesehen wird. Auf den wenigen bekannten byzantinischen Bildbeispielen steht die Tür wie bei der byzantinischen Thomasdarstellung isoliert hinter Christus. Eines der Emailtäfelchen des Hildesheimer Domschatzes, um 1160, fügt der Ringmauer die Türe auf der Rückseite ein, *vgl. Abb. 501*.

Auf der Darstellung des Silberbehälters, *Abb. 321*, die nicht den Erscheinungen auf den Seitenwänden, sondern den Bildmotiven auf dem Deckel, die sich auf die Kirche beziehen, eingereiht ist, sind zwölf Jünger und Maria wiedergegeben. Durch ihre Anwesenheit wird deutlich, daß die Geistspende des Auferstandenen als Pfingstgeschehen aufgefaßt ist. Das Pfingstbild der östlichen Tradition gibt immer Maria als mater apostolorum oder Ekklesia zusammen mit den zwölf Aposteln (ergänzt durch Paulus) wieder. Noch deutlicher wird die Spendung des Heiligen Geistes auf einer Miniatur einer Handschrift aus Nonantola, 1039, *Abb. 326*, auf der Christus die Jünger segnet und zugleich den Geist haucht. Die vier voll sichtbaren Apostel der vorderen Reihe tragen wie Christus selbst zwischen den Augen die Flamme des Geistes[39]. In ganz anderer Weise wird auf einer spanischen Elfenbeintafel, um 1100, auf den Auftrag der Apostel verwiesen: Christus tritt, mit der Bischofskasel angetan, zwischen die Jünger, die Bücher in Händen halten. Dieses Sondermotiv kommt aber sonst nicht vor.

Bei der durch Überschneidungen erschwerten ikonographischen Abgrenzung läßt sich die Erscheinung auf einem der Täfelchen des Elfenbeinantependiums (Ambo) von Salerno, 2. Hälfte 11. Jh., *Abb. 323*, auf dessen unteren Hälfte die Ausgießung des Heiligen Geistes dargestellt ist, nicht eindeutig festlegen. Jede Angabe des Ortes fehlt. Der Zusammenhang mit Pfingsten kann sowohl von Joh 20,22 als auch von der Geistverheißung Lk 24,49 f. bestimmt sein. Die tiefe Ver-

---

39. Die Darstellung des Manuskriptes 123 fol. 128 A der Bibl. Angelica, Rom, wird von St. Seliger in: Das Münster, 10, 1956, H. 5/6, S. 146—152, den Pfingstdarstellungen, bei denen Christus selbst den Geist sendet, eingereiht. Da es in dieser Gruppe aber keine Darstellung gibt, bei der Christus vor den Jüngern steht, scheint es mir

richtiger, sie der Gruppe der Erscheinungen zuzurechnen. Die Beziehung zwischen der Geistsendung durch Christus und der pfingstlich verstandenen Johannesstelle drückt sich in der Kunst manchmal durch das gleiche Motiv der über den Aposteln ausgebreiteten und nach unten gehaltenen Hände Christi aus.

neigung der Jünger entspricht der des erwähnten Sondertypus der Sendung der Apostel, den die byzantinische Kunst formulierte. Im sogenannten Evangeliar Ottos III., München, Ende 10. Jh., *Abb. 324,* gibt dagegen eine Darstellung eindeutig Joh 20,19 ff. wieder. Wenn auch jede Raumangabe fehlt, so sind doch zehn Jünger dargestellt, und das Bildmotiv ist auf der Buchseite zwischen dem Noli me tangere oben, *vgl. Abb. 280,* und der Begegnung mit Thomas eingereiht – die drei Erscheinungen berichtet Johannes hintereinander.

Die strenge symmetrische Anordnung wird bis zum späten Mittelalter beibehalten und der Innenraum vom 12. Jh. an häufiger durch Architekturteile angedeutet, *Abb. 327 und 328.* Die Anzahl der Jünger schwankt weiter zwischen zehn und elf, doch kommen auch weniger vor. In Italien wird die ehrfürchtige Verneigung auf einem italienischen Tafelkreuz im Museo Civico zu Pisa (Nr. 15), 2. Hälfte 12. Jh., *Abb. 328,* durch eine kniende Haltung abgelöst. Die Gestik der Christusgestalt wird im hohen Mittelalter manchmal abgewandelt zu der des Lehrenden. Entweder hebt Christus die Rechte im Redegestus und hält in der Linken demonstrativ das Buch, *Abb. 501,* oder er hält die Rechte sprechend vor seine Brust, *Abb. 327.* Diese Christusgestalt ohne Buch übernimmt Duccio für die Erscheinung bei der verschlossenen Tür auf der Rückseite der Bekrönung vom ehemaligen Hochaltar des Doms zu Siena, 1308–1311, *Abb. 329.* Hier ist sinnfällig verdeutlicht, daß Christus durch die verschlossene Tür eingetreten ist. Die Reaktion der Jünger ist differenzierter als vorher.

Das böhmische Passionale der Äbtissin Kunigunde, 1314–1321, *Abb. 335,* bringt auf einer Seite drei Erscheinungen, oben steht Christus mit den fünf blutenden Wunden inmitten der elf Apostel, wieder ohne einen bestimmten Hinweis auf den Text, doch dürfte es sich, da die Thomasszene folgt, um die Erscheinungen Joh 20,19–23 handeln. Vom 15. Jh. an ist die Darstellung noch seltener als vorher. Die Szene wird nun in einen sakralen oder profanen Innenraum verlegt, vor dessen verschlossener Tür Christus steht. Ein Gemälde der Augsburger Schule, um 1470, *Abb. 336,* hebt die Spendung des Geistes hervor. Statt des Hauches ist hier die Taube dargestellt. Dagegen ist auf einer Tafel

des Heisterbacher Altars, 2. Viertel 15. Jh., *Abb. 338,* das Vorweisen der Wunden betont, ebenso auf einer Predellendarstellung Lucca Signorellis, um 1515, im Institute of Art, Detroit. Zum Mömpelgarter Altar, *Abb. 339, siehe unten.*

Die Erscheinung vor den elf Jüngern. Mk 16,14–20, Lk 24,36–49. Wie im letzten Abschnitt schon gesagt wurde, lassen sich die Erscheinungen vor den zehn Jüngern nach Johannes und die vor den elf Jüngern nach Lukas nicht immer klar abgrenzen, da die Motive, die die entsprechenden Texte kennzeichnen, oft fehlen und die Zahl der dargestellten Jünger schwankt. So stehen auf einer Tafel der Tür von S. Sabina, Rom, 432, *Abb. 320,* nur drei Jünger vor Christus – falls die übliche Deutung des Reliefs als Erscheinung des Auferstandenen überhaupt stimmt. Auf dem Sarkophag von Servannes sind es vier. Für diese Erscheinung wird im allgemeinen die asymmetrische Komposition verwandt. Auf dem Silberbehälter, um 820, befindet sich außer der Darstellung, *Abb. 321,* noch eine weitere Erscheinung: Acht Jünger stehen in einer von Petrus angeführten Gruppe vor Christus, der eine Hand erhebt, die andere senkt und auf eine geöffnete Tür weist. Es kann damit die Aufforderung, mit ihm nach Bethanien zu gehen, Lk 24,50, gemeint sein[40]. Diese asymmetrische Komposition ist auch auf dem englischen Einzelblatt zu finden, *Abb. 288 links, untere Hälfte:* Einmal gehen fünf Jünger dem Auferstandenen entgegen, das andere Mal acht, von denen Petrus den Arm Christi ergreift, um die Wunde Christi zu betrachten. Auf diesem englischen Zyklus ist auch die Unterweisung der Jünger, Lk 24,46–48, als Sonderszene wiedergegeben, *vgl.* hierfür auch *Abb. 331 a unten.*

Neben den schon erwähnten symmetrisch angeordneten Erscheinungen der Elfenbeinplatte von Salerno und des Altars von Duccio in Siena weisen diese Werke noch eine zweite Darstellung, mit elf Jüngern, auf, für die das asymmetrische Schema benützt ist; besondere Merkmale fehlen jedoch. Charakteristisch für die Erscheinung nach Lukas ist die Frage Christi: »Habt Ihr nichts zu essen?«, auf die hin die Jünger ihm Fisch und Honig vorlegen, wovon er vor ihnen ißt, um sie wie

---

40. J. Wilpert, Mosaiken und Malerei II, S. 903 f.

durch das Wundenvorweisen davon zu überzeugen, daß er es wirklich ist und es sich nicht um eine Vision oder ein Gespenst handelt. Nach Markus erscheint der Auferstandene, als die Jünger bei Tisch saßen, und schilt ihren Unglauben. Diese Version wird in der Regel so dargestellt, daß Christus mit sprechender Geste zu den Jüngern, die am gedeckten Tisch sitzen, herantritt, *Abb. 334 oben* und *337*. Es kann aber auch ein dem Abendmahl nachgebildetes Mahl gegeben sein, an dem Christus teilnimmt, wie z. B. im Hortus Deliciarium der Herrad von Landsberg, 2. Hälfte 12. Jh., wo der alte östliche Darstellungstypus des letzten Abendmahls mit Sigma und seitlichem Polstersitz für Christus übernommen ist *(vgl. Bd. 2, Abb. 67–72)*. Die Erscheinung beim Mahl ist hier kombiniert mit der Himmelfahrt. Auf einer der Illustrationen im Egbert-Codex sitzen die Jünger auf einer Bank, ein Tuch liegt als Ersatz für einen Tisch über ihren Knien, *Abb. 380* (vgl. das Abendmahlsbild, *Bd. 2, Abb. 77*). Christus tritt von der Seite hinzu. In der englischen Handschrift, 1120–1140, *Abb. 332*, schließt mit dieser Szene nach Markus der Erscheinungszyklus, der zwei Seiten einnimmt, ab. Brot und Fisch sind die Speisen.

Im Anschluß an den Lukastext wird ebenfalls das Darreichen von Fisch und Honig wiedergegeben. Das Motiv reicht in die karolingische Kunst zurück. Das Elfenbeinrelief Anfang 9. Jh., ehemals Darmstadt, *Abb. 276*, übernimmt in diese Szene den vorderen Teil einer Stadtmauer mit dem verschlossenen Tor und zeigt Christus inmitten der elf Jünger stehend, von denen Petrus und ein anderer die Speisen darreichen. Die Elfenbeinplatte, 9./10. Jh., Paris, *Abb. 307*, gibt das Hauptmotiv ebenso wieder, verzichtet aber auf einige Jünger und gibt die symmetrische Komposition auf. Die Mauer und somit der Hinweis auf den Innenraum fehlen; das entspricht dem Lukastext, der keinen Ort für die Erscheinung erwähnt. In der weiteren Entwicklung sind drei Bildformulierungen des lukanischen Sondermotivs zu beobachten. Bei der asymmetrischen Darstellung reicht in der Regel Petrus die Speise, *Abb. 288 rechts unten* und *357 oben*, Gebetbuch der hl. Hildegard um 1190. Bei der symmetrischen sitzt Christus in frontaler Haltung hinter einem Tisch, und von beiden Seiten treten zwei Jünger mit Fisch und Honig heran, *Abb. 332 rechts oben*. Der Egbert-

codex, der die Erscheinung des Auferstandenen nach Markus und nach Lukas wiedergibt, zeigt Christus und die beiden Jünger bei der Darreichung der Speise stehend, *Abb. 333*. Der symmetrischen Dreiergruppe sind noch zwei Jünger hinzugefügt. Auf dem Auferstehungszyklus der Farfabibel, 1. Hälfte 11. Jh., *Abb. 287*, folgt die Darreichung der Speisen auf die Erscheinung Christi inmitten der sehr erregten Jünger. Christus sitzt auf einer hohen Bank und ist etwas nach links zwei Aposteln zugewandt, während auf der anderen Seite neun Apostel stehen. Die dritte Bildform fügt die Darreichung von Fisch und Honig einem gemeinsamen Mahl ein, das dem Abendmahl nachgebildet ist. Auf dem Tafelkreuz in Pisa *(vgl. Gesamt Band 2, Abb. 499)* folgt auf das Emmausmahl eine Darstellung, die die Erscheinung des Auferstandenen, das gemeinsame Mahl und die Darreichung von Fisch und Honig verbindet, *Abb. 330*. Zu diesem Mahl mit dem Auferstandenen gilt das oben zum Emmausmahl Gesagte.

Im späten Mittelalter kommen die Erscheinungen vor den Jüngern auch manchmal auf Altartafeln oder Schnitzaltären und weiter vereinzelt in Handschriften und in der Druckgraphik vor. So enthält zum Beispiel der Gisle-Codex, Mitte 14. Jh., neben anderen Erscheinungen mehrere vor den Jüngern. Dasselbe gilt auch für den Osterteppich des Klosters Lüne bei Lüneburg, 1503. Ein Bildfeld des Mömpelgarter-Altars, 1525–1530, Wien, *Abb. 339*, zeigt zwei Szenen. Auf diesem Altar steht, wie schon erwähnt, unter dem Einfluß der Reformation, auf jeder Tafel zu der bildlichen Darstellung der biblische Text in der Lutherübersetzung mit der Angabe der Parallelstellen. Über die Erscheinung vor den zehn Jüngern ist Joh 20,19–23 zu lesen; darunter ist auf Mk 16 und Lk 24 verwiesen. So werden im selben Raum die Erscheinung vor den Jüngern und das gemeinsame Mahl gleichfalls mit zehn Jüngern dargestellt, bei welchem Christus jedoch nicht das Brot bricht, sondern die Jünger unterweist. Die Bekleidung Christi lediglich mit dem Mantel steht in Parallele zu dem gleichzeitigen Auferstehungsbild. Durch die Raumöffnungen ist der Blick in eine Landschaft freigegeben. Der einsame Wanderer ist vermutlich Thomas. Bei der Erscheinung sind den Jüngern zwei Bürger hinzugefügt, mit denen die von der Reformation in neuer Weise gesuchte Vergegenwärtigung der biblischen Begegnung mit Christus im persönlichen Glaubensleben zum Ausdruck gebracht ist. Auf einem Flügel eines flandrischen Altars um 1520 der Pfarrkirche in Linnich bei Jülich (Niederrhein) ist bei der Erscheinung des Auferstandenen, der die Osterfahne in der Hand hält, auf das Mahl nur durch eine Schüssel mit dem Fisch, die ein Jünger hält, hingewiesen (Abb. 31 RDK-Artikel).

Der ungläubige Thomas. Joh 20,24–29. In der Geschichte von der Erscheinung vor Thomas sind Ort und Erscheinungsweise Christi die gleichen wie in der vorangehenden Perikope. Christus kommt am achten Tag wieder durch die verschlossene Tür zu den Jüngern. Diesmal ist Thomas zugegen, und Christus fordert ihn auf, seine Seitenwunde zu berühren, um ihn zu überzeugen, daß er der Gekreuzigte, der vom Tode erstand, sei. Die Antwort des Thomas ist ein Bekenntnis zu Christus: »Mein Herr und mein Gott.« Die Geschichte endet mit dem Wort des Herrn: »Dieweil Du mich gesehen hast, Thomas, glaubst Du. Selig sind die, die nicht sehen und doch glauben.« Der Text sagt nicht, ob Thomas der Aufforderung Folge leistete und seine Hand in die von der Lanze gerissene Wunde des Herrn gelegt hat.

Thomas ist innerhalb der Auferstehungsgeschichten eine zentrale Gestalt, an die sich von früher Zeit an viele exegetische Betrachtungen der Kirchenväter im Osten und Westen knüpfen[41]. Bei Origenes und der gesamten alexandrinischen Theologie wird der Unglaube des Thomas nicht getadelt, sondern als Betrübnis über die Zurücksetzung gegenüber den anderen Jüngern, denen der Auferstandene erschienen war, erklärt. Die Thomasgeschichte gibt auch Anlaß, das Problem der Identität von Passions- und Auferstehungsleib Christi zu erörtern; sie wird, wenn auch verschieden akzentuiert, eindeutig bejaht. Die alte Kirche legt auf die Feststellung, daß Thomas tatsächlich den Herrn berührt hat, Wert, während sich die mittelalterliche Theologie diese Frage kaum noch stellt. Das Problem der Spendung des Geistes an Thomas beschäftigt die östlichen und lateinischen Theologen. Sie bejahen sie, da der Geist nach Joh 20,22 den Jüngern insgesamt verliehen wurde, so daß Thomas, obwohl er nicht dabei war, daran Anteil hat. Daraus wird gefolgert, daß er deshalb im Gegensatz zu Maria Magdalena den Herrn berühren durfte. Schon bei Cyrill von Alexandrien († 444) klingt in einer Exegese von Joh 20,26 f. die eucharistische Auslegung der Thomasszene an, die später in der Theologie keine besondere Rolle spielt, aber in der spätmittelalterlichen Frömmigkeit zum Ausdruck kommt. Cyrill setzt die Erscheinung des Auferstandenen durch die verschlossene Tür mit der Eucharistiefeier in Analogie, bei der die Türen geschlossen werden, Christus aber hindurchdringt und unsichtbar als Gott, sichtbar im sakramentalen Leib allen erscheint. Er erklärt, daß der Herr uns bei der Eucharistie seinen Leib zur Berührung überläßt, wie ihn Thomas berühren durfte[42]. In dem Bekenntnis des Thomas ist einhellig ein Bekenntnis zur Auferstehung gesehen worden, während das tadelnde Wort des Herrn, Vers 29, das die frühe Diskussion beschäftigte, das Mittelalter nur noch wenig interessierte. Die Frage, warum Thomas am Auferstehungstag nicht bei den Jüngern war, ist im allgemeinen dahin beantwortet worden, daß er noch nicht aus der Zerstreuung der Jünger nach der Kreuzigung Christi zurückgekehrt sei.

Die intensive Beschäftigung der Alten Kirche mit der Thomasgeschichte macht es verständlich, daß diese Szene zu den frühen Bildmotiven der christlichen Kunst zählt. Die Begegnung des Thomas mit dem Auferstandenen ist zusammen mit den zwei Frauen am Grab auf einem Sarkophag von S. Celso in Mailand, 2. Hälfte 4. Jh., als Pendant zur Geburt Christi und den drei Magiern, die den Stern sehen, gezeigt, *Abb. 341;* in der Mitte ist die Traditio legis dargestellt. Ebenso findet sich das Thema auf einem der vier Londoner Elfenbeintäfelchen um 420–430, oberitalienisch, *Abb. 340,* und im oberen Mosaikzyklus der Südwand in S. Apollinare Nuovo in Ravenna, 520–526, *Abb. 342.* Auf diesen Darstellungen hebt Christus den einen Arm hoch und schiebt mit der anderen Hand das Gewand

---

41. Hiermit beschäftigt sich eine Hamburger Diss. von U. Pflugk, Die Geschichte vom ungläubigen Thomas in der Auslegung der Kirche von den Anfängen bis zur Mitte des 16. Jh., Maschinenschrift.

42. U. Pflugk, Die Geschichte vom ungläubigen Thomas, Hamburg, S. 54 f.

etwas zur Seite, so daß die Seitenwunde sichtbar wird. Es sind von Anfang an zwei verschiedene Momente der Geschichte dargestellt worden. Bei den beiden zuerst genannten Werken folgt Thomas der Aufforderung des Herrn und berührt mit einem Finger die Seitenwunde; auf dem Mosaik verneigt sich Thomas ehrfürchtig – als einziger hat er verhüllte Hände. Diese Darstellungsform entspricht dem Johannestext insofern, als dieser nicht sagt, daß Thomas der Aufforderung: »Reiche deine Hand her und lege sie in meine Seite« nachgekommen sei, sondern statt dessen vom Bekenntnis spricht. Dennoch wird in der Bildgeschichte des ungläubigen Thomas deutlich, daß das Motiv der Berührung der Wunde Christi das Bestimmende ist, wenn auch durch Jahrhunderte oft nur in der Form des ausgestreckten Fingers.

Der Silberbehälter um 820, *Abb. 345*, weist noch ein drittes Motiv auf, das vielleicht auch in die frühe Zeit zurückgeht. Neben der üblichen Thomasdarstellung, *Abb. 345*, zeigt ein anderes Relief die Mahnung, mit der die Thomasgeschichte abschließt, *Abb. 348*. Es ist eine ähnliche Szene wie die oben beschriebene der Erscheinung vor den Jüngern, doch steht hier nicht Petrus vor Christus, der im Redegestus die Hand hebt, sondern Thomas, wiederum mit verhüllten Händen. Er wird in der östlichen Bildtradition meistens bartlos und jung wiedergegeben.

Für die Thomasszene im Beisein der anderen Jünger, die in der byzantinischen Kunst den Vorrang hat, herrscht die symmetrische Komposition vor. Dabei überragt Christus in frontaler Stellung die Jünger. Im Westen, wo die Zweifigurengruppe häufiger vorkommt, ist auch die größere Jüngergruppe oft asymmetrisch angeordnet, wie auf dem ersten Thomas-Relief des Silberbehälters um 820, *Abb. 345*. Diese Anordnung geht auf den ursprünglichen spätantiken Typus zurück, wie ihn der Sarkophag von S. Celso, *Abb. 341*, und das untere Bildfeld der zweiten Tafel des Mailänder Diptychons, *Abb. 268*, allerdings nur mit einem begleitenden Jünger, zeigen. Im lateinischen Mittelalter gibt es oft auch Zwischenformen, die der Zweifigurengruppe

Christus – Thomas einige Jünger hinzufügen; diese sind dann aber von der Hauptgruppe etwas abgesetzt wie im Echternacher Codex, *Abb. 351*.

Nur auf dem ravennatischen Mosaik, auf dem Londoner Elfenbeintäfelchen und auf der erwähnten Miniatur nach frühchristlichem Vorbild, wo die Thomasszene unterhalb der Erscheinung bei der verschlossenen Tür steht, *Abb. 322*, ist die Seitenwunde Christi links gegeben[43], während sie auf allen anderen Darstellungen der Erscheinung vor Thomas in Entsprechung zum Kreuzigungsbild auf der rechten Seite Christi liegt. Der Gestus des Vorzeigens der Wunde – der ostentatio vulnerum – ist für die Darstellung der Erscheinung des Auferstandenen vor Thomas in der frühchristlichen Kunst aufgrund des biblischen Textes konzipiert worden. Wir haben im 2. Band ausgeführt, wie wichtig sie später für das Weltgerichtsbild und vor allem für die Darstellung des Schmerzensmannes in den verschiedenen Bildtypen wird[44].

Von den frühen Werken unterscheidet sich die Darstellung einer der palästinensischen Ölampullen, Ende 6. Jh., *Abb. 343*, durch die Anzahl der Jünger und durch die Gestalt des Auferstandenen, der hier nicht das Gewand zur Seite schiebt, sondern das Buch demonstrativ in der Hand hält, das das Attribut des erhöhten Christus ist. Die rechte Hand ist nicht in einer großen Bewegung erhoben, sondern ergreift den Arm des Thomas und führt ihn zu seiner Seitenwunde. Die zwölf Apostel (mit Paulus), zum Teil nur als Brustbild wiedergegeben, wenden sich nicht dem momentanen Geschehen zu, sondern blicken geradeaus – abgesehen von denen, die ganz an den Rand gerückt sind. In dem erschrockenen Zurückweichen des Thomas drückt sich sein Bekenntnis aus, das als Überschrift über diese Darstellung, die über die Wiedergabe der Erzählung hinausgeht, gesetzt ist. Die Zwölfzahl der Apostel macht diese zum Sinnbild der Kirche. Das Bekenntnis des Thomas wird zu dem der Kirche. Möglicherweise geht dieses etwas grobe Werk der Volkskunst (diese Pilgerandenken sind serienweise hergestellt worden) auf ein Jerusalemer Monumentalbild zurück, was sich jedoch

---

43. Auf der Kreuzigungsdarstellung des Londoner Kästchens steht Longinus, der zum Lanzenstoß anhebt, auch links von Christus, *vgl. Bd. 2, Abb. 323.*

44. Bd. 2, S. 215 ff., und E. Panofsky, Imago pietatis, Festschrift für M. Friedländer, Leipzig 1927, Anhang.

nicht beweisen läßt[45]. Für die Apostelkirche beschreibt Mesarites (siehe oben) die Erscheinung Christi vor Thomas im Beisein der anderen Jünger. Wenn auch diese Schilderungen für die Rekonstruktion der zerstörten Werke nicht zuverlässig genug sind, so besagen sie doch, welche biblischen Szenen in der Monumentalkunst des 6. Jh. in Konstantinopel dargestellt wurden.

Auf dem Londoner Elfenbeinrelief *Abb. 340,* steht Thomas ruhig vor dem Herrn, beide blicken einander an. Der Sarkophag, das Mosaik und die Ampulle geben dagegen Thomas in einer Schrittstellung wieder; er tritt aufgrund der Aufforderung des Herrn zu ihm heran. Durch die Übersteigerung des Schrittes wird die Figur des Thomas auf dem Silberkasten zu einer Ausdrucksgebärde des inständigen Wunsches und zugleich der Scheu bei der Gewährung.

Das ravennatische Mosaik setzt in den abstrakten Goldgrund seitlich die verschlossene Tür, durch die Christus in den Raum getreten ist. Dieses Motiv spielt in der Exegese vor allem im Osten eine Rolle und tritt deshalb in der östlichen Kunst oft sehr auffallend in Erscheinung. In der mittelbyzantinischen Epoche wird diese Tür in die Bildmitte gerückt und dadurch zu Christus in unmittelbare Beziehung gebracht, wie auf der Thomasminiatur im Lektionarfragment aus Trapezunt, Mitte oder Ende 10. Jh., Leningrad, *Abb. 347.* Christus zeigt dem Jünger seine Hand und öffnet zugleich das Gewand. Thomas streckt zögernd den Finger aus, aber berührt den Auferstandenen nicht. Die Darstellung bezieht wie die palästinensische Ampulle Paulus ein und setzt damit die Jünger mit den Aposteln und mit der Kirche gleich, wie es im östlichen Himmelfahrts- und Pfingstbild ebenfalls geschieht. Zu beiden Seiten Christi stehen Petrus und Paulus, die durch die Tonsur bzw. den dunklen spitz zulaufenden Bart charakterisiert sind. Das breite verschlossene Tor ist nach beiden Seiten durch Mauern ergänzt, so daß ein hinterer Raumabschluß entsteht. Das Thomasmosaik in S. Marco, Venedig, um 1200, *Abb. 349,* das unterhalb der Darstellung der Anastasis steht und an die Erscheinung des Auferstandenen vor den zwei Frauen anschließt, fügt der Tür einige Stufen hinzu, die Christus einen höheren Standort geben; das Herabschreiten

macht sein Kommen zu den Jüngern anschaulich. Dieser monumentalen Darstellung gehen in der mittelbyzantinischen Epoche die von Hosios Lukas, um 1025, und Daphni, 1080–1100, voraus; in Italien sind sehr viel frühere bekannt: S. Maria Antiqua, Rom, unter Johannes VII. 705–707, Cimitile um 900 und S. Angelo in Formis 2. Hälfte 11. Jh. Es ist zu vermuten, daß bei der Bedeutung, die die Thomasszene hatte, viel mehr Monumentaldarstellungen existierten.

Die abendländische Kunst entwickelt reichere Architekturformen. Das Tor kann eine Kuppel erhalten: Elfenbein aus Narbonne, Anf. 9. Jh., *Bd. 2, Abb. 368 rechts unten,* oder zur Kirche umgedeutet werden, Aachener Buchdeckel, Anf. 9. Jh., *Abb. 331 links oben,* bzw. durch die Hinzufügung einer nach vorn geführten Mauer eine Erweiterung zu einer Stadt ergeben, Fresko in Cimitile um 900. Ein ottonisches Elfenbeinrelief, Weimar, um 1000, *vgl. Abb. 485 unten,* verlegt das verschlossene Tor mit Kuppel nach vorn, setzt zwischen die Stadtmauer Türme und an die Stelle der hinten liegenden Tür eine Giebelarchitektur, die baldachinartig die Christus-Thomas-Gruppe von den anderen Jüngern abhebt. Wie auf der Ampulle und im Lektionarfragment in Leningrad durch die Einfügung des Paulus der Kreis der Jünger die Kirche repräsentiert, so hier die Einbeziehung der Maria-Ekklesia.

Die süditalienische Kunst kennt in dieser Zeit außer der verschlossenen Tür hinten auch die barrikadenartige Mauer mit der verriegelten Tür vorn, Elfenbeinrelief Salerno, 2. Hälfte 11. Jh., *Abb. 350,* Exultetrolle Nr. 3, Troia, 12. Jh. Eine spätere Ikone des Meteoraklosters, 1367–1384, *Abb. 352,* fügt nach hinten der verschlossenen Tür, auf deren Stufen Christus steht und sich weit nach vorn zu Thomas beugt, eine Stadtarchitektur an.

Im 12. Jh. werden in der abendländischen Kunst die Raumangaben immer abstrakter: Der Zyklus der englischen Handschrift in Cambridge, *Abb. 291,* stellt die verschlossene Tür neben die symmetrisch angeordnete Gruppe, im Perikopenbuch aus St. Erentrud, Salzburg, um 1140, *Abb. 354,* ist die Stadtmauer mit zwei verschlossenen Türen an der Seite identisch mit der Bildumrahmung, ebenso auf einer Kölner Elfenbeintafel, 2. Hälfte 12. Jh., *Abb. 358.* Vielfach ist jedoch auf jede Angabe des verschlossenen Innenraumes verzichtet

45. Siehe Grabar, Martyrium II, S. 190.

worden. Ein Diptychontäfelchen des Echternacher Meisters, um 990–1000, *Abb. 346*, stellt Christus auf einen
architektonischen Sockel, der an ein Kirchengebäude
erinnert. Thomas streckt sich nach oben zum erhöhten
Herrn, um der Gnade des Erkennens teilhaftig zu werden, auf dem 2. Diptychonflügel desgleichen Mose, um
das Gesetz von Gott zu empfangen.

Wie in der Kunst des Ostens hat auch in der abendländischen Kunst die Darstellung des ungläubigen Thomas eine Vorrangstellung; sie vertritt manchmal allein
die Erscheinungen und folgt auf die Darstellungen der
Frauen am Grabe, karolingische Elfenbeintafel aus
Narbonne *Bd. 2, Abb. 386*. Die streng symmetrische
Anordnung, die Thomas nicht von der Gruppe absetzt
und, wie eine Miniatur im Albanipsalter, *Abb. 355*,
Christus mit erhobenen Händen wiedergibt, bedeutet
vermutlich eine Zusammenziehung der Erscheinungen
bei der verschlossenen Tür und vor Thomas. Im Auferstehungszyklus dieses Psalters fehlt die erste Erscheinung. Auf der Exultetrolle 3 in Troia ist sie in einer
ausgesprochen zeremoniellen Form der Thomasdarstellung vorangestellt.

Die frontale Stellung Christi ist im Mittelalter in
der Regel auch für die asymmetrische Komposition und
für die Zweifigurengruppe beibehalten worden, wenn
sie auch durch den Grad der Zuwendung zu Thomas
etwas variiert wird. Am häufigsten kommt die Christusgestalt mit dem in einer großen Geste erhobenen
rechten Arm vor; manchmal ist dieser über das zu
Thomas geneigte Haupt Christi zurückgebogen, *Abb.
341, 346,* manchmal übergreift er Thomas, *Abb. 352
und 288, Bildzone 4, Mitte*. Das Vorweisen der Hand
Wundmale, sei es durch die beiden erhobenen Hände,
Abb. 291, 353, 355, oder durch das Darreichen der
Hand, *Abb. 347, 288,* ist auch in der Thomasszene selten, da sich die ostentatio vulnerum auf die Seitenwunde konzentriert.

Auf der kleinen Darstellung der P-Initiale im Drogosakramentar, *Abb. 344*, ist die rechte Brust des Auferstandenen ganz entblößt[46]. Doch setzt sich dieses
neue Motiv nur allmählich durch – vielleicht, weil ab

46. Vielleicht eine Parallele zu den karolingischen Kreuzigungsdarstellungen, die Christus nur mit dem Lendenschurz bekleidet zeigen?

gesehen von der Erhebung des Armes auch durch das
Wegschieben des Gewandes als eine zweite Handlung
die Aufforderung Christi an Thomas mehr hervorgehoben wird, als wenn die Seite entblößt ist. Auf einer
englischen Miniatur des 11. Jh., *vgl. Abb. 311*, reißt
Christus sogar mit beiden Händen das Gewand auf
und blickt dabei erbarmungsvoll und zugleich abwartend auf den Jünger. Aus ganz verschiedenen Kunstkreisen sind jedoch vom Ende des 10. Jh. an schon eine
Reihe von Beispielen für die Wiedergabe der entblößten linken Brust Christi bekannt, die zum Teil älter
sind als die Darstellungen des aus dem Grab Auferstehenden mit dieser Gewanddraperung. Mehrfach
ist allerdings das alte Motiv des Gewandöffnens beibehalten. Siehe hierzu folgende Abbildung: Echternacher Elfenbeinrelief um 990, *Abb. 346*, Miniaturen
der Salzburger Schule im Evangeliar aus St. Peter,
Mitte 11. Jh., *Abb. 359*, und im Perikopenbuch aus
St. Erentrud um 1140, *Abb. 354*, die Wiltener Patene,
1160–1170, *Abb. 275*, die englischen Miniaturen, *Abb.
288, 291, 353,* ein kölnisches Elfenbeinrelief, 2. Hälfte
12. Jh., *Abb. 358*, die katalanische Miniatur, 1. Hälfte
11. Jh., *Abb. 287*, und das nordspanische Steinrelief,
1085–1100, *Abb. 360*. In Italien ist das alte Motiv des
Gewandschlitzes noch im 14. und 15. Jh. zu finden,
Abb. 362, 368.

Die Bewegungen, in denen Thomas dargestellt ist,
sind im Abendland je nach den Vorlagen und dem beabsichtigten Ausdrucksgehalt differenziert. Der große
Schritt, der auf dem ravennatischen Mosaik im Zusammenhang der Proskynese steht, ist auf dem Silberbehälter um 820, *Abb. 345*, und auf einer englischen
Miniatur Ende 12. Jh., *Abb. 353*, zu finden. Für die
abendländische Darstellung ist der kniende Thomas
typisch, den wohl zuerst das Salzburger Evangeliar um
1050 zeigt, *Abb. 359*. Nach mehreren Zwischenformen
des Kniens gibt der Marienschrein in Tournai, vollendet 1205, diese Haltung in sehr ausgeprägter Form
wieder. Vergleiche Maria Magdalena auf demselben
Werk, *Abb. 290*.

Eine wirkliche Proskynese zeigt das englische Einzelblatt, *Abb. 288*, in der zweiten Thomasszene beim Bekenntnis, wobei die Berührung der Füße nicht nur auf
den Einfluß der byzantinischen Darstellung der Erscheinung vor den Frauen zurückgeht, sondern wie dort

Berühren der Fußwunden bedeutet, siehe unten. Das Spruchband und der Sprechgestus Christi beziehen sich auf sein letztes Wort an Thomas; ein Schriftband in der Hand des Jüngers auf dessen Bekenntnis, *vgl. Bd. 2, Abb. 476 rechts.* Diese besonderen Hinweise auf das Bekenntnis des Thomas sind selten. Man hat aber bei vielen Darstellungen, vor allem dann, wenn sich Christus und Thomas ansehen oder Thomas zurückweicht oder zögert, den Eindruck, daß nicht der Zweifel des Thomas den Gehalt des Bildes ausmacht, sondern der Jünger schon durch die Begegnung mit dem Herrn zum Glauben kommt und es der Berührung der Wunde nicht bedarf. Es gibt eine Reihe von Nuancen der Handbewegung des Thomas. Das Hineingreifen in die Wunde ist im Mittelalter ganz selten und nicht vor Mitte des 13. Jh. dargestellt worden. Selbst beim Tympanonrelief der Thomaskirche in Straßburg um 1230, *Abb. 361,* wo Christus den Arm des Thomas führt, berührt der Jünger nur die Wunde. Auf der Miniatur im Evangeliar aus St. Martin in Köln, um 1250, *Abb. 356,* faßt er jedoch in die blutende Wunde (vgl. dazu Bd. 2, Kap. Schmerzensmann), während sein Blick den des Herrn trifft, und auf dem Fresko des Auferstehungszyklus Cavallinis in Neapel um 1320, *Abb. 362 Ausschnitt,* legt er die Hand in sie.

Für das mittelalterliche Bild des Thomas ist der diesem Jünger gewidmete Abschnitt in der im späten 13. Jh. niedergeschriebenen »Legenda aurea« des Jacobus a Voragine aufschlußreich. Der Bischof von Genua greift bei seinen Schilderungen auf die damals lebendigen Überlieferungen zurück. Vor der Erzählung der Vita des Thomas, den sein Weg nach Indien geführt haben soll, stellt er, wohl angeregt durch die Namensexegese der Kirchenväter, Betrachtungen über den Namen Thomas an. Es fällt auf, daß dabei überhaupt nicht auf den Zweifler angespielt, sondern im Gegenteil von seiner Gottesliebe gesprochen wird. Unter anderem sagt der Verfasser: »Oder Thomas heißt soviel wie *totus means:* einer, der gänzlich wandelt, nämlich

in Gottes Liebe und in seinem Anschauen ... Was ist Gottes Liebe anderes, denn in der Seele sein Anschauen inniglich begehren[47].« Darin klingt nicht nur die Exegese der alexandrinischen Väter an, sondern auch die Bedeutung, die man den sog. Thomasakten zumaß. Im 3. Jh. brachte man eine Sammlung von geheimen, d. h. nicht in den Evangelien festgehaltenen Jesusworten mit Thomas in Verbindung und schloß daraus, daß er von Jesus, als dessen Zwillingsbruder er in einigen Redaktionen dieser Thomasakten genannt wird, außerhalb des Jüngerkreises unterwiesen wurde. In der syrischen Fassung heißt es Kap. 39: »Zwillingsbruder Christi und Apostel des Höchsten, der du teilgehabt hast am geheimen Wort des Lebensspenders und die verborgenen Mysterien des Sohnes Gottes empfangen hast[48].« Offenbar ist die Tradition, die in Thomas nicht nur einen unter den Aposteln hervorragenden Zeugen der Auferstehung, sondern ebenso einen von Christus durch die Gewährung der Berührung seiner Todeswunde Ausgezeichneten sah, durch die Mystik verlebendigt worden. Bei der Tendenz der damaligen Frömmigkeit, die Passion, vor allem die Wunden Jesu und das Blut des Erlösers im Zusammenhang der Eucharistie zu sehen, ist auch Thomas – vorwiegend in Norddeutschland – als Spender des Sakraments verehrt worden. In der Fassung der Thomaslegende des Hermann von Fritzlar (1343–1349), der sich auf eine ältere Quelle beruft, heißt es: »An dem heiligen Ostertage gibet sente Thomas selber mit seiner hant den lüten gotes Lichnam[49].« Auf dem von den Nonnen des Klosters in Wienhausen bei Celle gestickten Thomasteppich, 1380, schließt die in drei Streifen dargestellte Vita des Apostels mit der Darstellung eines Altars, auf dem der Kelch steht und vor dem Thomas die Gläubigen speist. Darüber ist zu lesen: »unde gyft em den hilgen«. Wienhausen besitzt auch eine kleine Figur des Thomas im liturgischen Gewand, der einen Kelch und ein Buch in Händen hält[50]. Aus einer Christus-Thomas-Gruppe auf dem Türflügel eines Sakramentsschrankes aus Arnstadt, Mitte 14. Jh.,

---

47. Zitat nach R. Benz, die Legenda aurea des Jacobus a Voragine, Heidelberg, o. J., S. 38.

48. Durch den Handschriftenfund 1945 bei Nag Hamadi konnten über die älteste Thomasüberlieferung und die mit seinem Namen verbundenen apokryphen Schriften neue Er-

kenntnisse gewonnen werden. Siehe Hennecke-Schneemelcher I, 202–223, das wiedergegebene Zitat nach S. 206.

49. Franz Pfeiffer, Deutsche Mystiker des vierzehnten Jahrhunderts I, Leipzig 1845, S. 25.

50. Siehe zu dieser Thomasdeutung: H. Appuhn, Der

Landesgalerie Hannover, *Abb. 363*, geht diese zweifache Thomas-Auffassung deutlich hervor. Die Tatsache der Verbindung mit einem Sakramentsschrank verweist auf den Bezug zum Sakrament, die liebevolle Weise, mit der Christus den Jünger an sich zieht, ihn anblickt und seine Hand zur Wunde – dem Quell des Heils – führt, läßt den Geist der Mystik des 14. Jh. erkennen, der das Bild des ungläubigen Thomas zu einem Bild der Gemeinschaft des Jüngers mit dem Auferstandenen umwandelt, in dem die Gottesliebe des Jüngers ebenso wie die des Herrn zu ihm zum Ausdruck kommt. Wenn man sich klarmacht, daß die Erscheinung des Auferstandenen vor Thomas auch als eine Auszeichnung des Jüngers, »der sein Anschauen inniglich begehrt«, verstanden worden ist, so wird der Gefühlsgehalt mancher Darstellung verständlich, der im Widerspruch zu der Bezeichnung »ungläubiger Thomas« steht.

Das bedeutendste Bildwerk, das neben dem Vesperbild unter dem Einfluß der Mystik, die die Vereinigung der Seele mit Gott sucht, entstand, ist die schon erwähnte Christus-Johannes-Gruppe, die sog. »Johannesminne«. Von ihr ausgehend ist Mitte des 14. Jh. eine Christus-Thomas-Gruppe für die Thomaskirche in Landerzhofen bei Hilpoltstein (Mittelfranken) gearbeitet worden, die beide Figuren im gleichen Brokatgewand nebeneinander sitzend mit dem Umarmungsmotiv zeigt, *Abb. 365*. Dagegen sind die späteren plastischen Werke nicht von der Johannesminne abhängig, sondern übertragen die Zweiergruppe in die Vollplastik. Bei einer niederbayerischen Holzskulptur um 1520, *Abb. 367*, blickt Thomas unverwandt zu Christus auf, während dieser seine Hand führt (vgl. den Holzschnitt der Großen Passion Dürers, vollendet 1510. Eine weitere Holzgruppe vom Ende des 15. Jh. befindet sich im Suermondtmuseum zu Aachen.). Der Thomas der bekannten Gruppe an der Außenseite von Orsanmichele des Verrocchio, vollendet 1480, *Abb. 368*, betrachtet sinnend die Wunde des Auferstandenen. Der italienische Renaissancemeister kehrt zu der jugendlichen Gestalt des Thomas, die die byzantinische Kunst bevorzugt, zurück, ebenso zeigt er wieder das Öffnen des Gewandes, das nördlich der Alpen im 15. Jh. nicht mehr vorkommt, da sich die Gestalt des Auferstandenen mit dem offenen, manchmal mit einer Spange oben gehaltenen Mantel aus dem Bild der Auferstehung

Christi aus dem Grabe für die Thomasdarstellung durchgesetzt hatte.

Gleich einer himmlischen Vision wird die Thomasszene auf der Mitteltafel des Thomasaltars in Köln, um 1499, *Abb. 364*, in einer regenbogenfarbenen Glorie inmitten von vier Heiligen gezeigt: Helena mit dem Kreuz, Maria Magdalena mit der Salbendose, Hieronymus und Ambrosius, die beide das Wirken des Thomas in Indien überliefern. Auf der Himmelswiese musizieren zwei Engel, und über Christus singen drei weitere den Lobgesang. Christus, in dessen Wunde Thomas greift, ist zu Gott-Vater und der Taube des Heiligen Geistes in Beziehung gesetzt, doch ebenso zu dem Altartisch und der Monstranz oder besser: zu der Gemeinde, die am Altar den Leib des Herrn empfängt. Sie wird auf dem Bild durch Thomas vertreten, dessen Hand vom Auferstandenen zum Heil geführt wird[51]. Im Gegensatz zu diesem Kölner Altar ist das Thomasbild des Mömpelgarter Altars, 1525–1530, *Abb. 366*, für die der Reformationskunst eigene Vergegenwärtigung des biblischen Geschehens typisch. Die Zeitgenossen (oft bestimmte Reformatoren) sind mit den Jüngern identifiziert und durch die Teilnahme an der Begegnung des Auferstandenen mit Thomas, der auf diesem Bild der Zweifler und Skeptiker ist, selbst nach ihrem Bekenntnis zum Auferstandenen gefragt.

Caravaggio, der Wirklichkeitsfanatiker der italienischen Barockmalerei, gleicht auf einem Gemälde von 1595, Potsdam, *Abb. 369*, zwei der Jünger an Thomas an, die ebenso wie er mit gerunzelter Stirn und äußerster Anspannung erforschen wollen, ob der vor ihnen stehende lebende Herr derselbe ist, der am Kreuze starb und durch die Lanze verwundet wurde. Das Thomasthema ist in dieser Zeit selten geworden, sogar unter Rembrandts Gemälden ist nur ein Frühwerk aus seiner pathetischen Epoche und für das 19. Jh. ein Gemälde von Delacroix, Köln[52], zu nennen. Zum Expres-

---

Auferstandene und das Heilige Blut zu Wienhausen, in: Niederdeutsche Beiträge zur Kunstgeschichte, I, 1961, S. 90—96. Teppich, Abb. 73 und 74. Weitere Abbildungen bei M. Schütte, 1927, I, Tf. 21 ff.

51. Vgl. Bd. 2, S. 210 ff. Zu dem Altar siehe R. Wallrath, Der Thomas-Altar in Köln, in: Wallraf-Richartz-Jb. XVII, 1955, S. 165—180.

sionismus gehört eine bedeutende Christus-Thomas-
Gruppe, eine Holzskulptur von Barlach im Barlach-
haus Hamburg, die nicht unerwähnt bleiben darf. Sie
löst sich von der traditionellen Ikonographie. Thomas,
nicht nur vom Zweifel, sondern auch von der Verlorenheit und dem Leiden an der Welt gezeichnet, legt seine
Hände auf die Schultern des Herrn wie einer, der
heimkommt und den Bruder gefunden hat.

Die Erscheinung am See Tiberias. Joh 21,1–17. Der
Text schildert mehrere Vorgänge: Sieben Jünger fahren
auf den See Tiberias (See Genezareth), um zu fischen,
fangen aber nichts, bis sie am Morgen von Christus,
der sie am Ufer erwartet, aber von ihnen nicht erkannt
wird, aufgefordert werden, noch einmal das Netz auszuwerfen. Nach dem nun reichen Fang erkennt Johannes Christus, und Petrus schwimmt daraufhin an das
Ufer, die anderen Jünger kommen mit dem Schiff an
Land und ziehen das Netz empor. Dieser erste Teil
enthält Züge aus den beiden Wundergeschichten: Petri
Fischzug, Lk 5,1–11, und Petri Meerwandeln (Sinken-
der Petrus) Mt 14,22–33. – Am Ufer angekommen,
sehen die Jünger Fisch und Brot auf einem Feuer, Jesus
lädt sie zum Mahl und reicht ihnen die Speise. Hier
handelt es sich um eine Parallele zu dem Mahl in Emmaus, Lk 24,30. In beiden Texten ist nichts darüber
gesagt, ob der Auferstandene mit den Jüngern das
Mahl hielt, während bei der Erscheinung vor den elf
Jüngern Christus die von den Jüngern erbetene Speise
vor ihnen aß, Lk 24,42 f. Der Evangelist schließt an
das Mahl am Ufer die dreimalige Frage Jesu: »Simon
Petrus, hast du mich lieb?« und die Aufforderung an:
»Weide meine Lämmer.« Diese wiederholte Berufung
zum Hirtenamt korrespondiert der dreimaligen Verleugnung des Jüngers. Dies wird in der Patristik ebenso
hervorgehoben, wie auch die Trauer Petri, Vers 17, die
auf die Verleugnung bezogen wird. Außerdem sah man
das Pasce oves meas in Parallele zu der Schlüsselübergabe, Mt 16,16–17. Der Fischzug unterscheidet sich von
dem lukanischen dadurch, daß Christus am Ufer steht
und sieben Jünger erwähnt sind, davon fünf namentlich. An diese Zahl hält sich die bildliche Darstellung
allerdings nicht immer. Ebenso wird oft nicht beachtet,
daß bei der johanneischen Auferstehungsgeschichte der
über das Wasser kommende Petrus nicht sinkt und

nicht von Jesus gerettet zu werden braucht, wie dies
in der lukanischen Geschichte vom sinkenden Petrus
der Fall ist, *Abb. 375.*

Bei der Darstellung des ersten Teils kann der Akzent
auf dem reichen Fischfang liegen: Die auf ein spätantikes Vorbild zurückgehende Miniatur in einer Handschrift des frühen 9. Jh., *Abb. 372,* die nur fünf Jünger
zeigt, von denen drei das Netz an Land ziehen, verzichtet auf das Petrusmotiv, *siehe auch Abb. 376 und
377,* beide Darstellungen aus dem 12. Jh. Oder das
Hauptinteresse richtet sich auf Petrus, der an das Ufer
strebt. Dabei kann die Darstellung des Fischfangs fehlen, *Abb. 375.* Nach der byzantinischen Tradition
schwimmt Petrus, nach der abendländischen geht er
über das Wasser. Der Auferstehungszyklus der Farfa-
bibel, 1. Hälfte 11. Jh., *Abb. 287,* verzichtet bei der
Erscheinung am See Tiberias auf das Petrusmotiv, er
bringt es in einer anderen Form bei der Darstellung
des Mahles. Die erste Szene stellt nur den ergebnislosen
Fischfang dar. Das leere Netz hängt über dem kasten-
förmigen Boot. Die Fische im Meer schwimmen zu
Christus hin, der am Ufer steht und den Befehl gibt,
noch einmal das Netz auszuwerfen. Bei der folgenden
Darstellung des Mahls trägt Petrus das volle Netz
herbei, so daß sich in diesen beiden Motiven der ergeb-
nislose und reiche Fischfang gegenüberstehen.

Viele Darstellungen beschränken sich auf die Wiedergabe des ersten Teiles des Textes, wenn sie nicht überhaupt nur eines der genannten beiden Motive zeigen,
andere nehmen auch einen Hinweis auf das Mahl auf.
Geschieht dies, dann steht zu Füßen Jesu ein Rost, auf
dem ein Fisch liegt, darüber das Brot. Das Mahl oder
die Einladung zum Mahl kann in einer Bildfolge gesondert als zweite oder dritte Szene wiedergegeben
sein. Der letzte Teil, »Weide meine Lämmer« (Pasce
oves meas) genannt, ist nahezu immer gesondert dargestellt worden. Er steht seinem Gehalt nach mehr in
Beziehung zur Sendung der Apostel als zu dem Fischfang, doch verbindet ihn mit diesem die Hervorhebung
des Petrus[53].

Bei der Beschreibung der Mosaiken des 6. Jh. in der

---

52. G. v. d. Osten, Zur Ikonographie des Ungläubigen
Thomas angesichts eines Gemäldes von Delacroix, in
Wallraf-Richartz-Jb. 27, 1965, S. 371–388.

ehemaligen Apostelkirche zu Konstantinopel schildert Mesarites als getrennte Szenen den Fischfang, das Petrusmotiv und das Mahl, bei dem Christus steht[54]. Die Darstellung des sinkenden Petrus ist älter als die dieser Auferstehungsgeschichte. Sie gehört schon zu den Fresken des Taufraumes in Dura Europos, Mitte 3. Jh. Bei stark zerstörten frühen Werken, die einen Anhaltspunkt für das Petrusmotiv geben und deshalb als Erscheinung der Auferstehung am See Tiberias gedeutet worden sind, dürfte es sich um Darstellungen des sinkenden Petrus handeln[55]. Die Deutung wird oft durch die Übernahme von geprägten Bildformeln der älteren Darstellungen des sinkenden Petrus in die Auferstehungsszene erschwert, das gilt vor allem für die byzantinische Kunst. Der Fischzug nach dem Johannestext steht bis zum späten Mittelalter nahezu immer in einem zyklischen Zusammenhang von Auferstehungsgeschichten, sodann wird er manchmal Petrusszenen eingereiht. Man kann, wenn die Motive (Anzahl der Jünger, Petrusmotiv) nicht eindeutig auf die Erscheinung am See Tiberias hinweisen, die Darstellungen nur aus dem Zusammenhang bestimmen.

Der Beginn der Bildgeschichten dieser Erscheinungen wird – sieht man von der Miniatur *Abb. 372* ab – für uns erst in der karolingischen Zeit faßbar, für den Osten in der Buchmalerei des 11. Jh. Das Drogosakramentar, *Abb. 370*, das alle Perikopen der Osterwoche in Verbindung mit den Initialen illustriert, gibt die Erscheinung genau nach dem Text wieder. Im oberen Bildteil steht Christus am Ufer, seine Hand ist im Redegestus erhoben. Die sechs Jünger sind auf zwei Boote verteilt. Wahrscheinlich liegt hier keine durch die kleine Bildfläche bedingte Notlösung vor, sondern eine Übernahme aus dem Darstellungstypus der Jüngerberufungen nach Mt 4,18–22 und Mk 1,16–20. Die vier hier genannten Jünger werden in der byzantinischen Kunst des 9. Jh. bei der Berufung manchmal zusammen dargestellt, aber in zwei Booten[56]. Ob der vordere Jünger im oberen Boot, der sich umwendet und intensiv auf Christus blickt, während seine Hände

nach rückwärts zu den anderen Fischern ausgestreckt sind, Johannes ist, läßt sich nicht sagen, da er vom Gestalttypus her nicht charakterisiert ist. Petrus, bekleidet und mit erhobenen Händen, kommt auf Christus zu. Im unteren Bildteil ist das Mahl wiedergegeben, und zwar sitzen die Jünger an einem Tisch. Christus steht, in etwas vorgeneigter Haltung reicht er die Speise dar. Den stehenden Christus erwähnt die Schilderung der Darstellung im Mosaikzyklus der Apostelkirche, siehe oben.

Der Egbert-Codex der Reichenauer Malschule, um 980, *Abb. 371*, verbindet den Fischzug mit dem Petrusmotiv. Der Jünger geht über das Wasser und zieht das volle Netz hinter sich her. Bei der Bekleidung Petri ist Vers 7 beachtet. Die Jünger im Boot, die nichts mit den Netzen zu tun haben, erkennen Christus und strecken ihre Hände ihm entgegen. Zu Füßen des Auferstandenen liegt ein Brot, das in der Mitte das Kreuzzeichen trägt. Daneben ist das Kohlenfeuer, auf dem ein Fisch liegt, zu sehen, Vers 9. Wir haben hier wahrscheinlich die erste abendländische Bildformulierung von Joh 21,4–10 vor uns, die sich in allen wesentlichen Zügen von der Darstellung des sinkenden Petrus, die die gleiche Handschrift auch enthält, absetzt, *vgl. Bd. 1, Abb. 489*. Bei den Darstellungen der griechischen Buchmalerei des 11. Jh. schwimmt Petrus. Auf einer Miniatur im Tetraevangeliar von Parma sind der Fischzug, bei welchem sich alle sieben Jünger mühen, das Netz hochzuziehen, und der schwimmende Petrus als zwei Episoden der Geschichte behandelt. Christus steht zweimal mit sprechend erhobener Hand am Ufer. Von dieser byzantinischen Bildformulierung sind das Elfenbeinrelief (rechts beschnitten) der Tafeln von Salerno, 2. Hälfte 11. Jh., *Abb. 374*, das Fresko in S. Angelo in Formis, Ende 11. Jh., *Abb. 378*, und noch das Fresko im Lavra-Katholikon auf dem Athos, 1535, *Abb. 373*, abhängig. Auf dem zuletzt genannten Fresko ist auch der Fisch auf dem Rost wiedergegeben. Petrus ist zweimal dargestellt, im Boot mit Christus sprechend und schwimmend.

53. Siehe zum Fischzug Petri und zum sinkenden Petrus *Bd. I, S. 176 f., Abb. 488–491.*

54. A. Heisenberg II, S. 75–78.

55. Fresko in S. Maria Antiqua, Rom, Kuppelmosaik

S. Giovanni in Fonte, Neapel, Sarkophagrelief aus der Kallixtuskatakombe, zwei Ampullen aus Bobbio. Siehe zur Literatur darüber RDK V, Lfg. 59, Sp. 1368.

56. Siehe Bd. 1, S. 164.

In S. Angelo in Formis ist nun Johannes, der den Auferstandenen erkannte, deutlich hervorgehoben. Im Boot sitzend, wendet er sich um und blickt unverwandt zu Christus, der den Blick erwidert und sich nicht dem aus dem Wasser auftauchenden Petrus zuwendet. Zwei der Jünger holen das leere Netz ein. – Das staunende Schauen der Fischer im Boot, wobei Johannes allerdings nicht bestimmt werden kann, gibt die Miniatur einer englischen Psalters, Ende 12. Jh., wieder, *Abb. 375*. In zurückhaltender Weise gilt das auch für die Illustration der Perikope des Mittwochs der Osterwoche im Perikopenbuch aus St. Erentrud, Salzburg, um 1140, *Abb. 376*. Als Sondermotiv ist das Übersteigen des Bootsrandes zu betrachten, das eins der Emailtäfelchen im Hildesheimer Domschatz wiedergibt.

Die Aufforderung Christi an die Jünger, die Fische, die sie gefangen haben, zu bringen oder das Ziehen der Netze ans Land sind als Sondermotive ganz selten verbildlicht worden. Im Osterzyklus der Handschrift, 1120–1140, Cambridge, *Abb. 332*, zeigt ein zweites Bildfeld zwei Jünger am Ufer stehend, die das volle Netz hochziehen, und auf dem englischen Einzelblatt, 1. Viertel 12. Jh., *Abb. 288 rechts*, hantieren am Ufer fünf Jünger mit dem Fischnetz. Auf beiden Miniaturseiten folgt auf diese Szene das Mahl.

Für das Mahl hat sich offenbar keine Bildtradition gebildet, es ist immer wieder anders dargestellt worden. In karolingischer Zeit ist auf der Aachener Diptychontafel, Anf. 9. Jh., *Abb. 331*, zwischen zwei Emmausszenen, wie oben schon erwähnt, ein Mahl mit sieben Jüngern wiedergegeben, das der frühen Abendmahlsdarstellung nachgebildet ist. Mit ihm sind vermutlich dieses Mahl und das Emmausmahl zugleich gemeint. Im Drogosakramentar, *Abb. 370*, steht Christus seitlich neben dem Tisch, an dem die Jünger sitzen, und reicht ihnen die Speise. Das dritte Bildfeld des Evangeliars in Cambridge, *Abb. 332*, zeigt die Jünger und Christus zu beiden Seiten des Kohlenfeuers mit dem Fisch und dem Brot stehend. Der Auferstandene fordert zum Mahl auf. Das englische Einzelblatt, *Abb. 288*, gibt Christus und die Jünger, wie sie um den Rost sitzen, auf dem mehrere Fische gebraten werden, wieder. Christus hebt sprechend die Hand und wendet sich unmittelbar an Petrus. Es ist möglich, daß hier ausnahmsweise die Fragen und die Aufforderung an Simon Petrus: »Weide meine Lämmer« mit dem Mahl verbunden sind. Es wäre bei dieser detaillierten Erzählweise des Einzelblattes erstaunlich, wenn das Gespräch mit Petrus ganz übergangen worden wäre. Die katalanische Farfabibel, 1. Hälfte 11. Jh., *Abb. 287*, übernimmt wiederum den alten Typus des Abendmahlsbildes mit dem halbkreisförmigen Tisch, lockert ihn aber entsprechend dem Gesamtstil dieser Handschrift auf, indem einige Jünger sitzen, andere stehen. Von links tritt einer mit mehreren Broten und einem Fisch, die er auf einem Tuch trägt, und Petrus mit dem gefüllten Fischnetz hinzu. Bei der eigenwilligen Ikonographie dieser Buchmalerei überrascht es nicht, daß bei einer formalen Übernahme des Abendmahlstypus die Teilnehmerzahl beim Mahl am See Tiberias auch der des Abendmahls angeglichen ist. Wie der Auferstandene bei der Erscheinung durch die verschlossene Tür allen Jüngern den Geist spendet, auch wenn Thomas nicht anwesend ist, so hält der Auferstandene mit allen das Mahl, auch wenn der Text nur von sieben spricht.

Aus dem 13. und 14. Jh. sind im Abendland nur ganz wenige Darstellungen bekannt – in Italien eine Tafel vom ehemaligen Hochaltar des Sieneser Domes von Duccio, 1308–1311, auf der Petrus, ganz bekleidet, über das Wasser geht, und eine Darstellung auf dem Tafelkreuz in Pisa, S. Frediano, Anfang 13. Jh., wo der Befehl zum Auswerfen des Netzes mit dem Petrusmotiv verbunden ist. Nördlich der Alpen greift eine Miniatur im böhmischen Passionale der Äbtissin Kunigunde, 1314–1321, *Abb. 335*, wieder die alte Tradition der zwei Boote auf, die aus der Jüngerberufung stammt. Von den vier namentlich bezeichneten Jüngern wenden sich Petrus und Johannes dem sprechenden Christus zu, der auf das bereitete Mahl deutet.

Vom 15. Jh. an ist der Fischzug mit dem Petrusmotiv, gelegentlich auch mit dem Hinweis auf das Mahl, etwas häufiger anzutreffen. Verbreitet war dieses Bildthema jedoch in keiner Epoche. Zu Beginn einer Reihe von Darstellungen auf Altären steht der bekannte Flügel eines großen Petrusaltars von Konrad Witz, der 1444 vollendet wurde, *Abb. 381*. Die biblische Szene ist in die Landschaft der Genfer Umgebung verlegt, deren einzelne Formen sich auf die Figurengruppen beziehen. So ist ein Berg dem Hintergrund so eingefügt, daß er die Monumentalität der Gestalt Christi steigert. Petrus schwimmt ans Ufer. Er ist im Gegensatz zur byzantinischen Kunst ganz bekleidet. Auf einem Flügel des Petrusaltars, um 1510 von Hans von Kulmbach gemalt, Florenz, Uffizien, *Abb. 379*, ergreift Christus die Hand Petri, der dem See entsteigt, und wendet sich allein ihm zu. Eine schwäbische Votivtafel um 1530, Nürnberg, Germanisches Nationalmuseum, *Abb. 382*, bringt im Landschaftshintergrund links oberhalb der Stifterfamilie das Mahl. Die Mittelfigur der Bildkompoition ist Petrus, er eilt über das Wasser hinweg zum Auferstandenen. Der szenenreiche Mömpelgarter Altar, 1525–1530, *Abb. 380*, schließt sich eng an den Bibeltext an und zeigt Christus dreimal, am Ufer sich dem schwimmenden Petrus zuwendend, neben dem Feuer kniend mit dem Fisch in den Händen, im Kreis der Jünger mit Petrus sprechend. Die über dem See aufgehende Sonne verweist auf die Morgenstunde. Der im Kloster Lüne bei Lüneburg gestickte Bildteppich mit Auferstehungsgeschichten, 1503, gibt sogar vier Szenen wieder. Dem 16. Jh. gehören noch Gemälde von Maerten de Vos, 1589, Berlin, und von Jacopo Tintoretto, 1590(?), Washington an, dem 17. Jh. das Altartriptychon Rubens', 1618–1619, das die Fischergilde Rubens in Auftrag gab *(Bd. 1, Abb. 488)* und dessen Predella die Erscheinung am Meer Tiberias zeigt. Für diese späten Gemälde der Gegenreformation ist die Petrusgestalt wichtiger als die Offenbarung des Auferstandenen. Diese Akzentverschiebung bahnt sich schon Ende des 15. Jh. an.

Pasce oves meas – Weide meine Lämmer. Joh 21,15–19. Die dreimal wiederholte Frage des Auferstandenen an Petrus und die Aufforderung: »Weide meine Lämmer« steht nur in losem Zusammenhang mit der Erscheinung am See Tiberias. Dem biblischen Bild von Christus als dem Hirten korrespondiert für die Gemeinde das Bild der Herde (siehe zum Hirten unten). Die Perikope vom Guten Hirten ist die Lesung am 2. Sonntag nach Ostern. Aber nur selten ist der Christus-Hirte von Joh 10,11–16 dem Osterbildzyklus eingefügt, und selten ist auch das Gespräch zwischen dem Auferstandenen und Petrus in diesem liturgischen Zusammenhang dargestellt worden. Es ist jedoch möglich, daß es hierfür eine alte Bildtradition gab, denn aus karolin-

gischer Zeit sind zwei Darstellungen erhalten, die diese Vermutung rechtfertigen. Die älteste, eine Miniatur einer Handschrift des Carmen Pascale des Sedulius, geht auf das frühe 9. Jh. zurück, *Abb. 384*, die andere befindet sich an der Dachschräge des kleinen Ciboriums des Königs Arnulf von Kärnten, um 890, *Abb. 383*. Hier ist die Frage an Petrus den Figuren beigefügt. Beide Darstellungen zeigen Christus und den Jünger im Gespräch miteinander; ihre Gesten beziehen sich auf die Lämmer. Das Ciborium gehört der westfränkischen Kunst an, vermutlich Reims, die Miniatur steht anscheinend mit der römischen Kunst in Verbindung. Beide haben direkt nichts miteinander zu tun, so daß unterschiedliche Vorlagen anzunehmen sind.

Erst aus dem 12. Jh. ist wieder eine Darstellung bekannt. Das Perikopenbuch von St. Erentrud, Salzburg, um 1140, fügt das Gespräch mit Petrus der Perikope des 2. Sonntags nach Ostern bei, *Abb. 386*. Christus hält den Hirtenstab in der Hand, an Petrus schließen sich einige Jünger an. Der Auferstandene befiehlt als der Hirte seine Herde dem Jünger an. Die Beauftragung Petri, die einerseits von der Erscheinung des Auferstandenen am See Tiberias, andererseits von der sogenannten Schlüsselübergabe Mt 16,19 abgeleitet wird, kommt auf dem letzten Fresko des Passions- und Auferstehungszyklus der Kirche in Cimitile durch die hinzugefügte Kathedra, um die die Lämmer stehen, zum Ausdruck. Christus hält Petrus an der Hand und weist auf die Lämmer und auf die Kathedra[57]. Da die Darstellung an die des ungläubigen Thomas anschließt, kann es sich hier nur um die Erscheinung des Auferstandenen handeln, bei der der Akzent auf der Ordination Petri zum Bischof von Rom liegt.

Die Szene der Auferstehungsgeschichten mit der Schlüsselübergabe, Mt 16,19, zu verbinden, liegt nahe. Einerseits wendet sich Christus in beiden Gesprächen an Petrus, andererseits wird der Auftrag Mt 16,19 für

57. Vgl. die Rekonstruktion des weitgehend zerstörten Wandbildes bei H. Belting, 1962, Fig. 45. Die Hinführung Petri zur Kathedra bedeutet seine Ordination zum Bischof von Rom. Belting sieht die Verschmelzung beider Bildmotive in Cimitile im Zusammenhang mit dem Formosusstreit, in den Leo III., der Stifter der Kirche, verwickelt war, S. 94 ff. und 153 f.

alle Jünger Joh 20,23, also innerhalb der Auferstehungsgeschichten, wiederholt. Die Darstellung der sogenannten Schlüsselübergabe ging aus der traditio
legis et clavis hervor, deren Gehalt den Bilddarstel-
lungen des erhöhten Christus entspringt, siehe unten.
Sie verselbständigt sich später und spielt als Petrusszene vor allem in der Gegenreformation eine Rolle.
In Verbindung mit dem Wort pasce oves meas ist sie
ganz selten dargestellt worden. Eine englische Miniatur um 1130 in einer Handschrift der Orationes et
Meditationes des Anselm von Canterbury, *Abb. 387*,
zeigt sie allerdings in einer künstlerisch so reifen Form,
daß man auch für diese Verbindung ältere Vorbilder
vermuten möchte. Auf einem Glasfenster in Tours,
13. Jh., steht die pasce-oves-meas-Szene in einem Zyklus
von Erscheinungen; in S. Piero a Grado ist sie den
Petrusfresken eingefügt.

Erst Raffael greift die pasce-oves-meas-Szene wieder
auf. Einer der Kartons für die Teppiche, die für die Six-
tinische Kapelle im Vatikan bestimmt waren und vorwiegend Szenen der Apostelgeschichte darstellten, zeigt
sie in Verbindung mit der Schlüsselübergabe, die aber
in der Gesamtkomposition zurücktritt, *Abb. 388*. Petrus kniet als einziger der elf Jünger und hält den
Schlüssel in der Hand. Der Auferstandene weist zugleich auf die Lämmer zu seiner Rechten und auf den
Schlüssel. Die Einbeziehung der Jünger in diese Beauftragung äußert sich in ihren lebhaften Gesten und ihrer Hinwendung zu Christus. In der Malerei des 16.
und 17. Jh. kommt die Beauftragung Petri noch einige
Male vor, bei Rubens mit weniger Jüngern und verbunden mit der Schlüsselübergabe auf einem Gemälde
um 1616 der Wallace Collection, London (Dreiviertelfiguren), aufs Ganze gesehen herrscht aber die Darstellung der Schlüsselübergabe unabhängig von der
Auferstehungsszene vor[58].

*Die Erscheinung auf dem Berg und die Sendung der
Apostel. Mt 28,16–20; Mk 16,14–18; Lk 24,45–50;
Joh 20,21–23; Apg 1,7 f.* Nach Matthäus beschied Jesus die Jünger auf den Berg, wo er ihnen zum letzten-
mal erschien und ihnen den Sendungsbefehl gab. Von
den Jüngern heißt es, daß etliche niederfielen, als sie
den Herrn sahen. Markus verbindet die Worte der
Sendung mit der Geschichte Christi beim Mahl. Bei
Lukas führt der Herr die Jünger nach der letzten Erscheinung, bei der er sie belehrte und ihnen den Heiligen
Geist verhieß, hinaus nach Bethanien und segnet sie
mit aufgehobenen Händen, bevor er zum Himmel auffuhr. Johannes läßt Christus bei der Erscheinung bei
der verschlossenen Tür den Jüngern den Heiligen Geist
spenden und verbindet mit der Sendung die Übertragung des Amtes der Sündenvergebung.

Die bildliche Darstellung dieser letzten Erscheinung,
die auf dem Berg als Gespräch oder vor einer Architekturkulisse bzw. ohne Ortsangabe als Segnung dargestellt sein kann, ist sehr selten, reicht aber offenbar bis
in die frühchristliche Zeit zurück. Der Auferstehungszyklus des Elfenbeindiptychons im Mailänder Domschatz[59] zeigt im dritten Bildfeld die Jünger, die aus
der Stadt kommen (beachte das Tor) und mit Gesten
der Ehrfurcht vor Christus treten, der auf einem kleinen Hügel erhöht steht und sprechend seine Hand hebt,
Abb. 268. Ähnlich, doch ohne Stadttor, illustriert das
Drogosakrament Mt 28,16–20, einige der Jünger verneigen sich tief, *Abb. 390*. Auf der linken Tafel des
Aachener Diptychons, Anfang 9. Jh., ist die Segnung
der Jünger, wie oben schon erwähnt, verbildlicht; dabei breitet Christus seine Hände über sie aus, *Abb. 331a,
vgl. Abb. 481* unten. Die gleiche Bildform zeigt der
Quedlinburger Reliquienkasten Heinrich I., 10. Jh.,
als Pendant zu den Frauen am Grab, in der Mitte die
Majestas Domini. Die Figuren sind bei diesen ältesten
Beispielen der Segnung symmetrisch, bei dem Gespräch
auf dem Berg asymmetrisch angeordnet. Wir stellten
oben die symmetrische Kompositionsform gleichfalls
für die Erscheinung bei der verschlossenen Tür fest. Im
Egbert-Codex um 980 ist Mk 16,14–18 illustriert,
Abb. 389; das Mahl ist nur durch das Sitzen der Jünger
und das bandartige Tuch auf ihren Knien angedeutet,
im übrigen steht aber das letzte Gespräch Christi mit
den Jüngern im Vordergrund. Die Miniatur im Evangeliar aus Mainz, Aschaffenburg, um 1260, *Abb. 334*,
läßt auf die Erscheinung beim Mahl die auf dem Berg
folgen; das Aufblicken Christi weist vermutlich auf die
unmittelbar bevorstehende Himmelfahrt hin. Ebenso

---

58. Siehe A. Pigler, S. 285—290.

59. Zur Datierung siehe S. 89, Anmerkung 3.

ist eine der Darstellungen auf der Rückseite des ehemaligen Sieneser Hochaltars als Erscheinung auf dem Berg und als Abschiedsgespräch zu deuten, *Abb. 393.* Diese Szenen unterscheiden sich nur durch das Gelände von der Gruppe der Erscheinungen vor den elf Jüngern. Da besondere Attribute fehlen, ist ein spezieller Bezug auf eine der angegebenen Textstellen nicht möglich.

Der Auferstehungszyklus des englischen Evangeliars 1120–1130 schließt auf der zweiten Seite mit den beiden letzten Erscheinungen bei Mattäus und Markus, *Abb. 332.* Für die Illustrationen des Matthäustextes wurde die Figur des lehrenden Christus verwendet, die hier auf dem Berg steht. Auf einer der Emailtafeln um 1160, im Hildesheimer Domschatz, *vgl. Abb. 501,* ist sie mit dem Buch in der erhobenen Hand der Erscheinung bei der verschlossenen Tür (Stadtmauerring) eingefügt. Das Motiv der tiefen Verneigung hat seine literarische Wurzel in den Matthäusversen, wenn auch hier das Berühren der Füße Jesu nicht erwähnt ist, sondern bei der Erscheinung vor den Frauen. Dabei handelt es sich nicht um eine Ehrfurchtsbezeugung, sondern um die ostentatio vulnerum, mit der die Zweifelnden von der Auferstehung des Herrn überzeugt werden sollen. Von diesem Zweifel ist Mt 28,17 ebenso die Rede wie von dem Niederfallen aus Ehrfurcht. Beide Reaktionen sind bei den sechs knienden Jüngern wiedergegeben.

Von den Darstellungen der Sendung nach Mt 28,16 bis 20 und Joh 20,21–23 ausgehend, hat sich ein Bildtypus verselbständigt, der losgelöst von erzählenden Details die Sendung der Apostel zeigt, die die Verheißung des Heiligen Geistes einschließt. An einigen Darstellungen der Erscheinung bei der verschlossenen Tür ist schon deutlich geworden, daß die Verleihung des Geistes und die Sendungsworte zu einer hieratischen Bildform führen, und es wurde ferner darauf hingewiesen, daß der Kreis der elf Jünger auf einigen Darstellungen dieser Erscheinung und der vor Thomas durch die Einbeziehung des Paulus zur vollständigen Zahl der Apostel und das heißt zur Kirche umgedeutet und abgewandelt wurde, *Abb. 343, 347, 360.*

Dieses verselbständigte Bild der Sendung ist seit Mitte des 10. Jh. zu fassen. Es ist die Zeit, in der die Mission sowohl für die griechische als auch für die lateinische Kirche zu einer aktuellen Aufgabe geworden war. Das byzantinische Bild übernimmt hierfür den lehrenden Christus. Ein Elfenbeinrelief der 2. Hälfte 10. Jh., *Abb. 385,* zeigt diese Christusgestalt, die auf einem doppelten Suppedaneum inmitten der sich im gleichmäßigen Rhythmus verneigenden zwölf Apostel steht. Das Lektionarfragment aus Trapezunt, Mitte 10. Jh., in Leningrad (Petropol. 21) enthält eine Miniatur mit dem gleichen Kompositionsschema, jedoch ohne Engel, die auf der Elfenbeintafel offenbar ein Hinweis auf die bevorstehende Himmelfahrt sind. Die Apostel verneigen sich ebenso, blicken aber zu Christus, der nicht als Lehrer gegeben ist, etwas mehr auf als auf der Elfenbeintafel. Christus berührt mit beiden Händen die verhüllt erhobenen Hände von zwei Aposteln, als teile er ihnen seinen Geist für das aufgetragene Amt mit. Das Bildschema ist auch in der Kirche Qeledjlar (Kappadozien) auf dem Fresko eines kleinen Tonnengewölbes erhalten. Die Fresken dieser kappadokischen Kirchen, die zwischen dem 10. und 12. Jh. entstanden, benutzten ältere Vorlagen, so daß man vielleicht den Ursprung des verselbständigten Sendungsbildes in Kleinasien suchen kann. Das gleiche Bildschema kommt weiterhin in mazedonischen Kirchen vor. Eines der Salerner Elfenbeintäfelchen zeigt bei einer der beiden Erscheinungen vor den Jüngern die gleiche tiefe Verneigung der Jünger, *Abb. 323,* aber nicht ihre gereihte Anordnung. Wie schon gesagt, ist hier möglicherweise die Sendung dargestellt.

Die abendländische Kunst verwendet für die verselbständigte Form der Sendung auch die asymmetrische Anordnung. Die Miniatur im Perikopenbuch Heinrichs II., 1007 oder 1012, *Abb. 391,* legt zwischen Christus und die eng gefügte Apostelgruppe einen Abstand, der erfüllt ist von den geistigen Kräften, die in den gleich Zeichen ausgereckten Händen Christi und Petri spürbar sind. Eine doppelseitige Miniatur im Evangeliar aus der Abtei Abdinghof bei Paderborn, um 1080, *Abb. 392,* bezieht die Worte der Sendung ein, die auf der offenen Schriftrolle zu lesen sind. In der rechten Hand hält Christus das aufgeschlagene Evangelienbuch. Mit dem hierin zu lesenden Wort Joh 10,7–9 ist wieder auf Christus den Hirten verwiesen, der sich selbst als die Tür zur Seligkeit bezeichnet. Christus ist auf dieser Miniatur dem Betrachter zugewandt und hat keine direkte Beziehung zu den Aposteln, deren ekstatische Gesten und Mienen den Eindruck erwecken, als empfingen sie den vom Auferstandenen angekündigten Heiligen Geist schon, siehe dazu *Abb. 326.* Die wenigen erhaltenen Darstellungen der Sendung der Apostel und der Verheißung des Heiligen Geistes geben für das Abendland nicht die Möglichkeit, eine Bildgeschichte der Sendung der Apostel aufzuzeigen, zumal das Thema aufs engste mit der Erscheinung bei der verschlossenen Tür verknüpft ist. Vergleiche auch Bd. 4 im Kapitel Ausgießung des Hl. Geistes die Bildgruppe, die Christus als den Spender des Geistes zeigt.

Symbolik und Typologie der Auferstehung Christi

Wir gehen in diesem Kapitel auf die Tiersymbolik und die im Sinne der Typologie als Präfigurationen der Höllenfahrt und Auferstehung bzw. Himmelfahrt Christi interpretierten alttestamentlichen Motive ein, wobei wir uns auf diejenigen, die in der Kunst häufiger vorkommen, beschränken müssen. (Auf die Sonnensymbolik wurde bereits mehrfach hingewiesen.)

Der Adler. Die Adlersymbolik geht einerseits auf die antike Mythologie und die römische Herrschaftsikonographie, andererseits auf das Alte Testament zurück. Für ihre Entstehung sind zwei Erfahrungen des Menschen beim Anblick des Adlers ausschlaggebend: Der Adler galt als der am höchsten fliegende Vogel, der, dem Himmel am nächsten, unverwandt in die Sonne blickt und aus der Höhe zur Erde herabstößt, über ihr kreisend seine großen Fittiche ausbreitet. In der Antike ist er als der Gottesvogel Zeus und Jupiter (auch Wotan) zugeordnet. Da das Königtum in den alten Mittelmeerkulturen solar war, vereinigt sich entsprechend hierzu in der Adlersymbolik die Vorstellung von Licht – Son-

ne und von Macht. Als Symbol der Sonne und damit des Himmels gilt der auffliegende Adler dem Altertum auch als Psychopompos (der Zeusadler trägt Ganymed gen Himmel). Der niederfahrende Adler bringt im Auftrag des Zeus den Blitz – er selbst kann jedoch nicht vom Blitz getroffen werden. So ist er als der Herabfahrende auch Bote des Himmels.

Als Zeichen der Macht bekrönt der Adler das Zepter Jupiters und seit Augustus das der römischen Kaiser und Feldherrn. Dieses Zepter gehört außerdem mit zu der Triumphaltracht der Konsuln bei ihrem Amtsantritt. Hierbei trägt der Adler in seinen erhobenen Schwingen gelegentlich ein Bild des Kaisers. Auf Münzen der Zeit Hadrians hält ein Adler den Kranz der Glorifizierung und der Unsterblichkeit über das Haupt Jupiters. Beide Motive sind im 4. Jh. in die christliche Kunst übernommen worden – an die Stelle des Kaiserbildes tritt das Kreuz oder das Christogramm, beim Zepter verdrängen diese Christuszeichen allmählich den Adler, siehe dazu unten[1]. Seit Augustus († 14 n.Ch.) wurde es Brauch, bei der Verbrennung eines verstorbenen Kaisers auf einem hohen Scheiterhaufen (rogus) einen Adler zum Himmel fliegen zu lassen, um dem Volk die Auffahrt der neuen Gottheit sinnfällig vor Augen zu führen. Auf mehreren antiken Darstellungen der Apotheose wird der Tote durch einen Adler emporgetragen (z. B. Germanikus-Gemme der Nationalbibliothek Paris) Ein Elfenbeinrelief im Britischen Museum verbindet die sinnbildlichen Handlungen des ganzen römischen Apotheosezeremoniells mit der Ankunft des neuen Divus im Himmel, eine Darstellung, die für das frühe Bild der Himmelfahrt Christi aufschlußreich ist, *Abb. 397*[2].

Die Aufnahme des antiken Adlersymbols in die christliche Kunst hängt einerseits mit der Übertragung der kaiserlichen Herrschaftsikonographie auf die des erhöhten Christus zusammen, andererseits mit dem

1. C. O. Nordström, Ravennastudien, Stockholm—Uppsala 1953, S. 92, und Abb. 28 b, Konsular-Diptychon des Anastasius, 517, Konstantinopel, mit einem vom Adler bekrönten Zepter.

2. Die Elfenbeinplatte zeigt neben dem hohen Scheiterhaufen in der Mitte, von dem der Sonnengott in der Quadriga auffährt, zwei emporfliegende Adler. Der ver-

storbene Kaiser sitzt in einem tempelartigen Wagen, den vier Elefanten ziehen. Oben wird der Vergöttlichte in sitzender Haltung von Winddämonen zum Himmel getragen, wo ihn über den Wolken seine Ahnen, zwei mit ausgestreckten Händen, begrüßen. Rechts oben ist ein Teil des Tierkreises, den der Divus beim Aufstieg durchquert hat, wiedergegeben. Siehe H. Schrade, Zur Ikonographie

Einfluß der antiken Apotheose auf die frühen Vorstellungen der Himmelfahrt Christi, die in manchen Motiven der ersten Bildformulierungen anklingen. Da die Auferstehung und die Himmelfahrt gleichermaßen Erhöhung zu Gott und Antritt der Herrschaft bedeuten, kann der Adler in der frühen christlichen Kunst Macht- und Triumphzeichen für den erhöhten Christus und Hinweis auf seine Auferstehung und Himmelfahrt sein. Daraus ergibt sich im frühen Mittelalter seine Verwendung in der Grabeskunst als Sinnbild der Auferstehungshoffnung, die in der Auferstehung Christi gründet. Die Grenzen zwischen diesen verschiedenen Bedeutungen sind fließend, geht es doch immer um die Umschreibung der einen Glaubensaussage.

Wie es bei manchen antiken Motiven der Fall ist, so wird auch bei dem Adlersymbol die Übernahme in die christliche Kunst durch vertraute Wortbilder des Alten Testaments erleichtert und ermöglicht. Aus manchen Stellen geht hervor, daß der Adler als Gottessymbol verstanden wird. Er ist Gleichnis für Gottes schützende Macht, jedoch auch für die von ihm verliehene Lebenskraft und Jugend: »... der deinen Mund fröhlich macht und du wieder jung wirst wie ein Adler« (Ps 103,5); »Die auf den Herrn harren, kriegen neue Kraft, daß sie auffahren mit Flügeln wie Adler ...« (Jes 40,31). 5 Mos 32,11 f. vergleicht Gott mit dem Adler: »Wie ein Adler ausführt seine Jungen und über ihnen schwebt, breitete er seine Fittiche aus und nahm ihn und trug ihn auf seinen Flügeln«, vgl. auch 2 Mos 19,4.

Nach den Gottesvisionen Hes 1 und Apk 4 gehört der Adler zu den vier Wesen des göttlichen Thrones, die später als Evangelistensymbole gedeutet werden, wobei der Adler Johannes zugeordnet ist, siehe dazu

unten. Hieronymus[3] gibt in seinem Ezechielkommentar folgenden Vergleich: »Wie der Adler im Flug die höchsten Höhen erreicht und von der Sonne nicht geblendet wird, so ist Johannes, der Seher, in visionärer Schau zu den Höhen der Gottheit vorgedrungen und hat den Blick in das Licht der Sonne der Wahrheit zu richten vermocht.« In seinen Himmelfahrtspredigten greift er ebenfalls die Adlersymbolik auf und bezieht wie andere Kirchenväter den Adler auf die Himmelfahrt Christi. So finden wir z. B. bei Maximus von Turin († Ende 4. Jh.) diese Sätze: »Jenen Adler aus dem Psalter, von dessen erneuerter Jugend wir lesen, will ich mit dem Herrn vergleichen ... Wie nämlich der Adler das Niedrige verläßt, zur Höhe strebt und zur Nähe des Himmels aufsteigt, so hat auch der Erlöser die Niedrigkeit der Unterwelt hinter sich gelassen, die Höhen des Paradieses erstrebt und die Gipfel der Himmel eingenommen.« »In jeder Hinsicht entspricht ein Vergleich mit dem Adler dem Erlöser ...« »Einst holte er Beute, als er den Menschen, den er angenommen hatte, geraubt vom Rachen der Unterwelt, zum Himmel trug und den Sklaven einer fremden Herrschaft, der satanischen Gewalt, aus der Gefangenschaft riß und zur Höhe führte, wie es beim Propheten geschrieben ist: Aufgefahren in die Höhe führte er die Gefangenschaft gefangen, er gab den Menschen Gaben« (Ps 68[67],19, vgl. Eph 4,8)[4].

Werden die vier Wesen im Hinblick auf das Heilswirken Christi gedeutet, so steht immer der Adler für die Himmelfahrt. In frühmittelalterlichen Handschriften ist der Johannesadler manchmal von Licht oder Strahlen umgeben, so daß seine Bedeutung über die eines Evangelistensymbols hinausgeht und auf die

der Himmelfahrt Christi, in: Vorträge der Bibliothek Warburg 1928/29, Berlin 1930, S. 97 ff. Zur Elefantenquadriga siehe RAC IV, Sp. 1015—1019 (Opelt). Weitere Literatur zum Adler: F. Cumont, L'aigle funéraire d'Hierapolis et l'apothéose des Empereurs, in: Etudes Syriennes, Paris 1917. Ders.: Recherches sur le symbolisme funéraire des Romains, Paris 1942 und 1966. Pauly-Wissowa, Realenzyklopädie d. klass. Altertumswiss., 1894, I, Sp. 371—375 (E. Oder). RAC I, Sp. 87—94 (Th. Schneider — E. Stemplinger). RDK I, Sp. 172—179 (H. Kallenbach). J. F. Dölger, Sol salutis, S. 224 f. R. Bernheimer,

Romanische Tierplastik und die Ursprünge ihrer Motive, München 1931, S. 132 ff. R. Wittkower, Eagle and Serpent, in Journal of the Warburg Institute II, 1938/39, S. 293 bis 325. W. von Blankenburg, Heilige und dämonische Tiere, Leipzig 1943. L. Wehrhahn—Stauch, Aquila-Resurrectio, in Zs. d. dt. Ver. f. Kunstwiss. 21, 1967, Heft 3/4, S. 105 bis 127, dies. in LCI I, 70—75.

3. MPL 7, 888.

4. Serm. 56, 2; CChL = Corpus christianorum latinorum, 23, vgl. serm. 55, 2, ed A. Mutzenbecher, Tounhout, 1959 ff.

Verherrlichung Christi verweist, z. B. beim Autorenbild des Johannes im Lorscher Evangeliar, um 810, Hofschule Karls d. Gr. (Bibl. Vat.). Die alte Bedeutung des Adlers als eines göttlichen Lichtsymbols kommt aber auch dann zum Ausdruck, wenn er einem Tier, das die Finsternis und das Böse verkörpert, gegenübergestellt ist oder als Sieger auf ihm steht. Auch diese Variante kann mit dem Johannesadler verbunden sein wie im Drogosakramentar der Metzer Schule um 830, wo die J-Initiale zu Beginn des Johannesevangeliums als Adler, der auf einer Schlange steht, geformt ist, *Abb. 405*. Auch diese Gegenüberstellungen haben ihren Ursprung in vorchristlicher Zeit. Sie wirken im Mittelalter noch nach, so daß bei manchen Darstellungen nicht mit Sicherheit zu entscheiden ist, ob sie sich auf Tod und Leben im Sinn des Auferstehungsglaubens beziehen oder allgemein den Kampf zwischen Gut und Böse ausdrücken sollen.

In den spätantiken Tierallegorien des Physiologus, die in verschiedenen Redaktionen im Mittelalter populär waren, überwiegt bei den Ausführungen zum Adler, die z. T. an die zitierten alttestamentlichen Stellen anknüpfen, zwar der Bezug zur Taufe, doch zeigt die mittelalterliche christliche Kunst die Adlerlegenden vor allem im Zusammenhang mit Auferstehung und Himmelfahrt; in größeren Tiermotivreihen und den häufigen Vierergruppen vertreten sie die Himmelfahrt. Die Möglichkeit zu der doppelten Deutung liegt in den Adlerlegenden selbst, doch geht die Zusammengehörigkeit von Taufe und Auferstehung auf das Neue Testament zurück, vgl. z. B. Röm 6,4.

An Ps 103(102),5 anschließend berichtet der Physiologus, daß der Adler, wenn er alt und blind geworden ist, eine Quelle aufsucht, darin badet und zur Sonne emporfliegt. An ihren Strahlen verbrennt er seine alten Fittiche und wirft seine Blindheit ab. Dann fliegt er zur Erde, taucht dreimal in den Quell und geht verjüngt daraus hervor. Nach einer mittelalterlichen Version fliegt er dreimal zur Sonne und taucht dreimal in den Quell. Für den Physiologus ist die Sonne Christus, die »Sonne der Gerechtigkeit«, und der Adler der durch die Taufe erlöste Mensch. In Augustins Erklärung dieser Psalmstelle ist noch eine andere Legende erwähnt: Der Schnabel des Adlers wächst im Alter so zusammen, daß er ihn nicht mehr öffnen kann. Deshalb stürzt er sich aus der Höhe gegen einen Felsen und bricht die Schnabelspitze ab, um sich wieder ernähren und leben zu können. Der Fels ist, nach Augustins Exegese, Christus (siehe 1 Kor 10,4), der durch die Taufe von der Sünde befreit und den Weg zum neuen Leben öffnet[5]. Der Antike war die Adlerverjüngung im Gegensatz zum Phönixmythos fremd. Die sog. »Jungenprobe« geht aber auf Aristoteles zurück und ist, durch die Kirchenväter vermittelt, wie die anderen Legenden in mittelalterlichen Redaktionen des Physiologus mit variierenden Deutungen zu finden: Der Adler zieht seine Jungen nur dann auf, wenn er sich überzeugt hat, daß sie wirklich seine Kinder und lebenstüchtig sind. Da er unverwandt in das Sonnenlicht blicken kann, trägt er die Jungen der Sonne entgegen oder läßt sie vom Nest aus in die Sonne blicken. Das Junge, das den Blick in die Sonne aushält, wird aufgezogen, die anderen werden aus dem Nest geworfen. Die Deutung des Mittelalters sieht in der Regel in der Sonne Gott, dem Christus als auffliegender Adler die Menschen zuführt. Obwohl der Gedanke des Gerichts in dieser Allegorie mit anklingt, verwendet die mittelalterliche Kunst die Jungenprobe in der Regel genauso wie die anderen Adlermotive, es sei denn, daß es sich um Illustrationen des Textes in Bestiarien handelt. Schließlich berichtet Isidor von Sevilla[6], daß der Adler, der aus höchster Höhe auf den Grund des Meeres sehen kann, sobald er einen Fisch erblickt, hinabstößt und ihn davonträgt. Hier ist es im Gegensatz zu der Jungenprobe, bei der der auffliegende Adler die Menschenkinder Gott zuführt, der niederfahrende Adler, der die Menschenseele aus dem Tode rettet.

Der Adler verliert in der christlichen Symbolik seine alte Bedeutung als Gottes- und Lichtsymbol nicht, doch wird diese variiert und die Akzente werden verschieden gesetzt, so daß sie jeweils aus dem Zusammenhang, in dem das Adlermotiv steht, zu erschließen ist. Wir beschränken uns hier auf Adlerdarstellungen, die sich auf die Auferstehung und Himmelfahrt Christi und auf die Auferstehungshoffnung des Christen beziehen, die in der Sepulkralkunst oft durch den Adler ausge-

---

5. MPL 37, 1323.

6. Etymologia XII, 7; MPL 82, 460.

drückt ist. Zum Adler in der frühchristlichen Triumphikonographie des erhöhten Christus, siehe auch unten,
vgl. *Abb 528, 544*[7]. Von der Taube, mit der er oft
verwechselt wird, unterscheidet sich der Adler in der
Kunst durch den großen gebogenen Schnabel, das betont große Auge und die Fänge. In repräsentativen
Darstellungen ist er meistens mit erhobenem Haupt
und ausgebreiteten Schwingen in frontaler Ansicht wiedergegeben. Er hat niemals den Strahlennimbus, der
den Phönix kennzeichnet, wohl aber oft den einfachen
Nimbus.

Passionssarkophage des 4. Jh., deren ältesten erhaltenen wir im 2. Band abbildeten, vgl. *dort Abb. 1*, zeigen den Adler im Zusammenhang mit dem Siegeskreuz,
unter dem sich die Grabeswächter befinden – der auf
der linken Seite schläft, auf den Schild gestützt, der auf
der rechten ist wach und blickt empor. Der Adler mit
weit ausgespannten Flügeln setzt den unverwelklichen
Siegeskranz – die Krone des Lebens – auf das Kreuz,
das in Verbindung mit dem Triumphzeichen den Sieg
Christi über den Tod und den Antritt seiner Herrschaft
symbolisiert. Die Büsten von sol und luna verweisen auf
sein unvergängliches Reich. Die einzelnen Motive dieser Darstellung der »gloria passionis« entstammen alle
der römischen Triumphikonographie – auch der Adler
geht auf den des Jupiter oder der römischen Kaiser
zurück. Er tritt bei dieser christlichen Darstellung der
Bekränzung an die Stelle der Dextera Dei. Als ein
göttliches Zeichen verdeutlicht er den Sieg Christi am
Kreuz, seine Auferstehung und seine ewige Herrschaft,
so daß er der Auferstehungssymbolik zugerechnet werden kann. Wir bilden hier aus der Gruppe dieser Sieges-
kreuze ein Sarkophagfragment ab, das den Adler deutlicher wiedergibt als der beschriebene gut erhaltene
Sarkophag, *Abb. 394*. Bei dieser Rekonstruktion des
Mittelteils ist nicht ersichtlich, ob der sitzend wiedergegebene Hüter wach ist oder schläft. Da die Darstellung des bewachten Kreuzes in spätkonstantinischer

Zeit dem von Soldaten bewachten Kaiservexillum
nachgebildet wurde, kann auch das Kreuz als Zeichen
des Sieges Christi, das vexillum crucis, von zwei Soldaten bewacht werden, die sich von den Grabeshütern
durch ihre Haltung unterscheiden. Ganz ähnlich wie
hier über dem symbolischen Zeichen des Sieges und der
Macht spannt ein Adler über dem in Jerusalem ein-
ziehenden Christus auf dem Bassussarkophag seine Fittiche aus, *vgl. Abb. 528* und *Band 2, Abb. 2.*

Eine Elfenbein-Pyxis (Hostiendose) des 6. Jh. aus
Moggio (Udine), heute Washington, *Abb. 453*, fügt alttestamentlichen Motiven (Gesetzesübergabe an Mose,
Daniel zwischen den Löwen, Erhöhte Schlange(?) einen
großen Adler ein, in dem aufgrund des typologischen
Zusammenhanges ebenfalls ein Auferstehungs- und
Himmelfahrtszeichen gesehen werden kann. Dieser
Adler mit erhobenem Kopf und Schwingen findet sich
auf einer Reihe von Pyxiden und schon um 500 auf
dem sog. Kelch von Antiochien (New York), wenn
auch ohne die typologischen Motive. Wie die Taufe, so
steht auch die Eucharistie (Brot des Lebens) in enger
Beziehung zur Auferstehung, so daß sich daraus das
Adlermotiv als Zeichen der Auferstehung an Kelch und
Pyxis erklärt[8].

Auf einigen koptischen Grabstelen des 6. und 7. Jh.
trägt ein Adler mit seinen Schwingen das Kreuz im
Siegeskranz. Auf der Stele aus Erment (Luxor) in
Berlin, 6./7. Jh., *Abb. 395*, sind ihm die Buchstaben
Alpha und Omega, die nach Apk 1,8 Christussymbol
sind, hinzugefügt. Auf einer Stele des 7. Jh. im Britischen Museum, vermutlich aus Edfu, *Abb. 399*, ist der
Adler im Begriff aufzufliegen, im Schnabel hält er ein
kleines Kreuz. Beide Adler tragen auf der Brust eine
an einem Halsband befestigte runde Kapsel. Es handelt sich um die Bulla, ein apotropäisches Zeichen,
das mit dem etruskischen Königsornat von den römischen Triumphatoren übernommen und bei Triumphzügen getragen wurde[9]. Obwohl die Bulla in der ägyp-

---

7. Auf die häufigen Adlerdarstellungen auf romanischen
Taufsteinen, die die Legendeninterpretationen nahelegen,
auf die der kaiserlichen Kunst (Hohenstaufen), der Orna-
mentik und Heraldik, ebenso auf die negative Bedeutung
des Adlers gehen wir nicht ein, sondern verweisen hierfür
auf die genannte Literatur und auf unseren Band 5.

8. L. Wehrhahn-Stauch verweist S. 124 in diesem Zusammenhang auf ein Wort aus der 17. Hymne der unge-
säuerten Brote von Ephraem dem Syrer: »Durch das geistliche Brot werden alle Menschen zu Adlern, die ins Paradies fliegen. Wer das lebendige Brot des Sohnes ißt, wird
ihm entgegenfliegen bis in die Wolken.«

tischen spätantiken Grabkunst häufig als Amulett vorkommt, kann sie aufgrund der seit Konstantin üblichen Übertragung der Herrscherikonographie auf die Darstellung des erhöhten Christus bei diesen repräsentativen Adlerdarstellungen, in Entsprechung zur Bedeutung des Adlers an diesen Grabmälern, nur ein Siegeszeichen sein (vgl. die Gestalt des Auferstandenen des merowingischen Grabsteins aus Niederdollendorf, *Abb. 65*). In der Kapelle 27 in Bawît ist auf einem Wandbild der gleiche stehende Adler in Frontalansicht wie auf der Stele in Berlin dargestellt, doch trägt er an einem breiten Halsschmuck dreifach die Bulla und auf dem Haupt und den beiden Flügeln drei Kränze, die das Christuszeichen Alpha und Omega umschließen. Dieser Adler wird als Trinitätssymbol gedeutet[10]. Schließlich sei noch auf ein Fragment eines koptischen Wandbehangs des 5. oder 6. Jh., der sich heute im Ikonenmuseum zu Recklinghausen befindet, hingewiesen, das den Adler mit einem auffallend großen Nimbus zeigt; im Zentrum der Bulla steht das Kreuz. Von diesen letzten Beispielen aus gesehen, können die anderen Adler auf den koptischen Stelen mit großer Wahrscheinlichkeit gleichfalls als Christussymbole verstanden werden. Insofern sie mit dem Triumphkreuz verbunden sind und auf Grabstelen begegnen, verweisen sie auf die Auferstehung Christi und zugleich auf die Auferstehungshoffnung der Christen, ist doch die Auferstehung des Herrn Typus der Auferstehung der Toten[11]. Diese Deutung trifft vielleicht auch für den in Vorderansicht gegebenen Adler in einem Tympanon des 6. Jh. aus Schêch Abâde (Antinöe) im Ikonenmu-

seum zu Recklinghausen zu, *Abb. 398*. Wahrscheinlich gehörte das Tympanon zu einem Grabbau. Unmittelbar über dem Haupt des Adlers ist dem reich ornamentierten, etwas vorspringenden Bogen eine imago coronata[12] eingefügt. Da kein Nimbus wiedergegeben ist, läßt sich nicht sagen, ob die Büste Christus darstellt oder den Verstorbenen, für den der Grabbau errichtet worden war. Ein etwas älteres koptisches Steinrelief, *vgl. Abb. 447*, konnte aufgrund der Gesamtdarstellung als eine Sonderform der Himmelfahrt Christi gedeutet werden, obwohl die Büste ebenfalls keinen Nimbus trägt, siehe Seite 142 f.

Außerhalb der Sepulkralkunst zeigt ein bruchstückhaft erhaltener Relieffries aus der Apsis der ersten Kathedrale des 7. Jh. in Faras (Nubien), *Abb. 396*, den Adler, der das Kreuz ohne Kranz auf dem Haupt und die Bulla auf der Brust trägt. Neben ihm stehen ein Gefäß[13] und eine Säule mit einem stilisierten Pflanzenkapitell, an dem zwei Früchte hängen. Obwohl sich diese drei Bildmotive in der Weise eines Ornaments mehrmals wiederholen, scheint es unwahrscheinlich, daß an dieser zentralen Stelle des Kirchenraums lediglich ornamentaler Schmuck angebracht war. Der Adler, der mit dem Triumphkreuz zusammen eine Einheit bildet, kann auch hier nur als Hinweis auf den auferstandenen Christus gemeint sein.

Die koptische Kunst ist eine ausgesprochene Volkskunst, die ihre eigenen Wege geht, so daß man diese Werke nicht überbewerten sollte. Doch hat sie teil am Gesamtzusammenhang der christlichen Kunst. Es gibt in der von Irland beeinflußten Buchmalerei des 8. Jh.

---

9. RAC 2, 800 f.

10. C. O. Nordström, 1955, S. 92.

11. Vgl. noch die Grabstele der Tajar des Römisch-Germanischen Zentralmuseums zu Mainz, Katalog der Koptischen Ausstellung 1963, Nr. 100, und die Stele aus Esneh in Kairo, Klaus Wessel, Koptische Kunst, Recklinghausen 1963, Abb. 84. Durch diese Ausstellung in der Villa Hügel und die im Zusammenhang mit ihr erschienenen Publikationen ist die koptische Kunst in den letzten Jahren ins Blickfeld gerückt. Die hier anzutreffenden Adlerdarstellungen, auch die, die die Bildfläche beherrschen, sind in der Literatur mehrfach als Totenvögel oder ganz allgemein als Seelenvögel bezeichnet worden. Totenvögel aber widersprechen der Thematik der christlichen Sepul-

kralkunst völlig, und die Bezeichnung »Seelenvogel« kann für diese Adler nicht zutreffen, zumal sie auch mit Nimbus und mit Alpha und Omega anzutreffen sind. Doch mag die von der Antike dem Adler zugesprochene Funktion des Psychopompos bewußt oder unbewußt zunächst die Bildmotive der Grabstelen mit beeinflußt haben. Vgl. hierzu auch den erwähnten Aufsatz von L. Wehrhahn-Stauch.

12. Bildnis in einem Kranz; auf Sarkophagen stellt sie den Verstorbenen, umgeben vom Kranz des Lebens, in verklärtem Zustand dar.

13. Nach K. Michalowsky, Die Kathedrale aus dem Wüstensand, Zürich—Köln 1967, S. 62, soll es sich um einen zylindrischen Altar handeln.

Darstellungen des Kreuzes, auf dem ein oder zwei Adler stehen; sie heben sich durch ihre Größe und Anordnung von den anderen Tieren, die wie Ornamente die Fläche überziehen, ab und müssen ebenso wie die Adler der koptischen Grabstelen als Auferstehungssymbole gedeutet werden[14]. Diese Adler werden in der Literatur immer wieder als Tauben bezeichnet, obwohl sie durch Schnabel und Augen und oft auch durch die Fänge als Adler gekennzeichnet sind. Die Deutung der Vögel als Tauben legt die Paradiesesdarstellung der frühchristlichen Kunst nahe, da hier am Kranz des Lebens oder am Kreuz oft Tauben dargestellt sind, die als Sinnbilder der im Frieden ruhenden Seelen (animae beatae) sich erquicken. Doch gehört der Adler nicht in diese Symbol-Traditionsreihe. Ähnlich wie bei der Verbindung von Kreuz und Lebensbaummotiven liegt auch in der von Kreuz und Adler der Hinweis auf Tod und Auferstehung Christi, wobei man sich vergegenwärtigen muß, daß die Auferstehung und die Himmelfahrt gleichermaßen als Erhöhung Christi gesehen werden und zusammengehören und daß der Adler im Anschluß an seine wichtigste Bedeutung in der Antike ein Triumphzeichen des erhöhten Christus ist, *vgl. auch Abb. 538*. Eine Miniatur der Paulusbriefe der Würzburger Universitätsbibliothek, Ende 8. Jh., mit der Darstellung der Kreuzigung unterscheidet zwischen den Adlern, die mit nach oben gerichteten Flügeln und Köpfen zu beiden Seiten des Hauptes Christi auf dem Querbalken des Kreuzes stehen, und den schwarzen Totenvögeln beim Kreuz des Schächers der linken Seite. Diese bilden das Gegenbild zu den Engelwesen beim rechten Schächerkreuz[15]. Die Adler auf dem Querbalken des Kreuzes einer Miniatur des oberitalienischen Valerian-Evangeliars, *vgl. Abb. 443*, können ebenfalls als Auferstehungs- und Himmelfahrtssymbol gedeutet werden.

Wie auf den koptischen Stelen, so kommt auch in der abendländischen Sepulkralkunst der Adler in ähnlicher Bedeutung vor. Der Merowingische Grabstein aus Gondorf, um 600 (?), heute im Landesmuseum zu Bonn, *Abb. 400*, der römische, mittelmeerische und germanisch-keltische Einflüsse erkennen läßt, zeigt zwei Vögel auf den Schultern eines als Brustbild im Kreis wiedergegebenen Mannes. Er ist durch das Attribut des Buches als Christ ausgewiesen. In den vier Ecken verkörpern vier Tiere die bösen Mächte, vor denen der Dargestellte durch den Kreis geschützt wird[16]. Es ist bei der heraldischen ornamentalen Gestaltungsweise nicht mit Sicherheit zu sagen, ob die beiden Vögel auf den Schultern der Gestalt in Anlehnung an frühchristliche Darstellungen Paradiesvögel (Pfauen) sind oder ob sie Adler wiedergeben[17]. Sie stehen als Flügelwesen und durch ihre Anordnung zu seiten des Hauptes der Gestalt innerhalb des Kreises auf jeden Fall in Antithese zu den Tieren, die die bösen Mächte verkörpern. Handelt es sich bei dem Gondorfer Stein um einen Grabstein, was wahrscheinlich ist, so könnten die Vögel, ob sie als Adler gemeint sind oder nicht, als Hinweis auf den Sieg über die Todesmacht gedeutet werden, *vgl. Abb. 66*. Auf der Vorderseite eines Sarkophags, um 1100, im Kloster S. Crux in Jaca ist die Seelenerhebung der Doña Sancha, Tochter Ramiros I. von Aragon, dargestellt. Zu beiden Seiten der stehenden kleinen nackten Seelengestalt, die in einer Mandorla von zwei Engeln emporgetragen wird, ist ein Adler eingefügt – eine Übersetzung der antiken Apotheose und der imago clipeata in die mittelalterliche Vorstellungswelt[18]. Der Grabstein der Königin Gisela, die nach dem Tod ihres Gemahls, Stephan I. von Ungarn, Äbtissin des Klosters Passau-Niedernburg wurde (gest. 1045), zeigt eine ähnliche Verbindung von Kreuz und Adler, die in der vorkarolingischen Buchmalerei zu

---

14. Die irischen und koptischen Klöster standen vermutlich miteinander in Verbindung.

15. Abbildung in Bd. 4, Kap. Kirche. Siehe auch Kat. Nr. 448 der Ausstellung Karl d. Gr. 1965 und Wehrhahn-Stauch 1967, Abb. 1, wo außer dieser Miniatur auch die bekannte des Pariser Augustinus-Codex um 770 mit einem auffallend großen Adler auf dem Kreuz und die Incipit-Seite des Gelasius-Sakramentars der Vatikanischen Bibliothek, um 750, abgebildet sind.

16. Der Clipeus, der auf römischen Sarkophagen die Bildnisbüste umschließt, ist hier mit dem magischen Kreis verschmolzen.

17. Die Schnäbel und Augen sprechen für Adler, das Fehlen der Schwingen dagegen. E. Panofsky bezeichnet sie in: Grabplastik, Köln 1964, S. 54, als Seelenvögel; der Begriff ist aber für das Mittelalter zu unbestimmt.

18. Panofsky, 1964, Abbildung 236, S. 65/66. L. Wehrhahn-Stauch weist S. 116 auf zwei vorchristliche Sarko-

finden ist. Er wurde um 1095 gearbeitet, *Abb. 402*, und in der Gotik noch einmal wiederholt.

Im Zusammenhang der Auferstehungshoffnung und als Symbol des Auferstandenen kann auch der Adler auf den Gerichtsdarstellungen der irischen Steinkreuze gesehen werden. Auf der Ostseite des Hochkreuzes von Clonmacnoise, Anfang 10. Jh., *Abb. 401*, steht der Richter im Schnittpunkt des Kreuzes, umgeben von der Ringaureole, die für irische Hochkreuze kennzeichnend ist. Er hält in der rechten Hand einen Blätterzweig, in der linken das Kreuz: Lebens- und Todeszeichen. Auf seinem Haupt steht der Adler, der den Richter als den Auferstandenen ausweist und zugleich den Gerechtfertigten das Ewige Leben verheißt. Unter den Füßen Christi windet sich eine Schlange. Die Vorderseite des Muiredach-Kreuzes – vgl. die Kreuzigungsdarstellung, *Band 2, Abb. 353* – zeigt ebenfalls auf der Rückseite die für Irland typische Richtergestalt[19]. Ein weiteres Beispiel für den Auferstehungsadler der insularen Kunst steuert die Höllenfahrtsdarstellung auf dem Taufstein, 1140–1170, der Dorfkirche Zur hl. Maria und Magdalena in Eardisley (Herefordshire) bei. Der Adler sitzt hier auf der Schulter des Auferstandenen, der Adam dem Tode entreißt. An diese Szene schließt sich ein Löwe an[20].

In der Kunst des hohen Mittelalters sind mehrfach Lamm und Adler einander gegenübergestellt. Da das Lamm in dieser Zeit vorwiegend als Passionszeichen gilt, ist in diesem paarweisen Auftreten der Adler als Auferstehungszeichen zu deuten. Wir geben nur einige Beispiele: Eine Agraffe (Gewandspange) aus Elfenbein, um 1100, zeigt auf der Vorderseite inmitten der schreibenden Evangelisten den Adler, *Abb. 404*, auf der Rückseite das Lamm. Auf einem westdeutschen Kreuzfuß des 12. Jh. in Basel sind oberhalb der Löwenprankenfüße zwischen den sitzenden Evangelisten vier Darstellungen: die thronende Gottesmutter, die Taufe Christi, Christus mit Kreuz als Weltenrichter und der thronende Christus, der in zwei clipei das Lamm und den Adler hält, *Abb. 406*[21]. Der Schlußstein des Apsisgewölbes der Kirche in Le Thor (Vanduse), Ende 12. Jh., *Abb. 407*, ordnet dem Agnus Dei in der Mitte fünf Adler zu, die, wie der Johannesadler auf vielen Darstellungen, mit den Fängen eine Rolle umgreifen, ebenso *Abb. 404*.

Ein Metallaufsatz, der vermutlich zu einem Reliquiar gehörte, 12. Jh., *Abb. 421*, zeigt oben im Bogen Adler und Löwe verschmolzen zu einer doppelköpfigen Gestalt. Sie ist in Beziehung gesetzt zu der Scheibe darunter, auf der das Gotteslamm, umgeben von den vier Evangelistensymbolen, dargestellt ist. Auf die Tür oberhalb des Lammes bezieht sich die um das Lamm geführte Inschrift aus Joh 10, dem Kapitel vom Guten Hirten, dem die Perikope des 2. Sonntags nach Ostern entstammt. Vers 7 bezeichnet sich Jesus als die Tür zu den Schafen, und Vers 9 heißt es: »Ich bin die Tür, so jemand durch mich eingeht, der wird selig werden und wird ein- und ausgehen und Weide finden.« So bedeutet hier die Tür den von Christus durch seinen Tod (Agnus Dei) und seine Auferstehung (Adler und Löwe) geöffneten Zugang zum Paradies.

Die Westwand des Innenraumes vom Heiligen Grab (vgl. Bd. 2, S. 195 ff.) der ehemaligen Klosterkirche von Gernrode, 1100–1120, *Abb. 403*, zeigt oben einen Relieffries, in dessen Mitte das Lamm steht; links von ihm der Adler, rechts ein nimbierter Vogel, mit dem

phage, 230—240 und 280—290, hin, auf denen die imago clipeata von einem Adler auf den Flügeln getragen bzw. von oben gefaßt wird, Abb. bei G. **Bovini**, I sarcofagi paleocristiani, Vaticanstadt 1949, Kat. Nr. 19, Fig. 79, und Nr. 51, Fig. 142.

19. Nach R. T. Stoll-Jean Roubier, Britannia Romanica, Wien und München 1966, S. 321, stehen hinter ihr altägyptische Vorstellungen: Osiris, der Gott des Todes und der Auferstehung, mit Zepter und Wedel in Händen — möglich, aber nicht zwingend.

20. Stoll-Roubier Abb. 111.

21. In Band 11 der Basler Kunstdenkmäler des Kantons Basel-Stadt, 1933, ist der Vogel als Taube bezeichnet und die Darstellung als Trinität gedeutet worden. Dies scheint, abgesehen davon, daß der Vogel den langen Adlerschnabel hat, auch vom Trinitätsbild des 12. Jh. her gesehen unwahrscheinlich, denn dabei ist außer Gott-Vater auch Christus immer in Menschengestalt wiedergegeben. Es gibt auch m. W. keine Trinitätsdarstellung an einem Kreuzfuß, während Christus als Weltenherrscher mit der gleichen Handlung, aber die Gestirnszeichen tragend am Fuß eines Osterleuchters des 13. Jh. aus der Abtei Postel (Lothringen), Brüssel, Musée Cinquantaire, vorkommt.

nur der Phönix gemeint sein kann. Er ist gleich den Löwen, die sich beiderseits anschließen, im Mittelalter Sinnbild der Auferstehung. In den größeren Eckfeldern weisen Johannes der Täufer und ein Prophet auf diese Auferstehungszeichen. Ein seitlich stehender dritter Löwe ist vielleicht als Hinweis auf die Menschwerdung zu verstehen. (Der Löwe verwischt mit dem Schweif seine Fährte, wenn er den Jäger wittert; so verhüllt sich nach dem Physiologus die Gottheit Jesu auf Erden.) Der Hirsch ist Symbol für Christus, als Verfolger und Bekämpfer der Schlange (vgl. Bd. 1, Taufe, S. 141 und 150); der Pelikan verweist auf den Opfertod und die Auferstehung Christi; das letzte Tier ist nicht zu identifizieren. In der Mitte aber steht Maria Magdalena, die den Jüngern die Auferstehung verkündete. Die ganze Reliefwand ist von stilisierten Weinranken mit Trauben umzogen, die als Lebensbaum zu verstehen sind; die vier Köpfe, denen die Ranken entsprießen, deuten die vier Paradiesesflüsse an. Dem oberen Fries ist jedoch unten ein anderer mit fünf Tieren, die die überwundenen bösen Mächte verkörpern, gegenübergestellt. Die Auferstehung ist an dieser Wand durch die dem hohen Mittelalter vertraute Tiersymbolik als Sieg Christi über die Mächte der Finsternis veranschaulicht; außerdem verweist die Paradiessymbolik auf das neue Leben. Diese Interpretation ergibt sich nicht nur angesichts der Funktion des »Heiligen Grabes«, in dem sich das Karfreitags- und Osterzeremoniell der Kirche vollzieht, sondern auch im Blick auf die Darstellungen an den anderen Wänden des Raumes, die biblische Auferstehungsszenen zeigen: die drei Frauen am Grab, den Wettlauf der Jünger zum Grab und das Noli me tangere[22].

Der Sieg des Adlers als Gottes- und Lichtsymbol über ein Tier, das die dunklen Mächte vertrat, ist als gesondertes Motiv sehr alt. Es ist gelegentlich in die christliche Kunst übernommen worden. Das älteste bekannte Beispiel ist die schon erwähnte J-Initiale zu

Beginn des Johannesevangeliums im Sakramentar des Metzer Bischofs Drogo, *Abb. 405*. Der auf der Schlange stehende Adler symbolisiert den sieghaften Christus. Als Antipoden sahen wir Adler und Schlange in der irischen Gerichtsdarstellung der Hochkreuze. Unter den vielen vom Orient übernommenen Bildmotiven der Tierkämpfe, die die byzantinische und die abendländische Kunst, vor allem die Plastik des hohen Mittelalters aufweisen, trifft man den Adler auf der Schlange, dem Drachen oder dem Hasen stehend. Außerdem kommt der Kampf des Adlers mit der Schlange, der sich bis in die kretisch-mykenische Zeit verfolgen läßt, schon früh in der Kunst vor (Fußbodenmosaiken). Er ist in der Kirchenväterliteratur als Kampf Christi gegen den Teufel gedeutet worden[23]. Uns interessiert hier speziell der sieghafte Adler, der auf einem Tier mit negativer Bedeutung steht, weil er in Parallele zu dem auferstandenen Christus, der die überwundenen Feinde niedertritt, gesehen werden kann. Bei dem dekorativ-ornamentalen Charakter der byzantinischen und der romanischen Skulptur werden die sieghaften Adler auch paarweise wiedergegeben. Schlange und Drache sind von alters her Sinnbild der dunklen und bösen Mächte, sie sind von der christlichen Kunst übernommen worden. Nicht mit Sicherheit ist in diesem Zusammenhang der Hase, der im Lauf oder in Ruhestellung wiedergegeben wird, zu deuten. Doch geht auch dieses Kampf- oder Siegesmotiv weit zurück. Die Staatliche Münzsammlung in München besitzt zwei griechische Münzen, um 410 v. Chr. (Tetradrachme, Akragas). Ruhend ist der Hase auf einer Miniatur einer spätkarolingischen Handschrift wiedergegeben, Paris, Bibl. Nat., cod. lat. nouv. acq. 2196[24]. Doch ist das Motiv hier der Dekoration eingefügt, so daß es wahrscheinlich den byzantinischen Jagdmotiven ohne christliche Bedeutung entnommen ist[25]. An der Südseite der kleinen Metropolis zu Athen zeigt ein Spolienrelief den Adler triumphierend aufgerichtet auf

---

22. Die Tiere der unteren Reihe deutet G. W. Vorbrodt, Die Tier- und Pflanzensymbolik der Westwand des hl. Grabes zu Gernrode, in: Harzzeitschrift 5/6, 1953/54, S. 52, als Bär, Hahn, Rebhuhn, Ibis, Kaninchen, Basilisk, Strauß.

23. Pseudo-Ambrosius, Sermon 46: De Salomone, MPL 17, 695 und 718.

24. H. Schrade, Vor- und frühromanische Malerei, Köln 1958, Abb. 15 b.

25. E. Dinkler-v. Schubert, 1964, geht dem Adler-Hase-Motiv bei der Untersuchung der Tierdarstellungen am Elisabeth-Knauf des Marburger Schreins nach. Siehe auch R. Wittkower, S. 312 ff.

dem laufenden Hasen stehend, *Abb. 409.* Ähnlich kommt er mehrfach in Süditalien in der normannisch-staufischen Kunst an Kirchen und Kastellen vor und ist da Ausdruck der kaiserlichen Macht. Eine byzantinische Reliefplatte des 10./11. Jh. im Britischen Museum, *Abb. 408,* bringt beide Motive: In der Mitte steht der Adler breitbeinig auf der Schlange, die ihren Kopf aber noch erhebt und ihren Blick gegen den des Adlers richtet. Dieser wird flankiert von zwei Adlern in Profilansicht, die auf zwei kauernden Hasen stehen. Schlange und Hase sind bedeutungsmäßig gleichgesetzt[26]. Diese beiden Reliefplatten stehen in keinem Bildzusammenhang, so daß sie nicht mit Sicherheit im christlichen Sinn zu deuten sind. An einem Portal der Kathedrale zu Tarragona, um 1200, *Abb. 411,* ist das Adler-Hase-Motiv jedoch unmittelbar neben den Frauen am Grabe, der einzigen figürlichen Darstellung der Kapitellreihe des Portals, zu finden. Hier sind es zwei Adler, die zwei Hasen niedertreten und mit den anderen Fängen ein nicht zu identifizierendes Tier umkrallen. Auf einem der sechs Blaugoldemails am Knauf der einen Giebelfront des Elisabethschreins in Marburg, 1236–1249, *Abb. 428,* steht der Adler ebenfalls auf dem laufenden Hasen. Das Motiv ist hier den Tiersymbolen, die sich auf die Auferstehung beziehen, eingereiht: Löwe, Pelikan, Phönix (Stelzvogel); dazu kommen noch auf zwei weiteren Emails die Tiere, die beim Christus victor zu den besiegten Feinden gehören: der Basilisk und die Aspis. Der Adler ist allerdings nicht triumphierend dargestellt, er hackt auf die Beute ein[27]. Aus dem Zusammenhang wird klar, daß der auf einem der Tiere mit negativer Bedeutung stehende Adler Sinnbild der Auferstehung ist.

Dem 13. Jh. gehört noch ein bedeutendes Werk an, das dem Wandlungsprozeß dieses orientalischen Motivs in der mittelalterlichen Kunst zu einem »Adler victor« zeigt. An dem Lesepult im Hildesheimer Dom, Bronze, *Abb. 410,* steht der Adler stolz aufgerichtet auf einem Drachen oder Basilisk. Der Johannesadler ist zugleich der Auferstandene, der Tod und Hölle besiegt hat. Mit dem Adler an Lesepulten, von denen das Evangelium im Gottesdienst gelesen wird, ist immer der Johannesadler gemeint, der zugleich auch Christussymbol sein kann. Vgl. auch den Adler auf dem Rostocker Taufkessel *Bd. 1, Abb. 377.*

Bei dem auffliegenden Adler, dessen Bildgenesis zur Apotheosevorstellung hinführt, verlagert sich im hohen Mittelalter der Bedeutungsakzent zur Himmelfahrt Christi hin. Zwei auffliegende Adler verweisen auf dem Noli-me-tangere-Relief der Hildesheimer Bronzetür, um 1015, *vgl. Abb. 281,* auf die Himmelfahrt, von der Christus Magdalena gegenüber spricht. Ebenso ist der emporfliegende Adler unterhalb der Himmelfahrtsdarstellung auf dem goldenen Buchdeckel im Aachener Münsterschatz, 1. Viertel 11. Jh., Zeichen der Himmelfahrt. Dagegen muß in einer Handschrift von Bernhards Sermones de Tempore der über der Auferstehung Christi dargestellte Adler als Auferstehungssymbol verstanden werden, *vgl. Bd. 2, Abb. 448.* Auch hier ist dem Adler der Drache gegenübergestellt, doch tritt ihn der Auferstehende selbst nieder. (Die Gestalt gegenüber dem Adler ist Bernhard.)

Unterhalb der Himmelfahrtsdarstellung in der Bibel aus dem Kloster Floreffe der Diözese Lüttich, um 1160, *vgl. Abb. 500,* die vor dem Beginn des Johannesevangeliums anstelle des Autorenbildes steht, ist die Adlersymbolik in dreifacher Weise in Beziehung zur Himmelfahrt gesetzt. Links schaut Hesekiel den viergesichtigen Cherub, siehe dazu unten. In der Mitte steht ein Adler, der den erhöhten Christus symbolisiert, mit auf-

---

26. Der Hase galt in Assyrien und im Judentum als unreines Tier (5 Mos 14,7). In der Antike war er Symbol der Fruchtbarkeit. Da er schnell läuft, wurde er auch als Symbol der flüchtigen Zeit und Vergänglichkeit gedeutet. Er ist bei den Jagdszenen, zu denen das Motiv in der byzantinischen Kunst gehörte, Beutetier. Augustin und Tertullian, auch Geiler von Kaiserberg sahen im Hasen ein Sinnbild des von der Sünde gehetzten Menschen. Er wird im frühen Christentum und im Mittelalter auch in bezug zur Unzucht, Geilheit und Lasterhaftigkeit des Menschen

gesehen. Daraus erklärt sich seine Gleichsetzung mit der Schlange. Siehe W. Jesse, Beiträge zur Volkskunde und Ikonographie des Hasen, in: Bargheer, H. Freudenthal (Hrsg.): Volkskunde-Arbeit, Zielsetzung und Gehalte, Festschrift für Otto Lauffer, Bl. 1934, S. 158—175.

27. Vgl. dazu ein rundes Marmorrelief der Georgskirche in Saloniki, 13. Jh., im Katalog der Ausstellung Byzantinische Kunst, Athen 1964, Abb. 10. Hier steht der Adler mit offenen Flügeln auf dem Hasen und hackt ihm die Augen aus.

gerichteten Flügeln im Schoße Gottes. Rechts schaut Mose den Adler, der seine Jungen zum Fliegen anregt, zu den Inschriften siehe bei Himmelfahrt. Die das letzte Bildmotiv auslösende Textstelle 5 Mos 32,11, die sich auf Gottes Leitung des Volkes Israel bezieht, ist ebenso wie die auf Taufe und Gericht gedeuteten Adlergleichnisse des Physiologus fast ausschließlich als Sinnbild der Himmelfahrt illustriert worden. Auch das an Ps 103(102),5 anschließende Adlergleichnis kommt nicht nur in Psalter- und in Bestiarien-Illustrationen vor, zum Beispiel im Alpanipsalter, 1. Hälfte 12. Jh., *Abb. 413*, sondern ebenso in der Auferstehungssymbolik, worauf oben schon hingewiesen wurde. Das Scheibenkreuz im Stift Kremsmünster, 1150–1160, *Abb. 412*, ordnet zwei auffliegende Adler – einer davon fliegt zur Sonne – und den zum Quell herabfahrenden der Himmelfahrt Christi zu; daneben ist die Auferstehung und das mit ihr korrespondierende Löwenmotiv dargestellt.

Auf einer niedersächsischen Miniatur des Evangeliars Heinrichs des Löwen, um 1175, die die Grablegung und die Frauen am Grab darstellt, ist der zur Lebensquelle herabfliegende Adler den Symbolen der Auferstehung in den vier Eckmedaillons der rahmenden Schmuckleiste eingefügt: Löwe, Phönix, Pelikan, Adler, *vgl. Bd. 2, Abb. 571*, und auf dem sogenannten Nesterkelch der Petrikirche in Soest, 2. Hälfte 15. Jh., *Abb. 416*, verweisen Adler, Phönix und Pelikan, alle drei auf ihrem Nest bzw. von ihm auffahrend, auf die Auferstehung und auf die Gegenwart des Auferstandenen bei der Eucharistiefeier. Das Nest dieser Symboltiere wird in dieser Zeit als Sinnbild der Kirche gedeutet. Dagegen vergegenwärtigt der Cismarer Altar, 1310–1320, in den Giebelfeldern mit Lamm, Pelikan, Löwe und Adler, *Abb. 415*, Tod und Auferstehung des Herrn. Durch ein aus dem Nest fallendes Junges ist auf die Jungenprobe ebenso angespielt wie auf dem Chorgestühl des Kölner Doms, um 1325, *Abb. 414*, mit einem Jungen, das der Adler zur Sonne bringt; zwei weitere blicken vom Nest aus empor. Unmittelbar neben der Sonne und dem Adler ist hier das Sim-

sonmotiv, das zur Auferstehungstypologie gehört, dargestellt. Der Adler ist wohl zugleich als Sinnbild der Himmelfahrt und des Erlösers, der die Menschen zu Gott (Sonne) zurückbringt, gemeint. Für die Verbindung von Johannes- und Himmelfahrts-Symbol *vgl. auch Abb. 484, 492*. Zum Abschluß sei noch auf eine Beischrift im Uta-Codex, Anfang 11. Jh., verwiesen: »In Christus ist die Vision des aufsteigenden Adlers erfüllt.«

Der Phönix. Die Sage vom Phönix, vermutlich arabischen oder indischen Ursprungs, entstand im Rahmen der Sonnenverehrung[28]. Der Phönix ist Symbol der Sonne, begrüßt ihren Aufgang, huldigt ihr vor seinem Tode und ersteht durch ihre Strahlen zu neuem Leben. Durch diese Lebenserneuerung ist er Symbol der Unsterblichkeit. Als solches kennt ihn auch das alte Judentum. Eine Legende sagt von ihm, daß er im Paradies nicht wie die anderen Vögel von der verbotenen Frucht genommen habe und ihm deshalb die Unsterblichkeit zuteil geworden sei. In den ältesten Sagen wird der Phönix dem Adler ähnlich beschrieben, dann dem Pfau, und später, als Herodot die Sage mit Ägypten in Verbindung brachte, spricht man von einem reiherähnlichen Fabeltier, da der Phönix hier an die Stelle des dort als Sonnensymbol verehrten Vogels Benu tritt, der als Reiher geschildert wird. In Ägypten spielt im Sonnenkult ein Baum eine Rolle, gleichfalls gehört zur Phönixsage ein Baum, unter dem man meistens die Dattelpalme versteht, die wie der Vogel Phönix heißt. Seit die Sage im Zusammenhang mit dem Sonnenheiligtum in Ägypten steht, wird sie allgemein bekannt und bei antiken Schriftstellern, in der christologischen Deutung des Physiologus und in der Väterliteratur mehrfach erwähnt[29]. Die uns bekannten Versionen der Sage stimmen in ihren wichtigsten Wesenszügen überein: Der ewige Vogel Phönix, der ein Krönlein trägt, dessen Gefieder von Hyazinth, Smaragd und Edelsteinen schimmert und der zu seinen Füßen gleich den Königen eine Kugel hat, kommt alle 500 Jahre von Indien nach Heliopolis in Ägypten (von Osten nach

---

28. Zum Ursprung und den Varianten der Legende siehe Pauly-Wissowa, 1950, Bd. 20, Sp. 414 ff. (A. Rusch).
29. Zuerst Herodot II, 73, außerdem Ovid, Metamor-

phosen 15, 382. Tacitus berichtet, unter der Herrschaft des Tiberius habe sich im Jahre 34 n. Chr. der Phönix gezeigt. Literatur: O. Seel, Der Physiologus, Zürich/Stutt-

Westen) und betet dort vor dem Sonnenaltar nach Osten gewandt zur aufgehenden Sonne, nachdem er vorher auf dem Libanon seine Flügel mit Wohlgerüchen gefüllt hat. Ein Priester schichtet, sobald er ihn erblickt, Holz vom Weinstock auf den Altar. Der Vogel Phönix setzt sich oben darauf, blickt zur Sonne empor und läßt sich von ihr entzünden, um zu verbrennen. Dabei facht er mit dem Flügelschlag die Flamme an. Am dritten Tag ersteht er aus der Asche zu neuem Leben und fliegt zurück in seine Heimat gen Osten. Es gibt auch eine vereinfachte Version, nach der der Phönix, wenn er sein Ende nahen fühlt, auf der höchsten Palme sich ein Nest aus Dufthölzern macht und sich darin von der Sonne entzünden läßt, um sein Leben durch den selbstgewählten Tod zu erneuern. Baum und Vogel sind zusammen ein altes Lebenszeichen (vgl. Bd. 2, Pelikan S. 148); ebenso sind das Sonnenlicht und das Leben im menschlichen Bewußtsein eng verknüpft (vgl. Joh 1,4). – Wir fügen eine christliche Umformung der Legende aus dem 4. Jh. an, die mit einer für diese Zeit typischen Schilderung des Paradieses beginnt. Es tritt als die Heimat des Wundervogels an die Stelle Indiens: Im äußersten Osten befindet sich ein glückliches Land, wo sich das Tor des Himmels öffnet und sich auf dem höchsten Berg ein Sonnenhain mit ewigem Grün befindet. In seiner Mitte sprudelt eine lebendige Quelle. Dort wohnt der Vogel und grüßt jeden Morgen dreimal die Sonne. Nach tausend Jahren hat er das Verlangen, wiedergeboren zu werden, und fliegt nach Westen, wo der Tod das Zepter führt. Dort baut er sich sein Nest (Grab), denn er geht unter, um zu leben. Nachdem er seine Seele Gott empfohlen hat, verbrennt er sich und erhebt sich aus der Asche in neuer Jugend. Sein lichtglänzendes Haupt umgibt ein Strahlenkranz, und seine Herrlichkeit übertrifft alle Schönheit der Welt. – In Anschluß an die ägyptische Sage heißt es, daß er auf dem Rückflug das, was vom alten Vogel übrigblieb, zu der ägyptischen Sonnenstadt

bringt und auf den Sonnenaltar niederlegt[30]. Man hat in dieser Schilderung den Weg Jesu gezeichnet gefunden: vom Paradies im Osten nach Palästina, wo er den Tod fand, dann zur Hölle, für die Ägypten im Judentum Sinnbild war, und wieder zurück nach dem Osten zum Himmel des Lebens. Die christliche Deutung des Phönix als Sinnbild für den Tod und die Auferstehung Christi ist schon Ende des 1. Jahrhunderts im 1. Clemensbrief, c. 25, zu finden. Im Physiologus ist die Phönixlegende mit Joh 10,18 verbunden: »Ich habe Macht, mein Leben zu lassen, und habe Macht, es wieder zu nehmen.« Die Schlußfolgerung ist: Wenn dieser Vogel sein Leben lassen und wiedernehmen kann, sollten die unverständigen Menschen nicht unwillig über dieses Herrenwort sein.

Inschriften auf spätantiken Kaisermünzen mit der Darstellung des Phönix deuten ihn als Ausdruck des Beginns eines neuen glücklichen Zeitalters (aeternitas, gloria saeculi). Er ist in der Antike allgemein imperiales Symbol der »reparatio felicium temporum«. So ist auch das Fußbodenmosaik des 5. Jh. aus Antiochien, das den Phönix auf dem Berg wiedergibt, zu verstehen, *Abb. 419*[31].

Der Phönix ist in der frühchristlichen Kunst als Zeichen der Wiedergeburt zum ewigen Leben in die Paradiesesdarstellung aufgenommen und in der Regel auf der Palme dargestellt worden, *vgl. Abb. 578, 580, 581*. Er wird immer gesondert, oft als Stelzvogel und mit einem Strahlenkranz wiedergegeben; vereinzelt trägt er auch das Krönlein. In seinem Aufblicken kommt seine Verbundenheit mit der Sonne zum Ausdruck. Die verschiedene Schilderung seiner Gestalt wirkt sich auf seine bildliche Wiedergabe aus. In der frühchristlichen Kunst ist schon die Verbrennung auf dem Scheiterhaufen zu finden, wie in der Katakombe an der Via Latina, 330–350, *Abb. 417*, wo sich allerdings Themengruppen verschiedener Herkunft mischen. Anscheinend ist er nicht in Beziehung zum Kreuz dargestellt worden[32].

---

gart 1960: die Legende S. 8 f., zur Lit. Anm. 41, S. 76; siehe außerdem H. Dölger, Sol Salutis, S. 33, 166, 222 ff. und 384; F. Cumont, Etudes Syriennes, S. 95; E. Dinkler-v. Schubert in RGG V, 3. Aufl., 358 f.; dieselbe, Elisabethschrein, 1964, S. 127–129.

30. Lactantius († nach 317) in: Carmen de ave Phenice. Etwas verkürzt nach Dölger S. 223 f. wiedergegeben.

31. J. Lassus, La Mosaique de Phénix provenant des fouilles d'Antioche, in: Monum. Piots XXXVI, 1938, S. 81 ff.

Ein Fragment einer Physiologus-Handschrift, um 1100, die sich vor ihrer Zerstörung durch einen Brand 1923 in der evangelischen Schule in Smyrna befand, *Abb. 418*, stellt den Phönix (Stelzvogel) in Heliopolis dar. Auf den heidnischen Tempel ist durch Säulen mit zwei bewaffneten Figuren hingewiesen. Davor steht ein Apostel (Nimbus und Buch) und deutet nach oben zu dem Phönix, der auf einer Säule im brennenden Nest sitzt und zur Sonne emporblickt. Die zweite Wiedergabe zeigt ihn unten stehend und zur Sonne emporblickend.

Im Mittelalter wird der Phönix ebenfalls zusammen mit Berg, Baum oder Scheiterhaufen dargestellt, er ist mehrmals den oben aufgeführten Gruppen der Symboltiere eingefügt. Auf der Auferstehungsminiatur des Stammheimer Missale aus Hildesheim, *vgl. Abb. 21*, sitzt er in einem Nest im Baumwipfel unmittelbar unter dem Hauptbild, der Auferstehung Christi, und ist den alttestamentlichen Typologien eingefügt, die um diese Szene gruppiert sind. Innerhalb der oberen Tierreihe am Heiligen Grab in Gernrode trägt der Phönix, abgesehen vom Lamm, als einziges Tier den Kreuznimbus, der ihn als Christussymbol qualifiziert[33]. Die Inschrift des Phönixmedaillons der Miniatur im Evangeliar Heinrichs des Löwen, *vgl. Bd. 2, Abb. 571*, lautet: »Phenix qui pridem, die pulvere nascitur idem.« Auf dem Lüner Osterteppich ist er wie auf dieser Miniatur der Vierergruppe eingereiht, *Abb. 431*. Für die Illustration der Phönixsage in Bestiarien geben wir als Beispiel den Ausschnitt einer Seite mit sechs Tierallegorien eines Wiener Bestiars, Anf. 13. Jh., *Abb. 420*. Der Phönix ist einmal im Paradies dargestellt, wie er sich von den Früchten des Lebensbaums nährt, ein zweites Mal an der Quelle unter dem Baum und dann auf dem brennenden Scheiterhaufen, dessen durch die Gitterform betonte Schichtung sich ebenfalls auf die Sage be-

zieht. In der Bauplastik kommt der Phönix selten vor, doch ist er z.B. als Fensterkonsole am oberen Außentriforium des Veitsdomes zu Prag, Parlerwerkstatt, um 1375, auf dem brennenden Scheiterhaufen dargestellt. Vereinzelt ist er als Symbol der Auferstehungshoffnung in der Grabeskunst und bei Märtyrerdarstellungen zu finden; siehe auch bei der spätmittelalterlichen Mariensymbolik, Bd. 4.

Der Löwe. Der Löwe gehört zu den alten mythischen Symbolen, deren Deutung ambivalent und vielfältig ist und aus dem Zusammenhang erschlossen werden muß. Allein die Bibel nennt den Löwen über hundertmal in gegensätzlichen Bedeutungen. Von alters her gilt er als Symbol der Sonne und des Königtums, der Macht und der Kraft. Wegen seiner gelben Farbe und seines runden Angesichts, das von der Mähne wie von Strahlen umgeben ist, wurde er als Bild der Sonne empfunden. Die Babylonier nannten die Sterngruppe des August, also des Monats, da die Sonne die höchste Glut zur Erde sendet, Löwe. Er gehörte zur Herrschaftsikonographie altorientalischer Völker, die in ihm auch ein Zeichen des göttlichen Schutzes sahen. So waren vor dem Tor von Mykene zwei Löwen angebracht, die eine Sonnensäule hielten. An den Palästen assyrischer Könige vertrat der Löwe zusammen mit dem Stier die Macht des Herrschers, und die ägyptische Sphinx (Symbol des Sonnengottes), gleichfalls eine Verkörperung des Herrschertums, ist ein Löwe mit einem Menschenantlitz. Nach der Schilderung des Alten Testament standen zwölf Löwen auf den Stufen und zwei an den Lehnen des salomonischen Thrones (1 Kön 10,18–20). Die visionären Bilder des göttlichen Thrones Hes 1 und 10 und Apk 4 stammen aus dem alten Orient. Von den hier genannten vier Thronwesen vertritt in der christlichen Symbolik der Löwe die Auferstehung Christi

---

32. Auf dem im Mittelalter erneuerten Apsismosaik der Laterankirche, auf das das heutige zurückgeht, ist er zwar unterhalb des Kreuzes zu sehen, ist aber den Motiven der Lebensbaum- und Lebensquellsymbolik eingefügt.

33. Da alle Motive der Phönixikonographie hier fehlen und die Angleichung an den Adler beinahe zu einer völligen Übereinstimmung gebracht ist, veranlaßt uns nur die

unnatürliche Stellung von Schnabel und Augen, in diesem Vogel ein Fabeltier zu sehen; der andere Vogel stimmt mit der üblichen Adlerikonographie überein. Der Stelzvogel mit erhobenem Bein am Elisabethknauf des Marburger Schreins ist als Antipode zu Basilisk und Aspis, zwischen denen er steht, und auf Grund des Zusammenhangs mit Pelikan, Löwe, Adler von E. Dinkler-v. Schubert als Phönix ermittelt worden.

und ist außerdem Symbol für Markus, siehe dazu unten.

In der Spätantike war der Löwe dagegen Symbol des Todes, als solches ist das Löwenhaupt auf römischen Sarkophagen des 3. und 4. Jh. zu finden. Die antike Sepulkralkunst kennt den Löwen allerdings auch als Grabeswächter. Wir sind ihm als Sinnbild der bösen Macht bei dem Bildtypus des »Christus victor« begegnet, wo er besiegt und niedergetreten wird. Ps 22(21), 22 und Ps 91(90),13 deuten ihn so, und 1 Petr 5,8 spricht von dem brüllenden Löwen, der umhergeht und sucht, welchen er verschlinge. David (1 Sam 17,34 f.), Benaja (2 Sam 23,20) und vor allem Simson (Ri 14,5 ff.) zerreißen ohne Waffen, aus eigener Kraft einen Löwen und zerbrechen dadurch die Macht des Todes und des Satans. Der Erzvater Jakob nennt beim Segen, den er seinen zwölf Söhnen zuspricht, Juda einen jungen Löwen und verheißt ihm die Herrschaft, 1 Mos 49,9 f. Sowohl der Thron Salomos als auch diese Weissagung vom »Löwen von Juda« ist auf Christus bezogen worden[34]. Apk 5,5 schildert in einer Vision des göttlichen Thrones den Sieg und die Anbetung des Lammes und knüpft dabei an diese Weissagung des Jakobsegens an: »Siehe, es hat überwunden der Löwe, der da ist aus dem Geschlecht Juda ...« In der Bibel Karls des Kahlen der Schule von Tours, vgl. Abb. 568, Seite 199, zeigt in bezug auf diese Stelle eine Miniatur das Lamm und den Löwen zu beiden Seiten des göttlichen Throns; beide Tiere sind durch den Kreuznimbus als Christussymbole gekennzeichnet.

Auch die Geschichte von Daniel in der Löwengrube, die seit frühchristlicher Zeit zu den Errettungsszenen gehört, ist für die Löwensymbolik aufschlußreich. Die hungrigen wilden Tiere taten Daniel, da er unschuldig war, kein Leid an, während sie seine Ankläger, die der König nach der Bewahrung Daniels den Löwen vorwarf, zerrissen. Hier ist dem Löwen die Weisheit des Richters und somit eine königliche Fähigkeit zugespro-

chen. Hos 5,14 vergleicht sogar den richtenden Gott Israels mit einem Löwen.

Der Physiologus sagt vom Löwen, dem »König der Tiere«, daß er mit offenen Augen schlummere, und schließt daraus, daß er niemals schlafe, sondern immer wache. Er zieht dann den Vergleich mit Christus am Kreuz, dessen Leiblichkeit stirbt (schläft), während seine Göttlichkeit wacht, »sitzend zur Rechten Gottes«. Außerdem wird hier berichtet: »Wenn die Löwin ihr Junges wirft, so ist es zuerst tot. Die Löwin behütet das Geborene, bis daß sein Vater kommt am dritten Tag und ihm ins Antlitz bläst und es erweckt. Dergestalt hat uns der All-Gott-Vater den Erstgeborenen vor allen Kreaturen, unsern Herrn Jesus Christus, seinen Sohn, von den Toten auferweckt, damit er das irrende Geschlecht der Menschen errette[35].«

Wir haben oben gesehen, daß schon die erste Darstellung der Auferstehung Christi, eine Reichenauer Buchmalerei vom Anfang des 11. Jh., durch die Zuordnung des Löwen zu dem vom Tod erstandenen Christus und durch die Inschrift Bezug auf die christliche Löwensymbolik, sofern sie sich auf die Auferstehung bezieht, nimmt, vgl. Abb. 187. Das gilt gleichfalls hinsichtlich der Inschrift: »Die Gewalt des Todes brechend, erhebt sich Jesus, der starke Löwe« für die Auferstehungsdarstellung des Albinusschreins, vgl. Abb. 196. Es ist jedoch sehr viel früher die Darstellung eines Löwen durch eine Inschrift in diesem Sinne gedeutet worden: Der Codex Aureus von St. Emmeram, der um 870 in der Hofschule für Karl den Kahlen geschrieben wurde, Abb. 422, zeigt als Eingang zum Matthäusevangelium eine Schmuckseite, in deren Mitte der Löwe steht. Sein Antlitz, umgeben von der Mähne, ist dem Betrachter zugewandt. Die Schrift, die den Löwen umschließt, lautet: »Hier erhob sich der Löwe und zerbrach die Pforten der Todeswelt, er, der niemals schläft noch schläfrig ist in Ewigkeit.« Nicht nur die Beischrift bestätigt, daß der Löwe Symbol des auferstandenen

---

34. Vgl. Bd. 1, S. 33–36, Abb. 46–51, und Löwenmadonna S. 33, Abb. 44 und 45. Bei dem Baseler Reliquiar ist für das Antlitz Davids eine antike Kamee verwandt worden, die ein von Haaren gleich Sonnenstrahlen umgebenes Angesicht zeigt.

35. O. Seel, 1960, S. 3 f. Dieses im Mittelalter weit-

verbreitete Löwengleichnis ist von Honorius Augustodunensis in einer Osterpredigt zusammen mit Adler, Phönix und Pelikan zur Interpretation der Passion und Auferstehung Christi herangezogen worden. Speculum Ecclesiae, 19, MPL 172, 936 B; vgl. auch Pseudo-Hugo v. St. Victor, De bestiis, lib. II, cap. I, MPL 177, 56 f.

Christus ist, sondern auch die ihm zugewandten vier Thronwesen in den Ecken der Bildseite, die in dieser Anordnung als Herrschaftssymbole auf den erhöhten Christus oder ein ihn vertretendes Symbol bezogen sind. Auf einer Seite einer Handschrift des Liber floridus, 1250–1270, *Abb. 423*, hält der Löwe, der den Kreuznimbus trägt und dessen Augen weit geöffnet sind, mit einer Hintertatze den Kreuzstab als Siegeszeichen und blickt auf diesen. Die Schrifttafel besagt: »Aus Davids Geschlecht vom Stamm Juda bist du, ein mächtiger Löwe, auferstanden im Ruhm.« Dieser Löwe ist eine Entsprechung zu dem sehr viel häufigeren Bild des Agnus Dei, das, die Siegesfahne tragend, nicht nur das Opfer Christi, sondern auch den Sieg über den Tod vergegenwärtigt *(vgl. Bd. 2, S. 129 ff. und Abb. 398 bis 408 und unten)*. Auf das Bronzerelief, *Abb. 421*, das eine Verbindung von Adler und Löwe zeigt, sind wir oben schon eingegangen. Interessant ist in unserem Zusammenhang ein nordspanisches Tympanonrelief der Kathedrale von Jaca (Aragón), kurz vor 1100, *Abb. 426*. Zu beiden Seiten eines Christogramms mit einem Diagonalkreuz und dem Zeichen Alpha und Omega, das durch die Umschrift als Trinitätszeichen gedeutet ist, stehen zwei Löwen als Sinnbild des Erlösers. Der linke schreitet, ohne ihn zu verletzen, über einen reuigen Sünder, der sich niederwarf und als sinnbildliche Handlung für Reue oder Buße eine Schlange zerdrückt. Die Inschrift besagt: »Der Löwe weiß den zu verschonen, der sich niederwirft und Christus (um Erbarmen) anfleht.« In dem anderen Löwen klingt der alte Gestalttypus des sieghaft auf den Tieren stehenden erhöhten Christus an. Der Löwe schreitet über den Basilisken und legt seine Tatze auf einen Bären. Aus dem Zusammenhang geht hervor, daß der Bär den Tod verkörpert. Die Unterschrift spricht von dem tapferen Löwen, der das Reich des Todes besiegt: Imperium mortis conculcans et leo fortis[36].

Am häufigsten ist im Zusammenhang der Auferstehung Christi im hohen und späten Mittelalter die auf den Physiologus zurückgehende Löwenlegende dargestellt worden, und zwar mit ein bis drei Jungen. Ein Fenster aus Wimpfen um 1270–1280, *Abb. 425*, zeigt in einem der Auferstehung zugeordneten Bildfeld den

Löwen, welcher sich über zwei Junge beugt und sie durch sein Blasen erweckt. Das Blasen, das gleichbedeutend ist mit Lebeneinhauchen, ist hier sinnfällig verbildlicht. Der eine junge Löwe verschlingt gleichsam mit offenem Maul den Lebenshauch. Eine Variante dieser Szene, die mehrfach vorkommt, bringt der Knauf des Marburger Elisabethschreins, *Abb. 429*. Das Junge, auf das der Löwe tritt, liegt auf dem Rücken. Im fast gleichzeitigen Goslarer Evangeliar, 1230–1240, zeigt die I-Initiale zu Beginn des Markusevangeliums (mit zwei Simsontypologien) die gleiche Kompositionsform. Zu der Löwenallegorie *vgl. auch Abb. 438*.

In der Bibel von Floreffe, um 1165, London, *vgl. Abb. 272*, ist diese Erweckung der Darstellung der drei Frauen am Grab und der Erscheinung des Auferstandenen vor ihnen hinzugefügt. Von den drei liegenden Jungen ist erst eines erwacht und blickt zum Vater auf. Zu beiden Seiten des nimbierten Löwen, den das eine Schriftband als Löwe von Juda bezeichnet, stehen zwei gleichfalls nimbierte Gestalten mit redenden und hinweisenden Gesten. Es können mit ihnen Propheten gemeint sein, da das Mittelalter die christologisch gedeuteten antiken Tiersagen den alttestamentlichen Typologien einreihte. – Da der Löwe als Symbol des auferstandenen Christus mit dem »Löwen aus Juda« identisch ist, wird diese Weissagung des Jakob auf dem Klosterneuburger Altar der Auferstehung Christi gegenübergestellt, *Abb. 424*. In einer den Parallelismus membrorum mißverstehenden Auslegung von 1 Mos 49,9 liegen ein Löwe und eine Löwin zu Füßen Jakobs, der mit einem Stab auf den Löwen weist. Auf dem Schriftband steht der Schluß von Vers 9. Von den zwölf Söhnen sind nur Jakob und ein weiterer wiedergegeben. Die Umschrift lautet: »Zum Lamm, das uns erlöst, wird der große Löwe aus Juda.«

Auf dem Scheibenkreuz in Kremsmünster ist das Löwenmotiv der Auferstehung unmittelbar zugeordnet und steht neben dem Adlermotiv, *Abb. 412*. Häufiger als mit dem Adler tritt der Löwe mit dem Pelikan zusammen auf, wie an einer Chorgestühlwange aus Berchtesgaden um 1340, *Abb. 427*. Dieses Tierpaar als Sinnbild für Passion und Auferstehung Christi ist typisch für das lateinische spätere Mittelalter und tritt gerade an Chorgestühlwangen häufig auf. Im 2. Band, S. 148 f., ist das Pelikanmotiv im Zusammenhang mit

36. Nach P. de Palol-M. Hirmer, Spanien, 1965, S. 72 f.

der Kreuzigung kurz behandelt, da es in der Regel den Opfertod Christi symbolisiert. Der Pelikan kann aber auch, da er mit seinem Blut seine Jungen zum Leben erweckt, als Auferstehungszeichen gelten. Das ist z. B. auf der häufig erwähnten Miniatur im Evangeliar Heinrichs des Löwen der Fall. Innerhalb der typologischen Zyklen der Glasmalerei sind Pelikan und Löwe in der Kathedrale von Le Mans der Kreuzigung zugeordnet, in der von Bourges aber der Auferstehung, *Abb. 438.*

Die bisher besprochenen Tiersymbole der Auferstehung sind auf dem Mittelteil des Lüner Osterteppichs, Anfang 16. Jh., der Auferstehung Christi zugeordnet, *Abb. 431.* Der mittlere Kreis, der den Auferstandenen, der das Grab verläßt, umschließt, ist identisch mit der Mitte eines siebenzackigen Sternes, des »Morgensternes«. Die innere Umschrift bezeichnet den Auferstandenen als Alpha und Omega und als Morgenstern, Apk 22,13.16, und im äußeren Kreis ist der Morgenstern als auferstandener Christus genannt. Jede Zacke des Sternes trägt wiederum einen kleinen Stern mit einem Sonnengesicht. Dazwischen stehen auf Sternengrund sieben musizierende Engel. Diese bedeuten zusammen mit den sieben Zacken des Sternes die sieben Tage; die zwölf Glocken im nächsten Kreis die zwölf Stunden und die Monde die zwölf Monate. Der Auferstandene wird von diesen Bildzeichen her als der Herr der Zeit und des Kosmos interpretiert. In den Ecken des Bildfeldes sind die Tiersymbole dargestellt: Der mit seinem Blut seine Jungen zum Leben erweckende Pelikan, der das Leben hauchende Löwe über drei Jungen, der Flügel schlagende Phönix im brennenden Nest auf einem Baumwipfel, der Adler, der ein Junges der Sonne entgegenhält. Oben in der Mitte zwischen zwei Engeln steht die Sonne, ihr entspricht unten der Baum mit einem Vogel im Wipfel, das alte Lebenszeichen. Diese Verbindung von Auferstehung, Tiersymbolen und kosmischen Sinnbildern, die eine zentrale Komposition bedingt, geht vermutlich auf ein

älteres Auferstehungsbild zurück, das wir nicht mehr kennen[37].

In unserem Zusammenhang muß noch eine Darstellung auf der Rückseite eines Außenflügels, dessen Vorderseite Johannes auf Patmos zeigt und zu einem ehemaligen Altar von Hieronymus Bosch, um 1490, gehört, *Abb. 430,* erwähnt werden. Im Zentrum eines Rundbildes steht ein hoher Felsen mit einer Öffnung: das leere Grab der Auferstehung, das aufgrund seiner zentralen Stellung und in der Anlehnung an das alte Vorstellungsbild des Weltenbergs im Weltenmeer als Weltmitte vorgestellt ist. Um diese Bildmitte vollzieht sich in einem kreisförmigen Landschaftsgrund die Passion Jesu. Die Szenen sind in kleinem Format wiedergegeben und treten der Mitte gegenüber zurück, die sich auch durch ihre Helligkeit von dem äußeren Ring absetzt. Auf dem Grabesfelsen der Weltmitte steht der Pelikan, zugleich Symbol des Opfertodes und der Auferstehung.

Im 2. Band ist vor allem bei der Behandlung der Kreuzsockel des 11./12. Jh. und der Adamstypologie deutlich geworden, daß das hohe Mittelalter Golgatha als die Mitte der Welt auffaßte. Für das Grab Christi gilt die gleiche Vorstellung, gehören doch Golgatha und Ostergrab aufs engste zusammen. Diese Identizierung kommt schon vor dem Bild von Bosch auf der Ebstorfer Weltkarte, um 1300, *Abb. 432,* in anschaulicher Weise zum Ausdruck[38]. Hinter dem Weltkreis, auf dem alle damals bekannten Länder und Völker eingezeichnet sind, steht der Salvator mundi, der Retter dieser Welt. Nur sein Haupt, seine ausgebreiteten Hände und seine Füße sind sichtbar, und zwar als die Endpunkte eines unsichtbaren Kreuzes, das hinter der Welt steht. Die Mitte der Weltkarte – die Weltmitte – bildet die quadratisch angelegte Stadt Jerusalem mit dem Grab, dem der vom Tode Auferstehende entsteigt. Das Grab ist innerhalb der Karte um 90° gedreht. Da auf allen mittelalterlichen Weltkarten Osten oben liegt, ist das Grab so gestellt, daß Christus nach Osten ge-

37. Die Beschriftung am äußeren Rand des Teppichs bezieht sich auf die Stiftung und Herstellung. In den äußersten Ecken sind die von Engeln gehaltenen Wappen der Stifter wiedergegeben. Siehe M. Schütte, Gestickte Bildteppiche, 1927, S. 50 ff.

38. Die Weltkarte ist nur noch in einer Kopie im Kloster Ebstorf vorhanden, da das Original im letzten Weltkrieg in Hannover verbrannte. Lit. Walter Rosien, Die Ebstorfer Weltkarte, in: Niedersächsisches Amt für Landesplanung und Statistik, Hannover 1952, Bd. 19.

wandt aufersteht. Nach ältesten Vorstellungen wird er bei seiner Wiederkunft zum Gericht von Osten her erwartet.

Die alttestamentliche Typologie. In der typologisch-christologischen Deutung des Alten Testaments sind als Vorbilder für den Tod und die Auferstehung Christi vor allem zwei alttestamentliche Gestalten von Wichtigkeit: Jona und Simson. Bei Matthäus und Lukas kündet Jesus als Antwort auf die Zeichenforderung der Pharisäer das »Zeichen des Jona« an, Mt 12,28 ff., Lk 11,29 ff. Für die Zeitgenossen Jesu war das Zeichen, das Jona widerfuhr, die Errettung aus der Hölle und dem Tode; in der christlichen Gemeinde bezog man dies auf die Wiedergeburt in der Taufe und auf das ewige Leben nach dem Tode. Die Jonageschichte in ihren drei Phasen – Wurf ins Meer und Verschlingung durch das Meerungeheuer, Ausspeiung an das Ufer und Errettung, Ruhe unter der Rizinusstaude – ist in der frühchristlichen Kunst häufig dargestellt worden, oft die letzte Szene allein und unabhängig vom Text als Ausdruck der seligen Ruhe im Paradies nach dem Tode. Gleich den Darstellungen des Noah in der Arche, des Daniel zwischen den Löwen und der drei Männer im Feuerofen fühlte man sich auch von dieser Erzählung auf die regeneratio des Menschen unter diesem doppelten Aspekt der Wiedergeburt hingewiesen[39]. Diese alttestamentlichen Typen haben in der frühen Sepulkralkunst nur einen indirekten Bezug auf den Tod und die Auferstehung des Herrn, da sie in der Gebetshaltung die Bitte um die Auferstehung nach dem Tod verkörpern. Doch sind möglicherweise die Gestalttypen des mit erhobenen Händen in der Arche stehenden Noah und des ebenso zwischen den Löwen stehenden Daniel als Gebärdentypus für den auferstandenen Christus im Grabe in die mittelalterliche Kunst übernommen worden. Am deutlichsten ist der Bezug bei Noah, da die Arche formal oft dem Grab entspricht. Das gilt nicht nur für einige Darstellungen der Auferstehung, *vgl. Abb. 194,* sondern auch für die des Schmerzensmannes, der zugleich der Leidende und der Auferstandene ist, *vgl. Bd. 2, S. 210 ff., Abb. 717, 745*[40]. Im Mittelalter ist die Errettung des Jona als Typus unmittelbar der Darstellung der Auferstehung Christi zugeordnet worden. Die Parallele liegt im Durchgang durch die Dunkelheit des Todes und der Hölle zu neuem Leben im Licht. Das Gebet des Jona im Bauch des Wals gehört zur Karfreitagsliturgie und die Ausspeiung zur Osterliturgie. Der Bauch des Untiers als Todeshöhle entspricht der Hölle, die Christus im Sterben und beim Abstieg in das Totenreich überwand – Entsprechung im Sinne der Steigerung und Vollendung in Christus wie immer in der Typologie. Im abendländischen Höllenfahrtsbild ist die Hölle oft als Tierrachen dargestellt, aus dem Christus die Gefangenen befreit, siehe oben. Die Verschlingung des Jona ist auf dem Klosterneuburger Altar zusammen mit den Söhnen Jakobs, die Joseph in die Zisterne werfen, der Grablegung Jesu zugeordnet, *vgl. Bd. 2, Abb. 574.* Häufiger ist die Gegenüberstellung der Errettung des Jona (manchmal zusammen mit dessen Verschlingung) und der Auferstehung. Der von unten nach oben ablesbare Bildzyklus des rechten Flügels der Holztür am Dom zu Gurk um 1220 schließt oben mit der Auferstehung Christi aus dem Grab ab, der links Simson mit den Toren und rechts Jona, ein alter Mann mit Nimbus, zugeordnet sind, *Abb. 437.* Der Prophet steht im offenen Rachen des Wals in derselben frontalen Haltung wie Christus, *vgl. Abb. 211,* und hebt die Hände im Orantengestus. Es ist also auf die szenische Darstellung verzichtet und die präfigurierende Geschichte auf den für Noah und Daniel schon in der frühchristlichen Kunst üblichen Gestalttypus reduziert. Diese Bildformel der Errettung des Jona als Auferstehung aus dem Rachen des Todes ist seit dem 12. Jh. zu beobachten, entweder in der knappen Form, die außer an der Gurker Tür z. B. auch im Gewändescheitel des Hauptportals am Freiburger Münster um 1300 zu finden ist, oder in der durch die Hand Gottes erweiterten, die häufig in der Bibel- und Psalterillustration (Ps 70[69],2 – »Eile, Gott, mich zu erretten«) vorkommt. Die Handergreifung bedeutet wie bei der Errettung des Adam im Höllenfahrtsbild

---

39. Siehe zu den frühchristlichen Darstellungen *Bd. 1,* Jona: S. 140 u. a. m., *Abb. 249, 353, 424,* Daniel: S. 107, *Abb. 246* und *Bd. 2 Abb. 322,* Noah: S. 140, Drei Männer im Feuerofen: S. 162, *Abb. 424.*

40. Auf den Bezug Noah-Auferstandener macht aufmerksam: J. Fink, Noah, der Gerechte, Münster-Köln 1955.

Befreiung aus der Macht des Todes. Vgl. den Jonastypus auf der Deckplatte des Tragaltars aus Stablo *Bd. 2, Abb. 428.* Auf dem Auferstehungsfenster der Kathedrale in Bourges, um 1225, *Abb. 438*, steigt Jona mit einem großen Schritt (vgl. Höllenfahrt) aus dem Rachen und wendet den Blick zu der Hand Gottes zurück, von der – wie manchmal bei der Erschaffung Adams – Strahlen ausgehen. Außerdem sind auf diesem Fenster der Auferstehung Christi die Erweckung des Knaben durch Elisa (2 Kön 4,32 ff.), das Löwen- und das Pelikanmotiv zugeordnet. Dem Pelikan, der hier als Zeichen der Auferstehung gilt, ist David als Prophet der Auferstehung hinzugefügt *(vgl. Bd. 2, Abb. 57).*

Eine Parallele zum Wal als Sinnbild von Hölle und Tod ist der Leviathan, der Hiob 40,25(20) ff. als ein vom Menschen nicht zu bezwingendes Ungeheuer geschildert und ebenso wie dieser als Hölle-Tod gedeutet wird. Der Tierrachen des Höllenfahrtsbildes ist gleichermaßen der des Löwen und des Leviathans. Als der auferstandene Christus erschien, mußte die Hölle ihre Beute herausgeben. Daneben gibt es auch die Vorstellung, daß der Leviathan gefangen, d. h. geangelt werden muß. Ein vorkarolingisches Grabsteinfragment von der Insel Man (Westengland) zeigt Christus über die Schlange gehend; er trägt das Buch, den Kreuzstab und den gefangenen Leviathan an einem Angelhaken[41]. Das Angeln des Leviathan ist ein eigenes Motiv, das als Gefangennahme oder Überwindung der Hölle der Auferstehungstypologie eingefügt sein kann. Ein Emailtriptychon der Maasgegend um 1150, *Abb. 435*, stellt den Angler des Leviathan, der nicht charakterisiert ist, der Höllenfahrt, die als Auszug aus dem Höllenrachen wiedergegeben ist, gegenüber. Auf der anderen Seite steht als zweites typologisches Motiv Simson mit den

Toren. Den Frauen am Grab sind die beiden Jonasszenen und eine Totenauferstehung zugeordnet; der Kreuzigung Isaaks Opferung und die Erhöhung der Schlange[42].

Der Name Simson (nach der Vulgata Samson) bedeutet Sonnenmann. Die Geschichten (Ri 13–16) von diesem alttestamentlichen Helden enthalten deutliche Analogien zur Heraklessage (Herakles tötet den nemeischen Löwen). Damit mag es zusammenhängen, daß schon in altchristlicher Zeit Verbindungen zwischen der Sonne und Simson gesehen wurden. Simson kämpfte mit übermenschlichen Kräften, deren Sitz sein langes, lichtes (sonnenhaftes) Haar ist, gegen die Philister, die für das Volk Israel den Erzfeind und die Verkörperung der Todesmacht bedeuteten. In der Typologie gilt Simson als Typus Christi und präfiguriert vor allem seinen Sieg über Tod und Hölle.

Die christliche Kunst des Mittelalters stellt drei Heldentaten Simsons der Höllenfahrt und der Auferstehung Christi gegenüber: 1. den Löwenkampf, bei dem Simson den Rachen des Tieres zerreißt (Ri 14,5–9). Der Löwe ist hier das böse Prinzip, das Aufreißen des Rachens steht wie der offene Tierrachen bei der Ausspeiung des Jona in Parallele zur aufgebrochenen Hölle. Die Honigwabe, die Simson nach drei Tagen in dem Skelett des Löwen fand und von deren Honig er aß, ist als das neue Leben, das durch den Tod Christi der Menschheit gegeben ist, gedeutet worden (Ephraem der Syrer). Auf dem Klosterneuburger Altar, *Abb. 434*, ist der Löwenkampf der Höllenfahrt zugeordnet. Simson ist jung und mit langem Haar wiedergegeben. Die Umschrift lautet: »Dieser Mann vollzieht dein Vorbild, Christus, der Löwe das Vorbild des Todes.« Der Sieg über den Löwen hat Parallelen im Alten Testament,

---

41. E. Panofsky, Grabplastik, Abb. 184 b.

42. Als Angler des Leviathan wird auch Gott-Vater und als Köder, mit dem er das Untier fängt, Christus dargestellt. Auf der bekannten Wiedergabe dieses Motivs im Hortus Deliciarum der Herrad von Landsberg, 2. Hälfte 12. Jh., besteht die Angelrute aus Medaillons mit Brustbildern der Ahnen Christi, der Köder ist Christus am Kreuz. Die Vorstellung, daß Christi Leib für den Teufel ein Köder ist, den er verschluckt, aber wie der Walfisch, den Jonas wieder von sich geben muß, da er unver-

daulich ist, findet sich bei Cyrill von Jerusalem (4. Jh.), geht aber vermutlich noch weiter zurück. Eine Darstellung im Domkreuzgang zu Brixen zeigt, wie Gott-Vater – verbildlicht durch zwei aus dem Himmel herabkommende Hände – Leviathan mit dem Angelhaken hält und ihm den Bauch aufschneidet, aus dem die Verschlungenen hervorkommen. Diese wohl auch für das mittelalterliche bildhafte Denken etwas zu skurrile Leviathanszene, die die Befreiung aus der Macht des Satans allegorisiert, ist sehr selten dargestellt worden.

weshalb vereinzelt auch David nach 1 Sam 17,34 ff. oder Benaja nach 2 Sam 23,20 als Löwenkämpfer dargestellt wurden. So ist, wie schon erwähnt, auf der Auferstehungsminiatur im Stammheimer Missale der Löwenkämpfer als Banaias (= Benaja) bezeichnet, *vgl. Abb. 21.*

In der romanischen Plastik kommt Simson mit dem Löwen als Einzelszene häufig vor, und zwar meistens nicht im Zusammenhang der häufigen allgemeinen Kampfszenen. An der Haupttür der Nordfassade von S. Marcello Maggiore zu Capua (Süditalien) lautet die Inschrift zum Löwenkampf: »Es reißt Simson den Löwen völlig in Stücke.« Ein anglo-normannisches Tympanonrelief in Stretton Sugwas zeigt Simson mit bis zum Gürtel reichenden Haar, wie er auf dem Löwen reitet und dessen Rachen aufbricht[43].

2. Simson trägt die Tore der Stadt Gaza, die er aus den Angeln hob, auf den Berg Horeb (Ri 16,3). Gaza ist als Unterwelt und Hölle gedeutet worden, die Tore versinnbildlichen die Gerechten, die Christus in das Paradies nach oben führt. In der Regel wird nur das Emportragen des einen oder der beiden Torflügel dargestellt. Eine runde Glasscheibe, ehemals in der Abteikirche in Alpirsbach, um 1200, *Abb. 436,* zeigt außerdem auch das Ausheben des Stadttors. Simson mit den Torflügeln tritt in der Auferstehungstypologie häufig zusammen mit Jona auf, z. B.: Tür des Doms zu Gurk, Platte des Tragaltars aus Stablo, *vgl. Bd. 2, Abb. 428,* oder mit der Erweckung des Jünglings durch Elisa, wie beim Stammheimer Missale, wo er die Tore mit einer Giebelarchitektur emporschleppt, *vgl. Abb. 21.* Auf dem Klosterneuburger Altar ist er zusammen mit den selten dargestellten schon erwähnten Segenssprüchen Jakobs, *Abb. 424,* der Auferstehung Christi zugeordnet. Die Umschrift des Simson, der mit einem weitausholenden Schritt emporsteigt (vgl. Himmelfahrtsdarstellung), lautet: »Kraftvoll trägt er die ausgehobenen Torflügel auf die Höhe des Berges.« Hier und auf der Alpirsbacher Glasscheibe ist Simson ein schöner Jüngling, später wird er älter gezeigt, und die Last ist schwerer, bis er dann in der Bibelillustration der Re-

formationszeit als mächtiger Mann die großen Tore der Hölle trägt (vgl. auch Bd. 5).

3. Die Erschlagung der 1000 Philister mit dem Eselskinnbacken (Ri 15,15). Bei dieser typologischen Darstellung wird meistens auf die Wiedergabe der Philister verzichtet und nur durch den Kinnbacken in der Hand Simsons auf seinen Sieg über die Feinde hingewiesen.

Ein weiteres alttestamentliches Motiv der Auferstehungstypologie ist der Sieg Davids über den Philister Goliath (1 Sam 17,4 ff.), der den Triumph Christi über den Satan präfiguriert, *vgl. Abb. 21.* Die Szene kommt bereits auf frühchristlichen Sarkophagen vor (Krypta des Domes zu Ancona, ein gallischer Sarkophag in Brescia). Da die Davidtypologie schon bei den Kirchenvätern (Augustin) beliebt und David eine der wichtigsten Gestalten des Alten Testaments ist, sind in der christlichen Kunst sehr früh Davidzyklen zu finden. Unter dem Gesichtspunkt der Tötung der Feinde ist auch die Darstellung der letzten der ägyptischen Plagen, die der Klosterneuburger Altar zusammen mit Simson als Löwenbezwinger der Höllenfahrt gegenübterstellt, *Abb. 433,* zu verstehen. Während Aaron das Heilszeichen an das Haus eines Israeliten schreibt und das Blut des Passalammes in den Kelch fließt, tötet der Würgeengel einen Ägypter, der die Krone trägt und so als Sohn des Pharao gekennzeichnet ist. Mit der linken Hand stürzt der Engel ein Gebäude ein, vermutlich den Palast des Pharao. Die Ägypter sind ebenso wie die Philister als Feinde der Juden Feinde Gottes. Die Tötung der Erstgeburt geht dem Auszug des Volkes Israel voraus. Der Text 2 Mos 12 ist als die zentrale Lesung des jüdischen Passafestes von Anfang an in die Liturgie der christlichen Osternacht übernommen worden.

Die Drei Männer im Feuerofen und Daniel in der Löwengrube sind im lateinischen Mittelalter äußerst selten im typologischen Bezug dargestellt worden, *vgl.* für das erste Motiv die Darstellung des 16. Jh., *Abb. 252.* Sie präfigurieren in Hosios Lukas (Griechenland) zusammen mit anderen alttestamentlichen Motiven in der Seitenkapelle des Altarraums die Auferstehung. Die Szene Daniel und die Löwen war in dem verlorenen Freskenzyklus der Kathedrale von Peterborough wiedergegeben und ist noch im Peterboroughpsalter

---

43. Abb. 113 in: Stoll-Roubier, Britannia Romanica.

von 1299 zusammen mit Jona, Simson mit den Toren, dem Löwengleichnis des Physiologus und der Flucht Davids aus dem Hause Sauls (1 Sam 19), die gelegentlich einbezogen wird, zu finden. Auf die Deutung der verschlossenen Königspforte des Tempels (porta clausa), die nur vom Messias geöffnet werden kann, im Bezug auf die Auferstehung wurde schon hingewiesen. Sie geht auf Ephraem den Syrer (4. Jh.) zurück, *vgl. Abb. 210.* Ebenso haben wir im Kapitel »Auferstehung der Toten« schon den wichtigsten Typus für die künftige Auferstehung der Toten erwähnt: die Vision Hesekiels der Auferweckung der Gebeine auf dem Gräberfeld, Hes 37,1–14. Diese Szene kannte schon die spätjüdische Kunst, Wandbild in der Synagoge von Dura-Europos, Nordwand, Mitte 3. Jh. Im Schema der neutestamentlichen Wunder ist sie auf christlichen Sarkophagen nachzuweisen, auch auf einem Goldglas im Britischen Museum. Im Mittelalter ist sie im Osten bekannter als im Abendland.

In den typologischen und moralisch-lehrhaften Bibelbearbeitungen des 13.–15. Jh. (Bible moralisée, Biblia pauperum, speculum humanae salvationis) kommen die genannten alttestamentlichen Bildmotive in der Zuordnung oder Gegenüberstellung zur Auferstehung und Höllenfahrt vor. Ebenso werden die Tiergleichnisse diesen typologischen Zusammenstellungen eingefügt. Die Adlerszenen treten im späten Mittelalter im Zusammenhang der Himmelfahrt auf, deren wichtigste Präfigurationen die Himmelfahrt des Elia und die des Henoch, ferner Simson, der die Tore den Berg hinaufträgt, sind, siehe dazu unten[44].

Die Kunst der Reformation kennt diese alttestamentlichen Motive vor allem in der Bibelillustration (Druckgraphik). Besonders wichtig ist ihr – neben der erhöhten Schlange und dem Abrahamsopfer für die Passion Christi – die Jonageschichte zur Interpretation der Auferstehung[45]. Sie wird an Altären, Kanzeln und auf Epitaphien dargestellt. Dabei ist der Reformation die Typologie im Sinne des Mittelalters als Gegen-

überstellung von Prophetie und Erfüllung weniger wichtig als die Aktualisierung der Errettung des Menschen aus der Todesbedrohung durch den Sieg des auferstandenen Christus. Jona ist im gleichen Sinne wie Adam auf den Darstellungen der Erlösung, die von Cranach und seiner Schule zuerst formuliert wurden, der erlösungsbedürftige Mensch schlechthin, der im Übergang von der Sünde zur Gnade der Rechtfertigung steht und vom Evangelium zum Glauben an den Erlöser aufgerufen wird. Der Kampf zwischen Christus und dem Teufel wird in jedem einzelnen Menschen zu Ende geführt. Als Beispiel der Grabkunst bilden wir ein Epitaph um 1590 des Nürnberger Johannesfriedhofs ab, *Abb. 441.* Die Hauptdarstellung gibt die Jonasgeschichte in ihren drei Teilen nach der Bildtradition wieder. Die ausgestandene Angst im Kampf mit der Gewalt des Todes, der für Luthers Auferstehungstheologie charakteristisch ist, prägt den Gesichtsausdruck des erretteten Jona. Über dieser Szene steht triumphierend der Auferstandene. Dazwischen sitzen auf der Platte des unteren Teiles zwei Engel, der linke mit Kreuz, Kelch und offenem Buch (Wort und Sakrament), der andere mit Agnus Dei und Anker (Erlösung und Glaube).

Die Aktualisierung des Jonageschehens als Ausdruck der menschlichen Situation führt im 18. Jh. zu der Sonderform einiger Kanzeln in schlesischen Kirchen, die als Walfischrachen geformt sind; wir zeigen die von Bad Reinerz, 1736, *Abb. 442.* Der Prediger steht im geöffneten Rachen des Höllenungeheuers und ist so nicht nur in Parallele zu dem Propheten Jona gesetzt, der den Niniviten Buße predigte, nachdem er sich beim Sturm des Meeres zum Opfer angeboten hatte und aus der Hölle erlöst wurde, sondern ist selbst ebenfalls der Mensch, der zwischen Sünde und Rechtfertigung steht, immer bedroht und doch begnadet. Diese Kanzel mit ihrem geöffneten Todesrachen wird wie das Epitaph bekrönt von der Gestalt des Auferstandenen, des Salvator Mundi.

---

44. Zu einigen seltenen Motiven, die in den genannten typologischen Bibelillustrationen vorkommen, siehe Aurenhammer, 3. Lief., S. 236 f., und LCI I, 218 (Wilhelm). Zum Jonamythos mit vielen Zitaten der theologischen und psychologischen Literatur: U. Steffen, Das Mysterium von

Tod und Auferstehung, Formen und Wandlungen des Jonamotivs, Göttingen 1963. Alle alttestamentlichen Motive werden bei uns in Bd. 5 ausführlich behandelt.

45. Luthers Schrift von 1526, Der Prophet Jona ausgelegt, WA 19, 185—251.

Sehr viel direkter kommt die Zuspitzung der Heilsbotschaft im Bezug auf den einzelnen Menschen auf
einem der Emporenbilder, die Otto Wagenfeldt zwischen 1649–1651 für die St.-Jakobi-Kirche zu Hamburg malte, zum Ausdruck. Hier steht neben dem
Sterbebett eines alten Mannes der auferstandene Christus auf dem besiegten Tod und hält eine aufgeklappte
Schrifttafel in der Hand, deren Worte der Sterbende
liest, während sich von der anderen Seite der Tod mit
der Waage (Gerichtszeichen) in der Hand über ihn
beugt. An den Bildrand abgedrängt, aber doch unüber-
sehbar der Figurenkomposition eingefügt, steht der
Teufel und hebt die Gesetzestafeln hoch. Ihm ist die
Macht genommen, da sich der Sterbende auf das Evangelium verläßt. Solche Darstellungen sind Ausläufer
der Bildgeschichte der Auferstehung, an denen die durch
die Reformation gegebenen neuen Voraussetzungen
auf dem Hintergrund der ars moriendi – Ikonographie
deutlich werden[46].

An einem von der reformatorischen Theologie konzipierten typologischen Bildprogramm der Gewölbe-
malerei in der Burgkapelle von Strechau (Steiermark)
von 1579 soll zum Abschluß gezeigt werden, wie die
Typologie der Väter und des Mittelalters und die ersten
Bildprogramme der Reformation mit ihrem immer
wiederkehrenden Thema – Gesetz und Gnade, Sündenfall und Erlösung – abgewandelt weiterleben. Es handelt sich hier um ein theologisches Kompendium, das
sich zur Veranschaulichung im einzelnen weithin über-
lieferter Bildmotive bedient, um die eigenen Gedanken
in der Gesamtkomposition zu verdeutlichen[47]. Im Mittelfeld ist Gott-Vater dargestellt. Die Inschriften im
Rahmen des Gottesbildes: Jes 45,5–7 und 5 Mos 28,
3–6. 16–19 deuten dieses als Selbstproklamation Gottes, die in der gesamten Bildkomposition erläutert und
entfaltet wird. In den vier ovalen Feldern des mittleren
Rechtecks ist das Bildthema Cranachs aufgenommen:
Gesetz und Evangelium – Moses mit den Gesetzes-

tafeln und Christus mit den Evangelistensymbolen und
einem großen aufgeschlagenen Buch – und Sünde und
Gnade, exemplifiziert an Cyprian und Augustin. Dem
Bild des Evangeliums, *Abb. 439*, ist ein nackter Mensch
eingefügt, der aus dem Erdboden aufragt und, mit dem
Rücken zum Betrachter, dem Evangelienbuch und Christus zugewandt ist. Er ist der Nachfahr des nackten
Adam der Cranachschen Erlösungsallegorien und steht
für den Menschen in der Konfrontation zum Evangelium und zum Auferstandenen. Als solcher ist Christus
auf diesem Evangeliumsbild charakterisiert. Evangelium heißt also: Evangelium von der Auferstehung.
Neben dieser Darstellung steht die der Auferstehung
Christi, auf der anderen Seite die erhöhte Schlange, die
für die Kreuzigung steht, und die Gesetzesübergabe am
Sinai, die in der Typologie des Mittelalters die Ausgießung des Heiligen Geistes präfiguriert, die daneben
dargestellt ist (alter und neuer Bund). Das Fehlen eines
Kreuzigungsbildes ist wahrscheinlich darauf zurückzuführen, daß sich dieses am Altar befand, über den nichts
bekannt ist. Die erhöhte Schlange ist hier nicht nur
Präfiguration des Kreuzes, sondern auch Sinnbild der
rettenden Glaubenskraft. Sie gehört zu den in der
Reformationskunst wiederkehrenden Bildmotiven. Mit
den anderen vier Szenen: Speisung der Fünftausend,
Mannalese und Quellwunder, Taufe Christi und
Durchzug durchs Rote Meer ist auf die beiden Sakramente Taufe und Abendmahl hingewiesen. Die prä-
figurierenden Bildthemen entsprechen der typologischen Tradition (vgl. Bd. 1 und 2). In der Randzone ist
Abraham bei der Opferung Isaaks als Beispiel des Glaubens und des Gehorsams und Josua als Zeuge der messianischen Zukunftsgewißheit wiedergegeben. Gegenüber, im Bezug zur Auferstehung, sind zwei Bildfelder
David und Simson eingeräumt, dem Propheten der
Auferstehung und dem alttestamentlichen Typus, dessen verschiedene Heldentaten in Beziehung zur Todesüberwindung Christi gesetzt werden, siehe oben.

---

46. Das Bild befindet sich als Leihgabe in der Hamburger Kunsthalle.

47. Wir fußen bei der Erläuterung auf der Untersuchung dieses Bildprogrammes von E. Guldan und U. Riedinger in: Die protestantische Deckenmalerei in der Burgkapelle Strechau, Wiener Jb. für Kunstgeschichte XVIII,

1960. Die Zeichnung des Dekorationsschemas ist mit freund-
licher Erlaubnis von Dr. Guldan dieser Arbeit entnommen. – Hingewiesen sei noch auf die ehemals protestantische
Schloßkapelle in Neuburg a. d. D. vgl. H. Stierhof, Einige
Bemerkungen zur Schloßkapelle Ottheinrichs in Neuburg und
ihren Fresken, in: Neuburger Kollektaneenblatt 122, 1969.

Augustin, als Sinnbild der Gnade, sind Noah, der als der Gerechte errettet wurde, und die Bekehrung des Paulus zugeordnet. Sie bilden die Antithese zu Cyprian, der als Bild der Sünde mit den Darstellungen von Sodom und Babylon zusammen gesehen ist. In den vier Eckfiguren sind die drei Haupttugenden, ergänzt durch die Patientia als Ausdruck christlicher Lebens-führung, gegeben. In streng gedanklicher Ordnung, die der spätmittelalterlichen Wucherung der Allegorie, wie sie die typologischen Bibelbearbeitungen und Erbau-ungsbücher oft aufweisen, entgegensteht, sind hier Ge-setz und Gnade nicht als Antithese wie bei Cranach, sondern als Heilsplan und Handeln Gottes in einem Bildprogramm proklamiert.

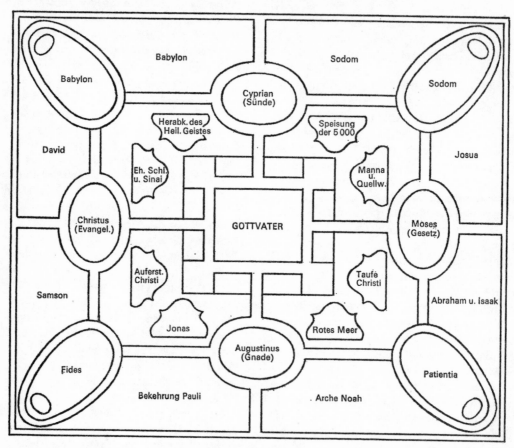

Darstellungsschema der Deckenmalerei von 1579 in der Burgkapelle von Strechau

Die Himmelfahrt Christi

Apg 1,9–12; Mk 16,19 f.; Lk 24,50 f. und die in
der Einleitung genannten Stellen der Briefe. Hinweise Jesu: Joh 6,62; 16,28; 20,17. Ferner folgende
auf die Himmelfahrt bezogene Psalmenverse:
18(17),11; 24(23),7 ff.; 47(46),6 ff.; 68(67),19.

Die Evangelien geben über die Himmelfahrt sowenig
einen Bericht wie über die Auferstehung. Matthäus erwähnt sie nicht, die genannte Markusstelle ist eine spätere Hinzufügung; im Johannesevangelium weist
Christus nur im Gespräch mit Maria Magdalena auf
seine bevorstehende Auffahrt hin (vgl. S. 14 u. 95); der
Evangelist scheint vorauszusetzen, daß sie unmittelbar
nach dieser Begegnung erfolgte, so daß dann Christus
als der Erhöhte den Jüngern erschien. Lukas spricht am
Ende des Evangeliums kurz von der Himmelfahrt, vor
der Jesus die Jünger segnet, doch ist auch das Entschwinden des Herrn, nachdem er beim Mahl in Emmaus das Brot gebrochen hatte, Lk 24,31, als Himmelfahrt gedeutet worden (vgl. S. 103, *Abb. 311* und *Bd. 2,
Abb. 476* links). Nur die Apostelgeschichte bietet im
1. Kapitel, wie in der Einleitung schon gesagt, eine an-
schauliche Schilderung, nach welcher Christus vierzig
Tage nach der Auferstehung seine Jünger auf den Ölberg beschied und dort aus ihrer Mitte gen Himmel
auffuhr. Diese Erzählung, die parallel zur Geschichte
von den Frauen am Grabe auch die das Geschehen deutenden Engel enthält, verdrängt allmählich die oben
erwähnten älteren Traditionen der Entrückung des
Herrn vom Kreuz oder vom Grabe aus. Noch für Hieronymus (340/50–420) ist das leere Grab ein Beweis
für die Entrückung vom Grabe aus[1], in der Kunst
konnten wir hierfür Beispiele bis zum 12. Jh. feststellen *(vgl. Abb. 21–26)*, zu der Erhöhung vom Kreuze
aus siehe unten. Wie die Auferstehung (leeres Grab),
so bedeutet auch die Himmelfahrt oder die Entrük-

kung des Herrn – auch wenn es sich um zwei Vorstel-
lungstraditionen handelt – Triumph über den Tod und
Erhöhung zu Gott, Eph 1, 20–22[2].

Die Entrückung eines Heros oder seine Versetzung
zu den Gestirnen war in der Antike die Bestätigung
seiner Göttlichkeit. Die alttestamentlichen Parallelen
zu dieser mythischen Vorstellung sind die Entrückung
des Henoch und die des Elia; auch von Mose, dessen
Grab nicht gefunden wurde, nahm man an, er sei entrückt worden[3]. Die Himmelfahrt des Elia, welche
schon in der frühchristlichen Katakomben- und Sarkophagkunst als Auffahrt im Helioswagen dargestellt
wurde, gilt seit der Zeit der Kirchenväter theologisch
als alttestamentlicher Typus für die Himmelfahrt
Christi. Elia und Mose nehmen nicht nur im Judentum,
sondern auch in der frühen Christenheit eine besondere
Stellung ein; beide werden als Vorläufer Christi angesehen. Sie erscheinen bei der Verklärung Christi auf
dem Berg Tabor, die eine zeitlich begrenzte Vorwegnahme der Erhöhung des Herrn bedeutet (siehe Bd. 1),
und sind wohl ebenfalls unter den zwei Zeugen zu
verstehen, die getötet wurden und nach drei Tagen
aufstiegen in den Himmel, Apk 11,3–12.

Im Unterschied zur Apotheose der griechischen und
römischen Antike, die nach dem Tod eines Menschen
dessen Verwandlung in einen Gott bedeutet, setzt die
Erhöhung des Christus seine göttliche Präexistenz und
seine Menschwerdung (Joh 3,13; Eph 4,10) voraus und
ist – in der Sprache des altkirchlichen Dogmas – Erhöhung seiner menschlichen Natur aufgrund seines Opfers
und seiner Erniedrigung, Phil 2,6–11. Beim Emporschreiten durch die kosmischen Sphären unterwirft sich
Christus alle Kräfte und ergreift stufenweise die Macht.
Er nimmt das Kreuz als Zeichen seines Opfers auf
Erden und seines Sieges über den Tod mit in den Himmel. Bei seiner Wiederkunft zum Gericht wird dieses
»Zeichen des Menschensohns« vor ihm erscheinen,

---

1. MPL 26, 216.
2. Literatur H. Schrade, Zur Ikonographie der Himmelfahrt Christi, in: Vorträge der Bibliothek Warburg 8,
1928–1929, S. 66–190, mit vielen Väterzitaten und Literaturangaben. Schrade behandelt ausführlich die Ein-
wirkung der antiken Apotheosedarstellung auf das Himmelfahrtsbild, legt ihr aber m. E. zuviel Gewicht bei. H.

Gutberlet, Die Himmelfahrt Christi in der bildenden
Kunst von den Anfängen bis in das hohe Mittelalter,
Straßburg, Leipzig, Zürich 1935; Chr. Ihm, Die Programme der christlichen Apsismalerei vom vierten bis zum achten Jahrhundert, Wiesbaden 1960, Kap. VII, S. 95 bis
112.
3. Augustin, MPL 35, 1950.

Mt 24,30 (vgl. Bd. 2, S. 200 f.). Dann wird seine Erhöhung vor aller Welt offenbar werden, und er wird mit der Auferstehung der Toten zum ewigen Leben sein Werk der Erlösung und die neue Schöpfung vollenden. Das Bild, das die Apostelgeschichte vom auffahrenden Christus zeichnet: »eine Wolke nahm ihn vor ihren Augen weg« entspricht in umgekehrter Richtung der Parusievorstellung, die Christus in den Wolken des Himmels kommend erwartet, vgl. Mt 26,64; Mk 13,26; Apk 1,7. Die Wolke ist im biblischen Sprachgebrauch Attribut des sich offenbarenden Gottes oder Zeichen seiner verhüllten Gegenwart.

Die Himmelfahrt als kosmische Machtergreifung offenbart die Gottheit Christi, welche in seiner menschlichen Natur auf Erden verborgen gegenwärtig war. Schon bei der Taufe und bei der Verklärung wurde sie für Augenblicke enthüllt, als Gott-Vater Jesus als seinen Sohn anerkannte. In bezug auf die Himmelfahrt heißt es in einer Passahomilie eines unbekannten Autors vielleicht noch aus dem 2. Jh. (c 61 ed. P. Nautin): »Wie Christus bei der Menschwerdung das gesamte Bild Gottes angezogen hatte, um es zu tragen, und wie er den alten Menschen bekleidet hatte, um ihn in einen himmlischen Menschen zu verwandeln, so stieg nun auch mit ihm zusammen das Bild zum Himmel empor, vermischt mit seinem Wesen. Als nun die Mächte das große Mysterium sahen, daß ein Mensch zugleich mit Gott emporstieg, da riefen sie mit Freuden den oberen Heerscharen zu: ›Erhöhet eure Tore, ihr Fürsten, und reckt euch auf, ihr ewigen Pforten, einziehen wird der König der Herrlichkeit.‹ Als aber diese das neue Wunder sahen, daß ein Mensch mit Gott vermischt war, da riefen sie zurück und sagten: ›Wer ist dieser König der Herrlichkeit?‹ Und die Befragten erwiderten: ›Der König der Mächte, er ist der König der Herrlichkeit, der Starke, Kräftige, gewaltig im Streit‹.« Die gleichen Psalmverse (24,7–8) brachte schon Justin der Märtyrer (2. Jh.) mit der Himmelfahrt und Höllenfahrt Christi in Beziehung; das Nikodemusevangelium verwandte sie bei der Schilderung der Ankunft Christi im Totenreich, vgl. die Illustration der Verse, *Abb. 127.*

In den bildlichen Darstellungen der Himmelfahrt zwischen dem 4. und 6. Jh. wird in verschiedener Akzentuierung den drei mit der Erhöhung Christi verbundenen Gedanken Ausdruck verliehen: die Erhebung seiner Menschheit; das Offenbarwerden seiner Gottheit und seine Anerkenntnis als Sohn; die kosmische Machtergreifung und die Teilhabe an der göttlichen Herrschaft – »Sitzen zur Rechten der Kraft«, die zugleich Übertragung des Richteramtes auf Christus bedeutet. Auf die Beziehung zwischen Himmelfahrt und Pfingsten weist das Wort Christi: »... ihr werdet die Kraft des Heiligen Geistes empfangen« und auf die Wiederkunft (Parusie) die Botschaft der Engel: »... er wird kommen, wie ihr ihn gesehen habt gen Himmel fahren«, Apg 1,8.11.

Die Erhöhung Christi in Verbindung mit dem Kruzifixus. Bevor wir die Entstehung und Geschichte des Himmelfahrtsbildes behandeln, gehen wir kurz auf die seltenen Darstellungen der Erhöhung Christi vom Kreuz aus ein[4]. Diese Vorstellung, die den Tod und die Erhöhung Christi als unmittelbar aufeinanderfolgend sieht, war im Frühchristentum vorwiegend in gnostischen Kreisen verbreitet. Sie bezieht sich unter anderem auf das Wort des Gekreuzigten an den einen der Schächer: »Heute wirst du mit mir im Paradies sein« und auf das nach Lukas letzte Wort Jesu: »Vater, in deine Hände befehle ich meinen Geist«, Lk 23,43 u. 46. (Vgl. außerdem Joh 3,14; 8,28; 12,32; Lk 24,31.) Dabei wird der Abstieg in das Totenreich und die Himmelfahrt, wie sie die Apostelgeschichte schildert, ausgeschlossen. Wie bei der »Erhöhung vom Grabe aus«, für die wir oben mehrere Darstellungen brachten, finden sich in der Kunst bis zum 13. Jh. einzelne Beispiele, die die Himmelfahrt mit der Kreuzigung bzw. dem Kruzifixus oder der Kreuzabnahme verbinden, allerdings, das muß betont werden, ist dabei nicht beweisbar, daß in diesen Fällen immer die Absicht bestand, die alte Vorstellung der Himmelfahrt Christi oder (wie es im Urtext heißt) des Aufgenommenwerdens in den Himmel unmittelbar nach dem Tode bildlich zu dokumentieren. Es kann sich einfach um Kurzberichte handeln.

Unter den Ölampullen, die in Jerusalem als Pilgerandenken dienten, befinden sich einige, die über dem Kreuz, das zwischen den Schächerkreuzen steht, das vom

---

4. C. Bertram, Die Himmelfahrt vom Kreuz aus und der Glaube an seine Auferstehung, in: Festgabe für Adolf Deißmann, Tübingen 1926, S. **187—217**.

Kreuznimbus umgebene Haupt Christi zeigen, *vgl. Bd. 2, Abb. 324.* Es ist wahrscheinlich, daß durch dieses schwebende Antlitz – im Gegensatz zu anderen Kreuzigungsdarstellungen der Ampullen – auf die Erhöhung Christi hingewiesen werden soll. Der Bildtradition gemäß sind im unteren Teil der Bildfläche die Frauen am Grabe dargestellt und damit die Auferstehung in der frühen Form der Engelsbotschaft am leeren Grab.

Hinter der Darstellung einer in Ägypten gefundenen Reliefplatte der 2. Hälfte des 4. Jh., die sich heute im Ikonenmuseum zu Recklinghausen befindet, *Abb. 447,* steht vermutlich die Vorstellung der Erhöhung vom Kreuze aus, denn die drei Kreuze machen es wahrscheinlich, daß es sich bei der Büste des jugendlichen Mannes hinter dem mittleren Kreuz um Christus handelt; allerdings fehlt der Nimbus[5]. Die Kreuze verweisen auf die historische Golgathasituation; doch es sind gleichschenklige Kreuze, mit denen im allgemeinen nicht die reale Kreuzigung veranschaulicht wird; sie sind vielmehr Zeichen für Tod, Auferstehung und Erhöhung als Glaubenseinheit. Die Engel (die Flügel sind hier zusammengelegt und weisen bei jedem Engel nur nach einer Seite) gehören mit verschiedenen Funktionen zur Ikonographie des Himmelfahrtsbildes. Sie berühren hier das Haupt Christi ebenso wie einer der Engel auf der Himmelfahrtstafel der Holztür von S. Sabina in Rom, vollendet 432, *Abb. 457.* Das Steinrelief gehört zu den ältesten bekannten Werken der koptischen (christlich-ägyptischen) Kunst, die Formgebung ist noch etwas unsicher, doch ist für den Gegenstand damals noch kein Bildtypus festgelegt. Nicht nur das Format, sondern auch die Wiedergabe des Erhöhten als Büste und die tragenden (das Tragen ist noch nicht ausgebildet) Engel, die typengeschichtlich die Nachfahren der Genien heidnischer Darstellungen sind, weisen darauf hin, daß zwischen der von Engeln getragenen corona triumphalis mit einem Christusbild oder -symbol oder der imago clipeata und der Erhöhung Christi ein Zusammenhang besteht, *vgl. Abb. 71 und 523 oben,* obgleich mit diesen Verherrlichungsdarstellungen allgemein auf die Theophanie Christi hin-

gewiesen wird und es sich wahrscheinlich nicht um verkürzte Himmelfahrtsdarstellungen handelt[6].

In dem Valerianus-Evangeliar, um 675 (?), nordostitalienisch oder illyrisch, *Abb. 443,* ist über einem Kreuz die Halbfigur Christi unter einer Arkade zu sehen. Das Kreuz ist durch den Gemmenschmuck und das Alpha und Omega als Siegeskreuz gekennzeichnet (ebenso das Palmschuppenkreuz auf dem Paradiesberg der Ampulle), die beiden Adler auf den Querbalken sind Symbol der Auferstehung und Himmelfahrt. So ist auch in diesem Halbfigurenbild mit dem Kreuz die Erhöhung des Herrn verbunden.

Außer diesen frühen Beispielen aus drei verschiedenen Kunstgebieten können noch einige des Mittelalters genannt werden. Am oberen Kreuzbalken eines dänischen Kruzifixus, 11. Jh. (?), *Abb. 445, Ausschnitt,* ist die Himmelfahrt ohne Jünger dargestellt, wobei auffällt, daß Christus wie der Kruzifixus nur das Lendentuch trägt, während er bei der Himmelfahrtsszene immer bekleidet ist. Er legt die eine Hand an die Wange, blickt herab zu dem unteren Engel, der ihm die Weltkugel darreicht, auf die Christus in frontaler Stellung mit einem Fuß tritt und so seine Herrschaft über die Erde demonstriert. Die Ergreifung seiner erhobenen Hand durch die Gotteshand (dextrarum junctio) gehört zur westlichen Himmelfahrtsikonographie, siehe unten. Die zweite, segnende Hand ist ungewöhnlich, doch kommt sie bei Himmelfahrtsbildern vereinzelt vor. An die vier Kreuzarme schließen verbreitete Tafeln mit den Evangelistensymbolen an, wobei der Johannes-Adler, der zugleich die Himmelfahrt Christi vertritt, oben steht.

Auf dem nordspanischen Elfenbeinkruzifixus, das König Fernando I. und Dona Sancha 1063 der Colegiata S. Isidoro von León schenkten, steht dem nach oben gewandten auferstandenen Christus im oberen Teil des Kreuzes, *Abb. 444, Ausschnitt,* der auferstandene Adam unterhalb des Kruzifixus gegenüber, *vgl. Bd. 2, Abb. 436.* Auch hier ist Christus unbekleidet. Das Lendentuch ist nicht geknotet, sondern um den Unterkörper drapiert und wird von den Armen ge-

---

5. Zur Deutung des koptischen Reliefs als Himmelfahrt siehe K. Wessel, Koptische Kunst, Recklinghausen 1963, S. 160 f.

6. Vgl. oben die Erhöhung vom Grabe aus; das apokryphe Petrusevangelium spricht von zwei Engeln, die Christus aus dem Grabe führen.

halten. Möglich, daß hiermit an das Grabestuch erinnert werden soll. Der Adler fährt hier vom Himmel herab. Die Hand, zu der Christus aufblickt, hat höchstwahrscheinlich zu einem zweiten, heute zerstörten Engel gehört. Die Menschen und Tiere, die das ganze Kreuz rahmen, können als die unerlöste Kreatur, die vom Engel auf Christus verwiesen wird, gedeutet werden. Die Inschrift bezieht sich auf den Kruzifixus[7]. Ein Limoger Kreuz im Kölner Domschatz, 12. Jh., *Abb. 446*, symbolisiert zu Häupten des Kruzifixus die Himmelfahrt durch einen nimbierten Adler, der in seinen Fängen das Grab(?) mit empornimmt[8]. – Das Relief der Kreuzabnahme auf den Externsteinen, 1115 bis 1120, *vgl. Bd. 2, Abb. 558*, Text S. 180, rechtfertigt die Deutung der gezeigten Werke als Erhöhung vom Kreuze aus. Denn hier trägt Gott-Vater, der als Halbfigur über dem rechten Querbalken des Kreuzes erscheint, den in den Himmel aufgenommenen Sohn auf dem Arm und hält die Auferstehungsfahne. Die Verbindung von Kreuzabnahme und Himmelfahrt, allerdings als getrennte Szene nebeneinander mit der Hinzufügung der Frauen am Grab, zeigt, wie erwähnt, ein Tympanonfeld der Colegiata S. Isidoro in León, *vgl. Abb. 46*. Auch hier heben, wie auf dem dänischen Kreuz, zwei Engel die Christusgestalt empor.

Sind der Kreuzigung oder dem Kruzifixus zusammen mit Passions- und Auferstehungsszenen auch die Himmelfahrt zugeordnet, die selbstverständlich oberhalb des Kreuzes steht, *vgl. die Elfenbeintafeln, Bd. 2, Abb. 368, 376, 379, 380* und die italienischen Tafelkreuze, wo die Himmelfahrt, allerdings mehrmals in abgekürzter Form ohne die Jünger, auf der oberen Tafel wiedergegeben ist, *vgl. Bd. 2, Abb. 495, 496, 497, 499, 501*, so handelt es sich um die fortlaufende

Darstellung biblischer Szenen. Auf dem Böcklin-Kreuz in Freiburg/Breisgau ist am oberen Ende ein vollständiges Himmelfahrtsbild mit den Aposteln über dem Kruzifixus angebracht, das ebenso wie bei den Tafelkreuzen den Kreuzestod als Sieg deutet, aber nicht die alte Vorstellung der Erhöhung vom Kreuz beinhaltet. Häufig kommt diese vielszenige Kompositionsform in der Glasmalerei vor, *vgl. auch Abb. 691*. Dabei können Himmelfahrt und Majestas Domini ineinander aufgehen.

Die Entstehung des Himmelfahrtsbildes. Die beiden Haupttypen der frühchristlichen Himmelfahrtsdarstellungen und ihre Modifizierungen sind ihrem Ursprung nach hinsichtlich der Christusfigur nicht direkte Illustrationen zu der Himmelfahrtsperikope der Apostelgeschichte, sondern auf Bildvorstellungen alttestamentlicher Gottesoffenbarungen zurückzuführen. Nur bedingt hat auf die Bildformulierung das Bild der Entrückung des Elia eingewirkt, obwohl die Exegese in ihr eine Präfiguration der Himmelfahrt Christi sah und sie spätestens im 4. Jh. in Anlehnung an das antike Bild der Auffahrt des Helios oder der Apotheose des römischen Kaisers in dem von vier Rossen gezogenen Wagen des Sol dargestellt wurde, *Abb. 450*. Bei der Himmelfahrt Christi steht zwar die antike Apotheose auch im Hintergrund, aber ikonographisch ist sie vermutlich von dieser nicht direkt abgeleitet. Für Elia wurde dieses nichtchristliche Vorbild selbst bei Kombinationen mit anderen biblischen Bildinhalten verwandt. So steht der Prophet auf der Schmalseite des theodosianischen Sarkophags in S. Ambrogio zu Mailand, *Abb. 448*, als jugendlicher Heros in dem von vier aufsteigenden Rossen gezogenen Wagen (Quadriga) und

7. Gesamtabbildung des Kreuzes bei Palol-Hirmer, Spanien, München 1965, Abb. 68.

8. Die mögliche Deutung des Rechtecks, in dem sich auf dunklerem Blau eine Figur befindet — eine langgestreckte Form mit einem kopfartigen Ende —, als Grab Christi, verdanke ich einer Korrespondenz mit Dr. Herbert Rode, Köln, Metropolitan-Kapitell. E. Dinkler-v. Schubert erwähnt bei der Untersuchung der Tierplatten des Marburger Elisabethschreins, 1964, S. 128, das Kölner Kreuz und meint, der adlerähnliche Vogel, in dem sie einen Phönix sieht, stehe an einem Baum. Er hält aber das

blaue Rechteck in seinen Fängen, und da seine Haltung offensichtlich die Aufwärtsbewegung veranschaulichen soll, trägt er doch wohl den grabähnlichen Gegenstand nach oben. Ob es sich um einen Adler oder Phönix handelt, ist nach den Ausführungen des letzten Kapitels belanglos, da beide Vogelsymbole Auferstehung bedeuten, der Adler in dieser Zeit aber vorwiegend Himmelfahrt. An den Enden des Kreuzquerbalkens und oberhalb des Hauptes Christi befinden sich kleine Platten mit Engeldarstellungen. Ganz oben ist diese Adlerplatte angebracht.

reicht, sich zurückwendend, Elisa den Prophetenmantel (2 Kön 2). Unmittelbar daneben sind Noah in der Arche, auf den die Taube zufliegt, und anschließend die Gesetzesübergabe an Mose – auf der gegenüberstehenden Schmalwand das Abrahamsopfer – dargestellt[9]. Auf der Holztür der römischen Kirche S. Sabina, vollendet 432, *Abb. 452*, ist die Entrückung des Elia im Sinne der alttestamentlichen Typologie der Himmelfahrt zugeordnet[10]. Den Wagen des Elia ziehen im Gegensatz zum antiken Vorbild nur zwei Rosse; ein Engel ergreift den Propheten an der Schulter. Noch auf Darstellungen des Mittelalters und der Barockzeit – Klosterneuburger Altar, 1181, vollendet, *Abb. 455*, Bronzetür in Nowgorod, Fresken in St. Maria Lyskirchen in Köln – um nur einige typologische Darstellungen zu nennen – fährt Elia in einem von zwei Rossen gezogenen Wagen empor, immer in der Diagonalrichtung, und häufig ergreift die Dextera Dei seine ausgereckte Hand. Hierin liegen Parallelen zum westlichen Himmelfahrtsbild vor[11].

Dennoch gehen der östliche und der westliche Darstellungstypus nicht von der Entrückung des Propheten, sondern von zwei alttestamentlichen Perikopen des Himmelfahrt-Pfingstfestes der alten Kirche aus: im Westen von der Offenbarung Gottes am Sinai mit der Gesetzesübergabe an Mose, 2 Mos 19; im Osten von der Gottesvision Hes 1,1–28. Das Gedächtnis dieser Sinaioffenbarung, bei welcher das erwählte Volk das Gesetz empfing und der Bund von Gott aus erneuert wurde, ist schon von jüdischen Gruppen am Wochenfest, also zu Pfingsten, begangen worden. Ehe sich die lukanische Chronologie durchsetzte, hat die syrische Kirche an diesem fünfzigsten Tag nach Ostern vor allem die Himmelfahrt des Auferstandenen gefeiert und dann erst in Verbindung damit die Ausgießung des Heiligen Geistes[12]. Die älteste Fassung der »Doctrina Apostolorum« des 4. oder schon des 3. Jh. nennt

folgende Feste: Epiphanias, Ostern, dem ein vierzigtägiges Fasten vorausgeht, und Himmelfahrt am fünfzigsten Tage danach. Die Christen übernahmen, wie das Passafest, auch das jüdische Wochenfest, das am fünfzigsten Tag nach Passa vordem als ein Wallfahrts- und Erntedankfest in Jerusalem gefeiert wurde, und verschmolzen den Sinngehalt dieses Festes mit dem der neuen Heilsereignisse (siehe dazu auch »Ausgießung des heiligen Geistes«, Bd. 4). Durch die Übernahme dieses Festes erhielt die in der Synagoge für diesen Tag vorgesehene Lesung 2 Mos 19 in der Liturgie des syrisch-palästinensischen Himmelfahrt-Pfingstfestes besondere Bedeutung. Die Mose-Christus-Typologie hinsichtlich der Himmelfahrt klingt im Neuen Testament in Eph 4,8 an, indem hier ein in der Exegese des Spätjudentums auf Mose gedeuteter Psalmvers: 68(67),19 christologisch gesehen wird. Außerdem sieht man die Gesetzesübergabe am Sinai im Zusammenhang zur Gesetzesübergabe – der traditio legis – durch den auferstandenen und in den Himmel erhöhten Christus an Petrus oder Paulus, eine ins 4. Jh. zurückreichende Bildform siehe unten.

Angesichts dieser liturgischen Beziehungen zwischen dem Aufstieg des Mose am Berg Sinai und Christi Himmelfahrt ist es nicht verwunderlich, daß eine der Formulierungen des Himmelfahrtsbildes von der im 4. Jh. allgemein bekannten Darstellung der Gesetzesübergabe an Mose ausging. In der Sarkophagplastik steht diese Szene oft der Opferung Isaaks, die den Opfertod Christi präfiguriert, gegenüber. Ihr Ort im Bildprogramm ist häufig zu beiden Seiten des Clipeus oder der Muschel mit den Porträtbüsten der Verstorbenen, wie auf dem Adelphia-Sarkophag in Syrakus, *Abb. 449, Ausschnitt*. Wir haben im 1. Kapitel schon erwähnt, daß dieses alttestamentliche Bildpaar über die formale Entsprechung hinaus höchstwahrscheinlich als Präfiguration für den Opfertod und die Erhöhung

9. Der Sündenfall unten bezieht sich gedanklich auf die Darstellung der Geburt des Erlösers oben im Giebel, der hier nicht mit abgebildet ist, *vgl. Bd. 1, Abb. 143*. Bei anderen Elias-Darstellungen steht an dieser Stelle die Personifikation des Jordan. Die Auswechslung der Motive geht vermutlich auf Ambrosius zurück, der sich gegen antike Motive in der christlichen Bildkunst wandte. Zu den Darstellungen der Vorder- und Rückwände *vgl. Abb. 583, 616.*

10. Die jetzige Anordnung der Holztafeln, von denen mehrere verlorengingen, ist nicht mehr original.

11. Ausführlich zu Elia siehe Bd. 5.

12. G. Kretschmar, Himmelfahrt und Pfingsten, in: ZKG, Folge 4, Bd. 65, Heft III, S. 209 ff. Vom selben Verf. auch: Ein Beitrag zur Frage nach dem Verhältnis zwischen jüdischer und christlicher Kunst in der Antike, Festschrift für Otto Michel, Leiden — Köln 1963.

Christi auch inhaltlich eine Einheit bildet, die in sinn-vollem Bezug zu den Porträtbüsten steht, da in diesen die Erlösungshoffnung der Christen zum Ausdruck kommt. Diese beiden alttestamentlichen Typen sind auf einigen Sarkophagen in die äußeren Bildfelder gesetzt und nehmen in dieser Anordnung die neu-testamentlichen Szenen oder die traditio legis in ihre Mitte, *vgl. Abb. 581*.

Außerhalb der Sarkophagplastik läßt sich ebenfalls ein Beispiel nennen, das die Deutung der Moseszene als Vorbild der Erhöhung Christi im frühchristlichen Bildkreis bestätigt. Auf einer Elfenbeinpyxis des 6. Jh. aus Moggio (Udine), heute in Washington, *Abb. 453*, steht unmittelbar neben Moses, der den Berg hinauf-schreitet und das Gesetz aus der Gotteshand empfängt, ein großer Adler mit erhobenen Schwingen, der, wie oben ausgeführt wurde, im Anschluß an seine Bedeu-tung in der Antike als kaiserliches Machtattribut und als Symbol der Apotheose schon in der frühen christ-lichen Kunst als Symbol der Todesüberwindung und der Erhöhung Christi aufgefaßt wurde. An Mose schließt sich auf der Pyxis Daniel inmitten der Löwen, deren Rachen von zwei Engeln zugehalten wird, an – das häufigste typologische Sinnbild der Errettung aus dem Tode der frühchristlichen Kunst. Das Empor-schreiten des Mose ist bei vielen der ältesten Darstel-lungen durch einen großen Schritt angedeutet; spätere zeigen Mose an einem Hang emporschreitend. In diago-naler Richtung streckt er sich nach oben, und in seine emporgehaltene Hand legt die Rechte des Herrn das Gesetz für das Volk der göttlichen Erwählung. Genau-so sind Haltung und Bewegung Christi auf der Dar-stellung der sogenannten Reiderschen Elfenbeintafel, um 400, *Abb. 451, Ausschnitt, vgl. Abb. 12.* Er steigt von links nach rechts an einem Hang empor und hält in der linken Hand das Evangelium der Gnade und Wahrheit (Joh 1,17), während seine rechte Hand von der Dextera Domini ergriffen wird. Es handelt sich um die Form der dextrarum inunctio, bei der das Hand-gelenk umgriffen wird, so daß der Eindruck eines plötzlichen Entrafft- oder Entrücktwerdens entsteht, siehe oben. Das aktive Emporschreiten des Heros kommt bei heidnischen Apotheosedarstellungen nicht vor; bei Elia auch nicht. Es ist offensichtlich der Mose-Sinai-Darstellung nachgebildet. Zusammen mit den

Frauen am verschlossenen Grab ist auf dem Elfenbein-täfelchen der Aufstieg des Auferstandenen vom Tod zum Leben, vom Diesseits zum Jenseits dargestellt, wobei in der diagonalen Bewegungsrichtung eine Ver-bindung beider Gegensätze zum Ausdruck kommt.

Die dextrarum junctio – wir begegneten ihr bei der Darstellung des Abstiegs Christi zum Totenreich (Höl-lenfahrt), deren Entstehungszeit etwa 300 Jahre später liegt als die der Himmelfahrt – tritt in der Antike in verschiedenen Zusammenhängen auf. Sie kann u. a. Annahme zur Mitregentschaft und Bestätigung der Gottgleichheit bedeuten. Die Darstellung der Kaiser-Apotheose nimmt sie erst in der Spätzeit auf. Wir sind oben auf die Elfenbeintafel mit der Apotheose eines Herrschers eingegangen, um ein Beispiel für die antike Deutung des Adlers als Psychopompos zu zeigen, *vgl. Abb. 397, S. 120*. Beim Tode Konstantins, des ersten christlichen Kaisers, fand das Verbrennungszeremoniell nicht mehr statt. Er wurde in einem Sarkophag in der Apostelkirche in Konstantinopel bestattet; die Prä-gung einer Konsekrationsmünze ist jedoch beibehalten worden. Darauf ist die Auffahrt des Kaisers in der Sol-Quadriga mit der dextrarum inunctio verbunden, *Abb. 450*[13]. Eusebius von Cäsarea beschreibt eine solche Münze: Die Vorderseite zeigte das Kaiserbild-nis mit verhülltem Haupt, dem Namen war die Kai-sertitulatur hinzugefügt. Die Rückseite gibt den Kaiser wieder, wie er in der Quadriga steht und seine aus-gestreckte Hand von einer von oben gerichteten Hand ergriffen wird. – An dieser Reduzierung gegenüber früheren Münzen läßt sich erkennen, wie der christ-liche Glaube heidnische bildliche Vorbilder umformte und ihnen einen neuen Sinn gab. Nicht die Vergött-lichung, sondern die Aufnahme in den Himmel des einen Gottes ist dargestellt. Vom Alten Testament her ist den Christen die Entrückung oder Auffahrt des Elia im Feuerwagen ebenso geläufig wie die Hand Gottes in den Wolken, die beim Exodus des Volkes Israel schon Mitte des 3. Jahrhunderts dargestellt

---

13. Die hier abgebildete Münze hat **Professor Klaus Wessel** zur Aufnahme freundlicherweise zur Verfügung gestellt. Er hat sie in: Der Sieg über den Tod, Die Passion Christi in der frühchristlichen Kunst des Abendlandes, Berlin 1956, publiziert.

wurde (Dura-Europos), so daß die Christen die Konsekrationsmünze nicht als heidnisch empfinden mußten[14]. Der nur bruchstückhaft erhaltene Sarkophag von Servannes, dessen Passionszyklus mit der Himmelfahrt abschließt, ist etwa gleichzeitig mit dem Münchener Elfenbeintäfelchen entstanden. Das Sarkophagrelief weicht von der anderen Darstellung nur insofern ab, als Christus beim Aufstieg zum Vater den Blick zu den Jüngern zurückwendet – wie bei der alttestamentlichen Entrückung Elia zu Elisa. Das Erschrecken und die differenzierte Haltung der Jünger, deren Anzahl auf dem Sarkophag größer ist, entsprechen sich ungefähr auf beiden Werken. Auf der Elfenbeintafel birgt einer der beiden Zeugen sein Gesicht wie geblendet in den Händen. Möglicherweise drückt sich darin die Verklärung des göttlichen Sohnes aus. Verklärung und Himmelfahrt sind Theophanien und stehen in einem engen Zusammenhang, der sogar gelegentlich zur kompositorischen Bildeinheit führt, wie auf einem kleinen Kreuz des 8. (?) Jh. in der Eremitage Leningrad, *Abb. 456*[15].

Nur wenig später als die Reidersche Elfenbeintafel entstand in Rom die Holztür von S. Sabina, vollendet 432, deren Eliadarstellung wir schon erwähnten. Auf einem der Holzpanele ist die Himmelfahrt Christi in diagonaler Aufwärtsbewegung dargestellt, *Abb. 457*, aber nicht die Rechte Gottes ergreift die ausgestreckten Hände des Emporschwebenden, sondern einer der aus den Wolken herabkommenden Engel. Es scheint so, als zöge dieser Christus empor. Ein anderer Engel erfaßt sein Haupt, ein dritter grüßt ihn während der Auffahrt. Dieser Christusfigur fehlt die Aktivität, die dem Emporschreitenden eigen ist. Der Prozeß des Aufgenommenwerdens, nicht die Ankunft bei Gott ist wiedergegeben. Die Apostel erinnern in ihrer Betroffenheit an die des Elfenbeinreliefs. Einer von ihnen hält geblendet die Hand vor die Augen, zwei breiten staunend die Arme aus. Ihre Erregung spiegelt sich in der durch Linien bewegten Terrassenlandschaft, deren obere Abschlußlinie die Trennung zwischen Erde und Him-

mel und somit auch die Entfernung Jesu von der Erde andeutet. Vgl. die Begleitfiguren, *Abb. 452*.

So sind im Westen im ersten Drittel des 5. Jh. schon zwei Bildformen bekannt: der aktive Aufstieg zum Vater mit der dextrarum inunctio und das passive Emporschweben Christi mit dem Geleit und der Unterstützung der Engel. Bei beiden ist die diagonale Aufwärtsbewegung betont, und nur wenige Jünger sind als Zeugen des Geschehens wiedergegeben.

Die östliche Bildformulierung, die sich an die Gottesoffenbarung Hes 1 – wie erwähnt gleichfalls eine Perikope des ostsyrisch-palästinensischen Himmelfahrts-Pfingstfestes – anlehnt, ist auf einigen Werken des 6. und 7. Jh. erhalten, deren erste Stufen sicher weiter zurückreichen. Es ist nämlich von dem Himmelfahrtsbild, das die Gottesvision des Hesekiel aufnahm, der Bildtypus der Majestas Domini abgeleitet worden, deren früheste Darstellung vermutlich noch dem 5. Jh. angehört, vgl. *Abb. 662*. Diese Gottesoffenbarung ist schon von den Kirchenvätern als eine Offenbarung des präexistenten Christus aufgefaßt worden; ebenso ist es eine alte Vorstellung, daß Christus selbst das Gesetz an Mose gab. Es war aufgrund dieser Interpretation keine Schwierigkeit, in diesem Visionsbild, dessen Hauptzüge die Apokalypse des Johannes Kapitel 4 wieder aufnahm, auch die Erhöhung Christi zu Gott bei seiner Himmelfahrt zu sehen. Wir gehen auf den Thronwagen der Hesekielvision unten S. 183–185, vor allem aber im Kapitel »Majestas Domini« ausführlicher ein. Im Osten wurde die Gestalt des im Glanze seiner Herrlichkeit erhöhten Christus in den oberen Teil des Bildes der Himmelfahrt übernommen, während man im unteren Teil die Apostel und Maria als Repräsentanten der ersten Heilsgemeinde und Zeugen der Himmelfahrt hinzufügte. Die Theophanie Christi und die nach der Himmelfahrt auf ihn von Gott übertragene Herrschaft ist die wesentliche und bleibende Aussage dieses östlichen repräsentativen Bildtypus. Dabei ist die Entrückung, deren Zeugen die Apostel sind, zugleich der Zustand des ewigen Herr-

---

14. Nach Leo Koep, Die Konsekrationsmünzen Kaiser Konstantins und ihre religionspolitische Bedeutung, in: JbA 1958, I, S. 94–104.

15. Das Kreuz ist von C. Nordström, Ravennastudien, in das 6. Jh. datiert, vom Museum von Leningrad in das 10. oder 11. Jh.; wir möchten es, ohne das Original zu erkennen, in die Nähe des Kreuzes von Viscopisano, *vgl. Abb. 99*, in das 8. Jh. rücken und der syrischen Kunst zuweisen.

schertums. Das gilt für beide gleichzeitig entwickelten Bildformen: für den in der Mandorla stehenden Christus, der mit dem Bild des imperialen Christus korrespondiert, und für den in der Mandorla oder dem Kreisnimbus thronenden Christus, der von der alttestamentlichen Thronvision ausgeht.

Das zweite im Bild erfaßte Thema ist seine Kirche auf Erden, deren Herr Christus ist. Die »historische« Szene der Himmelfahrt wird überlagert von der Vergegenwärtigung dieser Glaubensgehalte. Zu den Zeugen der Himmelfahrt gehört auch Paulus, der ebenso wie Petrus persönlich charakterisiert ist. Er tritt bei Darstellungen des Ostens als zwölfter Apostel an die Stelle von Judas, obwohl er bei der Himmelfahrt noch nicht zur Gemeinde gehörte. In der retrospektiven Sicht des Glaubens werden sowohl Paulus als auch Maria der Urgemeinde zugerechnet. Bildet Maria in Orantenhaltung (Gebetshaltung) betont die Mitte der Apostel, so ist sie als mater apostolorum Sinnbild der Ekklesia, bleibt jedoch zugleich auch die Mutter des Herrn. Auf einigen frühen Darstellungen ist über dieser Ekklesiafigur ein Stern angebracht. Er ist als Zeichen der Inkarnation des Logos zu deuten und setzt die Menschwerdung und die Himmelfahrt zueinander in Beziehung[16]. Der Rabula-Codex, der 586 in dem mesopotamischen Kloster Zagba geschrieben wurde, *Abb. 459*, zeigt bei der Himmelfahrt den stehenden Christus in einer blauen Lichtsphäre, die das »Licht, in dem Gott wohnt«, symbolisiert. Er trägt den Purpur und hält die geöffnete Schriftrolle in der Hand. Sie ist das Zeichen seiner Auferstehung und himmlischen Herrschaft, sein Gesetz im Sinne der neuen Weltordnung. Seine Rechte ist triumphierend und aufrufend erhoben. Es ist die Geste des siegreichen Herrschers, der den Frieden verkündet (Denkmal des Marc Aurel auf dem Capitol in Rom), vgl. zu der Geste unten die Christusgestalt der traditio legis. Die frontal stehende Gestalt offenbart zugleich die Göttlichkeit des neuen Herrschers und seine Zuwendung zur Welt. In dieser Zuwendung klingt die Verheißung seiner Parusie (Wie-

derkunft) mit an. Zwei Engel schweben herbei und bringen in ehrfürchtiger Haltung auf verhüllten Händen Kränze als Herrschafts- und Siegeszeichen dar. Diese Kranzdarbietung, die auch der römischen Imperialkunst entstammt, steht in Parallele zu den Sarkophagen, auf denen der Adler auf die crux invicta den Siegeskranz oder, in der christlichen Umdeutung, die Krone des Lebens setzt, *vgl. Abb. 394;* ausführlich zum Kranz, siehe unten. Auch Sonne und Mond in den oberen Bildecken sind antike Triumphsymbole, die im 4. Jh. schon diesem Siegeskreuz hinzugefügt wurden. Die Mandorla, die oben von zwei Engeln, die scheu zu Christus blicken, gehalten wird, ruht auf dem Feuerwagen des Tetramorph, der der Vision Hesekiels entstammt. Er ist aus vier mit Augen besetzten Flügeln, den Köpfen der vier Wesen und den flammenden Doppelrädern gebildet (vgl. S. 284 f.). Dieser alttestamentliche Gotteswagen wird in das Bild des Rabula-Codex als Triumphwagen für den auffahrenden Christus übernommen. Unter dem Tetramorph, der in der Bildachse zwischen Christus und Ekklesia steht, erscheint die Hand Gottes, die – über dem Haupt der Maria Orans – den Sendungsbefehl an die Kirche veranschaulicht. Ephraem der Syrer (306–373) hat den Ezechielschen Gotteswagen mit den Rädern als ein Bild der eilenden Kirche und die vier Angesichter – Mensch, Löwe, Stier, Adler – als die verschiedenen Völker, welche die Kirche vereint, gedeutet[17]. Die horizontale Trennung der beiden Bildzonen, die für die östliche Darstellung typisch ist, wird hier durch die Konturen mehrerer Hügel erreicht. Die Apostel sind in zwei Gruppen zusammengefaßt. Paulus ist durch das Buch und Petrus durch das Kreuz und den Schlüssel hervorgehoben, sie stehen jeweils vorn. Ihnen wenden sich die beiden Verkündigungsengel zu. Einer der Hügel überhöht und isoliert die Maria-Ekklesia in der Gebetshaltung.

Eine Ikone des 6./7. Jh., die sich in dem von Justinian gegründeten Katharinenkloster auf dem Sinai befindet, zeigt die frühbyzantinische Abwandlung dieses syrischen Bildtypus. Christus steht in der Mandorla,

---

16. Auf spätantiken Münzbildern ist durch einen Stern über dem Bild des Kaisers auf dessen himmlische Abkunft und Sendung hingewiesen. Bei der Himmelfahrt bedeutet er möglicherweise auch die himmlische Abkunft der Ekkle-

sia, siehe dazu Bd. 4.

17. W. Neuß, Das Buch Ezechiel in Theologie und Kunst, Münster 1912, S. 60 f., 154 f.

die von vier Engeln getragen wird. Die Kranzdarbringung, der Ezechielwagen und die beiden Verkündigungsengel fehlen; neben der Maria-Ekklesia stehen Paulus und Johannes. Letzterer nimmt in der griechischen Kirche einen höheren Rang ein als Petrus[18].

Wir wissen bei dem sehr lückenhaften Denkmälerbestand nicht, wie weit das zweizonige Himmelfahrtsbild mit der Darstellung des in der Glorie frontal stehenden Christus zurückreicht. Auffallend ist, daß sich auf der Holztür von S. Sabina in Rom neben dem schon beschriebenen dramatischen Relief des in diagonaler Richtung aufschwebenden Christus und der typologischen Eliasszene noch eine zweizonige repräsentative Darstellung befindet, die häufig als Majestas (oder als Krönung der Kirche) bezeichnet wird, aber offensichtlich eine abgekürzte Form des Bildschemas des Rabula-Codex wiedergibt: ob es sich um eine Frühform oder um eine Reduzierung der reicheren Formulierung, die dann um 400 schon bekannt gewesen sein müßte, handelt, ist nicht zu beantworten, *Abb. 458*. Die Holztür ist ikonographisch von Syrien beeinflußt; man vermutet, daß sie in Rom von Syrern gearbeitet wurde. Es ist hier zum erstenmal auf einem Werk ein Unterschied in der Christusdarstellung der verschiedenen Szenen gemacht, wie er dann später in den Mosaikzyklen in S. Apollinare Nuovo in Ravenna wiederzufinden ist. Der leidende Christus und auch der zum Himmel aufschwebende ist, im Gegensatz zu dem erhöhten, bärtig. Auf dem zweiten Relief steht der jugendliche Christus mit der triumphalen Geste in einem Lorbeerkranz – ein Symbol der Verherrlichung und der kosmischen Herrschaft, siehe unten. Im gleichen Sinn sind auch die vier apokalyptischen Wesen, die sich ihm zuwenden, zu deuten[19]. Alpha und Omega sind nach Apk 1,8 Zeichen des Allmächtigen, »der da ist und der da war und der da kommt«. In der Linken hält der Kyrios die offene Schriftrolle, auf der die griechische Ichthysformel steht: Jesus Christus, Sohn Gottes, Ret-

ter. In der unteren Zone steht Maria-Ekklesia überwölbt vom irdischen Himmel mit seinen Gestirnen, die in ihrer natürlichen Gestalt gezeigt sind. Petrus und Paulus, die Kronzeugen der Erhöhung des Herrn, in denen auch die Einheit der Juden- und Heidenkirche veranschaulicht ist, halten einen Kranz, der ein Kreuz umschließt, über ihr Haupt. Diese Trias verkörpert die Heilsgemeinde, die an dem Triumph des erhöhten Herrn Anteil hat. Auf Erden ist das Kreuz das Signum der Kirche.

Die zweite frühe Bildform des Ostens, die den thronenden Christus in der Glorie im oberen Bildteil zeigt, befindet sich auf fünf der erhaltenen Jerusalemer Ölampullen, *vgl. Bd. 1, Abb. 55* oben. Ferner auf dem Silberteller von Perm, *vgl. Bd. 2, Abb. 322* oben, und im Deckel des palästinensischen Holzkästchens, *vgl. Abb. 9*. Hier bildet die Himmelfahrt den Abschluß eines Bildzyklus. Auf der Rückseite der Ampulle Monza Nr. 1 nimmt sie jedoch die ganze Bildfläche ein, *Abb. 460*. Christus thront auf der mit dem Kissen belegten Kathedra in der Mandorla. Er hält mit der linken Hand von unten das Buch, die rechte ist segnend erhoben. Die Mandorla wird von vier Engeln getragen. Im unteren Bildteil stehen die zwölf Apostel in großer Erregung, und über der Maria-Orans ist wieder der Stern zu sehen. Auf der Ampulle Nr. 7 fehlt dieser. Statt dessen geht die Taube des Heiligen Geistes aus der Hand Gottes hervor und schwebt zwischen Paulus und Petrus über dem Haupt der Maria-Ekklesia, so daß hier die Sendung des Heiligen Geistes als Erfüllung der Abschiedsworte Apg 1,8 an die Heilsgemeinde – die Kirche – veranschaulicht ist. Wegen der Einfügung der göttlichen Hand und der Taube ist in dieser Himmelfahrtsdarstellung oft eine frühe Form des Pfingstbildes gesehen worden. Es handelt sich aber um die Aufnahme eines Hinweises auf das Pfingstgeschehen in eine Himmelfahrtsdarstellung, *vgl. Bd. 4*.

Das Kompositionsschema ist bei den palästinensi-

---

18. Abbildung in: C. Cecchelli, G. Furlani, M. Salmi, The Rabbula-Gospels, Olten — Lausanne 1959, Tafel 17.

19. Ob es sich bei dieser stehenden Christusfigur um den Einfluß des syrischen Rabulatypus handelt oder um die Aufnahme der in Rom geprägten Christusgestalt der Traditio in diese Himmelfahrtsdarstellung, in der der Majestas-

gehalt deutlich hervortritt, bleibt eine offene Frage. Die Trennung zwischen himmlischer und irdischer Sphäre ist auf dem Holzrelief ebenso klar gezogen, wie beim östlichen Himmelfahrtsbild. — Der Tetramorph des Hesekiel wird von der Johannesapokalypse übernommen, aber als vier einzelne verschiedene Wesen geschildert, siehe unten.

schen Beispielen überall das gleiche. Die zwei horizontalen Bildzonen sind durch die Vertikalachse Christus–Ekklesia verknüpft. Der feierlichen Ruhe des thronenden Christus oben entspricht auf den meisten Beispielen die frontale Haltung der Maria-Orans unten. Im Gegensatz dazu stehen die erregten Apostel und die schwebenden bewegten Engel. Die Mittelachse hat eine stark zentrierende Wirkung. Doch ist Maria schon auf einer der Ampullen in Profilhaltung zu sehen, wodurch die enge Verknüpfung mit Christus aufgegeben und Maria in die Erlebnisgemeinschaft der Apostel einbezogen ist.

Diese Haltung findet sich ebenfalls auf einer Illustration im Chludoffpsalter, 2. Hälfte 9. Jh., *Abb. 462*, und auf dem Elfenbeinrelief des Deckels eines Kästchens in Stuttgart, 9. oder 10. Jh., *Abb. 463*[20]. Die Inschrift auf dem Relief gibt in Griechisch ein Wort der Abschiedsreden, Joh 14,27, wieder: »Den Frieden lasse ich euch, meinen Frieden gebe ich euch.« Auf beiden byzantinischen Darstellungen ist die Entfernung Christi von den Seinen, die er in sehr verschieden charakterisierten Gefühlsäußerungen auf dem Ölberg zurückläßt, hervorgehoben. Diese Entfernung wird sinnfällig durch den Abstand oder durch das kleine Format der Christusgestalt[21]. Die Trauer über diese Entfernung des Herrn und die freudige Hoffnung auf seine Wiederkehr löst die Unruhe bei den Zurückbleibenden aus. Es handelt sich bei diesen Werken, ebenso wie auf einem Täfelchen des Antependiums von Salerno, 2. Hälfte 11. Jh., *Abb. 464*, vgl. auch *Bd. 2, Abb. 12 Mitte rechts,* um die Weiterentwicklung des zweiten in Palästina oder in Byzanz entstandenen Bildtypus des Ostens in der mittelbyzantinischen Epoche. Bezeichnend für diesen byzantinischen Typus, den das Abendland häufig übernimmt, sind die zwei oder vier die Mandorla des thronenden Christus tragenden Engel und das häufige Fehlen der Verkündigungsengel. An die Stelle des Thrones, den die Ampullen zeigen, tritt auf Grund des Einflusses der Darstellung der Majestas Domini sehr oft der Regenbogenthron, siehe unten. – Auf dem Täfelchen von

Salerno ist der Ekklesia-Orans, die nach oben blickt, obwohl sie frontal steht, das eucharistische Zeichen der Weinrebe mit vier Trauben hinzugefügt.

Das Bild der Monumentalkunst des Ostens. Es wird angenommen, daß die zentral komponierten zweizonigen Darstellungen mit dem in der Kreisglorie thronenden Christus das Schema des Apsisbildes der konstantinischen Eleonakirche auf dem Ölberg wiedergeben, allerdings ist dies nicht zu beweisen, da jede Nachricht über die bildlichen Darstellungen der konstantinischen Kirchen fehlt. Der Kompositionstypus kehrt jedoch in mehreren Apsisnischen koptischer Kapellen (Apollonkloster in Bawît und Jeremiaskloster in Sakkara) des 6./7. Jh. wieder, so daß von diesen Fresken aus Rückschlüsse auf das Vorhandensein zweizoniger monumentaler Darstellungen in Jerusalem und vielleicht auch Konstantinopel gezogen werden dürfen[22]. Es steht aber nicht fest, um welche Variante der östlichen Bildkomposition es sich handelte. In den östlichen Randgebieten, Ägypten und Kleinasien, ist der Ezechielwagen beibehalten worden, allerdings nicht in der Form des Tetramorph der Miniatur im Rabulacodex, sondern in der der vier einzelnen Wesen.

Das Fresko der Kap. 17 des Apollonklosters von Bawît bei Antinoe, im Koptischen Museum, Kairo, *Abb. 461* (nach Kopie), trennt im Vergleich zu den Darstellungen des Rabulacodex und der Ampullen die Bildzonen schärfer voneinander. Es ist auch keine Blickbeziehung zwischen der durch die Stifteräbte ergänzten Apostelgruppe, in deren Mitte die Maria-Orans zwischen Paulus und Petrus steht, und dem im Kreisnimbus auf dem Feuerwagen der Hesekielvision thronenden Christus. Durch die Verschmelzung der edelsteingeschmückten Thronbank, der gestirnten Aureole und des nach vier Richtungen weisenden Thronwagens mit den verschiedenen Angesichten der sechsflügeligen Wesen und den Rädern, der auf dem von den personifizierten Gestirnen flankierten Feuerstrom steht, ist die Übernahme der alttestamentlichen Gottesvision noch deutlicher als

20. Vgl. die Vorderfront mit der Darstellung der Anastasis *Abb. 105.*

21. Der wiederkehrende Herr wird in byzantinischen Gerichtsbildern ähnlich dargestellt. Anlaß dazu gibt das

Wort der Engel Apg 1,11.

22. C. Ihm, 1960, S. 95 ff., und die dort erwähnte Literatur. Wir können nur kurz auf diese Sondergruppe eingehen.

bei der über dem Tetramorph stehenden Gestalt des Rabulacodex. Christus mit dem Kreuznimbus hält das geöffnete Buch mit der Hagiosinschrift (Jes 6,3) von unten in der linken Hand und reckt die rechte im Rede- oder Lehrgestus gebietend aus. Der Redegestus wird später als Segensgestus aufgefaßt. Buch und Gestus heben die neue Lehre, die der Herr des Himmels und der Erde seiner Kirche gibt, hervor. Die beiden Engel bringen Kränze dar und sind wohl auch als die Botschaftsengel der Himmelfahrt zu verstehen[23].

Die enge Beziehung zwischen der Inkarnation und der Erhöhung Christi oder die Verknüpfung der Epiphanie des thronenden Logos und des erhöhten Kyrios kommt in diesen mittelägyptischen Fresken in besonderer Weise zum Ausdruck, wenn anstatt der Maria-Orans die Gottesmutter mit dem Kind auf dem Schoß inmitten der Heilsgemeinde sitzt. Dabei kann die Menschwerdung sogar durch das Stillen des Kindes (Maria lactans) hervorgehoben werden[24]. Die Apostel tragen alle das Buch als Zeichen ihres Auftrages. Sie stehen im Gegensatz zu den anderen Darstellungen ruhig, sogar teilnahmslos nebeneinander. Dem Maler ist es nicht gelungen, das übernommene Visionsbild mit der hinzugefügten Himmelfahrtsgemeinde zu einer lebendigen Bildeinheit zu verschmelzen. Eine Mischung der Bildtraditionen der östlichen Randgebiete und der zuerst in den Ampullen greifbaren byzantinischen Komposition ist in den Bildzyklen der kappadokischen Höhlenkirchen[25], aber auch des öfteren im Abendland zu beobachten, jedoch ohne Ezechielthron, der im Mittelalter der Darstellung der Majestas Domini vorbehalten blieb.

Die sehr augenfällige Zusammenschau von Mensch-

werdung und Erhöhung, von Herabkunft und Auffahrt Christi, die auf den koptischen Fresken vor allem dann zum Ausdruck kommt, wenn Maria mit dem Kind inmitten der Apostel thront, hat eine Parallele in den von der syrischen Kunst bestimmten Kreuzen, die in der Kreuzmitte, die identisch ist mit der Mitte der unteren Zone der Himmelfahrtsdarstellung, eine sehr große Marienfigur inmitten der Apostel zeigen. Auch hier kommen beide Gestalttypen vor: die Theotokos, *Abb. 456*, und die Maria-Ekklesia, *vgl. Abb. 99*. Das eine Kreuz zeigt unten die Verklärung Christi, das andere den Auferstandenen im Totenreich. Die Theotokos gehört ebenso wie die Verklärung, die Erscheinung im Totenreich und die Himmelfahrt zu den Bildvorstellungen der Theophanie, in denen sich die Göttlichkeit des menschgewordenen Logos offenbart.

Im 8. Jh. ist der Bildtypus der Ampullen dem byzantinischen Kuppelbau angeglichen worden, wobei die Heilsgemeinde der unteren Zone am Kuppelrand im Kreis um den im Zenit auf dem Regenbogen thronenden Christus angeordnet wurde. Seine Aureole wird von zwei oder vier Engeln getragen. Die Botschaftsengel stehen neben der Maria-Orans und wenden sich nach beiden Seiten den Aposteln zu. Das Kuppelbild steht in Korrespondenz zum Apsisbild, wo als Zeichen der Inkarnation die Theotokos erscheint. Es wird vermutet, daß ein solches Himmelfahrts-Inkarnations-Programm der Kuppel und Apsis sich in Konstantinopel schon vor dem Bilderstreit befand und später wieder aufgegriffen wurde[26]. In der Sophienkirche in Saloniki ist es aus dem 9. Jh. erhalten[27] und im Katholikon in Hosios Lukas aus dem frühen 11. Jh. Es wurde in S. Marco, Venedig, um 1200 nachgebildet

---

23. Bei den Ausführungen zur Darstellung der Majestas Domini, die gleich der Himmelfahrt von der alttestamentlichen Gottesvision abgeleitet ist, verweisen wir auf die Parallele zwischen der zentralen Kompositionsform der Sol-Quadriga und der alttestamentlichen Vision des Gotteswagens, *vgl. Abb. 632—635*. Wenn auch für die Himmelfahrt des Elia niemals diese zentrale Komposition nachgebildet wurde, so beruht der oben erwähnte indirekte Bezug auf der Parallele von alttestamentlichen Gottes- oder Feuerwagen und antiken Sonnenwagen. Doch muß festgehalten werden, daß bei diesem Himmelfahrtstypus der Akzent nicht bei der Apotheose, dem Aufstieg und der

Verwandlung, liegt, sondern bei der Epiphanie des göttlichen Seins und der ewigen Herrschaft.

24. C. Ihm, 1960, Abb. 1 und 2, Tafel XXV. Die Maria lactans als Sondertypus der Mariendarstellung kommt in Ägypten am frühesten vor, siehe dazu Bd. 4.

25. Siehe dazu M. Restle, Die byzantinische Wandmalerei in Kleinasien, 3 Bde, Recklinghausen 1967.

26. O. Demus, Byzantine Mosaic Decoration, London 1947, S. 53.

27. In der Georgsrotunde in Saloniki sind nur noch Reste eines Freskos des 9. Jh. in der Apsis erhalten.

und durch die Hinzufügung von Darstellungen der Tugenden in der Fensterzone bereichert, *Abb. 465*. Die mit Sternen besetzte Aureole, in welcher Christus im Zenit der Kuppel auf dem Regenbogen thront, weist auf seine kosmische Weltherrschaft hin. Sie wird von vier Engeln getragen. Die im Kreis stehenden Apostel sind durch Ölbäume voneinander getrennt[28]. Durch sie wird auf den Ort des Vorgangs hingewiesen. Allerdings sind sie auch Attribute des Paradieses. Die Gestalt der Maria-Orans zwischen den Verkündigungsengeln ist dem Apostelkreis so eingefügt, daß die Achse Christus–Ekklesia auch in dieser ringförmigen Anordnung für den Betrachter wahrnehmbar ist. Die sechzehn Tugenden, die zwischen den Fenstern einen dritten Kreis bilden, und die vier (erneuerten) Evangelisten in den Zwickeln vertreten hier das zweite Bildthema, die Kirche auf Erden. In diesen Kuppelbildern tritt die Himmelfahrt als Vorgang kaum in Erscheinung, es bleibt sogar offen, ob die Heilsgemeinde auf Erden oder im himmlischen Paradies dem erhöhten Christus zugeordnet ist.

Anders ist es bei der Streifenkomposition der Wandbilder. Das Fresko aus der Mitte des 9. Jh. in der Unterkirche von S. Clemente in Rom geht von der byzantinischen Komposition aus, *Abb. 467* (Kopie des schlecht erhaltenen Freskos). Die Verkündigungsengel fehlen. Die differenzierten, erregten Gefühlsäußerungen der Apostel geben diesen ein Eigengewicht in der Bildstruktur. An dieser Steigerung der Reaktion läßt sich der Einfluß der syrisch-palästinensischen Kunst erkennen: Rabula-Miniatur, *Abb. 459*, und gemaltes Kästchen, *Abb. 9*. Maria-Ekklesia wird durch ihre Anordnung in einer Zwischenzone in besonderer Weise hervorgehoben. Der äußere Anlaß mag der in der Wand eingelassene Stein sein[29]. Auf dem Mosaikfries in Monreale fällt die große Dreifigurengruppe in der Mitte auf, *Abb. 466*. Sie steigert zusammen mit dem kleinen Format der oberen Dreiergruppe den optischen Eindruck der Entfernung Christi von der Erde, obwohl diese minimal ist.

Die abendländische Darstellung der Himmelfahrt in Buchmalerei und Elfenbeinskulptur. Sowohl der westliche frühchristliche Bildtypus, der das aktive Emporschreiten in Diagonalrichtung verbunden mit der dextrarum junctio im Sinne eines Ereignisbildes zeigt, als auch die östlichen Typen mit der im Sinne einer Theophanie in der Mandorla thronenden oder stehenden Christusfigur wurden dem lateinischen Mittelalter übermittelt. Doch sucht die bildschöpferische Phantasie des Abendlandes immer wieder neue Formen, um seine Vorstellung von der Himmelfahrt und die hierfür jeder Epoche wichtigen Gedanken künstlerisch zu verwirklichen. Der Aufstieg am Bergeshang wird allmählich abgewandelt. Christus durchschreitet den Weltenraum, er schwingt sich empor durch die Lüfte, erhebt sich aus eigener Kraft oder wird in die Wolken des Himmels entrückt. Die vielfältigen Bewegungsmotive wollen die unermeßlichen Räume, die Christus in einem Augenblick durchmißt, sinnfällig machen; sie entsprechen auch den dynamischen Gottesvorstellungen des Alten Testaments: z. B. Hesekielvision, Ps 104(103),3; 68(67),34 u. a. m. Westliche und östliche Bildmotive mischen und überlagern sich, so daß dem Emporschreitenden oft die Mandorla gegeben wird, obwohl sie als Zeichen der Repräsentation der Gottheit im Widerspruch zu dem aktiven Schreiten oder Emporschwingen steht. Der Majestas-Gedanke, der das östliche Bild beherrscht, kommt auch im abendländischen Bild, vor allem in der ottonischen Zeit und im 12. Jh. zum Ausdruck. In der Kathedralplastik nähern sich die Bildtypen der Majestas Domini und der Himmelfahrt weitgehend einander an.

Das abendländische Bild zeigt nahezu immer in einer unteren Zone die Apostel, jedoch in der Regel nur elf, da die Himmelfahrt als letzte Szene des Lebens Jesu aufgefaßt wird. Bei kleiner Bildfläche können es auch weniger sein. Maria steht, sofern kein direkter östlicher Einfluß vorliegt, seitlich bei den Aposteln, in Haltung und Ausdruck ihnen zugehörend; manchmal fehlt sie auch. Soll aber der Ekklesiagedanke zum Ausdruck gebracht werden, womit auf die sakramentale Gegenwart

---

28. Die Ölbäume befinden sich auch schon auf dem Kuppelmosaik in Saloniki, *vgl. auch Abb. 462 und 463*.
29. In der karolingischen Klosterkirche zu Müstair

(Graubünden) war über den drei Apsiden die Himmelfahrt im östlichen Typus ähnlich den koptischen Fresken angebracht (heute Landesmuseum Zürich).

des nicht mehr auf Erden weilenden Herrn verwiesen wird, so stehen Maria und Petrus einander gegenüber, beide als die vordersten einer Apostelgruppe.

Schon in der karolingischen Kunst sind sehr verschiedene Bildformulierungen der Himmelfahrt nebeneinander anzutreffen, die alle für die weitere Entwicklung maßgebend sind. Die Initiale zur Oration des Festoffiziums Mt 16,14–20 im Drogosakramentar, Metzer Schule, um 830 oder 844, *Abb. 468*, schließt hinsichtlich der Christusfigur an den spätantiken Typus an. Sie zeigt Christus, wie er in einem hellblauen Gewand in Profilansicht auf dem Berg hinanschreitet und in den geöffneten Himmel emporblickt. In der Linken trägt er den goldenen Kreuzstab als Zeichen des vollbrachten Opfers und des Sieges; seine Rechte wird von der vom Himmel herabgereichten Hand Gottes, die Purpur umgibt, ergriffen. Die große lichtblaue Wolke, die sich herabsenkt, ist Zeichen für den Himmel als göttlichen Bereich. Im Gegensatz zu dem Münchener Elfenbeinrelief, um 400, stehen hier am Fuße des Berges, der dem Bild eine zentrierende Mitte gibt, eng zusammengedrängt die Jünger, in ihrer Mitte in Profilhaltung Maria. Sie blickt ebenso wie diese erregt in die Höhe. Die beiden Verkündigungsengel berühren kaum die Erde und verbinden durch die entgegengesetzten Bewegungsrichtungen die himmlische und irdische Sphäre. Der frühchristliche Bildtypus des Aufstiegs Christi vom Grabe aus ist hier abgewandelt zu einem Himmelfahrtsbild, das dem Bericht der Apostelgeschichte weitgehend entspricht. Das Gebet, zu dem die Miniatur gehört, lautet: »Laß uns, so bitten wir dich, allmächtiger Gott, die wir glauben, daß am heutigen Tage dein eingeborner Sohn, unser Erlöser, zum Himmel aufgestiegen ist, auch selbst im Geiste im Himmel wohnen.«

In der Bibel von St. Paul, Rom, die um 870 in der Schule von Reims entstand und vermutlich auf eine ältere Vorlage zurückgeht, ist die Darstellung der Himmelfahrt mit der der Ausgießung des Heiligen Geistes verbunden, *Abb. 472 (Ausschnitt, Gesamtdarst. Bd. 4).*

Das bedingt bei einer Bibelillustration die Textfolge und hängt wohl kaum noch mit der altchristlichen Liturgie zusammen. Auch hier schreitet Christus empor. Sein zurückgeworfenes Haupt berührt die sich über die ganze Bildseite oberhalb eines Purpurstreifens hinziehende Wolke. Mit weit geöffneten Augen schaut er den göttlichen Bereich über ihm, während durch die dextrarum junctio seine Teilhabe an der göttlichen Macht bestätigt wird. Das Verlassen der irdischen Welt kommt in dieser stark bewegten Christusgestalt noch etwas mehr zum Ausdruck als in der des Drogosakramentars. Noch gesteigerter ist der Eindruck der Entfernung allerdings auf einer Federzeichnung im Utrechtpsalter der Reimser Hofschule, um 830, *Abb. 469 Ausschnitt*. Hier schwingt sich die Gestalt Christi frei empor in den Weltenraum und ergreift die Gotteshand. Sie gehört dem Jenseits an und hat keine Beziehung mehr zu den Jüngern[30].

Neben dieser in den Lüften schwebenden und in der emporschreitenden Gestalt kennt die karolingische Kunst im frühen 9. Jh. auch die frontal stehende Figur, die im großen Sternennimbus von zwei Engeln emporgetragen oder demonstriert wird. Im Rundbogen einer der Kanonseiten des Evangeliars aus St. Médard in Soissons, der Hofschule Karls des Großen, um 810, *Abb. 470*, steht Christus im Typus der westlichen jugendlichen Christus-victor-Gestalt mit geschultertem Kreuz und dem offenen Buch in der Hand auf dem Gipfel des Berges. Es ist ein Repräsentationsbild ohne Handlung, ohne die Apostel. Der Sternennimbus bezieht sich auf die kosmische Herrschaft, die der Sieger antritt. Diese Darstellung, die eng mit den spätantik-frühchristlichen Triumphdarstellungen zusammenhängt, ließe sich auch den Bildtypen des erhöhten Christus, die im 2. Teil dieses Bandes behandelt werden, einreihen. Die tragenden Engel kennzeichnen sie jedoch als Himmelfahrt – sie ist im Codex Aureus von St. Emmeram, 870, ohne Kreuzstab wiederholt –, und wir bringen sie hier als karolingische Parallele zu der 2. Tafel der Tür von S. Sabina, Rom, *Abb. 458*, und zu

30. Eine andere Darstellung dieser Handschrift fol. 27ʳ fügt aufgrund von Ps 47 (46) 6: »Gott fährt auf mit Jauchzen und der Herr mit heller Posaune« dem in der Mandorla auffahrenden Christus Tuba blasende Engel hinzu. Bei der Interpretation der Psalmworte im Hinblick auf die Himmelfahrt Christi spricht Hieronymus von den Posaunenengeln, die er als die Botschaftsengel deutet. MPL 26, 962. Abbildung bei DeWald, 1930 Tf. 43.

der syrischen Miniatur im Rabulacodex mit der frontal stehenden Christusgestalt, *Abb. 459*, doch auch als eine aus dem in karolingischer Zeit bevorzugten Christus-victor-Typus abgeleitete Vorstufe zu der frontal stehenden Gestalt des ottonischen Himmelfahrtsbildes. Sie kommt in der Reichenauer Buchmalerei schon im Evangeliar aus der Abtei Poussay bei Epinal um 980 vor, *Abb. 471*, jedoch ohne die tragenden Engel, aber mit Aposteln. Maria und Petrus verkörpern die Kirche. Der Kreisnimbus ist in den mandelförmigen abgewandelt.

Die Übertragung der Mandorla auf die in Profilhaltung schreitende Christusgestalt erfolgt auch schon Anfang des 9. Jh., wobei zunächst die Darstellung des Bergeshanges fortfällt. Die Mandorla ist entweder aus dem in der karolingischen Kunst häufigen Bild der Majestas Domini oder aus dem östlichen Himmelfahrtsbild übernommen. Ein frühes Beispiel hierfür findet sich auf dem Elfenbein-Buchdeckel in St. Just, Narbonne, Anfang 9. Jh., wo die Himmelfahrt über dem rechten Querbalken des Kreuzes dargestellt ist, *vgl. Bd. 2, Abb. 368*. Das Schnitzwerk ist vermutlich noch unter Karl dem Großen in der Hofschule entstanden. Der Mitte des 9. Jh. gehört ein angelsächsisches(?) Täfelchen im Victoria and Albert Museum an, *Abb. 476 Ausschnitt*, das gleichfalls den schreitenden Christus in der Mandorla zeigt. Durch das seitliche Ausbreiten der Arme, das die frontale Ansicht des Oberkörpers bewirkt, und die leichte Schwingung der Gestalt entsteht jedoch eine Übergangsform zwischen Schreiten und Schweben mit diagonalem Richtungsakzent[31]. Für die Verbindung von Schreitmotiv und Mandorla siehe auch *Abb. 474, 475, 483*. Nach der ottonischen Zeit, die noch einmal auf spätantik-frühchristliche Vorbilder zurückgriff, hört das Motiv des Emporschreitens allmählich auf.

Ebenso wird die dextrarum inunctio eliminiert. In der alten Form zeigen sie um die Jahrtausendwende zum Beispiel noch der Egbert-Codex, um 980 (Christus mit Mandorla), *Abb. 474*, die Miniatur des Sakramentars aus St. Gereon in Köln, 996–1002, *Abb. 477*, auf der

Christus mit der Schriftrolle in der Hand den Weltenraum durchschreitet, und das vierte Autorenbild der Reichenauer Handschrift aus dem Bamberger Domschatz, um 1020, *Abb. 484 Ausschnitt*, wo Johannes (nicht mit abgebildet) über sich Christus, der von der Rechten des Herrn ergriffen wird, schaut; daneben der Adler, Zeichen der Himmelfahrt und Sinnbild des Evangelisten. Die Inschrift darunter lautet: »Siehe, der Größte und Gewaltigste erhebt sich über die Gestirne.«

Die Bibel von Floreffe, um 1160, *Abb. 500*, hält spät noch daran fest, aber schon auf einer Elfenbeintafel der Metzer Schule, 9./10. Jh., in St. Paul, Kärnten, *Abb. 473*, die die Himmelfahrt mit der Repräsentation der Majestas Domini verbindet und Christus an den linken Bildrand über die Jünger rückt, ist das antike Motiv abgewandelt. Die Gotteshand, von einer Wolke umgeben, erscheint zwar noch über Christus, und dieser blickt auch zu ihr empor, wird aber nicht von ihr ergriffen. Sie bedeutet auch hier Anerkenntnis des Sohnes oder die Aufforderung, an der Herrschaft teilzunehmen im Sinne des Psalmwortes »Setze dich zu meiner Rechten«, das Mk 16,19 aufgreift. Auf der Miniatur des Aethelwold-Benediktionale der Schule von Winchester, um 980, *Abb. 475*, streckt Christus seine Hand des Vaters entgegen, so daß hier der Eindruck eines Begrüßungsgestus entsteht[32].

Die formale Loslösung dieses alten Gottessymbols von der Gestalt des Auffahrenden ist auf einer Elfenbeintafel um 1100 vollzogen, *Abb. 481*, doch ist der Sinnzusammenhang noch erhalten. Ein Elfenbeinrelief der Reimser Schule in Weimar, um 1000, *Abb. 483*, wechselt das Motiv der Handergreifung gegen das ebenfalls antike der Bekränzung aus. Die beiden Seraphim sind der Majestasdarstellung entnommen. Aber die Haltung Christi entspricht nicht der der repräsentativen Majestas Domini, denn, schon in den himmlischen Bezirk aufgenommen, wendet er sich zurück zu den Seinen, als wolle er ihnen die Verheißung seiner Gegenwart und die Zusicherung seiner Wiederkunft geben. Diese Zurückwendung kommt vom 12. Jh. an mehrmals vor, doch bleibt die Aufwärtsbewegung in den verschiede-

---

31. Die zweite Tafel dieses Elfenbeindiptychons zeigt die Verklärung Christi. Sie befindet sich im gleichen Museum in London, vgl. Bel. 1, Abb. 412.

32. Vgl. die zum Gericht herabkommende Christusgestalt dieser Handschrift, die völlig der emporschreitenden entspricht, *Bd. 2, Abb. 645*.

nen Varianten und Ausdrucksgebärden immer vorherrschend.

Mit der nur in minimal seitlicher Wendung und ausgebreiteten Armen frontal emporschwebenden Christusgestalt des Londoner Elfenbeintäfelchens, *Abb. 476*,
und des Buchdeckels aus St. Paul im Lavanttal, *Abb.
473*, hat die über der Hölle schwebende Gestalt einer
oben schon erwähnten Emailplatte, 1150–1160, London, Victoria and Albert Museum, Ähnlichkeit, entfaltet sich aber freier, *Abb. 478*. Es handelt sich hier
um eine wahrscheinlich einmalige Darstellung, die die
östliche Darstellungsform der Anastasis mit der westlichen der Himmelfahrt verbindet und mit der Weltkugel noch ein Herrschaftsattribut des erhöhten Christus aufnimmt. Doch kommt noch ein weiterer Gedanke, der in der alten Kirche schon lebendig war, zum
Ausdruck. In den Gewandfalten des Auffahrenden ver-
borgene Gestalten blicken daraus hervor. In der oben
schon genannten altlateinischen afrikanischen Bibel des
2. Jh., dem Codex Bobbiensis, ist zu Beginn des Oster-
evangeliums Mk 16 diese Vorstellung zu finden, wenn
es da heißt, daß die im Glanze des lebendigen Gottes
Auferstehenden zugleich mit ihm in die Höhe aufsteigen. Das Wort geht über die Errettung der Gerechten
des Alten Testaments, die mit dem Abstieg Christi in
das Totenreich verbunden ist, hinaus. Die westliche
Darstellung des 12. Jh. zeigt mit diesen hervorblicken-
den Gesichtern die Seelen derer, die mit Christus in sein
Reich eingehen.

Ganz im Gegensatz zu der Herabneigung steht die
Entfernung Christi von der Welt, wie sie einige Elfenbeinreliefs zeigen, wobei die Verbindung zu den Jüngern nur noch in den nach zwei Richtungen bewegten
Verkündigungsengeln anklingt. Auf einem der Hofschule nahestehenden Täfelchen, um 900, *Abb. 479*, kehrt
die horizontal in den Lüften schwebende Christusgestalt
der karolingischen Federzeichnung des Utrechtpsalters
wieder; auf einem südwestdeutschen, um 1000, *Abb.
480*, ist Christus den Jüngern zwar räumlich noch nahe,
aber seine Abkehr von der irdischen Welt kommt durch
die Rückenansicht der Gestalt sinnfällig zum Ausdruck,
vgl. auch Bd. 2, Abb. 380. Die Erregung und die
Ratlosigkeit der zurückgelassenen Jünger erfährt hier
eine Steigerung, die außerhalb dieser Elfenbeingruppe
um die Jahrtausendwende nur selten erreicht wird.

Konträr zu dieser starken Gefühlsäußerung steht die
schematische Reihung der Apostel mit gleicher Hand-
und Kopfhaltung in der unteren Bildzone auf dem
Deckel eines vermutlich fränkischen Elfenbeinkästchens,
um 1100, *Abb. 481*. Die Christusfigur ist von höchst
eigenmächtiger Bewegung erfüllt. Mit zurückgelegtem
Haupt scheint sie emporzuspringen und mit beiden
Händen den Himmel ergreifen zu wollen. Während
andere Darstellungen nach verschiedenen Bildtraditionen entweder nur die zwei Verkündigungsengel zu seiten Christi bzw. bei den Jüngern stehend aufweisen
oder die Funktionen der Verkündigung und der Verehrung des auffahrenden Christus auf zwei Engelpaare
verteilt sind und nur manchmal der Himmel durch
mehrere Engel über den Wolken veranschaulicht wird,
finden sich hier insgesamt siebzehn Engel, von denen
vier durch die Schriftbänder und die nach oben und
unten weisenden Hände als Botschaftsengel charakterisiert sind, vier weitere die schildähnliche Mandorla
halten, zwei mit der Dextera Dei herabfahren und sieben adorierende in der oberen Reihe zum göttlichen
Machtbereich gehören. Die Himmelfahrt ist das beherrschende Hauptthema, dem fünf weitere Szenen
untergeordnet sind: Christus am Kreuz, Kreuzabnahme, Grablegung, Frauen am Grab und unten in der
Mitte die Segnung der Apostel (Lk 24,51)[33].

Schließlich ist für die Bildgruppe mit dem aktiv emporsteigenden Christus noch ein Motiv zu nennen: das
Öffnen des Himmelstores. Es bedeutet die Erschließung
des Zugangs zum Himmel für die Erlösten, ein Gedanke, den ein Gebet der Himmelfahrtsliturgie aus-
spricht: »Es möge euch segnen der allmächtige Gott,
dessen eingeborner Sohn am heutigen Tag in dem Himmel angekommen ist und der euch den Zugang zu der
Höhe geöffnet hat, wo er sich selbst befindet.« Ein Vorläufer des Motivs ist schon in der karolingischen Kunst
zu finden. Im Stuttgarter Psalter, 820–830, fol. 132 r,
ist bei einer Illustration zu Ps 118(117),19–20, Christus dargestellt, wie er auf einer Leiter emporsteigt und
seine Hände zu einem verriegelten Tor ausstreckt, als

33. Der künstlerische Unterschied zwischen Hauptdarstellung und Nebenfiguren ist so groß, daß es sich nur
aus der Arbeit zweier verschiedener Schnitzer erklären
läßt.

wolle er es öffnen. Die Leiter gilt aufgrund des Jakobstraumes als ein Himmel und Erde verbindendes Sinnbild. Das Öffnen des Tores durch Christus ist auf drei Elfenbeinreliefs des zweiten Viertels des 11. Jh., die vermutlich alle drei einer Lütticher Werkstatt entstammen, veranschaulicht. Wir zeigen die Tafel in Brüssel, nach der das Elfenbein des Theophanu-Bucheinbandes im Essener Münsterschatz gearbeitet wurde. Ferner befindet sich das Motiv auf einem Elfenbeindiptychonflügel mit sechs Darstellungen in Berlin, *vgl. Bd. 2, Abb. 379 rechts oben* (neben der Höllenfahrt).

Auf dem Brüsseler Einbanddeckel, *Abb. 482,* sind Geburt, Kreuzigung und Himmelfahrt Christi übereinander angeordnet; in den vier Ecken die schreibenden Evangelisten mit ihren Symbolen; über und unter den Schächerkreuzen vier verschiedene Gräber, aus denen Tote auferstehen (vgl. hierfür die Kreuzigungsdarstellungen, *Bd. 2, Abb. 365, 366, 371, 373*). Die auf sechs Figuren reduzierte Himmelfahrtsgemeinde hat eine eigene Standfläche unmittelbar über den Kreuzarmen. Christus steigt von einem kleinen Hügel oberhalb des Kreuzes aus empor. Seine Rückenansicht ist hier dadurch motiviert, daß er mit der rechten Hand einen Flügel des offenen Himmelstores hält. Der Blätterschmuck der Randleiste ist oben unterbrochen, um durch gedrehte Wolkengebilde den Himmel zu versinnbildlichen, aus welchem die beiden Verkündigungsengel herabfahren. Auf dem Berliner Relief kommt das Öffnen des Himmelstores noch deutlicher zum Ausdruck, da die Tore schräg stehen. Dagegen ist auf dem Theophanu-Einband das Motiv mißverstanden worden. Die Torflügel sind als zwei beschriebene Tafeln wiedergegeben und so als Altes und Neues Gesetz gedeutet.

Neben dieser großen vielfältig variierten Bildgruppe, die letzten Endes weitgehend auf die frühchristliche Reidersche Elfenbeintafel in München zurückgeht, werden in ottonischer Zeit mehr östliche Vorbilder übernommen, frei abgewandelt und umgedeutet. Sind die Mandorla und die mit ausgebreiteten Armen in der Mitte der Apostel stehende Maria-Ekklesia Übernahmen einzelner östlicher Motive in das westliche Bild, so weist die frei in Frontalansicht aufschwebende Christusgestalt, die vom 10. Jh. an häufiger wird[34], nicht nur auf den stehenden Christus victor, sondern auch auf die

Christusgestalt der Himmelfahrt im Rabula-Codex. Diese hängt allerdings wieder mit der imperialen Christusfigur zusammen, wie sie in der Apsis von SS. Cosma e Damiano, Rom, aus dem 6. Jh. erhalten ist, siehe dazu unten 2. Teil. Die Reichenauer Malschule der Jahrtausendwende, der auch das Poussay-Evangeliar, *Abb. 471,* angehört, wandte sich von der aktiv emporschreitenden und von der sich von der Welt weit entfernenden Christusgestalt ab und gab in ihrem Himmelfahrtsbild der Majestasvorstellung eindeutig den Vorrang. Dies wird nicht durch die Figur deutende Attribute der Verherrlichung, wie Thron, tragende Engel, dextrarum junctio, Siegeskranz, erreicht, sondern durch die Mächtigkeit der dem Betrachter frontal zugewandten Christusgestalt. Das Aufschweben aus eigener Kraft ist Ausdruck der Göttlichkeit, die Zuwendung der Gestalt zum Betrachter enthält die Verheißung der Gegenwart in der Welt (Mt 28,20) und die der Wiederkunft. Eine von innerer Monumentalität erfüllte Miniatur im Perikopenbuch Heinrichs II., 1007 oder 1012, *Abb. 485,* zeigt Christus in majestätischer Ruhe auf einer mehrfarbigen Wolke stehend, seine Bewegung erhält ihren Richtungsakzent von dem erhobenen Blick. Die Wolke ist hier keine tragende Kraft, sondern Zeichen der Verhüllung seiner Göttlichkeit, wie sie in der Bibel Zeichen der Erscheinung Gottes und seiner verhüllten Gegenwart ist. Apg 1,9 heißt es: »Eine Wolke nahm ihn auf vor ihren Augen weg«. Seine Gestalt mit den ausgebreiteten Händen bildet die Form des Kreuzes, seine Rechte segnet die Welt. In dem als Purpurstreifen gegen den Goldgrund abgesetzten göttlichen Bezirk wird Christus, der die überzeitliche Herrschaft antritt, von zwei Engeln begrüßt. Die Verkündigungsengel stehen, wie bei dem Rabula-Bildtypus, auf der Erde bei den Jüngern, Maria der westlichen Tradition entsprechend nicht in ihrer Mitte. Sie verkörpert zusammen mit Petrus die Kirche, beide sind durch den Nimbus ausgezeichnet und stehen den Engeln am nächsten. Die enge Beziehung der Darstellung des zur überzeitlichen Herrschaft erhöhten Kyrios

34. Vgl. ein Elfenbeinrelief, Anfang 10. Jh., Ausläufer der Hofschule, Zähringer Museum, Baden-Baden, Neues Schloß, Ausstellung »Karl d. Gr.«, Aachen 1965, Kat. Nr. 546; A. Goldschmidt, Elfenbeinskulpturen I, 35.

und des zum Himmel emporfahrenden Christus war in der Kunst des Ostens von Anfang an vorhanden; im Abendland führt die Durchdringung der künstlerischen Formen von Ost und West im 10. Jh. zu diesem Himmelfahrtsbildtypus, dessen Christusgestalt lange nachwirkt, auch wenn die frontale Haltung durch eine geringe Bewegung nach oben manchmal leicht abgewandelt ist, *Abb. 486, 490, 502.*

Buch und Kreuzstab in der Hand Christi kehren durch die Jahrhunderte immer wieder; von der 2. Hälfte des 12. Jh. an ist die Auferstehungsfahne zu beobachten, *Abb. 498, 500, 502.* Aber auch die im Gebetsgestus ausgebreiteten erhobenen Arme, manchmal verbunden mit dem seitlichen Aufblick, die die Hingabe an den Himmel ausdrücken, kommen bei der frontal schwebenden Figur vor, *Abb. 486, 487.* Sie sind im 12. Jh. ebenfalls im Auferstehungsbild zu finden. Auf der Himmelfahrtsdarstellung im Sakramentar aus St. Etienne, Limoges, um 1100, *Abb. 489,* ist die Armhaltung mit der Erhebung des Buchs allerdings Ausdruck der Herrschaft. Die Echternacher Schule übernimmt von der Reichenauer den spätantiken jugendlichen Christustypus, andere halten am östlichen bärtigen Typus fest. Die Wiedergabe des göttlichen Bereiches variiert: In der Buchmalerei können es mehrfarbige Halbkreise oder ausgezackte flammen- oder wolkenartige Gebilde sein, die sich herabsenken. Ein mainfränkischer Elfenbein-Buchdeckel, Ende 11. Jh. *Abb. 490,* der die Kreuzigung, die Frauen am Grabe und die Himmelfahrt mit den vier die Mandorla tragenden Engeln der byzantinischen Darstellung zeigt, fügt den seitlichen Rahmenfeldern als Himmels- oder Paradiesattribute zwei offene Stadttore, die vier Paradiesesflüsse und sechs Wächterengel ein, *siehe auch Abb. 491.*

Im letzten Viertel des 10. Jh. wird in England ein neues Himmelfahrtsbild formuliert, das keine Vorläufer hat und sich auf die abendländische Kunst beschränkt; selbst Italien blieb es weithin fremd[35]. Diese Bildneuschöpfung benutzt beide Grundtypen, doch wird die Entrückung konsequent verdeutlicht: von

Christus sind nur noch ein Teil des Gewandes und die Füße zu sehen. Eine von oben herabkommende Wolke verdeckt die Gestalt, die im Weltenraum schwebt oder im Begriff ist, sich von der Erde zu erheben. Die Darstellung im Missale des Robert von Jumièges der Schule von Winchester, 1. V. 11. Jh., Rouen, *Abb. 493,* gilt als das früheste bekannte Beispiel dieser Bildgruppe. Hier schneidet nicht nur die horizontal verlaufende Wolke, sondern auch die obere Leiste des reich geschmückten Rahmens die Gestalt ab, so daß das Entrücktsein in eine dem Blick, aber auch der Vorstellung unerreichbare Ferne etwas Unbedingtes und Endgültiges bekommt. Die Verkündigungsengel sind zwar vorhanden, doch vermag ihre Gegenwart die Verheißung der Wiederkunft künstlerisch nicht zu verwirklichen – tatsächlich fehlen sie auch meistens in der weiteren Entwicklung der Bildgruppe. Auffallend ist, daß hier Maria-Orans von einer Mandorla umgeben und so mehr als üblich als Ekklesia hervorgehoben ist. Die durch die Gloriole dem erhöhten Christus angenäherte Ekklesiagestalt im Himmelfahrtsbild ist eine angelsächsische Eigenart. Auf der Eingangsseite zum Johannesevangelium im Odbertpsalter aus St. Bertin, um 1000, *Abb. 491,* ist oben bei der auf Halbfiguren reduzierten Himmelfahrtsdarstellung Maria in der gleichen Weise ausgezeichnet, während außerhalb dieses Kunstkreises die Mandorla für Maria bei der Himmelfahrt nicht vorkommt. Auch hier sind, wie auf dem Elfenbeinrelief, *Abb. 490,* die vier Paradiesflüsse und außerdem unten die antiken Personifikationen von Erde und Wasser als kosmische Zeichen zur Veranschaulichung des ewigen Paradieses verwandt. Sie sind zusammen mit den Darstellungen der Höllenfahrt, der Frauen am Grabe und der Himmelfahrt in den Randleisten untergebracht, während die I-Initiale die Bildfläche für Christus am Kreuz, Johannes und Maria, Ekklesia und Synagoge bildet.

Auf der Federzeichnung im Cottonpsalter, um 1050, *Abb. 494,* halten Apostel Stabkreuz, Buch und Kronreif – Attribute des Herrn – als Vermächtnis in Händen. Die Darstellung einer wiederum englischen Handschrift des 11. Jh., *Abb. 495,* geht von der Tradition des emporsteigenden Christus aus und bezieht die zwei verehrenden Engel ein. Sie halten unterhalb der Füße Christi ein Band, während von oben die verhül-

---

35. M. Schapiro, The Image of the disappearing Christ. The ascension in English art around the year 1000, in: Gaz. des Beaux-Arts, 23, 1943, S. 135 ff. Siehe auch H. Schrade, 1928–29, S. 161 ff.

lende Wolke herabkommt, so daß Christus den Blik-
ken entzogen ist. Die erläuternde Umschrift lautet:

»Siehe, zwei Männer im Schmuck schneeweißen
Glanzes stehen neben den von Traurigkeit über-
wältigten Jüngern. Es soll euch nicht wunderbar
scheinen und Anlaß sein zu Beschwerde,
es stärkt uns der Aufstieg Christi; dies sag ich euch,
als einer, der es geprüft hat.
Wie Er in den Himmel aufstrebt, so wird Er
wieder herabfahr'n, der sich zum Thron des
Himmels erhebt, Kraft des Rechts, das ihm vom
Vater zukommt.«

Im mit dem englischen Missale nahezu gleichzeitigen
Hildesheimer Bernward-Evangeliar, 1011–1014, *Abb.
492*, ist diese neue Bildformulierung mit dem Autorenbild des Johannes (nicht mit abgebildet) verbunden.
Christus steigt vom Berg empor und wird aufgenommen von einem flammenden Himmelssegment, dessen
Mitte ein Stern bildet. Da der gelehrte Bischof Bernward diese Handschrift maßgebend mit bestimmt hat,
ist es sehr wohl möglich, daß mit diesem flammenden
Himmel die Vorstellung des Aufstiegs Christi durch die
Gestirnsphären angedeutet werden sollte. Der mehrfarbige Himmel senkt sich auch auf anderen Himmelfahrtsdarstellungen herab, bildet dort aber den Hintergrund für die Christusgestalt, während diese hier
in die Lichtsphären eingeht. Der Adler inmitten des
Berges hat wieder die Doppelbedeutung: Himmelfahrt
und Evangelistensymbol. Ein Hildesheimer Emailtäfelchen um 1160, *Abb. 501*, zeigt ebenfalls den Aufstieg
von der Erde in diagonaler Richtung, aber die Wolke
verdeckt die Christusgestalt nur bis zur Schulter. Es
gehört zu den Tafeln im Hildesheimer Domschatz, die
vermutlich von einem Reliquiar stammen und einen
größeren Auferstehungszyklus bringen, vgl. Kapitel
Erscheinungen des Auferstandenen.

Der flammende Himmel auf der Miniatur des Bern-
ward-Evangeliars, der den aufsteigenden Christus aufnimmt, ist nicht nur in der Malerei zu finden, vgl. die
westdeutsche Elfenbeintafel um 1000, *Bd. 2, Abb. 376*.
Auf der Darstellung des Klosterneuburger Altars, 1181
vollendet, *Abb. 497*, ist ebenfalls nicht die verdeckende
Wolke, die sich, wie in der englischen Kunst, von oben
vor die Christusfigur schiebt, sondern das Eindringen

in die Lichtsphäre, die durch mehrfarbige Wellenlinien
angedeutet ist, veranschaulicht. Christus wird aus der
Mitte der in engem, nach vorn geschlossenem Halbkreis stehenden Jünger ins Jenseits entrückt. Die Umschrift lautet: »Die irdische Natur strebt zum unvergänglichen Himmel.« Für das 12. Jh. vergleiche auch
die Patene von Wilten, *Abb. 275*, wo die beiden Verkündigungsengel eingefügt sind, und den Rahmen des
Buchdeckels, Mitte des 13. Jh., *Abb. 209*.

Auf der Darstellung des Suitbertschreins, 1264 vollendet, *Abb. 496*, steht die Christusgestalt, die zur
Hälfte in den Himmel entschwunden ist, auf zwei kleinen Wolken, die sie emportragen. Es kommt aber auch
vor, daß sich eine Wolkengirlande um die ganze Figur
Christi zieht und nur oben offen bleibt, *Abb. 500*, sie
kann auch von Engeln gehalten werden, *Abb. 508*. In
diesen Fällen ist der Emporfahrende für den Bild-
betrachter sichtbar, den Blicken der dargestellten Apostel jedoch entzogen. Dabei handelt es sich um Abwandlungen dieses hier besprochenen Sondertypus, der
seine größte Verbreitung vom 14. bis zum frühen 16. Jh.
findet. Wohl einmalig ist die Verhüllung der Gestalt,
die nur das Haupt Christi – Brennpunkt der Bildkomposition und Ausdruck seiner Gegenwart – freiläßt, auf dem Steinrelief des Klosters S. Domingo de
Silos, Nordspanien, 1085–1100, *Abb. 510*. Da die
Wellenlinien in Schichten hintereinander angeordnet
sind, entsteht die Vorstellung von Räumen, die den
Eindruck der Durchdringung kosmischer Sphären hervorruft. Es besteht hier offensichtlich ein Zusammenhang mit der Darstellung der Taufe Christi, *vgl. Bd. 1,
Abb. 370 ff*.

Die Fußabdrücke Jesu auf dem Ölberg treten vom
13. Jh. an auf, *Abb. 496*, sicherlich nicht ohne inneren
Zusammenhang mit der neuen Bildidee, die die Un-
sichtbarkeit der Christusgestalt und ihre völlige Entfernung von der Erde hervorhebt. Der unmittelbare
Anlaß mögen Berichte von Kreuzzugsteilnehmern und
Pilgern gewesen sein, denn in der Himmelfahrtskirche
auf dem Ölberggipfel zeigt man die Fußspuren Jesu.
Sie wurden als Zeichen des irdischen Lebens Gottes
hochverehrt und »Herrgottstritte« genannt[36]. Auf Dar-

36. Siehe G. K. Klameth, Die Ölbergüberlieferungen,
Münster 1923, 106–21. C. Kopp, Die Heiligen Stätten
der Evangelien, Regensburg 1959, 463–65.

stellungen des späten Mittelalters nördlich der Alpen sind sie häufig.

Alttestamentliche typologische Motive. Die schon zu Anfang des Kapitels erwähnte Eliastypologie ist dem Mittelalter ebenfalls bekannt. Außer der Himmelfahrt des Elia, *Abb. 455,* die auch sehr vereinfacht dargestellt sein kann, *Abb. 499 rechts oben,* wird nun auch die Entrückung des Henoch der Himmelfahrt Christi zugeordnet. Von Henoch heißt es 1 Mos 5,23 f.: »Sein Alter ward 365 Jahre. Und dieweil er ein göttliches Leben führte, nahm ihn Gott hinweg, und er ward nicht mehr gesehen.« Die Kunst hält sich mehrfach bei der Darstellung der Entrückung an diese kurze Beschreibung. Auf der Himmelfahrtsminiatur des Stammheimer Missale, um 1160, *Abb. 499 rechts unten,* greift die Gotteshand in das weiße Haar Henochs, um ihn von der Erde hinwegzunehmen. Diese Darstellungsform kommt häufiger vor als die des Klosterneuburger Altars, *Abb. 454,* die zeigt, wie Gott Henoch ins Paradies führt. Die Umschrift dazu lautet: »Da ihm der Tod aufgehoben wurde, kommt dieser in die lichtbeglückten Gefilde. Es führt diesen das Feuer empor zu den Gottes würdigen Freuden.«

Die Mosetypologie verbindet sich bei der mittelalterlichen Himmelfahrtstypologie mit der Adlersymbolik, siehe oben. So zeigt die Miniatur des Stammheimer Missale Mose neben einem Adlerhorst, aus dem ein Adler auffliegt, 5 Mos 32,11, gegenüber steht die vereinfachte Himmelfahrt des Elia: Der betend aufblickende Prophet sitzt in einem zweirädrigen Kastenwagen.

Als viertes alttestamentliches Motiv ist hier die Wegführung des Fürsten von Jerusalem eingefügt, Hes 12,12, die allerdings in diesem Zusammenhang sonst kaum vorkommt. Auf dem Mittelbild schwebt Christus vor einer Kreuzform, die die Bildfläche gliedert, auf; die Zahl der Jünger ist auf fünf reduziert. Christus wendet sich Maria-Ekklesia zu und segnet sie. In der Blickbezogenheit beider klingt die Brautsymbolik an, die im niedersächsischen Kunstkreis des 12. und 13. Jh. mehrfach in verschiedenen Bildthemen auftritt. Auf dem Spruchband in der Hand Christi steht: »Siehe, ich bin bei euch alle Tage«, auf dem der linken Gruppe: »Gedenke an uns, die Zurückgebliebenen, die Verwai-

sten«, rechts in der Hand des Petrus: »Herr, sende uns die Gabe des Vaters, die wahre Hoffnung, die uns zuteil werden soll«. Dem Psalmisten im Mittelfeld unten ist ein Spruchband mit Ps 47(46),6 beigegeben: »Gott fährt auf mit Jauchzen«. Auf dem Himmelfahrtsbild der Bibel aus dem Kloster Floreffe der Diözese Lüttich, 1165, *Abb. 500,* das zu Beginn des Johannesevangeliums steht, ist Christus durch ein Wolken-Flammenband verhüllt. Aus der älteren Bildtradition sind die Handergreifung, die, wie schon erwähnt, um diese Zeit nicht mehr üblich ist, und die Verkündigungsengel übernommen; neu ist die Auferstehungsfahne, die von der Verbreitung des Auferstehungsbildes in der 2. Hälfte des 12. Jh. an Christus auch bei der Himmelfahrt oft in der Hand hält. Im unteren Bildteil rechts ist wieder Mose mit den auffliegenden Adlern und neben ihm Hiob, der ein Spruchband mit einem Wort aus Hiob 28,7 hält, dargestellt. Das Wort Hiobs hat ebensowenig etwas mit der Himmelfahrt zu tun wie 5 Mos 32,11. Die Assoziation beruht lediglich auf der mit dem Adler verknüpften Vorstellung. Man kann hier in den beiden Gestalten auch die Verkünder des Christus-Adler sehen. In der Mitte thront Gott mit dem zum Himmel aufgefahrenen Adler im Schoß, der den Sohn symbolisiert. Möglicherweise handelt es sich jedoch um eine Darstellung der Doppelnatur Christi, wie sie seit dem 10./11. Jh. vereinzelt vorkommt. Dabei wird der präexistente göttliche Christus durch den »Alten der Tage« nach Dan 7 dargestellt. Er hält den inkarnierten Logos im Schoß, der hier im Zusammenhang mit dem Himmelfahrtsbild als Adler gezeigt wird (vgl. Bd. 4 Trinität). Links schaut Ezechiel in dem Cherubtetramorph mit den verschiedenen Angesichten Christus. Die Umschrift um die Bildseite bezieht sich auf diese Ezechielvision und deutet die vier Angesichte des Cherubs als Menschwerdung, Opfertod, Auferstehung und Himmelfahrt: »Mensch ist er durch seine Geburt, Stier wird er durch seinen Tod, Löwe durch seine Auferstehung, Vogel durch seine Rückkehr in den Himmel.« Zu dem Doppelrad gehört das Wort: »Das alte und das neue (Testament) ist zu verstehen als ein doppeltes Rad. Das äußere verbirgt, das andere enthüllt«.

Im Evangeliar aus Hardehausen, 1155–1165, *Abb. 498,* sind den Jüngern eine Reihe von Juden hinzugefügt, die durch den spitz zulaufenden Hut (pilar) als solche gekennzeichnet sind, jedoch keine Prophetenattribute haben. Der Stein auf dem Ölberggipfel, den die Miniatur des Stammheimer Missale und das Emailtäfelchen, *Abb. 501*, die dem gleichen niedersächsischen Kunstkreis angehören, ebenfalls zeigen, kann sich nur auf einen Pilgerbericht über die Himmelfahrtskirche beziehen.

Das Evangeliar Heinrichs des Löwen, um 1175, *Abb. 502*, enthält ein Himmelfahrtsbild, das das Heilsereignis im Bezug auf die Kirche hervorhebt. Die zwölf Apostel und Maria-Ekklesia erhalten durch ihre Anordnung in einem abgetrennten Rechteck, durch die Isolierung jedes einzelnen unter einem Arkadenbogen und durch die Wiedergabe als Halbfiguren einen Rang in der Gesamtdarstellung, der über den des biblischen Berichtes hinausgeht und in ihnen insgesamt ein Sinnbild der Kirche erkennen läßt. Maria und Petrus sind zwar auf beiden Seiten Christi einander gegenübergestellt, aber in keiner Weise unter den anderen hervorgehoben. Die Gestik der Jünger ist eine völlig andere als sonst; nicht Reaktion auf das Erleben, sondern Anbetung, Hinweis, Bitte. In den oberen Bildecken sind Salomo und die Königin von Saba als »sponsus und sponsa« inschriftlich bezeichnet. Sie vertreten die im 12. Jh. im theologischen Schrifttum verbreitete Brautsymbolik, die sinnbildlich das Verhältnis von Christus und seiner Kirche ausdrückt. Wie schon bemerkt, ist sie im niedersächsischen Kunstkreis besonders beliebt. In den unteren Bildecken weisen Paulus und der Prophet Habakuk auf Christus. Ihre Schriftworte sind ebensowenig zu entziffern wie die der anderen Eckfiguren. Im oberen Bildfeld stehen David mit dem Wort: »Gott fährt auf mit Jauchzen«, Ps 47(46),6, und Salomo mit dem Wort: »Siehe, er kommt und hüpft über die Berge«, Hl 2,8. Auf dem Band in der Mitte ist zu lesen: »Der die Höhen (?superos) überstieg, hat uns die Himmel aufgerissen. Salomon.« Dieses Wort ist als von den Aposteln – der Kirche – gesprochen zu denken. Schließlich hält Christus selbst ein Schriftblatt in der Hand, dessen Text etwa so zu verstehen ist: »Du hast meine rechte Hand gehalten, nach deinem Willen hast du die Meinen mit Herrlichkeit vollendet.« Über Christus erscheint Gott-Vater mit einem Wort aus dem 110. (109.) Psalm: »Setze dich zu

meiner Rechten, bis ich deine Feinde (zum Schemel deiner Füße) lege.«

Die abendländische Monumentaldarstellung vom 11. bis 13. Jh. In der Monumentalkunst herrscht die frontal stehende machtvolle Christusgestalt mit und ohne Mandorla vor. Es wird aber auch die Majestas Domini in die Himmelfahrtsdarstellung übernommen oder richtiger: die Majestas Domini wird durch die Hinzufügung der Apostel umgedeutet zu einer Himmelfahrtsdarstellung, denn sie ist – im engen und im weiteren Sinn – das Hauptthema der Kunst des hohen Mittelalters. Die Durchdringung beider hat eine frühe Parallele in der Kunst des Ostens, nicht nur in den koptischen Wandbildern des 6./7. Jh., *vgl. Abb. 461*, sondern auch in der Ersetzung der Himmelfahrtsdarstellung durch den Pantokrator, die vom 9. Jh. an zu beobachten ist, siehe unten.

Wir gehen lediglich auf ein Beispiel der nur lückenhaft erhaltenen Wandmalerei ein, dessen Großartigkeit diese Konzentration rechtfertigt, und bringen dann mehrere Beispiele der Skulptur, an der die Probleme deutlicher erkennbar sind als in der Wandmalerei. Das Apsisbild von S. Pietro in Tuscania, nordöstlich von Rom, gegen 1100 oder 2. Viertel 12. Jh., *Abb. 503* und *504*, schließt an die altchristlichen Triumphbilder Roms an, die seit dem 6. Jh. den in der Paradieseslandschaft stehenden apokalyptischen Christus zeigen, siehe unten 2. Teil. Dieser Christustypus hat sich bis zum 12. Jh. im Einflußgebiet Roms erhalten und ist in Tuscania in die Darstellung der Himmelfahrt übernommen worden. Dabei ist sogar der Bezug der Christusgestalt zur Apokalypse durch die in unmittelbarer Nähe zum Apsisbild dargestellten apokalyptischen Szenen, die ebenfalls auf die Apsisprogramme Roms zurückgehen, erhalten geblieben. Unter der Triumphbogenwand am Rücksprung des Apsisbogens steht das apokalyptische Christuslamm mit dem versiegelten Buch. Darüber im Scheitel des Triumphbogens ist Christus zwischen den sieben Leuchtern, den vier Wesen und zwei Cherubim dargestellt, in den Zwickeln unten die zwölf Greise[37].

37. C. A. Isermeyer, Die mittelalterlichen Malereien in der Kirche S. Pietro in Tuscania, in: Kunstgesch. Jb. der Bibl. Hertziana II, 1938, S. 289 ff. Isermeyer datiert die

In der machtvollen, die Apsis beherrschenden Christusfigur ist die göttliche Majestät künstlerisch realisiert. Er hält in der rechten Hand eine Kugel empor und verheißt damit die neue Schöpfung, die er bei seiner Wiederkunft heraufführen wird[38]. Die Jünger sind in vier Gruppen um die Fenster der Apsis verteilt. Sie hören die Botschaft der über ihnen schwebenden Engel.

Die Darstellung des zwischen zwei Seraphim thronenden Christus auf der Vorderwand des langobardischen Pemmo-Altars in Cividale, 734–737, *Abb. 505*, hängt vermutlich mit dem ältesten östlichen Himmelfahrtstypus, der in den Darstellungen der Ampullen und der koptischen Wandmalerei noch erkennbar ist, zusammen, obwohl die Apostel nicht dargestellt sind. Man könnte das Relief als eine von vier Engeln demonstrierte Majestas Domini auffassen, zumal auch die Seraphim innerhalb der Kranzgloriole darauf hinweisen, aber die Gotteshand über dem Haupt Christi kommt bei diesem Darstellungstypus nicht vor. Sie würde dem Sinngehalt der Majestas, die die vollzogene Erhöhung vergegenwärtigt, widersprechen. Der Siegeskranz aus Palmen tritt hier an die Stelle der Gloriole. Er ist seiner Bedeutung nach der gleiche Kranz, mit dem Gott auf anderen Darstellungen Christus als seinen Sohn anerkennt, wenn die Dextera Dei ihn über Christus hält. Wir haben bei den koptischen Wandbildern darauf verwiesen, daß durch die Einbeziehung der Gottesmutter mit dem Kind in die untere Hälfte des Himmelfahrtsbildes ein enger Bezug von Inkarnation und Ascensus bzw. dem Thronenden hergestellt ist. Die gleiche Verbindung ist am Pemmo-Altar zu beobachten, denn die Seitenwände zeigen die Heimsuchung und die Anbetung der Könige *(vgl. Bd. 1, Abb. 262)*. Die Majestas Domini steht in der Regel nicht in diesem Zusammenhang. Christus trägt hier eine kurze Stola. Dieser Hinweis auf das priesterliche Amt des erhöhten Christus ist hier zum erstenmal faßbar. Nach alledem darf man sagen, daß beim Pemmo-Altar der ersten Hälfte des 8. Jh. in Entsprechung zu der Ver-

schmelzung eines Majestasbildes und der Himmelfahrtsdarstellung, wie sie in der östlichen Kunst vorliegt, diese Majestasdarstellung ohne Apostel als Himmelfahrt verstanden werden darf. Die Tatsache, daß die heute im Dom zu Monza verwahrten palästinensischen Ampullen als ein Geschenk Gregor d. G. an die langobardische Königin Theolinde gelten, bekräftigt diese Vermutung eines Zusammenhangs.

In der französischen Kathedralplastik vollzieht sich dann der Umwandlungsprozeß der Majestasdarstellung in eine Himmelfahrtsdarstellung. Das wird an dem Relief am Türsturz der Kirche in St. Génies-des-Fontaines, Westportal, 1020–1021, *Abb. 506*, deutlich. Die Himmelfahrtsdarstellung ist auf diesem ältesten Beispiel der französischen Portalskulptur noch einzonig, weshalb nur je drei Apostel beiderseits der von zwei knienden Engeln demonstrierten Majestas Domini hinzugefügt sind. Die Verschmelzung der Majestas mit der Himmelfahrtsdarstellung ist in der Klosterkirche in Chârlieu (Burgund) noch etwas weitergeführt. Unterhalb des inmitten der vier apokalyptischen Wesen thronenden Christus sitzen im Türsturz die Apostel mit Maria zwischen den zwei Engeln. Die Zeugen der Himmelfahrt sind nur attributhaft dem Majestasbild beigegeben.

Vom 12. Jh. an wird allgemein das Tympanonfeld Bildträger. Es bleibt Christus und den Engeln vorbehalten, während die Apostel stehend oder sitzend im Türsturz Platz finden. Eine Ausnahme bedeutet es, wenn an der Westfassade der Kathedrale St. Pierre in Angoulême die Figuren über die mittlere Zone oberhalb der Portale verteilt sind. Die gereiht stehenden Apostel mit ihren zurückgebeugten Häuptern im Türsturz des südlichen Seitenschiffes von St. Sernin in Toulouse, gegen 1118, *Abb. 507*, erinnern an das Elfenbeinrelief in Berlin, um 1100, *Abb. 481*. Als einziger ist Petrus durch den Schlüssel gekennzeichnet. Am südlichen Westportal der Kathedrale von Chartres, 1150–1155, *Abb. 508*, sitzen die Apostel auf einer Bank, mehrere sind durch die langen Bärte als Greise

---

Fresken in das Ende des 11. Jh., während O. Demus, Romanische Wandmalerei, München 1968, sie dem 2. Viertel des 12. Jh. zuschreibt.

38. Die Kugel ist hier nicht der Globus als Herrschafts-

zeichen. Soweit man das heute noch erkennen kann, ist sie mehrfarbig. Sie erinnert an diejenige, die man in der christlichen Kunst manchmal in der Hand des Schöpfers findet.

kenntlich gemacht. Sie nehmen den Platz ein, den bei der Darstellung des apokalyptischen Christus im Tympanon die Ältesten innehaben, *vgl. Abb. 704* und das Mittelportal von Chartres-West, *vgl. Bd. 1, Abb. 62.* Hier sind der Majestas die Apostel zugeordnet, und zwar vierzehn, so daß wohl zwei vom Himmelfahrtsportal auf das Mittelportal übertragen sind, da bei jenem nur Raum für zehn war[39]. In den um die Himmelfahrtsdarstellung herumgeführten Archivolten des südlichen Westportals sind die zwölf Monate durch Bilder des Landlebens und die Tierkreiszeichen des Himmels dargestellt. Damit stehen sich Himmel und Erde, irdische und kosmische Welt gegenüber, die Christus, der mit der Himmelfahrt die Herrschaft über Himmel und Erde antritt, verbindet. Zugleich besagen die Monats- und Tierkreiszeichen: Christus ist der Herr der Zeit. Dazu ein Wort des Honorius Augustodunensis aus einer allegorischen Auslegung der Himmelfahrt: »Christus ist das Jahr der Gnade Gottes, gemacht zum Teilhaber unserer Sterblichkeit. Seine Monate sind die zwölf Apostel, seine Tage die gerechten Menschen, seine Stunden aber die treuen Menschen – seine Nächte sind diejenigen Menschen, die bislang in der Untreue oder der Schuld irren[40].«

Christus wird von einem breiten Wolkenband zu den Gestirnen erhoben, während vier Engel aus dem Himmel herabstürzen und seine Wiederkunft verheißen. Sie nehmen die mittlere Bildzone ein. Da das nördliche Westportal die Inkarnation Gottes darstellt, kehrt hier die alte Verbindung Geburt – Himmelfahrt (als Grenzen des irdischen Lebens des Gottessohnes) wieder.

Zu der in überirdischer Ruhe schwebenden Chartreser Christusgestalt bildet die des Tympanons von Toulouse formal und ausdrucksmäßig einen Gegenpol, *Abb. 507.* Die südfranzösische Plastik ist im 12. Jh. hinsichtlich der Körperlichkeit der Figuren mehr als die anderer Provinzen noch von der Spätantike abhängig, doch ist die ornamentale Gewandbehandlung

romanisch. Toulouse liegt an der Pilgerstraße nach St. Jago; so sind auch Beziehungen zu Nordspanien zu erkennen. Das realistisch anmutende Motiv der beiden stützenden Engel ist wie erwähnt auch am gleichzeitigen Portal del Cordero der Colegiata in León zu finden, *vgl. Abb. 46.* Ihre Genesis geht vielleicht auf den Auferstehungsabschnitt des Petrusevangeliums zurück, nach dem zwei Engel Christus aus dem Grabe führten und zum Himmel geleiteten. Die Engel führen hier aber nicht, sondern betonen durch ihr Stützen und Tragen die irdische Leiblichkeit des sich dem Himmel zuwendenden Herrn. Zu beiden Seiten der Mittelgruppe stehen zwei Engel wie eine Ehrenwache, ihr Zepter ist der Kreuzstab. Zwei weitere Engel grüßen in heftiger Erregung den Herrn. Die beiden Engel, die die Wiederkehr den Aposteln verheißen, sind auffallend belanglos und in die Ecken des Türsturzes gerückt. Die aus kleinen Kuppeln bestehende Standfläche der oberen Figuren ist als Wolke zu verstehen.

Am Nordportal der 1119 geweihten Kathedrale St. Etienne in Cahors, *Abb. 509, Ausschnitt,* schwebt Christus in der von vier fliegenden kleinen Engeln gehaltenen Mandorla empor. Die gegensätzliche Bewegung der großen Engel, die Christus, der schon dem Jenseits angehört, mit den Menschen auf Erden verbindet, hat hier große Ausdruckskraft. Christus hält das Buch, das als neues Gesetz der himmlischen Herrschaft Attribut der Majestas Domini ist, in der erhobenen Hand, *siehe auch Abb. 506 und 507.* Im Tympanon der ehemaligen Klosterkirche zu Petershausen, 1173–1180, *Abb. 511,* wendet sich Christus zurück zur Erde, wie schon auf der Weimarer Elfenbeintafel, um 1000, *Abb. 483.* Eine Inschrift im Tympanon besagt: »Siehe da, der Sohn Gottes, den ihr erblickt, wird selbst zurückkehren, nicht milde, wie er dort zu sehen ist« – zu ergänzen wäre sinngemäß etwa: sondern zum Gericht. Diese Inschrift beweist, in welchem Maß im Mittelalter der Himmelfahrt und der Majestas Domini die Vorstellung des wiederkommenden Herrn innewohnt. Das gilt im Abendland vor allem für die stehende Figur, denn von dem in den Wolken Kommenden, Apk 1,7, heißt es 2,1, daß er mitten unter den Leuchtern wandelt. Direkt gab zu dieser Verknüpfung das Engelwort bei der Himmelfahrt Anlaß: »Dieser

---

39. W. Schöne, Das Königsportal der Kathedrale von Chartres, Stuttgart 1961 (Werkmonogr. Reclam) hält es für möglich, daß die beiden überzähligen Figuren am Mittelportal Henoch und Elia darstellen.

40. MPL 172, 956, zit. bei Schrade, danach übersetzt.

Jesus, welcher von euch ist aufgenommen gen Himmel, wird wiederkommen, wie ihr ihn gesehen habt.« Siehe zu dem Gedanken der Wiederkunft auch Teil 2.

Um eine verkürzte Form der Himmelfahrt handelt es sich bei dem spätromanischen Tympanonrelief des Südportals von St. Ulrich in Regensburg, gegen 1250, *Abb. 512,* wo Christus (Brustbild) in einem Devotionstuch von Engeln emporgetragen wird. Diese Erhebung ist einerseits den Gerichtsmotiven entnommen, wo in ähnlicher Weise die Seelen in Abrahams Schoß getragen oder vom ihm so gehalten werden; anderseits wird die elevatio animae – die Erhebung der Seele eines Verstorbenen – so dargestellt. Das Motiv kommt in der Regensburger Buchmalerei des 12. Jh. mehrfach vor. Wahrscheinlich fand der noch in romanischen Formvorstellungen befangene Steinmetz bei dem geringen zur Verfügung stehenden Raum keine Lösung für die Unterbringung der üblichen Himmelfahrtsdarstellung, so daß er die Aufgabe durch das Motiv der Elevation löste, ohne damit eine andere Deutung der Himmelfahrt geben zu wollen[41].

Abgesehen von der Portalskulptur kommt die Himmelfahrt in der Plastik des 11. bis 13. Jh. selbstverständlich auch an Türen vor: Holztür St. Maria im Kapitol Köln; Bronzetür Sophienkirche Nowgorod, beide abendländischer Typus. In Nowgorod ist der Himmelfahrt die des Elia gegenübergestellt. Bronzetür Pisa, byzantinischer Typus. Außerdem an der Ciboriumssäule S. Marco, Venedig, zwischen Cherubim thronender Christus, die Apostel sind um die Säule herumgeführt; Taufstein Freckenhorst – Christus schreitet aus der Mitte der Apostel empor. Damit sind nur einige Beispiele genannt. In der Glasmalerei krönt, wie schon erwähnt, vielfach die Himmelfahrt einen Leben-Jesu-Zyklus, auch hier verschmilzt sie mit der Majestas Domini, *vgl. Bd. 1, Abb. 31* und unten *Abb. 691.*

Die italienische Darstellung vom 14. Jh. an. Italien ist

an den schöpferischen Differenzierungen der zwei frühchristlichen Grundtypen des Himmelfahrtsbildes bis 1300 kaum beteiligt, sondern hält an der byzantinischen Tradition fest. Eine Ausnahme bildet das Fresko des 12. Jh. in Tuscania, das der römischen Tradition des erhöhten herrschenden Christus folgt. So hat die italienische Kunst keinen Anteil an den vielfältigen Gestalttypen und Bewegungsmotiven, mit denen die Kunst nördlich der Alpen über Jahrhunderte hin die Entfernung Christi von der Erde bis zur Verhüllung und völligen Entrückung veranschaulicht. Selbst der Renaissance bleibt diese Entrückung und das Motiv der Fußabdrücke auf dem Berggipfel fremd, auch wenn sie sie dann und wann übernimmt (Fra-Angelico-Schule, Sakristeischrank, Florenz, S. Marco, Museo).

Giotto löst sich bei der Darstellung in der Arenakapelle, 1305–1307, *Abb. 513,* von der bis dahin vorherrschenden byzantinischen Tradition. Er verbindet das freie Emporschweben des Christus in der Glorie mit der Diagonalrichtung und fügt die tragende Wolke ein, die ihn den Blicken der Jünger entzieht. Seine Gestalt ist bis an den oberen Bildrand herangeführt, so daß es offen bleibt, wonach sie greift. Außer einer Schar von Engeln schweben mehrere der aus dem Limbus befreiten Gerechten des Alten Bundes mit Christus empor, *vgl. Abb. 478.* Giotto hat hier die Auferstehung im östlichen Bildtypus der Anastasis (siehe oben), die immer die Befreiung der Gerechten aus dem Totenreich einschließt, mit der Himmelfahrt verbunden. Der Freskenzyklus in Padua enthält weder eine eigene Darstellung der Höllenfahrt noch der Auferstehung Christi aus dem Grab. In der oberen Reihe der Gestalten, die Christus folgen, ist vorn Johannes der Täufer zu erkennen, die letzte Gestalt ist Eva. Auf Erden knien die elf Jünger und Maria. An die Stelle ihrer differenzierten emotionalen Erregung tritt hier die Gemeinsamkeit, in der sie aufblicken und das Wort der Engel vernehmen. Einige der Jünger halten, vom Licht der Wolke geblendet, die Hand schützend über die Augen. Dieses kleine Nebenmotiv, das vereinzelt auch auf früheren Darstellungen vorkommt, dürfte als Hinweis auf die Verklärung Christi, Mt 17,1 ff., gemeint sein (siehe Bd. 1, S. 155 ff.), die, wie schon gesagt, als Vorausschau der Theophanie Jesu Christi bei der Rückkehr zum Vater gilt.

41. In diesem Zusammenhang kann noch auf das Apsismosaik in S. Venanzio bei S. Giovanni in Laterano, 640–642, hingewiesen werden, wo einem Brustbild Christi in den Wolken zwischen zwei Engeln in der unteren Bildzone die Maria-Orans mit Aposteln und Heiligen zugeordnet ist.

Giottos Bildschöpfungen haben sehr lange nachgewirkt, und zwar nicht nur bei seinen italienischen Nachfolgern, sondern auch in der nordalpinen Kunst. So wird das gemeinsame Knien Marias und der Apostel, das als Ausdruck der Kirche im Sinne der sakramentalen Gegenwart des Herrn auf Erden der spätmittelalterlichen Frömmigkeit entsprach, von der Mitte des 14. Jh. an ein allgemeines Motiv der Himmelfahrtsdarstellung. Im Gegensatz zu Giotto übernimmt Andrea da Firenze in einem der Gewölbezwickel der Spanischen Kapelle in Florenz, 1365–1368, die frontal schwebende Christusfigur mit erhobenen, von den Wundmalen gekennzeichneten Händen, *Abb. 514*, während die gleichfalls in die Höhe schwebende Christusgestalt auf der Darstellung der Frauen am Grabe im gleichen Raum, *vgl. Abb. 51*, zur Seite gewandt ist.

Nach der Mitte des 14. Jh. nähern sich in der italienischen Kunst die Christusfiguren der Darstellungen der Auferstehung und der Himmelfahrt einander an, bis dann in der Renaissance die Auferstehung allmählich die Himmelfahrt zurückdrängt, *vgl. Abb. 235, 236*. Es kommt im 15. und 16. Jh. nur noch selten zu bedeutenden Himmelfahrtsdarstellungen. Zu nennen sind: das Relief Donatellos, *vgl. Abb. 231*, wo sich Christus aus der Mitte der Apostel, die ihn umdrängen, erhebt; der linke Seitenflügel eines Altars von Mantegna, 1463–1464, *Abb. 515*, wo die in der Höhe schwebende Christusgestalt nur durch die Blickrichtung mit der vor dem Eingang zum Felsengrab versammelten Himmelfahrtsgemeinde verbunden ist, und Tintorettos Gemälde im oberen Saal der Scuola di S. Rocco in Venedig, zwischen 1477 und 1581, *Abb. 516*, das in künstlerischer Freiheit über die einzelnen Motive der Himmelfahrtsikonographie verfügt. Der Engel mit weit ausgebreiteten Schwingen, der Christus trägt, hat seine Ahnen in der antiken Darstellung der Apotheose. In der zum Licht hin ausgereckten Hand und im Blick Christi kommt noch einmal die Hingabe an das Jenseits zum Ausdruck. Correggio greift in dem Kuppelfresko in S. Giovanni Evangelista, Parma, 1520–1524, *Abb. 517* und *518*, die byzantinische Kompositionsform der Kuppeldarstellung wieder auf und übersetzt sie in die Bildsprache seiner Zeit. Die Auffahrt aus eigener Kraft kann nun mit den in der Renaissance gewonne-

nen malerischen Mitteln ausschließlich durch die Bewegung des Körpers im Raum künstlerisch überzeugend realisiert werden. Doch handelt es sich bei Correggios Kuppelbild um einen Einzelfall, der keine Nachfolge fand.

Die Himmelfahrt des spätmittelalterlichen Flügelaltars. Vielszenige Altäre schließen häufig die Passionsgeschichte mit der Himmelfahrt ab. Dabei treten zwei der bekannten Darstellungsformen mit den Fußspuren des Herrn auf dem Berg und den Jüngern, die um den Ölbergfelsen knien, hervor. Einmal schwebt Christus unmittelbar über dem Berggipfel und neigt sich sprechend zu der Jüngergruppe, wie auf dem Wildunger Altar des Konrad von Soest, 1403, *Abb. 520*, vgl. auch die Lüneburger Goldene Tafel, *Bd. 2, Abb. 23 unten*. Zum anderen ist Christus bis zu den Füßen in den Wolken des Himmels entschwunden, wie auf einer Tafel des Hochaltars der Nikolaikirche zu Kalkar von Jan Joest, 1505–1508, *Abb. 521*. Dürers sehr verbreitete kleine Holzschnittpassion enthält eine ganz ähnliche Komposition, auf die manche spätere Darstellung, vor allem auch in der Grafik, zurückgeht.

Wie in Italien, so ist auch in den Niederlanden in der Barockmalerei die Himmelfahrt selten. Rembrandt hat nur einmal, und zwar in dem frühen Zyklus, den er um 1636 für den Herzog von Oranienburg malte, die Himmelfahrt als Bildgegenstand gewählt, *Abb. 519*. Er geht auf die Bildtradition der frontal auf einer Wolke emporschwebenden Christusgestalt zurück, doch steht sie mit ausgebreiteten Armen und erhobenem Angesicht in dem von oben herabströmenden Licht. Vorbilder für diese pathetische Gestalt sind im 16. Jh. in Italien zu finden, z. B. Gemälde von Stradamus, 1568, in S. Croce, Florenz. Da die Taube als Quelle des himmlischen Lichts in Rembrandts Werk ungewöhnlich ist und auch in der Bildgeschichte der Himmelfahrt nicht vorkommt, darf man sie auf diesem Gemälde vielleicht als einen Hinweis auf die Verheißung des Heiligen Geistes verstehen. Auch Rubens hat sich nur einmal dem Himmelfahrtsthema zugewandt (Deckengemälde der Jesuitenkirche in Antwerpen, um 1620, Entwurf).

DER ERHÖHTE CHRISTUS

Die Voraussetzungen zur Darstellung
des erhöhten Christus
als Basileus in der frühen Kunst

Im 4. Jahrhundert wandelte sich durch die Anerkennung des Christentums (Toleranzedikt des Galerius 311) und die Zuwendung Konstantins zum christlichen Glauben der Bezug der Christen zu ihrer Umwelt und zum Staat tiefgreifend. Aber auch dieser Staat wurde durch die Verbindung mit der Kirche grundlegend verändert; vor allem gilt das für die Begründung von Amt und Auftrag des Kaisers. Diokletian hatte noch einmal den Versuch unternommen, Einheit und Größe des Reiches im Kult der alten Götter Roms und der Tetrachie, des göttergleichen Kaisertums zu gründen. Das Scheitern der großen Christenverfolgung am Anfang des 4. Jahrhunderts bewies, daß diese Mächte unglaubwürdig geworden waren. Konstantin sah sein Kaisertum seit dem Sieg über Maxentius vor den Toren Roms an der Milvischen Brücke 312 im Auftrag und

in der Sendung und Führung durch den Gott der Christen verankert. Die bei Lactanz (de mortibus persecutorum 44) und Euseb von Caesarea (vita Constantini I. 31) überlieferten Legenden von einem Traumgesicht oder einer Vision des Kaisers vor der Schlacht gehen sicher letztlich auf Berichte Konstantins selbst zurück, so umstritten ihre Einzelheiten sein mögen. Das ihm erschienene Kreuzeszeichen hatte den Sieg verheißen; der Kaiser gab es nun seinen Truppen als Feldzeichen, so entstand das »Labarum«. Und Euseb wird später, als Konstantin Alleinherrscher geworden war, eine Kaisertheologie entwickeln, die den Gott und seinen Logos, den Christus, der einen Welt und dem einen Kaiser zuordnete[1]. Damit war die Herrschaft des römischen Kaisers aus der Weltherrschaft des präexistenten und erhöhten Christus abgeleitet. Auf diesem Wege konnten auch im christlich gewordenen Reich seit dem ausgehenden 4. Jahrhundert die überlieferten Insignien und Prädikate des Kaisertums erhalten bleiben; die Sakralität dieses Herrschers war allerdings nun im

1. Eusebius zum 30. Regierungsjubiläum Kaiser Konstantins: „Das Wort Gottes ist Herr der Welt, über alles und durch alles und in allem Sichtbaren und Unsichtbaren. Durch ihn aber regiert unser gottgeliebter Kaiser als Abbild des himmlischen Kaisers alles Irdische. Wie das eingeborene Wort Gottes von Ewigkeit her und in alle Ewigkeit mit dem Vater regiert, so regiert auch unser Kaiser, dessen kaiserliche Macht ja nur ein Ausfluß jener himmlischen Macht ist und der deswegen auch einen göttlichen Namen trägt, schon durch viele Jahre hindurch die Welt. Christus, der Erhalter aller Dinge, legt den Himmel und

die Erde, das ganze himmlische Reich seinem Vater zu Füßen; der Kaiser aber als sein Freund führt alle, die auf Erden seiner Herrschaft unterworfen sind, dem eingeborenen Wort und Erlöser zu und unterstellt sie seiner Herrschaft. Christus, der Erlöser der Welt, hält die aufrührerischen Kräfte der Welt, die die Luft erfüllen und den Seelen der Menschen nachstellen, wie ein guter Hirte fern von seinem Schafstall; sein Freund aber, der Kaiser, den er durch zahlreiche Siege ausgezeichnet hat, unterwirft die offenen Feinde der Wahrheit im Kriege und bestraft sie. De laud. Const. I, 6—II, 3. Nach Kollwitz, 1947/48, S. 98.

göttlichen Auftrag begründet und – wie die bald aufbrechenden Auseinandersetzungen erweisen sollten – durch ihn auch begrenzt.

Das Berufungsbewußtsein Konstantins zwang ihn an die Seite der Verehrer des Gottes, der ihn gesandt hatte, also der Kirche, und veranlaßte ihn – ursprünglich gegen seinen Willen –, auch in innerchristliche Streitigkeiten einzugreifen. Und als die arianischen Wirren, der Streit um das rechte Christusbekenntnis, im Osten die Einheit der Kirche zu zerreißen drohten, berief er, der Kaiser, 325 eine Synode der Bischöfe nach Nicäa ein, die als das erste Ökumenische Konzil in die Geschichte eingegangen ist. Wenn auch die trinitarischen und christologischen Auseinandersetzungen weiterliefen und erst in der Folge der Reichskonzilien von Konstantinopel 381 über Ephesus 431 zu Chalcedon 451 das in Nicäa formulierte Bekenntnis dogmatisch differenziert und geklärt wurde, so setzte es doch den Schwerpunkt aller christologischen Aussagen der alten Reichskirche, wie er seit dem Ausgang des 4. Jahrhunderts nirgends mehr bestritten wurde: »Ich glaube an den einen Herren Jesus Christus, ... Gott von Gott, Licht von Licht, wahrhaftigen Gott vom wahrhaftigen Gott; ... sitzet zur Rechten des Vaters und wird wiederkommen in Herrlichkeit, zu richten die Lebendigen und die Toten, des Reich wird sein ohn' Ende ...« Der zweite Teil des zitierten Abschnittes ist erst 381 formuliert worden. Gerade er nimmt – im Anschluß an ältere

Formeln – bis in den Wortlaut hinein Aussagen des Neuen Testamentes auf und weist auf den Grund der zuerst genannten Aussagen hin: Der Gekreuzigte ist der Auferstandene und Erhöhte; in dieser seiner ewigen, zeitlich nicht begrenzten Königsherrschaft hat er teil an der Herrschaft Gottes. Athanasius hat es so ausgedrückt: »Die Gottheit ist die des Vaters und sie ist im Sohn« (contra Arianos 3,5). Das Christusbekenntnis des Neuen Testamentes, das in den eschatologischen Kategorien der Hoffnung Israels formuliert war, ist hier in die Denkformen griechischer Metaphysik übersetzt und hat sie gesprengt, wie es die vorgegebenen Zukunftsbilder der Eschatologie Palästinas gesprengt hatte. Für andere Zeugnisse der christologischen Auseinandersetzungen des 4. Jahrhunderts mag ein oft zitiertes Wort des Hilarius von Poitiers stehen, der Christus »Deum de Deo, regem de rege, Dominum de domino« nennt[2]. Schon 1 Tim 6,15 heißt es: »Der allein Gewaltige, der König der Könige, der Herr aller Herrn«, vgl. Apk 19,16. Ein ravennatisches Apsisbild, 545, *Abb. 633*, zeigt Christus in der purpurnen Chlamys zwischen zwei Engeln stehend. In dem offenen Buch, das er in der Hand hält, ist zu lesen: »Wer mich sieht, der sieht den Vater«, Joh 14,9, und: »Ich und der Vater sind eins«, Joh 10,29[3].

Für die christliche Kunst bringt der Sieg des Christentums große Entfaltungsmöglichkeiten – es sei nur an den Kirchenbau in Rom und an den konstantini-

2. De Synod. 29, MPL 10, 502.

3. Als wichtigste Literatur, die weitere Angaben von Spezial-Literatur enthält, ist zu nennen: F. Saxl, Frühes Christentum und spätes Heidentum in ihren künstlerischen Ausdrucksformen, in: Wiener Jb. f. Kg. Bd. II (XVI) 1923, S. 64 ff.; R. Delbrück, Die Konsulardiptychen und verwandte Denkmäler, Berlin–Leipzig, 1928; ders., Spätantike Kaiserportraits, Berlin–Leipzig, 1933; A. Alföldi, Die Ausgestaltung des monarchischen Zeremoniells am römischen Kaiserhof, in: Mittlg. des Dt. Archäol. Inst. röm. Abtlg., Rom 49, 1934; ders., Insignien und Tracht der römischen Kaiser, ebenda, 50, 1935; A. Grabar, L'empereur dans l'art byzantin, Paris 1936; O. Treitinger, Die oströmischen Kaiser und die Reichsidee nach ihrer Geltung im höfischen Zeremoniell, Jena 1938, 2. Aufl. 1956; H. P. L'Orange und von Gerkan, Der spätantike Bildschmuck des Konstantinbogens, Berlin 1939; K. Baus, Der Kranz

in Antike und Christentum, Bern 1940; F. Gerke, Christus in der spätantiken Plastik, Berlin, 1940; ders. Das Verhältnis von Malerei und Plastik in der theodosianisch-honorianischen Zeit, in: Riv. di archése. Cristiana 12, 1935, S. 119–136; J. Kollwitz, Oströmische Plastik der theodosianischen Zeit, Berlin 1941; ders., Das Bild von Christus dem König in Kunst und Liturgie der christlichen Frühzeit, in: Theologie und Glaube, 1947/48; ders., in: RAC II, 1954, Sp. 1257 ff.: Christus II. Basileus; ders., in: LCI, I, Christusbild, Sp. 356 ff.; H. P. L'Orange, Studies on the Ikonography of Cosmic Kingship in the Ancient World, Oslo 1953; Th. Klauser, Der Ursprung der bischöflichen Insignien und Ehrenrechte, Bonner Akademische Reden, I, 2. Aufl. Krefeld 1953; K. Wessel, Christus Rex, Kaiserbild und Christusbild, in: Archäol. Anzeiger, 1953; P. E. Schramm, Herrschaftszeichen und Staatssymbole, Bd. 1–3, Augsburg 1954–1956; W. Eh-

schen und justinianischen im Osten des Reiches erinnert, ebenso an die Kunstzentren, die an den verschiedenen Residenzen der christlichen Kaiser entstanden (Konstantinopel, Ravenna, Mailand, Trier, Thessaloniki. Man könnte noch Arles und Aquileja hinzufügen). In Entsprechung zu dieser Intensivierung der Theologie erweitert sich von der 2. Hälfte des 4. Jh. an die Thematik der christlichen Kunst. Es entsteht das repräsentative Christusbild, in dem sich der Auferstandene im Himmel oder im Paradies als der göttliche Hirte, als Lehrer und Gesetzesgeber, als siegreicher Imperator und König (Rex, Basileus) offenbart. Dem Glauben war die zukünftige Herrlichkeit im Himmel schon gegenwärtig, das Paradies bedeutete weniger den Zustand einer ursprünglichen verlorenen Unschuld als vielmehr den Ort der zukünftigen Seligkeit. Parallel zu der Triumphikonographie der Christusdarstellung beginnt Mitte des 4. Jh. die Darstellung der Passion Christi, und das Siegeskreuz erhält seine zentrale Bedeutung als Christussymbol und damit als Heilszeichen für die Welt. Es steht gleichermaßen für den Tod und die Auferstehung des Herrn (vgl. Bd. 2), es ist das Zeichen für den Sieger, Standarte und Vexillum, das Zepter und Hoheitszeichen für den ewigen König und Herrscher und als »Zeichen des Menschensohns« (Mt 24,30) der Hinweis auf den zur Vollendung des neuen Himmels und der neuen Erde wiederkommenden Christus. Es ist aber auch verbunden mit dem Christogramm, dem Zeichen, in dem seit Konstantin die Kaiser auf Erden siegten, denn als Stellvertreter Christi auf Erden hatten sie Anteil an der Siegeskraft des Kreuzes. Die Pax Romana wird zur Pax Christiana.

Auf einem Flügel des Barberini-Kaiser-Diptychons, um 500, ist zum Ausdruck gebracht, daß die Kaiser ihre Siege als Siege des erhöhten Christus, in dem der unbesiegbare Gott-König gesehen wurde, auffaßten, *Abb. 523*. Die Mitteltafel zeigt den siegreichen Kaiser zu Pferd. Ein Konsul im Offizierspanzer reicht ihm eine

Victoria mit dem Siegeskranz, von der anderen Seite schwebt eine Nike mit dem Palmzweig als Zeichen des Friedens und des Ruhmes in der Hand. Unter dem sich aufbäumenden Pferd sitzt die Personifikation der Erde (Tellus) und stützt den Fuß des Siegers, zu dem sie als die Unterworfene aufblickt: Die Macht des Kaisers erstreckt sich über die ganze Erde. Im unteren Teil der Elfenbeintafel bringen von links die Besiegten den Tribut dar, einen Kranz und ein Gefäß mit Gold, und von rechts eine Gesandtschaft aus Indien Tiere ihres Landes. Über diesem in vielfacher Weise veranschaulichten Sieg des irdischen Imperators zeigen zwei Engel den Christus-Imperator und Herrscher über die ganze Welt in der Form einer imago clipeata. Er ist von den kosmischen Gestirnszeichen umgeben und hält das Stabkreuz als Siegeszeichen und Zepter in der Hand.

Um den zu göttlicher Herrschaft erhöhten Christus bildlich zu vergegenwärtigen, übernahm die christliche Kunst die Typen der Kaiserdarstellung bis hin zu Elementen der Kaisertitulatur und die Formen des höfischen Zeremoniells der Zeit, das, alte hellenistische Herrschersymbolik in sich schließend, in spätkonstantinischer und theodosianischer Zeit in Byzanz ausgebildet wurde. In der zweiten und dritten Generation nach dem Frieden war die heidnische Bedeutung der Prädikate und Symbole des Kaiserkults verblaßt, so daß ihre Übernahme im Laufe der 2. Hälfte des 4. Jh. für das christliche Repräsentationsbild möglich war — wenn auch nicht ganz ohne Widerspruch. In Westrom herrschte im 4. Jh. mehr die Assoziationsreihe: Imperator—Heerführer—Kaiser vor, in Ostrom mehr die Königsidee, die höfisch bestimmt war. Die byzantinische Basileusidee greift auf die alttestamentliche Königsvorstellung zurück. Der Kaiser von Byzanz war kein Territorialherrscher, sondern beanspruchte die Herrschaft über die bewohnte Erde.

In der Christusauffassung drängte vom Ende des 4. Jh. an die Königsvorstellung, die im Christus-Basi-

lert, Der Ausgang der altkirchlichen Christologie, 1957; K. Goldamer, Die Welt des Gottherrschers. Sakrale Majestäts- und Hoheitssymbole im frühen Christentum, Leiden 1959, in: The sacral Kingship, Studies in the History of Religions IV; Ch. Ihm, Die Programme der christlichen Apsismalerei vom 4. bis zur Mitte des 8. Jh., Wiesbaden

1960, vor allem 2. Kapitel; J. Deér, Der Globus des spätrömischen und des byzantinischen Kaisers, Symbol oder Insignie, in: Byzantinische Zeitschrift, Bd. 54, 1961, S. 78 ff.; B. Beskow, Rex Gloriae, The Kingship of Christ in the Early Church, Uppsala 1962, befaßt sich vor allem mit den literarischen Quellen für das Königtum Christi.

leus Gestalt annahm, alle anderen Aspekte zurück. Außerdem orientierte sich die Kunst an kirchlichen Zeremonien der Liturgie und der Synoden, die wiederum aufs engste mit den höfischen zusammenhingen. Die Übernahmen aus dem Herrscherkult in die christliche Kunst beziehen sich auf einzelne Insignien und Attribute, auf die offizielle Tracht und die Gesten, auf die Formen des Thrones mit dem niedrigen Schemel (Suppedaneum), vielleicht auch auf die Kathedra (Sitz des Lehrers), sowie auf symbolische Handlungen. Unter Justinian I. (527–565), der sich selbst als priesterlicher König verstand, erreichte das höfisch-kirchliche Zeremoniell einen Höhepunkt, der sich nicht nur in der Ausbildung bestimmter Motive, sondern auch im hieratischen Kunststil ausdrückte. Von sichtbaren Abbildern auf Erden ausgehend, war man bestrebt, den transzendenten himmlischen Urbildern eine Anschaubarkeit zu verleihen, in der die göttliche Herrschaft Christi als eine der Welt übergeordnete erschien.

Die Übereinstimmung der Hofzeremonien und des christlichen Zeremoniebildes kann so weit gehen, daß schon in der Sarkophagplastik des frühen 4. Jh. inmitten von biblischen Szenen eine Audienz vor Christus in der offiziellen Form am Hof dargestellt wurde. Auf dem sogenannten Jairussarkophag in Arles, um 310, *Abb. 522 Ausschnitt*, thront Christus zwischen zwei Aposteln, die als hohe Würdenträger fungieren und deshalb bei der Audienz stehen dürfen[4]. Zu seinen Füßen vollziehen zwei Männer die Proskynese, zwei weitere erheben sich auf Geheiß des Herrschers aus dieser Haltung höchster Verehrung und verhüllen dabei nach der Vorschrift ihr Angesicht. Die Proskynese ist ursprünglich eine Bittgeste, die mit dem Fußkuß verbunden war, und ist erst allmählich zum Ausdruck der Unterwerfung geworden. In heidnischer Zeit wurde sie in den römischen Provinzen zusammen mit Opfern dem Kaiserbild, in dem sich die Präsenz des real nicht anwesen-

den Kaisers gleichsam fortsetzte, dargebracht. Diese Bildverehrung haben die Christen ursprünglich aufs schärfste abgelehnt[5]. Am Hof in Byzanz gehörte die Proskynese ebenso wie die Verhüllung der Hände allgemein zur Ehrfurchtsbezeugung vor dem Kaiser[6].

Für die christliche Kunst kommt zu dem Formenschatz der Kaiserikonographie als eine zweite Quelle die Bildersprache der biblischen Vorstellungen von der göttlichen Weltherrschaft hinzu, die sich am anschaulichsten in den eschatologischen Christusvisionen der Johannesapokalypse darbot. In diesem Buch vom Ende des 1. Jh. wird der römische Herrscherkult angegriffen, der sich in den kleinasiatischen Städten auf die Verehrung des Kaiserbildes konzentrierte. Der Verfasser ist mit der Gedankenwelt des Alten Testaments und der jüdischen Apokalyptik vertraut, die ihrerseits Motive des orientalisch-hellenistischen Königskults benutzt hatte. In vorkonstantinischer Zeit beeinflußte der hellenistische Kult auch das römische Herrschaftszeremoniell; ein Ausdruck dafür ist, daß im 3. Jh. Aurelian den orientalischen Kult des Sonnengottes (sol invictus) zum Staatskult erhob. Die Kirche des Ostens verhielt sich der Apokalypse des Johannes gegenüber zurückhaltend, wenn nicht ablehnend, eine Ausnahme bildet Ägypten. In der römischen Kirche waren vom Ende des 4. Jh. an die Himmelsvorstellungen des Sehers in weiten Kreisen populär; dafür zeugen Motive der Kunst und in der Literatur die Damasusepigramme. Die Bilder, die Damasus I. (von 366–384 Papst, bekannt durch seine entschiedene Verurteilung der Arianer) für seine Gedichte übernahm, sind auch von der Kunst aufgegriffen worden. Damasus schildert das Kreuz als das »lignum vitae in paradiso«, die Paradiesesquellen als aqua vitae und nennt den »mons Sion«. Als Aufenthaltsort für die Apostel und Märtyrer, die er als die »victores«, die Palme und Kranz errungen haben, bezeichnet, schildert er die regia coeli,

4. Wessel, 1953.

5. J. Kollwitz, Zur Frühgeschichte der Bilderverehrung, in: Das Gottesbild im Abendland, Witten und Berlin 1959.

6. Auf dem Sarkophag ist links von dieser Audienz das Quellwunder, rechts davon die Erweckung der Tochter des Jairus (vgl. Bd. 1) dargestellt. Abgesägt, aber doch erhalten ist die Szene der Weigerung der drei chaldäischen

Männer, dem Kaiserbild ihre Reverenz zu erweisen. Dieses alttestamentliche Motiv ist im 3. und 4. Jh. als Aufforderung zur heidnischen Kaiserverehrung im antithetischen Sinn der Anbetung der Magier, die in dem göttlichen Kind dem wahren Herrscher huldigen, oft gegenübergestellt worden, *Abb. 616 oben*, vgl. Bd. 1, *Abb. 57, 251, 252 und S. 107.*

die Himmelsburg[7]. Der Motivkreis, den die christliche Kunst im Osten und Westen Mitte des 4. Jh. vorfand, ist das Erbe vieler über Jahrhunderte zurückreichender und sich überschneidender Traditionen, die vom jungen Christentum zunächst bekämpft, von spätkonstantinischer Zeit an aber direkt oder auf dem Umweg über den christlichen Herrscherkult zum Teil übernommen und mit einem neuen Gehalt erfüllt wurden. Auch mehrere der Kompositionsschemata der römischen Zeremonien haben die Bildprägung der christlichen Kunst beeinflußt, wobei Formübernahmen immer auf parallele Inhalte hindeuten, die sich auf verschiedenen Ebenen vollziehen oder umgedeutet sein können: So kommt die Akklamation des siegreichen Feldherrn zum Imperator; die Darreichung des Tributs der besiegten Provinzen an den Imperator in Gestalt von goldenen Kränzen, womit dieser als der neue Herrscher anerkannt wird (aurum coronarium) und ebenso die Überreichung des Siegeskranzes durch die Senatoren oder einer Victoria an den Sieger (aurum oblatium) in verschieden abgewandelten Formen in der christlichen Kunst vor. Weitere Gestalttypen und Einzelmotive entstehen der christlichen Kunst aus der adlocutio, der largitio und der Übergabe der codicilla. Sowohl bei der adlocutio, der Rede, die er, von einer Leibwache umgeben, hält, als auch bei der largitio, der Spendung von Geldgeschenken – Schale des Valentinanus I. oder II., *Abb. 527* – steht der Herrscher. Bei der Übergabe der Ernennungsurkunde in Form einer versiegelten Rolle oder eines geschlossenen Diptychons an einen Beamten, der in die Provinz entlassen wird (mandata dabit), thront der Kaiser – Missorium des Theodosius I. von 388, Madrid, *Abb. 525*. Bei diesen Beispielen der politischen Kunst ist der Kaiser durch christliche Attribute als christlicher Herrscher gekennzeichnet, siehe unten. Die Siegerzeremonien dem Feind gegenüber sind oben schon erwähnt worden. Von antiken Monumenten, die, abgesehen von Medaillons, Diptychen und Münzen, als Bildquellen zum Vergleich mit christlichen Werken herangezogen werden können, sind

der Konstantinsbogen in Rom, der Galeriusbogen in Saloniki, die in der Freshfieldschen Zeichnung überlieferte Arcadiussäule, Konstantinopel, der Obelisk des Hypodroms zu Konstantinopel, 390–395, die wichtigsten.

Bei der systematischen Behandlung der frühchristlichen Darstellung des auferstandenen erhöhten Christus ergeben sich durch die verschiedenen Bildquellen und die daraus folgenden Überschneidungen erhebliche Schwierigkeiten. Bei allen Rückgriffen auf biblische Motive handelt es sich nicht um Illustrationen biblischer Texte, sondern um Darstellungen von Glaubensaussagen durch allgemein bekannte Bildstoffe. Dazu kommt, daß für diese Zeit der Denkmälerbestand äußerst lückenhaft und zufällig ist und für den Osten beinahe ganz ausfällt. Die Deutung einzelner Werke wird außerdem noch durch die fehlende Klärung mancher theologischer Begriffe und der eschatologischen Vorstellungen des 4. bis 6. Jh. erschwert, obwohl manche vorzüglichen Untersuchungen der letzten Jahrzehnte vorliegen.

Zeichen und Attribute der Christus-Basileus-Darstellung

Das Christusmonogramm oder Christogramm[1]. Das Namenzeichen Christi ist aus den beiden Anfangsbuchstaben des griechisch geschriebenen Namens Jesus Christus: ΙΗΣΟΥΣ ΧΡΙΣΤΟΣ gebildet (das Messiasprädikat »Christos« wird seit dem 1. Jh. als Beiname gebraucht): ⳩, eine zweite Form aus den beiden ersten griechischen Buchstaben (X und P) von Christus: ☧. Um die sich nahelegende Kreuzform herauszuarbeiten, wird oft ein Querbalken eingefügt: ⳩. Eine hiervon abgeleitete Vereinfachung ist: ⳨, »crux monogrammatica« (Staurogramm) genannt. Im 2. Jh. tritt das X bereits als Hinweis auf Christus literarisch auf. Beide Formen des Namenszeichens, auch die den Kreuzquerbalken einbeziehende, werden im 4. Jh. in der Kunst

7. Nach F. Gerke, Der Ursprung der Lämmerallegorien in der altchristlichen Plastik, in: ZNW 33, 1934. Zu den Epigrammen siehe M. Ihm, Damasi epigrammata, Leipzig, 1895; E. Schäfer, Die Bedeutung der Epigramme des Papstes Damasus I., Rom, 1952.

1. RDK III, Sp. 707–720 (H. Feldbusch), RGG IV, Sp. 1104–1106 (H. Kraft). LCI I, Sp. 456–58 (W. Kellner).

häufig und nehmen den Charakter eines Symbols an (von Paulinus von Nola um 400 so bezeichnet), das die Christusfigur vertreten kann, wie auch im Neuen Testament der Name Christi für die Person steht, Apg 3,16; Phil 2,9 f. Als Namenszeichen enthält das Symbol die das Heil bewirkende Kraft des Namens Jesu, Apg 4,12, so daß es zuerst auch als Zeichen der Abwehr gegen das Böse verwandt wurde.

Das Christogramm in der Chi-Rho-Form (☧) galt als das Zeichen, das Konstantin als Siegesverheißung erschienen war[2]. Er ließ es, häufig vom Kranz umgeben, als Schutz und Siegeszeichen auf Schilden und Rüstungen, auf dem kaiserlichen Helm und im Diadem, über oder auf dem Fahnentuch des »Labarum« anbringen, das 326 zum erstenmal in dieser Form auf einer Münze vorkommt. Das Labarum ist eine aus dem Vexillum entwickelte Kaiserstandarte. Auf dem Konsulardiptychon des Probus, 406, hält es Kaiser Honorius als siegreicher Feldherr in der rechten Hand, während er mit der linken den Globus umfaßt, auf dem eine Victoria steht, die ihm den Siegeskranz reicht, Abb. 526. Die Inschrift auf dem Labarum verweist auf den Zusammenhang mit der Konstantinvision[3]. Wie stark der Symbolcharakter dieses Feldzeichens in Verbindung mit dem Christogramm war, wird an einer Münze deutlich, die es auf der Schlange stehend zeigt, Abb. 524. Es handelt sich dabei um eine symbolische Entsprechung zu dem Bild des Kaisers, der auf den überwundenen Feind in Tiergestalt tritt, siehe oben Kapitel »Christus victor«.

In Verbindung mit dem Kreuz und den Weltherrschaftssymbolen Sol und Luna, auch mit dem Adler, ist das Christogramm verbunden mit dem Kreuz als crux invicta, auch »Anastasiskreuz« oder »Triumphkreuz« genannt, auf Passionssarkophagen das Siegeszeichen im Sinne des universellen Triumphes des Auf-

erstandenen, vgl. Abb. 394 und Band 2, Abb. 14. Diese Verbindung von Christogramm in Kranz und Kreuz kann, ebenso wie das Kreuz auf dem Paradiesberg, bei der Apostelhuldigung an die Stelle der figürlichen Darstellung des auferstandenen und erhöhten Christus treten, doch ebenso das Christogramm allein, Abb. 546.

Im Laufe des 4. Jh. wird das Christogramm im Kranz zum häufigsten christlichen Zeichen in allen Kunstgattungen und verdrängt allmählich die rein dekorativen Motive der Antike, die die christliche Kunst zunächst übernommen hatte. Der Kranz, selbst Symbol, verherrlicht das sieghafte und lebensspendende Namenszeichen.

Alpha und Omega, der erste und der letzte Buchstabe des griechischen Alphabets: A Ω, wird als weiteres Buchstabenzeichen, das gleichfalls signifikante Bedeutung hat, häufig dem Monogramm hinzugefügt. Die Bezeichnung »der Erste und der Letzte« tritt im Alten Testament für Gott auf (Jes 41,4; 44,6). In der Apokalypse des Johannes wird Christus und ebenso Gott der Herr als A und O, als »Anfang und Ende, der da ist, der da war und der da kommt« bezeichnet (Kap 1,8 [Christus]; 4,8 [Gott]; 21,6 [Christus] und 22,13 [Christus], oder anders gesagt: Christus, der Schöpfer, der Gegenwärtige, der Vollender. Auch diese Buchstaben haben die Qualität eines Symbols, das in der christlichen Kunst auf den Christus-Logos, der mit dem Vater wesensgleich ist, verweist und seine universelle Herrschaft betont, vgl. Abb. 460 und unten die Abbildungen zur Majestas Domini; ferner Band 2, Abb. 399 (Lamm). Das AΩ ist aber auch als Symbol für den Äon, der von Christus beherrscht wird.

Beide Buchstabensymbole treten häufig in der Sepulkralkunst auf, Abb. 529, vgl. Band 1, 348. Ebenso stehen sie in Verbindung zur Taufe, da der Christ auf

2. Heute denkt man allerdings eher an ein Lichtkreuz. Cyrill von Jerusalem sah bei seinen Kreuzvisionen 357 auch ein Lichtkreuz, das als »Zeichen des Menschensohns« gedeutet wurde, Mt 24, 30.

3. R. Eggers, Das Labarum, die Kaiserstandarte der Spätantike, in: Österr. Akademie der Wissenschaften, phil.-hist. Kl. Sitzungsber. 234, Wien 1960.

4. Wir haben die crux invicta im 2. Band ausschließlich als Auferstehungszeichen gedeutet. Nach neueren Aus-

führungen von H. Dinkler handelt es sich bei der crux invicta um das in den Himmel versetzte Tropaion Christi. Dinkler deutet das Kreuz mit den Grabeswächtern, wenn diese in verschiedenen Haltungen gegeben sind, darüber hinaus als Gerichtszeichen, an dem sich die Geister scheiden. Der schlafende Hüter links vom Kreuz fällt der Verdammnis anheim, der wachende rechts wird die Seligkeit erlangen. Siehe: Das Kreuz als Siegeszeichen, in: ZThK 62, 1965, 1 ff., Neudruck in: Signum Crucis, Tübingen 1967.

den Namen Jesu getauft wird. In der Kuppel des Baptisteriums S. Giovanni in Fonte zu Neapel, um 400, *Abb. 535*, erscheint die crux monogrammatica mit Alpha und Omega auf blauem, mit Sternen besetztem Grund, der wie eine große Gloriole wirkt. Das Rho (P) und damit der Name ist durch einen eigenen Nimbus hervorgehoben. Die Heilskraft des Namens wird außerdem durch die Girlande, in die der Phönix aufgenommen ist, und durch die Gotteshand, die den Namen als Zeichen des erhöhten Herrn bekränzt, betont; zum Kranz siehe unten. Im Baptisterium zu Albenga, 2. Hälfte 5. Jh., *vgl. Bd. 1, Abb. 344*, wiederholt das Mosaik das Ostnische Christogramm und Alpha-Omega dreimal innerhalb von drei farblich voneinander abgesetzten Kreisen. Der Name des Herrn ist in diesem Taufraum ein Hinweis auf die trinitarische Formel des Taufsymbols. Die 12 weißen Tauben symbolisieren die Apostel, denen aufgetragen ist, zu taufen. Die vier Sterne in den vier Ecken des dunkelblauen Grundes weisen auf die vier Himmelsrichtungen und damit auf die ganze Welt. Der Bezug der beiden Buchstabensymbole zur Trinität ist selten, wir haben oben noch eine Adlerdarstellung der koptischen Kunst mit dem dreimal wiederholten AΩ genannt, Abbildung siehe Band 4.

Im Laufe des 5. Jh. wird das Christogramm durch das Kreuz zurückgedrängt. Doch bleibt es in der ravennatischen, merowingischen und langobardischen Kunst, die eine Vorliebe für die zeichenhafte ornamentale künstlerische Ausdrucksweise hat, noch lange erhalten. In Nordspanien kommt selbst im 12. Jh. das Christogramm mit Alpha und Omega im Kranz oder Clipeus vereinzelt noch vor, von zwei Engeln getragen bildet dieses Zeichen des erhöhten Christus die Hauptdarstellung des Bogenfeldes vom Nordportal der Kathedrale von Huesca (Aragón), *Abb. 536;* im Schnitt-

punkt steht hier das Christuslamm, um den Kreuzstamm windet sich die besiegte Schlange (vgl. zu der Schlange karolingische Kreuzigungsdarstellungen im Bd. 2). Im Zusammenhang der Herrschaftsinsignien kann das Christogramm wie das Kreuz im Mittelalter beim Christus- und beim Kaiserbild vorkommen. Alpha und Omega werden entsprechend dem 5. Jh. auch im frühen und hohen Mittelalter oft dem Majestasbild Christi zugeordnet. Auf Christusdarstellungen der Ostkirche steht häufig im Nimbus »ho on« (der Seiende), eine Bezeichnung, die ebenso wie das A und Ω die Wesensgleichheit von Gott und Christus dokumentiert. Die Buchstaben wurden aber nicht als stellvertretendes Symbol benützt[5].

Der Nimbus (wörtlich übersetzt: Nebelhülle, Wolke[6]), ist ein Lichtsymbol, das geistige Qualitäten ausdrückt. Der kleine Nimbus steht als Scheibe hinter dem Haupt des damit Ausgezeichneten; in der Malerei vorwiegend golden oder gelb, kann er jedoch vor Goldgrund auch blau und weiß sein oder verschiedenfarbige Ränder tragen. In der Plastik wird er gleichfalls verwendet, oft als Muschelnimbus. Dieses Lichtsymbol war ursprünglich in der Form des Strahlenkranzes ein Zeichen solarer Weltherrschaft, das vor allem den erscheinenden Gott kennzeichnete. Vom Hellenismus übernahmen ihn die Römer in der tetrarchischen Herrschaftsperiode und verwandten ihn als Zeichen der Vergöttlichung und der Herrscherwürde, insonderheit für den Kaiser als sol invictus. Seit Konstantin wurde – im Gegensatz zu dem als heidnisch empfundenen Strahlenkranz – der ebenfalls aus dem alten Orient stammende Scheibennimbus als kaiserliches Attribut üblich. Auf dem Missorium des Theodosius I. (379–395) in Madrid tragen der Kaiser und seine Söhne (Arcadius und Valentinianus) den Nimbus in der Scheibenform, *Abb.*

5. Das Chrismon, das eine symbolische Anrufung Christi bedeutet, ist ein reines Schriftzeichen, das innerhalb der Schriftentwicklung verschiedene Formen annimmt. Ebenso sind die Abbreviaturen, die in Handschriften und als Bezeichnung bei byzantinischen Christusbildern regelmäßig vorkommen, nicht dem symbolhaften Christogramm zuzurechnen. Die griechische Fassung zieht den ersten und letzten Buchstaben der Namen zusammen: IΣ und XΣ (lateinisch geschrieben IC und XC) oder auch jeweils die

beiden ersten: *IH* und *XP*. Seit dem 8. Jh. kommt die lateinische Form IHS und XPS vor, *vgl. Abb. 639*, die später vor allem durch Bernhard von Siena und Ignatius von Loyola häufiger werden, jedoch dann nicht mehr in den Symbolkreis des erhöhten Christus gehören. Weitere Abwandlungen des Christogramms, die aber mehr in der Schrift als in der Symbolik gebraucht werden, sind: ⚹, ⚶, ⚴, ⚵, ⚷.

6. RGG 4, Sp. 1495 f. (G. Schiller).

525. Nur für den Phönix, dessen Symbolgeschichte auf das engste mit dem Sonnenkult verbunden ist, bleibt der Strahlennimbus noch lange Zeit erhalten. In der christlichen Kunst wurde dieser Sonnenvogel als Symbol der Auferstehung und des ewigen Lebens in der 2. Hälfte des 4. Jh. der Paradiesesdarstellung eingefügt, *Abb. 535, 578.* Wir haben oben im Kapitel zur Auferstehungssymbolik schon die Legenden zum Phönix gebracht. Der Scheibennimbus der kaiserlichen Kunst ist Mitte des 4. Jh. für das repräsentative Christusbild übernommen worden, *Abb. 577, 578, 579, 618, 621,* im 5. Jh. dann auch für die Darstellungen des Christuslammes, der Erzengel, und der Märtyrer, zu denen die Apostel gehören, im 6. Jh. auch für Maria.

Der Monogrammnimbus, der mit dem Christogramm verbunden ist, schmückt zuerst auch das Haupt des christlichen Kaiserbildes – Largitionsschale Valentinians I. (364–375) oder II. (375–392), *Abb. 527* – und wird Ende des 4. Jh. für den erhöhten Christus übernommen, *Abb. 614, 625, Bd. 1, Abb. 348.*

Der Kreuznimbus, der seit Anfang 5. Jh. nachzuweisen ist, *Abb. 622,* war den drei göttlichen Personen – auch dem Lamm und der Taube – vorbehalten. Das älteste bekannte Beispiel ist das Lamm innerhalb der Deckendekoration im Oratorium Johannes des Evangelisten in S. Giovanni in Laterano, 461–468, *Abb. 537.* Eine Übergangsform zwischen dem einfachen Scheiben- und dem Kreuznimbus ist auf dem Triumphbogen in S. Maria Maggiore, Rom, 432–440, *vgl. Bd. I, Abb. 256,* nachzuweisen: Bei der Magierhuldigung sitzt das göttliche Kind auf dem kaiserlichen Prunkthron; in seinem Nimbus steht ein kleines Kreuz über seinem Haupt.

Der große Nimbus – die Aureole –, die als Licht- oder Farbform die Gestalt umgibt, ist Sinnbild der himmlischen Sphäre. Paulinus von Nola beschreibt den Nimbus um das Triumphkreuz des Mosaikschmucks einer von ihm erbauten Kirche als »lucidus globus«. Für den erhöhten Christus ist er Zeichen seiner Gottheit, seiner doxa und Verherrlichung. Er tritt in Kreis- und Ovalform – letztere »Mandorla« genannt – vom 5. Jh. an

auf, vgl. die Kapitel Höllenfahrt, Himmelfahrt, Majestas Domini, im 1. Band Verklärung. Literarisch dürften die alttestamentlichen Gottesvisionen, die statt der thronenden Gottesgestalt den von ihr ausgehenden Glanz schildern, der Anstoß zur Darstellung der Aureole sein, die auch in der Plastik dargestellt wird und in der Form des Kranzes auftreten kann, *vgl. Abb. 460, 507, 529, 530.* Das Medaillon geht auf den Rundschild – den clipeus – zurück und ist demnach seinem Ursprung nach keine Lichtform, wird aber aufgrund der Kreisform wie der clipeus im Sinne eines Verherrlichungsattributes verwandt, vor allem bei der Demonstration eines Brustbildes Christi, *Abb. 539,* oder eines der Symbole durch zwei schwebende Engel. Die Abgrenzung zwischen clipeus, Scheibe, großem Nimbus und Ringgloriole ist in vielen Fällen nicht möglich.

Der Kranz aus unverwelklichen Lorbeerblättern oder Gold bedeutet Sieg, Triumph, Ehrung. Im 1. Jh. beschloß der Senat Roms eine besondere Ehrung für den Cäsar und ordnete an, daß bei allen Spielen, bei denen der Herrscher nicht anwesend ist, ein vergoldeter Thron ohne Lehne (sella curulis) mit einem edelsteingeschmückten Kranz zur Vertretung für ihn aufgestellt werden solle[7]. Damit ahmten die Römer eine in mythologische Zeit zurückreichende Form der Götterehrung (die Selisternien) nach, die durch ihre Insignien auf dem Gottesthron vergegenwärtigt wurden. Die Zeremonie ist dann auch manchmal für verstorbene Kaiser vollzogen worden. Da hierbei außer dem Kranz verschiedene Insignien als stellvertretende Zeichen auf den Thron gelegt wurden, zählte man in der Spätantike den Kranz zu den Insignien; zum Thron siehe unten. Kurze Zeit trugen die Kaiser bei Feiern einen Lorbeerkranz auf dem Haupt. Konstantin ging 325/26 zum Diadem über, in der bildlichen Darstellung des Herrschers blieb der Kranz jedoch länger erhalten[8].

Der Kranz, und zwar in der Regel mit einem Stein und ihm gegenüber mit einem Band geschmückt, spielte auch in verschiedenen anderen Zusammenhängen eine wichtige Rolle. Bei der Ehrung des siegreich heimkehrenden Herrschers oder Feldherrn wird diesem von einem der Senatoren ein Kranz überreicht. Auf Dar-

---

7. A. Alföldi, S. 134, Anm. 2; K. Baus, S. 211.

8. R. Delbrück, Kaiserportraits, S. 54.

stellungen hält der Imperator oft den Globus, auf dem eine Victoria steht, die den Siegeskranz für ihn emporhält, *Abb. 526.* Auf einer Goldmedaille des kunsthistorischen Museums in Wien, Mitte 4. Jh., sind Konstantin I. und seine beiden Söhne in Feldherrentracht dargestellt: Der Kaiser wird von der Hand Gottes mit dem Siegeskranz gekrönt, die Söhne von Siegesgöttinnen. In Entsprechung zu einem hellenistischen Brauch huldigten die unterworfenen Provinzen dem Sieger durch die Darbringung goldener Kränze als Tribut (aurum coronarum), oder die Bevölkerung des Reiches brachte sie als Geschenke. Bei ihrer Überreichung hielt der Kaiser stehend die »Kranzrede« und ließ bei den Triumphzügen diese goldenen Kränze mit den Beutestücken und anderen Zeichen des Sieges feierlich mittragen. Bei der bildlichen Darstellung eines Herrschers mit dem aurum coronarum sind die Besiegten in der Zone unterhalb des Siegers dargestellt, *Abb. 523.*

Das »aurum coronarum« ist ebenfalls von der christlichen Kunst für die Huldigung des erhöhten Herrn übernommen worden. Der ursprünglichen antiken Zeremonie steht in der christlichen Kunst das Epiphaniasbild am nächsten, die Huldigung der Magier aus fernen Ländern vor dem neugeborenen König und Heiland der Welt, siehe dazu Bd. 1, S. 110[9].

Die Kranzdarbringung als Huldigung des himmlischen Herrschers kommt in vielen Varianten vor und ist meistens mit der Akklamation der Apostel verbunden. Außer ihnen reichen auch Märtyrer den als Siegespreis errungenen Kranz, die corona martyrii, Christus als Weihegabe, da sie ihm ihren Sieg verdanken. Diese Kranzdarbringung kann auf einzelne Märtyrer beschränkt sein oder in großen Prozessionen erfolgen wie in S. Apollinare Nuovo, Ravenna: Auf der einen Langhauswand schreiten die Jungfrauen, ihre Kränze auf verhüllten Händen tragend, zu dem auf dem Schoß der Gottesmutter thronenden Kind und auf der

anderen Seite die Märtyrer zu dem thronenden Christus.

Außerdem kann auch Christus den »Kranz (Krone) des Lebens«, Apk 2,10, oder die »Krone der Gerechtigkeit«, 2 Tim 4,8, vgl. auch 1 Petr 5,4, Märtyrern verleihen. Der Kranz wird in diesem Zusammenhang als Märtyrerkrone oder als Zeichen des ewigen Lebens (corona vitae) verstanden; auf den Darstellungen löst allmählich die Krone den Kranz ab. Beide haben die gleiche Kreisform, sie sind ohne Anfang und Ende, beide Bezeichnungen gehen auf das gleiche lateinische Wort corona zurück. Die Apokalypse des Johannes hat die alte auf den Orient zurückgehende Zeremonie der Huldigung des neuen Herrschers auf die 24 Ältesten übertragen, die ihre Kronen vor dem Thron des Lammes niederwerfen, Apk 5. Im 5. und 6. Jh. ist diese Huldigung in der Form des aurum coronarum dargestellt worden, erst im Mittelalter treten bei dieser Szene an die Stelle der Kränze die Kronen, siehe unten.

Das antike Motiv der zwei schwebenden Viktorien oder Genien, die über das Haupt des Siegers einen Kranz halten, kommt ebenfalls in der christlichen Kunst zur Darstellung, und zwar in bezug zum erhöhten Christus, *Abb. 71,* vgl. *Band 1, Abb. 424,* ferner zum göttlichen Kind auf dem Schoß der Theotokos und in der Sepulkralkunst, *Abb. 530.* Anfang des 5. Jh. sind die Genien im christlichen Bereich zu Engeln umgedeutet. Auf der Himmelfahrtminiatur im Rabula-Codex, vgl. *Abb. 461,* begleiten zwei Engel Christus und halten Kronen für ihn bereit, da er mit der Himmelfahrt die Herrschaft über alle Welt antritt. Noch im Utrechtspalter um 830, dem spätantike Vorlagen zugrundeliegen, gibt es Darstellungen, auf denen ein Engel den erhöhten Christus mit dem Kranz krönt, vgl. *Abb. 73.*

Ende des 4. Jh. ist der Kranz als Siegeszeichen allgemein auch ein Sinnbild des Triumphes über das Hei-

9. Th. Klauser: Aurum coronarium, in: RAC 1950, Sp. 1010–1020; K. Wessel, Kranzgold und Lebenskrone, AA 1950/51, S. 103–114; ders. in Reallexikon zur byzantinischen Kunst I, 447–451. H. Schnitzler stellt bei einer Untersuchung der Komposition der Lorscher Elfenbeintafel mit der Darstellung des Christus victor, *vgl. Abb. 71,* den Zusammenhang der unteren Bildzone mit der des Flügels

des Barbarinidiptychons, *Abb. 523,* fest und sieht auch in den Lämmern unterhalb der Lehrszene des Sarkophags in S. Ambrogio, Mailand, *vgl. Abb. 583,* Nachfahren der Barbaren, die zum Paradiesesberg eilen, wie diese zum Tropaion. Die Komposition der Lorscher Elfenbeintafel, in: Münchner Jb. für bildende Kunst, 3. Folge, Bd. 1, 1950, S. 26 ff.

dentum. Außerdem ist er auswechselbar mit der Gloriole und kann deshalb die Gestalt Christi, *vgl. Abb. 498, 505,* und alle seine Symbole umschließen. In der Paradiesessymbolik ist er der Lebenskranz, corona vitae, an dem sich die Erlösten erquicken. Er rückt damit bedeutungsmäßig in die unmittelbare Nähe zum Baum des Lebens.

Im letzten Viertel des 4. Jh. beginnt die paarweise Darstellung der Lämmer oder Tauben, die Apostel oder Selige allegorisieren, zu beiden Seiten eines Christussymbols. Sie wird im 5. und 6. Jh. in Ravenna sehr beliebt und lebt in der langobardischen und merowingischen Kunst weiter (auch Hirsche und Pfauen werden paarweise dargestellt). Dieses Kompositionsschema scheint zuerst in Mailand, der Stadt des Ambrosius, in die christliche Kunst aufgenommen worden zu sein (Gerke). Der Sarkophag in S. Ambrogio zeigt auf einem der Giebel zwei Tauben zu beiden Seiten des Kranzes, der das Christogramm umschließt, *Abb. 529.* Außen sind nochmals zwei Tauben wiedergegeben, wie sie an den Früchten, die zwei liegenden Körben entfallen, picken. Während das letzte Motiv der antiken Dekoration entstammt, ist das andere als ein neues der christlichen Kunst zu werten. Es ist für solche Wandlungen aufschlußreich, daß Ambrosius die Künstler ermahnte, sich in ihren Werken von den antiken Motiven zu lösen. Auf dem anderen Giebel dieses Sarkophags ist die Geburt Christi dargestellt.

Neben dem Lorbeerkranz[10] und den goldenen Kränzen gibt es noch den »Jahreszeitenkranz«, der aus Früchten, Ähren und Blüten der vier Jahreszeiten besteht. Er kommt in der christlichen Kunst nur im 5. Jh. vor und wird, wie der andere Kranz, zur Glorifizierung eines Christussymbols verwendet. Er kann ebenfalls mit der flatternden Schleife geschmückt sein; anstelle des Steines steht eine Blume, *vgl. Band 1, Abb. 53.* Für sich genommen kann dieser Kranz nur die ständige Wiederkehr des Lebens und der Zeit bedeu-

ten[11]. Es ist auffallend, daß er mehrmals dem Christuslamm zugeordnet ist, und zwar bei repräsentativen Darstellungen, *Abb. 537.* Sieht man im Lamm das Symbol für die leidensfähige Menschheit Christi, so könnte der Jahreszeitenkranz, sofern er als Sinnbild der Ewigkeit verstanden wird, die Göttlichkeit Christi bedeuten und ihn als Herrn der Zeit kennzeichnen. In diese Richtung gehen einige Äußerungen der Kirchenväter[12].

An die Stelle des Jahreszeitenkranzes kann im frühen Mittelalter der »kosmische Kranz der Tierkreiszeichen« treten, vgl. den Ausschnitt der Illustrationen zu Ps 65(64) im Utrechtpsalter, *Abb. 68,* wo dieser Kranz des Jahres und der Zeit im Bezug zu dem auferstandenen Christus, der als Sieger den Tod niedertritt, steht. Von daher wird auch der Jahreszeitenkranz der frühchristlichen Kunst als Zeichen des Jahres und der Zeit zum Sinnbild der Aufhebung der Zeit und damit auch des Todes[13].

Das Motiv der Hand Gottes mit dem Kranz, die über Christus, dem Sieger, oder einem seiner Symbole in vielen Darstellungsthemen erscheint, übernahm die christliche Kunst. Im Mittelalter kommt sie bis zum 12. Jh. auch über dem Kruzifixus vor, *vgl. Band 2.* Indem sie den Sieg des Sohnes über den Tod repräsentiert, offenbart sie die Göttlichkeit des Auferstandenen. Zur Gotteshand in der antiken Apotheose und in der Darstellung der Himmelfahrt Christi siehe oben. In der christlichen Kunst war, solange Gott selbst figürlich nicht dargestellt wurde, die aus der biblischen Idiomatik hergeleitete Dextera Dei das übliche Symbol für Gott. Ihre Gestik ist differenziert je nach dem Zusammenhang, in dem sie vorkommt. Da die aus den Wolken herabkommende Hand bei Abraham-, Moses- und anderen Szenen seit dem 3. Jh. (Synagoge Dura-Europos) nachzuweisen ist, liegt es nahe, den Ursprung dieses Symbols in der jüdischen Kunst der Spätantike

---

10. Lorbeer-, Palm- und Ölbaumzweige haben als immergrüne Pflanzen die gleiche Bedeutung.

11. K. Baus behandelt in seinen Ausführungen zum Kranz den Jahreszeitenkranz nicht.

12. F. Nikolasch, Das Lamm als Christussymbol in der frühchristlichen Kunst, Habilitationsarbeit der Theol. Fa-

kultät Salzburg 1965 (Maschinenschrift), S. 40. N. deutet den Kranz als Jahressymbol und bezieht ihn auf das einjährige Passalamm, das Typus des Christuslammes ist. Vgl. die hier zitierten Kirchenväter.

13. Vgl. die ausführliche Behandlung dieser Psalterillustration bei H. Schade, 1966, S. 171 f.

zu suchen und eine Übernahme in die konstantinische anzunehmen, wo sie mit dem Kranz bei der Darstellung des stehenden Feldherrn und der Apotheose vorkommt, *vgl. Abb. 452.* Die Übernahme beider Motive in die christliche Kunst und ihr häufiges Vorkommen bis ins hohe Mittelalter hängt gewiß mit der Vertrautheit dieses Symbols der göttlichen Hand in alttestamentlichen Szenen zusammen[14]. Ganz selten kommt die göttliche Hand auch als stellvertretendes Symbol für die Gestalt des erhöhten Christus vor, *vgl. Abb. 540, 542.* Zur Gotteshand siehe auch Bd. 4.

Die Krone – Das Diadem. Im Orient war die Krone das Zeichen der Herrscherwürde, während die römischen Kaiser nur das Diadem kannten. Wie schon erwähnt, übernahmen einige Herrscher mit dem Titel »sol invictus« und dem ihm entsprechenden Kult aus dem Hellenismus die Strahlenkrone, zumindest für ihre bildliche Darstellung. Ob sie je von römischen Machthabern getragen wurde, steht nicht fest; auf Kaiserbildern und Münzen ist sie überliefert. Auch der Kranz ist nur eine begrenzte Zeit getragen und von der einfachen Diadembinde und vom Diadem, dem Juwelenkranz, abgelöst worden. Das Diadem hatte Alexander d. Gr. als Zeichen der Alleinherrschaft eingeführt. Bei den Römern stand es im Zusammenhang mit dem Dominustitel, bei dessen Legalisierung Anfang 4. Jh. das vorher umstrittene Diadem angenommen wurde. Dieser Dominustitel des Kaisers ist ebenso wie die Aussage, daß er das Heil der Welt bringt – salus mundi, wobei salus Heil und Frieden bedeutet –, auf Christus übertragen worden.

Obwohl den Christen die Königsidee aus der jüdischen Tradition vertraut war, worauf wir noch zurückkommen werden, findet sich die Krone als königliches Attribut Christi in der frühchristlichen Kunst nicht. Es sind auch nur zwei Darstellungen Christi mit der Diadembinde auf ravennatischen Sarkophagen bekannt, dagegen sind der Kranz, das Diadem und die Krone als Symbole für die Teilhabe des erhöhten Chri-

stus an der Gottesherrschaft im Zusammenhang mit der über seinem Haupt erscheinenden Gotteshand und mit dem Thronsymbol seit dem 5. Jh. häufig. Die Erzengel sind seit dem 5. Jh. mit der Diadembinde oder dem Diadem ausgezeichnet. Ihnen steht das göttliche Attribut zu, da sie als Wesen, die in Gottes Nähe leben und nach Lk 1,19 an seinem Thron stehen, als königlich gelten. Bei den germanischen Völkern war die Königsidee sehr ausgeprägt. Christus wurde in sie einbezogen, wie die frühmittelalterliche Dichtung erkennen läßt. Doch in der bildenden Kunst ist die Krone sowohl auf dem Haupt des thronenden Christus wie auch beim Kruzifixus bis zum 11. Jh. selten. Danach ist sie häufiger zu beobachten. Beim Bild der Majestas wird die Krone jedoch oft durch die Inschrift REX, die dem Nimbus eingefügt ist, ersetzt.

Das Zepter, das mit der Jupitersymbolik in der Form eines langen Stabes von Rom übernommen wurde, ist auf Münzen zusammen mit dem »leeren« Thron als Herrschaftsabzeichen überliefert[15]. Ein kurzer Stab mit dem Adler des Jupiter gehörte zur Galatracht des Kaisers und des Konsuls bei seinem Amtsantritt. Das Attribut des Feldherrn war die Lanze oder das Labarum als Vexillum: *Abb. 526.* Konstantin I. hat 313 von sich eine monumentale Sitzstatue für die Maxentiusbasilika errichten lassen, die in der Rechten das »Zeichen des heilbringenden Leidens«, vermutlich einen vom Monogrammkreuz bekrönten Herrscherstab oder das Labarum hielt[16]. Das kurze Kreuzzepter, das anstelle des Adlers das Christogramm trägt, kommt auf römischen Münzen und Elfenbeindiptychen vom 5. Jh. (Arcadius und Theodosius II.) an vor. In der Christussymbolik ist im Zusammenhang mit dem Thronsymbol oder in der Hand des stehenden Christus-Imperator das mit Steinen besetzte große Kreuz als Tropaion seit dem späten 4. Jh. üblich, *Abb. 531, Abb. 557, 559.* Auch ohne die Steine ist der Kreuzstab Sieges- oder Auferstehungszeichen in der Hand des auferstandenen Christus und beim Agnus Dei. Der Christus victor, der auf

---

14. Im Gegensatz zu Alföldi, der in der göttlichen Hand ein ursprünglich heidnisches Symbol sieht, weist H. Stern, Le Calendrier de 354, Etudes sur son texte et sur ses illustrations, Paris 1953, S. 150, nach, daß dieses Symbol der

Hand Gottes dem semitischen Vorstellungskreis des Alten Testaments entstammt.

15. C. O. Nordström, 1953, Tf. 12 i, j und 13 f.

16. RAC III, 316 ff. (J. Vogt). Euseb, Vita Const. I, 40.

den Tieren steht, trägt ihn geschultert oder setzt ihn auf den Feind. Das kurze Kreuzzepter kommt beim thronenden Christus sehr selten und erst im Mittelalter vor.

Die purpurne Chlamys (weiter Mantel, an einer Schulter mit Spange gehalten) ist wie das Diadem von den Griechen übernommen worden, als die römische kaiserliche Repräsentation im Sinne des hellenistischen Hofes umgestaltet wurde, da den spätantiken Kaisern Alexander d. Gr. Vorbild war. Wie die andere Staatskleidung, so kann Christus in der Herrlichkeit auch die Chlamys tragen, *Abb. 633.*

Der Globus (griechisch Sphaira) als Zeichen der Kaiserherrschaft über das Weltall ist seit der Tetrarchenzeit als Insignie nachzuweisen. Hält der Kaiser als siegreicher Feldherr den Globus in der Hand, so steht darauf häufig die Victoria mit dem Kranz in der Hand, *Abb. 526.* Auch der Globus in der Hand des Herrschers wird in konstantinischer Zeit »verchristlicht« durch die Bezeichnung mit dem Christogramm oder durch ein Kreuz, das auf dem Globus angebracht ist. In der frühchristlichen Kunst ist keine Christusdarstellung mit der Globusinsignie in der Hand bekannt, dagegen kennzeichnet sie im Mittelalter Christus als Herrscher und als Salvator mundi: Auch das Jesuskind und die Gottesmutter halten häufig den Globus in der Hand. Aber der Globus dient – wie auf römischen Münzen des 3. Jh. dem Kaiser – schon von Mitte 4. Jh. an auf Mosaiken Christus als Thron, doch kann er auch darauf stehen, *Abb. 579.* Außerdem erhalten die Erzengel ihn im 5. Jh. als Abzeichen. Auf dem Triumphbogen der justinianischen Kirche des Katharinenklosters auf dem Sinai bieten zwei Engel dem Gotteslamm statt der Kränze zwei mit dem Kreuz gezeichnete Globen dar[17].

Die verchristlichten Insignien der römischen Kaiser bedeuten keine Anmaßung der weltlichen Herrscher, sondern dienten im Ausgleich zwischen römischer Tradition und neuem Glauben der Repräsentation des christlichen Kaisertums. Sie gingen meistens, sobald Christus als rex regnantium bildlich dargestellt wurde, auf das repräsentative Christusbild über.

Die Rolle (rotulus) – Das Buch[18]. Die Rolle in der Hand des Herrschers ist Zeichen des Gesetzes und seiner richterlichen Gewalt. Der Herrscher übergab die Rolle versiegelt dem Beamten, dem die Regierungsbefugnis übertragen war (mandata dare). Statt der Rolle konnte auch ein Diptychon übergeben werden. Bei der spätjüdischen und frühchristlichen Darstellung der Gesetzesübergabe an Mose reicht die Hand Gottes aus den Wolken Mose anstelle von Gesetzestafeln eine Thorarolle. Christus hält in der frühen Kunst die Rolle als sichtbares Zeichen des Logos (Wort), der Heilslehre, des neuen Gesetzes, des Evangeliums in die Hand. Da Christus in alledem den Menschen sich selbst bringt, kann die Rolle über ihre attributive Funktion hinaus in geöffnetem Zustand zum Zeichen der Selbstoffenbarung des Auferstandenen werden, vgl. Himmelfahrt, *Abb. 460, 461,* und bei »traditio legis« unten. Die griechische Ichthysformel (Jesus Christus, Gottes Sohn, der Retter) auf der geöffneten Rolle der Himmelfahrt-Majestas-Darstellung der Türe von S. Sabina bestätigt dies. An die Stelle der Rolle tritt, wie allgemein, so auch in der bildenden Kunst, vom Ende des 4. Jh. an allmählich das Buch. In der Liturgie werden jedoch vereinzelt noch im 12. und 13. Jh. Rollen verwendet (vgl. oben die Exultet-Rollen. In Wunderdarstellungen hält sich die Rolle als Christusattribut bis zum hohen Mittelalter; ebenso in der byzantinischen Darstellung des thronenden Christus, vor allem beim Kind, da die Rolle in der byzantinischen Kunst in erster Linie Symbol des Logos ist). Für das Buch gilt das gleiche wie für die Rolle. Es kommt bei der repräsentativen Darstellung der Majestät Christi geschlossen und geöffnet vor. Ist letzteres der Fall, so ist in ihm in der Regel ein Wort der Selbstoffenbarung zu lesen. Rolle und Buch sind aber auch Attribute der Evangelisten und ihrer Symbole, ebenso der Apostel, da sie beauftragt sind, das Evangelium zu verkünden, und an der Erhöhung Christi teilhaben. Hier ist das Buch Inbegriff der Vermittlung der Offenbarung, siehe auch bei »Evangelistensymbole« und Bd. 4.

In Apk 5 ist das versiegelte Buch, das nur das Christuslamm zu öffnen vermag, der Heilsplan Gottes.

17. Vgl. J. Deér, 1961, mit mehreren Abbildungen, und A. Alföldi, 1934, S. 117.

18. L. Koep, Das himmlische Buch in Antike und Christentum, Bonn 1952.

Schon in der frühchristlichen Kunst bekommt diese Rolle als stellvertretendes Symbol im Zusammenhang des Thrones und des Lammes als apokalyptisches Zeichen Bedeutung und verweist auf den zur Herrschaft erhöhten Christus, dem die richterliche Gewalt übergeben ist. In dem Abschnitt über das Thronsymbol wird deutlich, daß das Buch auch als ein Christus vertretendes Symbol in der Kunst auftritt.

Das Buch, »in dem die Namen geschrieben sind«, ist eine sehr alte Vorstellung aus dem jüdischen Bereich, die besonders in Ägypten eine Rolle spielte und im Alten Testament bei der Gerichtsvision Dan 7,10 und 12,1 deutlich hervortritt, vgl. dazu auch 2 Mos 32,32; Ps 69(68),29. Das Neue Testament übernimmt diese Vorstellung des Lebensbuches, in dem die Namen derer eingetragen sind, die erlöst werden, Phil 4,3; Apk 3,5; 17,8; 20,12.15. Da den Aposteln verheißen ist, als Beisitzer am Endgericht teilzunehmen, Mt 19,28, kann das Buch in ihren Händen, wenn sie als Kollegium dargestellt sind, auch das Lebensbuch, das beim Gericht aufgeschlagen wird, bedeuten. In der Kunst der Reformation kann das Buch das Evangelium im Sinne der Gnade und Erlösung veranschaulichen; es wird dann als Antithese dem Gesetz gegenübergestellt, vgl. Abb. 439.

Das Füllhorn (in der Kunst sind meistens zwei überkreuzte Füllhörner dargestellt) war Symbol des neuen goldenen Zeitalters und gehört zur Triumphsymbolik[19]. Auf dem bekannten Cameo im Kunsthistorischen Museum Wien sind über vier sich kreuzenden Füllhörnern Büsten des Claudius und der Agrippina d. J., des Tiberius und der Livia angebracht, zwischen ihnen steht der Adler mit ausgebreiteten Schwingen. Im Mosaikschmuck von S. Vitale, Ravenna, ist dieses Symbol in das große Bildprogramm der Verherrlichung des triumphierenden Christus aufgenommen, Abb. 538, Bogen über der Apsiskalotte.

Der Delphin, als Repräsentant des himmlischen Ozeans und rettendes Lebenszeichen, ist in der Spätantike Unsterblichkeitssymbol und gehört mit zur kaiserlichen Repräsentation. Die Bedeutung des Lebenszeichens erhielt er aufgrund der Sage, nach der er den griechischen Sänger Arion an das rettende Ufer des Meeres brachte[20]. In der kaiserlichen Kunst ist der Delphin ein Machtsymbol. Als solches kommt er in bezug auf den erhöhten Christus gleichfalls in dem Mosaikschmuck von S. Vitale vor, Abb. 538, Bogen über dem Eingang zum Presbyterium.

Der Pfau ist als Attribut der Juno auch Symbol der römischen Kaiserin und entspricht dem Adler des Kaisers, der auf Zeus zurückgeht, wie wir oben schon ausführten. Auf Münzen der Kaiserin ist der Pfau vor dem Thron stehend wiedergegeben, obwohl auf entsprechenden Kaisermünzen der Adler am Thron fehlt. Der radschlagende Pfau kommt schon in den Katakomben vor. Er galt als Himmelsträger (das Rad = Himmelsscheibe, die Augen des Gefieders = die Sterne) und war deshalb ebenfalls Repräsentant des Himmels und kosmisches Machtzeichen, so daß auch er in das christliche Bildprogramm in S. Vitale aufgenommen wurde. Außerdem galt das Fleisch des Pfaus als unverweslich, weshalb er in der Antike Hinweis auf die Unsterblichkeit war.

In der frühchristlichen Kunst wird der Pfau der Paradiesdarstellung eingefügt, ist aber nicht nur ein Requisit des Paradieses, sondern darüber hinaus ein Sinnbild der Menschen, die mit Christus im Paradies weilen und an den Gnadengaben teilhaben. Am häufigsten kommen zwei Pfauen vor, die aus einem Gefäß, oft dem Kantharos, trinken, wie auf einer Brüstungsplatte des 6. Jh. aus Venedig, Abb. 547. Da dieses Wassergefäß als Lebensquelle gilt, ist es häufig mit dem Weinstock verbunden. Der Saft der Traube galt schon im Heidentum als Trank der Unsterblichkeit. Dieses Motiv behält die frühmittelalterliche Kunst bei. Auf dem Sarkophag der Äbtissin Theodota, um 735, Pavia, Abb. 548, ist das spätantike Bildschema in die abstrahierende ornamentale Bildsprache des 8. Jh. umgeformt. Der Weinstock ist zum schmückenden Rahmen geworden. Dem Kantharos ist das Kreuz hinzugefügt. Die Pfauen können aber auch dem Christogramm zugeordnet sein, wie auf

---

19. R. Delbrück, Consulardiptychen, Tf. 11, 15.
20. Da die Arionsage Parallelen mit der Jonageschichte

aufweist, wird bei der Darstellung der Verschlingung und Errettung des Jona oft ein Delphin wiedergegeben.

dem sog. Theodorussarkophag, 440–450, in S. Apollinare in Classe, *vgl. Bd. 1, Abb. 348*, oder dem Kreuz
und dem Lebensbaum. Diese Paradies-Tiermotive kommen weiterhin in der Reliefkunst verschiedener künstlerischer Bereiche vor; die Gebiete, auf die der Osten
Einfluß hat, bevorzugen sie noch im 12. Jh.

Der Hirsch gehört nicht zur antiken Kaiserikonographie. Ebenso wie die Pfauen wird er aber paarweise
– oft Hindin und Hirsch – im Sinne des Refrigerium,
der Erquickung im Jenseits, am paradiesischen Lebensquell dargestellt. Ein nordafrikanisches Silberkästchen
des 4. oder 5. Jh. im Museo Sacro des Vatikan, *Abb. 546*,
zeigt ein Hirschpaar am Paradiesesberg, auf dem hier
das Christogramm die Figur Christi oder das Gotteslamm vertritt, aus den Flüssen trinkend. Auf einem
Mosaik des Mausoleums der Galla Placidia stehen Hirsche in Akanthussträuchern, die als Lebensbäume zu
verstehen sind, und trinken aus einer Quelle, *vgl. Bd. 1,
Abb. 345*. Zwei Paare stehen am Paradiesesberg auf
einem Mosaik der Cappella della Colonna von S. Prassede in Rom, 817–824: die Hirsche trinken, die Hindinnen blicken zum Lamm empor. Auf dem von
Jacopo Torriti gegen 1300 erneuerten Apsismosaik von
S. Giovanni in Laterano, dessen Komposition dem heutigen zugrunde liegt, erquicken sie sich zusammen
mit sechs Lämmern an der Lebensquelle am Fuß des
Gemmenkreuzes; zwischen den vier Flüssen des Paradiesesberges steht auf einer kleinen Palme der Phönix.
Ebenso klein ist auf dem gleichfalls stark restaurierten
Apsismosaik von S. Clemente (Oberkirche) im Akanthusstrauch ein Hirsch von einer Schlange umgeben zu
sehen, während zwei größer wiedergegebene Hirsche
sich an der Heilsquelle unter dem Kreuz erlaben. Wir
sind im ersten Band schon auf die Bedeutung des Hirschs
in der Taufsymbolik und als Schlangentöter, wie ihn
der Physiologus schildert, eingegangen. Um seines Geweihs willen, das als Lichtstrahlen empfunden wurde,
gehört er zu den Sinnbildern des Lichts, er kämpft gegen die finsteren Gewalten, die Schlange[21], so daß er,
wenn auch wahrscheinlich erst im Mittelalter, Symbol
für Christus, der über die Finsternis siegte, war (vgl.

die Inschrift auf dem Freudenstadter Taufkessel, Bd. 1,
S. 150). Die Auslegung des 42.(41.) Psalms, der im
altchristlichen Taufgottesdienst gebetet wurde, führte
dazu, den Hirsch als Sinnbild des gottsuchenden Menschen zu deuten. Augustin fordert in einem Traktat über
diesen Psalm die Menschen auf, zu dem Lebensborn bei
Gott zu eilen wie der Hirsch[22]. So sind die Voraussetzungen zur Aufnahme in die Paradiesessymbolik ganz
andere als beim Pfau oder bei den Vögeln bzw. Tauben,
die sich am Kranz oder am Weinstock erquicken. Noch
im 10./11. Jh. zeigt eine Marmorplatte aus Venedig,
wo der Kontakt mit der byzantinischen Kunst ein sehr
enger war, übereinander einen Hirsch und zwei Pfauen
am Lebensbrunnen, der vom Kantharos der Antike abgeleitet ist (Berlin, Staatl. Museen).

Wir konnten den Symbolgehalt der Tiere an dieser
Stelle nur so weit behandeln, wie er zum Verständnis
der Aufnahme der Tiere in die frühe Paradiesessymbolik notwendig ist. Zum Paradiesesberg mit den vier
Strömen siehe unten bei den apokalyptischen Motiven;
den Lebensbrunnen behandeln wir im 4. Band ausführlicher im ekklesiologischen Zusammenhang.

Die kosmische Herrschaftssymbolik, die in der spätantiken Herrscherikonographie auf alten Vorbildern
fußend in vielfältiger Weise zu finden ist, verwendet
die christliche Kunst seit theodosianischer Zeit; in der
karolingischen Renaissance ist sie auch bei der Kreuzigungsdarstellung zu finden, siehe Bd. 2. Das Bild des
Helios, die zwei Viergespanne der auf- und niedergehenden Sonne (Arcadiussäule), die Gestirnzeichen,
vor allem Sol und Luna (Konstantinsbogen), Terra
und Mare (Galeriusbogen), das Himmelsgewölbe, das
einerseits als Baldachin (Aedicula) oder Muschel über
dem Thron veranschaulicht wurde, andererseits als Personifikation des Coelus, der gleich einem Tuch das
Himmelszelt über sich ausspannt, als Thron für die
Machthaber diente (Galeriusbogen), der Globus und
die Wolken, die in ihrer kosmischen Bedeutung mit der
des Himmelsthrons übereinstimmen, all das sind Sinnbilder der die ganze Welt, den Kosmos umspannenden
Macht der römischen Kaiser. Sogar die besiegten Völ-

---

21. Das Hebräische hat für »Horn« und »Glänzen« dasselbe Wort — woraus sich auch die Darstellung des gehörnten Mose erklärt, vgl. 2 Mos 24,29.30.35, ebenso Hab 3,4.
22. MPL 36, 465 f.

ker: Germanen und Perser, Britannier und Inder, die dem siegreichen Herrscher huldigen, weisen ebenso wie die auf - und niedersteigende Sonne auf den Osten und den Westen, und das heißt auf die vom Aufgang bis zum Niedergang der Sonne von Rom beherrschte Welt[23]. Als Beispiel für die Übernahme der Gestirnzeichen siehe das Christusbild des Kaiserdiptychons, *Abb. 523,* für das Viergespann der Sonne die Elfenbeintafel mit der Darstellung des thronendes Christus, *Abb. 636 oben;* für den Coelusthron den Bassussarkophag, 359, *Abb. 528.* Auf diesem Sarkophag thront in der Mitte des oberen Bildfrieses der jugendliche Christus als Weltenherrscher und Kosmokrator über dem personifizierten Coelus, der das Himmelszelt über sich ausspannt (aus der Mitte des 4. Jh. sind sieben Sarkophage mit dem Coelusthron bekannt). Zwei Apostel stehen zu beiden Seiten des Thrones. Ihre Funktion liegt in ihrer Anwesenheit als Vertreter des himmlischen Hofstaates, da es sich bei dieser Darstellung um eine reine Repräsentation der kosmischen Weltherrschaft des Christus-Basileus handelt. Unterhalb des Thrones, zu der zweiten Bildzone gehörend, spannt der Adler seine Fittiche über Christus aus, der in Jerusalem gleich einem Triumphator nach dem Vorbild des kaiserlichen Adventus einzieht, *vgl. Bd. 2, Abb. 2.* Der Adler ist hier ausgesprochen ein Macht- und Hoheitssymbol.

Als in theodosianischer Zeit die Herrschafts- und Triumphikonographie der Kaiser von der christlichen Kunst übernommen wurde, verband diese mit ihr die biblische Weltherrschaftssymbolik, die auf die Dauer für das Bild des erhöhten Christus von größerer Bedeutung war als die römische, wenn diese auch in der karolingischen und ottonischen Renaissance durch spätantike Vorbilder noch einmal zur Geltung kam.

Das Siegeskreuz. Das Kreuz ist, wie aus den Ausführungen im 2. Band hervorgeht, in die christliche Kunst als Sieges- und Triumphzeichen, nicht als historisches Leidenskreuz, eingegangen. Mit Sicherheit ist seit spätkonstantinischer Zeit die Darstellung der crux invicta

oder des Anastasiskreuzes in Verbindung mit dem Siegeskranz und dem Christogramm auf Passionssarkophagen und etwas später bei der Kreuzhuldigung nachzuweisen: *vgl. Bd. 2, Abb. 1 und 9; hier Abb. 394,* erweitert durch eine Erscheinung des Auferstandenen, *Abb. 262* (ob das »Siegeszeichen des heilbringenden Leidens« in der Hand der Konstantinsstatue, 313, siehe oben, ein Kreuz oder ein Zepter mit dem Christogramm war, steht nicht fest). Begünstigt wurde die Verbreitung des Triumphkreuzes durch die Kreuzverehrung in Jerusalem, die in der 2. Hälfte des 4. Jh. Brauch wurde.

Vom Ende des 4. Jh. an ist in der Kunst eine neue Form des Kreuzeszeichens zu beobachten, das aufgrund des Bildzusammenhangs offensichtlich ebenfalls als Siegeszeichen zu verstehen ist[24]. Es handelt sich um ein Kreuz in der lateinischen Form, dessen Enden leicht nach außen schwingen oder etwas vorspringen, wie das von da an auch beim Christogramm häufig der Fall ist. Die einfache Form dieses Kreuzes zeigen die beiden Seitenwände des Prinzensarkophags um 390, *Abb. 533;* es wird von zwei Aposteln verehrt. Vom 5. Jh. an erscheint es in Entsprechung zum Christogramm als crux triumphalis im Siegeskranz oder Clipeus von zwei Engeln demonstriert: *vgl. Abb. 71* (Lichtkreuz) und *Bd. 1, Abb. 58 und 424;* ferner auf dem Paradiesberg: Mittelteil einer Mailänder Elfenbeintafel, *vgl. Bd. 1, Abb. 423.* Dieses Kreuz der Elfenbeintafel, ein silbernes Zellenwerk mit Almandineinlagen, schließt an allen vier Seiten mit zwei runden gefaßten Steinen ab. Sie wirken bei dieser Technik als bereichernder Schmuck, entsprechen jedoch den tropfenförmigen Abschlüssen auf Mosaikdarstellungen und sind da ein Charakteristikum dieses Siegeskreuzes. Das Kreuz auf dem Paradiesberg steht auf dieser Tafel vor einem Portikus, die als porta coeli zu verstehen ist. Demnach ist es Symbol für den erhöhten Christus im Paradies, vgl. die Sarkophage, *Abb. 582, 583, 616, 618,* auf denen Christus vor dem Himmelstor, bzw. vor dem himmlischen Jerusalem, erscheint.

23. Siehe dazu A. Alföldi und J. Kollwitz, Oström. Plastik, S. 43 f.

24. E. Dinkler hat in einem Beitrag zu der Festschrift für Th. Klauser, Mullus, in: JbAC, Ergänzungsband 1, 1964: Bemerkungen zum Kreuz als Tropaium, das Vorkommen dieser Kreuzform für die Zeit von der Mitte 4. bis 6. Jh. untersucht. Siehe auch E. Dinkler, Signum Crucis, 1967.

Von theodosianischer Zeit an wurde dieses Kreuz oft mit Steinen und Gemmen geschmückt (»crux gemmata«). Es ist möglich, daß Theodosius I. in Konstantinopel ein solches Kreuz aufstellen ließ, das für dieses Kreuz Vorbild wurde. Das Kreuz auf Golgatha wurde erst durch Theodosius II. errichtet, ob vorher schon ein Memorienkreuz aufgestellt war, ist ungewiß[25]. Es kann ebenso das einfache Kreuz mit Gemmen besetzt sein, besonders dann, wenn es Christus im Sinne des vexillum in der Hand hält, z. B. bei der Apostelakklamation auf dem Probussarkophag, um 395, *Abb. 531, vgl. Bd. 2, Abb. 5.*

Das Kreuz mit den ausschwingenden Enden mit und ohne tropfenförmige Abschlüsse, immer als Zeichen für den erhöhten Christus, wird im Gegensatz zum Anastasiskreuz, das auf die westliche Sarkophagkunst des 4. und 5. Jh. beschränkt bleibt, vom 5. Jh. an in den verschiedenen Bildzusammenhängen häufig. In der Monumentalkunst geht die Darstellung der Verehrung dieses Kreuzes in der voll ausgebildeten Form auf die spättheodosianische Zeit zurück. Die Anbringung in der Zentralkuppel und in der Apsis zeigt den Rang, den dieses Zeichen neben dem des apokalyptischen Lammes und dem Christogramm in der frühen Kunst einnimmt. Das älteste erhaltene Beispiel enthält das Apsismosaik in S. Pudenziana, Rom, *vgl. Abb. 618,* wo das Kreuz auf dem Berg über das himmlische Jerusalem emporragt und von den vier Wesen verehrt wird, Erläuterungen siehe unten. In der Zentralkuppel des Mausoleums der Galla Placidia, Ravenna, 2. Viertel 5. Jh., *Abb. 532,* steht das Kreuz (ohne Gemmen und tropfenförmigem Abschluß) inmitten eines Sternenhimmels vor dunkelblauem Grund. Im innersten Kreis umgeben das Kreuz sieben Sterne (Planeten). Es ist mehrfach darauf hingewiesen worden, daß es vom Osten aufsteigt; die konzentrischen Kreise der Sterne betonen den Richtungsakzent, der der Nord-Süd-Richtung des Raumes entgegenläuft[26]. In den Zwickeln schweben die vier geflügelten Wesen auf Wolken. Das menschengestaltige Wesen hebt anbetend die Hand

zum Kreuz, so daß auch die drei anderen Wesen adorierend vorzustellen sind. An den vier Tambourwänden stehen je zwei Apostel, alle mit huldigenden Gesten dem Kreuz zugewandt. Bei Paulus und Petrus, die im Osten stehen, ist das Aufblicken am intensivsten. Es handelt sich um eine Adoration des Kreuzes als einer theophanen Erscheinung. Inmitten der Sterne offenbart dieses Kreuz Christus als den Kosmokrator. Schließlich ist es als Lichtkreuz, das von Osten aufsteigt, ein Hinweis auf das »Zeichen des Menschensohns« Mt 24,30, das Christus bei seiner Parusie vorangehen wird und unter dem man schon sehr früh das Kreuz verstand (vgl. Bd. 2). Diese Sinngebung wird auch im Blick auf den Zweck des Baus (Grabstätte), in dem sich die Darstellung befindet, unterstützt[27]. Zu der Adoration des Kreuzes treten noch die Darstellungen in den vier Lünetten: der Hirte im Paradies mit dem großen goldenen Kreuz in der Hand, *Abb. 627,* gegenüber Laurentius, ein in Rom hochverehrter Heiliger, der, wie Petrus, auf vielen Darstellungen das große Kreuz geschultert trägt und zum Martyrium schreitet. In den anderen Lünetten befindet sich zweimal die Darstellung der Hirsche an der Quelle zwischen Akanthusranken, ein Bild für die Erquickung der Seelen am lebendigen Wasser (Joh 4,14), *vgl. Bd. 1, Abb. 345.* Die beiden Nischenbögen zeigen das Christogramm mit Alpha und Omega inmitten von Weinstöcken. So sind hier Quelle und Weinstock zueinander in Beziehung gesetzt. Doch klingt in der Zuordnung von Christogramm und Weinstock außerdem Joh 15 an.

Das Kreuz in der Lichtglorie – als solche sind auch die roten und goldenen Wolken, die das Kreuz in S. Pudenziana umgeben, zu verstehen – hat in zwei von Paulinus von Nola beschriebenen Kirchen vom Anfang des 5. Jh. Vorläufer. Als einziger Schmuck der Kuppel ist es in der Dorfkirche in Casaranello (Apulien) vom Ende des 5. Jh. erhalten; in der Apsis der erzbischöflichen Kapelle, Ravenna, 494–514, ist es heute durch eine moderne Wiederholung ersetzt. Schließlich beherrscht es im Apsismosaik von S. Apollinare in Classe,

---

25. C. Cecchelli, Il trionfo della Croce, Rom 1953, S. 104 f. und 170 f.

26. Nordström, S. 26 ff. Hier weitere Literaturangaben.

27. Es wurde lange Zeit bestritten, daß es sich um ein

Mausoleum handelt, doch neigt die Forschung jetzt wieder zu der ursprünglichen Annahme (Deichmann). Siehe zu den Mosaiken Ravennas jeweils: F. W. Deichmann, Ravenna, Geschichte und Monumente, Wiesbaden 1969.

549, die symbolische Darstellung der Verklärung Christi. Hier sieht man im Schnittpunkt des Kreuzes ein Brustbild Christi; unter dem Kreuz ist zu lesen: Salus Mundi, darüber die Ichthysformel, zu beiden Seiten Alpha und Omega, *vgl. Bd. 1, Abb. 405, S. 156–158*[28].

In Rom zeigt das Apsismosaik in S. Stefano Rotondo, um 650, *Abb. 534, Ausschnitt*, die Verehrung des gemmengeschmückten Siegeskreuzes, über dem ein Brustbild des erhöhten Christus von der Gotteshand bekränzt wird. Die Pflanzen gehören der Tradition der Paradieswiese an. Das Kreuz steht jedoch nicht mehr auf dem Berg, sondern auf einem Stufensockel, siehe dazu unten. Vergleiche für den Osten den in Sibirien gefundenen Silberteller des 6. Jh., *Bd. 2, Abb. 6*, der dieses Kreuz zwischen zwei verehrenden Engeln über den vier Paradiesquellen auf einem Sternendiskus zeigt.

Unter den frühmittelalterlichen Darstellungen dieses Kreuzes mit den ausschwingenden Enden, die die Lebensbaumsymbolik aufnehmen, fällt ein Relief in der Kathedrale des Domes zu Torcello auf, *Abb. 542*. Zwei Lebensbäume neigen sich dem mit Pflanzenornamenten überzogenen Kreuz zu. In einem Medaillon im Kreuzschnittpunkt ist die im Sprechgestus erhobene göttliche Hand zwischen den kosmischen Gestirnzeichen dargestellt; es befindet sich genauso auf einem Kreuz im Museo Nazionale in Ravenna. Die sprechende Hand ist Symbol des Logos, Joh 1 identifiziert den Schöpfer mit dem Christus-Logos (präexistenter Christus). Als der zu Gott erhöhte auferstandene Christus ist er ebenfalls der Schöpfer der neuen Erde und des neuen Himmels. So bezeichnet die Hand zwischen Sonne und Mond in der Mitte des Kreuzes den Kyrios als Kosmokrator und als den Schöpfer der zukünftigen Welt[29]. Vgl. zu der Hand als Christussymbol auch *Abb. 540* und Seite 242.

Anstelle dieses seltenen Symbols kann der Kreuzmitte auch das Lamm eingefügt sein, so auf dem Kreuz Justins II., um 575, *Abb. 543*, wo zwei Christusdarstellungen oben und unten mit denen des Kaiserpaares auf den Seitenarmen korrespondieren. Als Verherrlichungssymbol Christi kommt, wie oben schon erwähnt, der Adler in der Mitte kleiner langobardischer Goldblattkreuze vor, die als Grabbeigaben dienten; er verweist auf die Auferstehung: als Beispiel bilden wir das des Museo d' Antichità in Brescia, 600–625, ab, *Abb. 544*. Auch hier verbreitern sich die Enden des Kreuzes, schwingen allerdings nicht aus. Im Gegensatz zu der lateinischen Form des frühchristlichen Siegeskreuzes liegt hier die sog. griechische mit gleichen Kreuzarmen vor, die häufig für die crux triumphalis verwendet wurde. Vier Brustbilder Christi sind der Kreuzmitte auf dem älteren Buchdeckel des Lindauer Evangeliars, um 800, zugeordnet, *Abb. 554*. Sie verweisen wie die Kreuzarme in die vier Himmelsrichtungen – die ganze Welt –, so daß auch dieses Kreuz im besonderen die kosmische Weltherrschaft des Auferstandenen repräsentiert (vgl. Eph 3,18). Ein Evangeliar vom Ende des 8. Jh. im Münsterschatz zu Essen, *Abb. 539*, zeigt auf einer Bildseite das Siegeskreuz anstatt mit Gemmen mit Ornamenten geschmückt. Christus (Brustbild) im Schnittpunkt des Kreuzes ist im Nimbus als REX bezeichnet. Dieses Triumphkreuz mit den vier Wesen ist eine Umformung frühchristlicher Apsisdarstellungen in die Bildsprache des frühen Mittelalters[30].

Pflanzen als Paradiesattribute und Lebenszeichen. Es ist auffallend, daß in den verschiedensten Kunstgebieten im frühen Mittelalter Bäume und Pflanzen, die im weiteren Sinn zur Lebensbaumsymbolik des Paradieses gehören, mit dem Kreuz in der Form des Siegeskreu-

---

28. Zu den Beschreibungen des Paulinus von Nola des zerstörten Mosaikschmuckes der Felixbasilika und den Rekonstruktionen siehe G. Bandmann, Ein Fassadenprogramm des 12. Jahrhunderts und seine Stellung in der christlichen Ikonographie, in: Das Münster, 5, 1952, und E. Dinkler, Das Apsismosaik von S. Apollinare in Classe, Köln und Opladen 1964, S. 52 f. Dinkler behandelt ausgehend von Classe das Problem des Parusiekreuzes. Zu Classe siehe auch C. O. Nordström, S. 122.

29. Zu der Hand im Sprechgestus als Zeichen des Logos

s. H. P. L'Orange, Cosmic Kingship, 1953, S. 197.

30. Zu den Kreuzen mit dem Christusbild im Medaillon, dem auf der anderen Seite mehrmals ein Kaiserbild entspricht, siehe J. Déer, Das Kaiserbild im Kreuz, in: Schweizer Beiträge zur allgemeinen Geschichte, 13, 1955, S. 48—110. Auf Kreuzen des hohen Mittelalters ist manchmal der Kruzifixus oder das Lamm Gottes zu dem thronenden Richter oder der Majestas Domini in Beziehung gesetzt, vgl. das Trudpert-Kreuz, *Bd. 2, Abb. 648*.

zes, wie sie im 5. Jh. sich herausgebildet hatte, verbunden wurden. Die Darstellung der Paradieslandschaft, die auch von den elysischen Gefilden der Dichtung Vergils beeinflußt worden sein mag, knüpft an die Vorstellung der Schöpfungsgeschichte vom Garten Eden an und bezieht aufgrund der Zusammenschau des ersten und des endzeitlichen Paradieses vor allem den Fruchtbaum am Strome des Lebens, der Apk 22,1 f. als Sinnbild des ewigen Lebens geschildert wird, ein. »Wer überwindet, dem will ich zu essen geben von dem Holz des Lebens, das im Paradies Gottes ist«, Apk 2,7. Dargestellt wird häufig eine Palme mit Früchten, die den Griechen und Römern als Lichtbaum galt und im Alten Testament ebenso wie die Zeder Gleichnis für den Gerechten ist, Ps 92,13–16. Der Palmzweig ist in der Antike wie der Lorbeer Siegeszeichen und ist in der christlichen Kunst zum Attribut der Märtyrer geworden. Es können aber auch andere immergrüne Bäume als Lebenszeichen dienen: so der Ölbaum, der von alters her als Friedenszeichen galt (vgl. 1 Mos 8,11), das Öl seiner Früchte, das bei Kultbräuchen eine wichtige Funktion hatte, ist Zeichen der Gnade; ebenso die Pinie, unter der im Altertum alle Nadelbäume mit zapfenartigen Früchten, die als Sinnbild des Lebens gelten, verstanden wurden. Die in der Regel als Lebensbaum in stilisierter Form verwendete Pinie wird meistens von dieser Frucht bekrönt. Häufiger veranschaulichen der Akanthusstrauch und der Weinstock das Paradies oder den Lebensbaum, an dem sich die Seelen in der Gestalt von Tauben, Pfauen, Hirschen, Lämmern ebenso erquicken wie am Quell des Lebens. Als Blumen der Paradieswiese wurden Rosen und Lilien dargestellt. Alle diese Sinnbilder können im Anschluß an die antike Kunst auch dekorativ verwendet sein. Zusammen mit anderen christlichen Zeichen oder figürlichen Szenen sind sie jedoch in der Regel als Hinweise auf das ewige Leben zu verstehen. Im Mittelalter hat von ihnen der Weinstock in der Kreuz-Lebensbaum-Symbolik Vorrangstellung. Er wird außerdem sowohl sakramental als auch ekklesiologisch gedeutet[31].

Wir sind im 2. Band S. 145 f. auf die Deutung des Kreuzes als Lebensbaum, die in biblischen Textstellen verankert ist und literarisch außerdem in den Kreuzlegenden ihren Niederschlag fand, schon eingegangen[3]. In unserem Zusammenhang können hier nur wenige

Bildbeispiele eingefügt werden, die auf das vielfältige Weiterleben der Form des Siegeskreuzes in Verbindung mit den Pflanzen der Lebensbaumsymbolik in allen Kunstbereichen lediglich hinweisen sollen. Die von Patriarch Sigvalt von Aquileja (762–776) für das Dombaptisterium in Cividale gestiftete Steinplatte, *Abb. 552,* zeigt in dem flächenhaften langobardischen Mischstil zwischen den vier Wesen oben das Kreuz inmitten von zwei Palmen und unten das über die Sassaniden aus dem Orient überlieferte Lebensbaumsymbol mit den ihn bewachenden vier Tieren. Dazwischen stehen zwei große Vögel, die sich vom Baum abwenden und eine Traube halten. Die Worte auf den Schrifttafeln der vier Wesen geben Verse aus einem Hymnus des aus Italien oder Gallien stammenden Dichters Sedulius, 1. Hälfte 5. Jh., wieder. Eine koptische Grabstele, 7. oder 8. Jh., *Abb. 549,* überträgt das Gemmenkreuz in ein flaches Steinrelief und fügt ihm die für die Christusfigur in der östlichen Kunst übliche Abkürzung für Jesus Christus hinzu. Die vier Palmenzweige sind dem ornamentalen Stil entsprechend in strenger Symmetrie angeordnet. Eine Elfenbeinplatte der Romanosschule, Konstantinopel, 3. Viertel 10. Jh., *Abb. 550,* gibt dem Kreuz, das in der Mitte und an den vier Enden Blütenrosetten trägt, die Worte: »Jesus Christus siegt« bei. Da die Bäume und Vögel unten auf die frühchristliche Tradition der Paradieseslandschaft zurückgehen, ist auch für die Sterne oben ein Zusammenhang mit frühen Apsisdarstellungen, in denen das Siegeskreuz vor dem Sternenhimmel erscheint, anzunehmen. Die Rosetten sind auf dem Goldrelief der Rückseite der Limburger Staurothek, um 960, *Abb. 551,* zu kreisförmigen Kreuzenden verfestigt, dabei sind die trofenförmigen Eckabschlüsse erhalten geblieben.

Die Stufen, *Abb. 534 und 549,* sind auf die Liturgie der Kreuzanbetung zurückzuführen. Sie verweisen nicht auf den Golgathaberg, sondern auf den kosmischen Berg der Weltmitte, der den Himmel berührt,

---

31. Zum Weinstock in seiner vielfältigen Bedeutung und zur Lebensbaumsymbolik siehe Band 4 und 5. Literatur zum Gesamtproblem: R. Bauerreiß, Arbor vitae, 1938; ders., Das Lebenszeichen, 1961; ders., Fons Sacer, 1949, Abhandlungen der Bayrischen Benediktinerakademie, München.

und darüber hinaus auf den Paradiesesberg; denn das Kreuz, vor allem bei der Kreuzverehrung, ist als das in den Himmel versetzte Siegeszeichen verstanden worden. In der Kunst sind die Stufenkreuze seit dem 6. Jh. nachzuweisen, Esonarthex der Hagia Sophia[32]. Die in der griechischen und russischen Ostkirche übliche Kreuzform, bei der die Schrifttafel zu einem zweiten Querbalken ausgebildet ist, wird als Doppelkreuz, crux gemina, bezeichnet, *Abb. 551.*

Motive der Apokalypse in der spätantiken christlichen Kunst. Im Westen wurden vor allem Motive der Apokalypse des Johannes aufgenommen, im Osten, wo sich die Kirche dieser Schrift gegenüber zurückhaltend verhielt, griff man auf die Gottesvisionen des Alten Testaments Dan 7, Jes 6, Hes 1 und 10 zurück; manche der sich hier findenden altorientalischen Majestätsvorstellungen lebten im spätantiken Kaisertum neu auf. Ebenso ließ sich der Seher der biblischen Apokalypse bei mehreren seiner Visionen von den alttestamentlichen Theophanien anregen.

Aufgrund des oben erwähnten Dogmas von der Wesensgleichheit von Gott-Vater und Christus und der Präexistenz des Sohnes sah man schon in dieser frühen Zeit in den Erscheinungen Gottes, die den Propheten zuteil wurden, den präexistenten Christus, der vor allen Zeiten war, ist und kommen wird, den Ersten und den Letzten, wie ihn Apk 1 als den »Alten der Tage« schildert, wobei sie sich in Vers 13,14 und 17 an Dan 7 und 10 anlehnt. Dennoch entwirft der Seher gerade in diesem ersten Kap. von Christus, den er in der Einleitung 1,5 »Fürst der Könige auf Erden« nennt, in der Vision dessen, der »gleich eines Menschen Sohn war« 1,13 ff., ein priesterliches Bild. Der goldene Gürtel ist Teil des Priestergewandes. Die sieben Sterne in seiner rechten Hand gehören als die Planeten zwar zur kaiserlichen Machtsymbolik, werden aber von Johannes als die Engel der sieben Gemeinden gedeutet, die Leuchter als die Gemeinden selbst, Vers 20. Vor Johan-

nes bekennt sich der Menschensohn als der Erste und der Letzte und als der Lebendige, der tot war und nun von Ewigkeit zu Ewigkeit lebt. Dieses Zeugnis entspricht dem vorangehenden Bild des auf den Wolken Wandelnden, den alle sehen werden, die ihn zerstochen (gekreuzigt) haben. Dieser zweimalige Hinweis auf den Opfertod steht im Gegensatz zu der kaiserlichen Macht und dem Anspruch auf göttliche Verehrung[33].

Die Vision des Thronenden, Apk 4, mit den lebenden vier Wesen am Thron geift Elemente aus Hesekiel 1 und 10 auf. Psalmworte wie 93(92),1 f.; 96(95),10; 97(96),1 lassen gleichfalls erkennen, wie sehr die Vorstellung des Thronens bereits zur Königsidee des Alten Testaments gehörte. Niemals im Judentum jedoch wird der Thronende selbst geschildert, er bleibt ebenso wie in Apk 4 hinter dem Glanz[34] und den Bildern der Herrlichkeit und Macht verborgen, umtönt von Donner, ungestümen Winden und dem Getöse der vier Wesen – Apk 4 ist dieses Getöse Preisgesang und Huldigung. Dieses Bild des im Glanz Thronenden, der im Lobpreis Gott, der Herr, der Allmächtige genannt wird, steht im Gegensatz zu der Huldigung vor dem leeren Kaiserthron und dem aufgestellten Bild. Die vier Wesen, auf die wir noch eingehen, sind der spätrömischen Imperialkunst fremd. Dagegen stehen die 24 Ältesten, die niederfallen und ihre Kronen (goldene Kränze) vor den Thron werfen, Apk 4,10, wieder in einer antithetischen Beziehung zu der römischen Zeremonie des aurum coronarum. Die goldenen Schalen mit Weihrauch entsprechen den turibula des römischen Kaiserkultes. Diese kurzen Hinweise machen schon deutlich, wie sehr sich die einzelnen Vorstellungsbilder, Symbole und Zeremonien der kosmischen Weltherrschaftssymbolik in der Spätantike überlagern und aus welchen Bildquellen die sich im 4. Jh. entfaltende christliche Kunst schöpft. Auf die Apotheose als Ausdruck des vergöttlichten Kaisertums ist schon beim Thema Himmelfahrt hingewiesen worden.

32. Vgl. M. Restle, Kunst und byzantinische Münzprägung von Justinian I. bis zum Bilderstreit, Athen, 1964.

33. E. Peterson, Christus als Imperator, in: Theologische Traktate, München 1951, S. 151 ff.

34. Hes 1 spricht in immer neuen Bildern von dem Feuer, dem Glanz und dem Licht; der Thron ist wie ein Saphir. Apk 4 ist der Thron anzusehen wie ein Jaspis und Sarder. Umgeben ist er vom Regenbogen, Blitze gehen von ihm aus.

Die Gottesvisionen werden in der christlichen Kunst vor allem für das Bild der Majestas Domini wirksam, das vom 5. Jh. an zu verfolgen ist, siehe unten. Doch sind Einzelmotive der Apokalypse schon in der theodosianischen Zeit auf Darstellungen, die noch von der spätantiken Herrscherikonographie beeinflußt sind, nachzuweisen. Zu ihnen gehören vor allem die Paradieses- und Lammsymbolik und die Übernahme der vier Wesen des göttlichen Thrones als Herrlichkeitssymbole. Dabei handelt es sich noch nicht um Illustrationen zur Apokalypse, sondern um einzelne Bilder, die aus der Liturgie und der Kirchenväterinterpretation Allgemeingut waren[35]. Die politische Aktualität der Visionen, die ein Gegenbild zum Kaiserkult beinhalten oder sich auf die Christenverfolgung beziehen, waren Ende des 4. Jh. für das Volk ebenso verblaßt wie der heidnische Ursprung des kaiserlichen Herrschaftszeremoniells. Wichtig war dieser Zeit Christus als Weltherrscher im Verhältnis zur irdischen Macht und vor allem zu seiner Gemeinde, d. h. zur himmlischen und zur irdischen Kirche. In den verschiedenen Darstellungstypen, die sich von der Mitte des 4. bis zum 6. Jh. bilden, handelt es sich um die gegenwärtige Herrschaft des Kyrios. Unausgesprochen schwingt dabei ebenso wie bei dem Bild der Himmelfahrt die Erwartung der letzten Offenbarung in der Parusie, die Vollendung aller Verheißung bedeutet, mit. Die Tatsache, daß aus der Apokalypse lediglich die Visionen der himmlischen Liturgie ausgewählt wurden und die Paradiesesvorstellungen so lebendig waren, verweist auf diese Glaubenshaltung, die der Errichtung der Königsherrschaft Christi harrt.

Die vier Wesen – Der Cherub – Die Evangelistensymbole. Die vier Wesen – Mensch, Stier, Löwe, Adler –, die in der christlichen Kunst um 400 im Zusammenhang der Verherrlichung des erhöhten Christus und seiner Symbole zum erstenmal zu belegen sind, lassen sich als astrale Zeichen bis in die babylonische Kultur zurückverfolgen. Sie sind die Kardinalzeichen der Stier-

zeit (statt des Adlers der Skorpion, statt des Menschen der Wassermann) und bilden die vier Weltecken oder die Hüter an den vier Toren des Tierkreises, in dessen Mitte man sich den Himmelsozean als Sitz der Gottheiten vorstellte. Sie entsprechen auch den vier Jahreszeiten, und zwar der Stier dem Frühling, der Löwe dem Sommer, der Adler dem Herbst, der Mensch dem Winter. An Stadttoren und Palästen waren in Babylon als Wächter Löwe und Stier als Verkörperung der entsprechenden Gottheiten und als Symbole der Kraft (Sonne und Zeugung = Leben) angebracht[36]. Außerdem manifestierten sich in den Mischwesen der assyrisch-babylonischen Kunst göttliche und dämonische Naturkräfte verschiedenster Art, deren Gegensätzlichkeit auch zu den Darstellungen der Kämpfe von Tier- und Fabelgestalten führten.

Als Hesekiel die Gottesvision am Wasser Chebar niederschrieb (um 600 vor Christus), war er mit dem Volk Israel in der babylonischen Gefangenschaft. Er griff für die Schilderung des Thrones der Herrlichkeit Gottes die in Babylonien bekannten Bilder dieser überirdischen Mächte auf, Hes 1,3–28. In einer großen glänzenden Feuerwolke, die im Alten Testament immer Zeichen des gegenwärtigen Gottes ist (2 Mos 16,10; 19,18; 40,34 ff.; 5 Mos 1,33; 4,12; 33,26), sieht Hesekiel vier Tiere, die wie Menschen aussehen. Jedes hatte vier Angesichte und vier Flügel und vier Menschenhände. Sie waren zugleich den vier Himmelsrichtungen zugewandt, Vers 9.12.21. Ihre Angesichte waren vorn gleich einem Menschen, rechts gleich einem Löwen, links gleich einem Stier und hinten gleich einem Adler. Bei jedem Tetramorph stand ein Rad, mit Augen bedeckt, das wie vier Räder aussah und sich ebenfalls nach vier Richtungen bewegte, immer gleichzeitig mit den Wesen, wohin der Geist diese trieb. In Kapitel 10 wird die Schilderung noch einmal aufgegriffen. Die vier Wesen sind hier als Cherubim bezeichnet, sie werden 5,12 wie die Räder mit Augen bedeckt geschildert. Wenn sie ihre Flügel bewegten, rauschte es wie großes Wasser und wie ein Getöse des Allmächtigen, wenn sie

---

35. W. Neuß nimmt an, daß es im 5. Jh. in Nordafrika schon Apokalypse-Illustrationen gab, die der spanischen frühmittelalterlichen Gruppe der Apokalypsehandschriften als Vorlage dienten. Doch bleibt das eine Hypothese, da

von diesen frühchristlichen Illustrationen der Apokalypse nichts erhalten ist.

36. J. Schwabe, Archetyp und Tierkreis, Basel 1951, S. 160 ff.

sich niederließen, donnerte es im Himmel. Über ihnen breitete sich ein Kristall aus, darüber war der saphirgleiche Stuhl des Thronenden, um den es glänzte wie Feuer und wie ein Regenbogen. In diesen Wesen sind die Gestalt von Mensch und Tier, Glanz und Feuer, Bewegung nach allen Richtungen und Getöse oder Klang vereint. Die Augen ringsum bedeuten die das All umfassende Erkenntnis, Allwissenheit. Die prophetische Vision schildert nicht Gott selbst, das war den Juden verboten, sondern die allgewaltigen Kräfte, die von ihm ausgehen. Sie sind Ausstrahlungen seiner Lebensmacht und Herrschergewalt, seines Lichtes und seiner Herrlichkeit. Zugleich werden sie hier zu den Trägern des göttlichen Throns. Der Prophet im Exil knüpft nicht nur an die assyrisch-babylonischen Urbilder an, sondern ebenso an alte Aussagen über den Cherubimthron im Allerheiligsten des Tempels in Jerusalem, 2 Mos 25,17 ff. Auf dem Deckel der Bundeslade waren auf Geheiß Gottes zwei aus Gold gefertigte Cherubim mit ausgebreiteten Flügeln angebracht – darüber offenbarte sich Gott. Ps 80,2 und 99,1 sprechen vom Thronen Gottes über dem Cherubim. Für Ezechiel ist Gott nicht mehr im Allerheiligsten des Tempels lokalisiert. In der Vision deuten die Räder, die Urbild der Bewegung sind, und die Bewegung der vier Wesen nach den vier Himmelsrichtungen die Vorstellung des fahrenden Gotteswagens an. Schon Ps 18,11 heißt es von Jahwe: »und er fuhr auf dem Cherub ...«, vgl. auch Hes 9,3 und 10,15 ff. Dieser Gottes- und Feuerwagen ist Zeichen der Allmächtigkeit und Allgegenwart Gottes. Er ist als Thron und als Wagen in die christliche Kunst übernommen worden. Für den Wagen, in dem Elia gen Himmel fuhr, wird die Quadriga des Sol Vorbild gewesen sein, *vgl. Abb. 452,* für den »Thronwagen« des triumphierenden Christus, wie ihn z. B. das Himmelfahrtsbild des syrischen Rabulacodex wiedergibt, *vgl. Abb. 459,* ist vermutlich die alttestamentliche Tradition maßgebend gewesen, wenn auch beide Motivwege nicht ganz ohne Verbindung gesehen werden können, siehe dazu unten »Majestas Domini«.

Erst im 6. Jh. werden die Cherubim, zusammen mit den Seraphim, in den Schriften des Dionysios Areopagita den Engeln zugerechnet und an die Spitze der »Hierarchia coelestis« gesetzt, siehe dazu Bd. 4. Die Seraphim sind nach Jes 6,1–4 ebenfalls Thronwesen.

Sie haben nur ein Angesicht und sechs Flügel. Ihr Ruf, der den Tempel erbeben läßt, wird nicht als Getöse beschrieben, sondern ist liturgischer Lobpreis: »Heilig, heilig, heilig ist der Herr Zebaoth; alle Lande sind seiner Ehre voll.«

Die viergesichtigen Cherubim am Thron Jahwes hatte der Seher Johannes im Blick, als er die Thronvision Apk 4 und 5 schrieb. Aber er schilderte vier einzelne Wesen, von denen jedes nur eines der vier Angesichte des Cherubs trägt und sechs statt vier Flügeln hat. Auch sie umgeben den Thron am gläsernen Meer (Kristall), sind außen und inwendig voller Augen und haben Tag und Nacht keine Ruhe, da sie Gott den Herrn und das Lamm preisen. Sie gehören auch hier zur Herrlichkeit und Doxa des thronenden Herrn und des Lammes Apk 7,11; 14,3 und verkörpern zugleich den immerwährenden Lobpreis, 4,8; 5,8.

In dieser Funktion wurden die vier Wesen um 400 in endzeitliche Herrlichkeitsbilder und Huldigungsdarstellungen der christlichen Kunst aufgenommen. Im Apsismosaik der S. Pudenziana, Rom, um 400, *Abb. 618,* erscheinen sie in den Wolken paarweise horizontal gereiht zu beiden Seiten des Triumphkreuzes; in dieser Anordnung der westlichen Kunst, aber zu Seiten des Thronsymbols und mit Kränzen in den Händen, am Triumphbogen in S. Maria Maggiore, Rom, 432–440, *Abb. 557,* vgl. hinsichtlich der horizontalen Anordnung auch *Abb. 11.* In der Gewölbedekoration von S. Giovanni in Fonte, Neapel, um 400, umgeben die Wesen das Christogramm, und im Mausoleum der Galla Placidia, Ravenna, 2. Viertel 5. Jh., *Abb. 532,* das von Sternen umgebene Kreuz in der Kuppel. Da die Kuppel an sich ein Sinnbild des Alls ist und die vier Wesen in den Pendentifs im Quadrat angeordnet sind, ergibt sich eine Beziehung zu den vier Weltecken des astralen Tierkreises, und die vier Wesen werden so zu Trägern des Himmelsgewölbes. Ebenso sind die Wesen um die im Siegeskranz stehende triumphierende Christusgestalt auf der Holztür von S. Sabina, Rom, 432, im Quadrat angeordnet, *vgl. Abb. 458.* Diese Anordnung geht auf den Osten zurück, siehe bei »Majestas Domini«. Auf den beiden Tafeln des Elfenbeindiptychons des Domschatzes zu Mailand, 2. Hälfte 5. Jh., *vgl. Bd. 1, Abb. 53 und 423,* sind sie, von der corona vitae umschlossen, in den oberen Ecken angebracht und stehen zu den Brustbildern der Evangelisten in den unteren Ecken in Beziehung. Der Nimbus und das Buch in ihren Händen sind hier neue Motive. Auch auf dem restaurierten Mosaik in der Kuppel der erzbischöflichen Kapelle zu Ravenna, 494–514, halten die Wesen Bücher. Sie sind hier zwischen vier stehenden Engeln angebracht, die das Christogramm genauso tragen wie in S. Vitale das Lamm.

Die vier Bücher sind ein Attribut, das sich auf eine zweite Deutung der vier apokalyptischen Wesen bezieht, die aber die ursprüngliche nicht ablöst, sondern erweitert. Schon im 2. Jh. hat Irenäus in ihnen ein Symbol des viergestaltigen Heilswerks des Herrn und in zweiter Linie der Einheit des Evangeliums in seiner vierfachen Gestalt gesehen. Bei Irenäus ist der Löwe zum königlichen Wesen Christi in Beziehung gesetzt, der Stier zu seinem Opfertod und Priesteramt, das menschengestaltige Wesen zur ersten Parusie als Mensch und der Adler zu Pfingsten[37]. Die uns geläufige Ordnung geht auf Hieronymus (347–420)[38] und Gregor d. Gr. (540–604)[39] zurück: Mensch-incarnatio, Stier-passio, Löwe-resurrectio, Adler-ascensio. Aufgrund dieser Deutung kommt der Tetramorph-Cherub vereinzelt als Christussymbol vor, *vgl. Abb. 500, unten links.*

In der im Abendland sehr häufigen Zuordnung der Wesen zum erhöhten Christus oder einem seiner Symbole (Lamm und Kreuz) bleiben sie Verherrlichungssymbole, repräsentieren aber zugleich das Heilswirken des inkarnierten Logos und die Einheit des Evangeliums. Eine Erklärung des Hieronymus zu der Einheit der Evangelien, die »Plures fuisse« beginnt, ist, oft mit drei anderen Vorreden, als »Prologus quattuor evangeliorum« in die Vulgatahandschriften übernommen und dadurch verbreitet worden. Hieronymus setzt in dieser Erklärung die Evangelisten zu den vier Wesen in Apk 4 und 5 in Beziehung, weshalb bei den Illustrationen zu dem Prolog Motive aus diesem Text gewählt werden. Ihm steht im Evangeliar von S. Médard

in Soissons, Anfang 9. Jh., fol 1, *Abb. 541,* die Anbetung des Lammes, das bekannteste Bildmotiv aus den von Hieronymus zitierten Kapiteln, gegenüber. Die vier Wesen sind auf dieser Darstellung durch die Größe im Gegensatz zu den Ältesten und durch die eigene Bildzone hervorgehoben. Sie wenden sich nach oben und bringen ihre Bücher dem Lamm dar. In den Architekturteilen zwischen und unter ihnen ist der Sanctusruf Apk 4,8b eingefügt. Die nicht abgebildete Architektur auf dem unteren Bildteil lehnt sich nicht an einen Text der Apokalypse an[40]. An einer solchen Illustration wird deutlich, wie sich im frühen Mittelalter die ursprüngliche Bedeutung der vier Wesen mit der theologischen Interpretation verbindet.

Die Zuordnung der Symbole und dadurch auch die Reihenfolge ihrer Darstellung ist zunächst unterschiedlich. Seit Gregor werden in der Regel das menschengestaltige Wesen dem Matthäus-, der Stier dem Lukas-, der Löwe dem Markus- und der Adler dem Johannesevangelium zugeordnet. Doch hat noch Beda Venerabilis (673/74–735)[41] im Anschluß an Augustin den Löwen dem Matthäus und den Menschen dem Markus zugewiesen. Daraus erklärt sich die Darstellung des Löwen zu Beginn des Matthäusevangeliums im Codex Aureus von Sankt Emmeram um 870, *vgl. Abb. 422.*

Dargestellt werden die vier Wesen ganzfigurig, vielfach aber zum Teil von den Wolken oder der Glorie Christi verdeckt, oder als Halbfiguren bzw. Büsten, *Abb. 592,* oft im Kranz oder Clipeus. Als Ganz- und Halbfiguren haben sie in der Regel vier Flügel, doch kommen auch sechs vor. Der Adler als Symbol des Johannesevangeliums, dessen erste Verse von Christus als dem Logos sprechen, ist den anderen Wesen gegenüber, die Bücher tragen, oft durch die Rolle und, wie oben erwähnt, ebenfalls manchmal durch eine große Lichtgloriole oder Sonnenscheibe ausgezeichnet. Das Buch ist nicht nur Attribut der vier Wesen, sondern Symbol für das Evangelium, das heilbringende Wort, den Logos. Diese Bedeutung, die sich auf die Wesen

---

37. Contra haereses III, 11, 8, MPG 7, Sp. 885—90.
38. 2. Matthäus-Kommentar, MPL 26, Sp. 15—22.
39. Hom. in Ezech. lib. I, Hom. 4, MPL 76, Sp. 815.
40. A. Boeckler, Formgeschichtliche Studien zur Ada-gruppe, Abhdlg. der Bayer. Akad. d. Wiss., Phil.-Histor.

Klasse, N.F., Heft 42, München 1956. St. Beissel, Evangelienbücher, S. 229—231 und Hinweise in den Anmerkungen. W. Köhler, Hofschule Karl d. Gr., Textband I, 1956, S. 71.
41. Beda, Explanatio Apocalypsis I, 4, MPL 93, Sp. 144.

überträgt, schwingt immer mit. In besonderer Weise kommt sie auf einer Darstellung eines karolingischen Evangeliars aus dem Kloster Fleury zum Ausdruck, *Abb. 540*, auf der sie eng nebeneinander, mit den Anfangsbuchstaben der Evangelien bezeichnet, stehen und über ihnen die erhobene göttliche Hand erscheint. Sie ist hier Zeichen des Christus-Logos und des Kosmokrator, siehe oben und vgl. zu dieser Darstellung auch S. 242. Die Wesen haben hier sechs Flügel.

Schon in der zweiten Hälfte des 8. Jh. sind in westfränkischen und südenglischen Handschriften und im Book of Kells die vier Wesen in anthropomorphen Gestaltungen zu finden, *vgl. Abb. 673, 679, Bd. 2. Abb. 373.* Entweder tragen menschliche Figuren (oder Büsten) einen der Köpfe der Wesen, oder jedes Wesen trägt wie der Tetramorph-Cherub der Hesekielvision die vier Angesichte. Bei diesen Kombinationen können die Flügel fehlen. Die anthropomorphen Gestalten lassen erkennen, daß dem frühen Mittelalter der Ursprung der Thronwesen, auch wenn sie die Namen der Evangelisten tragen, noch bewußt war. Es können aber auch die Cherubräder mit den Symbolgestalten verbunden werden, wie auf einer Platte des asturischen Reliquienschreins in Oviedo, um 910, *Abb. 553*, wo sie nach Hes 10,13 als Wirbel verbildlicht sind.

Die Zuordnung der apokalyptischen Wesen zu den Evangelistengestalten ist vereinzelt von der zweiten Hälfte des 5. Jh. an zu beobachten. In der Buchmalerei werden sie sehr häufig zu Beginn der Evangelien den einzelnen Evangelisten beigegeben oder stehen an ihrer Stelle, ein frühes Beispiel *vgl. Bd. 1, Abb. 425*, die Autorenseite im sog. Augustinus-Codex. Auch auf diesen Darstellungen zu Beginn der Evangelien oder im Zusammenhang der Kanonbögen behalten sie im frühen Mittelalter ihre übergeordnete Bedeutung als Ausdruck des Evangeliums im Sinne des Wirkens Christi. Sie sollten deshalb nicht verallgemeinernd in jedem Falle Evangelistensymbole genannt werden. Erst allmählich werden sie enger mit den Evangelisten verbunden, später sind sie ihnen dann attributhaft beigegeben. Der Wandel vom Verherrlichungssymbol zum Evangelistensymbol ist an einigen Darstellungen der Majestas Domini zu beobachten. In diesen Kompositionen ziehen die apokalyptischen Wesen die Gestalten nach sich, siehe unten. Als Symbol der Verherrlichung Christi und seines Evangeliums treten sie bis zum 13. Jh. sehr oft in der Zuordnung zu dem erhöhten Christus, dem Kruzifixus, dem Kreuz und dem Lamm auf. Man sollte bei diesen Darstellungen immer den ursprünglichen Sinngehalt der vier Wesen im Auge behalten.

An die Wesen werden manchmal andere Vierergruppen angegliedert: entweder die Evangelistengestalten, die Propheten, vereinzelt auch Kardinaltugenden – dabei liegt der Akzent auf der Kirche, oder die vier Paradiesesflüsse und die vier Elemente – dabei liegt der Akzent auf der Herrschaft über den Kosmos: alle huldigen Christus oder dem Lamm, alle sind Hinweis auf die das Heil der Welt bewirkende Herrschaft des Christus (vgl. dazu auch *Bd. 2*, vor allem S. 118 ff. und *Abb. 373, 374, 377, 379–400, 404, 419, 426)*; siehe Beispiele unten bei Majestas Domini. Auf die Evangelistensymbole und diese Gestaltgruppen kommen wir im 4. Band im Kapitel »Kirche« noch einmal zurück.

Das Christuslamm in den frühchristlichen Bildprogrammen. Da im 2. Band S. 129–133 das Christuslamm als Symbol des Opfertodes und der Auferstehung und auch die typologischen Bezüge zum Passalamm und zu anderen alttestamentlichen Opfertypen schon behandelt wurden, können wir uns hier auf einige Hinweise auf Darstellungen des apokalyptischen Lammes innerhalb früher christlicher Bildprogramme beschränken[42]. Wenn der Denkmälerbestand nicht trügt, ist das Gotteslamm im Zusammenhang der Übernahme einiger Motive der Apokalypse des Johannes in theodosianischer Zeit von der christlichen Kunst aufgenommen worden. Dadurch tritt es von Anfang an als das erhöhte Lamm in der paradiesischen Herrlichkeit in Erscheinung und vertritt als Christussymbol die Gestalt des zu Gott erhöhten Christus. Es steht auf dem Paradiesesberg, im Jahreszeitenkranz,

42. F. Meinecke, Das Symbol des apokalyptischen Christuslammes als Triumphbekenntnis der Reichskirche, Phil. Diss. Straßburg 1908; F. Nikolasch, Das Lamm als Christussymbol in den Schriften der Väter, Wien 1958; ders., Das Lamm als Christussymbol in der frühchristlichen Kunst, Hab.-Arb. 1965, Theol. Fakultät der Univ. Salzburg (ungedruckt); F. Gerke, Der Ursprung der Lämmerallegorien in der altchristlichen Plastik, in: ZNW 33, 1935, S. 160—195.

inmitten der großen Sternenglorie, im Medaillon oder Clipeus, es steht vor dem Thron oder liegt auf ihm, es steht vor dem Triumphkreuz oder es bildet dessen Mitte, und es wird ihm gehuldigt. In alledem entspricht es als Triumphzeichen dem Siegeskreuz und dem umkränzten Namenszeichen. Doch ist die Bedeutung dieses Lammes eine vielschichtige, wie die aller echten Symbole. In Apk 5 wird das Lamm zuerst erwähnt, und zwar am Thron Gottes inmitten der vier Wesen und der 24 Ältesten. Es ist das vom Tod gezeichnete Lamm, Vers 6, das allein würdig ist, die sieben Siegel des Buches zu öffnen: »denn du bist erwürgt und hast uns Gott erkauft mit deinem Blut«, Vers 9. Deshalb wird es zusammen mit Gott von aller Kreatur gepriesen. Wie Apk 1,7 bei der Erscheinung des Herrn auf den Wolken ist auch beim Lamm ein sehr klarer Bezug auf den Opfertod als Voraussetzung für die Erhöhung an den Thron Gottes und zum Vollzug der richterlichen Funktion gegeben, denn das Öffnen der Siegel bewirkt den Beginn der Geschichte der Endzeit. Im 22. Kapitel erscheint das Lamm noch einmal auf dem Thron, der hier »Stuhl Gottes und des Lammes« – »sedes Dei et Agni« – genannt wird. Der Gekreuzigte steht als der Erhöhte in Throngemeinschaft mit Gott. Es ist das letzte Bild der apokalyptischen Verheißungen. Von dem Thron geht der »Strom des lebendigen Wassers« aus, an dessen Seite das »Holz des Lebens« steht, das zwölfmal, d. h. immer, Früchte bringt. Dieser Strom des ewigen Gottesreiches ist in Parallele zu den vier Flüssen des Paradieses der ersten Schöpfung gesetzt worden, die schon Irenäus im 2. Jh. als die Heilsströme des Evangeliums deutete. Man verband sie mit dem Berg Sion (Zion), dem Berg des Ewigen Gottesreiches. Kap. 14,1–5 schildert die Anbetung des Lammes auf diesem Berg. In Entsprechung zu der Deutung der Ströme des Paradieses wird seit etwa 380 das Lamm auf dem Paradiesesberg, dem die vier Ströme entspringen, dargestellt, *Abb. 616.* Dieses Motiv wurde zunächst größeren Figurenkompositionen eingefügt, so daß es in bezug zu dem erhöhten Christus und inmitten derer, die es preisen, steht. Nach Kap. 5 sind es die vier Wesen und die 24 Ältesten, nach Kap. 14,1 und 3 singen die hundertvierundvierzigtausend (= 12 Stämme Israels zu je 12 000), die seinen Namen an der Stirn tragen, dem Lamm das Neue Lied. Nach

Kap. 7,9 ist es die unzählbare Schar aus allen Völkern und Sprachen, angetan mit den weißen Kleidern und Palmen (Siegeszeichen und Märtyrerattribut) in ihren Händen, die nach Vers 14 aus großer Trübsal kommen, aus der sie durch das Blut des Lammes erlöst wurden. Das Lamm wird sie weiden und zu den lebendigen Wasserbrunnen führen, Vers 17. Schließlich heißt es 21,23, daß die ewige große Stadt auf dem Berge, auf deren Grundsteinen die Namen der »zwölf Apostel des Lammes« stehen, weder der Sonne noch des Mondes bedarf, da ihre Leuchte das Lamm ist.

Wie schon gesagt, werden diese Texte in der frühen Kunst nicht illustriert, aber sie sind bekannt und bilden den Hintergrund für die Darstellung des Lammes als Symbol für den triumphierenden Erlöser der Welt. Das verherrlichte Lamm weist aber zugleich auf die Menschwerdung Christi und auf die Erlösung durch den Kreuzestod hin.

Im Früchte- oder Jahreszeitenkranz steht das Lamm auf einer Diptychonplatte, 2. Hälfte 5. Jh., Mailand, *vgl. Bd. 1, Abb. 53* – es trägt hier die corona vitae als Nimbus; ebenso auf dem Deckenmosaik der unter Hilarius 461–468 erbauten Kapelle des Johannesevangelist neben dem Lateranbaptisterium, *Abb. 537.* In den Ecken dieses Mosaiks sind vier Kreuze in farbigen Medaillons angebracht, die sich vermutlich auf die Allwirksamkeit der Erlösung beziehen.

In der erzbischöflichen Kapelle in Ravenna ist an einem der Gurtbögen ein Mosaikfragment, um 545, erhalten, das zwischen zwei Adlern, die goldene Kränze im Schnabel halten, das Lamm zeigt. Mehrfach steht es im Scheitelbogen der Apsiskonche. In welcher Weise damit ein Bezug auf den Altar gegeben ist, läßt sich nicht eindeutig generell sagen. Ein Beispiel für diese Anbringung, die bis zum hohen Mittelalter vorkommt, ist die Apsis von S. Michele in Affricisco um 550, ehemals Ravenna, heute Berlin-Ost, *Abb. 633.* In dem Bogen schließen sich an das Lamm im Medaillon nach beiden Seiten von Ranken umschlossene Tauben an, die hier die Apostel als die himmlische Kirche symbolisieren. Das Lamm steht in der Achse zwischen dem thronenden Christus, der zum Gericht erscheinen wird, und dem siegreichen Christus mit dem Gemmenkreuz. In diesem Zusammenhang weist es nicht nur auf die Eucharistie am Altar, sondern auch auf das zukünftige Mahl, zu dem der himmlische König lädt, Apk 19,9 (Vers 7 spricht von der Hochzeit des Lammes, ein Bild für die Vereinigung der Kirche mit dem Herrn).

In der Apsis des Domes von Parenzo (Poreč), *Abb. 635*, ist die Anordnung des Lammes die gleiche, allerdings ist in der Apsiskonche die Gottesmutter dargestellt, so daß das Lamm zwischen dem thronenden Christus und dem im Schoß der Mutter thronenden Sohn steht, d. h. vermutlich: zwischen der ersten und der zweiten Ankunft des Herrn; die Mitte bildet das Lamm als Sinnbild des Opfertodes.

Dieser unmißverständliche Bezug zwischen Lamm und Menschwerdung klingt in einem Fresko aus der Zeit Leos IV. (847–855) in S. Sylvester zu Tours an, das das Lamm zwischen Johannes dem Täufer und Johannes dem Evangelisten zeigt. Dem Täufer sind die Worte: »Ecce agnus Dei« und dem Evangelisten: »In principio erat verbum« hinzugefügt. Das unter Bischof Bernward von Hildesheim zwischen 1011–1014 geschriebene Evangeliar gibt zu Joh 1 eine Illustration, die oben das Lamm am Thron Gottes, wie es das erste Siegel des Buches öffnet, und im unteren Bildteil das Kind in der Krippe wiedergibt, *vgl. Bd. 1, Abb. 8.* Andererseits wird schon in früher Zeit das Lamm als Symbol der zweiten Person der Trinität dargestellt. Über den Apsisschmuck der kurz nach 400 erbauten, nicht mehr erhaltenen Felixbasilika von Nola schreibt der Erbauer Paulinus von Nola in Versen: »Geheimnisvoll erstrahlt die Dreieinigkeit, Christus steht da als Lamm, des Vaters Stimm' vom Himmel tönt. Und in der Taube schwebt herab der Heil'ge Geist. Das Kreuz umgibt ein Kranz in hellem Kreise, und diesen Kranz als Kranz ziert der Apostel Schar, die in dem Chor der Tauben dargestellt sind[43].« Am aufschlußreichsten für die Darstellung des Christuslammes innerhalb eines großen Figurenprogrammes ist der Mosaikschmuck des Presbyteriums von S. Vitale in Ravenna. Der Bau ist von Bischof Ecclesius in Auftrag gegeben, aber erst unter Bischof Victor, wahrscheinlich 540 nach der by-

zantinischen Eroberung Ravennas, begonnen worden. Die Mosaiken entstanden unter seinem Nachfolger Maximian, der den Bau 547 weihte[44]. Zeitlich steht der Mosaikschmuck am Ende der frühchristlichen Epoche und verbindet viele der in Ost und West seit langer Zeit geprägten Motive zu einer den Raum umfassenden Bildkomposition, in der die Rückkehr zu dem orthodoxen Glauben nach der Ostgotenherrschaft zum Ausdruck kommt, *Abb. 538*. Die einzelnen Motive beruhen einerseits auf Bildtraditionen, die bis in die spätjüdische Kunst zu verfolgen sind, andererseits auf der römischen Triumphalkunst; beide Traditionsgruppen haben in dieser Zeit längst den Prozeß einer christlichen Sinndeutung, der freien Abwandlung und der Einschmelzung in die christliche Kunst, ebenso der typologischen Zuordnung zueinander durchlaufen. In S. Vitale werden sie in souveräner Weise für die Verwirklichung einer theologischen und künstlerischen Konzeption verwandt. Im Zentrum des Gewölbes steht das nimbierte Christuslamm als Weltenherrscher vor der mit 27 Sternen besetzten Himmelskugel innerhalb eines mit Früchten bereicherten Lorbeerkranzes, der von vier Engeln getragen wird. Auf den Kranz laufen vier Girlanden zu. Sie haben wie der Kranz glorifizierende Bedeutung, Lorbeer ist nach römischer Tradition Sinnbild des Ruhmes und der Unsterblichkeit. Der Gedanke wird unterstrichen durch die vier radschlagenden Pfauen in den Ecken, von denen die Girlanden ausgehen, denn in dem Rad des mit Augen übersäten Gefieders ist ein Abbild des Firmaments gesehen worden. Wie oben schon gesagt, konnte bei der römischen Apotheose der Kaiserinnen der Pfau eine ähnliche Rolle spielen wie der Adler bei der der Kaiser. Die Pfauen stehen auf Kugeln, die auf von zwei Delphinen getragenen Platten ruhen. Auch die Delphine sind Symbole des ewigen Lebens[45]. Die Vorbilder der vier Engel sind in den fliegenden Victorien, die ein Triumphzeichen tragen, zu suchen. Sie sind auf dem Prinzensarkophag, Ende 4. Jh., schon zu Engeln umgedeutet (ältestes Bei-

43. Epist 32, 18, CSEL 29, 286 (Hartel), Übersetzung nach W. Neuß, Kunst der Alten Christen, Augsburg 1926, S. 101; A. Weis, Die Verteilung der Bildzyklen des Paulinus von Nola in den Kirchen von Cimitile, in: RQ 52, 1957, S. 129—150; F. Nikolasch, Das Lamm als Christus-

symbol, Wien 1956, S. 121 ff.

44. F. W. Deichmann, Ravenna, I, 1969, S. 226 ff., die angegebene Datierung nach Deichmann; C. O. Nordström, 1953, S. 88 ff.

45. C. O. Nordström, S. 23.

spiel), *Abb. 530*. Die Flächen zwischen den Engeln sind mit Akanthusranken überzogen, bereichert durch verschiedene Vögel und Früchte. Dieses in der Antike beliebte Dekorationsmotiv übernahm die christliche Kunst (Apsidenmosaik der Vorhalle des Lateranbaptisteriums, 432–440) als Paradiessymbol, sie deutete, wie schon erwähnt, den Akanthusstrauch gleich dem Weinstock als Lebensbaum. Der gesamte Schmuck des Gewölbes zielt auf die Verherrlichung des Christuslammes ab.

Sieht man das Lamm im Gesamtzusammenhang der Darstellung, so wird seine Bedeutung nach zwei Richtungen hin entfaltet. Die beiden Lünettenmosaiken der Seitenwände geben die alttestamentliche Opfertypologie wieder. Sie beginnt links mit dem Besuch der drei Engel in Mamre. Abraham trägt für die Gäste ein Kalb auf. Die Art, wie er die Schüssel trägt, drückt die Darbringung einer Gabe aus. Das stimmt mit der Interpretation des Ambrosius überein, der in diesem Kalb eine Opfergabe in Parallele zum Osterlamm und zum Meßopfer sieht[46]. Die Engel künden bei diesem Besuch die Geburt des Isaak an, der als Prototypus Christi gilt. Das Opfer Abrahams, bei dem Isaak zum Tode bereit ist, schließt unmittelbar an die zu Tisch (Altar) sitzenden Engel an. In der gegenüberliegenden Lünette stehen zu beiden Seiten eines Altars Abel und der Priesterkönig Melchisedek. Sie bringen ihre Opfergaben – Lamm und Brot – Gott dar. Diese Gestalten sind aus der biblischen Erzählung herausgelöst und haben hier als alttestamentliche Opfertypen eine hinweisende Bedeutung. Über beiden Lünetten demonstrieren zwei Engel die mit Steinen geschmückte Crux triumphalis. Auch diese Bildzone trägt alttestamentliche Gestalten, außen Jeremia und Jesaja, innen die Gesetzesübergabe an Mose auf dem Sinai, darunter die wartenden Juden und die Berufung des Mose am brennenden Busch, darunter Mose als Hirt. Zwischen dem jugendlichen Mose-

Hirten, der ein Lamm liebkost, und dem Christus-Hirten im Mausoleum der Galla Placidia, *Abb. 627*, besteht ein Zusammenhang. Die beiden Mosesszenen unterstreichen als Darstellungen alttestamentlicher Theophanien die Gottheit Christi, die das Apsisbild zum Ausdruck bringt, *vgl. Abb. 631*. Das justinianische Apsismosaik der Kirche des Katharinenklosters auf dem Sinai, das mit dem von S. Vitale eng verwandt ist, ordnet diese beiden Gottesoffenbarungen am Horeb und am Sinai der Verklärung Christi auf einem hohen Berg zu, also ebenfalls einem Bildmotiv der Repräsentation des erhöhten Christus, in dem seine Gottheit offenbar wird. Beide Szenen standen schon in der Synagoge von Dura-Europos, 244–245, in Beziehung zu dem Thoraschrein und verwiesen da mit anderen typologischen Szenen auf »die eschatologische Hoffnung Israels und die künftige Erfüllung alter geschichtlicher Verheißungen«[47].

In der oberen Arkaden- und Fensterzone sind dem Lamm die vier zu ihm aufsehenden Evangelisten zugeordnet. Auf allen älteren Denkmälern werden allein die vier Wesen als Huldigende gezeigt; S. Vitale bietet das älteste erhaltene Beispiel, das die Evangelistengestalten in einer Landschaft sitzend, das Schreibgerät neben sich, darstellt und ihnen die vier Wesen ohne Flügel in bemerkenswerter Naturalistik attributhaft beigibt. In den Büchern der Evangelisten sind ihre Namen zu lesen, nur bei Matthäus sieht man die unleserliche blockartige Schrift, die bei der Darstellung der Judenkirche oder im Buch des sie vertretenden Petrus mehrfach vorkommt und als hebräische Schrift verstanden werden soll. In der Hand des Matthäus gibt das Buch mit diesen Schriftzeichen der verbreiteten Ansicht, das Matthäusevangelium sei das älteste, Ausdruck. Die beiden Gebäude an der Apsiswand gehören in die Traditionsreihe der Architekturformeln für Jerusalem

46. De Abraham, lib. I, MPL 14, 437. Die drei Engel sind als die Trinität gedeutet worden, siehe dazu Bd. 4. Nordström behandelt diese Darstellung des Engelbesuches bei Abraham S. 94—98 besonders ausführlich und untersucht S. 104—119 den theologischen Sinn der vier Lünettendarstellungen.

47. Vgl. hierzu G. Kretschmar, Abraham unser Vater, 1963; Kretschmar nimmt an, daß die Fresken von Dura-Europos auf noch ältere Synagogenmalereien zurückgehen,

die nicht durch die Buchmalerei, sondern durch Vorlagen und Musterbücher, die Flüchtlinge aus den von den Sassaniden besetzten Grenzgebieten mitbrachten, übermittelt worden sind. Zur Beziehung von Sinaiszene und Himmelfahrt Christi, ebenso zum Abrahamsopfer siehe bei Himmelfahrt, S. 145. Detailaufnahmen der alttestamentlichen Szenen, die bei unserer Gesamtaufnahme nicht deutlich werden, siehe Deichmann, Abb. 314—329, bei uns Bd. 5 Altes Testament, die Abrahamsszene Bd. 4 bei Trinität.

und Bethlehem, die als Juden-Heidenkirche die Oikumene symbolisieren; siehe unten. Die Fenster darüber werden von Weinranken umzogen, die Tauben zwischen ihnen allegorisieren die Seligen im Paradies.

Steht man als Betrachter im Eingang zum Presbyterium, so erblickt man über sich das Halbfigurenbild des erhöhten Christus, das von beiden Seiten von zwei überkreuzten Delphinen gehalten wird. Zu seiner Rechten das Medaillonbild des Paulus, zur Linken entsprechend das des Petrus; an sie schließen die anderen Apostel an. Diese gereihten Apostelmedaillons sind in Ravenna beliebt. Sie entsprechen der Tendenz zur abstrahierenden symbolischen Darstellung und sind Nachfahren der Darstellung des Apostelkollegiums der Kunst des 4. und 5. Jh.

Von dem Christusbild im Scheitelbogen geht der Blick des Betrachters zum Lamm in der Wölbung und gleitet dann über das von zwei schwebenden Engeln gehaltene Lichtzeichen zum Apsisbogen, wo, wiederum der römischen Ikonographie entstammend, das Christogramm von zwei Adlern, die auf zwei sich überkreuzenden Füllhörnern stehen, gehalten wird. In der Apsiskonche offenbart das Bild des auf dem Globus thronenden Christus die Herrlichkeit des ewigen Herrschers, siehe dazu unten *Abb. 631*. In einem einmaligen Reichtum von Symbol- und Gestaltbezügen wird die Bedeutung des Christuslammes im Zenit dieses Zentralraumes als Zeichen für die Weltherrschaft des Erlösers entfaltet. Schließlich liegt in dem Lamm hoch über dem Altar noch der Hinweis auf das zukünftige Mahl der Herrlichkeit in der ewigen Gemeinschaft. Nicht mehr zu sehen sind auf unserer Abbildung die Darstellungen im Apsisgewände: die Darbringung des Kelches durch die Kaiserin Theodora und der Patene durch Justinian. Als einzige der den Kaiser begleitenden Personen ist Bischof Maximian durch seine Größe und die Namensbezeichnung hervorgehoben. Er ist von Justinian nach Ravenna gesandt worden, um gegen die Irrlehre des Arianismus zu kämpfen. Indem er sich hier selbst neben dem Kaiser als zweite Hauptfigur abbilden ließ, betont er nicht nur die bischöfliche Autorität neben der kaiserlichen Macht, sondern ebenso seinen Auftrag in Oberitalien, die Bischöfe wieder für das Christusbekenntnis zurückzugewinnen: Gott von Gott, Licht vom Licht.

Die unmittelbare Verbindung von Lamm und Kreuz scheint im 5. Jh. in der Sarkophagplastik Ravennas im Zusammenhang mit der Vorliebe, Figuren durch Zeichen zu ersetzen, aufgekommen zu sein. Es werden da ebenso die Apostelfürsten Petrus und Paulus durch Lämmer oder Kreuze verbildlicht. Der Honoriussarkophag, Anfang 6. Jh., *Abb. 589*, zeigt in der Mitte unter einer baldachinartigen Giebelarchitektur das Christuslamm auf dem Paradiesberg, hinter ihm steht das Kreuz mit den ausschwingenden Enden, auf dessen Querbalken zwei Tauben sitzen; mit ihren Schnäbeln berühren sie das Kreuz. Dasselbe Kreuz ohne Tauben steht zu beiden Seiten unter einer Bogenarchitektur. Hierbei handelt es sich um eine abgekürzte und auf Symbole reduzierte Huldigung des erhöhten Christus durch Paulus und Petrus, die von Akklamationsszenen und der Traditio-legis-Darstellung abgeleitet ist; siehe unten. Auffallend bei diesem Lamm ist die betonte Rückwendung des Kopfes bei der profilen Ansicht des Körpers, die in Ravenna oft vorkommt, während das stehende Christuslamm auf römischen und oberitalienisch-gallischen Werken des späten 4. und 5. Jh. den Oberkörper in die frontale Haltung wendet oder schräg steht, so daß es aus dem Bildraum herausblickt. Auf dem Mailänder Sarkophag, um 380, *Abb. 583*, ist diese Rückwendung ebenfalls zu beachten. Sie ist hier jedoch durch das Aufblicken zu Christus modifiziert.

Diese Rückwendung des Lammes wird für die mittelalterliche Darstellung des Agnus Dei, der das Kreuz trägt, allgemein üblich. Wann das Motiv des Tragens des Kreuzes mit einem Fuß aufkommt, läßt sich nicht mit Sicherheit sagen. In der Väterliteratur wird nicht davon gesprochen. Einige Tonlampen Nordafrikas weisen das Motiv auf[48]. Das bekannteste Beispiel ist das schon erwähnte 40 cm hohe vergoldete Silberkreuzreliquiar Justins II. (565–578), *Abb. 543*, das im Schnittpunkt das Lamm mit dem Kreuz zeigt. Es ist nicht ausgeschlossen, daß im 5. Jh. in Parallele zu dem Bildtypus des Christus victor, der mit dem geschulterten Kreuz auf den Tieren steht, die Darstellung des Lammes, das das Kreuz geschultert trägt, aufkam. In der mittelbyzantinischen Epoche fehlen Beispiele für die Darstellung des Lammes, von denen man auf

48. F. Nikolasch, 1965, S. 128 ff.

frühe Darstellungen schließen könnte. Das hängt vermutlich mit dem Trullanischen Konzil in Konstantinopel, 692, auf dem die Darstellung des Christuslammes als unerwünscht bezeichnet wurde, zusammen. Die Beispiele in *Bd. 2, Abb. 397 bis 400*, leiten das Lamm von Apk 5 ab: Es wird von den vier Wesen angebetet, steht auf der versiegelten Rolle (Buch) oder dem Berg, es sind ihm die Leidenszeichen im Sinn von Hoheitszeichen oder das Alpha und Omega zugeordnet. Auch die Huldigung der Ältesten vor dem Lamm ist in der Kunst des 9. und 10. Jh. noch als Einzelszene, also nicht innerhalb von Apokalypse-Illustrationen, dargestellt worden, wie die schon erwähnte Miniatur des Evangeliars von St. Médard in Soissons, der Hofschule Karls d. Gr. um 810, *Abb. 541*, zeigt. Im Abendland ist vereinzelt schon im 8. Jh. dem Lamm bei der isolierten Darstellung das Stabkreuz als Siegeszeichen beigegeben, aber erst vom 10. Jh. an verbreitet sich das Lamm, das mit einem Fuß das Kreuz hält und zu ihm zurückblickt: Deckel des von dem asturischen König Alfons, 866–910, gestifteten Reliquienschreins im Schatz der Kathedrale von Astorga (Prov. León), *Abb. 545*.

Die folgenden Kapitel lassen die Bedeutung des Lammes im Zusammenhang verschiedener Bildthemen und Kompositionen vom späten 4. Jh. an deutlich werden, vor allem das Kapitel »Das Symbol des Thrones« und die »Traditio legis«. Vgl. aber auch die Apokalypse-Illustrationen und das Allerheiligenbild in Bd. 4.

Die Apostel (Apostelkollegium) in den endzeitlichen Herrlichkeitsbildern. Bei den himmlischen Repräsentationsszenen bedeutet das Apostelkollegium die eschatologische Heilsgemeinde, die himmlische Kirche, das neue Israel. Von der Herrschaftsvorstellung aus gesehen sind die Apostel das Christus beigegebene Konsistorium, die Mitregierenden und Beamten im Gottesstaat (Augustin), deren Ämter und Funktionen von dem jeweils wiedergegebenen zeremoniellen Vorgang bzw. von der Würde, in der Christus repräsentiert ist, bestimmt werden. Ist Christus als Bischof aufgefaßt, so repräsentieren sie den Klerus. Sie können als die Schüler des himmlischen Lehrers seine Weisungen hören und diskutieren, als Apostelsenatoren durch Gesten dem Christus-Basileus huldigen oder durch die Spende von

Kränzen (aurum oblacium) ihn zum Herrscher akklamieren bzw. ihn beim Antritt der himmlischen Herrschaft ehren[49]. Auch wenn nur sechs oder acht Apostel dargestellt sind, so sind doch immer alle gemeint. Oft sind die auf der Vorderfront eines Sarkophags fehlenden Apostel an den Seitenwänden wiedergegeben. Seit der Mitte des 4. Jh. sind Petrus und Paulus, die in Rom eine Vorrangstellung innehaben und das ganze Apostelkollegium vertreten können, charakterisiert: durch kurzen Haarschnitt und runden Vollbart bzw. durch hohe Stirn, kahlen Vorderschädel und längeren Vollbart. (Im Mittelalter hat Petrus eine Glatze und Paulus einen Spitzbart.) Sie stehen als die beiden Hauptapostel in den verschiedenen Kompositionsformen und Themen zu beiden Seiten Christi. Sind sie als die Vertreter der Kirche im Sinne der Oikumene dargestellt, dann vertritt Paulus die Kirche aus dem Heidentum – ecclesia ex gentibus – und Petrus die aus dem Judentum – ecclesia ex circumcisione. Wird die Oikumene außerdem durch zwei Stadtarchitekturen oder durch zwei Frauengestalten symbolisiert, so ist Bethlehem Paulus zugeordnet, Jerusalem aber Petrus (zur Kirche vgl. auch Bd. 4).

Ihre Funktion als Thronassistenten oder -paladine im Zeremonienbild wird in der Kunst Konstantinopels und ihres Einflußgebietes häufig von zwei Engeln übernommen. Bei der Zuführung und Empfehlung (praesentatio) von Heiligen, Namenspatronen und Stiftern, die öfters mit der Überreichung des Lebenskranzes (traditio coronae) durch Christus an einen von ihnen oder mit der Kranzspende (bzw. der Weihe des Märtyrerkranzes) an Christus verbunden ist, werden die Märtyrer auf römischen Darstellungen in der Regel von Petrus und Paulus dem himmlischen Herrscher vorgeführt. Im Paradies werden nur Märtyrer dargestellt, zu denen die Apostel zählen. Sie tragen in der Regel weiße Gewänder, Apk 6,11; 7,9.14. Sind die Apostel nach Mt 19,28 als Beisitzer im Gericht verstanden, so sind sie immer in der Gesamtzahl und sitzend versammelt. Diese Funktion tritt in der frühen Kunst im Gegensatz zur mittelalterlichen weniger her-

---

49. Th. Klauser, Aurum coronarum, S. 140 ff., in: Röm. Mitt. LIX, 1944, München 1948, S. 129 ff., ders., in: RAC, I (1950), Sp. 1010—1020.

vor, da die Offenbarung des erhöhten Herrn die von der theodosianischen bis zur justinianischen Zeit das Hauptthema der Kunst ist, nicht mit dem Weltgericht identisch ist. Der frühe Darstellungstypus des Herrn mit seinen Aposteln läßt sich bis über das hohe Mittelalter hinaus verfolgen.

Die Apostel, vor allem dann, wenn sie als Heilsgemeinde aufgefaßt sind, werden von theodosianischer Zeit an häufig durch Lämmer symbolisiert, während vorher in der Katakombenmalerei Lämmer in der paradiesischen Landschaft – sofern es sich nicht um heidnische bukolische Szenen oder Hirtendarstellungen handelt – allgemein Gläubige veranschaulichen. Die Apostel-Lämmer-Allegorie ist auf Joh 10,14 ff. zurückzuführen. Das Bild vom Hirten und der Herde findet sich bereits im Alten Testament, so Hes 34,22–25; Jes 40,10 f. Sehr deutlich ist die Gleichsetzung von Aposteln und Lämmern auf dem Sarkophag Lat. 177 (ehem. Zählung), Ende 4. Jh., wo den zwölf zu beiden Seiten Christi stehenden Aposteln je ein Lamm zugeordnet ist. Christus selbst trägt den Nimbus, ist aber als Hirte gekleidet und liebkost ein Lamm.

Ravenna bevorzugt im 5. Jh., wie schon erwähnt wurde, die Lämmerallegorie auch für Paulus und Petrus in der Zuordnung zum Kreuz oder Christuslamm. Dann und wann vertreten auch zwölf Tauben die Apostel, *vgl. Bd. 1, Abb. 344.* In der Regel veranschaulichen die Tauben jedoch die Seelen, die sich im Paradies an den Früchten und dem Lebenswasser erquicken. Die Apostellämmer sind zuerst innerhalb der Darstellung der Traditio legis greifbar. Ihre Bedeutung führt da über die Apostel hinaus zu der eschatologischen Schar der Erlösten im Paradies, die nach Apk 5,8.14 dem Christuslamm huldigen. Apk 7,14–17 schildert sie am Throne Gottes, beschützt vom Thronenden und vom Lamm (Christus) und zur Weide und zum lebendigen Wasserbrunnen geführt. Nach Apk 14,1 stehen sie mit dem Signum des heiligen Namens gezeichnet beim Lamm auf dem Berge und singen ein neues Lied. Schließlich heißt es Apk 21,14, wie oben schon erwähnt, daß auf den zwölf Grundsteinen der ewigen Stadt die Namen der zwölf Apostel des Lammes stehen.

Das Symbol des Thrones – Die Etimasia. Der Thron ist das Zeichen der königlichen Herrschaft schlechthin,

die das Richteramt einschließt. Ps 103(102),19 spricht vom Thron der Herrschaft, und immer wieder wird im Alten Testament der Stuhl oder der Thron als ein Symbol für die Macht Gottes, aber auch für die israelitische Königsherrschaft gebraucht, vgl. Ps 11,4; 45,7; 93,2; Jes 9,6 (Stuhl Davids), 16,5 (Stuhl der Gnade) u. ä. Die Thronbilder der Apokalypse sind von denen des Alten Testaments beeinflußt, vgl. S. 183 f. Mt 25,31 bezeichnet den Thron des Weltenrichters als »Stuhl der Herrlichkeit«. Christus verheißt nach Mt 19,28 den Aposteln, daß sie im zukünftigen Gottesreich, wenn er auf dem Thron der Herrlichkeit sitzen wird, auch auf zwölf Stühlen sitzen und richten werden, vgl. Dan 7,9; Ps 122(121),5. Dagegen spricht Apk 3,21 vom Thron der Verheißung, auf dem diejenigen, die überwunden haben, mit Christus sitzen werden.

Beim Thronsymbol der christlichen Kunst ist zu unterscheiden zwischen dem Thron als Symbol der eschatologischen Herrschaft und Königswürde des zur Rechten Gottes erhöhten Christus, auf dessen unsichtbare Gegenwart er hinweist, und dem Thron, der zum Gericht bereitet ist, der in der Kunst der Ostkirche isoliert und im Zusammenhang der Weltgerichtsdarstellung spätestens vom 10. Jh. an vorkommt. Die Bezeichnung »Etimasia« (Hetoimasia, griech., = Vorbereitung), die sich auf das Gerichtssymbol bezieht, leitet sich aus Ps 9,8 her: »Der Herr aber bleibt ewiglich; er hat seinen Thron bereitet zum Gericht«; vgl. auch Ps 89(88),15. Da sich das Wort in der byzantinischen Kunst manchmal als Beischrift zu dem Thron findet, wird das Thronmotiv seit langem in der Kunstgeschichte als Etimasia bezeichnet. Angesichts der Vielschichtigkeit der Thronmotive ist jedoch diese Benennung zu eng. Wir verwenden sie nur für das Gerichtsmotiv und sprechen im übrigen vom Thronsymbol oder Thronmotiv. Es ist auch nicht richtig, bei diesen Darstellungen, wie es häufig geschieht, vom »leeren Thron« zu sprechen, weil der Thronende selbst nicht gezeigt wurde, denn der Thron trägt, von wenigen Ausnahmen abgesehen, Insignien und Zeichen, oder sie stehen unmittelbar mit ihm in Verbindung (Kreuz, Taube, Lamm, Buch und später Passionsinstrumente [arma]). Durch sie wird die Bedeutung des Thrones differenziert, oft sind sie wichtiger als der Thron selbst. Auf den Thronwagen der Gottesvision des Hesekiel gehen wir hier nicht ein, da er in einer eigenen Tradition steht, siehe oben und bei Majestas Domini. Die Verehrung des Thrones durch die vier Wesen hängt allerdings mit dieser alttestamentlichen Vision zusammen.

Das Thronsymbol, das in der 2. Hälfte des 4. Jh. aus der römischen Antike in die christliche Kunst aufgenommen wurde, läßt sich sehr weit zurückverfolgen. Die Adoration des Thronsessels eines Machthabers, auf den die Herrschaftsinsignien in der Nachahmung der Solisternien der Götter gelegt wurden, ist vom Hellenismus Rom übermittelt worden, vgl. S. 172. Cäsar war der erste römische Herrscher, dem eine sella curulis (ein Elfenbeinsitz ohne Lehnen) vom Senat zuerkannt wurde, die mit dem edelsteingeschmückten Goldkranz bei seiner Abwesenheit während der Spiele aufgestellt wurde. Seit Domitian, der Münzen mit dem Bild eines Thrones mit dem Siegeskranz prägen ließ, ist der Thron als Zeichen der Alleinherrschaft zur religiösen Ehrung der Herrscher so gebräuchlich geworden, daß das Volk in ihm nicht mehr den Götterthron (solium) sah. Vom 2. Jh. an ist der Gemmenthron (solium regale) der Thronsitz des Kaisers, seit Diokletian in der bildlichen Darstellung faßbar. Nachdem Konstantin den Bischöfen das Recht übertrug, in Zivilprozessen richterliche Funktionen zu übernehmen, wurde die Kathedra dem solium regale angeglichen[50].

Im späteren höfischen und kirchlichen Zeremoniell lebte der alte Brauch, den abwesenden Herrscher durch seinen Thron zu vergegenwärtigen, weiter. So wird bei Konzilien (für Ephesus 431, Chalcedon 451, Rom 449 und 745 nachgewiesen) auf einen Thron das Evangelienbuch, das ein Christussymbol ist, gelegt, um damit deutlich zu machen, daß Christus gegenwärtig ist und selbst den Vorsitz des Konzils führt. Cyrill von

Alexandrien berichtete nach dem Konzil von Ephesus an Theodosius: »Auf einem heiligen Thron lag das ehrwürdige Evangelium. Es rief den Bischöfen gleichsam zu: Vollzieht gerechtes Gericht, entscheidet den Streit zwischen den Evangelisten und den Ausführungen des Nestorius[51].« Der Darstellungstypus eines Bronzereliefs des 6. Jh. auf der Kaisertür der Hagia Sophia, *Abb. 555*, geht höchstwahrscheinlich auf einen solchen Konzilthron zurück. Die Taube bezieht sich hier auf die Inspiration der Synode durch den Heiligen Geist, oder sie bezeichnet die Göttlichkeit des unsichtbar Anwesenden, den das Evangelium vertritt. Das Buch steht hier entgegen anderen Darstellungen aufgeschlagen und auf dem Thron in einer Rundbogennische. Der Text im Buch entstammt Joh 10,7: »Wahrlich, ich sage euch: Ich bin die Tür zu den Schafen.« Die Pariser Handschrift der Homilien des Gregor von Nazianz, um 880–886 in Konstantinopel geschrieben, enthält ein Konzilbild, das die Kleriker zu beiden Seiten des Thrones sitzend zeigt. Das aufgeschlagene Evangelium steht auf dem Thron genauso wie auf dem Relief, nur die Taube fehlt, und die Nische ist rechteckig. Es ist die letzte bekannte Dokumentation dieses Brauches[52]. Auch die mit Leinwand bekleidete Bischofskathedra, die im Abendland in der Apsis stand, galt als Thron Christi, da der Bischof den Vorsitz in der Gemeinde in Stellvertretung Christi führte. Außerhalb des Gottesdienstes wurde häufig das Evangelium auf der Kathedra aufgestellt bzw. aufbewahrt. Eine Parallele zu dem kirchlichen Brauch bei Synoden ist aus dem byzantinischen Herrscherzeremoniell von Konstantin VI., Mitte 10. Jh., bekannt. Er benutzte an Sonn- und Festtagen den linken Teil seines Thrones, während er den rechten für Christus frei ließ. An Werktagen saß er rechts und regierte an Christi

50. Literatur zum Thron bzw. zur Etimasia: Ch. Picard, Le trone vide d'Alexandre dans la Cérémonie de Cyinda et le culte du trone vide a travers le Monde grecoromain, in: Cah. Arch. 7, 1954, S. 1—17; A. Alföldi, Zeremoniell, 1934; ders., Insignien, 1935, S. 125 ff.; O. Treitinger, 1956, 2. Aufl., S. 32—34; O. Wulff, Die Koimesiskirche in Nicäa und ihre Mosaiken nebst den verwandten Baudenkmälern, Straßburg 1903, S. 202 ff.; A. Grabar, L'Empereur, 1936, S. 199 f., 214, 255; F. v. d. Meer, Maiestas Domini, Rom und Paris 1938, S. 231—244; A. Grabar, Le trone des Martyrs, in: Cah. Arch. 6, 1952, S. 31—41; ders., La

»Sedia di San Marco« à Venise, in: Cah. Arch. 7, S. 19—34; C.-O. Nordström, Ravennastudien, 1953, S. 46—54; H. U. Instinsky, Bischofsstuhl und Kaiserthron, München 1955; W. N. Schumacher, Eine römische Apsiskomposition, in: RQ 54, 1959, S. 137—202, vor allem S. 184 ff.; F. Nikolasch, 1969 (ungedruckt), Kap. Das Lamm und der Thron, S. 103—111; RDK VI, 2. Lfg. (Etimasia) 1969, Sp. 144—154 (v. Bogyay); siehe hier weitere Literatur.

51. MPL 76, 471. Nach K. Baus, Der Kranz, S. 213.

52. Das Konzilsbild entspricht in seiner Komposition dem Pfingstbild derselben Handschrift.

Statt. Die Freilassung eines Platzes für den Herrn soll schon bei den Aposteln bei gemeinsamen Mahlzeiten Brauch gewesen sein. Das Brot dieses Tischplatzes ist nachher unter ihnen aufgeteilt worden[53].

In der christlichen Kunst wird der Thron mit verschiedenen Insignien und Symbolen als Zeichen für den erhöhten Christus-Basileus vom späten 4. Jh. an dargestellt. Die erste Gruppe bedient sich hierfür fast ausschließlich der antiken Herrscherikonographie, die auf Christus bezogen wurde. Ein Reliefsarkophag in Frascati, 2. Hälfte 4. Jh., *Abb. 556*, zeigt in der Mitte zwischen zwei Säulen einen Thron ohne Lehnen mit einem herabhängenden Tuch und einem Kissen, über dem sich ein sehr großer Kranz befindet, der das Christogramm umschließt. Die Abhängigkeit von dem kaiserlichen Thron mit dem Siegessymbol des Kranzes ist augenfällig. Bei dem Kissen kann es sich um das zum Kaiserthron gehörende Purpurkissen oder um den zusammengelegten Purpurmantel im Sinn der triumphum-purpura handeln, hier ist es offenbar das Kissen[54]. Die beiden nicht mit abgebildeten seitlich geriefelten Felder schließen mit Säulen ab, auf die ein kleines Kreuzzeichen gesetzt ist.

In der Regel wird in der christlichen Kunst der frühen Zeit die Verehrung des Thrones dargestellt, die in Parallele zu der des Kreuzes gesehen werden kann. Doch hängt sie ebenso von der repräsentativen Thronszene, wie sie sich in der 2. Hälfte des 4. Jh. in der Vollform (Rückseite des Mailänder Sarkophags, *Abb. 616*, und Mosaik von S. Pudenziana, *Abb. 618*) und in der Kurzform mit Petrus und Paulus entwickelt hat, zusammen. Am Triumphbogen in S. Maria Maggiore, Rom, um 432, ist in der Mitte oben, also an zentraler Stelle, die Verehrung des Thrones durch Petrus, Paulus und die sich auf den Wolken nahenden vier Wesen, die Kränze darbringen, dargestellt, *Abb. 557, Ausschnitt*. In dem Thronbild, das Hinweis auf die Gottheit Christi ist, gipfeln die Gedanken des ganzen Bildzyklus,

der im Zusammenhang mit dem Konzil von Ephesus steht, vgl. Bd. 1, S. 37 f. Der mit Steinen und Perlen geschmückte Thron zeigt außer den am Thron der Dea Roma üblichen Löwenköpfen an den Armlehnen vorn Bildnisse von Petrus und Paulus. Auf dem Thronsitz liegt der Purpurmantel und ein auffallend großes Diadem, hinter dem das Gemmenkreuz (Siegeszeichen) aufragt; auf dem Suppedaneum liegt die in Apk 5 erwähnte Rolle mit den sieben Siegeln. Petrus und Paulus treten akklamierend als Thronwache auf, doch sind sie auch hier die Vertreter der ökumenischen Kirche, die Anteil am Triumph des erhöhten Herrn hat. In den offenen Büchern sind zwei verschiedene Schrifttypen erkannt worden; die blockartige weist auf die hebräische, die kursive auf die griechische Schrift. Wie schon erwähnt, werden durch diesen Unterschied manchmal die Apostel als die Vertreter der Juden- und der Heidenkirchen gekennzeichnet. Dem Apostel Petrus entspricht in der unteren Zone des Bogens Jerusalem mit sechs Lämmern und Paulus Bethlehem, ebenfalls mit sechs Lämmern, *vgl. den ganzen Bogen Bd. 1, Abb. 52*.

Auf dem Kuppelmosaik des arianischen Baptisteriums in Ravenna, 493–520, *Abb. 559, Gesamtkomposition Bd. 1, Abb. 355*, huldigen die zwölf Apostel mit dem aurum coronarium Christus, der durch Thron und Gemmenkreuz vergegenwärtigt ist. Auf dem Thron liegt ein großes purpurnes Kissen; über dem Kreuz (das durch sein Schweben etwas Erscheinungshaftes bekommt) hängt der purpurne Mantel Christi. Thron und Kreuz sind auf den Christus der Taufe im Zentrum des Kuppelmosaiks bezogen. Die Taube verbindet beide. In bezug zum Kreuz ist sie Zeichen der Göttlichkeit Christi, in bezug zur Taufe veranschaulicht sie die Stimme des Himmels, die Jesus als Gottessohn bezeugt[55].

Das ältere Kuppelmosaik des Dombaptisteriums in Ravenna, 458 von Erzbischof Neon geweiht, hat drei Bildzonen. Die Apostelhuldigung im mittleren Kreis

---

53. O. Treitinger, 1956, S. 33 und 102, Anm. 283.

54. Der Kaiser durfte bei allen Zeremonien nur Purpur und Porphyr berühren, deshalb saß er auf einem Purpurkissen und setzte seine Füße auf einen mit Edelsteinen geschmückten Porphyrschemel. Beide Motive sind in die christliche Throndarstellung übernommen worden, s. O.

Treitinger, 1956, S. 58 ff.

55. Nordström befaßt sich S. 34–36 und 48 ff. ausführlich mit diesem Mosaik und stellt eine Reihe von Throndarstellungen zusammen. Er sieht die Taube, die auf anderen Beispielen auf der Rücklehne oder auf dem Evangelium steht, im Zusammenhang mit dem Thron und führt

ist nur ideell mit dem Christus der Taufe im Zentrum verbunden. Den äußeren Ring bildet eine Architekturzone, *Abb. 558 (Ausschnitt).* Vier Throne sind zu vier Altären, auf denen das offene Evangelienbuch liegt, in Beziehung gesetzt. Die Vierzahl mag durch die vier Evangelien gegeben sein. Sie bestimmt die Vierzahl der Throne und die Achtzahl der dazwischenstehenden Stühle, auf denen Diademe liegen. Die Altäre stehen in Apsiden. Das ist auch bei den Thronen der Fall, doch sind sie hier seitlich geöffnet und geben den Blick auf Bäume frei. Die Throne sind wiederum golden und mit Edelsteinen geschmückt, die Rückenlehne weicht von dem Thron im arianischen Baptisterium ab. Hier liegt der zusammengerollte purpurne und goldene Mantel vor dem großen Thronkissen. Vom Sitz hängt das Tuch bis zum Suppedaneum herunter. Vor dem Purpur bilden fünf weiße Punkte ein Kreuz, das ihn als den Mantel Christi kennzeichnet. Darüber steht ein kleines Kreuz, von einer Edelsteingloriole umgeben. Der dekorative Gesamtcharakter und die mehrmalige Wiederholung aller Einzelmotive kann den Sinngehalt dieser Bildzone nicht verdecken. Er liegt gerade in der vierfachen Wiedergabe des Thrones und des Evangeliums. Für das nach vier Seiten ausgerichtete Kreuz war im Frühchristentum die Deutung seiner in die vier Weltregionen ausgehenden Heilskraft, die den ganzen Kosmos erfüllt, allgemein bekannt, vgl. Bd. 2, S. 103 f. Es ist anzunehmen, daß der Gesamtkomposition im Dombaptisterium bewußt die kosmische Vierzahl zugrunde gelegt wurde, um die Allwirksamkeit der Königsherrschaft Christi und die Ausbreitung des Evangeliums in alle Welt zum Ausdruck

zu bringen. Der Triumph Christi wird durch seine Kirche wirksam.

Bei der Throndarstellung ist ebenso wie bei den anderen Bildthemen zu beobachten, wie die antike Kaisersymbolik von den Bildvorstellungen und Gedanken der Apokalypse verdrängt wird. Das nur fragmentarisch erhaltene Elfenbeinkästchen aus Samagher in Pola, um 420, *Abb. 561,* zeigt auf der Vorderwand den Thron im Paradies (mehrere Palmen); unmittelbar vor ihm steht das Lamm auf dem Paradiesberg mit den vier Strömen. Das Kreuz auf dem Thron ist zerstört. Es war höchstwahrscheinlich das Gemmenkreuz. Zu beiden Seiten des Thrones stehen je drei Apostel. Aus der Haltung und Blickrichtung von Petrus und Paulus ist zu schließen, daß sich die Huldigung auf das Kreuz bezieht. Es liegt aber offensichtlich auch eine Verwandtschaft dieser Kreuz-Thronverehrung mit der Thron-Lehrszene, die ebenfalls das Lamm einbezieht, vor, vgl. die Rückseite des Mailänder Sarkophags, *Abb. 616.* Wie auf dem Kästchen ist auch auf dem Sarkophag auf der anderen Seite die traditio-legis-Szene wiedergegeben. Der Lämmerfries, siehe dazu unten, ist auf der Kassette in eine obere Zone gesetzt und anders gruppiert als auf dem Sarkophag. Darüber ist noch ein Taubenfries angebracht. Die Zuordnung von Lamm und Thron stammt, wie die versiegelte Rolle auf dem Triumphbogenmosaik, aus Apk 5; Apk 22,1 spricht vom Thron Gottes und des Lammes: »Sedes Dei et Agni«. Wo der Ursprung dieser Bildkomposition liegt, läßt sich nicht mit Sicherheit sagen. Von der Gesamtthematik des Kästchens aus gesehen ist er in den Apsismosaiken der beiden alten Apostelkirchen

antike Münzen der Kaiserin Fausta an, die den leeren Thron mit dem Pfau, dem Symboltier der Juno, zeigen. Obwohl auf den entsprechenden Kaisermünzen der Thron mit dem Adler fehlt, hält er es für möglich, daß die Münzen der Kaiserin die Anregung für die christliche Throndarstellung mit einem entsprechenden Symboltier gaben. Er sieht auch in dem Kreuz auf dem Thron einen Zusammenhang mit dem Götterzepter, das auf mehreren antiken Münzen diagonal vor dem Thron liegt. Andererseits sieht er in dem Kreuz mit dem Mantel des ravennatischen Kuppelmosaiks eine Parallele zu dem verkleinerten Tropaion, über dem die Beute hängt; es kommt in größeren antiken Darstellungen der Huldigung des siegreichen Imperators

vor. Bei den schreitenden Aposteln, die Kränze tragen, geht Nordström im Vergleich mit der Arcadiussäule von einer Krönung Christi aus und setzt sie in Beziehung zu einer Investitur bei der Taufe. Seit Klausers Arbeit über die Aurum-coronarium-Zeremonie neigt man allgemein dazu, in der Kranzdarbietung der christlichen Kunst nicht eine Parallele zu der Huldigung bei einer Krönung zu sehen, sondern bei der Rückkehr des siegreichen Imperators, die mit der Darbringung des Tributs in Form von goldenen Kränzen verbunden war. In der christlichen Umdeutung ist es die Huldigung der Märtyrer vor dem himmlischen König, der den Sieg, symbolisiert durch den Kranz, gegeben hat.

St. Peter und St. Paul in Rom gesucht worden. Doch steht die Urfassung dieser Kompositionen nicht fest, da beide schon im Mittelalter mehrfach restauriert bzw. völlig erneuert wurden. Von dem Apsismosaik von Alt-St. Peter, das auf Innozenz III., 1198–1216, zurückgeht, existiert nur eine Zeichnung von Grimaldi, Anfang 16. Jh.; in St. Paul ist nur der neue Mosaikschmuck, der nach dem Brand von 1823 entstand, erhalten, *Abb. 562.* Durch schriftliche Nachrichten ist gesichert, daß das Mosaik auf der Triumphbogenwand auf die Komposition des 5. Jh. zurückgeht. Vom Apsismosaik wird angenommen, daß es sich ungefähr an die Neufassung, die byzantinische Venezianer Anfang 13. Jh. ausführten, anschließt. Aber gerade der untere Streifen, der zum Vergleich in Frage kommt, ist damals verändert worden. Die Leidenswerkzeuge auf dem Thron sind bestimmt eine Neuformulierung dieser Restauration, denn sie werden im Zusammenhang mit dem Thron erst seit dem 11. Jh. dargestellt. Ebenso sind die »Unschuldigen Kindlein« vor dem Thron damals hinzugefügt worden, da um 1200 ihre Reliquien von Konstantinopel in diese römische Kirche überführt wurden. Es ist durchaus möglich, daß vor dem Thron ursprünglich das Lamm angebracht war, daß die beiden neuen Engel Petrus und Paulus ersetzten und auf dem Thron nur das Triumphkreuz stand. Die Palmen zwischen den Aposteln können dem Urbild entsprechen. Wenn diese unbewiesene Annahme stimmt, ließe sich in diesem Mosaikstreifen das Vorbild für die Thronverehrung des Kästchens in Pola erkennen[56].

Von dieser Gruppe der Thronverehrung, die das Polakästchen im 5. Jh. vertritt, ist noch ein Marmorrelief des 9. Jh. an der Nordfassade von S. Marco in Venedig abhängig, *Abb. 563.* Ein griechisches Doppelkreuz, das auf einem Diadem vor der Rückwand (Teppich?) des Thrones steht, wird vom Lamm im clipeus bekrönt, ist also mit dem Kreuz und nicht unmittelbar mit dem Thron verbunden. An die Stelle der Apostelgestalten sind zwölf Lämmer getreten, sie stehen in zwei Gruppen hintereinander gestaffelt zu beiden

Seiten des Thrones. Die Körbe neben den fruchttragenden Paradiesespalmen sind Bienenkörbe. Die Bienen waren in der Antike ein Sinnbild des Gehorsams dem König gegenüber; der Bienenstaat galt als Sinnbild der Kirche, deshalb konnte Christus allegorisch als Bienenkönig bezeichnet werden[57].

Eine dritte Variante des Thronsymbols, die ebenfalls auf die 1. Hälfte des 5. Jh. zurückgeht, ist in einem Nischenfresko der Kapelle S. Matrona bei der Kirche S. Prisco in S. Maria di Capua Vetere (Unteritalien) erhalten, *Abb. 560.* Zum erstenmal ist hier die Taube mit dem Thron in Verbindung gebracht. Sie sitzt mit ausgebreiteten Flügeln auf der Lehne. Die siebenfach versiegelte Rolle liegt auf dem Purpur; an den Armlehnen ist vorn das Christogramm angebracht. Der Thron steht inmitten von Wolken und wird von zwei der apokalyptischen Wesen – Stier und Adler – verehrt. In der gegenüberliegenden Nische des Raumes ist ein Brustbild Christi im clipeus gegeben – eine häufig anzutreffende Form der Darstellung des erhöhten Christus. – In der Krypta von S. Alessio in Rom gibt ein Fresko, um 1100, die Taube vor dem Thron wieder, wo auf dem Polakästchen das Lamm steht. In der heute zerstörten Koimesis-Kirche in Nicäa befand sich ein Mosaik des 8. Jh., das die Taube über dem Evangelienbuch, das geschlossen auf dem Thron lag, in aufrechter Haltung inmitten eines Lichtkreuzes zeigte, von dem acht mehrfarbige Strahlen bis in den blauen äußeren Rand der den Thron umschließenden Gloriole drangen. Das in dem Farbenglanz kaum wahrnehmbare Kreuz gehörte einer anderen Traditionsreihe an als das gemmengeschmückte Siegeskreuz. Diese Gruppe der Throndarstellung mit der Taube geht nicht von der Kreuzverehrung aus, wahrscheinlich ist hier im Thron ein Symbol der Trinität zu sehen: Als der Sitz der Herrlichkeit (vgl. Ps 93[92],1 f.) würde er sich bei dieser Deutung auf Gott-Vater, die Schriftrolle oder das Buch (in Alessio das Kreuz als Lebensbaum ohne Steine) sowie der Purpur auf Christus und die Taube auf den Heiligen Geist beziehen. Im Gesamtzusam-

---

56. Zu der umfangreichen Auseinandersetzung siehe: T. Buddensieg, Le coffret en ivoire de Pola, St. Pierre e de Latran, in: Cah. Arch. 10, 1959; W. N. Schumacher, Apsiskompositionen, 1959, S. 184—190; F. Nikolasch,

1967, S. 106 ff. und die hier erwähnte Literatur.

57. Origenes, in Js 2,2, nach RAC, 279 ff. (L. Koep) Man wußte anscheinend in der Spätantike nicht, daß der »Bienenstaat« von einer Königin regiert wird.

menhang der Throndarstellungen dürfte der Akzent bei der Göttlichkeit des Logos liegen, der in der Einheit der Trinität in seiner jenseitigen Herrlichkeit in der Gemeinde gegenwärtig ist[58].

Das Thronmosaik war in der Koimesis-Kirche im Gewölbe des Altarraums angebracht; in der Apsisnische war die Gottesmutter, flankiert von je zwei Erzengeln im kaiserlichen Purpurornat, die den Loros (Labarum) als Standarte in der Hand hielten, dargestellt. Es ist möglich, bei dieser Themenkomposition in dem Bezug des Throns zur Inkarnation des Logos, der ersten Parusie, über seine Bedeutung als Trinitätszeichen und als Verherrlichungssymbol des zu Gott erhöhten Christus hinaus auch einen Hinweis auf die erwartete Parusie, den zweiten Adventus des Herrn zu sehen[59]. An der gleichen Stelle im Raum oder in der Mitte des oberen Bildstreifens der Ikonostase (Bilderwand der orthodoxen Kirche, die Altar- und Gemeinderaum trennt) ist in nachikonoklastischen und in vom Osten beeinflußten Kirchen im Abendland oft das Thronsymbol angebracht worden. Von den byzantinischen Beispielen auf abendländischem Boden (Castelseprio, Torcello, Monreale etc.) unterscheidet sich die Darstellung in der Cappella di S. Apollinare von S. Giusto in Triest, A. 13. Jh., *Abb. 570*, durch den Einfluß der römischen Kunst des 5. Jh. Der Thron mit dem hohen Gemmenkreuz, am Fuß ein Christogramm, dem Purpur und der aufgerichteten Taube über dem Suppedaneum steht auf der Paradieseswiese zwischen zwei fruchttragenden Palmen und wird von zwei nicht mehr zu identifizierenden Gestalten verehrt. Ebenso ist ein Gewölbefresko des frühen 13. Jh. in der Krypta des Domes von Anagni (südlich von Rom) noch von frühchristlichen Darstellungen abhängig, *Abb. 573*. Der Thron mit der Taube ist hier umschlossen vom mehrfarbigen großen Nimbus und wird von vier Engeln

getragen. Auch darin lebt die alte Form der Theophanie-Darstellung des 5. und 6. Jh. weiter[60]. Das Buch liegt unten vor dem Thron. Hinter der Gloriole, die wie eine Thronlehne wirkt, weist ein großes Christogramm auf Christus. In den drei Gewölbezwickeln hängen Kronen. Obwohl die Taube auf dem Thronkissen und im Zentrum der Bildkomposition steht, scheint es sich doch aufgrund der römischen Bildtradition um eine Verherrlichung des erhöhten Christus zu handeln[61].

Der Thron ohne Lehne (mit Purpur, herunterhängendem Tuch, Suppedaneum mit Steinschmuck) mit dem auf dem Kissen stehenden geöffneten Buch ist spätestens in der 2. Hälfte des 9. Jh. in das östliche Pfingstbild als dessen Zentrum übernommen worden. Eine Miniatur des in Konstantinopel geschriebenen Chludoffpsalters zeigt diesen Thron inmitten der zu beiden Seiten sitzenden Apostel. Die Taube steht auf dem offenen Buch. Von den zwei ganz schmalen Himmelsausschnitten fährt der Heilige Geist, veranschaulicht durch Lichtstrahlen, auf die Apostel herab. Man kann hier nicht vom Thron des Heiligen Geistes sprechen. Höchstwahrscheinlich repräsentiert der Thron hier wie bei den Konzilien den in seiner Gemeinde gegenwärtigen erhöhten Herrn, und die Taube ist in Verbindung mit dem Evangelium Zeichen der Göttlichkeit Christi.

Das schon erwähnte Pfingstbild der Homilien des Gregor von Nazianz (Paris, BN. Gr. 510), eine ebenfalls bald nach Beendigung des Bilderstreits in Konstantinopel unter Basileios I. (867–886) entstandene Prachthandschrift, läßt vom Thron, auf dem das Buch geschlossen liegt, die Lichtstrahlen ausgehen, die sich über die in Hufeisenform angeordneten Apostel »ergießen«, vgl. beide Abbildungen in Bd. 4. Ganz ähnlich ist ein Nischenfresko der kappadokischen Qeledj-

---

58. F. Nikolasch, Zur Deutung der Dominus-Legem-dat-Szene, 1969, verweist S. XCV, Anm. 43, auf eine Inschrift in einer Kirche Roms, die wahrscheinlich aus dem 5. Jh. stammt: »Sedes celsa d(e)i praefert insignia Christi / Quod patris et filii creditur unus honor.«

59. Vgl. unten die Zuordnung des Pantokrator und der Theotokos.

60. Von 21 Jochen geben fünf Theophanien und apokalyptische Themen wieder, die Hauptapsis das aurum

coronarium der Ältesten mit der Verherrlichung des Lammes. Auf anderen Gewölbefresken halten vier Engel das Kreuz bzw. das Lamm. Im gleichen Schema sind auch vier Cherubim mit den vier verschiedenen Köpfen und die vier personifizierten Paradiesflüsse dargestellt.

61. Die Taube hat den Schnabel des Adlers und den Schweif des Pfaus oder des Phönix, ganz ähnlich wie die in S. Alessio. Möglicherweise ist hier der Phönix und nicht die Taube gemeint.

lar-Kirche, Ende 10. Jh., *Abb. 569.* Auf dem Thron steht das Kreuz, auf ihm die Taube mit geöffneten Flügeln. Hier wird der vom Nimbus umschlossene Thron, von dem der Heilige Geist ausgeht, Symbol der Trinität sein, denn die geschichtliche Sendung des Geistes ist das Werk der unteilbaren Trinität (siehe Bd. 4). Gerade die Ostkirche feiert zu Pfingsten zugleich die Trinität und die Ausgießung des Heiligen Geistes. Sie kennt kein eigenes Trinitatisfest. Deshalb kann das östliche Pfingstbild zugleich Trinitätsbild sein. Bei Pfingstdarstellungen in einer Kuppel, die kompositorisch denen der Himmelfahrt gleichen, *vgl. Abb. 465,* steht der Thron im Zenit der Kuppel, wie zum Beispiel bei dem Mosaik von S. Marco in Venedig, 1170–1200, *Abb. 564, Ausschnitt.* Die Vorläufer dieser Kuppeldarstellung gehen ins 9. Jh. zurück: schriftlich bezeugt für den unter Basileios I. entstandenen Mosaikzyklus der ehemaligen Apostelkirche in Konstantinopel; erhalten in der Sophienkirche in Saloniki, 9. Jh., und in Hosios Lukas, Anfang 11. Jh.

Es ist auffallend, daß in der Kirche des griechischen Klosters in Grottaferrata bei Rom ein Mosaik des 12. oder 13. Jh. das Bildschema des Chludoffpsalters wiedergibt. Aus einem schmalen Himmelsausschnitt kommen die Strahlen des Heiligen Geistes. Nach alter westlicher Tradition ist nicht die Taube, sondern das Lamm mit dem Thron verbunden, obwohl damals in der griechisch-orthodoxen Kirche schon seit Jahrhunderten das Lamm als Christussymbol nicht mehr dargestellt wurde, *Abb. 566* (Ausschnitt, im Original zwölf Apostel). Es steht auf dem versiegelten Buch vor dem Thron und hält den Kreuzstab (abendländischer Bildtypus des Agnus Dei im Mittelalter). Der Thron kommt also mit beiden Symboltieren, die in der Kunst des 4. bis 6. Jh. mit ihm verbunden wurden, im Mittelalter im Zusammenhang der Pfingstdarstellungen vor. Bei dem Thron mit der Taube sind die Bedeutungsakzente verschieden gesetzt.

Wir fügen noch zwei Darstellungen des Thrones frühmittelalterlicher Handschriften ein, die nicht den drei Gruppen des Thronsymbols angehören, sondern

die Kenntnis von Apokalypseillustrationen voraussetzen. Die Schule von Tours hat um 840 eine Doppeldarstellung mit dem Thron des Lammes inmitten der vier Wesen und der sogenannten Enthüllung des Mose, die ebenfalls die vier Wesen vollziehen, konzipiert. Sie ist nur mit geringfügigen Abweichungen in drei illustrierten Bibeln erhalten: Bibel von Marmoutier-Grandval, um 840, im Britischen Museum, London; Vivianbibel, auch Erste Bibel Karls des Kahlen genannt, um 846, aus St. Martin in Tours, in der Nationalbibliothek in Paris; Bibel von St. Paul, um 870, Schule von St. Denis, Rom. Wir zeigen die Miniatur der Vivianbibel, *Abb. 568.* Auf einem mit einem Teppich bekleideten Thron liegt das sehr große Buch mit den sieben Siegeln, deren erstes das Christus-Lamm, das von der Seite an den Thron herangetreten ist, öffnet. Auf der anderen Seite steht ein Löwe, er ist ebenso wie das Lamm nimbiert. Aus Apk 5,5 geht hervor, daß es der Löwe aus dem Geschlecht Juda ist, der aufgrund der alten Prophetie in bezug auf den auferstandenen Christus – »der überwunden hat« – bei dieser Vision genannt wird, vgl. oben S. 132. Bei der Öffnung des ersten Siegels durch das Lamm erscheint der Reiter auf dem weißen Pferd, der hier mit dargestellt ist. Das Öffnen des Buches der Ratschlüsse Gottes im Hinblick auf die Endzeit ist hier der Enthüllung des Alten Testament oder des Gesetzes, das Mose verkörpert, gegenübergestellt. Drei der vier Wesen ziehen den Schleier von den Augen des Mose, das vierte bläst in eine goldene Tuba. Der Klang dieses Instruments bedeutet Botschaft, siehe unten. Das Evangelium wird Mose zugerufen. Von einer Decke über dem Alten Testament spricht 2 Kor 3,14 f. Nur Christus vermag das Alte Testament zu enthüllen, nur er – das Lamm der Erlösung – vermag das versiegelte Buch auf dem Thron der Herrlichkeit Gottes zu öffnen. Die vier Wesen sind hier Symbol für Christus und verkörpern zugleich das Evangelium[62].

Im Gegensatz zu vielen isolierten Darstellungen des Agnus Dei steht auf einer Miniatur im Sakramentar des Bischofs Siegebert von Minden, 1022–1036, *Abb.*

---

62. Zur Enthüllung des Mose siehe H. Schade, Hinweise zur frühmittelalterlichen Ikonographie, II, in: Das Münster, H. 11/12, 1958, S. 389 ff. Schade geht von der

Miniatur der Bibel von St. Paul aus, die gleichfalls beide Szenen, jedoch nebeneinander angeordnet und durch die sieben Engel der Gemeinden erweitert, wiedergibt.

567, das Lamm auf dem Thron und ist genau nach Apk 5 mit sieben Hörnern, sieben Augen und mit einer blutenden Wunde »wie geschlachtet« wiedergegeben. Das Buch steht geöffnet vor ihm. Die Inschrift der Rahmenleiste lautet: »Siehe den Sieger über den Tod und den Wiederhersteller (reparator) des Lebens. Das Lamm des Höchsten (mirifici) öffnet die Siegel des Buches.«

Wie schon im 5. Jh. sind dem Lamm auf dem Thron, das den Opfertod, die Auferstehung und die endzeitliche Herrschaft Christi symbolisiert, die vier Wesen zugeordnet. Die Form der Mandorla des Lammes wiederholt sich in lichten Farben und wird von einer Mauer umfaßt, die sich auf das neue Jerusalem bezieht, auf die ewige Stadt, die von der Herrlichkeit Gottes und vom Lamm erleuchtet wird.

Eine zweite Form der Verbindung von Thron und Lamm, die seit dem 6. Jh. bekannt ist, befindet sich an der Apsiswand von SS. Cosma e Damiano, *Abb. 594.* Hier tritt zum erstenmal in der Monumentalkunst die lehnenlose, jedoch reich mit Edelsteinen verzierte Thronbank mit vier Stützen auf, die später einerseits in das Pfingstbild, andererseits in das Gerichtsbild übernommen wird. Sie kann ohne weiteres in einen Altar umgedeutet oder umgewandelt werden. Auf dem großen Suppedaneum liegt sehr betont die versiegelte Rolle. Das Kreuz mit den tropfenartigen Balkenenden ist verhältnismäßig klein, dagegen bildet das Lamm, das auf dem Purpurkissen des Thrones liegt, den Schwerpunkt des Thronbildes, das als Gipfel der Gesamtdarstellung erscheint. Die mächtige Christusgestalt auf den Wolken steht in der Vertikale zwischen dem Lamm auf dem Paradiesesberg mit dem Strom des Lebens und dem Lamm auf dem Thron. Die eschatologische Vorstellung, der »Sedes Agnus« kommt in dieser Figuration am unmittelbarsten zum Ausdruck. Der Thron als königliches Attribut und Symbol der Macht dient der Verherrlichung des Lammes in seiner doppelten Bedeutung als Opfer-Passa-Lamm und als Siegeslamm (Apk 5,6). Er verweist auf den unsichtbar zur Rechten Gottes sitzenden Sohn und auf die kommende Offenbarung seiner endgültigen Königsherrschaft. Die Verehrung der »Sedes Agni« ist gegenüber der älteren Darstellungsform durch verschiedene Sinnbilder der drei ersten apokalyptischen Himmelsvisionen zu

einem triumphalen Ereignis erweitert: Der Thron steht auf dem gläsernen Meer (Apk 4,6), neben ihm sieben Leuchter (Apk 1,12.20, bedeuten die Gemeinden), vier Engel (Apk 5,11) und die Thronwesen, deren Ruf: »Heilig, heilig, heilig ist Gott, der Herr, der Allmächtige, der da war und der da ist und der da kommt« Tag und Nacht tönt (Apk 4,8). Etwas tiefer waren in zwei Gruppen die 24 Ältesten in weißen Kleidern, die ihre Kränze darbringen und dem Lamm huldigen, dargestellt (Apk 4,4.5,8). Durch den Umbau sind nur noch zwei der Wesen und von den Ältesten nur noch einige verhüllte Hände, die Kränze emporheben, sichtbar. Dem Lamm, das erwürgt ward und würdig ist, die Siegel des Buches (Heilsoffenbarung) zu öffnen, gilt der Lobpreis aller Kreatur (Apk 5,12–14). An dieser himmlischen Liturgie, die im Goldglanz des Mosaiks gleich einer Vision sichtbar war, nahm die Gemeinde in der Erwartung des kommenden Gottesreiches teil. Da heute Teile der Szenerie zerstört oder verdeckt sind, wirkt auf den Betrachter vor allem die mächtige Christusgestalt, siehe dazu unten.

Die Darstellung der auf das »aurum coronarium« zurückgehenden Zeremonie der Unterwerfung der 24 Ältesten (der Ekklesia des Alten und Neuen Bundes) unter den neuen Herrn ist zum erstenmal in S. Paolo in Rom an der Triumphbogenwand, 440–461 unter Papst Leo I., greifbar, *Abb. 562.* Die Mitte bildet hier nicht der Thron des Lammes, sondern ein Brustbild Christi in einer mehrfarbigen Gloriole. Statt des langen Zepters trug Christus ursprünglich das Siegeskreuz, wahrscheinlich ebenso geschultert wie heute den Stab (vgl. Christus victor). Oben sind ihm inmitten von Wolken die vier Wesen zugeordnet, unten nahen von beiden Seiten in zwei Reihen übereinander die Ältesten mit den Kränzen in den Händen. In S. Prassede wurde Anfang des 9. Jh. das gesamte Bildprogramm von SS. Cosma e Damiano wiederholt, *Abb. 595*, siehe dazu unten. Karl d. Gr., der bewußt auf die justinianische Zeit zurückgriff, ließ in der Kuppel der Aachener Pfalzkapelle die Huldigung der apokalyptischen Ältesten vor dem Lamm auf dem Thron anbringen. Erst in der staufischen Zeit wurde das Lamm auf dem Thron durch die Gestalt des thronenden Christus ersetzt.

Ein einmaliges Werk ist der sog. Markusthron in Venedig[63], ein Marmorstuhl mit hoher Lehne, um

600, der künstlerisch in Beziehung zu Syrien oder Alexandrien steht, *Abb. 565.* Ob er als Bischofskathedra diente oder einst als symbolischer Thron Christi bei Synoden oder Gottesdiensten aufgestellt wurde, läßt sich nicht entscheiden. Eine seitliche Öffnung im Thronsitz macht die Benützung als großes Reliquiar wahrscheinlich. (Man glaubte, es sei in dieser Nische ein von Markus eigenhändig geschriebenes Evangeliar aufbewahrt gewesen.) Doch dürfte der Thron, vom Schmuck der Paradieses- und Verherrlichungssymbolik her gesehen, außerdem als Thron der Herrlichkeit den unsichtbaren Christus in der Synode oder der Gemeinde vergegenwärtigt haben. Dargestellt sind auf der Vorder- und Rückseite der Lehnenbekrönung je zwei der Evangelisten, die das Kreuz verehren. Die Vorderseite der Lehne zeigt das Lamm vor dem Lebensbaum über den vier Strömen der Paradiesesquelle. Hier klingt das letzte Bild der Verheißung des ewigen Lebens an, ohne daß es direkt illustriert ist (Apk 22, ff.): der Thron Gottes und des Lammes, von dem der Strom des lauteren Wassers ausgeht, an dem das Holz des Lebens wächst. Von den vier Thronwesen sind auf der Rückseite des Thronsitzes der Adler und der Löwe, auf den Seitenwangen außen der Stier und der Mensch zu sehen. Die vier von sechs Flügeln umgebenen Wesen sind hier in ihrer Urfunktion als Thronsymbole und -träger wiedergegeben. Sie bedeuten zugleich aber auch die vier Evangelien. Dem Matthäussymbol sind oben zwei Tuba blasende Engel zugeordnet, einer von ihnen trägt einen Boten- oder Heroldsstab. In der Tuba kann man nach dem biblischen Gebrauch des Wortes nicht allein ein Musikinstrument des Lobpreises oder ein Gerichtszeichen sehen. Sie steht auch für die Stimme Gottes oder die Stimme des Engels, und damit bedeutet sie Botschaft, in diesem Zusammenhang: das die Welt durchdringende Evangelium. (Vgl. die Tuba des Matthäussymbols bei der Enthüllung des Mose, *Abb.*

568.) Da nach 1 Thess 4,16, 1 Kor 15,52 und Mt 24,31 der Klang der Posaune und die Engel die Parusie des Herrn begleiten, können die Posaune blasenden Engel neben dem Gestaltsymbol des Matthäus, der im Neuen Testament die umfangreichsten Aussagen über die Wiederkunft und das Gericht macht, auch Hinweis auf die Parusie sein. Die mehrschichtige Bedeutung des Thronsymbols schließt in seiner Relation zum thronenden Christus, dem mit aller Gewalt im Himmel und auf Erden auch die Macht zu richten gegeben ist, den Hinweis auf das ständige und zukünftige Gericht ein[64].

In der Psalterillustration, die bis ins 9. Jh. zurückverfolgt werden kann, ist das Wort Ps 110(109),1, das sich auf die Gottgleichheit und Herrschaft des Sohnes bezieht, durch das Symbol des Thrones, der manchmal zwischen zwei Engeln steht, illustriert worden, vgl. auch die Psalterillustrationen, *Abb. 672, 677.* Die griechische Psalterillustration präzisiert den Thron als Etimasia, d. h. als den für den Richter bereiteten Thron. Für die beginnende Akzentverschiebung ist eine Illustration der 1. Hälfte des 12. Jh. zu Ps 122(121),3–6, insonderheit zu Vers 5 interessant: »Daselbst stehen die Stühle zum Gericht, die Stühle des Hauses Davids.« Die Illustration ordnet die Stühle, auf denen die Apostel sitzen, in einem Halbkreis an. Von den beiden etwas größeren, die in der Mitte stehen, nimmt einen Gott-Vater ein, der andere ist leer (vgl. dazu Dan 7,9, eine Stelle, die auf die Parusie Christi bezogen wurde, und Mt 19,28)[65]. Eine solche Psalterillustration mit einem völlig leeren Thron kann die Darstellungen der Rückkehr Christi des ausgehenden Mittelalters und des Barocks angeregt haben, *siehe Bd. 2, Abb. 794 u. 795*[66]. Eine Zwischenstellung nimmt der Thron über die Figur des Auferstandenen an der Kanzel des Giovanni Pisano ein, *vgl. Abb. 94.*

Die Etimasia, die seit dem 10. Jh. der großen Komposition des byzantinischen Gerichtsbildes unterhalb

63. A. Grabar, »La sedia di San Marco« à Venise, in: Cahier Arch. VII, 1954, S. 19 ff. Im Dom zu Grado befindet sich eine Kopie des Stuhls.

64. Wir kommen auf die Posaunenengel im Hinblick auf Apk 8,2 noch einmal zurück.

65. Cod. Vaticanus gr. 1927, fol. 234ᵛ, 1. H. 12. Jh., siehe Abbildung bei E. T. de Wald, The Illustrationes in the Manuscripts of the Septuagint, I, Princeton 1941. Bei uns Bd. 4.

66. Bei der Bildunterschrift zu 795, Bd. 2, ist ein Druckfehler unterlaufen: statt Inkarnation muß es Inthronisation heißen. Bei dieser Darstellung handelt es sich um eine Neuformulierung des Thronmotivs im Zusammenhang eines Bildthemas, mit dem das Barock häufig die Passion Christi und die Trinität zueinander in Beziehung setzt.

der Gestalt des Richters eingefügt wird, war vermutlich damals schon ein geprägter Typus, denn das Doppelmotiv thronender Christus – Etimasia kommt auch selbständig vor. In einer Psalterhandschrift um 1059 mit Illustrationen zu Kommentaren ist fol. 27 eine solche Darstellung dem Kommentar des Pseudo-Athanasius zu Ps 6 hinzugefügt, *Abb. 571*. Dieser Text spricht von der Bitte der Heiligen, die zu beiden Seiten der Etimasia zu sehen sind, um Befreiung aus dem Gericht[67]. Ohne auf die Gerichtsetimasia eingehen zu können, siehe dazu Bd. 4, sei hier im Zusammenhang des Thronsymbols nur darauf verwiesen, daß sie in einer anderen und später einsetzenden Bildtradition steht als die Throndarstellung der frühchristlichen Kunst. Im Blickfeld der Christen des 4.–6. Jh. stand nicht das Gericht, sondern die vom Auferstandenen gewirkte Vollendung in Herrlichkeit. Das Kreuz auf dem Thron, der den Christus der Herrlichkeit symbolisierte und deshalb verehrt wurde, war Triumphzeichen. Bei der Etimasia, die in direktem oder indirektem Bildzusammenhang mit dem Gericht steht, ist es Zeichen der Erlösung und der Gnade. Diesem Thron wurden auch andere Passionszeichen hinzugefügt. Zunächst war dies ein Ausdruck der Leidensmystik, doch wurden die Passionsinstrumente bald als Gerichtszeichen gedeutet. Dem abendländischen Weltgerichtsbild sind Engel eingefügt, die die Leidenswerkzeuge tragen, *vgl. Bd. 2, S. 200–202*, und Bd. 4 unter Weltgericht.

Doch kann die Etimasia innerhalb der Gerichtsdarstellung auch als Richtstuhl im Sinne der Bedrohung aufgefaßt sein. Daniel spricht 7,9 f. von dem »brennenden Stuhl«, von dem ein Feuerstrom ausgeht. Ephraem der Syrer (4. Jh.) bezeichnet ihn bei seiner Gerichtsschilderung als den »furchtbaren Thron« und hält sich dabei an die Vision Daniels: Vor der Ankunft des Richters erscheint nach ihm zuerst das Kreuz, dann der furchtbare Thron, und erst nach ihm werden alle das Zepter des Königs erkennen[68]. Auch dieser

Thron mit dem Feuerstrom ist im Gerichtsbild der Ostkirche zu finden, siehe Bd. 4.

In der Mitte der unteren Tafel der Pala d'Oro des frühen 12. Jh. in S. Marco zu Venedig ist die Etimasia ohne Feuerstrom, aber mit Leidenswerkzeugen oberhalb des thronenden Christus zu sehen, *Abb. 572*. Durch den Schmuck und die Ausstattung, nicht zuletzt durch die Taube auf dem Evangelium, steht dieser Thron in der Linie einer der älteren Traditionen, aber die Leidenszeichen lassen den Einfluß der neuen Akzentuierung erkennen. Zum alttestamentlichen Cherubimthronwagen oder Ezechielthron siehe unten bei Majestas Domini.

Die Traditio legis – Die Gesetzesübergabe

Der römische Bildtypus. Diese Bezeichnung für eine Bildkomposition, die in der 2. Hälfte des 4. Jh. zu den bedeutendsten Repräsentationsdarstellungen des erhöhten Christus und seiner Kirche im Paradies gehört, geht auf die Inschrift in der geöffneten Schriftrolle in der Hand Christi zurück, die auf einem Mosaik im Baptisterium S. Giovanni in Fonte zu Neapel deutlich zu lesen ist: Dominus legem dat – Der Herr gibt das Gesetz. Die Szene wird auch manchmal direkt nach dieser Inschrift genannt. Als früheste erhaltene Darstellung gilt ein Mosaik der linken Nebenapsis in der römischen spätkonstantinischen Kirche S. Costanza (Grabstätte der Töchter Konstantins), das trotz der Restaurierungen[1] das ikonographische Bildschema bewahrt hat, *Abb. 577*. Christus steht frontal auf den Wolken über einem niedrigen Berg und hebt die offene Rechte seitlich empor. In der linken Hand hält er das eine Ende einer offenbar soeben geöffneten Schriftrolle; das andere Ende fängt Petrus im Bausch seines Mantels auf. Die Inschrift lautet hier: Dominus pacem dat – Der Herr gibt den Frieden. Man ist seit langer Zeit der Meinung, daß bei der Restaurierung falsch ergänzt

---

67. Siehe Teil II der Publikation von De Wald, Princeton 1942, in dem er diesen Codex Vaticanus gr. 752 b behandelt. Dieser Codex bringt fol. 349ᵛ auch eine Darstellung der Etimasia zwischen zwei Engeln.

68. Zum Text des Ephraem siehe W. Paeseler, Die römi-

sche Gerichtstafel im Vatikan, in: Kunstgesch. Jb. d. Bibl. Hertziana II, 1938, S. 320 ff. Bei uns Bd. 4.

---

1. Das Haupt Christi und der obere Teil des Petrus sind im 19. Jh. erneuert.

worden sei. Eine neue Untersuchung bestreitet das jedoch, obwohl die Inschrift an einer vermutlich mehrfach übergangenen Stelle steht[2]. Wenn sie wirklich original ist, würde es sich um eine Version der häufigeren Inschrift handeln, die für die Deutung des Begriffes Gesetz wichtig ist. Zur Rechten des Herrn steht Paulus, eine Hand ist vom Mantel verhüllt, die andere in einer huldigenden Geste erhoben. Petrus trug – wie bei allen Darstellungen dieser Bildkomposition – ursprünglich ein Kreuz geschultert, von dem auf dem Mosaik nur noch ein Rest in seiner linken Hand erhalten ist. Hinter den Aposteln stehen zwei Palmen, Bäume des Paradieses, und zwei Rundbauten. Dem kleinen Berg entspringen die vier Flüsse, die die Landschaft als Paradies kennzeichnen. Auf ihn gehen vier Lämmer zu. Sie kommen von den kleinen Gebäuden her. Die frontal stehende Christusgestalt mit Bart und dem Gestus des Weltherrschers ist typisch für diese Bildkomposition. Der Gestus der ausgestreckten rechten Hand, der seit Ende des 2. Jh. bei Sol-Darstellungen auf Münzen zu finden ist und im 3. Jh. auf das Bild des Kaisers als sol invictus übertragen wurde, bedeutet bei Christus die Offenbarung des Heils und des Friedens, die der göttliche Sieger für die Welt erwirkte[3]. Auf einem Fresko vom Ende des 4. Jh. in der Zotico-Katakombe ad Decinum bei Grottaferrata nördlich von Rom, *Abb. 578*, steht Christus sehr hoch inmitten von Wolken, die als Attribut des Himmels in der Antike Herrschaftszeichen und im biblischen Sprachgebrauch Zeichen der Gegenwart Gottes sind. Über ihm erscheint die Gotteshand

mit dem Kranz. Alpha und Omega neben seinem nimbierten Haupt betonen sein ewiges Herrschertum ebenso wie der Phönix mit dem großen sternartigen Strahlennimbus, der als altes Licht- und Lebenssymbol Attribut der Paradieseslandschaft der frühchristlichen Kunst ist und insbesondere auf das neue mit der Auferstehung Christi anbrechende Weltzeitalter hinweist (siehe zum Phönix oben Seite 129ff.). Da sich der Phönix immer auf der Palme hinter Paulus befindet, wird er manchmal als Symbol dieses Apostels, in dessen Schriften das Thema Auferstehung eine wichtige Rolle spielt, gedeutet. Er ist aber unmittelbar auf Christus und dessen erhobene Rechte bezogen. Im unteren zerstörten Teil war der Berg, dem vier Lämmer zustrebten, wiedergegeben[4].

Auf dem schon erwähnten, zur Hälfte zerstörten Mosaik des Baptisteriums in Neapel um 400, das ein Feld der Kuppel einnimmt, steht Christus auf der Sphaira (Globus), die das Weltall bedeutet, *Abb. 579*. Sie entspricht in ihrer Bedeutung dem personifizierten Coelus (Uranus) mit dem ausgespannten Himmelszelt. Auch hier stand bestimmt auf dem zerstörten Teil die Palme mit dem Phönix hinter Paulus. Dem mit Gemmen verzierten Kreuz des Petrus ist das Monogramm Christi eingefügt. Auf den Paradiesesberg, die Lämmer und die beiden Gebäude am Rand ist verzichtet, jedoch sind unterhalb der Darstellung zwischen Palmen zwei Hirsche, die aus den Paradiesesströmen trinken, wiedergegeben. Um 400 kennzeichnen die Ströme nicht mehr die Landschaft als Paradies, sondern gelten als

2. H. Stern, Les mosaiques de Sainte Constance, in: Dumberton Oaks Papers, 1958, H. 12.

3. H. P. L'Orange, Sol invictus imperator. Ein Beitrag zur Apotheose, in: Symbolae Osloenses 14, 1936, S. 86 bis 114; ders., Cosmic Kingship, 1953, S. 147. Dieser imperiale Gestus bedeutet in der Antike auch Abwehr und Bannung der Feinde. — Ein zweites Mosaik in S. Costanza stellt den auf der Sphaira thronenden Christus dar. Ob es sich um die Schlüsselübergabe an Petrus oder um die Gesetzesübergabe an Mose und damit um die Gottesoffenbarung am Sinai handelt, die als alttestamentlicher Typus für die traditio-legis-Darstellung aufgefaßt wird, ist bei dem stark überarbeiteten Zustand des Mosaiks nicht mit Sicherheit zu entscheiden. Die jugendliche Gestalt spricht für Mose, der um diese Zeit immer bartlos, während Petrus

seit seiner Charakterisierung mit breitem Bart dargestellt wird. Aber die originaltreue Restaurierung hinsichtlich dieser Gestalt wird in Frage gestellt. Auch die Schriftrolle in der linken Hand Christi spricht gegen eine Gesetzesübergabe an Mose, so daß die Deutung als Schlüsselübergabe, die in der 2. Hälfte des 4. Jh. auch auf Sarkophagen dargestellt wurde, die richtige sein wird, obwohl sie auf Sarkophagen nicht als Paradiesszene aufgefaßt ist.

4. Auf der Farbwiedergabe bei Wilpert, Mosaiken IV, Tf. 132 kann man geringe Reste von Lämmerdarstellungen erkennen, vermutlich waren es vier. Wilpert gibt in: Die Malerei der Katakomben Roms, S. 132, noch eine Skizze eines verlorenen Freskos der Priscillakatakombe, die zu dieser von S. Costanza abhängigen Gruppe gehört.

Quelle des Heils und als Lebenswasser. Es handelt sich bei diesem Mosaik um die einzig erhaltene Traditio legis-Darstellung in einem Taufraum.

In der Sarkophagplastik ist die Bildkomposition auf Säulen- und Stadttorsarkophagen dargestellt worden. Vermutlich übernahmen sie zuerst die Passionssarkophage anstelle der »crux invicta« inmitten von Passionsszenen. Damit wird eine symbolische Darstellung der Auferstehung und des Herrschaftsantritts in eine figurale umgewandelt, in der der auferstandene Christus als ewiger Herrscher im Himmel in Erscheinung tritt. Am Anfang der zu verfolgenden Bildgeschichte steht ein Säulensarkophag mit Passionsszenen um 350 bis 360, *Abb. 574*, dessen Mitte die Traditio legis einnimmt. Die über dem Coelus thronende Christusgestalt steht der des Bassus-Sarkophags nahe, *vgl. Abb. 528*. Zwei Apostel sind dort bei einer reinen Repräsentation des himmlischen Herrschers huldigend wiedergegeben, dagegen hier als Paulus und Petrus charakterisiert, in der für die Gesetzesübergabe typischen Haltung, allerdings mit dem Unterschied, daß Petrus kein Kreuz trägt und in Entsprechung zum Hofzeremoniell mit von einem Tuch verhüllten Händen und nicht mit dem Mantel die Schriftrolle empfängt. Außerdem fällt das Fehlen aller Paradiesesattribute auf. Es handelt sich um den Übergang von einem Bildtypus in den anderen. In Rom und seinem unmittelbaren Einflußgebiet kommt bei der Traditio legis der thronende Christus sonst nicht mehr vor, dagegen begegnet er uns in Ravenna.

Etwas spätere Passionssarkophage übernehmen in die drei Mittelnischen die typische Dreifigurenkomposition der Gesetzesübergabe mit der stehenden Christusfigur. Einmal ist sie Wunderdarstellungen eingefügt, vgl. den Sarkophag aus Verona, *Bd. 2, Abb. 4*, der auch hinsichtlich der Verbindung von Wunderszenen mit der Stadttorarchitektur singulär ist. Ein Sarkophag in St. Maximin, Anfang 5. Jh., *Abb. 581*, stellt die Paradiesesszenen zwischen die Verleugnungsansage und die Schlüsselübergabe an Petrus, die Außenszenen geben die Gesetzesübergabe an Mose und die Opferung Isaaks wieder. Im Zusammenhang mit der Himmelfahrtsdarstellung, S. 145, wurde schon auf die Bedeutung dieser in der frühen Kunst oft zusammen auftretenden Szenen hingewiesen. Auch der typologische Zusammenhang von der Gesetzesübergabe an Mose und der Tra-

ditio legis – beide sind Theophanien – wurde bereits erwähnt. Bei Mose auf dem Berg Sinai handelt es sich um eine wirkliche Übergabe des Gesetzes, die mit der Gottesoffenbarung verbunden ist. Nach der Deutung der frühen Kirche war es der präexistente Christus, der als der ewige Logos das Gesetz an Mose übergab. In der himmlischen Paradiesesszene offenbart sich Christus als der Auferstandene unmittelbar seinen Jüngern und kündet ihnen mit dem neuen Gebot sein Evangelium. Wenn die erwähnte Inschrift auch vom Geben des Gesetzes spricht, so wird es auf den Darstellungen nicht im gleichen Sinn übergeben wie auf dem Sinai, sondern vielmehr erlassen, verkündet, offenbart. Die Dreifigurengruppe auf dem Berg, bei der Christus frontal steht, hat formal (abgesehen von den im unteren Teil eingefügten drei Jüngern) und inhaltlich einen engen Bezug zur Verklärung Christi, *vgl. Bd. 1, Abb. 406–422*. Allerdings sind aus dem 4. Jh. noch keine Darstellungen der Verklärung bekannt, doch mag die gedankliche Anregung genügt haben, um eine neue Bildformulierung zu beeinflussen.

Innerhalb der spätantiken Kunst könnte die Largitionsszene, vgl. das Missorium, *Abb. 525*, für den Sarkophag Lat. 174, *Abb. 574*, und für ravennatische Darstellungen des 5. und 6. Jh. als Vorbild in Frage kommen. Denn nur auf diesen sitzt Christus wie der Kaiser bei der Übergabe des Auftrages an einen Beamten. Doch gibt der Kaiser dem Beamten die Rolle oder ein Diptychon geschlossen in die Hand, während Christus auf allen römischen und oberitalienischen Darstellungen die Rolle demonstrativ, manchmal sogar spontan öffnet. In der Regel wendet er dabei den Blick zu Paulus, oder er sieht geradeaus, so daß man nicht den Eindruck gewinnt, Petrus bekomme persönlich einen Auftrag. Die stehende Christusfigur hat Ähnlichkeit mit der Kaiserfigur der Allocutio (öffentliche Rede, vgl. Konstantinsbogen). Will man für die Traditio legis überhaupt ein Vorbild der antiken Kaiserdarstellung suchen, so käme unter den in der Literatur genannten Bildtypen nur die Allocutio in Frage, die auch mit der Akklamation verbunden war. Wie meistens bei neuen Bildformulierungen, die nicht von einem bestimmten Text abhängen, werden für die Traditio legis verschiedene Komponenten zur formalen und inhaltlichen Prägung zusammengewirkt haben.

Bei der Dreifigurenkomposition akklamiert nur Paulus. Eine andere Sarkophaggruppe verschmilzt jedoch die traditio legis mit dem Thema der Akklamation der Apostel, die im späten 4. Jh. in der Regel mit zwölf Aposteln dargestellt wird. Bei Akklamationssarkophagen kann Christus in der Mitte stehen oder thronen, oder die »crux invicta« nimmt anstelle der Figur die Mitte ein, vgl. Bd. 2, Abb. 9, so daß bei der dreizehnfigurigen vollentwickelten Traditio legis die Mittelgruppe auch an die Stelle der symbolischen Darstellung des zur Herrschaft berufenen Auferstandenen tritt. Von der Huldigung beeinflußt ist auch die Darstellung des Arleser Passionssarkophags, die hinter Paulus und Petrus je einen huldigenden Apostel einfügt, so daß die drei Mittelfelder dieses Säulensarkophags um 400 eine fünffigurige Gruppe aufnehmen, Abb. 580, vgl. die Gesamtfront Bd. 2, Abb. 3.

Der Akklamationstypus der traditio legis mit zwölf Aposteln ist in der Regel auf Stadttorsarkophagen zu finden, so daß die Apostel in enger Folge vor der Architektur des himmlischen Jerusalems zur Mitte schreiten. Am Mailänder Sarkophag von S. Ambrogio, um 380, Abb. 583, sind die Tore um die vier Wände herumgeführt, so daß sich die in Apk 21,12 genannte Zahl zwölf ergibt, vgl. die Rückseite, Abb. 616, mit der Darstellung des göttlichen Lehrers und der Apostel[5].

Die Christusfigur der traditio legis ist auf den Sarkophagen nicht nur durch ihre Mittelstellung, Größe und frontale Haltung hervorgehoben, sondern auch durch die Architektur: zwei mit Pflanzenmotiven geschmückte Säulen, ein reich ornamentierter Architrav oder ein erhöhter Bogen, der bei dem Stadttorsarkophag wie ein Eingangstor wirkt. Von der Paradiessymbolik der anderen Darstellungsgruppe sind mit der Architektur der zukünftigen Stadt häufig die Palmen als die früchtetragenden Lebensbäume, Apk 22,2, der Phönix und der Paradiesesberg verbunden. Christus steht immer auf dem Vierströmeberg, Ausnahmen davon bilden der Gorgoniussarkophag, Abb. 582, und der Mailänder Sarkophag. Hier knien die Stifter, das heißt die Verstorbenen, für die der Sarkophag bestimmt ist, am Berg zu Füßen Christi und bitten um die Aufnahme in das Paradies. Unter dem Paradies steht auf dem Mailänder Sarkophag in der Sockelzone das Christuslamm, auf das zwölf Lämmer zugehen.

Schon das Mosaik von S. Costanza fügt der figuralen Gruppe in der unteren Bildzone vier Lämmer, die sich dem Vierströmeberg nahen, und beiderseits zwei kleine Gebäude hinzu. Auf dem nur bruchstückhaft erhaltenen Kästchen von Pola, das sich bei dieser Szene eng an das römische Mosaik anschließt, sind die geschlossenen Gebäude in offene Tore umgewandelt, aus denen die vier Lämmer kommen[6]. Auf der anderen Seite des Kästchens ist bei der Verehrung der »Sedes Dei et Agni« (Apk 5 und 22,1) das Christuslamm auf dem Paradiesesberg mit dem Thron zusammen dargestellt, vgl. Abb. 561. Das Fragment eines Säulensarkophags in S. Sebastiano, 360–370, das die traditio legis in den drei Mittelfeldern zeigt, gibt das Christuslamm in Vorderansicht unmittelbar neben dem Gesetz stehend wieder. Es trägt zur Kennzeichnung ein kleines Kreuz auf dem Kopf, Abb. 575, ähnlich Abb. 581, wo allerdings das Lamm rechts von Christus mit ihm zusammen auf dem Vierströmeberg steht; das kleine Kreuz ist zerstört, die Ansatzstelle aber zu sehen. Auf dem Fragment von S. Sebastiano sind außerdem noch die

---

5. Auf der einen Schmalseite ist Isaaks Opferung, auf der anderen die Himmelfahrt des Elia und die Gesetzesübergabe an Mose dargestellt, vgl. Abb. 448. Bei der jetzigen Aufstellung des Sarkophags unter der Kanzel ist irrtümlich die Seite des Deckels mit der antithetischen Darstellung der Verweigerung der Verehrung des Kaiserbildes durch die drei chaldäischen Männer und das Epiphaniasbild, die Anbetung des göttlichen Kindes, auf die Rückseite gesetzt worden; ursprünglich war sie dem himmlischen Gesetzgeber zugeordnet. — Die Giebelfelder der Schmalseiten zeigen die Geburt Christi, vgl. Bd. 1, Abb. 143, und die corona vitae, vgl. Abb. 529. J. Kollwitz, Der

Mailänder Sarkophag, weist Parallelen zwischen dem Bildprogramm des Sarkophags und den Predigten des Mailänder Bischofs Ambrosius nach und hält es nicht für ausgeschlossen, daß die traditio legis in Mailand entstanden ist, wenn auch vieles für Rom spricht, in: Gnomon 12, 1936, S. 601–605. — Die andere Szene, mit der auf das falsche Herrschertum verwiesen werden kann, ist der Bethlehemitische Kindermord, der auf dem Deckel des Sarkophags in St. Maximin, Abb. 581, der mit der Kranzdarbringung verbundenen Magierhuldigung gegenübergestellt ist.

6. Abbildung des Fragments bei T. Buddensieg, 1959.

Reste von acht Lämmern, die ihre Hälse recken und zu Christus emporblicken, zu erkennen. Sie sind unregelmäßig der Figurengruppe eingefügt. Zwei nehmen in der Mittelnische den Platz neben Christus und dem paradiesischen Früchtebaum ein. Auf dem Arleser Sarkophag, vgl. Bd. 3, *Abb. 580*, sind vier Lämmer ebenso wie auf dem Fragment in die Bildkomposition hineingenommen. Vermutlich war auf der linken Seite von Christus über dem aufblickenden Lamm das Christuslamm dargestellt, man sieht noch einen Teil des Felles und die Bruchstelle. Das Christuslamm auf dem Berg ist auf einem Sarkophag im Museum in Marseille, *vgl. Abb. 617*, auch der Darstellung des lehrenden Christus mit den zwölf Aposteln eingefügt.

Den Übergang zum gesonderten Lämmerfries zeigt die Dreifigurengruppe einer Grabplatte aus der Priscillakatakombe, 2. Hälfte 4. Jh.[7]. Zwei hohe Palmen begrenzen nach außen die Darstellung; zwischen ihnen und den beiden Aposteln sind ganz klein die beiden Stadttore, aus denen zwölf Lämmer hervorkommen, wiedergegeben. Sie stehen hier noch in keiner Beziehung zum Gotteslamm, das zu Füßen Christi dem Vierströmeberg zugeordnet ist. Von der Dreifigurengruppe abgegrenzt und in eine untere Bildzone gesetzt ist das Christuslamm mit den Stadttoren und sechs Lämmern auf einem nur bruchstückhaft erhaltenen Goldglas der Bibliothek des Vatikan. Hier sind die Stadttore als Bethlehem und Jerusalem bezeichnet – als die Kirche aus den Heiden und den Juden; analog dazu müssen auch die kleinen Gebäude der anderen Darstellungen und die beiden Lämmergruppen gedeutet werden[8]. Der Mailänder Sarkophag, *Abb. 583*, trennt durch die etwas vorspringende Standfläche der zwölf Apostel die figu-

rale Hauptdarstellung von dem allegorischen Nebenmotiv des Lämmerfrieses. Nur in der Mitte ist die Verbindung beider Zonen hergestellt. Über dem niedrigen Vierströmeberg, auf dem das Christuslamm steht, knien an einem zweiten Berg die Stifter bittend zu Füßen Christi. Die Anzahl der Apostelfiguren und der -lämmer entsprechen sich. Auch hier sind seitlich ganz klein die beiden Stadttore wiedergegeben.

Etwa die Hälfte aller erhaltenen Werke enthält das Christuslamm allein oder mit anderen Lämmern, so daß in ihnen ein für die Gesamtaussage der Bildkomposition wichtiges Nebenthema gesehen werden muß. Es ist nur eine Darstellung bekannt, die auf alle Nebenmotive, auch auf die des Paradieses verzichtet und sich auf die Dreifigurengruppe beschränkt, ein vermutlich aus Gallien stammendes Marmorkästchen in Ravenna, Anfang 5. Jh., *Abb. 576*, vergleiche dazu die Oster-Himmelfahrts-Darstellung der anderen Seite, *Abb. 22*[9].

Über die Entstehung und Deutung der Traditio legis mit dem Nebenthema der Lämmer als einem in Rom, Mailand und Gallien beheimateten Bildthema sind in den letzten Jahrzehnten viele sich widersprechende Meinungen geäußert worden[10]. Dabei wird einerseits immer wieder die Frage gestellt, ob nicht das Vorbild in einer Apsis der repräsentativen konstantinischen Kirchenbauten Roms gewesen sein könnte, wobei Alt-St. Peter ins Auge gefaßt wurde. Nach der erwähnten Zeichnung Grimaldis vor dem Abbruch der Peterskirche Anfang des 16. Jh. wäre in der Apsis der thronende Christus mit dem Lehrgestus zwischen den beiden akklamierenden Hauptaposteln und in einem unteren Streifen die Lämmerprozession dargestellt gewesen.

---

7. Nachzeichnung WMM I, Textbd. S. 104, Fig. 31.

8. Abbildung bei C. R. Morey, The Goldglas-Collection of the Vatican Library, 1959, Tf. XIII, 78; Inventarnummer 442, Nachzeichnung bei Ch. Ihm, 1960, S. 36.

9. Die weiteren Seiten zeigen die Magierhuldigung und Daniel zwischen den Löwen vom Engel gespeist.

10. J. Kollwitz, in: RQ 44, 1936, S. 62; ders., in: RAC, Bd. 23, 1935; ders., in: RAC III, Bd. 19, Christusbild; K. Wessel, Das Haupt der Kirche, in: Archäol. Anzeiger 1950/51, Sp. 298 ff.; W. N. Schumacher, Dominus legem dat, und Eine römische Apsiskomposition, in: RQ 1959, 54, 1–40 und 137–202; T. Buddensieg, 1959, S. 157 ff.;

C. Ihm, Apsisprogramme, 1960, S. 33–39, behandelt die Gesetzesübergabe in dem Kapitel: Christus als Imperator mit Miliz; M. Sotomayor, Über die Herkunft der Traditio legis, in: RQ 1961, S. 214–230; ders., S. Pedro en la iconographia paleocristiana, Granada 1963, vor allem S. 125–152; C. Davis-Weyer, Das Traditio-Legis-Bild und seine Nachfolge, in: Mch. Jb. d. Bild. Kunst, 1961, S. 7–45; F. Nikolasch, Zur Deutung der Dominus-legemdat-Szene, in: RQ 1969, 64, S. 35–72. Zu der mit der Traditio-legis-Darstellung verbundenen Lämmerdarstellung siehe F. Gerke, Ursprung, 1934; F. Nikolasch, Das Lamm, 1965, bes. S. 47–69, und Diss. 1969, S. 47 ff.

Doch handelt es sich bei dieser Kopie um den Zustand der Apsismalerei nach der Neugestaltung unter Innozenz III., 1198–1216, so daß man von dieser Zeichnung aus nicht ohne Vorbehalt auf eine Bildkomposition des 4. Jh. schließen kann. Selbst wenn die Zeichnung stimmt, ist in der Apsiskonche eine Thron-Lehrszene dargestellt, die als Vorbild nicht in Frage kommt. Der Lämmerfries ist vermutlich eine mittelalterliche Zutat, bei der man sich an die Apsisdekorationen älterer römischer Kirchen angeschlossen haben könnte. Da die Apsis von S. Paolo f.l.m. im 19. Jh. ganz erneuert wurde, läßt sich über das erste Mosaik nichts aussagen, siehe S. 197. Die Frage, ob das Bildthema der Traditio legis in der Monumentalmalerei oder in der Sarkophagplastik entstanden ist, muß offenbleiben, so verlockend es ist, sich diese repräsentative Komposition in einer Apsis vorzustellen. Sicher ist nur, daß in der 2. Hälfte des 4. Jh. die dreifigurige und die dreizehnfigurige Komposition nebeneinander standen und daß der überwiegende Teil der erhaltenen Werke der Sepulkralkunst angehört, was doch vermutlich nicht nur mit dem besseren Erhaltungszustand der Steinsarkophage gegenüber der Wandmalerei zu begründen ist.

Die ebenfalls viel diskutierte Deutung der Bildkomposition muß die drei Motivgruppen im Auge behalten: 1. die Figurengruppe Christus mit dem Herrschergestus und der offenen Schriftrolle, Paulus und Petrus oder das Apostelkollegium; 2. die eschatologische Paradiessymbolik: die fruchttragende Palme = Lebensbaum, der Phönix, der Berg und die Wolken bzw. der Globus, auf welchem Christus steht, die vier Ströme des Heils, manchmal auch der Jordan und schließlich die ewige Stadt; 3. das Christuslamm und die Lämmer in den verschiedenen Anordnungen, in die Komposition einbezogen oder zu einem Fries verselbständigt. Die Paradiessymbolik verweist die Szene in den himmlischen Bereich. Wie immer man den Zusammenhang der Traditio legis mit der Sendung der Jünger sehen mag, eine historische Szene ist sie sicher nicht. Dennoch klingt die Sendung zu allen Völkern der Erde insofern mit an, als das Apostelkollegium auf den Darstellungen des 4. und 5. Jh. nicht nur das Konsistorium (die Würdenträger um den Kaiser) des himmlischen Herrschers, sondern ebenso die oikumenische Kirche aus allen Völkern und die eschatologische Heilsgemeinde

verkörpert, also die zum Heil Berufenen, die die Verkündigung und die Taufe empfingen. Für die Deutung ist es einerlei, ob nur Paulus und Petrus oder ob die anderen Apostel mit dargestellt sind, da, wie oben schon gesagt, die beiden Apostelfürsten aufgrund ihres Wirkens die ganze Kirche im Sinne des neuen Israel vertreten.

Die Tatsache, daß innerhalb der Sarkophagplastik die Traditio legis, sofern der Denkmälerbestand nicht trügt, zuerst auf Passionssarkophagen vorkommt und an die Stelle der »crux invicta« tritt, legt zwar den Akzent auf die Auferstehung, aber nicht im Sinne der Wiedergabe der Evangelienberichte. Diese symbolische Darstellung, die die Bildelemente der spätantiken Siegesikonographie in der christlichen Umdeutung verwendet, knüpft wohl durch die Wiedergabe der Grabeshüter daran an, verdeutlicht aber die Auferstehung als den errungenen Sieg und die damit verbundene ewige Herrschaft (das in den Himmel versetzte Tropaium, der Siegeskranz, der Adler, siehe oben). Es kann sich bei der Traditio legis, bei der jede Handlung als solche hinter der Erscheinung des Christus völlig zurücktritt, nur um die Repräsentation des sich in der Herrlichkeit des Paradieses und inmitten des neuen Gottesvolkes offenbarenden Auferstandenen handeln, dem alle Gewalt im Himmel und auf Erden gegeben ist. Mit dem Weltherrschaftsgestus der erhobenen Rechten dokumentiert er den Sieg über den Tod, mit der geöffneten Schriftrolle das Gesetz oder die Ordnung der neuen Welt. Wenn die Inschrift in S. Costanza original ist, dann wäre das Gesetz als der Friede zu deuten. Das messianische Reich ist im Alten Testament als das Reich der Herrschaft des Friedens erwartet worden. Man kann in der geöffneten Schriftrolle, die nur bei ganz wenigen Darstellungen eine Inschrift hat, das Evangelium sehen, die Antithese zum Gesetz des Alten Bundes, das geoffenbarte Heil für das neue Gottesvolk. Schließlich ist das Evangelium Christus selbst[11].

11. Die in der Literatur geäußerte Meinung, dadurch, daß Petrus das Gesetz empfängt, käme in der Bildkomposition seine Vorzugsstellung zum Ausdruck, hat Kollwitz schon 1935 widerlegt. Im 4. Jh. stand der Primatgedanke nicht so im Vordergrund der theologischen Diskussion, daß er einen Niederschlag in der christlichen Kunst hätte fin-

Die Petrusgestalt mit dem Kreuz, das auf seinen Märtyrertod hinweist, Joh 21,18 f. und das Siegeszeichen der Auferstehung ist, verbindet die schon vollendete Gemeinde mit der irdischen, die in der Nachfolge auf Erden unter der Verheißung der Teilhabe an der himmlischen Seligkeit lebt. Die Lämmer, die der Paradiesdarstellung eingefügt sind, veranschaulichen die Verwirklichung der Verheißung, denn sie allegorisieren die Seligen, die im Paradies bei Christus leben (vgl. Mt 10,16 und 25,31 f.). In bezug zu den Lämmern ist der Basileus der göttliche Hirte. Mit diesen Lämmern wird der Traditio legis ein Bildgedanke aus einer anderen Vorstellungstradition eingefügt, die auf die Erfüllung der Auferstehungshoffnung ausgerichtet ist. Die Hoffnung des Glaubens bekommt individuellen Charakter, wenn die Stifter eines Sarkophags am Paradiesesberg zu Füßen des Auferstandenen bittend knien. Unter diesen Lämmern ist auf einigen Sarkophagen eines durch ein kleines Kreuz als Christuslamm gekennzeichnet. Es steht neben der Christusgestalt oder in der Mittelachse unter ihr, also in einem unmittelbaren Bezug zu dem Auferstandenen und Erhöhten. Da das Christuslamm, wie oben gezeigt wurde, auch in der Verherrlichung und als Siegeslamm das Opferlamm ist, ist es Hinweis auf den Opfertod des Erlösers, der im Zentrum der Bildkomposition als der himmlische Herrscher erscheint. Im Zusammenhang der Aufnahme einzelner Motive der Apokalypse in die Kunst wird das Lamm auf dem Paradiesesberg im späten 4. Jh. der Traditio legis-Darstellung eingefügt, und es werden ihm zwölf Lämmer zugeordnet. Auf dem Sarkophag in S. Ambrogio, um 380–390, *Abb. 583,* ist zum erstenmal der Lämmerfries als selbständiges Motiv zu belegen, der dann den verschiedenen Bild-

programmen, die Christus in seiner Erhöhung zeigen, hinzugefügt wird. Es scheint für die Traditio legis geschaffen worden zu sein und steht hier noch in engem Zusammenhang mit der figuralen Komposition. In dieser Anordnung verweist das Christuslamm nicht nur auf die menschliche Natur und den Opfertod des himmlischen Herrn, sondern ist zugleich die Mitte der »ecclesia triumphans« im Paradies. Die Lämmerallegorie hat ihre Wurzel in den neutestamentlichen Hirtengleichnissen; das Christuslamm auf dem Berg geht auf die apokalyptische Schau der Anbetung des Lammes Apk 14,1 ff. zurück. In diesem Zusammenhang kann in den Lämmern auch die unzählbare Schar, die dem Christuslamm ein neues Lied singt, gesehen werden. Sie kommen aus der großen Trübsal und haben ihre Kleider im Blut des Lammes gewaschen. Und dieses Lamm, das zugleich Opferlamm und Hirte ist, führt die Erlösten im Paradies zu den lebendigen Wasserbrunnen. So wiederholt der Lämmerfries das figurale, von der höfischen Kunst bestimmte Hauptthema mit den Bildvorstellungen der Apokalypse. Das Lamm muß aber auch in der Einheit mit der Gestalt des sieghaften Herrn der ewigen Stadt oder der regia coeli[12] gesehen werden, der seiner Kirche das neue Gebot des Friedens gibt, das erwirkt ist durch Golgatha. Formal wird die Zusammengehörigkeit der Christusfigur und des Lammes durch das Weglassen des Gesimses in der Mitte hervorgehoben. Möglicherweise soll die Darstellung auf dem Stadttorsarkophag in S. Ambrogio auch auf Apk 21,14 hinweisen, wo die Apostel zum Lamm und zur ewigen Stadt in Beziehung gesetzt sind, und auf 21,23, wo es von dieser Stadt heißt, daß sie keiner Sonne bedarf, da ihre Leuchte das Lamm ist.

---

den können. Außerdem ist die sogenannte Schlüsselübergabe an Petrus, Mt 16,19, in der 2. Hälfte des 4. Jh. als eigene Szene dargestellt worden, siehe dazu auch unten. F. Nikolasch, 1969, S. 50 ff., bringt eine große Anzahl von Kirchenväterzitaten zu der schon im 4. Jh. weit verbreiteten Auffassung von Paulus und Petrus als den Vertretern der Kirche aus den Heiden und aus den Juden. Er wendet sich gegen die Auffassung einer österlichen Erscheinung vor Petrus bei Schumacher und betont die paradiesischen Elemente der Bildkomposition, die fast alle der 34 be-

kannten Monumente des römisch-oberitalienischen Typus aufweisen. Von ihnen gehören nach der Zusammenstellung von Nikolasch 28 der Sepulkralkunst an, zwei sind Reliquiare, zwei Goldgläser, eines eine Medaille und nur eines befindet sich in einem Taufraum.

12. F. Gerke, 1934, S. 173, verweist darauf, daß Damasus in seinen Märtyrergedichten ein Bild der himmlischen Burg, in der die Gloria Christi von den Aposteln und den triumphierenden Seligen gefeiert wird, entworfen hat.

Der ravennatisch-östliche Typus. Neben und unabhängig von diesen westlichen Bildkompositionen der Traditio legis hat es eine von Konstantinopel ausgehende zweite Formulierung des Bildthemas gegeben, die von der römisch-oberitalienischen abweicht[13]. Es fehlen die eschatologischen Paradiesessymbole, Christus ist jugendlich ohne Bart dargestellt, thronend gibt er das Gesetz an Paulus. Beide Kompositionsformen begegnen sich in Ravenna Anfang des 5. Jh. Ein Sarkophag im Nationalmuseum zeigt die westliche stehende Dreifigurengruppe zwischen zwei Palmen und fügt zu beiden Seiten die hier gleichfalls stehenden Stifterfiguren an. Petrus trägt nicht das Kreuz geschultert, *Abb. 584*[14]. Ein Stuckrelief des Dombaptisteriums, um 450, vermischt die beiden Bildtypen, *Abb. 588*. Christus sitzt und hält selbst das große Siegeskreuz in der linken Hand. Er reicht Petrus, der hier auf seiner rechten Seite steht, das Gesetz. Die Paradiessymbolik fehlt. Die Darstellung dieser Giebelbekrönung steht thematisch zu drei anderen im Baptisterium in Beziehung: Christus auf Schlange und Löwe tretend, *vgl. Abb. 62*, Daniel zwischen den Löwen und Jona. Schon bald nach 400 ist auf einem Säulensarkophag in S. Francesco die Gesetzesübergabe an Paulus dargestellt, *Abb. 585*[15]. Der Apostel steht wie auf der westlichen Darstellung rechts von Christus, aber durch eine Säule von ihm getrennt. In leicht gebeugter Haltung streckt er seine verhüllten Hände dem thronenden Herrn entgegen, der die verschlossene Rolle in der ausgestreckten Hand hält. In drei weiteren Nischen befinden sich Apostel, die nicht gekennzeichnet sind[16]. Auf einem Sarkophag in S. Maria in Porto fuori, Anfang 5. Jh., *Abb. 587, Ausschnitt*, übergibt Christus das »Gesetz« an Paulus in Form eines zusammengeklappten Diptychons. Die schöne jugendliche Christusfigur trägt im Haar das kaiserliche Banddiadem.

Der spätere Zwölfapostelsarkophag (die auf der Front fehlenden Apostel sind auf den Seitenwänden wiedergegeben) in S. Apollinare in Classe, *Abb. 586*, gibt Petrus wieder seinen üblichen Platz; er ist gleichfalls dem westlichen Bildtypus entsprechend in Schreitstellung und mit dem geschulterten Kreuz dargestellt. In den verhüllten Händen hält er den »Schlüssel des Himmelreiches«, Mt 16,19. Christus sitzt geradeaus blickend mit dem geöffneten Buch in der Hand auf der mit einem Kissen belegten sella curulis (Amtssessel des Konsuls) und übergibt Paulus die Gesetzesrolle. Zwei Apostel huldigen dem Herrscher, zwei weitere bringen Kränze dar. Die wenigen ravennatischen Darstellungen des östlichen Typus lehnen sich an das höfische Zeremoniell der Überreichung einer Ernennungsurkunde in der Form der Rolle oder eines Diptychons an einen neuen Beamten an, *vgl. Abb. 525*, was bei dem westlichen Paradiesbergtypus nicht der Fall ist. Dadurch steht hier der Gedanke einer Beauftragung an Paulus, den Völkerapostel, im Vordergrund.

In der Sarkophagplastik Ravennas ist außerdem im 5. Jh. die Gesetzesübergabe einerseits zu einer Huldigung des thronenden Christus mit der Kranzdarbringung der beiden Hauptapostel, *vgl. Abb. 630*, andererseits zu einer dreifigurigen symbolisch-allegorischen Lämmergruppe, sog. Constantiussarkophag, Ende 5. Jh., abgewandelt worden, *Abb. 591*. Auf beiden Darstellungen ist die Dreiergruppe von Palmen flankiert, die Christusfigur und das Christuslamm haben den Monogrammnimbus, der in der Christusikonographie des 5. und 6. Jh. dem himmlischen König vorbehalten ist. Der Thron steht ebenso wie das Lamm auf dem Vierströmeberg. Christus streckt seine Hand zu Paulus hin aus, das Christuslamm wendet den Kopf zu dem Pauluslamm. Die Wolken zu beiden Seiten des Hauptes Christi sind Herrschaftsattribute. Der sog. Honoriussarkophag, *Abb. 589*, stellt das Christuslamm vor das Kreuz, an dem zwei Tauben, die die Seligen im Paradies versinnbildlichen, picken. Das Kreuz des Lammes ist ebenso Siegeszeichen wie auf theodosianischen Sar-

---

13. J. Kollwitz, Oströmische Plastik der theodosianischen Zeit, Berlin 1944, S. 153 ff., Tf. 48. Kollwitz vermutet hinter dieser zweiten Fassung, die er aus Fragmenten rekonstruierte, eine größere Komposition in Konstantinopel. Er nennt S. 158 auch eine Übergabe an Johannes, die für die Johanniskirche in Ravenna überliefert ist.

14. Die Seitenwände zeigen die Auferweckung des Lazarus und Daniel zwischen den Löwen.

15. Der nahezu gleiche Sarkophag des Liberius wird von Kollwitz, entgegen anderen Forschern, für eine spätere Kopie gehalten.

16. Siehe zu diesen Sarkophagen F. Gerke, 1934, S. 182.

kophagen das in der Hand des sieghaften Christus. Die Abstraktion ist hier durch die Abgrenzung der Bildzeichen noch weiter fortgeschritten als auf dem Constantinussarkophag; die beiden Apostel sind durch Kreuze symbolisiert. Schließlich zeigt ein Sarkophag in S. Apollinare in Classe, der schon dem 7. Jh. angehört, *Abb. 590,* wie die beiden Apostelmänner das Monogrammkreuz mit Alpha und Omega »küssen« (Gerke). Das sind letzte Ausläufer der Dreifigurengruppe im Paradies in der die Allegorie und Abstraktion bevorzugenden ravennatischen Bildsprache[17]. Auf der Seitenwand steht das gleiche Kreuz auf dem Vierströmeberg zwischen zwei Pfauen, und auf dem Deckel sind diese Symboltiere der Unsterblichkeit dem von der corona vitae (noch immer der antike Siegeskranz mit Schleife) umschlossenen Kreuz zugewandt.

Doch treten die gleichen Bildmotive im 6. und 7. Jh. etwas vergröbert auch im westfränkischen Reich auf. Die ikonographische Verwandtschaft zwischen den allegorischen Sarkophagdarstellungen Ravennas und dem Lesepult der Radegundis (gest. 587) im Kloster Ste. Croix in Poitiers, *Abb. 592,* ist auffallend. Das Lamm in der Mitte der Holztafel steht zwischen den sehr stilisierten Paradiesespalmen. Das ziegelartige Fell der ravennatischen Lämmer kehrt in unregelmäßiger Form wieder. Petrus und Paulus sind durch Monogrammkreuze wiedergegeben. Den vier Ecken sind die auf Büsten reduzierten, von Kränzen umgebenen vier Wesen eingefügt. Von dem Adlerkopf ausgehend, müssen die zwei Vogelpaare ebenfalls als Adler gedeutet werden. Sie picken nicht an den Kränzen, die ein Christussymbol umschließen, sondern halten sie. Die Adler sind als Gestalttypen sehr weit entfernt von den Adlern auf römischen Sarkophagen, die ihre Flügel über der konstantinischen crux invicta ausspannen. Sie stehen auch nur in einer weitläufigen Beziehung zu den Adlern koptischer Grabstelen, obwohl in der mero-

wingischen Kunst Einflüsse der christlichen Mittelmeerkunst zu erkennen sind. Aber auch hier gehören sie zu dem umfassenden Thema der Auferstehung und der Verherrlichung des erhöhten Herrn.

Die Nachwirkungen des römischen Darstellungstypus des 4. Jh. Die Nachwirkung des römischen Bildtypus kann nach zwei Richtungen hin verfolgt werden: erstens im Hinblick auf die für die Traditio legis geprägte stehende eschatologische Christusfigur ungeachtet des dargestellten Vorgangs und zweitens auf das inhaltliche Motiv der Gesetzesübergabe. Bei beiden Darstellungsgruppen wird die ursprüngliche Kompositionsform erweitert und abgewandelt.

Das Apsismosaik in SS. Cosma e Damiano, 526 bis 530 von Papst Felix IV. erbaut, *Abb. 593,* ist durch die barocken Einbauten zwar beeinträchtigt, aber nicht zerstört oder durch Restauration wesentlich verändert worden, so daß in ihm ein großartiges Zeugnis eines christlich-römischen Apsisprogramms am Ende der Spätantike noch zu sehen ist. Die dreifigurige Hauptgruppe der Traditio legis ist zu einer siebenfigurigen Komposition erweitert, in der Paulus und Petrus den ursprünglichen Platz zu seiten des sich offenbarenden Kyrios einnehmen. Die Übergabe des Gesetzes ist abgelöst von einem Thema, das sich im 6. Jh. entwickelt: der Einführung von Heiligen (praesentatio) in Verbindung mit der Darbringung ihrer Märtyrerkrone. Paulus und Petrus legen je eine Hand auf die Schulter der Titelheiligen Cosmas und Damianus, während sie mit der anderen Hand auf Christus weisen, dem sie mit dieser Geste die Märtyrer empfehlen. Papst Felix bringt das Kirchenmodell dar, während die Titelheiligen und Theodor, zu dem der Papst eine besondere Beziehung hatte, ihre Kronen auf verhüllten Händen tragen. Die mächtige Christusgestalt mit dem kaiserlichen Nimbus und dem goldenen Gewand mit blaupurpurnen Clavi, die Rechte im Siegesgestus erhoben und in der Linken die Rolle als Attribut haltend, steht auf rötlichen Wolken vor blauem Grund. Das Mosaik zeigte ursprünglich noch die Gotteshand mit dem Kranz über Christus. Die Paradieseslandschaft ist die gleiche wie auf der älteren Komposition. Auch der Jordanstrom, der hier namentlich bezeichnet ist und sich über die Paradieseswiese um die ganze Koncha zieht, ist auf ein-

17. Die Lämmerfriese mit dem Christuslamm auf dem Vierströmeberg und die Taubenfriese mit dem Monogrammkranz waren in Gallien schon im 5. Jh. bekannt, wie der Altar der Abtei St. Victor in Marseille beweist, dessen Mensa an den Breitseiten durch diese beiden Friese geschmückt ist, siehe J. Hubert, J. Pocher, W. F. Volbach, Frühzeit des Mittelalters, München 1968, Abb. 14, 15.

zelnen Darstellungen der Traditio legis schon vorge-
kommen. Der Phönix (auf der Abbildung schlecht zu
erkennen) sitzt ebenfalls auf der Palme hinter Paulus.
Der Lämmerfries hat gegenüber der älteren Bildkomposition mehr Gewicht und ist in seiner inhaltlichen
Aussage verselbständigt, da die zwölf Lämmer nicht
den zwölf Aposteln zugeordnet sind wie auf dem Sarkophag in Mailand. Das Christuslamm (durch den Barockaltar verdeckt) steht auf dem Berg, dessen Ströme
Geon, Fison, Tigris und Euphrata benannt sind[18]. Die
Christusgestalt ist bei manchen Beschreibungen des Mosaiks als auf den Wolken herabschreitend geschildert
und deshalb als der Wiederkehrende zum Gericht gedeutet worden. Dem widerspricht aber der Vorgang im
Paradies und die statuarische Haltung der Christusfigur. Die Fußstellung ist die des Kontrapost bei der
antiken stehenden Figur. Die Gegenwärtigkeit und
Seinsfülle der majestätischen Gestalt ist nicht Ausdruck
der Parusie, sondern der Präsenz des Erhöhten bei der
Gemeinde.

Auf der Triumphbogenwand ist – seitlich durch Umbauten stark beschnitten – die schon erwähnte Verehrung des apokalyptischen Lammes auf dem Thron dargestellt, *Abb. 594*. Von den 24 Ältesten, die ihre Kränze
darbringen – sie kommen zum erstenmal im Bildprogramm des Triumphbogens von S. Paolo f. l. m. zwischen 440–460 vor –, sind auf beiden Seiten nur noch
einige verhüllte Hände mit den Kränzen zu sehen. Das
aurum coronarium übernahm die Apokalypse für die
Huldigungsszenen der 24 Ältesten, die als Presbyter
der himmlischen Kirche zu verstehen sind. Neben dem
Thron stehen die sieben Leuchter, die in Apk 1,12 bei der
ersten Vision des Menschensohns erwähnt werden. Daran schließen nach beiden Seiten je zwei auf dem »gläsernen Meer« (Apk 4,6) stehende akklamierende Engel
und eins der apokalyptischen Thronwesen (Mensch und
Adler) an, die aufgrund der Bücher, die sie halten, zugleich die Evangelien symbolisieren; die beiden anderen sind ebenso durch Einbauten zerstört wie die Ältesten.

Unter Paschalis I. (817–824), der ältere römische
Bildkompositionen wieder aufnahm, ist das Apsis-

mosaik von SS. Cosma e Damiano jeweils mit anderen
Heiligen und Stiftern mehrfach wiederholt worden,
und zwar immer als Apsisdarstellung. Am getreuesten
geschah das in S. Prassede, Anfang 9. Jh., *Abb. 595*.
Hier sind auch die gleichen Motive aus den Visionen
der Apokalypse Kapitel 1, 4, 5 in derselben Anordnung
auf der Stirnwand übernommen worden und im Gegensatz zum Vorbild ganz erhalten geblieben. Die Ältesten sind als Märtyrer weiß gekleidet und in zwei
Gruppen zusammengefaßt. Auf der Abbildung sind die
seitlichen Figuren allerdings durch die vordere Triumphbogenwand verdeckt. Auf ihr ist die ewige Stadt, in
der Christus zwischen zwei Engeln inmitten der Märtyrer steht, dargestellt. Von beiden Seiten kommt die
»unzählbare Schar«, sie setzt sich in einer unteren, von
barocken Einbauten zum Teil verdeckten Bildzone in
zwei Reihen übereinander fort. Alle, die sich zum Lobpreis versammeln, halten ihre Märtyrerkrone in Händen und haben den Nimbus. Die Apostel führen auf
dem Apsismosaik die Märtyrerinnen Praxedis (Titelheilige) und Pudenziana ein. Dem Papst Paschalis mit
dem Kirchenmodell steht Bischof Zeno gegenüber.

In S. Cecilia in Trastevere, um 820, ist von dieser
Gesamtkomposition nur die Apsisdarstellung erhalten.
Christus steht zwar auf den Wolken, jedoch nicht erhöht. Die letzte dieser römischen Repliken, das Apsismosaik von S. Marco, 833–844, *Abb. 596*, weist einen
stärkeren byzantinischen Einfluß auf als die vorhergehenden. Die breiten, niedrigen Standflächen (Suppedaneum) sind dem byzantinischen Hofzeremoniell entnommen. Sie gehören nicht nur zum Thron, sondern
auch zur Darstellung des stehenden Kaisers, der, wie
oben erwähnt, nur mit Purpur und Porphyr in
Berührung kommen durfte. Hier erhalten diese Auszeichnung auch die Heiligen und sogar der Stifter
mit dem Kirchenmodell, der durch seinen rechteckigen
Nimbus als noch lebend gekennzeichnet ist. Formal bewirkt das Suppedaneum, das jeweils den Namen der
Heiligen trägt, dessen Isolierung. Der Jordanstrom ist
schon in S. Cecilia aufgegeben; in S. Marco ist aber
die ganze Paradieseslandschaft verkümmert: statt der
Wiese ein Farbstreifen, statt der Palmen zwei kleine
Gewächse. Der Phönix findet zwischen dem Lamm
und der Christusgestalt einen neuen Platz, der ihn
zwar der betonten Mittelachse einfügt, ihn in der Ge-

18. 1 Mos 2,10—14 heißen sie Pison, Gihon, Hiddekel
und Euphrat.

samtkomposition aber nicht zur Geltung kommen läßt und aus dem alten Zusammenhang mit der Palme löst. Der Titelheilige legt seine Hand auf die Schulter von Papst Gregor, während Paulus und Petrus mit den einführenden Gesten an der Stirnwand zu beiden Seiten angebracht sind (nicht mit abgebildet). Bei dieser Isolierung und strengen Frontalität aller Gestalten kann man nicht mehr von einem Vorgang sprechen. Es macht sich vielleicht der Einfluß der isolierten handlungslosen Christusgestalt, die sich vom frühen Mittelalter an unter dem Bildtypus der »Majestas Domini« verbreitet, geltend. Christus hält in S. Marco nicht mehr die antike Rolle, sondern das offene Buch, in dem zu lesen ist: »Ich bin das Licht, ich bin das Leben, ich bin die Auferstehung.« Der Herrschergestus ist wie schon in S. Cecilia umgewandelt zum Segensgestus mit angewinkeltem Arm, der beim stehenden Christus selbst im Mittelalter selten ist – abgesehen von den späteren Einzelfiguren des segnenden Christus. Direkt auf SS. Cosma e Damiano geht auch die Apsisdarstellung von S. Sebastiano al Palatino vom Ende des 10. Jh. zurück[19].

In der außerrömischen Apsismalerei des Mittelalters muß die stehende eschatologische Christusfigur selten gewesen sein; es sind nur wenige Monumente auf uns gekommen. Die Christusgestalt in der Kalotte der Mittelapsis von St. Johann in Müstair, um 800, weicht von der römischen des 6. Jh. durch die rechte Hand, die nach innen gebogen ist und einen Stab hält, ab. Außerdem ist die Darstellung von der Majestas Domini beeinflußt: Christus ist von der Mandorla und von schwebenden Cherubim umgeben[20]. In St. Benedikt in Mals (Etschtal) um 880 sind die Figuren auf drei Apsisnischen und zwei Zwischenfelder, außerdem auf verschieden hohe Standebenen verteilt. Dargestellt ist die Darbringung des Kirchenmodells. Obwohl die Malerei schlecht erhalten ist, läßt sie die beherrschende Wirkung der von zwei Engeln flankierten stehenden Christusgestalt noch ahnen. Von der gleichen Mächtigkeit der Erscheinung wie in SS. Cosma e Damiano dürfte

die Gestalt mit der weit ausgereckten Hand in der von Aribert von Intimiano 1007 geweihten Kirche von S. Vizenzo in Galliano bei Como gewesen sein; nur Bruchstücke sind von diesem Apsisfresko erhalten. Dagegen sind die Fresken der Basilika S. Anastasio in Castel S. Elia bei Nepi nördlich von Rom noch erhalten. Die Bildkomposition aus dem späten 11. Jh. ist ohne Kenntnis des Vorbildes aus dem 6. Jh. und dessen Wiederholungen nicht denkbar, *Abb. 599*. Drei römische Maler bezeichnen sich durch eine Inschrift unter der Christusfigur in der Apsiskoncha als Meister dieser Ausmalung. Es kehrt die Paradieseslandschaft mit den Wolken, den vier Strömen, den zwei Bäumen, vor allem aber die von der Gotteshand bekrönte Christusgestalt mit der erhobenen Rechten wieder. Die Zone des Lämmerfrieses ist durch die Palmen als Paradies deutlich gemacht. Da sich in der Mitte dieser Zone ein Fenster befindet, ist das Gotteslamm nach oben gerückt und steht zu Füßen Christi. Es ist das Gotteslamm mit dem Kelch, in den sein Blut fließt, wie es das Mittelalter zeigt. An den Querhauswänden zu beiden Seiten der Apsis schreiten die 24 Ältesten in zwei Reihen übereinander der Mitte zu (nicht mit abgebildet). Es sind zwar an der Nord- und Südwand des Querhauses noch andere Szenen der Apokalypse, die um diese Zeit längst ausführlich dargestellt wird, angebracht; die 24 Ältesten stehen aber wie in der frühen römischen Malerei in engem Bezug zu der Paradiesesdarstellung der Apsiskonche. Die stehende Christusgestalt der Kirche in Châlières (Schweizer Jura), 1. Viertel 12. Jh., *Abb. 600*, hängt ikonographisch nur lose mit dem römischen Typus zusammen; lediglich die Haltung und Geste erinnert daran. Die Hand ist restauriert und war ursprünglich sicher geöffnet. Die Paradiesesszenerie und die Begleitfiguren fehlen. Die zwölf Apostel stehen paarweise unter Arkaden in einer unteren Bildzone und haben kaum noch einen unmittelbaren Bezug zu Christus. Dennoch sind sie im Zusammenhang der frühchristlichen Darstellung des Apostelkollegiums zu sehen[21].

---

19. Vgl. weitere römische Bildschemata im Anschluß an die Gesetzesübergabe bzw. an das Mosaik von SS. Cosma e Damiano bei C. Davis Weyer, 1961.

20. Nach L. Birchler, Müstair-Münster, Olten-Lausanne 1954, S. 214, ist der unterste Teil der Figur durch die

Restauration verunklärt, doch war sie höchstwahrscheinlich ursprünglich stehend.

21. Vgl. noch das Wandbild an der Innenseite der Westwand von S. Carlo in Prugiasco, J. Ganter, Kunstgeschichte der Schweiz, Leipzig 1936, Bd. 1, Abb. 204.

Verfolgt man das Thema der Traditio legis, so trifft man es im Mittelalter in der ursprünglichen dreifigurigen Bildkomposition in der Paradieseslandschaft noch zu Beginn des 13. Jh. in der Apsiskalotte von S. Silvestro in Tivoli bei Rom an, *Abb. 597*. Selbst die Inschrift auf der offenen Rolle, deren eines Ende Petrus hält, ist übernommen. Ebenso kehrt darunter der Lämmerfries und an der Apsiswand die Ergänzung des Hauptthemas durch die Anbetung des Lammes wieder. Dieser späte Rückgriff auf den frühchristlichen Bildtypus ist eine Ausnahme, zeigt aber, welche Bedeutung er hatte.

In der Regel wird seit etwa 800 die Schlüsselübergabe (traditio clavis) an Petrus mit der Gesetzesübergabe an Paulus verbunden und so die Petrusszene Mt 16 in die repräsentative zeitlose Darstellung übertragen[22]. Diese Parallele klingt schon auf dem Zwölfapostelsarkophag in Ravenna an, *Abb. 586*. Petrus ist da in der gleichen Schrittstellung und leicht vorgeneigten Haltung wie Paulus, der das Gesetz empfängt, dargestellt und trägt in den verhüllten Händen die Schlüssel, als habe er sie eben erhalten. Ein Fresko in der Domitillakatakombe, um 685, zeigt Christus auf der Sphaira thronend, wie er Petrus zu seiner Rechten die Schlüssel gibt, Paulus hält das Gesetz in seinen verhüllten Händen. Die mittelalterliche Darstellung gibt die gleichzeitige Übergabe wieder, bei der Christus in der Regel thront. Die Anordnung der Apostel variiert. Das karolingische Fresko in der Nordapsiskalotte von St. Johann in Müstair (Graubünden), *Abb. 601*, war bis zur Aufdeckung der ursprünglichen Wandmalerei unter einer romanischen Darstellung des gleichen Themas verborgen. Ob es vor 800 die gleichzeitige Schlüssel- und Gesetzesübergabe als repräsentative Apsisdarstellung schon gab, läßt sich nicht sagen. Das Fresko in Müstair zeigt Christus auf einer reich geschmückten Thronbank mit Suppedaneum und Kissen sitzend und von einem großen doppelten Kreisnimbus umgeben, der der Majestas-Domini-Darstellung entstammt. Der innere dunkle Nimbus ist mit Sternen besetzt. Auf großen Tüchern empfangen die Apostel die Schlüssel und das

Buch, das an die Stelle der geöffneten Rolle getreten ist. Es ist hier keine Proklamation dargestellt, sondern eine wirkliche Übergabe der Sinnbilder des Auftrages an die Kirche.

Die Kapelle eines Priorats in Berzé-la-Ville, das in der Nähe von Cluny liegt und ehemals in engster Verbindung zu dieser bedeutenden Abtei stand, bewahrt ein Apsisfresko mit der Gesetzesübergabe aus dem 1. Drittel des 12. Jh., das noch einmal die zwölf Apostel zu beiden Seiten Christi zeigt, *Abb. 598*. Über Cluny bestanden Beziehungen zu Rom – doch nicht nur diese, sondern auch die Tatsache, daß Cluny 910 das ganze Gebiet seiner Abtei den Aposteln Petrus und Paulus weihte, mag der Grund für die Aufnahme des alten römischen Bildmotivs – in der mittelalterlichen, von der Majestas Domini bestimmten Abwandlung – in einer burgundischen Kirche gewesen sein. Es wird vermutet[23], daß sich in der Abteikirche in Cluny eine ähnliche Darstellung, die noch unter Abt Hugo (1049–1109) entstanden sein könnte, befand. Die Inschrift auf der Gesetzesrolle, die Petrus empfängt, ist zerstört; ebensowenig lesbar ist die auf der Rolle, die Paulus hält. Der Schlüssel in der unverhüllten Hand Petri ist Attribut des Apostels. Da die thronende Christusfigur in der romanischen Kunst vorherrscht, tritt sie hier an die Stelle der stehenden der römischen Ikonographie – nicht minder machtvoll und von der göttlichen Hand gekrönt.

Ein Elfenbeinrelief, das höchstwahrscheinlich zu einem Magdeburger Antependium der Zeit Ottos I., 962 bis 973, gehörte, *Abb. 602*, verbindet die Schlüssel- und Gesetzesübergabe und übernimmt die alte Inschrift: Dominus legem dat – die Fortsetzung der Inschrift ist nicht zu lesen. Hier steht Christus auf einem Berg, während ihn eine Miniatur eines Brandenburger Evangelistars, 1. Hälfte 13. Jh., *Abb. 603*, als Halbfigur am Himmel wiedergibt. Manche Pfingstdarstellungen zeigen Christus als den Spender des Geistes in der gleichen Weise. Der Berg ist auf der Miniatur noch vorhanden, doch dürfte mit ihm nicht mehr der Paradiesesberg gemeint sein. Der Gedanke, daß der Auferstandene sei-

22. Die Schlüsselübergabe allein wird außerdem im Mittelalter als Illustration zu Mt 16, in der Renaissance und Barockkunst auch oft in Petruszyklen dargestellt. Zur

Verbindung mit der Erscheinung des Auferstandenen Joh 21,15 ff. siehe oben *Abb. 387 und 388.*

23. Siehe Demus-Hirmer 1969, S. 136.

ner Kirche auf Erden, die hier nach alter Tradition durch Paulus und Petrus vertreten wird, seinen Auftrag gibt, bestimmt die mittelalterliche Darstellung.

Ergänzende Hinweise. Die frontal stehende Christusfigur kommt innerhalb des gesamten Bildkreises der Auferstehung und Erhöhung Christi, wie in den bisherigen Ausführungen deutlich wurde, in drei wichtigen, im 4. und 5. Jh. konzipierten Darstellungsgruppen vor: Himmelfahrt, Christus victor, Traditio legis. Man kann auch noch die Verklärung und einige mittelalterliche Darstellungen von Erscheinungen des Auferstandenen, *vgl. 2. Bd., Abb. 501,* hinzurechnen. In der frühchristlichen Kunst tritt sie außerdem noch bei der Huldigung auf. Eine kleine Gruppe zeigt im Anschluß an Imperatordarstellungen Christus mit dem großen Siegeskreuz in der Hand zwischen den Apostelfürsten oder zwei Engeln stehend. Der römische Christustypus der Gesetzesübergabe verbindet sich im 6. Jh. mit anderen Handlungsmotiven unter Beibehaltung des Herrschergestus und der Paradiesesszenerie, um dann im Mittelalter auch die Mandorla und die vier apokalyptischen Wesen der Majestas Domini zu übernehmen. Daneben gibt es noch den segnenden Christus als Einzelfigur oder im Zusammenhang mit den zwölf Aposteln, ein Bildthema, das vor allem in der Kunst der Ostkirche sehr beliebt war. Wir geben hierfür nur ein Beispiel, ohne näher darauf einzugehen, *Abb. 609.*

Wichtig für unseren Zusammenhang ist die Parallele zwischen dem frontal stehenden Christustypus mit ausgereckter Rechten, der eine große Gruppe von Himmelfahrtsdarstellungen bestimmt, *vgl. Abb. 460, 461, 487, 490, 491, 504, 505, 510, 511,* und dem der römischen Gesetzesübergabe und deren Nachfolge. Eine ähnliche Parallele besteht auch zwischen einer anderen Gruppe von Himmelfahrtsdarstellungen und der Majestas Domini. Es handelt sich hier um die beiden Gruppen, in denen am deutlichsten der Zusammenhang zwischen Himmelfahrt und Wiederkunft zum Ausdruck kommt, den der Text Apg 1,11 durch das Wort der Engel an die Apostel aufzeigt. »Dieser Jesus ... wird wiederkommen, wie ihr ihn gesehen habt gen Himmel fahren.« Die Vorstellung, die Himmelfahrt sei ein Gegenbild zur Wiederkunft in umgekehrter Richtung, knüpft hier an. Deshalb ist der Gestus bei der Himmelfahrt nicht im-

mer nur als Segens-, sondern zugleich als Offenbarungs-, Rede- oder Herrschergestus zu deuten, wenn auch Lk 24 vom Segnen spricht. Dem römischen Himmelfahrtstypus des in Profilansicht emporschreitenden Christus, *vgl. Abb. 453,* stehen vereinzelte Darstellungen des zum Gericht herabschreitenden Christus gegenüber, *vgl. Bd. 2, Abb. 645.* Von den Himmelsvisionen der Apokalypse enthält die des 1. Kapitels Motive, die in Beziehung zur Schilderung der Himmelfahrt stehen. Hier heißt es – in Anspielung auf Dan 7,13 –, daß Christus mit den Wolken kommt und seine Wunden sichtbar sind. Aus 2,1 geht hervor, daß der Seher Christus stehend oder wandelnd sieht. Katalanische Apokalypsehandschriften, die ältesten bekannten zyklischen Illustrierungen zur Apokalypse, die, wie oben schon erwähnt wurde, auf ein Vorbild des 8. Jh. zurückgehen, enthalten zur ersten Vision ein Bild, das Christus auf den Wolken stehend mit zur Seite ausgestreckter Rechten und in der Linken das Buch emporhaltend zeigt, *Abb. 608.*

Andere Darstellungen, vor allem solche außerhalb von Zyklen, geben Christus mit allen Motiven aus Apk 1 thronend wieder (siehe Band 4). Verschiedene Motive kommen bei der von Wolken umhüllt stehenden Christusfigur im Giebel der Westfassade von Notre-Dame-la-Grande in Poitiers, 2. Viertel des 12. Jahrhunderts, zusammen, *Abb. 604.* Ihr sind die vier Wesen der Majestas-Domini-Darstellung und die personifizierten Gestirnzeichen zugeordnet. In einer solchen Figur überlagern sich Himmelfahrt, Wiederkunft und Repräsentanz des eschatologischen Christus. Eine stehende Majestas Domini inmitten von vier Engeln und den vier Wesen zeigt eine Elfenbeintafel des 11. oder 12. Jahrhunderts im Nationalmuseum (Bargello), Inv. Nr. 43, in Florenz. Festzuhalten ist, daß für die Darstellung des erhöhten Christus, in dem sein göttliches Königtum in den verschiedenen Funktionen, seine Allgegenwart und seine Verheißung, zur Vollendung der neuen Welt wiederzukommen, in Erscheinung tritt, von Anfang an beide Grundformen verwandt werden: der Stehende und der Thronende. Nur der Richter wird, von vereinzelten Beispielen abgesehen, immer thronend wiedergegeben, siehe Band 4, ebenfalls zur Wiederkunft, die nicht immer mit dem Gericht verbunden ist.

Wir fügen hier noch drei künstlerisch bedeutende Christusdarstellungen des 11. und 12. Jh. an, in denen in verschiedener Weise die Bildtradition der Offenbarung des Auferstandenen im westlichen Gestalttypus der Gesetzesübergabe weiterlebt: das von Heinrich II. dem Baseler Münster gestiftete goldene Antependium, heute im Clunymuseum, Paris, um 1020, *Abb. 607*, eine Reichenauer Miniatur eines Evangeliars aus dem Bamberger Domschatz um 1020, *Abb. 610*, und das Antependium der Klosterkirche St. Nikolaus in Großkomburg, 1104–1139, *Abb. 605 und 606*. Auf dem Baseler Antependium stehen jeweils auf einem kleinen Hügel, von Arkaden überhöht, Christus, die drei Erzengel Michael, Gabriel, Raphael, im Typus gleich, aber mit verschiedenen Attributen, und links Benedikt, als Abt wiedergegeben. Die Mittelarkade ist breiter und höher (vgl. die Stadttorsarkophage). Christus hält beide Unterarme erhoben, in der linken Hand den Globus mit dem Christogramm, der in dieser Zeit das häufigste Herrschaftszeichen für alle Kaiserdarstellungen ist. Die hoheitsvolle Würde des himmlischen Herrschers kommt nicht nur in der Gestalt selbst, sondern auch durch die leichte Wendung der vier Gestalten zur Mitte zum Ausdruck. Ganz klein knien zu Füßen Christi die Stifter Heinrich und Kunigunde mit ausgebreiteten Händen (vgl. die Sarkophage *Abb. 582 und 583*). Mit ihnen ist mit der Bitte um Gnade die Unterwerfung weltlicher Herrschaft unter die überirdische Macht des Christus Rex zum Ausdruck gebracht[24].

Die Reichenauer Miniatur setzt die Akzente anders. Christus steht in der Mandorla vor dem Lebensbaum, den er mit der Linken umgreift, während er in der ausgereckten Rechten den Globus hält. Der Baum wird von der Personifikation der Erde getragen und von der des Himmels bekrönt, so daß er in diesem Eingespanntsein die Bedeutung des Weltenbaums aufnimmt. Die figuralen Zeichen für Sonne und Mond stehen in den seitlich der Mandorla eingefügten Medaillons. Alle vier sich Christus zuwendenden Wesen, von denen nur

zwei Bücher haben, sind mit den im Mittelalter personifiziert wiedergegebenen Paradiesesflüssen verbunden. Sie alle – drei Vierergruppen – gehören zum Bereich des Kosmos, dessen Herr Christus ist, sie veranschaulichen die Heilsbotschaft als die wirkende Kraft des Welterlösers und sie verehren den Schöpfer der neuen Erde und des neuen Himmels.

Das romanische Antependium in Großkomburg ist mit symbolischen Motiven äußerst sparsam. In sehr kleinem Format sind die vier Wesen, sechsflügelig und mit geöffneten Büchern und Alpha und Omega, dem im Mittelfeld in der Mandorla stehenden Christus hinzugefügt; zu beiden Seiten das Apostelkollegium. Die Deutung der Darstellung geben die Inschriften. Am Rand ist zu lesen: »Diese haben in der Hoffnung nach dem (ewigen) Leben alles und sich aufgegeben, indem sie in ihren Taten den Vorschriften ihres Lehrers Christus folgten. Für ihn geopfert leben sie jetzt ewig selig, öffnen dem Würdigen den Himmel und verschließen ihn dem Bösen. Und sie werden mit dem strengen Richter Christus thronen, wenn er in Herrlichkeit zurückkommt und die Welt mit Feuer prüft.« In der Mandorla: »Anfang und Ende genannt, verbinde ich Himmel und Erde, indem ich die Knechtsgestalt zum himmlischen Thron emportrage.« Der erste Text verweist auf das gegenwärtige apostolische Amt der Schlüsselgewalt, das nach Joh 20,23 allen gegeben ist, und auf das zukünftige Gericht, bei dem die Apostel mit Christus thronen werden, Mt 19,28. Das der Christusgestalt zugeordnete Wort bezieht sich auf die Himmelfahrt und nimmt die Bezeichnung »Anfang und Ende« aus Apk 1 auf. Diese Deutung läßt die Aussage in der Schwebe und im Raum der Verheißung. Die durch Rahmen isolierten und auf flachen Schemeln stehenden Apostel – Einfluß der byzantinischen Kunst – vertreten die Kirche, der sich Christus offenbart[25]. In der ehemaligen Klosterkirche St. Ägidien in Kleinkomburg befindet sich in stark übermaltem Zustand ebenfalls eine stehende Christusfigur mit den sechsflügeligen Wesen,

---

24. Es gibt eine Reihe von byzantinischen und ottonischen Darstellungen, die die Krönung des Herrschers durch den erhöhten Christus zeigen. Wir gehen auf die Beziehung von göttlichem und weltlichem Königtum im Mittelalter in Bd. 4 ein.

25. Zum Komburger Antependium siehe Freek Valentin, Frühchristliche und frühmittelalterliche Vorausetzungen für eine Majestas-Domini-Darstellung, in: Tortulae, Studien zu altchristlichen und byzantinischen Monumenten, 30. Supplementheft zur RQ, 1966.

Aposteln und Heiligen. Sie steht im Zusammenhang mit dem Deckenbild der Auferstehung Christi, *vgl. Abb. 175*, und der im 2. Band abgebildeten Kreuzigung mit dem Keltertreter, *vgl. Abb. 432*.

Christus, der himmlische Lehrer, und die Apostel

Der Darstellung des himmlischen Lehrers inmitten seines Apostelkollegiums gehen in der Katakombenmalerei und Sarkophagplastik einzelne Darstellungen des lehrenden Christus voraus, die von den heidnischen Bildmotiven des in einer kleinen Hörergruppe lesenden Philosophen und der meistens sieben Männer zählenden Philosophenversammlung (Mosaik Villa Albani Rom und Museo Nazionale Neapel) abgeleitet sind. Da Jesus dabei den heidnischen Philosophentypen völlig angeglichen ist, können diese Szenen nur dann christlich gedeutet werden, wenn sie in Beziehung zu biblischen Motiven stehen, wie z. B. die Leseszene auf dem Sarkophag in S. Maria Antiqua, *vgl. Bd. 1, Abb. 353*. Auf den sogenannten polychromen Sarkophagfragmenten um 300 ist die Lehrszene inmitten von Wunderdarstellungen als Bergpredigt zu deuten. Jesus ist bei allen Szenen der Fragmente als kynischer Wanderprediger wiedergegeben. Ein Fresko des Hypogäums am Viale Manzoni, Rom, Mitte 3. Jh., gibt dem über seiner Herde auf einem Hügel sitzenden Hirten die

Züge des Lehrers: er trägt statt der paganen Hirtentracht mit kurzem Rock das Pallium, hat den Bart, der Würdezeichen der Philosophen ist, und hält mit beiden Händen eine offene Schriftrolle. Um 300 kommen dann in der Katakombenmalerei die den Philosophenversammlungen nachgebildeten Gruppen auf, die Christus zwar auch noch ohne jede persönliche Charakterisierung, aber ohne Bart und meistens jugendlich als Lehrer inmitten mehrerer Apostel zeigen. Jede Ortsangabe fehlt. Zunächst tritt diese Komposition an die Stelle des Hirten in der Mitte der Deckenmalerei. Die Sitze der Apostel sind im Kreis oder Halbkreis angeordnet. Ein Fresko des Coemeterium Majus, 1. Hälfte, 4. Jh., *Abb. 611*, zeigt in Anlehnung an die siebenfigurige Philosophenszene ein Lehrgespräch Christi mit sechs Aposteln. Alle heben die Hand im Sprechgestus, in ihrer Haltung ist das Zuhören ausgedrückt[1]. Seit etwa 340 wird die Gruppe auch in den Arkosolgräbern dargestellt. Die Apostel sitzen zu beiden Seiten Christi in einer Reihe; wenn zwölf dargestellt sind, was von der Jahrhundertmitte an die Regel wird, so sind sie manchmal in zwei Reihen hintereinander angeordnet. Es vollzieht sich die Loslösung vom antiken Philosophenvorbild, und an die Stelle des gleichnishaften Charakters des Bildes tritt in zunehmendem Maße die Repräsentation des himmlischen Lehrers[2]. In drei Wandbildern der Domitillakatakombe in Rom ist diese Entwicklung abzulesen.

---

1. Vgl. WK Tf. 49; 96; 126; 135; 148,2; 152; 155,2; 177,1.2. — Zum frühen Christusbild, das hier nicht zum Thema gehört, siehe J. Kollwitz, Das Christusbild, in: RAC III, 1957, S. 2 ff.; ders., Das Christusbild des 3. Jh., Münster/Westf., 1958; ders., Das Christusbild der frühchristlichen Kunst, in: LCI I, 1968, Sp. 356 ff.; E. Dinkler-v. Schubert, Das Christusbild, in: RGG 1957, Sp. 1780 f.; H. Aurenhammer, 5. Lfg., 1965, S. 454 ff.; Christus, mit ausführlichem Literaturverzeichnis. — Im Hinblick auf das Hirten- und Philosophenthema verweisen wir auf die Aufsatzreihe von Th. Klauser, Studien zur Entstehungsgeschichte der christlichen Kunst, in: JbAC, Hefte 1—10, 1958—1967, in der Klauser die Möglichkeit einer christlichen Deutung der aus der Antike stammenden allegorischen Gestalten der Grabeskunst des 3. und frühen 4. Jh. untersucht. Er grenzt — vor allem für den Lammträger, der in der Spätantike als Personifikation der

humanitas oder als Teil einer bukolischen Landschaftsidylle dargestellt wurde, für die Orans, die die persönliche pietas im weiten Sinne verkörperte, und für den Philosophen, dessen Lehre bei den Römern der Moralphilosophie galt — eine christliche Interpretation dieser Bildmotive beträchtlich ein. — Zu unserem Thema siehe: J. Kollwitz, Christus als Lehrer und die Gesetzesübergabe an Petrus, RQ 44, 1936; F. Gerke, Das Verhältnis von Malerei und Plastik in der theodos.-honor. Zeit, in: Rivista di Archeologia Cristiana XII, 1935, S. 119 ff.; Ihm, 1960, S. 5—10.

2. Diese Wandlung entspricht einer allgemeinen Wandlung in der Katakombenmalerei, die in spätkonstantinischer Zeit sich an die Monumentalmalerei anschließt und vor allem für die Arkosolgräber häufig Apsisdarstellungen, die immer repräsentativen Charakter haben, übernimmt.

Die Darstellung des im unteren Teil zerstörten Lünettenbildes eines Arkosolgrabes, um 340, *Abb. 613*, gibt Christus und die Apostel weißgekleidet und jugendlich bartlos wieder. Der Lehrer überragt die Schüler nur wenig, wird aber durch die hohe Lehne seines Sitzes hervorgehoben und gegen die eng sitzenden Schüler abgegrenzt. Er hebt die rechte Hand mehr gebietend als lehrend seitlich hoch und hält in der linken demonstrativ die offene Schriftrolle. Sein Blick geht in die Richtung der erhobenen Hand. Die Schriftrolle und das etwas später aufkommende Buch bedeuten die Heilslehre und das Wort = den Logos. Christus als Lehrer offenbart sich selbst. Das ist in der Haltung, der ausgereckten Hand, dem Blick und der offenen Schriftrolle ausgedrückt. Gegenüber dieser geistig lebendigen Gestalt wirken die Apostel fast unbeteiligt. Ob die zwei hinter der Thronlehne stehenden Männer Apostel oder Thronassistenten sind, läßt sich nicht feststellen, da von ihnen ebenso wie von den äußeren Figuren nur die Köpfe sichtbar sind. In einem etwa gleichzeitigen Arkosolbogen zeigt ein Fresko alle zwölf Apostel, alle ganzfigurig und in zwei Reihen hintereinander sitzend. Sie sind als Hörende auf den Lehrer in ihrer Mitte bezogen und sind alle wieder wie auf den älteren Beispielen gleich gekleidet: weiß mit dunklen clavi. Das Nischenfresko der Bäckergruft der gleichen Katakombe, Mitte 4. Jh., *Abb. 612, Ausschnitt*, zeigt zehn Apostel stehend, Petrus und Paulus aber sitzend. Der Abstand zu dem erhöht thronenden Christus ist hier größer als vorher; der Eindruck des Thrones wird nicht nur durch den hohen Sockel, vor dem der aus der antiken Philosophendarstellung stammende Rollenbehälter (capsa oder scrinium) steht, hervorgerufen, sondern auch durch die frontale Haltung. Die rechte Hand mit dem Redegestus ist seitlich ausgestreckt[3].

In S. Aquilino zu Mailand, ein ehemaliges Baptisterium, durch eine Kapelle mit S. Lorenzo verbunden, ist in der rechten Apsis ein mehrfach restauriertes Mosaik mit Goldgrund erhalten, das, obwohl es erst um 400 (nach der Meinung einiger Forscher sogar später) entstand, noch an der spätkonstantinischen Komposition, wie sie höchstwahrscheinlich für Apsiden formuliert wurde, festhält, *Abb. 614*. Der jugendliche Christus sitzt wesentlich höher als die Apostel. Vor ihm steht der Rollenbehälter, der hier durch seine rote Farbe betont ist. Den älteren Vorbildern gegenüber ist der kaiserliche Monogrammnimbus mit Alpha und Omega (siehe oben) neu; er wird erst seit dieser Zeit vom Kaiserbild auf die Christusgestalt übertragen. Der göttliche Lehrer hebt die Rechte nicht im Rede-, sondern wie beim Bildtypus der Traditio legis ganz geöffnet im Herrschergestus, der auch als Ausdruck der Selbstoffenbarung gedeutet werden kann. Mit der linken Hand hält Christus von unten die halbgeöffnete Schriftrolle so, daß sie mit ihren blockhaften Schriftzeichen dem Betrachter zugewandt ist. Als Ort dürfte hier, worauf der grau-grüne Erdboden hinweisen könnte, das Paradies gemeint sein. Petrus, bei der Lehrszene immer auf der rechten Seite des jugendlichen Christus, und Paulus auf der linken (umgekehrt als bei der Gesetzesübergabe des Westens) sind in der oben angegebenen Weise charakterisiert. Auch bei den anderen Aposteln sind Unterschiede zu bemerken. Wenn sich einer von ihnen dem andern zuwendet, so deutet sich darin an, daß sich die Jünger, von der Rede des Lehrers veranlaßt, in einem Gespräch befinden. Auf anderen Darstellungen sind die Bewegungen der Apostel noch stärker variiert, so daß Gesprächsgruppen entstehen. Die zwölf Apostel verkörpern die himmlische Kirche der wahren Lehre – deren Ursprung und Mitte der lehrende und sich offenbarende erhöhte Herr ist. Ihr Abbild – von der Entstehung des Bildtypus gesehen anregendes Vorbild – ist die Gemeindeversammlung, bei der der Bischof in der Apsis inmitten der Presbyter auf Kathedra saß, während diese ihre Plätze auf halbkreisförmigen Bänken hatten. Diese Anordnung im Gottesdienstraum entspricht der des Gerichtstribunals. Der Bischof war nicht nur der Lehrer, sondern auch der Richter der Kirche, die sich als Gottesvolk verstand, eine Auffassung, die im 4. Jh. sehr deutlich hervortrat (Augustin, Civitas Dei). Eine Elfenbeinplatte des 5. Jh., die wahrscheinlich aus Syrien stammt[4],

---

3. Zur Einfügung der Lehrszene in einen Bildzyklus siehe die Beschreibung eines Deckenfreskos einer quadratischen Grabkammer der Petrus- und Marcellinus-Katakombe, 4. Jh., wo Christus mit sechs Aposteln die Mitte der Szenen einnimmt. Bd. 1, S. 45.

4. Nach R. Delbrück, Zwei christliche Elfenbeine des

Abb. 622, gibt durch die halbrunde Fußbank diese Sitzordnung deutlich an, wenn auch jeder der lebhaft diskutierenden Apostel einen Stuhl einnimmt, so daß sich der Kreis bei der hohen capsa im Vordergrund beinahe schließt. Die Gestalt Christi ist durch das künstlerische Mittel der umgekehrten Perspektive hervorgehoben. War diese himmlische Lehrversammlung in einer Apsis dargestellt, so entsprach das Bild der kirchlichen Wirklichkeit, wie sie sich im Raum darunter vollzog – eine Parallele zur Darstellung des liturgischen Abendmahls in Kirchen des Ostens, *vgl. Bd. 2, Abb. 62* und *63*. Das gottesdienstliche Vorbild hat vermutlich die Darstellung des göttlichen Lehrers inmitten des Apostelkollegiums oder -konzils unmittelbarer beeinflußt als die antike Philosophenversammlung, die vielleicht ihren Niederschlag in den Darstellungen, die Christus mit sechs Aposteln (sieben Weisen) zeigen, gefunden haben, wie auf dem Mittelfeld der Vorderwand des Elfenbeinkästchens in Brescia, 360–370, *Abb. 619*, wo Christus stehend inmitten der sechs sitzenden Apostel die Schrift entrollt.

In der Sarkophagplastik der 2. Hälfte des 4. Jh. ist die Lehrszene durch neue Motive bereichert und verlebendigt. Die ikonographischen Abänderungen lassen die Entsprechung des himmlischen Urbildes und des kirchlichen Abbildes noch deutlicher hervortreten. Die Lehrversammlung erhält nun den Charakter eines himmlischen Konzils, das vor einer Architekturkulisse, die einen Innenraum in die Fläche überträgt, stattfindet. Stehen zwischen den Säulen hinter den sitzenden Aposteln mehrere Gestalten (Flachreliefs), so entsteht die Vorstellung eines Innenraumes. Im Gegensatz zu dem ältesten Beispiel dieser Gruppe, dem Sarkophag von Rignieux-le-France in Paris, wo die Säulen nur durch ein reich verziertes Gesims verbunden sind, ruht auf dem Arleser Sarkophag des Concordius (Bischof von Arles, gest. um 390), *Abb. 615*, auf ihnen ein abgeschrägtes Ziegeldach, das über Christus etwas zurückgezogen ist, so daß eine Nische angedeutet wird. An beiden Seiten des Gebäudes ist ein Eingang durch einen Giebel, den eine corona vitae schmückt, markiert. Die »ecclesia triumphans« ist in Entsprechung zur

Kirche auf Erden in einer Basilika versammelt, Sarkophage, die diese Architektur zeigen, werden »Basilika-Coelestis-Sarkophage« genannt. Die Vorstellung einer himmlischen Basilika oder Halle findet sich literarisch auch in den Damasusepigrammen (Gerke). Damasus I. war von 366–384 Papst.

Auffallend ist, daß die Apostel nicht nur zuhören, sondern durch ihre Gestik und Bewegungen ein intensiveres Beteiligtsein zum Ausdruck bringen als auf dem Mailänder Mosaik und in der Katakombenmalerei. Einer wendet sich um und spricht mit seinem Nachbarn, zwei lesen in ihren offenen Rollen, in denen ihre Namen eingeschrieben sind[5]. Die Apostel sitzen auf Sesseln, deren Armlehnen als Delphine gestaltet sind. Die strenge Reihung ergibt sich aus dem Bezug zur Architektur. Christus sitzt etwas erhöht auf einem Stuhl mit Rücklehne und Fußschemel und wendet sich Petrus zu. Er weicht vom Typus des Lehrers durch den Bart ab, der vielleicht eine Übernahme aus der Darstellung der Traditio legis ist. Die beiden gebeugten Gestalten, die durch die seitlichen Eingänge hereingeführt wurden, können nur die Verstorbenen (Ehepaar) sein, die den Sarkophag gestiftet hatten und in der bildlichen Darstellung von Märtyrern Christus zugeführt werden. Es handelt sich hier um ein frühes Beispiel der praesentatio, die im 6. Jh. in der Monumentalkunst häufiger wird, sich aber in der Regel auf Titelheilige und Stifter der betreffenden Kirche beschränkt, die namentlich genannt sind. Hier bleiben sie anonym. Die gebeugte Haltung und der Größenunterschied zwischen den Zugeführten und den Märtyrern der himmlischen Stadt läßt vermuten, daß sie noch nicht unmittelbar in die Gemeinschaft der himmlischen Kirche aufgenommen sind, sondern dem richtenden Kollegium vorgeführt werden. Es könnte die Mt 19,28 erwähnte Vorstellung, das Apostelkollegium habe beim Gericht die Funktion der Beisitzer, in diese Konzil-Lehrszene mit hineinspielen. Wenn dies der Fall ist, dann handelt es sich aber nur um ein Sondergericht bzw. um das ständige Richteramt des erhöhten Christus. Die Tatsache, daß der Bischof nicht nur der Lehrer und Hirte der Gemeinde, sondern auch ihr Richter ist (Sy-

---

5. Jh. Spätantike und Byzanz. Neue Beitr. z. Kunstgesch. des 1. Jahrtausends, Baden-Baden 1952, S. 167 ff.

5. Die Inschrift: »Dominus legem dat« im Buch, das Christus in der Hand hält, ist eine spätere Zutat.

rische Didaskalia um 250, Constitutiones Apostolorum um 400), klingt vermutlich in der himmlischen Szene mit an.

Auf der Rückseite des Sarkophags in S. Ambrogio, Mailand, um 380, *Abb. 616*, knien die Verstorbenen am Paradiesesberg, über dem Christus – wieder der jugendliche Lehrer – thront. Sie heben ihre verhüllten Hände dem Christuslamm in ihrer Mitte entgegen und bitten um Aufnahme in die himmlische Gemeinde. Dieselben Gedanken sind hier durch die Einbeziehung des Lammes bildlich anders formuliert als auf dem Arleser Sarkophag. Die Dreiergruppe verdrängt den Schriftrollenbehälter, der auf dem Mailänder Mosaik und auf Katakombendarstellungen vor dem erhöht sitzenden Lehrer steht. Christus ist hier einmal als der göttliche Lehrer und zum anderen als der Erlöser unter dem Symbol des Lammes dargestellt, vgl. die Vorderfront, *Abb. 583* und Seite 205. Die Mitte der Stadtszenerie (Himmlisches Jerusalem) ist im Sinne einer Triumpharchitektur – Thronnische oder Königspforte – gegen die Tore abgesetzt. Als Himmelsattribute sind auch die Christus zugeordneten Palmen zu deuten. Für die Lehrszene der Sarkophagdarstellungen ist der Sprechgestus Christi mit der vor der Brust erhobenen Hand und das offene Buch anstelle der Rolle charakteristisch. Die Apostel sind auf dem Mailänder Sarkophag in ihren Bewegungen nicht stark differenziert, sie sitzen eng nebeneinander auf zwei Bänken mit durchlaufender Fußbank und wenden sich alle Christus zu.

Der Sarkophag der Eugenia in Marseille um 400, der der gallischen Gruppe angehört, *Abb. 617, Ausschnitt*, zeigt vor einer einfachen Muschelarkaden-Architektur wie der Mailänder Sarkophag die jugendliche Christusgestalt, die auf der Exedra über dem Paradiesesberg thront. In engem Bezug zu ihm steht das emporblickende Lamm. Die knienden Figuren fehlen. Beide Darstellungen der Lehrversammlung nehmen mit dieser thronenden Christusgestalt die Königsidee auf, in der vermutlich die letzte Vision der Apokalypse vom »Stuhl

Gottes und des Lammes« mit anklingt. Da das Lamm, wie oben ausgeführt wurde, auch in seiner Erhöhung im Paradies immer Sinnbild des Opfertodes bleibt, was sich hier auch in seiner Gestalt ausdrückt, verweist es auf die Einheit: »wahrer Mensch und wahrer Gott«.

In Übereinstimmung mit der Königsidee stehen auf dem Sarkophag von Marseille auch die Huldigungsgesten der Apostel. Die veränderte Platzanordnung für Petrus und Paulus ist auf den Einfluß der Akklamations- bzw. Thronszene zurückzuführen. In der Sarkophagplastik gehen Ende des 4. Jh. die Darstellungen der Akklamation, die mit stehenden und sitzenden Figuren vorkommt, und der Lehrversammlung ineinander über, so daß oft einige der Apostel die Schriftrolle halten und die anderen die rechte Hand zur Akklamation erheben, wobei sie in der linken Hand gleichfalls Rolle oder Buch als ihr Attribut halten können (Gallischer Sarkophag von St. Honoret von Lérin um 400, WS 1,33,2). Außer der Akklamation durch die erhobene Hand kann auch die Kranzspende vorkommen. In dieser Endphase von mehreren Themenreihen der Sarkophagplastik mit Apostelkollegium ist der ikonographische Typus der Christusgestalt nicht immer genau fixiert[6].

Diese Umwandlung des Lehrers in den Thronenden, vgl. auch den Mailänder Silberkasten, *Abb. 621*, ist nicht auf die westliche Kunst beschränkt. Auf einer vermutlich alexandrinischen Elfenbeinpyxis in Berlin, 370–400. *Abb. 620*, hält der jugendliche Christus eine große Schriftrolle in der Hand. Hier kommt, stärker als auf allen westlichen Darstellungen, durch die gebieterische Haltung des Thronenden und die Huldigungsgesten einiger Apostel die Vorstellung des Christus-Basileus zum Ausdruck. Die Hostiendose hat ihre Bezeichnung »Abrahamspyxis« von der Opferszene auf der anderen Seite der Dose erhalten. Diesem alttestamentlichen Typus des Opfertodes Christi steht der Auferstandene als himmlischer Lehrer und König gegenüber. Wir fügen diesen frühen Elfenbeintafeln des Ostens ein ottonisches Relief an, um 1000, Köln, *Abb.*

---

6. C. Ihm, 1960, erwähnt außer dem einzigen erhaltenen Apsismosaik in S. Aquilino, Mailand, noch ein nur überliefertes Apsisbild in S. Severo, Neapel, zwischen 366—413, und ein durch ein Fresko des 16. Jh. verdeck-

tes Apsisbild in S. Sabina, Rom, Abb. 2. Weder die Berichte des einen noch die Übermalung des anderen geben eine ganz klare Vorstellung der ursprünglichen Komposition.

623, das auf ein frühchristliches Vorbild zurückgeht, aber alle räumlichen Elemente ausscheidet. An die Stelle des Berges ist ein Quadrat getreten, von dem die vier Paradiesesflüsse ausgehen, die nach 1 Mos 2,10 f. benannt sind, jedoch die Lehre oder die vier Evangelien symbolisieren, wie sie schon von Kirchenvätern gedeutet wurden[7]. Sie verweisen auf das lebendige Wasser, von dem Jesus zur Samariterin sagt: »Wer von dem Wasser trinken wird, das ich ihm gebe, der wird ewiglich nicht dürsten«, Joh 4,10–14.

In der Monumentalkunst verschmilzt das Apsismosaik von S. Pudenziana in Rom, unter Innozenz I., 402–417, *Abb. 618*, die Lehrversammlung mit einer Huldigung des Christus-Basileus. Die Tendenz zum Repräsentationsbild, die schon auf dem Mailänder Sarkophag zu beobachten ist, wird in diesem Mosaik voll verwirklicht. Der Lehrvorgang ist durch die Einbeziehung der Weltherrschaftssymbolik zu einer Darstellung der »Majestät des Logos« (Kollwitz) gewandelt. Das Mosaik ist 1588 durch den Einbau des Bogens seitlich und des Gesimses mit dem Altarbaldachin unten verkürzt worden. Es waren ursprünglich zwölf Apostel. Im 19. Jh. wurden einige Figuren teilweise, die äußeren ganz erneuert. Die originale Komposition ist trotz der Eingriffe soweit erhalten, daß der Bildgehalt abgelesen werden kann. Es fehlt vielleicht unterhalb des Thrones das Lamm, möglicherweise war zwischen ihm und dem Thron auch die Taube angebracht. Eine erhaltene Zeichnung nach dem Mosaik von Ciacconio, 1595, gibt beide wieder[8]. Die nach den Umbauten angefertigte Zeichnung ist zwar als Dokumentation sehr unzuverlässig, da jedoch die Lehrversammlung des Mailänder Sarkophags in Relation zu dem Mosaik steht, ist es nicht ausgeschlossen, daß das Lamm dem Original entspricht. Die Taube findet sich in keiner Darstellung der Lehrversammlung. Sie ist vermutlich auf der Zeichnung eine willkürliche Einfügung des Ciacconio.

Dargestellt ist auf dem Mosaik der göttliche Lehrer auf dem kaiserlichen Thron, der in der christlichen Kunst immer der Thron der »unaussprechlichen Herrlichkeit« ist. Das Haupt Christi – im Gegensatz zum Lehrertypus hier mit Bart – ist von einem großen Nimbus umgeben, dessen leuchtendes Gold an seinen Ursprung eines sonnenhaften Lichtsymbols erinnert. Auch das Gewand ist golden, mit blaupurpurnen Clavi. Der thronende Gott-König hebt die Rechte im Lehr- oder Redegestus und hält in der Linken das offene Buch, dessen Inschrift ihn als Schirmherr von S. Pudenziana bezeichnet: Dominus Conservator Ecclesiae Pudentianae. Wesentlich tiefer als Christus sitzen die disputierenden Apostel; Paulus und Petrus sind Christus zugewandt. Die Frauengestalten als die Personifikationen der Heiden- und der Judenkirche reichen dem Herrn der einen Kirche goldene Kränze dar[9]. Die dem Paulus, der ebenfalls Vertreter der Heidenkirche ist, zugeordnete Gestalt blieb von jeder Restaurierung verschont, so daß der verinnerlichte Ausdruck, der bei anderen Gestalten beeinträchtigt ist, noch empfunden werden kann. Die Szenerie bezieht sich auf die eschatologische Stadt Jerusalem. Über den Toren der vermutlich auf die Exedra der Philosophenschule zurückgehenden niedrigen Mauer schimmert das goldene Dach der Stadtmauer; hinter ihr sind Gebäude zu sehen, die verschiedentlich als Wiedergabe der realen Bauten der damaligen Stadt Jerusalem angesehen wurden[10].

In der Mitte der Stadt ragt hinter dem Thron auf dem Golgathaberg, dem Berg Sion, das mit Gemmen geschmückte Kreuz in die goldenen und roten Wolken des Himmels empor, auf denen die vier geflügelten apokalyptischen Wesen auffallend groß, ohne Bücher, erscheinen (Mensch und Adler sind durch die Einbauten nicht mehr voll sichtbar). Sie sind als Gestalten überirdischer geistiger Kräfte und Symbole der Verherrlichung auf den thronenden Christus und auf das

---

7. Z. B. Paulinus von Nola, Epist. 32,14. CSEL 29,1, 289.

8. Cod. Vat. 5407, abgeb. bei Ch. Ihm, 1960, Tf. III, 2.

9. In S. Sabina, Rom, zeigt ein Mosaik ähnliche Frauengestalten und deutet sie durch eine Inschrift als Ecclesia ex gentibus u. Ecclesia ex circumcisione, Abb. siehe

Bd. 4.

10. Anastasisrotunde und Himmelfahrtskirche mit dem Oculus oben, vgl. O. Wulff, Handbuch, Nachtrag S. 44; A. Grabar, Martyrium I, S. 236 f. mit lit. Quellen; V. d. Meer, S. 76, und andere. Doch blieb die Meinung nicht unbestritten.

Kreuz bezogen. Dieses Kreuz mit den tropfenförmigen Enden, das auf einem Suppedaneum steht, ist zugleich Triumphzeichen, Tropaion, als Auferstehungszeichen lignum vitae und als Lichtkranz auch »Zeichen des Menschensohns«, das auf die Parusie und den zweiten Adventus des Herrn verweist, siehe oben. So wird das Bild des Lehrers der göttlichen Weisheit inmitten seines himmlischen Apostelkollegiums am Ende seiner Bildgeschichte zur Repräsentation der himmlischen Herrlichkeit des Herrn, der Herrscher und Richter seines Volkes ist, erweitert oder gesteigert.

Neben dem Bild des lehrenden Christus im Apostelkollegium gab es seit spätkonstantinischer Zeit die Verselbständigung des mittleren Teiles: Christus thront zwischen Paulus und Petrus, die beide stehen. Ob es sich dabei um eine Verbindung von Lehr- und Huldigungsszene handelt, ob die Dreifigurengruppe eine selbständige Bildkomposition ist, die dann erweitert wurde, oder eine Reduzierung der dreizehnfigurigen Komposition auf die Hauptgruppe, muß offenbleiben. Bei den vielen Überschneidungen von Bildtraditionen, dem Bedeutungswechsel der Gesten und den verschiedenen Akzentsetzungen lassen sich keine festen ikonographischen Grenzen ziehen. In den Apsiden von Alt-St. Peter und von S. Paolo f.l.m., *Abb. 562*, war höchstwahrscheinlich in den Kalotten die Lehrszene mit den beiden in Rom besonders verehrten Aposteln Petrus und Paulus schon im 5. Jh. dargestellt, wenn sich heute auch die Einzelmotive nicht mehr festlegen lassen[11]. Aus der 2. Hälfte des 4. Jh. ist in einer Arkosolnische der Katakombe an der Via Latina in Rom ein Fragment erhalten, das durch die linke Hand Christi, die sicher Rolle oder Buch hielt, und durch die Petrusgestalt zu ergänzen ist. Paulus steht ohne Huldigungsgeste zur Rechten des erhöht sitzenden Christus, *Abb. 626*. Beide tragen wie bei den Lehrversammlungen die weißen Gewänder mit dunklen Clavi. Der Gestus der seitlich erhobenen Hand Christi ist ebenso Redegestus wie die vor die Brust gehaltene Hand mit derselben Fingerstellung, bei der der 4. und 5. Finger zur Handfläche gebogen sind. Beide kommen auf den Darstellungen der Lehrszenen vor. Die zweite Form eignet der thronenden Christusgestalt eines Deckenfreskos

11. Siehe oben und W. Schumacher, 1959, S. 148—163.

der Katakomben SS. Pietro e Marcellino in Rom, das um 400, also etwa gleichzeitig mit dem Mosaik der Pudenziana datiert wird, *Abb. 624, 625*. Es handelt sich um eine Doppelszene, deren gedankliche Einheit durch den gemeinsamen Bildraum optisch unterstützt wird. Obwohl Christus auf einem großen Thronkissen sitzt und das kaiserliche Attribut des Nimbus trägt, ist er dem Typus nach und aufgrund des offenen Buches mehr der himmlische Lehrer als der Basileus. Doch auch hier gehen die beiden Entwicklungslinien ineinander über; die Anordnung der Apostel entspricht der der Huldigungsszenen, und die erhobene Rechte des Petrus stimmt mit den Gesten der vier in das Paradies aufgenommenen Märtyrer (Gorgonius, Petrus, Marcellinus und Tiburtius), die dem Lamm auf dem Vierströmeberg huldigen, überein. Am Ende des 4. Jh. wird in Rom der erhöhte Christus, also auch der Lehrer, unter dem Einfluß des Zeremoniells am byzantinischen Hof immer bärtig dargestellt, nachdem vorher in Rom beide Christustypen nebeneinander verwendet wurden.

Mit einem Beispiel weisen wir noch auf die Wandlung hin, die sich auch im Bild des Hirten vollzog. Es läßt sich keine genaue Grenzlinie zwischen dem heidnischen Hirtenbild und der christlichen allegorischen Hirtengestalt ziehen. In der 2. Hälfte des 4. Jh. ist jedoch im Zusammenhang mit der eindeutig christlichen Lämmerallegorie die Hirtenfigur als Gleichnisbild für Christus im Sinne von Joh 10 zu verstehen.

Auf dem Sarkophag Lat. 177 akklamieren die zwölf Apostel dem Christus-Hirten, der eines der vor den Aposteln stehenden Lämmer liebkost. Erst im 5. Jh. legt der »gute Hirte« die Hirtentracht ab und erscheint auf einem Mosaik in dem Mausoleum der Galla Placidia, das sich im Innenraum über der Tür befindet, als der göttliche Hirte im Paradies, *Abb. 627*. In ihm verwirklicht sich die messianische Prophetie des Hirten aus dem Hause Davids, der seine Schafe auf die beste Weide auf den Bergen Israels führen und mit ihnen den Bund des Friedens machen wird, Hes 34,22—25, 37, 24—26, vgl. auch Ps 23. Das alttestamentliche Bild des Hirten – der Hirte gehört zu den Urbildern des menschlichen Bewußtseins – steht hinter dem 10. Kap. des Johannesevangeliums, in dem sich Christus als der gute

Hirte, der sein Leben für die Schafe läßt, und als die Tür, die zur Seligkeit, zur Weide des Paradieses führt, bezeugt[12]. Diese johanneische Hirtengestalt ist der Auferstandene, der das Paradies erschließt, er ist zugleich das Lamm, das sein Leben gelassen hat für seine Schafe, und er ist der König des Gottesreiches, in das er die Seinen führt: vgl. oben S. 117.

Es ist sicher kein Zufall, daß diese Hirtengestalt in der Lünette über dem Eingang zum Mausoleum angebracht ist. Auf dem Mosaik sitzt Christus auf einem Hügel der paradiesischen Palmenlandschaft vor hellem, blaugrauem Grund. Er hat den Nimbus, trägt die goldene Tunika und die kaiserliche Purpurchlamys; in der Hand hält er als Zepter das goldene Siegeskreuz. Sechs Lämmer wenden sich ihm zu. Seine liebkosende Geste entstammt als einziges Motiv den älteren Darstellungen der Hirtenidyllen. Es sind weder Vorläufer noch Wiederholungen dieser Bildkomposition bekannt. Nur ein erhaltener Titulus macht wahrscheinlich, daß sich auch im Dom zu Ravenna ein Hirtenmosaik befand. Zum Gesamtbildprogramm des Mausoleums siehe S. 180.

Der thronende Christus-Rex (Basileus)

Für das Bild des thronenden Christus sind zwei verschiedene Traditionsreihen zu unterscheiden: Der von der antiken Kunst abgeleitete Bildtypus, bei dem der Thron das ausschlaggebende Attribut ist, und der Typus der »Majestas Domini«, der auf biblische Thronvisionen zurückgeht. Wir behandeln in diesem Abschnitt den ersten Typus, der der ältere ist. Er steht dem des lehrenden Christus nahe, der, wie oben ausgeführt, sich in seiner Spätphase – Sarkophag S. Ambrogio, Rückseite, Apsismosaik S. Pudenziana und Abrahampyxis u.a.m. – mit der Darstellung des königlich Thronenden verbindet und in das Thronbild einmündet. Die Vorstellung des thronenden Priesterkönigs entstammt dem Osten. Dort war die Statue des frontal sitzenden Gottes seit assyrischer und ägyptischer Zeit bekannt. In Angleichung an die hellenischen Götterbilder haben die Römer Kaiserstatuen in den Tempeln aufgestellt. Von Konstantin d. Gr. ist der Kopf einer etwa 10 m hohen Sitzstatue erhalten (Konservatorenpalast), die in der Maxentiusbasilika aufgestellt

war, vgl. auch die oben erwähnte Konstantinstatue. An Hand von Münzen kann man sich am besten über die römischen Darstellungen des thronenden Kaisers orientieren.

Das Thronbild des Christus Basileus[1] repräsentiert die Herrschermacht des erhöhten Christus. Doch ist sein Reich nicht von dieser Welt, Joh 18,36. Die Vorstellung, daß Christus als der Messiaskönig die Herrschaft Davids übernehmen und sein Königreich kein Ende haben wird, findet sich Lk 1,32 f. Nach der jüdischen Messiasprophetie wird es ein Reich des Friedens und der Gerechtigkeit sein. In dem Bild des thronenden Christus manifestiert sich jedoch nicht eigentlich die messianische, sondern die auf Gott übertragene Königsvorstellung des Alten Testaments, 2 Mos 15,18. An der ewigen Herrschaft Gottes nimmt der Sohn teil. Das Psalmwort: »Setze dich zu meiner Rechten, bis ich deine Feinde zum Schemel deiner Füße mache«, 110 (109),1, spielt im frühchristlichen Schriftbeweis eine zentrale Rolle. Lukas läßt es Petrus in der Pfingstpredigt zitieren, die der Volksmenge den auferstandenen Christus verkündigte. Hier liegt der Ursprung der Formel »Sitzen zur Rechten Gottes« im Glaubensbekenntnis, sie weist auf die ewige Herrschaft Christi hin. In karolingischer Zeit ist diese Psalmstelle wörtlich illustriert worden: Gott-Vater und Christus sitzen nebeneinander, der Sohn tritt auf den besiegten Feind, *vgl. Abb. 672.* Dieser Bildtypus der Psalterillustration ist im hohen Mittelalter zu einem Trinitätsbild abgewandelt worden, vgl. Bd. 4.

Die Vorstellung des thronenden Christus, der seine Füße auf die Feinde setzt, steht auch hinter der Darstellung des von zwei Aposteln akklamierten thronenden Christus auf der Vorderfront des Pignattasarkophags, Ravenna, Braccioforte, um 410, *Abb. 628, vgl. den Ausschnitt Abb. 88.* Bei der Behandlung des auf den Tieren stehenden Christus victor, eines mit Ps 91 (90),13 zusammenhängenden Bildtypus, wurde darauf hingewiesen, daß zur Zeit Konstantins der alte aus dem Osten stammende Herrscherbrauch, den Fuß auf den

---

12. Vgl. Augustin, In Joh. 46,2, wo er von Christus als dem Türhüter spricht.

1. RAC II, Chr. II, 1258 (Kollwitz).

besiegten Feind zu setzen, als Motiv für die Darstellung des Auferstandenen in die christliche Kunst übernommen wurde. Auf dem Pignattasarkophag ist dieses Siegesmotiv als Ausdruck der kaiserlichen Herrschaft in eine Darstellung der Repräsentation der Macht des im Himmel (zwei früchtetragende Palmen) thronenden Christus übernommen worden. Wir kennen aus der frühen Kunst nur dieses eine Beispiel, aus dem Mittelalter mehrere, vgl. Abb. 89–92 und 710. Die architektonische Form des Sarkophags, der das Haus der Toten zugrunde liegt – auf einem Sockel zwei Pilaster, die ein Gebälk tragen, und der Deckel als Dach –, ist ebenso typisch für Denkmäler Konstantinopels vom Ende des 4. Jh. an, die ältere kleinasiatische Werkstattraditionen aufnahmen, wie die allseitige Bearbeitung des Sarkophags und die antike lebendige plastische Behandlung der wenigen in einer großen gerahmten Fläche stehenden Figuren.

Zwei schon in anderem Zusammenhang erwähnte römische Sarkophage, die das repräsentative Thronbild zeigen, der Bassussarkophag, 359, Abb. 528, und der Sarkophag Lat. 174, 350–360, Abb. 574, stehen künstlerisch in engem Zusammenhang und sind in der plastischen Figurenbehandlung ohne ostgriechischen Einfluß nicht zu denken. Beide fügen dem repräsentativen Thronbild Passionsszenen ein. Beide zeigen Christus auf dem antiken Coelusthron zwischen akklamierenden Aposteln. Es gibt auch vorher schon Darstellungen des frontal sitzenden Christus (WS 20,5; 3,1; 37,1.4.5), aber erst das Thronbild des Bassussarkophags ist ein reines Repräsentationsbild[2], das Nachfolge fand und die majestätische Herrschaft gegenüber dem Lehrer hervorhebt (Ägidiussarkophag, Perugia, 350–360, WS 28,3 u. a. m.). Wir erwähnten schon, daß sieben Sarkophagdarstellungen mit dem Coelusthron aus der Mitte des 4. Jh. erhalten sind. Der Sarkophag Lat. 174 verbindet die repräsentative Throndarstellung mit der Gesetzesübergabe an Petrus und behält die beiden Hintergrundsfiguren, vermutlich zwei weitere Apostel, bei.

2. F. Gerke, Christusbild, 1940, bezeichnet es S. 40 als erstes »Andachtsbild« der christlichen Kunst; ob mit Recht, steht dahin.

3. Der Versuch, zwischen griechischem und lateinischem Segensgestus zu unterscheiden, wie er häufig unternom-

Das Attribut des Thronenden, das er in der linken Hand hält, ist das geschlossene oder offene Buch, auf dem Bassussarkophag noch die geöffnete Rolle. Buch bedeutet immer, sofern es sich nicht um das Buch des Lebens im Zusammenhang des Gerichts handelt, Evangelium – Lehre – Selbstoffenbarung, siehe oben. Die Rechte kann im Herrschergestus (offene Hand) zur Seite ausgereckt oder im Redegestus (zweiter und dritter Finger erhoben) seitlich mit abgewinkeltem Arm oder vor der Brust erhoben sein. Wann der Redegestus zum Segensgestus umgedeutet wurde, läßt sich nicht präzise beantworten[3]. Es ist dies für die Bildaussage auch nicht wichtig, da Wort und Segen bei der Repräsentation des erhöhten Christus als Ausdruck der von ihm ausgehenden heilwirkenden Kraft identisch sind. Wichtiger ist die volle Zuwendung des Erhöhten zur Welt, weil darin seine Gegenwart zum Ausdruck kommt.

Christus kann inmitten von zwölf Aposteln (sitzend oder stehend) oder von Paulus und Petrus thronen. Die Huldigung der Apostel, die anfangs zu dem Bildtypus des Thronenden gehörte, kann sich in den Gesten oder in der Kranzdarbringung ausdrücken. Anstelle der Christusgestalt wird ebenso oft einem der Symbole gehuldigt; ein frühes Beispiel ist ein Sarkophagfragment von S. Sebastiano, wo die Apostel der crux invicta die Kränze darbringen (WS 18,5), vgl. auch Bd. 2, Abb. 9.

Die große Komposition ist als Apsisbild für das Oratorium am Monte Giustizia, Rom, vom Ende des 4. Jh. überliefert; da jedoch ein Rollenbehälter vor Christus stand, scheint es sich um eine zur Repräsentation umgewandelte Lehrszene gehandelt zu haben, bei der die Apostel stehend huldigen. Das Mosaik in der Apsis von S. Agata Dei Goti, Rom, 460–470, gab eine reine Huldigung des auf der Himmelskugel thronenden Christus wieder. Zu Füßen Christi befand sich eine Inschrift: Salus totius generis humani[4]. Abgesehen von fragmentierten Sarkophagen ist diese Huldigung des thronenden Christus auf einem dem ravennatischen

men wird, läßt sich nicht aufrechterhalten. Die zur Seite ausgereckte Hand (offener Gestus) und die vor die Brust erhobene (geschlossener Gestus) kommen in allen künstlerischen Bereichen vor.

4. Nach J. Kollwitz, Theologie und Glaube, 1947/48,

Kunstkreis angehörenden Mosaik in Parenzo (Istrien), um 540, *Abb. 635*, erhalten. Oberhalb der Apsiskonche, in der die Gottesmutter mit dem Sohn dargestellt ist, thront an der Stirnwand Christus auf der Sphaira, die Apostel haben teils Bücher, teils Kränze in der Hand[5].

Sehr viel häufiger ist die Huldigung durch Paulus und Petrus wie auf dem Bassussarkophag. Der sog. Rinaldosarkophag im Dom zu Ravenna, 420–430, *Abb. 630*, der hinsichtlich der Bildarchitektur der Gruppe des Pignattasarkophags angehört, zeigt die Kranzdarbringung. Die Paradiesattribute – Palmen, Wolken, der Vierströmeberg, der hier zu einem Thronpodest geworden ist – und das eilige Hinzutreten der Apostel sind Motive aus der Traditio-legis-Komposition, deren Darstellung in dieser Zeit schon durch andere Themen abgelöst wurde.

In der ravennatischen Mosaikkunst des 6. Jh. treten an die Stelle der beiden huldigenden Apostel unter dem höfischen Einfluß von Konstantinopel Engel mit Zeremonienstäben im Sinne von Thronpaladinen. An der Südwand von S. Apollinare Nuovo stehen vier dieser Engel in hieratischer Strenge frontal neben dem Thron, *Abb. 629, Ausschnitt*. Dies Thronbild stammt noch aus der Theoderichzeit, 520–526. Es ist der Abschluß oder das Ziel der Prozession der weißgekleideten Märtyrer, die auf dem über den Arkaden angebrachten Mosaikfries über die Paradieseswiese zum thronenden Christus schreiten, um ihre Märtyrerkronen Christus darzubringen. Sie gehen von der Stadt Ravenna aus; dem Stadtbild ist der Palast mit der wahrscheinlich von Theoderich erbauten Front und das Stadttor mit der Darstellung des Christus victor, *vgl. Abb. 63*, eingefügt[6]. Der thronende Christus im purpurnen Gewand mit Goldclavi hebt die rechte Hand im Segensgestus, in der linken hielt er ursprünglich ein offenes Buch, vermutlich (Deichmann) mit den Worten: Ego sum rex gloriae = Ich bin der König der Herr-

lichkeit. Von diesen Worten aus gesehen, ist der mit Steinen geschmückte, prächtige Sitz mit Purpurkissen und Suppedaneum – die geschwungene Lehne kehrt in der späten byzantinischen Kunst wieder – der »Thron der Herrlichkeit«, Mt 19,28. Im Christusantlitz tritt uns hier zum erstenmal das Christusbild, das für das Mittelalter weitgehend bestimmend ist, entgegen. In Rom wird der bärtige Christustypus, mit dem die göttliche Würde betont wird, für das repräsentative Thronbild vom Ende des 4. Jh. an verwandt, siehe oben, in Ravenna stehen im 6. Jh. noch beide Typen nebeneinander. Der Engel zur Rechten Christi hebt Stille gebietend die Hand. Thematisch handelt es sich um eine Audienz des göttlichen Königs.

Auf dem Apsismosaik in S. Vitale, *Abb. 631, Ausschnitt, vgl. Gesamt Abb. 538*, thront Christus in zeitloser Jugend auf dem Weltall über dem Paradiesesberg, dem die vier Flüsse des Heils entströmen. Über seinem Haupt stehen die Wolken, die wie die Sphaira Zeichen der Macht über das Weltall sind. Christus hält die versiegelte Rolle; sie verbindet die Gestalt gedanklich mit der Thronvision Apk 5,1, wo es von Gott heißt: »Ich sah in der rechten Hand des, der auf dem Thron saß, ein Buch, beschrieben inwendig und auswendig, versiegelt mit sieben Siegeln.« Dieses Bild des göttlichen Königs, das von dem Bogen mit Sinnbildern der Verherrlichung gerahmt wird, ist mit dem Lamm im Scheitel des Gewölbes zusammenzusehen, vgl. S. 189 f. Es steht der Gemeinde gegenüber als eine Vergegenwärtigung der Verheißung und als Ausdruck der göttlichen Majestät Christi. Die Handlung der Darstellung wird kaum wahrgenommen: Der Engel zur Linken führt Ecclesius, der den Kirchenbau in Auftrag gab und hier das Modell darbringt, zu Christus, der andere empfiehlt Vitalis, den Patron der Kirche, indem er seine Hand auf dessen Schulter legt, dem Thronenden, der dem Märtyrer die Krone reicht.

S. 111, stammt diese Inschrift aus der inoffiziellen Kaisertitulatur. Die Rekonstruktionszeichnungen der beiden genannten Apsidendarstellungen siehe bei Ch. Ihm, 1960, S. 16 und Tf. IV, 1.

5. Vgl. für den Typus des thronenden Christus und der stehenden Apostel das Mosaik, um 820, von S. Maria in Domnica, Rom, Bd. 4.

6. Die Prozession wurde nach der Theoderichzeit von Bischof Agnellus geändert. Siehe dazu im einzelnen F. Deichmann, Ravenna, Geschichte und Monumente I, Wiesbaden 1969, S. 172 f. Ebenso zu der Prozession der Jungfrauen, angeführt von den drei Magiern, die auf der gegenüberliegenden Wand zu der thronenden Gottesmutter schreitet. Vgl. auch *Bd. 1, Abb. 257*.

Ein drittes Thronbild der ravennatischen Kunst des 6. Jh. befand sich auf der Apsiswand der Kirche S. Michele in Affricisco, vermutlich 545 vollendet. Das Mosaik wurde nach dem Verfall der Kirche im 19. Jh. (sie ist inzwischen wieder aufgebaut) in das Kaiser-Friedrich-Museum in Berlin verbracht, wo es nach seiner Zerstörung im Krieg wieder restauriert und ergänzt wurde, *Abb. 633.* In der Apsiskonche steht Christus auf der Paradieseswiese zwischen zwei nimbierten und mit dem Diadem ausgezeichneten Engeln. Diese sind in der dem Erzengel Michael geweihten Kirche namentlich als Michael und Gabriel bezeichnet. Auch hier ist Christus in zeitloser Jugend wiedergegeben, auch hier wird – zur Inschrift im Buch siehe oben – auf die Einheit von Vater und Sohn hingewiesen. Mit dem großen Gemmenkreuz in der rechten Hand und dem von unten mit der linken Hand gehaltenen Buch ist dieser Gestalttypus in die Tradition des sieghaften Christus einzureihen, die Ende des 4. Jh. in der Mittelnische des römischen Probussarkophags faßbar ist, *vgl. Abb. 531.* Der gleiche Figurentypus ist auf kaiserlichen Goldmedaillen – mit Kreuzlanze, bekränzender Gotteshand und Geniengarde auf dem Medaillon von Mersine in der Eremitage in Leningrad – und als Christusbild mit der Engelsgarde, zwei Gestirnzeichen, zwei Palmen und zwei an der fons vitae trinkenden Hirschen auf einem byzantinischen Bleimedaillon des 6. Jh. im Museo Sacro des Vatican zu finden, *Abb. 632.*

An der Stirnwand über der Apsisnische thront Christus (bärtiger Typus, zwar 1963 erneuert, aber nach alten Pausen) zwischen zwei nimbierten Erzengeln, die auf ihn hinweisen. Ihre Zeremonienstäbe sind abgewandelt zu Speer und Schwammstab, den aus der Passionsikonographie entnommenen Hoheitszeichen, die hier zum erstenmal in der Kunst auftauchen und später in das Gerichtsbild eingehen, siehe *Bd. 2, Abb. 644–653,* und S. 200 ff. Die sieben Engel mit der Tuba stehen in Beziehung zu Apk 8,1. In dieser Einleitung zu neuen eschatologischen Gerichten schaut der Seher sieben Engel vor Gott stehen, die Posaunen erhalten, bei deren Klang dann nacheinander neue Plagen über die Menschheit kommen. Die Mosaikdarstellung weicht jedoch so stark von diesem Text ab, daß eine andere Deutung naheliegt. Die Engel erhalten nicht die Instrumente, sondern blasen auf ihnen, indem sie auf Christus zuschreiten. Der Audienzengel mit der Lanze gewährt ihnen mit der Geste der rechten Hand Zutritt zum Thron des Höchsten. Es ist schon oben bei Himmelfahrt und bei der Beschreibung des Markusthrones, Seite 201, darauf hingewiesen worden, daß die Tuba in biblischen Texten (Mt 24,31; 1 Thess 4,16) zur Ikonographie der Parusie gehört, aber auch häufig die Stimme Gottes oder eines Engels verkörpert. Da sich das Mosaik an der Stirnwand über der Apsis – eine Stelle, an der niemals Gerichtsmotive angebracht sind – befindet, ist die Darstellung als eine Theophanie des erhöhten Christus zu deuten. Der Lobpreis am Thron des Höchsten ist eine legitime Funktion der Engel, Apk 5,11; 1 Kön 22,19. Dabei ist unwichtig, ob die Tuba als Musikinstrument oder als bildlicher Ausdruck für Stimme, Gesang oder lautes Rufen aufgefaßt wird. Da die Kirche Michael, dem Fürsten der Engel, geweiht ist, liegt es nahe, die huldigenden Apostel, wie sie an dieser Stelle der Mosaikschmuck in S. Eufrasiana in Parenzo zeigt, *Abb. 635,* gegen die Engel auszuwechseln. Es ist sehr wohl möglich, daß die Bildvorstellung an Apk 8,1 anknüpft; der Sinngehalt dieser Engel ergibt sich aber nicht aus ihrer Funktion im apokalyptischen Gericht, sondern aus der Teilnahme an der himmlischen Liturgie, nennt doch Apk 5 »eine Stimme vieler Engel um den Stuhl« zusammen mit den vier Tieren und den Ältesten. Ob die bewegten farbigen Streifen, in denen die Engel stehen, die Wolken als Symbol für den Himmel oder das Apk 4,6 genannte gläserne Meer ausdrücken sollen, bleibt sich für den Gehalt der Darstellung gleich.

Aufgrund dieser Überlegungen scheint es nicht richtig zu sein, in diesen Engeln am Thron die frühesten Gerichtsengel der Kunst zu sehen, wie es häufig geschieht. Der Gerichtsgedanke dringt erst im frühen Mittelalter in die Kunst ein, im 7. oder 8. Jh. ist es dann möglich, im Engel mit der Posaune auch den Herold des kommenden Richters zu sehen, obwohl z. B. die Engel mit den Tuben auf der bekannten Miniatur in dem irischen Evangeliar der Stiftsbibliothek St. Gallen (Nr. 51) des 8. Jh. zusammen mit den zu Christus aufblickenden Aposteln zum Hofstaat des himmlischen Königs gehören können, *siehe Abb. Bd. 4.*

Auf dem Mosaik der Innenseite der Triumphbogenwand von S. Lorenzo, Rom, 587–590, *Abb. 634,* stehen

Petrus zur Rechten und Paulus zur Linken des auf der Sphaira thronenden Herrn, der hier ein zepterartiges Stabkreuz trägt. Hier führt nun der Titelheilige Laurentius den Stifter, Bischof Pelagius, der das Kirchenmodell darbringt, ein. Laurentius ist in der römischen Kunst wie Petrus durch das Attribut des Kreuzes ausgezeichnet. Auf der anderen Seite hält Stephanus ein offenes Buch, Hippolytus bringt die Märtyrerkrone auf verhüllten Händen dar. Die beiden Stadtarchitekturen sind hier ohne die Lämmerallegorie in dieses Bildprogramm als Hinweis auf die Ökumene aufgenommen. Eine ähnliche Komposition, zwei Apostel und zwei Heilige, gibt das im 17. Jh. stark restaurierte Apsismosaik in S. Theodoro, Rom, Ende 6. Jh. (?), wieder.

Die aufgeführten Monumente zeigen, daß schon im 4. Jh. der Typus des thronendes Christus-Rex im Zusammenhang der Apostelhuldigung (verkürzte und volle Zahl) bekannt ist und gegen Ende des 4. Jh. der Lehrtypus dem reinen Throntypus ganz nahe kommt. Das Thronbild scheint von Ostrom bestimmt zu sein und ist wahrscheinlich dort konzipiert worden. Wenn in Konstantinopel auch keine so frühen Werke der Monumentalkunst erhalten sind, so lassen die des Westens künstlerisch den Einfluß Ostroms erkennen, und Werke der mittelbyzantinischen Epoche greifen Bildtypen aus der Zeit vor dem Bilderstreit auf, durch die Rückschlüsse gezogen werden können. In der Zeit nach Theoderich kommt der Einfluß Ostroms in Ravenna in größerem Ausmaß zum Durchbruch. In diesem Zusammenhang ist die Verdrängung der in Rom beliebten Apostelfürsten durch die Zeremonienengel zu sehen. Der thronende Christus wird in einen vom höfischen Zeremoniell bestimmten Zusammenhang gestellt. Außer der Huldigung ist in den Apsisprogrammen die Darbringung der Märtyrerkronen, die Zuführung von Heiligen und die Darreichung der Krone an einen Märtyrer, die als Stifter oder Namenspatron der betreffenden Kirche hervorgehoben werden, wiedergegeben. In der Apsis von Parenzo sind diese Motive der Darstellung des auf dem Schoß der Gottesmutter thronenden Kindes eingefügt. Rom kennt dieselben Zeremoniendarstellungen, doch wird an den hier bevorzugten Apostelfürsten als den Protektoren festgehalten, sofern nicht der Titelheilige die Zuführung des Stifters übernimmt. Diese Erweiterung der Thematik vollzieht sich

vom 6. Jh. an ebenso bei der Darstellung der stehenden Christusfigur, siehe Traditio legis. Im 7. Jh. treten diese Kompositionen ganz zurück, werden allerdings in der Renaissance des Paschalis Anfang 9. Jh. wiederholt, doch vorwiegend im Zusammenhang der stehenden Christusfigur, während das hohe Mittelalter die Präsentation in der Regel mit der Darstellung des thronenden Christus verbindet.

Die römische Tradition des zwischen Paulus und Petrus thronenden Christus ist in der Kleinkunst neben und auch noch nach der mehrfigurigen Komposition zu finden. Eine ikonographische Variante gibt eine Miniatur der italienischen Ambrosiushandschrift um 500, die sich in der Stiftsbibliothek von St. Paul im Lavanttal befindet, *Abb. 637*. Hier sitzen die Apostelfürsten auf Bänken neben dem auf dem Globus thronenden Christus, der das offene Buch hält. Beide haben in der linken Hand das große Stabkreuz, auf das sie hinweisen. Auch der Gestus Christi kann als Hinweis auf das Kreuz gemeint sein. Diese Dreifigurenkomposition ist vom Kranz umgeben. Der Mitte sind vier Medaillons zugeordnet, auf denen kein Motiv mehr zu erkennen ist. Hierin klingt ein spätantikes Dekorationssystem an, das auch in der Katakombenmalerei häufig angewandt wurde. Es ist ebenso auch in der Mosaikdekoration der Kuppeln im 5. und 6. Jh. zu beobachten, wenn einem Christusbild oder -symbol im Zentrum die vier Wesen oder vier Kreuze zugeordnet sind. Diese Kompositionsform wird bei der Darstellung der reinen Majestas Domini häufig angewandt, siehe unten. In abstrakter Form ist dasselbe Schema sehr oft auf Einbanddeckeln der Evangelien und deren Wiedergaben auf Darstellungen des erhöhten Christus zu finden. Auf dem Buch, das der thronende Christus auf dem Deckel des Silberbehälters, der unter Paschalis um 820 entstand, *Abb. 638*, hält, befinden sich in der Mitte ein Quadrat und in den Ecken vier tropfenförmige Formen, ebenso auf dem Buch in der Hand des Paulus, in dessen Mitte man einen Kreis sieht. Ein oströmisches Elfenbeinrelief, Mitte 6. Jh., *Abb. 636*, zeigt den Buchdeckel mit einer großen ovalen Form in der Mitte und vier kleinere in den Ecken, dazwischen sind acht kleine Kreise angebracht. Offenbar ist schon im 6. Jh. das Dekorationsschema bewußt auf Einbanddeckeln von Evangelien als Hinweis auf Christus inmitten der vier Evangelien übertragen worden. Es ist nicht ausgeschlossen, daß die acht kleinen Kreise zusammen mit den vier Eckformen die symbolische Zahl Zwölf für das Apostelkollegium als Sinnbild der himmlischen Kirche und Heilsgemeinde bedeuten sollen.

Auf dem Silberrelief steht der Thron auf dem Vierströmeberg, den die Renaissance des 9. Jh. noch einmal aufgriff. Ihm ist eine Blume eingefügt, die, wie auf älteren Darstellungen die Palmen, zur Lebensbaumsymbolik des Paradieses gehört. Die zwei Zeremonienengel der älteren von Konstantinopel beeinflußten Darstellungen sind hier abgewandelt. Als Brustbilder in Medaillons stehen sie in den oberen Ecken des Bildfeldes. Das Elfenbeinrelief zeigt indessen über der Thronarchitektur mit Muschelbaldachin die Personifikationen von Sol und Luna, die zusammen mit dem Baldachin (Himmelszelt) Zeichen der kosmischen Weltherrschaft des thronenden Christus sind. Die Apostelfürsten haben hier die Funktion der Zeremonienengel. Ihre Zurückdrängung deutet schon auf die spätere Entwicklung, die zur Isolierung des thronenden Christus in der byzantinischen und abendländischen Kunst führt. Das fünfteilige Elfenbeindiptychon aus Murano, Anfang 6. Jh., *vgl. Bd. 1, Abb. 424,* das im Mittelteil den thronenden Christus mit den beiden Aposteln und zwei Engeln als Thronwache zeigt, bekrönt die Darstellung im oberen Teil durch die von zwei Engeln gehaltene crux coronata, flankiert von zwei Engeln mit Kreuzzepter und Globus. In einem sockelartigen Bildfeld unterhalb des Thronenden ist die Bewahrung der chaldäischen Männer im Feuerofen und im unteren Teil die Jonageschichte dargestellt, letztere ist Typus für die Auferstehung Christi. Die Seitenteile zeigen vier Heilungen. Der Vorderdeckel des Etschmiadzin-Diptychons, Mitte 6. Jh. (Paris), entspricht in Thematik und Anordnung dem von Murano, zeigt aber anstelle der alttestamentlichen Szenen unten den Einzug Christi in Jerusalem, bei dem sich der Herr als Messias offenbart. Bei diesen der östlichen Kunst angehörenden Diptychen verweist auf der anderen Tafel die Gottesmutter

mit dem auf ihrem Schoß thronenden Kind auf die Inkarnation, das heißt auf die Offenbarung Gottes im Fleisch. Die Thronpaladine sind bei der Theotokos der Elfenbeintafeln zwei Engel, vgl. dazu Bd. 4.

In der frühkarolingischen Kunst ist das Bild des thronenden Christus-Rex offenbar selten gewesen, obwohl die Königsidee die Christusauffassung der Zeit bestimmt. Neben den Darstellungen der Majestas Domini, die die Königsvorstellung allerdings mit enthält, sind nur wenige Beispiele bekannt, die sich an das spätantike Thronbild anschließen, an denen die byzantinische Kunst festhält. Zu nennen ist vor allem die Darstellung im Godescalc-Evangelistar, das 781–783 in der Hofschule für Karl den Großen geschrieben wurde, *Abb. 639.* Sie geht auf frühbyzantinische Vorlagen zurück[7]. Wie in S. Vitale ist es der jugendliche zeitlose Christus. Er sitzt hier auf einer Thronbank mit großem Kissen. Die Architekturteile und Pflanzen sind die auf einfachste Formen gebrachten Hinweise auf das himmlische Jerusalem und das Paradies der frühchristlichen Darstellungen. Der Schmuck des Evangelienbuches ist der gleiche, der für das 6. Jh. schon erwähnt wurde. Die lateinisierte mittelalterliche Form der Monogramminschrift steht zu beiden Seiten des Hauptes Christi, wie sie auf byzantinischen Christusdarstellungen in griechischen Schriftzeichen üblich ist. Ein um 800 in Norditalien (Nonantola) entstandenes Homiliar Gregor d. Gr., *Abb. 640,* enthält ein Bild des thronenden Christus mit der Inschrift »Rex regum«. Das Wort »Lux« im Kreuznimbus bezieht sich auf eine ebenso wie »rex regum« häufig wiederkehrende Inschrift: »Ich bin das Licht der Welt« (vgl. Pantokrator). Der Thronende trägt hier noch die Rolle wie auf spätantik-christlichen Darstellungen. Aus der Spätphase der Hofschule Karls d. Gr. ist noch ein bedeutendes Thronbild im Lorscher Evangeliar, um 810, zu erwähnen, von dem zwei Kopien in späteren Handschriften erhalten sind. Es steht zu Beginn des Matthäusevangeliums und zeigt Christus auf einem Thron mit reich verzierter, mit Vorhängen versehener Lehne, *Abb. 641.* Die clipeusähnliche Um-

---

7. Den Nachweis der Abhängigkeit der Hofschule von Byzanz erbrachte A. Boeckler, Die Evangelienbilder der Adagruppe in: Münchner Jb. d. bild. Kunst 3. F, Bd. 3/4, 1952/53, S. 121 ff.; ders., Formgeschichtliche Studien zur

Adagruppe, 1956. Die früher als Adagruppe bezeichnete Handschriftengruppe wird in der heutigen Forschung Hofschule Karls des Großen genannt, siehe Katalog der Ausstellung, Aachen 1965.

randung, die kleine Darstellungen von den vier Wesen und von acht Engeln enthält, scheint aus einer anderen Vorlage zu stammen, sie wird von der Christusgestalt überschnitten. Ihre Verwendung läßt möglicherweise auf eine bewußte Übernahme der Motive des Majestas-Domini-Typus in das spätantike Bild des thronenden Christus schließen (Boeckler). Dem 8. Jh. gehört auch der Tassilokelch in Kremsmünster an, hinter dessen Christusfigur ebenfalls die Idee des Thronenden steht, auch wenn er als Halbfigur wiedergegeben ist.

Erst nachdem die ottonische Kunst sich erneut an byzantinischen Vorbildern orientierte, ist zu Beginn des 11. Jh. der isoliert Thronende in der abendländischen Kunst wiederzufinden. Von da an kommt er bis zum 13. Jh. häufiger vor, vor allem in der Plastik, erreicht jedoch nicht die zentrale Bedeutung, die die Majestas Domini im Abendland hat. Die Monumentalität der romanischen plastischen Figur scheint auf der Darstellung in getriebenem Goldblech auf dem Einbanddeckel des Regensburger Uta-Codex, 1. Viertel 11. Jh., schon vorausgenommen zu sein, *Abb. 643.* Es ist der von jetzt an auch für das Abendland maßgebende bärtige Christustypus. Die vier kleinen Tafeln mit den Evangelistensymbolen sind spätere Zutat.

Die ältesten Beispiele der monumentalen Plastik sind ein beschädigtes Steinrelief, 1049–1060, von St. Emmeram, Regensburg, *Abb. 644,* und eines des 11. Jh. von St. Radegundis, Poitiers, *Abb. 645.* Der Gestus der rechten Hand variiert zwischen offenem (seitlich erhobener Hand) und geschlossenem (vor der Brust erhobener Hand) Segensgestus. Mit der linken Hand hält Christus das auf das Knie gestützte Buch von oben. Das gleiche gilt unter anderem für die Vollplastik aus Reichenbach, um 1230, im Bayerischen Nationalmuseum München, die Christus mit Krone zeigt, ebenso für die Figur am Portal von St. Jean le vieux in Perpignan, auch mit Krone, 1. Hälfte 13. Jh., und für das Relief der Chorschranken aus Gustorf, 2. Viertel 12. Jh., heute im Rheinischen Landesmuseum, Bonn,

Abb. 646, das ursprünglich farbig gefaßt war. An diesen Chorschranken befanden sich zu beiden Seiten der Christusfigur, die unter einer Dreibogenarkade thront, je sechs stehende Apostel, von denen nur drei erhalten sind. In Poitiers fällt der architektonische Thron in einer apsidenartigen Nische auf, der durch die vielen Tore an die Vorstellung des himmlischen Jerusalem erinnert. Wie auf der oströmischen Elfenbeintafel des 6. Jh. sind auf dem Gustorfer Relief oben Sol und Luna als kosmische Machtzeichen eingefügt. Das geschlossene Buch trägt auf dieser Tafel sehr betont das oben erwähnte Schmuckschema, das in zahllosen Werken wiederkehrt[8].

Auf der Bronzetür des Domes von Monreale, 1186 bis 1190, *Abb. 647,* deren biblische Szenen von unten nach oben abzulesen sind, zeigt der rechte Flügel im oberen Teil Christus in der Herrlichkeit. In der Reihe darunter sind in kleineren Bildfeldern Christus im Pilgergewand mit den beiden Jüngern am Stadttor von Emmaus und die Himmelfahrt Christi im byzantinischen Typus dargestellt. Die Abhängigkeit von byzantinischen Vorlagen, die für die Bronzetüren des 12. Jh. in Italien in vieler Hinsicht festzustellen ist, zeigt sich sehr deutlich in dem oberen Bildfeld. Byzanz geht hinsichtlich der ergänzenden Motive bei der Darstellung der göttlichen Majestät nicht von der Apokalypse, sondern von der Jesajavision (Jes 6,1 ff.) aus. Die sechsflügeligen Seraphim und die vierflügeligen Cherubim der Hesekielvision (Hes 1 und 4) sind austauschbar und als rangoberste Engelwesen gleichbedeutend. Auf der Tür in Monreale sind dem Thronenden vier Cherubim und sechs sich anbetend verneigende Engel zugeordnet. Statt der Cherubenengel steht auf dem entsprechenden Feld der etwas älteren Tür am Dom von Pisa der Sanctustext der Jesajavision. Die Inschrift – Ich bin das Licht der Welt – stimmt auf beiden Darstellungen überein[9].

In der Portalplastik nördlich der Alpen ist der thronende Christus in Verbindung mit Nebenthemen verschiedentlich anzutreffen. Als Beispiel für diese Gruppe nennen wir die Galluspforte des Baseler Münsters, um

---

8. Eine ausführliche Untersuchung widmete diesem Werk F. Rademacher, Der thronende Christus der Chorschranken aus Gustorf, Köln-Graz 1964, mit vielen Abbildungen. Siehe weitere Beispiele zum thronenden Christus bei R. Berger: Die Darstellung des thronenden Christus in der romanischen Kunst, Reutlingen 1926. Hier ist zwischen thronendem Christus und Majestas Domini nicht grundsätzlich unterschieden.

9. A. Boeckler, Die Bronzetüren des Bonanus von Pisa und des Barisanus von Trani, Berlin 1953.

1180, *Abb. 648*, die künstlerische Einflüsse Südfrankreichs und der Lombardei erkennen läßt. Im Bogenfeld ist das schon im 6. Jh. in Rom in der Monumentalkunst nachzuweisende Thema der Einführung von Heiligen bei Christus wiedergegeben. Links kniet Kaiser Heinrich II. als Stifter der Kirche mit dem Modell, rechts sieht man ihn zusammen mit Petrus, der ihn der Gnade Christi empfiehlt; hinter ihm kniet seine Gemahlin Kunigunde. Der Gerichtsgedanke, der bei dieser Szene im 12. Jh. anklingt, wird in dem Gleichnis der fünf klugen und fünf törichten Jungfrauen im Türsturz verdeutlicht. Er wird fortgeführt in den Darstellungen der sechs Werke der Barmherzigkeit in den nischenartig aufgelösten Eckpfeilern, Mt 25,1–13 und 34–46.

Schließlich kommt das Bild des in Herrlichkeit Thronenden im 13. Jh. in Entsprechung zur Majestas Domini an Schreinen vor, deren Architektur mehrmals an die Vorstellung des himmlischen Jerusalems anklingt und so in Parallele zu den Stadttorsarkophagen steht. Christus bildet wie auf diesen die Mitte der Apostel. Diese Gruppierung, die zum Beispiel der Elisabethschrein in Marburg, 1236–1247, aufweist, *Abb. 650*, kann zwei Bedeutungsakzente haben: Christus, der Herr der himmlischen Kirche, parallel zu frühchristlichen Darstellungen, oder Christus, der gegenwärtige und künftige Richter inmitten der Apostel als Beisitzer. Wie oben schon gesagt, gehört zum Königsamt die Richtergewalt. Sie ist in jedem Bild des thronenden Christus mit gegenwärtig, doch kommt sie nur im Bild des Richters voll zum Ausdruck. Auf dem Elisabethschrein entspricht dem thronenden Christus am Giebel des Querhauses, das in der Mitte der Langseite etwas vorspringt, auf der gegenüberstehenden Giebelwand die Kreuzigung. Die Architektur des Querhauses ist im Sinne einer Triumpharchitektur ausgebildet. In den kleineren Giebeln über den Aposteln, die sich auf der anderen Seite fortsetzen, steht jeweils ein Satz des Glaubensbekenntnisses. Der Schluß des zweiten Artikels steht über Petrus zur Rechten des Herrn: »sitzet zur Rechten Gottes« und über Paulus zur Linken: »wird wiederkommen zu richten die Lebendigen und die Toten«[10]. Der Gestalt des Thronenden sind keine Attribute, die auf den Richter hinweisen, beigegeben. Nach einer abendländischen Tradition haben die Apostel das Bekenntnis formuliert. Die Zuordnung bestimmter Sätze zu den einzelnen Aposteln ist auf Schreinen und Tragaltären seit dem 12. Jh. zu finden, *vgl. Abb. 720*. Am Elisabethschrein vertreten die Apostel die Kirche oder die Gemeinschaft der Heiligen, wie das Glaubensbekenntnis sie nennt.

Der Dreikönigsschrein in Köln zeigt im Giebelfeld der Vorderwand, 1198–1206, den thronenden Christus zwischen zwei Engeln, von denen einer Kelch und Patene – Zeichen des Opfers und der Gnade –, der andere die Krone – Zeichen des ewigen Königtums – in Händen hält, *Abb. 649, vgl. Bd. 1, Abb. 286 und S. 120*. Von den drei Erzengeln in Medaillons über der Dreibogenarkade sind nur noch Gabriel und Raphael erhalten, Michael, der etwas höher angebracht war, ist bei einer Restaurierung durch einen Stern ersetzt worden. Dem Thronbild sind im unteren Teil des Schreins die Anbetung der Könige und die Taufe Jesu, zwei Epiphanien, die die Göttlichkeit Jesu offenbaren, zugeordnet. Die Christusgestalt ist hier durch die vom Wundmal gezeichnete rechte Hand und durch die entblößte Seitenwunde als der Auferstandene und der Richter gekennzeichnet, siehe oben Auferstehung. Diesem Wandel der Christusfigur entspricht die Darstellung des über den Tieren thronenden Christus des Eleutheriusschreins, *Abb. 92*. Eine Inschrift am Dreikönigsschrein besagt: »Ich komme, die Würdigen zu retten, die Bösen zu verurteilen.« Die Akzentverlagerung von dem in der Herrlichkeit Thronenden zu dem kommenden Richter kündet sich auf diesen Schreinen der 1. Hälfte des 13. Jh. ebenso an wie bei dem Christus der Majestas Domini in der Portalplastik französischer Kathedralen.

In der byzantinischen Kunst der nachikonoklastischen Zeit ist das Bild des thronenden Christus als isolierte Darstellung und in einer lockeren Verbindung mit Aposteln und Heiligen oder in der Form der Deësis häufig (zur Deësis siehe Band 4). Aus dem späten 9. Jh. ist in der Hagia Sophia im Endonarthex über dem Mittelportal ein 4,70 m breites Mosaik erhalten, *Abb. 451*. Ein Kaiser, höchstwahrscheinlich Leo VI. (886 bis 912), kniet bittend vor dem thronenden Christus. Die Proskynese des höfischen Zeremoniells ist in ihrer

10. E. Dinkler-v. Schubert, 1969, S. 51.

ursprünglichen Bedeutung Ausdruck des Bittens. In zwei Medaillons erscheinen oben seitlich des Throns Maria in der Fürbitte und vermutlich Gabriel. Zur Inschrift in dem Buch Christi siehe unten bei Pantokrator.

Ein Mosaik der Cappella Palatina in Palermo, Mitte 12. Jh., *Abb. 653*, verbindet die spätantike Komposition des zwischen Petrus und Paulus auf dem lehnenlosen Thron sitzenden Christus mit den Engeln, die als Dreiviertelfiguren, mit adorierenden Gesten und nicht mehr mit Zeremonienstäben, oberhalb der Apostelfürsten sich Christus zuwenden. Die byzantinischen Emaileinlagen in der Mitte der unteren Tafel der Pala d'Oro von S. Marco, Venedig, *Abb. 652*, die Anfang des 12. Jh. neu hinzugefügt wurde, orden dem thronenden Christus die vier Evangelisten mit ihren Büchern und Schreibpulten in eigenen Medaillons zu, während der thronenden Christusgestalt in der Hauptapsis von S. Angelo in Formis, 1072–1087, *Abb. 642*, von römischen Überlieferungen beeinflußt, in einiger Entfernung die vier Evangelistensymbole (zwei davon zerstört) hinzugefügt sind. Das Wort der Apokalypse in dem geöffneten Buch: »Ich bin das Alpha und das Omega, der Erste und der Letzte« deutet den Thronenden als den Herrn der neuen Weltepoche, des Äons, der unter seiner Herrschaft steht. Diesem Christusbild der Apsis steht an der Westwand das Weltgericht gegenüber.

Mehrere Bildtraditionen laufen in dem Apsismosaik des Domes zu Pisa, 1301–1302, zusammen, *Abb. 654*. Maria und Johannes, der Evangelist, die hier zu beiden Seiten des Thrones stehen, sind die häufigsten Assistenzfiguren des Kruzifixus, und es scheint aufgrund der Gesten die Vorlage für die Gestalten auch aus einer Kreuzigung zu stammen. Die beiden sind aber auch mehrmals dem abendländischen Gerichtsbild als Fürbitter eingefügt[11]. In der Zuordnung zur thronenden Herrschergestalt dürften hier die beiden Gestalten als Fürbitter gemeint sein, auch wenn ihre Gestik nicht der der

Intercessio entspricht. Die beiden Löwen auf dem mittleren Thronpodest können als Symbole der Macht, Wächter des Throns oder eine Erinnerung an den Thron Salomos, auf dessen sechs Stufen Löwen lagen, sein. Christus selbst ist als der Siegreiche dargestellt, er tritt auf Aspis und Basilisk. Seitlich von diesen befinden sich zwei Drachen. Auf dem unteren Saum des Gewandes ist das Psalmwort des Sieges über die finsteren Mächte zu lesen; mit dem Wort im Buch bezeugt sich der thronende Herrscher als das Licht der Welt.

Der Pantokrator (zu deutsch: Allherrscher und Allerhalter)[12]. Die Bezeichnung Pantokrator wird literarisch und liturgisch vorwiegend für Gott den Schöpfer gebraucht. Apk 1,8 überträgt sie auf Christus (Luther übersetzt »Allmächtiger«), und zwar zusammen mit der Hervorhebung des Immer-Seienden »der da ist, der da war, der da kommt«. Apk 4,8 wird Gott mit diesen Worten gepriesen. Joh. 1,1–4,10 identifiziert den Christus-Logos mit dem Schöpfer, vgl. auch Kol 1,16. Ausschlaggebend für die Pantokratortheologie ist aber 1 Tim 6,15.

Die Abgrenzung des Pantokratorbildes von anderen Christusbildern der nachikonoklastischen Kunst der Ostkirche ist in der Kunstwissenschaft nicht restlos geklärt. Die Kunst des Ostens gibt aufgrund der im 6. Jh. aufkommenden Ikone des »nicht von Menschenhand gemachten Christusbildes« – Acheiropoietos – oft auch dem erhöhten Christus realistische Züge, steigert sie aber zum Ausdruck des furchterregenden Ernstes und der Unnahbarkeit[13]. Die Übernahme dieser Züge in die Darstellung des erhöhten Christus kommt am ausgeprägtesten in dem Brustbild Christi der Kuppeln oder Apsiskalotten, in der Narthexwölbung oder in der Lünette über der königlichen Tür nachikonoklastischer Kirchen zum Ausdruck. Da einige von ihnen als Pantokrator bezeichnet sind, wurde es in der Literatur zur

---

11. Diese Intercessio, ursprünglich ein selbständiges Bildmotiv, ist aus dem byzantinischen Gerichtsbild übernommen, wo allerdings Johannes der Täufer und nicht der Evangelist dargestellt ist, siehe Band 4.

12. Vgl. die philologische Untersuchung von H. Hommel, Pantokrator, in: Theologia Viatorum 5, 1953/54, S. 322–372.

13. In den Acheiropoietoi, die als auf übernatürliche

Weise entstandene Abbilder des Antlitzes Christi galten, sah man das authentische Christusbild, an dem sich die Kunst der Ostkirchen orientierte. Vgl. RAC I (Klauser). Zu den Varianten der byzantinischen Christusikone, die Christus meistens als Halbfigur zeigt, siehe W. Felicetti-Liebenfels, Geschichte der byzantinischen Ikonenmalerei, Olten — Lausanne 1956.

Gewohnheit, diese Gruppe der monumentalen Halbfigurenbilder unter dem Begriff Pantokratordarstellungen zusammenzufassen. Es werden aber auch byzantinische Medaillondarstellungen oder Halbfigurenbilder des segnenden oder lehrenden Christus, in welcher Form sie auch immer auftreten, Pantokrator genannt, selbst wenn sie inschriftlich anders bezeichnet sind. Eine neue Untersuchung der Darstellungen, die durch eine Inschrift als Pantokrator bezeichnet sind, ergab, daß es sich dabei nicht um einen einheitlichen ikonographischen Typus handelt[14]. Die Beischrift: CHRISTOS REX Regnantium – »König aller Könige«, 1 Tim 6,15, kommt schon auf Münzen Justinians II. (565–578) zu dem Brustbild Christi mit geschlossenem Buch und der segnenden rechten Hand vor der Brust vor[15]. Ebenso sind Münzen von Basileios I. (um 870) und von Isaak I. (1058) mit der gleichen Legende, allerdings dem thronenden Christus zugefügt, erhalten.

In der nachikonoklastischen Monumentalkunst steht das Brustbild des Weltherrschers bei Kreuzkuppelkirchen häufig in der Kuppel, bei Langhauskirchen in der Apsiskalotte. Nimmt das Pantokratorbild die Kuppel ein, ist ihm die Gottesmutter in der Apsis, dem zweiten architektonischen Brennpunkt des Raumes, zugeordnet. Im zweiten Fall steht diese unmittelbar unter dem Christusbild. Sie ist von Engeln oder Aposteln flankiert; Heilige und Propheten schließen sich seitlich und darunter an[16]. Dieses Dekorationsschema kommt der monumentalen östlichen Himmelfahrtsdarstellung nahe, vgl. *Abb. 461, 465.* Die Absicht, die Inkarnation Gottes auf Erden und die Repräsentation des erhöhten auferstandenen Christus – beide als Epiphanie aufgefaßt – in Beziehung zu setzen, kommt schon auf frühen Kunstwerken zum Ausdruck: in der Monumentalkunst zum Beispiel in der Apsis der Basilika Eufrasiana zu Parenzo (Poreč), 535–543, *Abb. 635,* und an den sich gegenüberliegenden Wänden in S. Apollinare Nuovo in Ravenna, 520–526; ebenso auf Elfenbeindiptychen,

die dem thronenden Christus die thronende Gottesmutter gegenüberstellen. Ob das nachikonoklastische Brustbild, wie es in Monreale, Palermo, Cefalù usw. erhalten ist, schon in der justinianischen Monumentalkunst bekannt war, läßt sich nicht sagen, möglich ist es[17]. Man kann die östlich beeinflußte Apsisdarstellung der römischen Kirche S. Ermete vom Ende des 8. Jh. als Vorläufer der nachikonoklastischen Darstellungen betrachten, wenn man nicht sogar darin das reife Zeugnis einer älteren Bildtradition der Monumentalkunst sehen will, *Abb. 655.* Die Darstellung enthält in dem Blumenstreifen noch Anklänge an das frühe Paradiesbild. Die Engel mit der weisenden und verehrenden Geste, die den Christus Basileus flankieren, sind seit dem 6. Jh. bekannt. Christus, vor einem großen Nimbus, hebt die rechte Hand im Redegestus vor die Brust und hält das geöffnete Buch mit der Inschrift: »Ich bin der gute Hirte«, Joh 10. Der Mantel fällt von der linken Schulter in senkrechten Falten herab. Darunter ist die thronende Gottesmutter im Ornat der byzantinischen Kaiserin zwischen zwei Engeln und Heiligen dargestellt, das Kind hebt die Rechte im gleichen Gestus wie oben Christus und umfaßt mit der Linken die Logos-Rolle (vgl. Abbildung dieses unteren Teils in Bd. 4).

Die Darstellung in der Apsis des Domes von Monreale, 1182–1192, *Abb. 660,* die außer den üblichen Schriftzeichen für Jesus Christus zu beiden Seiten des Hauptes der Christusbüste auch die Bezeichnung Pantokrator wiedergibt, zeigt den bärtigen Typus mit der Stirnlocke in der oben erwähnten furchterregenden Strenge. Jedes Herrschaftsattribut fehlt. Der Mantel fällt links senkrecht von der Schulter, rechts ist er um den zur Seite ausgereckten Arm gelegt. Die erhobene Hand ist der Mitte zugewandt. In dem offenen Codex, den Christus hochhält, steht auf der linken Seite das für den Pantokrator typische Wort Joh 8,12: »Ich bin das Licht der Welt.« Die Inschrift entspricht der im

---

14. K. Wessel, Das Bild des Pantokrator, in: Polychronion, Festschr. für F. Dölger, Heidelberg 1966, S. 251 ff. Zur Pantokratortheologie siehe C. Capizzi, ΠΑΝΤΟΚΡΑΤΩΡ in Orient. Christ. Analecta Nr. 170, Rom 1964. Zur Darstellung: E. Lucchesi-Palli, Christus-Pantokrator, in: LCI I, 1969, Sp. 392—394.

15. A. Grabar, L'Iconoclasme byzantine, Dossier archéologique, Paris 1957, Abb. 12—16. M. Restle, Kunst und byzant. Münzprägung, 1964, S. 118 ff.

16. Siehe dazu Ch. Ihm, 1960, S. 108—112.

17. Das Medaillonbild geht auf antike Porträtdarstellungen zurück und gehört einer anderen Tradition an.

Codex des thronenden Christus auf dem Mosaik der Hagia Sophia, das den am Thron knienden Kaiser zeigt, *Abb. 651.* Ebenso kehrt dieses Selbstzeugnis auf einem Mosaik der Krönung des Normannenkönigs Wilhelm II. in Monreale im Buch des thronenden Christus wieder. Es gehört zu den Charakteristiken des Pantokrator, gleich, ob er thronend oder als Brustbild dargestellt ist. Da der Pantokratortypus nicht festliegt und die Pantokratorinschrift vereinzelt auch bei dem thronenden und stehenden Christus vorkommt, variieren die Einzelmotive bei Darstellungen, die ihrem Gesamtcharakter nach oder der Beischriften wegen den Pantokratordarstellungen zugerechnet werden können. Die Segenshand kann ausgereckt oder vor der Brust erhoben, der Codex geöffnet oder geschlossen, von unten oder von der Seite her gehalten sein; die Stirnlocken bei Christus können fehlen. Man hat offenbar aus verschiedenen Gründen Bilder des erhöhten Christus als Pantokrator bezeichnet, ohne daß sich die Aussage gegenüber dem thronenden Christus wesentlich geändert hat.

Das Apsismosaik des Domes von Cefalù, vor 1148, *Abb. 659,* steht dem von Monreale sehr nahe; unterschiedlich ist der Typus der dem Pantokrator zugeordneten Mariengestalt: statt der Gottesmutter mit dem Kind die Maria-Orans als Kirche. Auch das Mosaik der Kuppeln in der Cappella Palatina, 1143–1153, *Abb. 661,* das acht Engel dem Pantokrator zuordnet, und das der Martorana, beide Palermo, das den thronenden Christus mit vier Engeln zeigt, gehören zu der Gruppe; der Codex ist zwar geschlossen, aber der Text Joh 8,12 ist auf beiden Kuppeldarstellungen dem umlaufenden Schriftband eingefügt. In den Kuppelmosaiken, besonders in der Cappella Palatina, klingt in einer anderen Anordnung als in der Apsidendekoration die Lehre von der himmlischen Hierarchie des Pseudo-Dionysius Areopagita an: Pantokrator, Engelchöre, Apostel, Propheten[18]. Das Mosaik im Narthex von Hosios Lukas, Anfang 11. Jh., gibt den Johannestext ausführlich wieder. Das Kuppelmosaik in Daphni, um

1100, *Abb. 656,* muß ebenfalls der Pantokratorgruppe zugerechnet werden, obwohl die Pantokratorinschrift und der Johannestext fehlen. Eine Mosaikikone, um 1150, im Museo Nazionale del Bargello in Florenz, *Abb. 658,* weist die Johannesstelle im geöffneten Buch des Pantokrators auf. Das gleiche gilt auch für die stehende Figur des 9. oder 10. Jh. in der Unterkirche in SS. Giovanni e Paolo, Rom, *Abb. 657,* wo das ältere Motiv der geöffneten Rolle benutzt ist und Christus, wie in S. Ermete, zwischen zwei Engeln erscheint. Der Gestus ist bei dem Erhaltungszustand der rechten Hand schwer zu erkennen. Auf jeden Fall ist die Handhaltung eine andere als auf den sizilianischen Mosaiken. Es ist die Frage, ob man nur um des biblischen Wortes willen diese Figur zur Pantokratorgruppe zählen kann. Dagegen lehnt sich das Halbfigurenbild auf dem Fresko im Narthex der Klosterkirche von Dečani (Jugoslavien), 1327–1335, eng an den Pantokrator von Monreale an. Der Text im Codex ist Joh 10,9[19].

Zusammenfassend ist zu sagen, daß der Begriff Pantokrator, der in der mittelbyzantinischen Epoche nicht an einen bestimmten Bildtypus des himmlischen Christus gebunden ist, die Macht des Auferstandenen über das All betont. Er ist am engsten mit dem Brustbild Christi an den zentralen architektonischen Stellen der Kirchenräume verbunden, das im Zusammenhang der himmlischen Hierarchie steht. Das gilt auch für die Pantokratorikonen, die innerhalb der Ikonostase an zentraler Stelle angebracht waren. Charakteristisch, aber nicht unerläßlich ist für den Pantokrator das Selbstzeugnis »Ich bin das Licht der Welt; wer mir nachfolgt, der wird nicht wandeln in der Finsternis, sondern wird das Licht des Lebens haben«. Der Anfang dieses Wortes kommt auch auf abendländischen Darstellungen häufig vor. Das Brustbild des himmlischen Herrschers ist in der byzantinischen Kunst sehr viel verbreiteter als im Abendland. Seine Bedeutung ist die gleiche wie die des thronenden Weltenherrschers, weshalb wir diese Sonderform hier einfügen. Die verschiedenen Merkmale, die im engeren Sinne ein Pantokra-

---

18. Zur Engelhierarchie siehe Bd. 4.

19. K. Wessel, 1966, gibt S. 529 f. eine Liste mit zwölf Beispielen, die er den dreizehn durch Beischrift als Pantokrator gesicherten Darstellungen hinzurechnet. Er gibt als

stehende Pantokratorfigur ein Fresko der Anargyroikirche in Kastoria mit Beischrift und die beiden genannten an. E. Lucchesi-Palli zieht in: LCI I, S. 392 f. den Kreis der Pantokratorbilder sehr viel weiter als Wessel.

torbild kennzeichnen können, verdichten sich erst in postbyzantinischer Zeit zu einem Bildtypus, der dann sehr häufig wird[20].

Die Majestas Domini
(Jes 6, Hes 1 und 10, Dan 7, Apk 4
Vgl. auch 2 Mos 25,17–22; Hes 9,3; Ps 18,11; 99,1)

Biblische und künstlerische Quellen der Majestasikono-graphie. Der Darstellungstypus, der im engeren Sinn als Majestas Domini bezeichnet wird, ist nicht vom spätantiken Hofzeremoniell bestimmt wie der im vorigen Kapitel behandelte Typus des thronenden Christus, sondern von den in der Bibel begegnenden Vorstellungen vom thronenden Gott, über die das Wichtigste oben S. 147 und 183 schon gesagt wurde. Da es sich bei den Texten in Jesaja, Hesekiel, Daniel und der Apokalypse des Johannes um Visionen handelt, ist der Gesamtcharakter der Majestas Domini ein anderer als der des Thronbildes, obwohl in beiden Bildtypen der erhöhte Christus in der Würde des himmlischen Königs thronend dargestellt wird. Der visionäre und transzendentale Gehalt der Majestas Domini wird – abgesehen von den Stilmitteln – durch die die ganze Gestalt umgebende Lichtgloriole und durch die vier übernatürlichen Wesen erreicht. Das Thronen ist nicht Funktion, sondern Existenzform. Es fehlen daher auch die Apostel als Thronpaladine oder Beamte. Beim reinen Majestastyp sitzt Christus auf der Sphaira oder auf dem Regenbogen, der nach Apk 4,3 Attribut des Thrones ist. Der Schemel ist nicht das Suppedaneum des kaiserlichen Thrones, sondern nach Jes 66,1 die Erdkugel oder ein Segment der Erdscheibe. Allerdings wird oft der Thronsitz, den die Texte nahelegen, auch für diesen Bildtypus übernommen. Liegt das Thronkissen auf dem Regenbogen, so ist darin eine Kombination von Motiven verschiedener Quellen zu sehen.

Die Gloriole hat meistens die Form der Mandorla (mandelförmig), kommt aber auch in Kreis-, Acht- oder Rautenform vor. Dabei können sich die Aureole und der Thron zu einem Formgebilde verbinden, oder die Lichtform ist zugleich der Sitz. Die biblischen Texte sprechen von Glanz (Edelsteine), Licht, Blitzen und Kristallmeer um den Thron. Gemeint ist das Licht wie-

derum als Existenzform und Ausdruck des Numinosen, des Fernen, des Himmels, der Doxa: »Der Himmel ist mein Stuhl und die Erde meine Fußbank«, Jes 66,1. Das nizaenische Glaubensbekenntnis sagt von Christus: Gott von Gott, Licht vom Licht. Der Gestus der rechten Hand Christi kommt bei der Majestas Domini in den gleichen Varianten vor wie bei den anderen Darstellungen des erhöhten Christus. Manchmal hält er auch ein Herrschaftsattribut, dafür gibt es keine Regel. Jedoch gehört das Buch gleich der Aureole und den vier Wesen zum Bestand der Majestasdarstellung. Christus hält mit der linken Hand das auf dem Knie stehende Buch von oben oder manchmal von der Seite. Hebt er es hoch, faßt er es von unten. Ist das Buch offen, so ist in der Regel, wie auch beim thronenden Christus, ein Wort des Selbstzeugnisses (Ich-bin-Wort) zu lesen; oft ist Apk 1,8 (vgl. 21,6; 22,13) durch AΩ wiedergegeben. Dem Nimbus ist manchmal REX eingefügt, *Abb. 675.* Ist das Buch geschlossen, so trägt es vielfach den oben erwähnten Schmuck – betonte Mitte (Kreuz oder Kreis) und vier im Quadrat oder Rechteck angeordnete Punkte –, der es als das von Christus ausgehende Evangelium kennzeichnet. Dieses abstrakte Schema liegt häufig der Majestas-Domini-Komposition zugrunde, am ausgeprägtesten dann, wenn jedes der vier Wesen von einem Kreis umgeben und in die Ecken eines Quadrates oder Rechtecks gesetzt ist, deren Mitte Christus bildet, *Abb. 675, 678* etc. Obwohl die Jenseitigkeit und unnahbare Hoheit des Herrn im Bild der Majestas Domini wie in keinem anderen Bildtypus zum Ausdruck gebracht wird, ist Christus in der überweltlichen Ferne und Heiligkeit doch der Welt zugewandt. Seine Gegenwart ist Gnade (Sprech- und Segensgestus, Evangelium), seine Heiligkeit ist immer gegenwärtiges Gericht[1]. Das heißt nicht, daß der Christus des Majestasbildes im Sinne der mittelalterlichen Weltgerichtsdarstellungen der Richter ist, wie er manchmal gedeutet wird. Diese Interpretation ist nicht einmal für das Endstadium der Bildentwicklung im 12. Jh. richtig, denn im Kirchenraum ist das Bild der Majestas dem des

---

20. Beispiele nennt Lucchesi-Palli.

1. Siehe R. Otto, Das Heilige, 1917, letzte Auflage München 1963.

Richters gegenüber- oder entgegengestellt. Allerdings ist der Christus der Parusie, sofern man ihn losgelöst vom Endgericht sieht, in der Majestas Domini im gleichen Sinne enthalten wie in der östlichen Darstellung der Himmelfahrt. Die oben genannte griechische Inschrift – HO ON – auf manchen Christusbildern der Ostkirche, die auf die alttestamentliche Gottesaussage »Ich bin, der Ich bin« zurückgeht, trifft für den Gehalt der Majestas Domini zu. Als Herrscher von Himmel und Erde ist er der immer Seiende.

Die ersten bekannten Bildformulierungen sind weder in Rom noch in Konstantinopel zu finden, sondern in den östlichen Randgebieten des Reiches. Nach jüdischer Tradition ist in der Vision des Hesekiel, wie oben schon erwähnt wurde, eine Vision des Gotteswagens gesehen worden. Die Lade des alten, damals schon zerstörten Tempels ist in dieser Vision beweglich. Für die frühe Kirche ist der Thronende in der Vision der Herrlichkeit des Herrn der präexistente Christus[2]. Da Hes 1 bereits zu den altkirchlichen Lesungen des Himmelfahrts- und Pfingstfestes gehörte, war diese Vision den Christen vertraut, und sie sahen in dem Wagen das Gefährt der Himmelfahrt. Die Vorstellung der Auffahrt Christi in dem Gotteswagen (Cherubim- oder Ezechiel-Wagen) fand nicht nur in der Väterliteratur einen Niederschlag, sondern auch in der bildlichen Darstellung. Die christliche Kunst kannte schon im 5. Jh. das Bildmotiv des Thronwagens und hat es einerseits für die Himmelfahrt, und zwar für die beiden Grundtypen des stehend, vgl. Abb. 459, und des thronend, vgl. Abb. 461, auffahrenden Christus, und andererseits für die Darstellung der thronenden Majestas Domini verwandt. Der Übernahme in das christliche Thronbild bahnte die Thronvision der neutestamentlichen Apokalypse Kap. 4, die sich in vielen Motiven der Hesekielschen angleicht, den Weg. Dieser Text nennt den Namen des Thronenden nicht. Da der erhöhte Christus Gott gleich ist, sah

man auch in ihm den thronenden Christus. Von dem eschatologischen Christus heißt es in der Apokalypse wie von Gott im Alten Testament: »Ich bin der Erste und der Letzte«, Jes 41,4 und Apk 1,11. Die Offenbarung des präexistenten Christus im Alten Testament ist in der apokalyptischen Erscheinung eingeschlossen. Johannes schildert im Gegensatz zu Hesekiel am Gottesthron nicht die Cherubim als Tetramorph, sondern vier einzelne Tiere, von denen jedes die Gestalt eines der Wesen hatte, die im Tetramorph vereint sind. Er gibt ihnen sechs Flügel, wie Jesaja den Seraphim, 6,2[3]. Neben diesen biblischen Bildquellen regte sicher auch die antike Kunst die ersten Bildkompositionen der Majestasdarstellung mit an.

Das Bild des Sonnengottes im Vierergespann war in der Spätantike durch Münzen weit verbreitet. Neben der Kompositionsform, die die vier Rosse nebeneinander vor den Wagen gespannt zeigt – vgl. die Gegenüberstellung zu dem frühen westlichen Typus der Himmelfahrt, Abb. 452 und 453 –, gab es die symmetrische Komposition. Sie setzt den Wagen, in dem der Sonnengott in frontaler Ansicht mit dem Herrschergestus steht, in die Mitte. Die Rossepaare wenden sich in entgegengesetzten Richtungen nach außen[4]. Dieser antike Bildtypus blieb bis zur Jahrtausendwende lebendig. Ein nordfranzösischer Aratuscodex aus dem Umkreis der Handschriften von St. Bertin, gegen 1000, enthält eine Miniatur dieser Solquadriga, Abb. 665, die durch das Motiv der zurückgewendeten Köpfe der beiden vorderen Rosse für den Vergleich des hesekielschen Gotteswagens instruktiv ist. Ob das Bild der Solquadriga auf eine nicht mehr faßbare Darstellung der hesekielschen Vision in der spätjüdischen Kunst einwirkte oder erst auf die christliche Bildformulierung des Gotteswagens bei der Himmelfahrt und der Majestas Domini, läßt sich nicht entscheiden. Den Anstoß für die christlichen Bildformulierungen gaben offen-

---

2. W. Neuß hat in: Das Buch Ezechiel, 1912, im ersten Teil die theologischen Exegesen zu Hes 1 und 10 zusammengestellt.

3. Vgl. S. 184 ff. die Ausführungen zu den apokalyptischen Wesen, S. 185 ff. zur Bundeslade als Gottesthron, S. 183 ff. zur Darstellung einzelner Motive der Apokalypse von der 2. Hälfte des 4. Jh. an, S. 185 u. ö. die Verehrung

eines Christussymbols durch die vier Wesen vom 5. Jh. an, vor allem die Anbetung des Lammes vom 6. Jh. an, S. 187 ff.

4. H. Schrade wies schon auf den Zusammenhang spätantiker Solmünzen mit dem Hesekielwagen hin in: Vorträge der Bibl. Warburg, 8, 1928—29, S. 146 f. Siehe auch H. P. L'Orange, Cosmic Kingship, 1953, S. 124—133.

sichtlich die alt- und neutestamentlichen Gottesvisionen, auch wenn die Väterliteratur, auf den antiken Sonnenwagen anspielend, von der Auffahrt Christi im Triumphwagen und von Christus als dem göttlichen Wagenlenker spricht[5]. Wahrscheinlich ist zuerst der Gotteswagen in das östliche Himmelfahrtsbild übernommen und davon dann durch das Fortlassen der Apostel das überhistorische Majestasbild abgeleitet worden.

Aus den koptischen und kleinasiatischen Wandmalereien sind Darstellungen der Thronvisionen bekannt, deren Erhaltungszustand allerdings schlecht ist, so daß wir Abbildungen nach Kopien, die nach der Freilegung angefertigt wurden, zeigen[6]. Das Apsisbild einer Kapelle in Bawît, *Abb. 663*, zeigt den Thronwagen mit den vier Rädern, Hes 1,15, und den vier geflügelten Wesen. Klar erkennbar sind noch Löwe und Stier, die den Thron tragen, vielleicht sogar als an den Wagen gespannt gedacht sind, sie blicken bildauswärts. Christus mit dem Kreuznimbus (anstelle von Jahwe), von der Lichtaura umgeben, sitzt auf einem realen Thron mit Kissen, den Schemel bildet offenbar die Bundeslade. Die linke Hand, die das offene Buch unten faßt und etwas hochhält, ist auf das Knie gestützt, die rechte im Sprechgestus vor der Brust erhoben. Ein Fresko der Pantokratorhöhle (Asketenhöhle) in Heraklea am Latmos, 1. Hälfte 7. Jh., *Abb. 664*, vermischt die Hesekiel- und die Jesajavision. Letztere kommt in der Hagios-Inschrift der Mandorla zum Ausdruck. Die vier nach außen gewendeten Wesen bilden den Thronwagen. Über Löwe und Stier ist ein Tuch gebreitet, auf dem die Mandorla des Thronenden ruht. Dieses Tuch geht auf das des Coelus (Uranos) zurück, das dieser als Sinnbild des Himmelszeltes ausbreitet, *vgl. Abb. 528*. Aus der Haltung der Wesen geht hervor, daß sie nicht die Anbetenden nach Apk 4 und 5 sind, sondern an die Stelle der Cherubim treten, Hes 10,20. Wenn auch Löwe und Stier immer unten — wie an den Thronen altorientalischer Herrscher — wiedergegeben

sind, so heißt das bei den Darstellungen des Gotteswagens nicht, daß sie allein den Thron tragen. Vielmehr »ziehen« alle vier Wesen den Thron nach verschiedenen Himmelsrichtungen. Dies konnte in der Fläche des Bildes aber nur in einer Anordnung übereinander dargestellt werden. Der Thronende, wiederum mit Kreuznimbus, hält das aufgeschlagene Buch, in dem der Anfang des Johannesevangeliums zu lesen ist, der auf die Präexistenz des Christus-Logos verweist. Er setzt seine Füße auf die Weltkugel. Noch eindeutiger als in Bawît ist hier an die Stelle des alttestamentlichen Gottes (Jahwes) Christus getreten. Die beiden schwebenden Engel entstammen der oben erwähnten Tradition der frühbyzantinischen Himmelfahrtsdarstellung; die antiken Gestirnszeichen der Weltherrschaftssymbolik weist auch die Himmelfahrtsminiatur des Rabula auf.

Die Ableitung einer zweiten Gruppe der Majestas-Domini-Darstellung von dem Himmelfahrtstypus der Ampullen um 600, die im hohen Mittelalter vor allem in der Kathedralplastik verbreitet ist, wird schon an der Ampulle Bobbio Nr. 2 erkennbar. Die Majestas ist verselbständigt und erscheint oberhalb eines Lebensbaumkreuzes auf dem Paradiesberg, das von zwei Engeln verehrt wird, *Abb. 666*. Das Kreuz (als arbor vitae) ist wie immer bei der Darstellung der Kreuzverehrung als ein himmlisches Zeichen aufgefaßt.

Als älteste erhaltene Darstellung der Majestas Domini gilt ein Apsismosaik der ehemaligen kleinen Klosterkirche Hosios David (Christu tu Latomu) in Saloniki vom Ende des 5. Jh., *Abb. 662*. Hier nimmt die orientalische Formulierung der Ezechielvision Paradiesmotive, wie sie bei den oben behandelten Bildtypen des erhöhten Christus begegnen, auf. Über den Paradiesberg mit den vier Flüssen hinweg fließt der Jordan, der die von immergrünen Bäumen gesäumte Landschaft durchzieht. Der Streifen ist nicht nur durch die blaue Farbe und durch Fische als Fluß gekennzeichnet, sondern auch durch die personifizierte Flußgottheit, die

---

5. Hieronymus MPL 25, 1054, nach H. Schrade, S. 146. Siehe auch H. P. L'Orange, Cosmic Kingship, S. 125.

6. Weitere Abbildungen vgl. Ch. Ihm, Apsisprogramme, 1960, Tf. XIII und XIV und Kap. Liturgische Majestas, S. 42—51. M. Restle, Die byzantinische Wandmalerei in

Kleinasien, Recklinghausen 1967, Bd. 2, Abb. 123, Bd. 3, Abb. 333—336, 383, 402, 434. Die Fresken der Felsenkirchen von Göreme, die zwischen dem 10. und 12. Jh. gemalt wurden, gehen auf ältere Bildvorlagen zurück und sind z. T. den koptischen Fresken des 6./7. Jh. verwandt.

auf Darstellungen der Taufe Christi häufig vorkommt, vgl. Bd. 1. In dem Fluß mit Fischen, Jordan und Lebensquell zugleich, klingt eine der Verheißungen des zukünftigen messianischen Friedensreiches an, Hes 47, 1–9, vgl. Apk 22,1 f. Darüber thront Christus, die Rechte im Herrschergestus erhoben, im blauen Pallium auf dem Regenbogen vor einer Kreisglorie, die wie eine von Sonnenstrahlen durchzogene durchsichtige Lichtwolke wirkt. Die hinter ihr stehenden Teile der vier Wesen scheinen durch. Der Thron der Herrlichkeit wird wiederum von den vier Wesen getragen. Ihre Flügel sind mit Augen besetzt. Die roten Deckel ihrer geschlossenen Bücher zeigen den oben erwähnten Schmuck. Der Text in der geöffneten Rolle in der Hand Christi gibt eine freie Übertragung von Jes 25,9 wieder: »Das ist der Herr, auf den wir harren, daß wir uns freuen und fröhlich seien in seinem Heil.« Der Text auf dem unteren Rand des Mosaiks spricht vom Friedensfürsten, der die Quelle des Lebens ist, an dem sich die Seelen der Gläubigen erquicken. Schließlich sind dem Thronwagen seitlich noch zwei Propheten hinzugefügt: Hesekiel, erschrocken über die Vision, und Habakuk, sitzend mit einem offenen Buch, das die Weihinschrift enthält[7]. Auch dieses Mosaik geht von der Gottesvision des Hesekiel aus, betont dies durch die Prophetengestalten, verdeutlicht aber durch Motive aus anderen Darstellungen des erhöhten Christus die christliche Interpretation der Vision. Es handelt sich bei der Majestas Domini niemals allein um einen bestimmten biblischen Text, sondern um bekannte Vorstellungen, die vor allem durch die Liturgie vermittelt wurden.

Eine Ikone des Katharinenklosters auf dem Sinai, die in das 7./8. Jh. datiert wird und vermutlich palästinensischen(?) Ursprungs ist, *Abb. 674*, zeigt eine vereinfachte Bildform, die sich etwas von der Vorstellung des Thronwagens löst. Im Gegensatz zu den bisher gezeigten Beispielen steht die Rückwendung der Köpfe beider unten angebrachten Tiere. Ihr Emporblicken ist Ausdruck der Anbetung. Das Motiv tritt sehr ausgeprägt in der karolingischen Buchmalerei auf, in der dieser einfache Kompositionstypus nachwirkt. Das menschengestaltige Wesen, das sich nach außen wendet, ist offenbar vom Gestalttypus der Engel der byzantinischen Himmelfahrtsdarstellungen beeinflußt[8].

Wann die Gottesvision des Jesaja (6,3), die mit der Berufung des Propheten verbunden war, ihre erste Bildformulierung fand, steht nicht fest. Der Lobpreis der Seraphim: »Heilig, heilig, heilig ist der Herr Zebaoth, alle Lande sind seiner Ehre voll«, war den Christen vom Gottesdienst der Synagoge am Sabbatmorgen vertraut. Sie haben ihn vermutlich bald in das Gemeindegebet (Morgenlob) aufgenommen (1. Clemensbrief, Kap. 34). In der Thronvision Apk 4,8 sprechen die vier Wesen den Engelsruf. Für die Meßliturgie im Osten ist das »Trishagion« schon für die erste Hälfte des 4. Jh. bezeugt (Asterios der Sophist). Im Laufe des 5. J. nimmt die lateinische Kirche das »Sanctus« in das eucharistische Hochgebet auf; ausgehend von Gallien wird es fast überall durch Ps 118(117),26, das »Benedictus«, erweitert. Mehrere Majestasdarstellungen tragen die Hagios- bzw. Sanctusinschrift[9]. Vom 9. Jh. an ist manchmal der Seraph im Bild der Majestas Domini nachweisbar. In dieser Zeit war auch die Illustration des Jesajatextes mit der Berufung des Propheten bekannt.

---

7. In illustrierten Handschriften der Homilien des Gregor von Nazianz kommt die Darstellung der Vision des Habakuk in zwei Versionen vor: Der Prophet schaut entweder den Thronenden umgeben von den vier Wesen oder statt dessen die Etimasia. Von dieser Vision her ist die Einfügung des Propheten in das Mosaik zu erklären. Text: MPG 36, 624. Abbildungen in: G. Galavaris, The Illustrations of the Liturgical Homilies of Gregory Nazianzensus, Princeton, 1969, Fig. 357 und 379.

8. Die Inschrift bezeichnet Christus als Immanuel. Die Prophetie Jes 7,14, die diesen Namen (»Mit uns ist Gott«) nennt, ist in die griechische Weihnachtsliturgie aufgenommen worden. Die Bezeichnung von verschiedenen Christusbildern als Immanuel ist ebenso wie die Kennzeichnung des Christus als des »Alten der Tage«, Dan 7,9, durch einen weißen Bart auf den Osten beschränkt und kommt nicht oft vor. Der »Alte der Tage«, der immer den Kreuznimbus hat, ist als die präexistente zweite Person der Trinität, die mit Gott-Vater eins ist, zu verstehen, siehe LCI I, Sp. 394 ff.; zum Immanuel Sp. 390 ff.

9. Zu den Liturgieangaben s.: J. A. Jungmann, Missarum Sollemnia II, Freiburg 1962 (5. Aufl.), S. 161—173; Th. Klauser, Kleine abendländische Liturgiegeschichte, Bonn 1965, S. 12, 22, 133—135, 187, 213; N. Edelby, Liturgikon, Meßbuch der Byzantinischen Kirche, Recklinghausen 1967, S. 386—387.

Eine Kopie der im 6. Jh. in Alexandrien geschriebenen und illustrierten Kosmographie des Kosmas Indikopleustes weist eine Reihe von szenischen Miniaturen auf, bei denen nicht sicher ist, ob sie sich schon in dem nicht mehr erhaltenen Original befanden oder Neuschöpfungen des 9. Jh. sind. Einige von ihnen stimmen mit den Darstellungen zweier weiterer Kopien nicht genau überein. Die Miniatur des Codex der Bibl. Vaticana, fol. 74, die die Berufung des Jesaja zeigt, dürfte eine Neuschöpfung des 9. Jh. sein, *Abb. 668*. Vier sechsflügelige Seraphim stehen vor Gottes Thron auf den Rädern (Hesekieltext), und an der Seite reicht die Gotteshand die glühende Kohle dem Propheten. Neben dem Haupt des Thronenden stehen die Monogrammbuchstaben IC XC Jesus Christus. Abgesehen davon, daß die alttestamentlichen Gottesvisionen als Offenbarungen des Christus-Logos vor seiner Menschwerdung gedeutet wurden, also Christus die Erscheinungsform für Gott ist, spiegelt sich im erhöhten Christus der Majestas Domini das Dogma, das die Wesensgleichheit von Gott-Vater und Sohn formuliert.

Sind bei der Majestas-Domini-Darstellung zwei Seraph- oder Cherubengel in unmittelbarer Nähe des Thronenden oder sogar innerhalb der Mandorla dargestellt, so verweisen sie wahrscheinlich auf die Bundeslade mit den beiden Cherubim auf dem Deckel im Altarheiligsten des Tempels, die als Stätte der Gottesoffenbarung hinter der Hesekielvision steht. Es ist durchaus möglich, daß diese Verbindung von Seraphim-Cherubim-Thron und den vier diesen Thron tragenden Wesen in eine viel ältere Zeit zurückreicht und vielleicht syrischen Ursprungs ist. In der Liturgie werden Seraphim und Cherubim immer gleichzeitig in derselben Bedeutung genannt. Schon die Johannesapokalypse hat Cherub und Seraph verschmolzen, in dem sie jedem Wesen sechs Flügel gab. Ihre unterschiedliche Schilde-

rung bei den Propheten wird auch in der Kunst nicht immer beachtet, auch wenn vom Text her die Kennzeichnung erwartet werden könnte. Der Tetramorph des Hesekiel, in dem der Prophet Kap. 10,20 einen Cherubim erkennt, ist nicht nur der Johannesapokalypse entsprechend in vier Gestalten aufgegliedert, sondern auch abgewandelt zum Cherubengel ohne die verschiedenen Angesichte dargestellt worden. Dieser unterscheidet sich in der byzantinischen Kunst oft nur durch die vier Flügel, von denen sich die oberen berühren, von dem sechsflügeligen Seraph, zumal dieser auch oft mit Augen bedeckt wird und ihm ebenso die Räder und auch die Hände zwischen den Flügeln aus dem Hesekieltext hinzugefügt sein können. Auf der Darstellung der Jesajavision in der Kosmashandschrift stehen die sechsflügeligen Seraphim auf den Cherubrädern, und im karolingischen Drogosakramentar steht ein Cherub-Tetramorph inmitten der Sanctusinschrift Jes 6,3. Die Jesajavision in der byzantinischen Handschrift der Homilien des Gregor von Nazianz in Paris (B. N. gr. 510) zeigt sechs Seraphim und sechs Cherubim, die einen mit sechs Flügeln, die sich nicht kreuzen, die anderen mit Flügeln, von denen sich die oberen kreuzen. Alle anderen Merkmale fehlen[10].

Für den durch zwei Seraphim erweiterten Bildtypus der Hesekielvision, die somit sechs Thronwesen zeigt, ist eine Miniatur einer katalanischen Handschrift, um 945, aufschlußreich, *Abb. 667*. Da die spanische Kunst des frühen Mittelalters im Kontakt zur mittelmeerischen stand und die Buchmalerei in der Regel auf ältere Vorbilder zurückgriff, könnte diese Miniatur Hinweise auf weitere Bildformulierungen des Gotteswagens in älterer Zeit geben, die dann im Abendland verschieden abgewandelt wurden. Vor allem wird die Verschmelzung der beiden alttestamentlichen Gottesvisionen deutlich. Innerhalb der Sternglorie, dem Thronwagen, ste-

---

10. A. M. Schneider, Die Kuppelmosaiken der Hagia Sophia zu Konstantinopel, in: Nachrichten der Akademie der Wissenschaften in Göttingen, I. Philologisch-Historische Klasse, Nr. 13, 1949. Sch. weist nach, daß die beschädigten und z. T. erneuerten vier elf Meter hohen Cherubengel in den Kuppelzwickeln der Hagia Sophia in Istanbul einem mächtigen Brustbild des Pantokrators in der Kuppel zugeordnet waren und auf die ezechielsche Gottesvision zurückgehen. Ob das Kuppelmosaik, das nach

einem Erdbeben 1354 laut Berichten erneuert werden mußte und später durch eine Stoffbespannung mit Koranversen ersetzt wurde, sich an eine justinianische Komposition hielt oder eine spätere Darstellung erneuerte, steht nicht fest. Das Kompositionsschema, das vier Engel oder die vier Wesen einem Christussymbol in der Kuppel zuordnet, ist, wie oben erwähnt, seit dem 5. Jh. nachzuweisen, *vgl. Abb. 532*. Es ist nicht auszuschließen, daß auch schon für diese Kompositionen die Gottesvisionen den Anstoß gaben.

hen zu beiden Seiten des Thronenden zwei Seraphim mit sechs Flügeln, die das Urbild der Anbetung sind und deshalb dem Herrn am nächsten stehen. Zu den Augen, die alle Flügel, die Hände und die Füße bedecken, siehe Hes 10,12. Die vier Wesen auf den Rädern, »genannt der Wirbel«, Hes 10,13, (vgl. zu der Form *Abb. 553*) sind unterhalb des Thrones der Herrlichkeit des Herrn paarweise angeordnet, so daß das Tragen oder Fahren des Thronwagens durch sie deutlicher wird als auf Kompositionen, die das menschengestaltige und das adlerhafte Wesen nach oben setzen. An dieser Stelle finden sich hier zwei große Engel, die aber nicht wie im Himmelfahrtsbild die Mandorla tragen, sondern auf dem Thronwagen sitzen. Die Inschrift zwischen diesen Engeln lautet: »Zwei Keruben, sechs Flügel dem einen, sechs Flügel dem andern. Mit zwei verhüllten sie sein (d. h. Gottes) Antlitz, mit zwei verhüllten sie seine Füße, mit zwei flogen sie und riefen der eine dem andern zu: Heilig, Heilig, Heilig!« Durch weitere Beischriften ist die Verbindung zur alexandrinischen Theologie gesichert, also wahrscheinlich auch die zur Kunst des Ostens[11].

Eine ebenfalls katalonische, um drei Jahrzehnte jüngere Handschrift, der Codex Vigilanus 976, Escorial, *Abb. 669*, zeigt die Verschmelzung der Motive in anderer Weise und geht nicht direkt von der Vorstellung des Gotteswagens aus. Die vier Wesen fehlen. Der Thronende ist durch eine Rautenform von den anderen Gestalten distanziert. Er hält in der Hand den kleinen orbis terrarum, der von dieser Zeit an bei der Majestas Domini nachzuweisen ist, siehe unten. Über ihm steht das Alpha und unten das Omega, die Bedeutung der Schriftzeichen wird durch das Wort auf der Leiste in der Mitte – Anfang: Ende – erläutert oder wiederholt. Wie schon gesagt, ist dies eine alttestamentliche Aussage über Gott, die die Apokalypse auf Christus überträgt. Oben stehen hier zwei sechsflügelige Engel, von denen der zur Rechten des Thrones mit Cherubim, der zur Linken mit Seraphim bezeichnet ist. Ihnen korrespondieren unten zwei Engel, Michael und Gabriel. Vielleicht sind hier aufgrund eines byzantinischen Vorbilds die Cherubim und die Erzengel an die Stelle der

11. Auf die Miniatur machte Prof. Dr. Kretschmar aufmerksam, er übersetzte auch den Text.

vier Wesen getreten, die, nicht als Tetramorph des Alten Testaments, sondern als die Wesen der Apokalypse verstanden, von der byzantinischen Kunst gemieden wurden; zur Inschrift siehe unten. Die erwähnte Ikone des 7./8. Jh., *Abb. 674*, die die vier Wesen die Mandorla tragend, wiedergibt, entstammt den östlichen Randgebieten. Daß es sich bei der Miniatur des Codex Vigilanus bezüglich der Erzengel nicht um einen Sonderfall handelt, beweist u. a. ein Bucheinband vom Anfang 13. Jh. im erzbischöflichen Palais in Bamberg. Hier sind gemäß der abendländischen Bildtradition auch die vier Wesen aufgenommen. Michael tritt in dem in dieser Zeit weit verbreiteten Typus des Drachentöters auf.

In dem Metzer Sakramentarfragment der Hofschule Karls des Kahlen, um 870, stehen vor der Praefation, die zu dem Sanctus führt, zwei Bilder einander gegenüber: die Hierarchia Coelestis – Engel, Apostel, Märtyrer, Bekenner, Jungfrauen, alle der anderen Seite zugewandt – und die Majestas Domini ohne die Wesen, aber inmitten von zwei Seraphim, *Abb. 671*. Als Herr des Himmels und der Erde thront Christus hier über den Personifikationen des Meeres und der Erde. Der Gesang der Seraphim ist auf einer breiten Leiste zu lesen.

In einer weiteren karolingischen Handschrift, der Bibel von St. Paul, Rom, um 860–875, *Abb. 673*, sind auf dem Titelblatt zum Buch Jesaja die Motive aus drei Visionen zusammengezogen: zwei Seraphim, vier nimbierte Tetramorphe, von denen jeder die Gestalt einer der Wesen und die verschiedenen Angesichte hat; zwei von ihnen stehen in der Aureole. Unterhalb einer Wolkenbank, vom Thron der Herrlichkeit getrennt, befinden sich sechzehn Männer, von denen die meisten durch weiße Bärte als Greise gekennzeichnet sind. Da die Attribute der Ältesten der Visionen Apk 4 und 5 – Kronen (Kränze siehe oben), Harfen und goldene Schalen voll Räucherwerk – fehlen, sind mit den emporblickenden Männern die Ältesten gemeint, vor denen sich Gott in Herrlichkeit auf dem Berg Zion offenbaren wird, Jes 24,23. Ihre Bewegtheit und erregte Gestikulation ist Ausdruck der Betroffenheit über die Schau der Heiligkeit Gottes. (Die Ältesten der apokalyptischen Visionen fielen nieder und beteten an.) Die Flammen (kleine Dreiecksformen) im mehrfarbigen Grund bedeuten das Feuer, in dem Gott erscheint, Jes 66,15, die Streifen oben den Himmel. Blitze fahren aus den Wolken, und zwei kleine Engel weisen eindringlich auf die Erscheinung Gottes. (Die Bildseite zeigt außerdem noch die Weisung Jes 7,14.)

Bevor das Majestasbild des Mittelalters in seiner Vielfalt behandelt wird, sei noch kurz auf die Psalterillustration hingewiesen, die im 9. Jh. den Typus des in der Mandorla Thronenden übernimmt. Die Illustration des Stuttgarter Psalters, 820–830, *Abb. 675*, zu Psalm 18(17),11: »Er fuhr auf dem Cherub und flog daher, er schwebte auf den Fittichen des Windes« (vgl. auch Ps 99,1) ist für den Zusammenhang, den man zwischen der alttestamentlichen Gottesoffenbarung über der Bundeslade[12] und der Erhöhung Christi sah, äußerst aufschlußreich. Der auf dem Weltall thronende Gott erscheint über der Bundeslade mit den zwei sich anblickenden Cherubim (sechs Flügel mit Augen besetzt, Hände). Anstelle Gottes ist wieder Christus mit dem Kreuznimbus dargestellt, und zwar in dem von der byzantinischen Himmelfahrtsdarstellung abgeleiteten Majestastypus mit den beiden tragenden Engeln. Im gleichen Psalter, *Abb. 676*, zeigt eine Illustration zu Ps 68(67),12 Christus, in dessen Kreuznimbus REX steht, zwischen den vier Wesen, die als Sinnbilder des Evangeliums große Bücher halten. Sie sind durch Medaillons isoliert und bilden nicht den Thron, sondern sind als Lobpreisende dem erhöhten Christus zugewandt. Der Text dazu lautet: »Der Herr gibt das Wort mit großer Kraft den Evangelisten.« Es tritt also die Bedeutung der Wesen als Evangelistensymbole hervor. Im Utrechtpsalter, um 830, *Abb. 672*, ist der schon erwähnte, aufgrund der messianischen Deutung für das ganze Thema des thronenden Christus wichtige erste Vers von Ps 110(109) illustriert. Im Himmel sitzen zwischen sechs verehrenden Engeln innerhalb eines Kreises zwei Figuren, die ihre Füße auf zwei gefesselte nackte Gestalten setzen. Diese beiden besiegten Feinde sind auf ähnlichen Darstellungen verschieden gekennzeichnet oder benannt, *vgl. Bd. 1, Abb. 7*, und S. 19.

Da bei dieser Inthronisierung jede Charakterisierung der Feinde fehlt, sind sie als Tod und Teufel zu verstehen, die besiegt zu Füßen Christi liegen und den »Schemel seiner Füße« bilden. Die eine Figur trägt den einfachen Nimbus, hält das Buch aufgestützt und thront auf dem Weltall. Die Figur zu seiner Rechten hat den Kreuznimbus und sitzt auf einer Bank. Die nächstliegende Deutung ist, in der zuerst beschriebenen Gestalt Gott-Vater und in der anderen Christus zu sehen. Es gibt zwar das figurative Gottes- und Trinitätsbild in dieser Zeit noch nicht; eine Ausnahme bilden jedoch diese Inthronisationsdarstellungen, die dann im 11. Jh. zu einem Trinitätsbild abgewandelt werden[13]. Die Illustration zu diesem Psalmvers im Stuttgarter Psalter (fol. 127) gibt im Bezug auf Mt 22,44 Gott-Vater und Gott-Sohn übereinstimmend auf einer Weltkugel thronend wieder. Christus setzt auch hier die Füße auf den Feind. Die Aufnahme der Christus-victor-Idee, die in der karolingischen Zeit verbreitet war, ergibt sich bei diesen Psalterillustrationen vom Text her. Der Psalter aus der Abtei Shaftesbury, 12. Jh., *Abb. 677*, wandelt diese Komposition des Utrechtpsalters ab: beide Figuren thronen auf dem Regenbogen, beide haben den Kreuznimbus. Die größere, frontal sitzende, hält die Kreuzfahne, das Auferstehungszeichen, und legt die Hand auf die Schulter des zur Rechten Thronenden, der seine rechte Hand sprechend hebt und in der linken den Globus hält. Die Auferstehungsfahne in der Hand Gott-Vaters ist ungewöhnlich, kommt aber z. B. auf dem Relief der Externsteine, *vgl. Bd. 2, Abb. 558*, vor. Sie kann einfach Hinweis auf die Auferstehung oder das Siegeszeichen, das Gott-Vater für den Sohn bereithält, sein[14].

Die enge Verbindung der Majestas Domini mit der Himmelfahrt tritt in der Kunst des lateinischen Mittelalters immer wieder hervor, da das byzantinische Himmelfahrtsbild an dem Typus des in der Mandorla thronenden und von Engeln getragenen Christus festhält, der vom Abendland oft übernommen wird. Sind die Apostel aus dem unmittelbaren kompositorischen

12. Luther setzt an die Stelle des hebräischen Wortes für Lade bzw. für den Deckel »Gnadenstuhl«, vgl. Bd. 2, S. 135.

13. E. H. Kantorowicz, The Quinity of Winchester, in: The Art Bulletin, XXIX 1947, S. 73—85, vertritt die An-

sicht, Christus sei hier zweimal dargestellt, als Mensch und als Gott. Siehe dazu Bd. 4 »Trinität«.

14. Möglicherweise trifft für diese spätere Darstellung die Meinung von Kantorowicz zu.

Zusammenhang herausgelöst, so wirkt die thronende Christusgestalt als isoliertes Majestasbild. Aufschlußreich für die Überschneidung der Bildthemen ist der Einbanddeckel des Evangeliars von Erzbischof Aribert im Mailänder Domschatz, eine oberitalienische Arbeit, 2. Viertel 11. Jh., mit der Kreuzigung als Hauptdarstellung, *Abb. 691*, oberer Teil. In dem nicht abgebildeten unteren Teil ist die Höllenfahrt dargestellt, neben dem Kreuz Maria, Johannes, Longinus, Stephaton. Über Maria gibt ein Bildfeld eine der Frauen am Grab wieder, und über Johannes steht die äußerst seltene Darstellung, die den Auferstandenen zeigt, wie er den begnadigten Schächer zum Paradies führt. Auf der Inschrifttafel des Kreuzes steht das Wort, das oft in dem Buch, das der thronende Christus hält, zu finden ist: »Licht der Welt«. Darüber erscheint die Majestas Domini, getragen von den Engeln. Etwas tiefer stehen in zwei gesonderten Bildfeldern die emporblickenden Apostel, die erkennen lassen, daß hier eine Himmelfahrtsdarstellung zu einem Majestasbild erweitert wurde. Dies wird durch die Büsten von Sonne und Mond und die vier Wesen, die in Medaillons zu beiden Seiten des thronenden Christus angebracht sind, unterstrichen.

Die abendländische Darstellung des Mittelalters. Da es sich bei der Majestas Domini um ein von biblischen Visionen, liturgischen Texten und theologischen Deutungen angeregtes Vorstellungsbild handelt, in dem mehrere Bildtraditionen zusammenfließen und sich überschneiden, wurden zum Verständnis des komplexen Gehaltes der Majestas-Komposition die Bildbeispiele, die im Zusammenhang mehrerer Texte stehen[15], den abendländischen Darstellungen, die sich im frühen Mittelalter aus den verschiedenen Quellen herauskristallisieren, vorangestellt. Vom frühen Mittelalter an bis zum 12. Jh. tritt die Majestas Domini in verschiedenen Kompositionsschemata und in der konzentrierten oder

erweiterten Form auf, je nachdem welche ikonographischen Einflüsse vorliegen. Sie erreicht in der spätkarolingischen Zeit ihren ersten künstlerischen Höhepunkt, um dann in der romanischen Kunst neben dem ihr (wenn auch nicht hinsichtlich der Bildgenesis) eng verwandten Bild des thronenden Christus, das die byzantinische Kunst weiterhin bevorzugt, auf breiter Basis eine führende Rolle zu übernehmen.

Mit der ursprünglichen Formulierung des Thronwagens hängt der merowingische Sarkophag des Bischofs Agilbert (Bischof von England und 667–680 von Paris) aus der zweiten Hälfte des 7. Jh. in der Nordkrypta der ehemaligen, von irischen Mönchen gegründeten Abtei in Jouarre (Marnetal) noch eng zusammen, *Abb. 680*. Die vier Wesen wenden sich bildauswärts und sind als Thron und Träger Christi vorgestellt. Die Mandorla ist, wie auf der Miniatur der Ambrosiushandschrift, *vgl. Abb. 637*, und auf dem langobardischen Pemmo-Altar (auch Ratchis-Altar) in Cividale zwischen 734 und 749, *vgl. Abb. 505*, von dem spätantiken Siegeskranz abgeleitet. Die Blumen knüpfen vermutlich an die frühchristliche Paradiesesszenerie an, wenn auch keine direkten Vergleiche gezogen werden können[16].

Die wichtigste gedankliche Erweiterung des östlichen Hesekielvisionstypus ist die Hervorhebung der zweiten Bedeutung der vier apokalyptischen Wesen als Symbole für die Einheit des viergestaltigen Evangeliums. Sie gehören, wie schon gesagt, weiterhin zum Thron und zur Herrlichkeit des erhöhten Christus, können als Thronwesen oder als Huldigende auftreten, verbildlichen das von Christus in die ganze Welt ausgehende Evangelium und werden schließlich den Evangelisten zugeordnet oder anderen Vierergruppen, die den Herrschaftsbereich des thronenden Christus symbolisieren, eingefügt, *vgl. Abb. 610*. Eine Miniatur des Codex Amiatinus aus dem angelsächsischen Kloster Wearmouth-Yarrow, 690–716, der vielleicht auf eine süd-

---

15. Die hier herangezogenen alttestamentlichen Bildthemen werden in Band 5 im Zusammenhang des Alten Testaments ausführlich behandelt.

16. Das Relief des Pemmo-Altars bildeten wir im Kapitel zur Himmelfahrt ab, weil die tragenden Engel und die Hand Gottes es wahrscheinlich machen, daß es sich

hier um eine Himmelfahrtsdarstellung handelt, bei der durch den Verzicht auf die Wiedergabe der Apostel der Akzent auf den Antritt der ewigen Herrschaft des Herrn gelegt ist. Die zwei Seraphim, die Christus flankieren, stammen jedoch aus der Majestas-Domini-Bildgruppe, die die Seraphim aus Jes 6 aufgenommen hat.

italienische Handschrift des späten 6. Jh. zurückgeht, macht einerseits die frühe Übernahme der östlichen Majestas-Darstellung in die westliche Kunst deutlich, zum anderen zeigt sie, daß schon im 6. oder 7. Jh. die Interpretation der vier Wesen als Evangelistensymbole im Majestas-Bild zum Ausdruck kommt, *Abb. 670*. Das wird zwar nicht an den Symbolgestalten, die als Thronträger fungieren, wenn sie auch im Verhältnis zu der großen Kreisgloriole sehr klein auftreten, deutlich, sondern an den der Bildkomposition eingefügten Evangelistengestalten. Es ist nicht zufällig, daß sich als Folge dieser Interpretation die Aufnahme dieser Figuren im Abendland vollzieht, wo seit dem 5. Jh. die zweifache Bedeutung der Wesen in der christlichen Kunst zum Ausdruck kommt. Byzanz hat nur zögernd und erst vom 11. Jh. an unter westlichem Einfluß die apokalyptischen Wesen als Evangelistensymbole übernommen. Die Engel mit den Zeremonienstäben der auf spätantike Einflüsse zurückgehenden Miniatur beziehen sich auf das Thronbild des 6. Jh. (Ravenna) und knüpfen nicht an die oben skizzierten alttestamentlichen Traditionen an[17].

Das schon erwähnte Kompositionsschema spätantiken Ursprungs liegt dem Majestasbild des sogenannten Gundohinus-Evangeliars aus der Bischofskirche in Autun, 754, zugrunde, *Abb. 678*. Wie bei der gleichen Komposition des späteren Stuttgarter Psalters, *Abb. 675*, ist die Bedeutung der Wesen – hier auch durch Beischriften – als Evangelistensymbole betont. Die Mandorla lehnt sich an den Triumphkranz an. Die den Thron flankierenden Engel sind durch eine Beischrift als Cherubim ausgewiesen. Thron, Kranz, Betonung der Wesen als Symbole für die Einheit des Evangeliums und ihre Anordnung gehen auf die Spätantike zurück, die stilisierte Formgebung der Figuren läßt sich nur aus dem insularen Einfluß auf die westfränkische Kunst

erklären. Die Majestasdarstellung des Evangeliars aus Ste. Croix in Poitiers, Ende 8. Jh., *Abb. 679*, ordnet die vier Wesen so an wie die meisten Hesekielvisionsdarstellungen, wobei Löwe und Stier ausgewechselt sind, während sich das Gundohinus-Evangeliar an die von Gregor d. Gr. festgelegte Ordnung der Evangelistensymbole hält. Die halbfigurigen antropomorphen Wesen sind Kombinationen von menschlichen Büsten und den Köpfen der Symbole. Die offenen großen Bücher mit mehrzeiligen Inschriften und die namentliche Beschriftung betonen auch hier ihre Bedeutung als Symbole der Evangelisten. Über dem wie eine Thronlehne wirkenden Vorhang hinter dem Haupt Christi steht auf einer Tafel in griechischer Sprache die Inschrift »Licht – Leben«, die zu beiden Seiten lateinisch wiederholt ist.

An der Vorderfront des Mailänder Goldaltars (Paliotto), der von Erzbischof Angilbert II. (824–859) für S. Ambrogio in Auftrag gegeben wurde, *Abb. 689*, ist die Majestasdarstellung einem Gemmenkreuz in griechischer Form, das aus dem Reliefgrund hervortritt, eingefügt: in der plastisch betonten Kreuzmitte, die als Mandorla gebildet ist, sitzt Christus auf einem lehnenlosen Thron mit Suppedaneum, das große Kreuzzepter in der Rechten, umgeben von zwei Sternen und Steinschmuck. In den Kreuzarmen befinden sich die vier Wesen; der Löwe links und der Stier rechts sind der Mitte zugewandt, oben das Johannes-, unten das Matthäussymbol. Diese kreuzförmige Komposition tritt nun neben die ältere. In den Eckfeldern außerhalb des Kreuzes stehen in vier Dreiergruppen die zwölf Apostel, die in der karolingischen Majestasdarstellung nicht üblich sind. Dieses oberitalienische Werk scheint in einer losen Verbindung zu frühchristlichen Werken Roms und Ravennas zu stehen, deren Einzelmotive nach einem neuen Ordnungsprinzip zueinander in Beziehung gesetzt sind (siehe Pudenziana)[18].

---

17. Vgl. hier für auch die Miniatur im Evangeliar aus Xanten der Hofschule in Aachen, Anfang 9. Jh., wo es sich allerdings nicht um das Visionsbild handelt, sondern um den auf dem antiken Globusthron sitzenden Christus, zu dem die Symbolwesen und die Evangelistenfigur im unteren Bildteil kaum eine Beziehung haben. Katalog der Ausstellung »Karl der Große«, 1965, Abb. 61.

18. An ein anderes Gemmenkreuz der karolingischen Monumentalkunst sei nur erinnert, ohne eine direkte Be-

ziehung feststellen zu wollen: in der Kalotte der Südapsis in St. Johann, Müstair, befindet sich in der Kreuzmitte ein Brustbild Christi; die Seitenarme des Kreuzes laufen in Medaillons aus, die Bilder von Petrus, Paulus, einem Engel und einer Frau umschließen. Die vier Wesen, ebenfalls von Medaillons umgeben, sind in einem großen Halbkreis um das Kreuz angeordnet, L. Birchler, 1954, Fig. 97. — Die Verbindung der Majestasdarstellung mit der Kreuzform taucht in der romanischen Portalplastik

In Handschriften der Hofschule Karls des Großen kommt vereinzelt der thronende Christus vor, *vgl. Abb. 639*, jedoch fehlt das Bild der Majestas Domini. Die Christusdarstellung am Anfang des Matthäusevangeliums im Lorscher Evangeliar, um 810, *vgl. Abb. 641*, ist, wie schon erwähnt, von einem Kranz umgeben, dem vier kleine Medaillons mit den vier Wesen und acht Engelfigürchen eingefügt sind, doch geht die Christusgestalt von dem spätantiken Typus des thronenden Christus aus und ist offenbar mit dem Kranz einer anderen Vorlage verbunden worden. Dieselbe Handschrift zeigt innerhalb der Darstellung der Vorfahren, *vgl. Bd. 1, Abb. 17*, Christus in der Mandorla, doch ohne jeden Bezug zur Majestas Domini[19]. Die schon erwähnte symbolische Darstellung in einem Evangeliar der Abtei Fleury, 810–820, die die Christusgestalt durch die göttliche Hand ersetzt, ist durch die bilderfeindliche Einstellung Theodulfs von Orleans zu erklären, dem das Kloster unterstand, *vgl. Abb. 540*. Er erbaute das Oratorium in St. Germigny-des-Près, in dem sich noch das Apsismosaik als einziger Schmuck der Bauzeit um 806 befindet; es stellt die Bundeslade mit zwei Engeln auf dem Deckel dar. Zwei große Engel, zwischen deren Häuptern die Hand Gottes herabfährt, weisen eindringlich auf ihn hin[20]. Das Fehlen des Majestasbildes in der Zeit Karls d. Gr. ist vermutlich auf den Einfluß Theodulfs auf die Hofschule zurückzuführen.

Von 830 an formuliert dann die karolingische Kunst eindringliche Majestasbilder. Führend sind die Schulen von Tours und Reims. Im Evangeliar aus Weingarten, gegen 830, einer der frühesten Handschriften mit einem

Bilderzyklus der Schule von Tours, thront auf dem Majestasbild, *Abb. 682*, Christus in den Wolken des Himmels auf dem Weltall, die Erdkugel ist seiner Füße Schemel. Die vier Wesen sind wie auf dem Goldaltar von Mailand kreuzförmig angeordnet. Auch das große Kreuzzepter ist das gleiche wie dort. Der malerische Stil, der sich in der Wolkenbildung und ihrer Beleuchtung äußert, knüpft künstlerisch an spätantike römische Vorlagen an. Im Buch stehen wieder griechisch die Worte »Licht – Leben«, auf der Leiste: »Hier thront der höchste König und Schöpfer Himmels und der Erde.« Die Tituli der Handschrift sind dem Carmen paschale des Sedulius (lateinischer christlicher Dichter des 5. Jh.) entnommen[21]. Im Lothar-Evangeliar, 849–851, ebenfalls Schule von Tours, *Abb. 681*, ist Christus auf dem Majestasbild durch die große Mandorla von den Evangelistensymbolen isoliert, er thront auf dem Weltall, in das die Erde als Schemel eingezeichnet ist. Brennpunkt der Komposition ist das Haupt vor dem großen goldenen Kreuznimbus[22]. Die kleine goldene Scheibe in der Rechten des Thronenden kehrt auf mehreren Darstellungen des 9. und 10. Jh. wieder, trägt vereinzelt das Christogramm, *Abb. 684*, und ist auf dem Majestasbild der Beatusapokalypse, *Abb. 688*, als »mundus« (Welt) bezeichnet. Die Scheibe ist verschieden gedeutet worden: als Hostie und als orbis terrarum. Aufgrund dieser Inschrift kann sie auch in den karolingischen Malereien nur ein Zeichen für die Welt sein, die der himmlische König in Händen hält, oder für die neue zukünftige Welt der Verheißung. Für die letzte Deutung spricht das kleine Format. Das kleine Zeichen weist auf das noch nicht vorstellbare Kommende hin[23].

---

an einer Kirche in Arles sur Teschi (Pyrenäen) wieder auf. Zum Goldaltar siehe V. H. Elbern, Der karolingische Goldaltar von Mailand, Bonn 1952.

19. A. Boeckler, Formgesch. Studien zur Adagruppe, 1956, S. 13 ff.

20. Die Lade wird in den um 790 vermutlich von Theodulf abgefaßten Libri Carolini als einziges von Gott und dem Heiligen Geist inspiriertes Kunstwerk im Gegensatz zu den »manufactae imagines« anerkannt. Siehe dazu Katalog der Ausstellung »Karl der Große«, Aachen 1965, Nr. 662 (W. Braunfels).

21. Kat. Ars sacra, München 1950, S. 14.

22. Auf der gegenüberstehenden Seite ist Kaiser Lothar

thronend, den Blick auf Christus gerichtet, dargestellt.

23. Siehe die Ausführungen von H. Schade, Hinweise zur frühmittelalterlichen Ikonographie III, Der Wäger der Zeit, in: Das Münster, 1958, 11/12, S. 389 ff. P. Schramm und W. Köhler halten die Scheibe für eine Hostie; H. Schade für die Weltscheibe, und zwar aufgrund des Schmuckes. Außerdem führt er die Inschrift im Rahmen des Bildes im Codex von St. Emmeram an. Eine anderweitig geäußerte Deutung der kleinen Scheibe als Denar, als Lohn für die Arbeiter im Weinberg, kommt nicht in Frage. Nicht berücksichtigt ist bei der Untersuchung von Schade die Inschrift des Randes der katalonischen Miniatur, *Abb. 668*. Hier heißt es: »Der Herr wägt mit den drei Fin-

Die vier Wesen sind außerhalb der Mandorla in den vier Ecken untergebracht. Es ist hier die Umformung der orientalischen Vorbilder zu beachten, vor allem bei Stier und Löwe, die unten bildauswärts gerichtet liegen, den Kopf aber zurückwenden und zu Christus aufblicken, vgl. Abb. 674, 687. Sie sind nicht mehr nur Thron und von Christus ausgehende Kräfte, sondern verkörpern auch die Huldigung der göttlichen Majestas. Diese Funktion haben sie schon in frühchristlichen Mosaiken. Eine spätkarolingische Miniatur eines Evangeliars des 9./10. Jh. in Trier, Abb. 683, zeigt sie ebenfalls in ihrer Doppelfunktion; sie tragen wie ihre Vorfahren den Gotteswagen, den Weltall-Thron, der die sieben Farben des Regenbogens hat, und wenden den Kopf zurück. Die gleiche Gegenbewegung der Wesen ist von da an häufig, in der romanischen Plastik oft in sehr ausgeprägter Form, zu finden. Die obere Schriftleiste der Miniatur des Lotharevangeliars bezieht sich auf die vier Heilsströme, die einer Quelle entspringen. Die untere Leiste nennt die Namen der Evangelisten.

Die Schule von Tours entwickelt neben der einfachen Komposition noch reichere Formen. In der Bibel von Grandval aus St. Martin in Tours, um 840, Abb. 685, ist die blaue Mandorla in eine Raute gesetzt, die von Wolken durchzogen ist und die vier Wesen mit einschließt. In den Ecken des Bildrechtecks stehen vier Propheten, die alle den Blick auf Christus richten. Mit ihnen wird, ebenso wie mit der Namensnennung der Evangelisten, der Akzent auf die Heilsbotschaft gelegt, die sich in der Herrschaft Christi (Welterlöser) über Himmel und Erde erfüllt. In den Sphairathron ist auch hier mit einer Wellenlinie die Erde als Schemel eingezeichnet.

Die Vivianbibel, um 846, ebenfalls Schule von Tours, Abb. 684, bereichert die abstrakte Formstruktur und fügt die Evangelistengestalten mit Schreibgerät und Bücherkästen ein. Die Mandorla ist zu einer Achtform umgebildet; an die Raute schließen Medaillons mit den Prophetenbildern an (Jesaja, Hesekiel, Daniel, Jere-

mias). Der Codex Aureus von St. Emmeram, Regensburg, 870, der der Spätstufe der Schule von Reims oder St. Denis angehört, Abb. 686, übernimmt das Kompositionsschema, löst aber die vier Wesen vom Thron und ordnet sie den Evangelisten zu, die nun zu ihnen aufblicken und von ihnen die Inspiration empfangen. Die Inschrift in der Mandorla heißt frei übersetzt: »Christus, das Leben der Menschen, höchster Ruhm der Himmel, hält das Weltall im Gleichgewicht.« Von Jesaja und Jeremia besagen die Inschriften, daß sie den Herrn preisen, und von Hesekiel, daß er den Thron des Herrn beschreibe.

Der Golddeckel vom Einband der Handschrift aus St. Emmeram ist höchstwahrscheinlich zusammen mit ihr in der Hofschule Karls des Kahlen entstanden, Abb. 690. Die Isolierung der Majestas Domini bewirkt eine Steigerung des Erscheinungshaften und des Eindrucks der Ferne. In seiner Jugendlichkeit, durch den Segensgestus, das offene Buch mit der Inschrift »Ich bin der Weg und die Wahrheit (und das Leben)« und durch das zwischen den achtförmigen Mandorlathron geschobene Thronkissen weicht der Gestalttypus von dem der Handschrift ab. Die Evangelisten zu beiden Seiten, denen die inspirierenden Symbole attributhaft zugeordnet sind, stehen nicht mehr in einem unmittelbaren Zusammenhang mit der Christusgestalt[24].

In den Sakramentarfragmenten der Hofschule Karls des Kahlen aus Metz, um 870, Abb. 687, sind auf einem zweiten Majestasbild auch die Evangelistengestalten eingefügt, aber als Halbfiguren aus den Wolken auftauchend und nicht schreibend. Sie blicken ebenso verehrend zu Christus wie die zehn Engel und die vier Wesen, die den Thron tragen. Durch die Rückenlage bei Löwe und Stier wird ihr Aufblicken betont.

Verschiedene Motive kombiniert an der Wende vom 9. und 10. Jh. der Mönch Tutilo von St. Gallen auf einer Elfenbeintafel, die den Vorderdeckel eines Bucheinbandes bildet. Der Rückendeckel stellt zum erstenmal die Aufnahme Marias in den Himmel dar. Die Tafel

---

gern seiner rechten Hand einen Stein (?) und hält in der linken Hand das Buch des Lebens. Denn alles im Himmel, auf der Erde und unter der Erde wird gerecht durch ihn selbst beherrscht.«

24. Nicht mit abgebildet sind die vier neutestament-

lichen Szenen, die jeweils an einen der Evangelisten anschließen, und der prunkvolle Rand des Deckels. Vgl. Ehebrecherin, Bd. 1, Abb. 458, Heilung des Wassersüchtigen, Abb. 530, des Blinden, Abb. 513, Tempelreinigung, Bd. 2, Abb. 51.

zeigt die Verherrlichung des erhöhten Christus als Herrn der Zeit und Schöpfers der neuen Welt, *Abb. 692 (ohne die Akanthusstreifen oben und unten und Rahmen).* Die Evangelisten mit den Schreibgeräten und den kleinen Architekturen, die schon auf dem Metalleinband des Codex von St. Emmeram vorkommen, sitzen in den Ecken (die beiden unteren sind aus Platzmangel etwas höher gesetzt). Die Symbole umgeben den Thron und wenden sich zur Mitte. Ebenso gehören die sechsflügeligen Cherubim zur Herrlichkeit des Thrones. Dagegen kennzeichnen die Personifikationen von Sonne und Mond nicht wie die Wolken auf manchen Miniaturen den Himmel als überirdische Sphäre, sie sind hier auch nicht Machtattribute, sondern verkörpern zusammen mit den Personifikationen von Wasser und Erde (vier Elemente) die Welt, die Christus erlöste, sich untertan machte und verwandeln wird. Zu beiden Seiten seines Hauptes stehen die Zeichen, die ihn als Herrn der Zeit und des neuen Äons ausweisen.

Auf einer Tafel in Berlin, die wahrscheinlich der Spätstufe der karolingischen Hofschule angehört, *Abb. 694,* stehen die Gestirnzeichen und die Cherubim attributhaft unmittelbar neben der mächtigen Christusgestalt innerhalb der Mandorla. Auf der Miniatur der Beatusapokalypse, um 975, *Abb. 688,* ist auf die Personifikationen verzichtet; die Mondsichel steht links neben dem Haupt des Thronenden, die Sonne unterhalb seiner Hand, die die Welt hält. Mit dieser Anordnung soll sie vermutlich als der vergehenden Welt zugehörend gekennzeichnet werden. Die neue Welt, die er in Händen hält, bedarf keiner Sonne mehr, »denn die Herrlichkeit des Herrn erleuchtet sie«, Apk 21,23. Vielleicht dürfen die hochgestellten Bögen, über denen Christus thront, als Hinweis auf die ewige Stadt gedeutet werden. Diese Interpretation liegt bei einem Bild eines Apokalypsekommentars wie diesem nahe.

Auf anderen Darstellungen, *vgl. Abb. 475, Bd. 1, Abb. 60,* sind die Gestirnzeichen Hinweise auf die Herrschaft Christi über den Kosmos, wie sie in dem Wort Mt 28,18 »Mir ist gegeben alle Gewalt im Himmel und auf Erden« zum Ausdruck kommt. Dies Wort

steht in dem Buch, das Christus auf einer Elfenbeintafel vom Anfang des 10. Jh. hält, *Abb. 694.* Nicht nur als Kosmokrator, sondern auch als Schöpfer der neuen Welt ist Christus auf der Majestasminiatur eines Evangeliars aus St. Bertin, um 1000, *Abb. 697,* zu interpretieren. Hinter dem Thron der Herrlichkeit steht die vergehende Welt, durch eine lichte (Inschrift coelus, Wolkenstreifen und Sonne) und eine beschattete Seite sind Himmel und Erde gekennzeichnet[25]. So werden mit dem Vokabular der Symbole die Akzente in den Bildkompositionen verschieden gesetzt.

Auf einem westdeutschen Elfenbeinrelief, um 1000, *Abb. 695,* das den Mandorlathron vor ein Kreuz setzt, ist auf dessen vier Armen zu lesen: König – Licht – Friede – Gesetz. Unter Gesetz ist die Ordnung der von ihm regierten Welt zu verstehen. Schließlich hält auf einer nordfranzösischen oder belgischen Tafel, um 1100, *Abb. 696,* der Thronende den Schlüssel des Himmelreichs, das Zepter seiner Herrschaft und eine Lampe in Händen. Er trägt hier eine Binde im Haar; ob es der königliche Stirnreif oder die priesterliche Binde ist, läßt sich schwer sagen. Die Stola als Teil des priesterlichen Ornats trägt Christus schon auf dem langobardischen Pemmo-Altar, *vgl. Abb. 507.* Sie kommt vereinzelt auf Majestasbildern des 12. Jh. der Kölner Schule vor und weist wie beim Kruzifixus des Uta-Codex, *vgl. Bd. 2, Abb. 385,* auf das priesterliche Amt des Erlösers. Zu diesen Attributen gehört auch der Gürtel, den Apk 1,13 nennt. Möglicherweise ist der Gürtel auf einem französischen Wandbild, *Abb. 712,* so zu verstehen, vielleicht auch die waagerecht liegenden Gewandfalten auf dem Bild im Evangeliar aus St. Bertin – dann wäre die Stirnbinde hier die des Priesters und nicht ein Kronreif. Der Hinweis auf den Gürtel ist hier nur mit Vorbehalt gegeben, auf Illustrationen zu Apk 1 ist das Motiv sehr deutlich anzutreffen.

Vom 10. Jh. an wird die Christusgestalt in der Buchmalerei immer stärker monumentalisiert. Oft ist auf alle Nebengestalten verzichtet. So in einer Trierer Handschrift, letztes Viertel 10. Jh., *Abb. 702;* auch die vier Wesen können fehlen oder sind nur noch attribut-

---

25. In diesem Zusammenhang ist noch auf den Fuß eines Osterleuchters aus der Abtei Postel (Lothringen), Anfang 13. Jh. hinzuweisen. Christus thront über den Pa-

radiesesflüssen und hält in den erhobenen Händen zwei Medaillons mit Personifikationen der Sonne und des Mondes.

haft hinzugefügt, wie auf dem Bild der Stavelotbibel, 1094–1097, *Abb. 703*, in dem sich schon die romanische Stilepoche bemerkbar macht. Das byzantinisch beeinflußte böhmische Wys'schrader Evangelistar, 1085 bis 1086, *Abb. 699*, zeigt vier tragende Engel und die vier Symbole in Medaillons. Das Kölner Evangeliar aus St. Maria ad Gradus, um 1030, greift wieder die Prophetengestalten auf, *Abb. 698*. Das Abdinghofer Evangeliar der Kölner Schule, um 1080, *Abb. 701*, übersetzt ein Vorbild in die verfestigte ornamentale Bildsprache der nachottonischen Epoche. In dem von Christus hochgehaltenen Buch ist die für das frühmittelalterliche Bild des thronenden Christus, vor allem für das Pantokratorbild typische Inschrift: »König der Könige, Herr der Herren« zu lesen. Das Sakramentar aus Köln, für St. Gereon Ende des 10. Jh. gestiftet, dessen malerischer Stil auf byzantinische Vorlagen verweist (Erzbischof Gero war 971 in Byzanz), nimmt in das Majestasbild die zwei sechsflügeligen Cherubim auf, *Abb. 700*. Die ottonische Kunst verwendet – in Parallele zum Kaiserbild – auch den spätantiken Typus des auf dem Thron sitzenden Christus mit dem Zepter, dem die Mandorla hinzugefügt ist, *vgl. Bd. 2, Abb. 13*, das Goldantependium des Aachener Doms.

In der Monumentalkunst des hohen Mittelalters fließen die verschiedenen Bildvorstellungen und ikonographischen Entwicklungslinien zusammen. Es kommt in der Portalplastik und der Apsismalerei noch einmal zu großartigen Figurationen des in den Himmel erhöhten und der Welt zugewandten Christus, in dem seine Gottheit in Erscheinung tritt. Das Majestasbild kann aber auch durch Einbeziehung von Personen und Motiven erweitert werden, *vgl. Abb. 598*. Auch in dieser Epoche stehen die zwei Gruppen der Majestasdarstellung nebeneinander. Die von der byzantinischen Kunst beeinflußte Gruppe, die statt der vier Wesen die die Mandorla tragenden Engel und den Regenbogen als Thron zeigt, kommt nun öfters vor. Manchmal wird deutlich, daß die Darstellung vom byzantinischen Himmelfahrtstypus ausgeht und dessen oberen Teil zu einer Majestas erweitert. In reiner Form ist dieser zweite Majestastypus im Bogenfeld der Kathedrale in Ely (England), um 1140, *Abb. 708*, zu sehen, außerdem häufig in Burgund, *vgl. Bd. 2, Abb. 92*. Auf dem Mittelstück des Apostelteppichs im Domschatz zu Halber-

stadt, um 1180, *Abb. 715, Ausschnitt*, sind der Majestas inmitten von Michael und Gabriel auf beiden Seiten die Apostel hinzugefügt, *vgl. Abb. 606*. Auf einem Bildfeld des Bronzeportals der Sophienkirche in Nowgorod, einer Magdeburger Arbeit, 1152–1154, *Abb. 710, Ausschnitt*, ist der Typus mit den vier tragenden Engeln nach beiden Seiten durch die Personifikationen von Sonne und Mond und die vier Wesen erweitert. Außerdem ist das Motiv des Fußtritts, mit dem der Sieg über die Feinde veranschaulicht wird, eingefügt. In der Mandorla ist zu lesen: Dominus virtutis.

Die von Apk 4 bestimmte Bildgruppe mit ihren verschiedenen Varianten ist auch in der Monumentalkunst des hohen Mittelalters die führende Darstellungsform. In den vier Wesen kommt oft die urtümliche Kraft archaischer Vorbilder zum Ausdruck. Auf einer Steinplatte, 11. Jh.(?), des Campo Santo in Pisa, *Abb. 705*, ist in ungewöhnlicher Weise oben das Lamm (Widder) mit dem Kreuzstab als Zeichen des Opfers eingefügt. Die Blätter der Kranzmandorla fügen sich über der Segenshand des Thronenden zu einer Blume. Das Buch des Lebens ist entgegen der Bildtradition in die Mitte gerückt. Auf dem Fries über dem Nordportal der Kathedrale Santiago in Carrión de los Condes (Palencia), gegen 1165, *Abb. 709*, thront Christus in einer Wolken-Sternen-Glorie. (Die ursprünglich aus dem Bildraum nach vorn herausragende Hand ist zerstört.)

In der französischen Kathedralplastik nimmt die Majestas Domini häufig das Bogenfeld ein; in der Wandmalerei die Apsis. Am Westportal von St. Trophîme in Arles, Mitte 12. Jh., *Abb. 706*, umgibt, in den Archivolten angebracht, eine große Schar von Engeln Christus, der die Rechte machtvoll im Segensgestus erhebt. Löwe und Stier weichen durch ihre bildeinwärts gerichtete Stellung von den meisten anderen Kompositionen der Zeit ab. Im Bogenfeld der Südvorhalle von St. Pierre zu Moissac, um 1120, *Abb. 704*, sind im kleinen Format die vierundzwanzig Ältesten, die alle Kronen auf dem Haupt tragen und Musikinstrumente oder Schalen in Händen halten, der mächtigen Gestalt des über den Wolken Thronenden hinzugefügt. Dem Thron (Sternenmandorla und Thronkissen) sind die vier Wesen so nah, daß sie eine Einheit mit ihm bilden. Die zwei großen Engel mit Schriftbändern in der Hand entstammen der Himmelfahrtstradition.

Ebenso wie der Kruzifixus trägt im 12. Jh. auch der in der Herrlichkeit thronende Christus oft die königliche Krone.

Am Mittelportal der Westfassade der Kathedrale zu Chartres, 1145–1150, *Abb. 707, Gesamtfront Bd. 1, Abb. 62,* füllt die Darstellung der Majestas Domini das ganze Bogenfeld. Aber auch hier ist sie in den Zusammenhang der apokalyptischen Vision des in Ewigkeit gegenwärtigen lebendigen Gottes gestellt. In den Archivolten bezeugen und verehren die Engel und die vierundzwanzig Ältesten den, »der da war, der da ist und der da sein wird«. Im Fries darunter, in vier Dreiergruppen gegliedert, disputieren die Apostel als die Beisitzer des kommenden Gerichts. Die beiden äußersten Figuren auf dem Türsturz sind vermutlich Elias und Henoch, die beide in einem typologischen Bezug zur Erhöhung Christi stehen, da sie von Gott entrückt wurden (siehe Himmelfahrt). Im Mittelalter wurde ihre Rückkehr auf Erden unmittelbar vor dem Erscheinen Christi in Herrlichkeit erwartet (Honorius von Autun, 1. Hälfte 12. Jh.). In den äußersten Archivolten halten zwei Engel Kronen bereit, die auf das Königtum des Herrn verweisen. Im Scheitel der inneren Archivolte, dort, wo an dem einen Seitenportal über der Gottesmutter, *vgl. Bd. 1, Abb. 93,* und am anderen über der Himmelfahrt, *vgl. Abb. 508,* die Hand Gottes als Signum seiner Gegenwart erscheint, ist hier die herabfahrende Taube des Heiligen Geistes dargestellt. Der Thronende ist Apk 4 nicht benannt, denn Gott offenbart sich in Christus, der Sohn vollendet sich im Vater. Wir haben schon bei frühchristlichen Bildwerken auf Apk 22,1 hingewiesen, wo vom Thron Gottes und des Lammes als einer Einheit gesprochen wird. Ebenso heißt es Apk 21,22, daß der Tempel der ewigen Stadt der allmächtige Gott und das Lamm ist. In der Majestas Domini ist immer Gott und Christus gleicherweise vergegenwärtigt. Durch die Taube verbindet sich hier die Idee der Trinität mit der Repräsentation des in Herrlichkeit Thronenden. Das Bogenfeld in Chartres ist umsäumt von einem Wolkenband. Wie der Cherubimthron, so gehört auch die Wolke zu den Symbolen des Alten Testaments. Sie bedeutet nicht nur Himmel, sondern immer, gleich in welchem Bildzusammenhang, Gegenwart Gottes. Den zum Himmel auffahrenden Christus nahm eine Wolke auf und verbarg ihn vor den Blicken der Apostel. In den Wolken wird der Herr der Herrlichkeit wiederkommen, um zu richten und zu vollenden, Apk 1,7 in bezug auf Dan 7,13. An der Westfassade der Kathedrale zu Chartres ist Christus – der königliche Herrscher, der Gegenwärtige und zur Vollendung Kommende – der künstlerische Höhepunkt des figuralen plastischen Schmuckes und die Summe oder das Ziel der an den drei Portalen entfalteten Glaubenssätze der Christenheit.

Mitte des 12. Jh. verbindet sich in der Portalplastik die Figuration der Majestas Domini mit den Weltgerichtsdarstellungen (Autun), sie wird dann aber bald durch die des Richters abgelöst. Der Gerichtsgedanke klingt jedoch auch bei der reinen Majestasdarstellung in den Aposteln an, die im hohen Mittelalter, im Gegensatz zu frühchristlichen Darstellungen des Paradieses, in denen sie als Kollegium und Konsistorium des Christus-Basileus fungieren, als Beisitzer des Gerichts verstanden und in diesem Sinn nun auch der Majestas Domini zugeordnet werden. In Chartres sind sie in kleinem Format in einem untergeordneten Fries untergebracht, im Bogenfeld der Kirche in Carennac, Mitte 12. Jh., *Abb. 711, Ausschnitt,* thronen sie in zwei Reihen übereinander neben der Majestas. Dieses Kompositionsschema wird im 12. Jh. auch für Antependien und Schreine üblich.

Die Wand- und Deckenmalerei des 12. Jh. übernimmt und verschmilzt die überlieferten Einzelmotive und Kompositionsschemata in größerer Vielfalt als die Plastik. Die Bedeutung und geistige Intensität der künstlerischen Gestaltung der Malerei ist der der Skulptur gleichrangig, wenn nicht vielleicht noch überlegen; aber der Erhaltungszustand der Monumente ist schlechter. Das Wandbild der Dorfkirche St. Jacques-des-Guérets (Loire et Cher), um 1200, *Abb. 712,* knüpft an die alte östliche Bildtradition an; das in der Südapsis der allein erhaltenen Chorpartie von St. Gilles in Montoire (Loire et Cher), Mitte 12. Jh., *Abb. 714,* übernimmt den Mandorla-Globus-Thron der karolingischen Malerei und umgibt ihn mit einem Wolkenband. Der Gestus der nach unten ausgebreiteten Hände entstammt der Ikonographie des Richters. In den drei Apsiden dieses ehemaligen Benediktinerpriorats befinden sich drei monumentale fast gleichzeitige Majestasbilder, die stilistisch sehr verschieden sind. Das der Nordapsis zeigt die Majestas mit Aposteln, das der Ost- und Südapsis mit den vier Wesen und vier Engeln.

Im Panteón de los Reyes, einem Vorhallenbau vor der Colegiata San Isidoro in León aus der 2. Hälfte des 12. Jh., dessen Malerei fast vollständig erhalten ist, befindet sich in einem der Gewölbe die Majestas auf dem Regenbogen vor der Sternenmandorla, *Abb. 713*. Die vier Evangelisten haben die Köpfe und Flügel ihres Symbols. Der gleiche Throntypus ist auf dem Bild in der Apsis von S. Clemente de Tahull (Lérida), 1123, verwendet, *Abb. 716*. Bei diesem Werk handelt es sich um den Höhepunkt der katalanischen hochromanischen Wandmalerei. Die Komposition ist um zwei Seraphim und um zwei auf Christus weisende Engel in Medaillons bereichert. Stier und Löwe sind wie die Flügel der Seraphim mit Augen besetzt. Um die strenge Symmetrie in allen Teilen zu erreichen, trägt ein Engel den Adler; er ist das Spiegelbild des menschengestaltigen Wesens. Der Thronschemel ist als Sinnbild der Erde mit Pflanzen überzogen. In der Bildzone unter der Koncha stehen unter Arkaden fünf Apostel und Maria-Ekklesia. Sie hält in der erhobenen verhüllten Hand eine Schale mit dem rotstrahlenden Blut Christi empor[26]. Die Apsis von St. Jakob in Grissian (Etschtal) bezieht Maria und Johannes den Täufer und damit den Fürbittegedanken (zur Deësis siehe Bd. 4) in das Majestasbild ein und fügt an der Bogenwand das Opfer Abrahams in einer ausführlichen Szenenfolge hinzu. Häufiger als Abraham und Isaak sind in dieser Zeit als Opfertypus Kain und Abel oder Melchisedek und Abel an dieser Stelle angebracht; manchmal steht wie im 6. Jh. das Lamm im Scheitelbogen unmittelbar über Christus.

In Deutschland bietet das Rheinland zwei Beispiele für die Majestas Domini in der Apsiskoncha mit den Aposteln bzw. Heiligen in der unteren Zone, allerdings in übermaltem Zustand. Die Darstellung in der Westapsis der ehemaligen Prämonstratenser Abteikirche in Knechtsteden bei Köln, 1170–1180, *Abb. 717*, und die in der Oberkirche von St. Klemens in Schwarzrheindorf bei Bonn, die ursprünglich als Schloßkapelle erbaut wurde, 3. Viertel, 12. Jh., *Abb. 718*, folgen zwei verschiedene Traditionen des Christusbildes. In Knechtsteden ist der Regenbogenthron und das geöffnete Buch, in Schwarzrheindorf der lehnenlose Thron mit großem Suppedaneum und das geschlossene Buch zu beobachten. Abgesehen von den am Thron liegenden Stiftern sind in Knechtsteden Petrus und Paulus der Majestas zugeordnet, in Schwarzrheindorf die Altarpatrone Johannes der Täufer und Stephanus, Petrus und Laurentius. Im Scheitel des Kreuzgewölbes vor der Apsis steht das Lamm; es ist von vier Szenen der Apokalypse umgeben. Für Deutschland sind u. a. noch zu nennen: das Apsisbild der Peter-und-Paul-Kirche in Niederzell auf der Insel Reichenau, 1120–1130, das zwei Seraphim auf flammenden Rädern einbezieht; die Kuppelmalerei der Friedhofskapelle in Perschen bei Nahburg, 3. Viertel 12. Jh., das Apsisbild der Kirche in Idensen (Hannover), 1120–1130. In England, wo nur ganz wenig Wandmalerei erhalten ist, befindet sich in der Gabrielskapelle der Kathedrale von Canterbury im Apsisgewölbe eine eigenwillige, von Engeln getragene Majestas Domini, nur zum Teil erhalten. Die Figuration am Triumphbogen von St. John Baptist in Clayton (Essex), 2. Viertel 12. Jh., ist im eigentlichen Sinn keine Majestas Domini, sondern stellt die Wiederkunft zum Gericht dar, siehe dazu Band 4[27].

Dieses zentrale Thema der Kunst des 12. Jh. übernehmen auch Antependien (Altarvorsätze), Tragaltäre und Schreine. Aus karolingischer und ottonischer Zeit sind schon zwei berühmte Goldantependien genannt worden, *Abb. 689, Bd. 2, Abb. 13*. Dem 12. Jh. gehört in Italien der Paliotto im Dom zu Città di Castello an, *vgl. Bd. 1, Abb. 60*, das auf den Nebenfeldern Geburts- und Passionsszenen zeigt. Dieses Kompositionsschema kommt in Italien bis zum 13. Jh. vor (Paliotto um 1215, Pinakothek in Siena) und ist in Dänemark mehrfach anzutreffen (Metallantependium aus Ölst, 12. Jh., Nationalmuseum Kopenhagen u. a. m.). Die katalanische Kunst weist auch Antependien auf, die in den Seitenteilen die Apostel zeigen. Wir geben als Beispiel eine Altartafel aus S. Pedro de Seo de Urgel,

---

26. Katalonien war ein Zentrum der Gralsverehrung, vielleicht soll diese Schale daran denken lassen. Siehe O. Demus — M. Hirmer, Romanische Wandmalerei, 1968,

S. 160.

27. Die genannten Werke sind abgebildet in O. Demus — M. Hirmer, 1968.

Anfang 12. Jh., Katalanisches Museum in Barcelona, *Abb. 719*. Auf dem Deckel des Eilbertus-Tragaltars, um 1130, der sich im Museum des Charlottenburger Schlosses in Berlin befindet, *Abb. 720*, sind der Majestas Domini die zwölf Apostel als die Verfasser des Glaubensbekenntnisses zugeordnet. Diese Thematik erwähnten wir im Zusammenhang des thronenden Christus schon für den späteren Elisabethschrein, vgl. auch Bd. 4, unter »Kirche«. Die beiden Seitenteile der Altarplatte zeigen links: Verkündigung, Heimsuchung, Geburt Christi, Darbringung im Tempel und rechts: Kreuzigung, Frauen am Grab, Höllenfahrt und Himmelfahrt. Diese biblischen Szenen geben die Illustrationen zu dem zweiten Glaubensartikel, die Majestas dessen Schluß.

Wie oben schon gesagt, wird das Thema des erhöhten Christus in seinen drei Grundformen – der stehende Christus mit dem Siegesgestus, der thronende Christus, der in der spätantiken Kunst seinen Ursprung hat, und die Majestas Domini, die von den biblischen Gottesvisionen abgeleitet wird – am Ende des 12. Jh. von dem des Weltenrichters zurückgedrängt, nachdem sie einige Zeit nebeneinander standen. Gedanklich lassen sie sich ohnehin nicht ganz trennen. Die drei Bildgruppen des erhöhten Christus wurden von ihrer typengeschichtlichen Entwicklung ausgehend und nicht von ihrem Gehalt her getrennt behandelt. Allerdings setzt jede Gruppe eigene Akzente, andererseits werden auch Motive ausgetauscht bzw. übernommen, und im hohen Mittelalter läuft die thematische Erweiterung der einzelnen Gruppen weitgehend parallel. So ist die Wiederaufnahme des Apostelkollegiums in den drei Gruppen zu beobachten. Zugleich sind die Apostel engstens mit dem Gericht verbunden.

Die Christusgestalt der Majestas Domini lebt zwar in Darstellungen des Gerichts, des Himmels oder des ewigen Jerusalem und der triumphierenden Kirche weiter, siehe Band 4, sie kann auch in andere Bildthemen eingefügt vorkommen (des öfteren in der italienischen Malerei des 14. Jh.), aber sie hört im 13. Jh. auf, ein gesonderter Bildtypus in dem ursprünglichen Sinn zu sein.

Im 15. Jh. kommt es vereinzelt und vornehmlich in der niederländischen Kunst nochmals zu einem neuen Bildtypus des erhöhten Christus, der nun »Salvator Mundi« genannt wird. Diese Bezeichnung: Erlöser der Welt, verschiebt den Akzent von der Majestät zu dem Erlösertod. Das entspricht der spätmittelalterlichen Frömmigkeit (Bd. 2). Bei diesem niederländischen Bildtypus handelt es sich um ein Brustbild Christi, bei dem jedoch die Leidenszüge oder Wundmale fehlen, manchmal trägt er die Krone auf dem Haupt. Er hebt die Rechte segnend und hält in der Linken eine große Weltkugel, auf der ein Kreuz steht. Die Spiegelungen des Lichtes und eines Fensterkreuzes in der Kugel sind ein Hinweis auf das Licht der Welt, auf das Fenster des Paradieses und auf das Kreuz des Erlösers[28]. Dieses Christusbild kann isoliert dargestellt sein oder zwischen Maria und Johannes oder zwischen Engeln stehen. Das Triptychon einer ehemaligen Orgeltribüne von Hans Memling, 1490, zeigt auf der Mitteltafel von Wolken umgeben Christus inmitten von singenden Engeln, *Abb. 721*. An sie schließen sich auf den Seitentafeln Engel mit verschiedenen Musikinstrumenten an. Christus trägt die Königskrone und eine Brosche mit drei Steinen, die in der symbolischen Bildsprache der niederländischen Malerei dieser Zeit Hinweis auf die Trinität sind. Er legt die linke Hand auf die Weltkugel, in der sich ein Fensterkreuz spiegelt. Auf seinen Schultern liegt die Stola; der Nimbus besteht aus sieben Strahlengruppen, die auf die sieben Planeten verweisen. So ist Christus gekennzeichnet als Priester und König, als Herrscher über die Welt und den Kosmos (Planeten).

Neben dieser kleinen Gruppe von Brustbildern Christi sind auch einige Darstellungen des stehenden Christus, der die Weltkugel hält oder auf sie tritt, als Salvator Mundi bezeichnet, zum Beispiel ein Gemälde eines Brügger Meisters von 1499. Christus trägt hier eine Brosche in Kreuzform und tritt auf die Weltkugel, auf der »Asia, Europa, Afrika« zu lesen ist. Das Treten auf die Weltkugel bedeutet ebenso wie das Tragen der Kugel oder das Auflegen der Hand auf sie Herrschaft über die Welt. Das Wort Salvator präzisiert

---

28. Siehe hierzu C. Gottlieb, The Mystical Window in Paintings of the Salvator Mundi, in: Gaz. des Beaux-Arts, 56, 1960, S. 313—332. Hier werden mehrere Beispiele des Salvatorbildes genannt.

aber Christus als den Erlöser und somit die Welt als die von ihm erlöste, die unter der Verheißung der Errettung steht. Auch wenn die ausdrückliche Bezeichnung Salvator Mundi fehlt, ist es üblich, Darstellungen, bei denen Christus auf die Weltkugel tritt, seit der Renaissance so zu nennen, *vgl. Bd. 2, Abb. 781.* Im allgemeinen verbindet sich mit dem Begriff Salvator Mundi in der Kunst kein bestimmter Gestalttypus.

Literatur

Alföldi, A.: Die Ausgestaltung des monarchischen Zeremoniells am römischen Kaiserhofe, in: Mitteilungen des Deutschen Archäologischen Instituts, Röm. Abt. (MdI, Röm. Abt.), 49, 1934, S. 1–118.

– Insignien und Tracht der römischen Kaiser, MdI, Röm. Abt., 50, 1935, S. 1–171.

Alföldi, M. R.: Die constantinische Goldprägung, Mainz 1963.

Appuhn, H.: Der Auferstandene und das Heilige Blut zu Wienhausen, in: Niederdeutsche Beiträge zur Kunstgeschichte I, 1961, S. 90–96.

Ars Sacra, Kunst des frühen Mittelalters, Ausst.kat. München 1950.

Aurenhammer, H.: Lexikon der christlichen Ikonographie, Wien 1959 ff.

Avery, M.: The Exultet Rolls of South Italy, Princeton, London und Den Haag 1936.

Bandmann, G.: Ein Fassadenprogramm des 12. Jahrhunderts und seine Stellung in der christlichen Ikonographie, in: Das Münster 5, 1952.

– Höhle und Säule auf Darstellungen Mariens mit dem Kinde, in: Festschrift für Gert von der Osten, Köln 1970, S. 130–48.

Bauerreiß, R.: Arbor vitae (Abhandl. der Bayer. Benediktinerakademie III), München 1938.

– Fons sacer, München 1949.

– Das »Lebenszeichen«, Studien zur Frühgeschichte des griechischen Kreuzes und zur Ikonographie des frühen Kirchenportals (Abhandl. der Bayer. Benediktinerakademie I N. F.), München 1961.

Baumstark, A.: Oriens Christianus, WS VII/VIII, 1918.

– Bild und Lied des christlichen Ostens. In: Clemen-Festschrift, Düsseldorf 1926, S. 168 ff.

Baus, K.: Der Kranz in Antike und Christentum, Bern 1940.

Beck, J.: Die Entwicklung der altkirchlichen Pentekoste, JbLH 5, 1960, S. 1–45.

Beissel, St.: Entstehung der Perikopen des römischen Meßbuches. Zur Geschichte der Evangelienbücher in der ersten Hälfte des Mittelalters, Rom 1967.

Belting, H.: Die Basilika von SS. Martiri in Cimitile und der frühmittelalterliche Freskenzyklus, Wiesbaden 1962.

Benz, R.: Die Legenda aurea des Jacobus a Voragine, Heidelberg o. J.

Berger, R.: Die Darstellung des thronenden Christus in der romanischen Kunst, Reutlingen 1926.

Bernheimer, R.: Romanische Tierplastik und die Ursprünge ihrer Motive, München 1931.

Bertram, G.: Die Himmelfahrt vom Kreuz aus und der Glaube an seine Auferstehung, in: Festgabe für Adolf Deißmann, Tübingen 1926, S. 187–217.

Beskow, B.: Rex Gloriae. The Kingship of Christ in the Early Church, Uppsala 1962.

Birchler, L.: Müstair – Münster. Akten zum III. internationalen Kongreß für Frühmittelalterforschung, Olten – Lausanne 1954.

von Blankenburg, W.: Heilige und dämonische Tiere, Leipzig 1943.

Boeckler, A.: Abendländische Miniaturen, Berlin – Leipzig 1930.

– Die Evangelienbilder der Adagruppe, in: Münchner Jb. d. bild. Kunst, 3. F. Bd. 3/4, 1952/53, S. 121 ff.

– Formgeschichtliche Studien zur Adagruppe, Abhdlg. d. Bayr. Akademie d. Wissenschaften, Phil.-Hist. Kl., N. F. 42, München 1956.

– Die Bronzetüren des Bonanus von Pisa und des Barisanus von Trani, Berlin 1953.

Bordona, J. D.: Spanische Buchmalerei, Florenz 1930.

Bovini, G.: I sarcofagi paleocristiani, Vatikanstadt 1949.

Brandi, C.: Duccio, Florenz 1951.

Braunfels, W.: Die Auferstehung, Düsseldorf 1951.

Bréhier, L.: La Sculpture et les Arts Mineurs Byzantins, Paris 1936.

Buddensieg, T.: Le coffret en ivoire de Pola, St. Pierre, et de Latran, in: Cah. Arch. 10, 1959, S. 157.

Capizzi, C.: ΠΑΝΤΟΚΡΑΤΩΡ, in: Orient. Christ. Analecta Nr. 170, Rom 1964.

Cecchelli, C.: Il trionfo della Croce, Rom 1953.

Cecchelli, C., Furlani, G., Salmi, M.: The Rabbula Gospels (Faksimile), Urs-Graf-Verlag, Olten/Lausanne 1959.

Chierici, G.: Il restauro della Chiesa di S. Maria di Donnaregina a Napoli, Neapel 1934.

Clemen, P.: Die romanische Monumentalmalerei in den Rheinlanden, Düsseldorf 1916.

Cohen, G.: The Influence of the Mysteries Art in the Middle Ages, in: Gaz. des Beaux-Arts 24, 1953, S. 327 ff.

Cook, W. W. S., und Gudiol Ricart, J.: Ars Hispaniae, Historia universal del arte hispanico, Madrid 1947–1966.

Cumont, F.: L'aigle funéraire d'Hieropolis et l'Apothéose des Empereurs, in: Etudes Syriennes, Paris 1917.

– Les Vents et les Anges psychopompes, in: Pisciculi, Studien zur Religion und Kultur des Altertums, Franz Joseph Dölger zum 60. Geburtstag, Münster 1939, S. 70 ff.

– Recherches sur le symbolisme funéraire des Romains, Paris 1966.

Davis-Weyer, C.: Das Traditio-Legis-Bild und seine Nachfolge, in: Mch. Jb. d. Bild. Kunst, 1961, S. 7–45.

Déer, J.: Das Kaiserbild im Kreuz, in: Schweizer Beiträge zur allgemeinen Geschichte, 13, 1955, S. 48–110.

– Der Globus des spätrömischen und des byzantinischen Kaisers, Symbol oder Insignie, in: Byz. Zeitschr., Bd. 54, 1961, S. 78 ff.

Deichmann, F. W.: Ravenna, Geschichte u. Monumente I, Wiesbaden 1969.

Delbrück, R.: Die Consulardiptychen und verwandte Denkmäler, Berlin–Leipzig 1929.

– Spätantike Kaiserporträts, Berlin–Leipzig 1933.

– Zwei christliche Elfenbeine des 5. Jh. Spätantike und Byzanz. Neue Beiträge z. Kunstgeschichte des 1. Jahrtausends, Baden-Baden 1952, S. 167–175.

Demus, O.: Die Mosaiken von S. Marco in Venedig 1100 bis 1300, Baden bei Wien 1935.

– Byzantine Mosaic decoration, London 1947.

– The Mosaics of Norman Sicily, London 1949.

– u. *Hirmer, M.:* Romanische Wandmalerei, München 1968.

De Wald, E. T.: The Stuttgarter Psalter, Princeton 1930.

– The Illustrations of the Utrechtpsalter, Princeton und Leipzig 1932.

– The Illustrations in the Manuscripts of the Septuagint, Princeton 1941/42.

Dinkler, E.: Das Apsismosaik v. S. Apollinare in Classe, Köln und Opladen 1964.

– Bemerkungen zum Kreuz als Tropaion, in: Mullus, Festschrift für Th. Klauser, JbAC, Ergänzungsband 1, Münster 1964, S. 71 ff.

– Signum Crucis. Aufsätze zum Neuen Testament und zur christlichen Archäologie, Tübingen 1967.

Dinkler-von Schubert, E.: Der Schrein der heiligen Elisabeth zu Marburg, Marburg 1964.

Dölger, F. J.: Sol Salutis – Gebet und Gesang im chr. Altertum, in: Liturgiegeschichtliche Forschungen 4/5, 2. Aufl. 1952, 351 f.

Dufrenne, S.: L'Illustration des Psautiers grecs du Moyen Age, Paris 1966.

Durand, P.: Etude sur l'Etimacia, Symbole du jugement dernier dans l'iconographie grècque chrétienne, Chartres, 1867.

Edelby, N.: Liturgikon. Meßbuch der Byzantinischen Kirche, Recklinghausen 1967.

Eggers, R.: Das Labarum, die Kaiserstandarte der Spätantike, in: Österr. Akademie der Wissenschaften, phil.-hist. Kl., Sitzungsbericht 234, Wien 1960.

Elbern, V. H.: Der karolingische Goldaltar von Mailand, Bonn 1952.

– Vier karolingische Elfenbeinkästen, in: Ztschr. des deutschen Vereins für Kunstwissenschaft XX, H. 1/2, 1966, S. 1 ff.

Elert, W.: Der Ausgang der altkirchlichen Christologie, Berlin 1957.

Esche, S.: Adam und Eva, Sündenfall und Erlösung. Düsseldorf 1957.

Felicetti-Liebenfels, W.: Geschichte der byzantinischen Ikonenmalerei, Olten – Lausanne 1956.

Fink, J.: Noe der Gerechte in der frühchristlichen Kunst, Münster – Köln 1955.

Galavaris, G.: The Illustrations of the liturgical Homilies of Gregory Nazianzensus, Princeton 1969.

Ganter, J.: Kunstgeschichte der Schweiz, Leipzig 1936.

Gerke, F.: Der Ursprung der Lämmerallegorien in der altchristlichen Plastik, in: ZNW, 33. Bd. 1934, S. 160–196.

– Das Verhältnis von Malerei und Plastik in der theodosianisch-honorianischen Zeit, in: Rivista di Archeologia Cristiana, 12, 1935, S. 119 ff.

– Christus in der spätantiken Plastik, Leipzig 1940.

Goldamer, K.: Die Welt des Gottherrschers. Sakrale Majestäts- und Hoheitssymbole im frühen Christentum, in: The sacral Kingship, Studies in the History of Religions, Leiden 1959.

Goldkuhle, F.: Mittelalterliche Wandmalerei in St. Maria Lyskirchen, Düsseldorf 1954.

Goldschmidt, A.: Die Elfenbeinskulpturen aus der Zeit der karolingischen und sächsischen Kaiser, Bd. I–IV, Berlin 1914–26.

Gottlieb, C.: The mystical window in paintings of the Salvator mundi, in: Gaz. des Beaux-Arts, 56, 1960, S. 313 bis 332.

Grabar, A.: L'Empereur dans l'art byzantin, Paris 1936.

– Martyrium, Recherches sur le culte des reliques et l'art chrétien antique, Paris I Architecture 1946, II Iconographie 1946, Album 1943.

– Le trône des Martyrs, in: Cah. Arch. 6, 1952, S. 31–41.

– La »Sedia di San Marco« à Venise, in: Cah. Arch. VII, 1954, S. 19–34.

– La fresque des Saintes Femmes au tombeau à Dura, in: Cah. Arch., VIII, 1956, S. 9–26.

– L'Iconoclasme byzantine. Dossier archéologique, Paris 1957.

Grabar, A., u. Nordenfalk, C.: Das frühe Mittelalter vom 4. bis zum 11. Jh., Mosaiken, Wandmalereien, Buchmalerei, Genf 1957.

Grillmeier, A.: Der Gottessohn im Totenreich, in: Zeitschrift f. kath. Theol., Bd. 71, Wien 1949.

Guldan, E., und U. Riedinger: Die protestantische Deckenmalerei der Burgkapelle auf Strechau, in: Wiener Jb. für Kunstgesch. XVIII, 1960.

Gutberlet, S.: Die Himmelfahrt Christi in der bildenden

Kunst von den Anfängen bis in das hohe Mittelalter, Leipzig – Straßburg – Zürich 1935.

Hager, H.: Die Anfänge des italienischen Altarbildes, Wien – München 1962.

Hamann - Mac Lean, R.: Frühe Kunst im westfränkischen Reich, Leipzig 1939.

Heisenberg, A.: Grabeskirche und Apostelkirche. Zwei Basiliken Konstantins, Leipzig 1908.

Hennecke, E., und W. Schneemelcher: Neutestamentliche Apokryphen. I, 3. Aufl., Tübingen 1959, II 1964.

Hommel, H.: Pantokrator, in: Theologia Viatorum 5, 1953/54, S. 322–372.

Horing, P. F.: The Burry St. Edmunds Cross, in: The Metropolitan Museum of Arts Bull., June 1964, S. 317–340.

Hubert, J., Porcher, J., Volbach, W. F.: Frühzeit des Mittelalters, München 1968.

Ihm, C.: Die Programme der christlichen Apsismalerei vom 4. Jh. bis zur Mitte des 8. Jh., Wiesbaden 1960.

Ihm, M.: Damasi epigrammata, Leipzig 1895.

Instinsky, H. V.: Bischofsstuhl und Kaiserthron, München 1955.

Isermeyer, C. A.: Die mittelalterlichen Malereien in der Kirche S. Pietro in Tuscania, in: Kunstgesch. Jb. d. Bibl. Hertziana II, 1938, S. 289 ff.

Jacobus a Voragine, Legenda aurea, siehe Benz, R.

Jensen, C. A.: Greek and Latin manuscripts X – XIII centuries in Danish collections, Copenhagen 1921.

Jerphanion, G. de: Les eglises rupestres de Cappadoce, Paris 1925–1942.

Jesse, W.: Beiträge zur Volkskunde und Ikonographie des Hasen, in: Bargheer, H. Freudenthal (Hrsg.): Volkskunde-Arbeit, Zielsetzung und Gehalte, Festschrift für Otto Lauffer, Berlin 1934, S. 158–175.

Jungmann, J. A.: Missarum Sollemnia, 5. Aufl., Freiburg i. Br. 1962.

Jursch, H.: Die altchristlichen Symbole, ihre Eigenart und ihre Bedeutung für die Gegenwart, in: Wiss. Zeitschr. d. Friedrich-Schiller-Universität Jena, Jg. 6/1957, Gesellschafts- und Sprachwiss. Reihe, Heft 3/4, S. 397–424.

Kantorowicz, E.: The Quinity of Winchester, in: The Art Bulletin, XXIX, 1947, S. 73–85.

Karl der Große, Ausstellungskatalog, Aachen 1965.

Karlinger, H.: Die romanische Steinplastik in Altbayern und Salzburg 1250–1260, Augsburg 1924.

Klameth, G. K.: Die Ölbergüberlieferungen, Münster 1923, S. 106–121.

Klauser, Th.: Das römische Kapitulare Evangeliorum, I, Typen, Münster 1935.

– Aurum coronarium, in: RAC 1950, Sp. 1010 ff.

– Der Ursprung der bischöflichen Insignien und Ehren-

rechte, in: Bonner Akademische Reden, I, 2. Aufl., Krefeld 1953.

– Studien zur Entstehungsgeschichte der christlichen Kunst I–IX, in: JbAC, Nr. 1–10, 1958–1967.

– Kleine abendländische Liturgiegeschichte, Bonn 1965.

Klyn, A. F. J.: The acts of Thomas. Suppl. Nov. Test. V, Leyden 1962.

Köhler, W.: Die karolingischen Miniaturen, Berlin.
  Band 1: Die Schule von Tours, 1930.
  Band 2: Die Hofschule Karls d. Gr., 1958.
  Band 3: Die Gruppe des Wiener Krönungsevangeliars. Metzer Handschriften, 1960.

Koep, L.: Das himmlische Buch in Antike und Christentum (Theophaneia 8), Bonn 1952.

– Die Konsekrationsmünzen Kaiser Konstantins und ihre religionspolitische Bedeutung, in: JbAC, 1, 1958, S. 94–104.

Kollwitz, J.: Studien zur spätantiken Kunstgeschichte, Heft 7, Berlin und Leipzig 1933.

– Christus als Lehrer und die Gesetzesübergabe an Petrus, in: RQ 44, 1936.

– Der Mailänder Sarkophag, in: Gnomon, 12, 1936, S. 601 bis 605.

– Oströmische Plastik der theodosianischen Zeit, Berlin 1941.

– Das Bild von Christus dem König in Kunst und Liturgie der christlichen Frühzeit, in: Theologie und Glaube, 1947/48.

– Die Sarkophage Ravennas, in: Freiburger Universitätsreden N. F., Heft 21, Freiburg 1956.

– Zur Frühgeschichte der Bilderverehrung, in: Das Gottesbild im Abendland, Witten und Berlin 1959.

– Das Christusbild, in: RAC III, 1957, S. 2 ff.

– Das Christusbild des 3. Jahrhunderts, Münster 1958.

– Das Christusbild der frühchristlichen Kunst, in: LCI, 1968, Sp. 356 ff.

Kopp, C.: Die Heiligen Stätten der Evangelien, Regensburg 1959, 463–65.

Kraeling, C. H.: The Excavations at Dura Europos, Final Report VIII, New Haven, part I 1956, part II 1967.

Kraft, H.: Joh 20,17, in: ThLZ 76, Sp. 570.

Kretschmar, G.: Himmelfahrt und Pfingsten, in: ZKG, Bd. 65, 1954/55, S. 209 ff.

– Ein Beitrag zur Frage nach dem Verhältnis zwischen jüdischer und christl. Kunst in der Antike, in: Festschrift für Otto Michel, Leiden – Köln 1963.

– Auferstehung des Fleisches. Zur Frühgeschichte einer theologischen Lehrformel, in: Leben angesichts des Todes (Für Helmut Thielicke), Tübingen 1968.

Kroll, J.: Gott und Hölle. Studien der Warburgbibliothek, Leipzig – Berlin 1932.

Lassus, J.: La Mosaique de Phénix provenant des fouilles d'Antioche, in: Monum. Piot, XXXVI, 1938, S. 81 ff.

Löschke, W.: Der Griff ans Handgelenk, Skizze einer motivgeschichtlichen Untersuchung, in: Festschrift für Peter Metz, Berlin 1965, S. 46–73.

Lohse, B.: Das Passafest der Quartadecimaner, Gütersloh 1953.

Lucchesi-Palli, E.: Die Passions- und Endszenen Christi auf der Ciboriumsäule von San Marco in Venedig, Prag 1942.

– Der syrisch-palästinensische Darstellungstypus der Höllenfahrt Christi, in: RQ, Bd. 57, 1962, S. 250 ff.

Meer, F. van der: Maiestas Domini. Studi di antichità Cristiana 13, Roma – Paris (1938).

Meinecke, Franz: Das Symbol des apokalyptischen Christuslammes als Triumphbekenntnis der Reichskirche, Frankfurt/M. 1908.

Mersmann, W.: Das Elfenbeinkreuz der Sammlung Topic-Mimara, in: Wallraf-Richartz-Jahrbuch 25, 1963, S. 7–108.

Michalowsky, K.: Die Kathedrale aus dem Wüstensand, Zürich – Köln 1967.

Millet, G.: Recherches sur l'iconographie de l'Evangile aux XIVe, XVe et XVIe siècles d'après les monuments de Mistra, de la Macédoine et du Mont Athos, Paris 1916, 2. Aufl. 1960.

– Monuments de l'Athos, Bd. 1, Les peintures, Paris 1927.

Modern, M.: Der Mömpelgarter Flügelaltar, in: Jb. der Kunsthist. Slg. des allerhöchsten Kaiserhauses, Bd. 7, Wien 1896, S. 307 ff.

Morey, C. R.: The painted panel from the Sancta Sanctorum, in: Festschrift zum 60. Geburtstag von Paul Clemen, Bonn 1926, S. 150 ff.

– The Gold-glass collection of the Vatican Library. Città del Vaticano, 1959.

Neuss, W.: Das Buch Ezechiel in Theologie und Kunst, Münster 1912.

– Die Kunst der alten Christen, Augsburg 1926.

– Die Apokalypse des hl. Johannes in der altspanischen und altchristlichen Bibel-Illustration, Münster 1931.

Nikolasch, F.: Das Lamm als Christussymbol in den Schriften der Väter, Wien 1958.

– Das Lamm als Christussymbol in der frühchristlichen Kunst. Habilitationsarbeit der Theol. Fak., Salzburg 1965 (Maschinenschrift).

– Zur Deutung der Dominus-Legem-dat-Szene, in: RQ 1969, 64, S. 35–72.

Nordström, C. O.: Ravennastudien, Stockholm-Uppsala 1953.

Omont, H.: Evangiles avec Peintures Byzantines du XIe siècle, Paris 1908.

L'Orange, H. P.: Sol invictus imperator. Ein Beitrag zur Apotheose, in: Symbolae Osloenses 14, 1936, S. 86–114.

– Der spätantike Bildschmuck des Konstantinbogens, Berlin 1939.

– Studies on the iconography of cosmic kingship in the ancient world, Oslo 1953.

Osten, G. v. d.: Zur Ikonographie des ungläubigen Thomas angesichts eines Gemäldes von Delacroix, in: Wallraf-Richartz-Jahrbuch XXVII, 1965, S. 371–388.

Otto, R.: Das Heilige, 1917, letzte Auflage München 1963.

Paeseler, W.: Die römische Weltgerichtstafel im Vatican, in: Kunstgeschichtliches Jahrbuch der Bibliotheca Hertziana 2, 1938, S. 311–394.

de Palol, P. – M. Hirmer, Spanien. Kunst des frühen Mittelalters vom Westgotenreich bis zum Ende der Romanik, München 1965.

Panofsky, E.: Imago pietatis, in: Festschrift für M. Friedländer, Leipzig 1927, Anhang.

– Grabplastik, Köln 1964.

Pauly-Wissowa: Realenzyklopädie der klassischen Altertumswissenschaft, Stuttgart 1839 ff.

Peterson, E.: Christus als Imperator, in: Theologische Traktate, München 1951.

Pfeiffer, F.: Deutsche Mystiker des 14. Jahrhunderts, Leipzig 1845.

Pflugk, U.: Die Geschichte vom ungläubigen Thomas in der Auslegung der Kirche von den Anfängen bis zur Mitte des 16. Jh., Diss. Hamburg (Maschinenschrift).

Picard, Ch.: Le trône vide d'Alexandre dans la cérémonie de Cyinda et le culte du trône vide à travers le monde gréco-romain, in: Cah. Arch. VII, 1954, S. 1–17.

Pigler, A.: Barockthemen. Eine Auswahl von Verzeichnissen zur Ikonographie des 17. u. 18. Jh., Budapest und Berlin 1956.

Rademacher, F.: Der thronende Christus der Chorschranken aus Gustorf. Eine ikonographische Untersuchung, Köln – Graz 1964.

– Zu den frühesten Darstellungen der Auferstehung Christi, in: Zeitschr. f. Kunstgesch., 28, 1965, S. 195–224.

Réau, L.: Iconographie de l'art chrétien, 6 vols., Paris 1955 ff.

Resch, A.: Agrapha. Texte und Untersuchungen zur altchristlichen Literatur. N. F. XV, 3,4. 2. Aufl. Leipzig 1906. Nachdruck: Darmstadt, Wissenschaftl. Buchgesellschaft 1964.

Restle, M.: Kunst und byzantinische Münzprägung von Justinian I. bis zum Bilderstreit, Athen 1964.

– Die byzantinische Wandmalerei in Kleinasien, Bd. 2, Recklinghausen 1967.

Rice, D. T. – *Hirmer, M.:* Kunst aus Byzanz, München 1959.

Röhrig, F.: Der Verduner Altar, Stift Klosterneuburg 1955.

Rosien, W.: Die Ebstorfer Weltkarte, in: Niedersächsisches Amt für Landesplanung und Statistik, Bd. 19, Hannover 1952.

Saxl, F.: Frühes Christentum und spätes Heidentum in ihren künstlerischen Ausdrucksformen, in: Wiener Jb. f. Kunstgesch. Bd. 2 (XVI), 1923, S. 63 ff.

– The Ruthwell Cross, in: Journal of the Warburg and Courtauld Institute 6, 1943, S. 1–19.

Schade, H.: Hinweise zur frühmittelalterlichen Ikonographie III, in: Das Münster 1958, 11/12, S. 389 ff.

– Das Paradies und die Imago Dei, in: Probleme der Kunstwissenschaft, 2. Bd., Berlin 1966, S. 170 ff.

Schäfer, E.: Die Epigramme des Papstes Damasus I, Rom 1952.

Schapiro, M.: The Image of the Disapearing Christ. The ascension in English art around the year 1000, in: Gaz. des Beaux-Arts, 23, 1943, S. 135–152.

– The religious meaning of the Ruthwell Cross, in: The Art Bulletin 1944, Bd. 26, S. 232 ff.

Schmidt, K. W. C.: Die Darstellungen von Christi Höllenfahrt in den deutschen Schauspielen des Mittelalters, Diss., Marburg 1915.

Schneider, A. M.: Die Kuppelmosaiken der Hagia Sophia zu Konstantinopel, in: Nachrichten der Akademie der Wissenschaften in Göttingen I., Phil.-Hist. Klasse, Nr. 13, 1949.

Schnitzler, H.: Die Komposition der Lorscher Elfenbeintafeln, in: Münchner Jb. f. bild. Kunst, 3. F., Bd. 1, 1950, S. 26 ff.

– Eine Metzer Emmaustafel, in: Wallraf-Richartz-Jahrbuch XX, 1958, S. 41–54.

Schöne, W.: Das Königsportal der Kathedrale von Chartres. Werkmonographien zur bildenden Kunst, Nr. 67, Stuttgart 1961.

Schrade, H.: Zur Ikonographie der Himmelfahrt Christi, in: Vorträge der Bibl. Warburg, 8, 1928/1929, S. 66–190, Leipzig und Berlin 1930.

– Ikonographie der christlichen Kunst. Die Auferstehung Christi, Berlin 1932.

– Vor- und frühromanische Malerei, Köln 1958.

Schramm, P. E.: Herrschaftszeichen und Staatssymbole, Bd. 1–3, Augsburg 1954–1956.

Schütte, M.: Gestickte Bildteppiche und Decken des Mittelalters, Leipzig 1927.

Schulz, H.-J.: Die Höllenfahrt als Anastasis, in: Zeitschrift für katholische Theologie 81, 1959, S. 1 ff.

Schulze, H. K.: Das Stift Gernrode, in: Mitteldeutsche Forschungen, Bd. 38, Köln – Graz 1965.

Schumacher, W. N.: »Dominus legem dat«, in: RQ, 54. Bd., 1959, S. 1–39.

– Eine römische Apsiskomposition, in: RQ 54, 1959, S. 137 bis 202.

Schwabe, J.: Archetyp und Tierkreis, Basel 1951.

Seel, O.: Der Physiologus, Zürich – Stuttgart 1960.

Seeliger, St.: Das Pfingstbild mit Christus im 6.–13. Jh., in: Das Münster, Jg. 9, 1956, S. 146 ff.

Soteriou, G. u. M.: Icones du Mont Sinai, Athen 1956–1958.

Sotomayor, M.: Über die Herkunft der Traditio legis, in: RQ 1961, S. 215–230.

– S. Pedro en la iconographia paleocristiana, Granada 1963.

Steenbock, F.: Der kirchliche Prachteinband im frühen Mittelalter von den Anfängen bis zum Beginn der Gotik, Berlin 1965.

Steffen, U.: Das Mysterium von Tod und Auferstehung. Formen und Wandlungen des Jonamotivs, Göttingen 1963.

Stern, H.: Le Calendrier de 354. Etudes sur son texte et sur ses illustrations, Paris 1953.

– Les mosaiques de l'église de Sainte-Constance à Rome, in: Dumbarton Oaks Papers, No. 12, 1958, S. 157–218.

Stoll, R. Th., Roubier, J.: Britannia Romanica, Wien und München 1966.

Swarzenski, G.: Die Salzburger Malerei von den ersten Anfängen bis zur Blütezeit des romanischen Stils, Leipzig 1908/1913.

Treitinger, O.: Die oströmische Kaiser- und Reichsidee nach ihrer Geltung im höfischen Zeremoniell, Jena 1938, 2. Aufl. 1956.

Underwood, P. A.: The Kariye Djami, 3. Bd., London 1967.

Valentin, F.: Frühchristliche und frühmittelalterliche Voraussetzungen für eine Majestas-Domini-Darstellung, in: Tortulae, Studien zu altchristlichen und byzantinischen Monumenten. 30. Supplementheft zur RQ, 1966.

Vierck, H.: Ein Relieffibelpaar aus Nordendorf, in: Bayer. Vorgeschichtsblätter 32, Heft 1/2, 1967.

Villette, J.: La Résurrection du Christ dans l'art Chrétien du 2. au 7. siècle, Paris 1957.

Vorbrodt, G. W.: Die Tier- und Pflanzensymbolik der Westwand des hl. Grabes in Gernrode, in: Harzzeitschrift 5/6, 1953/1954, S. 52.

Waetzoldt, St.: Die Kopien des 17. Jh. nach Mosaiken und Wandmalereien in Rom, Wien – München 1964 (Römische Forschungen der Bibl. Hertziana, Bd. 16).

Wald, de: Siehe De Wald.

Wallrath, R.: Der Thomasaltar in Köln, in: Wallraf-Richartz-Jahrbuch XVII, 1955, S. 165–180.

Wehrhahn-Stauch, L.: Aquila – Resurrectio, in: Ztschr. des deutschen Vereins für Kunstwissenschaft 21, 1967, Heft 3/4, S. 105–127.

Weigand, E.: Zum Denkmälerkreis des Christogrammnimbus, in: Byz. Ztschr. 1932, S. 63–81.

Weigelt, C. H.: Sienesische Malerei des 14. Jh., Florenz 1930.

Weis, A.: Die Verteilung der Bildzyklen des Paulin von Nola in den Kirchen von Cimitile, in: RQ 52, 1957, S. 129–150.

Weitzmann, K.: The narrative of liturgical Gospel-Illustrations, in: M. M. Pavés, A. P. Wikgren, New Testament Manuscript Studies, Chicago 1950.

Wentzel, H.: Die Christus-Johannes-Gruppe des XIV. Jh., Stuttgart 1960.

Wesenberg, R.: Bernwardinische Plastik. Zur ottonischen Kunst unter Bischof Bernward von Hildesheim, Berlin 1955.

Wessel, K.: Kranzgold und Lebenskrone, in: AA 1950/51, S. 103 ff.

– Das Haupt der Kirche, in: AA 1950/1951, S. 298 ff.

– Christus Rex, Kaiserbild und Christusbild, in: AA 1953, S. 118–136.

– Der Sieg über den Tod, Berlin 1956.

– Koptische Kunst, Recklinghausen 1963 (S. 165, Abb. 92).

– Das Bild des Pantokrator, in: Polychronion, Festschrift für F. Dölger, Heidelberg 1966, S. 251 ff.

Wilpert, J.: Le pitture delle catacombe romane, 2 Bände, Rom 1903.

– Die römischen Mosaiken und Malereien der kirchlichen Bauten vom 4. bis 13. Jh., 4 Bände, Freiburg i. Br. 1916.

– I sarcofagi cristiani antichi, 5 Bände, Rom 1929 (I) – 1932 (II) Suppl. 1936.

Winkler, F.: Die Zeichnungen Albrecht Dürers, 4 Bände, Berlin 1936–1939.

Wittkover, R.: Eagle and Serpent. A Study in the Migration of Symbols, in: Journal of the Warburg Institute II, 1938/1939, S. 293–335.

Wulff, O.: Die Koimesiskirche in Nicäa und ihre Mosaiken nebst den verwandten Baudenkmälern, Straßburg 1903.

– Bibliographisch-kritischer Nachtrag zur altchristlichen und byzantinischen Kunst, Potsdam 1939.

Young, K.: The Drama of the Medieval Church, Oxford 1933.

Ikonographisches Stichwortverzeichnis

Verzeichnis der zitierten biblischen Texte

Orts- und Namenverzeichnis

Geradestehende Zahlen sind Seitenangaben. Abbildungsnummern sind kursiv gesetzt. Hinter ihnen werden die Seiten genannt, auf denen das angegebene Bild im Text erwähnt ist. Abbildungen graphischer Blätter sind nicht bei den Orten, sondern bei den Künstlern verzeichnet.

Bildverzeichnis

Sofern für Buchmalerei Maße angegeben sind, beziehen sie
sich auf die Seite und nicht auf das Bild

Kassel und Landesbibl., 2° Ms. theol. 60, fol. 2 v. (Die Handschrift befindet sich z. Z. in der Deutschen Staatsbibl. Berlin-Ost.)
Drei Frauen am Grabe und Höllenfahrt Christi.

18 Egbert-Codex, Evangelistar, Reichenau, Luithardgruppe, um 980. Geschrieben und mit Miniaturen ausgestattet von den Mönchen Keraldus und Heribert im Auftrag des Erzbischofs Egbert von Trier (977–993). H. 27 cm, B. 21 cm. Trier, Stadtbibl., Cod. 24, fol. 85 r.
Drei Frauen am Grabe.

19 Perikopenbuch aus der Abtei Prüm (Eifel), 2. Viertel 11. Jh.; mit Widmungsinschrift von Abt Ruotpertus von Prüm (1026–1068). H. 19,3 cm, B. 14,6 cm. Manchester, John Rylands Library, Latin Ms. 7, fol. 72 v / 73 r.
Drei Frauen am Grabe.

20 u. 20 a Perikopenbuch Heinrichs II. (1002–1024), Reichenau, 1007 oder 1012. Entweder 1007 bei der Bistumsgründung, oder 1012 bei der Domweihe von Heinrich II. und Kunigunde für Bamberg gestiftet. H. 42,3 cm, B. 31,5 cm. München, Bayr. Staatsbibl., Cod. lat. 4452, fol. 116 v / 117 r.
Drei Frauen am Grabe.

21 Sog. Stammheimer Missale, geschrieben um 1160 von dem Presbyter Heinrich im Michaelkloster in Hildesheim. Schloß Stammheim, Bibliothek der Freiherrn von Fürstenberg-Brabeke.
Mitte: Zwei Frauen am Grabe mit Erhöhung Christi. Oben: Elias erweckt den Jüngling, Simson trägt die Tore. Unten: Banaias zerreißt den Löwen, Phönix im Baum, David erschlägt Goliath.

22 Relieftafel einer Marmorkassette, Gallien (?) frühes 5. Jh., gefunden in Ravenna. Ravenna, Erzbischöfliches Museum.
Zwei Frauen am Grabe – Der zum Himmel emporschreitende Christus. (Die anderen Darstellungen: Traditio legis, Magierhuldigung und Daniel zwischen den Löwen wird vom Engel gespeist.)

23 Tatzenkreuz, geschnitzter Walroßzahn, aus der englischen Abtei Bury St. Edmunds. Von Mersmann ins 2. Drittel des 11. Jh., von Rademacher in die Mitte des 12. Jh. datiert. H. ca. 50 cm. Eckwürfel des linken Querarms. New York, Metropolitan Museum of Art, The Cloisters Collection.
Drei Frauen am Grabe mit dem auferstandenen Christus.

24 Farfa-Bibel, aus dem Kloster S. Maria de Ripoll, kata-

lanisch. 1. Hälfte 11. Jh. H. 55 cm, B. 37,7 cm. Vatikan, Bibl. Apostolica Vaticana, Cod. Vat. lat. 5729, fol. 370, Ausschnitt.
Vier Frauen am Grabe und Erhöhung Christi.

25 Dax (Landes), St. Paul, Steinrelieffries an der Außenseite des Chores, Ausschnitt, Mitte 12. Jh.
Drei Frauen am Grabe.

26 Reliquienschrein, Elfenbein, kölnisch, 1. Hälfte 13. Jh. Stuttgart, Württembergisches Landesmuseum.
Stirnseite: Drei Frauen am Grabe; Giebelfeld: Der erhöhte Christus.

27 Pala d'Oro, Antependium aus 17 goldgetriebenen Relieftafeln, Fulda, um 1020; Holzrahmenwerk um 1950. H. 125 cm, B. 87 cm. Letztes Bildfeld gesamt siehe Bd. 2, Abb. 13. Aachen, Münster, Hochaltar.
Zwei Frauen am Grabe.

28 Uta-Codex, Evangelistar der Äbtissin Uta von Niedermünster in Regensburg. Zwischen 1002 und 1025. H. 38,2 cm, B. 27,4 cm. München, Bayr. Staatsbibl., Cod. lat. 13 601, fol. 41 v, Ausschnitt.
Zwei Frauen am Grabe.

29 Walroßzahnrelief, Köln. Goldschmidt: 2. Viertel 12. Jh. H. 15,5 cm, B. 11,7 cm. Köln, Schnütgen-Museum.
Drei Frauen am Grabe.

30 Sakramentar aus der Kathedrale St. Etienne, Limoges, um 1100. H. 27 cm, B. 16,5 cm. Paris, Bibl. Nationale, Cod. lat. 9438, fol. 76 v.
Drei Frauen am Grabe.

31 Psalter aus der Shaftesbury Abbey, englisch, 2. Hälfte 12. Jh. London, British Museum, Ms. Lans 383, fol. 13.
Drei Frauen am Grabe.

32 Wys'schrader Krönungsevangelistar des Königs Wratislaw, böhmisch, 1085–1086. Prag, Universitätsbibl., Cod. XIV A 13, fol. 43 v.
Drei Frauen am Grabe.

33 Lektionar (Fragment) aus Trapezunt, byzantinisch mit armenischem Einfluß, Mitte 10. Jh. (Omont: 8. Jh., Morey: 9. Jh., Weitzmann: 10. Jh., Leningrad, Öffentliche Bibl., Ms. 21, fol. 15.
Zwei Frauen am Grabe.

34 Sakramentar aus St. Gereon, Köln, nach 996, vor 1002. H. 26,8 cm, B. 18,4 cm. Paris, Bibl. Nationale, Cod. lat. 817, fol. 60 r.
Zwei Frauen am Grabe.

35 Tetra-Evangeliar, byzantinisch, Ende 11. Jh. H. 38,5

cm, B. 27 cm. Parma, Biblioteca Palatina, Ms. Pal. 5, fol. 90 b, Ausschnitt rechts oben.
Zwei Frauen am Grabe.

36 Psalter der Königin Melissande, byzantinisch, Schrift lateinisch, 11. Jh. London, British Museum, Ms. EG 1139, fol. 10.
Drei Frauen am Grabe.

37 Deckel eines Silberreliquiars, vergoldet, Treibarbeit, byzantinisch, Ende 11. Jh. oder Anf. 12. Jh. H. 42 cm, B. 29,8 cm. Aus dem Kirchenschatz von St.-Denis. Paris, Louvre.
Zwei Frauen am Grabe.

38 S. Angelo in Formis (Unteritalien), Wandmalerei, Schule von Monte Cassino, 1072/1087. Nordwand, unteres Register.
Zwei Frauen am Grabe.

39 Reliefplatte der Bronzetür, Benevent, Dom, rechter Flügel, 5. Reihe, 4. Feld. Ende 12. Jh. Auf insgesamt 72 Feldern sind Szenen aus dem Leben Christi sowie ein Bischof mit Gefolge dargestellt.
Drei Frauen am Grabe.

40 Buchdeckelfragment eines Pontificale, Elfenbein, Metz oder Belgien, 1. Hälfte 11. Jh. H. 10,3 cm, B. 5 cm. Münster, Diözesan-Museum; jetzt als Leihgabe im Westfälischen Landesmuseum.
Geburt Christi und zwei Frauen am Grabe.

41 Codex Helmstedtensis, Evangeliar, wohl aus Helmarshausen oder Braunschweig, 1195. H. 33 cm, B. 22,5 cm. Wolfenbüttel, Herzog-August-Bibl., Cod. Guelf. Helmst. 65, fol. 12 v.
Vier Frauen am Grabe und der ungläubige Thomas. Im Rahmen: Vier Propheten, Errettung des Jona, Der Löwe von Juda.

42 Epistular aus Padua, byzantinischer Einfluß, 1259. Padua, ehem. Domschatz; jetzt Bischöfliches Archiv, fol. 48 v.
Drei Frauen am Grabe.

43 Bibel von Avila, katalanisch, 13. Jh. Madrid, Bibl. Nacional, No. E. R. 8, fol. 324 v, Ausschnitt.
Drei Frauen am Grabe.

44 Weihwasserbecken, Steinrelief, 12. Jh. Modena, Museo Civico.
Die drei Frauen kaufen Salben ein.

45 Holzrelief, vielleicht aus Jütland und zu einem Altar gehörig, um 1250 (?). Kopenhagen, Nationalmuseum.
Drei Frauen am Grabe.

46 León, Colegiata de San Isidoro, Tympanonrelief der Puerta del Perdon am südl. Querschiff, frühes 12. Jh.
Himmelfahrt Christi, Kreuzabnahme und drei Frauen am Grabe.

47 Pamplona (Nordspanien), Kapitell aus dem Kreuzgang der Kathedrale, um 1145. Museo de Navarra.
Die Frauen am Grabe.

48 Dreiteiliges Altarretabel aus der Wiesenkirche in Soest; Pergament auf Eichenholz, westfälisch, Anf. 13. Jh.; Gesamt: H. 81 cm, B. 194 cm. Rechte Seite. Mitte: Kreuzigung; Links: Vgl. Bd. 2, Abb. 191. Berlin, Staatliche Museen, Stiftung Preußischer Kulturbesitz, Gemäldegalerie.
Drei Frauen am Grabe.

49 Duccio di Buoninsegna (1278–um 1319), Maestà, ehem. Hochaltar des Domes in Siena; Tafelmalerei, 1308 bis 1311; Vorderseite: Majestas Mariae; Rückseite: Passionszyklus und Auferstehungsszenen. Siena, Domopera.
Drei Frauen am Grabe.

50 Hamiltonbibel (Ravennabibel), Neapel, um 1350. Berlin, Staatliche Museen, Stiftung Preußischer Kulturbesitz, Kupferstichkabinett, Ms. 78 E 4, fol. 400 r.
Auferstehung Christi in Verbindung mit den drei Frauen am Grabe.

51 Andrea da Firenze (1333–1392) und Werkstatt, Fresken der Spanischen Kapelle in S. Maria Novella, Florenz. 1365–1368. Ausschnitt aus dem Gewölbe oberhalb der Kreuzigung.
Drei Frauen am Grabe und Erhöhung Christi.

52 Sog. »Goldene Tafel«, ehem. Hochaltar aus St. Michael in Lüneburg; Tafelmalerei, Meister der Goldenen Tafel, um 1418. Vier Flügel, vgl. Bd. 2, Abb. 21–24. Schrein verloren. H. 231 cm, B. je 184 cm. Innenflügel, untere Reihe. Hannover, Niedersächsische Landesgalerie.
Drei Frauen am Grabe.

53 Fra Angelico (1387–1455), Fresko der achten Klosterzelle von S. Marco, Florenz, 1436–1445.
Drei Frauen am Grabe, darüber der Auferstandene.

54 Silberbehälter für ein Gemmenkreuz, Treibarbeit, entstanden unter Papst Paschalis I. um 820. Seitenwand. Aus der Cappella Sancta Sanctorum des alten Lateran. Beischrift: Pascalis episcopus plebi dei fieri iussit. Vatikan, Museo Sacro.

Zwei Frauen am Grab, Gang nach Emmaus, Johannes und Petrus am leeren Grab.

55 Rom, S. Maria Egiziaca im Tempel der Fortuna Virilis, errichtet und ausgemalt unter Papst Johannes VIII. (872–882), Wandmalerei, römisch.
Petrus und Johannes am leeren Grab.

56 Tetra-Evangeliar, byzantinisch, Ende 10. Jh. Leningrad, Öffentliche Bibliothek, Petropol 105.
Petrus und Johannes am Grab.

57 Handschrift des Meisters Bertolt aus Regensburg, 2. Hälfte 11. Jh. New York, Pierpont Morgan Library.
Petrus und Johannes am Grab.

58 Passionale der Äbtissin Kunigunde, böhmisch, 1314 bis 1321. Prag, Universitätsbibl. Ms. XIV A 17.
Petrus und Johannes am Grab.

59 Evangelistar des Kuno von Falkenstein, 1380. Trier, Domschatz.
Petrus und Johannes am Grab.

60 Öllampe, Tonrelief, 5./6. Jh. Umzeichnung. Pilgerandenken aus Jerusalem.
Christus steht auf der Schlange.

61 Sarkophag, Vorderseite, Ausschnitt, 4. Jh. Gerona, S. Felice.
Christus steht auf Löwe und Schlange, Opferung Isaaks.

62 Ravenna, Baptisterium der Orthodoxen, Stuckrelief, um 450.
Christus tritt auf Löwe und Schlange.

63 Ravenna, S. Apollinare Nuovo, Mosaik mit der Darstellung des Theodorich-Palastes (Tympanon des Hohen Tores), Südwand, untere Zone, um 520–526.
Christus tritt auf die Schlange, zwei Apostel.

64 Ravenna, Erzbischöfliche Kapelle, erbaut 494–519; Mosaik über dem Eingang des Vorraums (unterer Teil erneuert).
Christus steht auf Löwe und Schlange.

65 Grabstein (Kalkstein), Rückseite, Ritzzeichnung, aus Niederdollendorf/Rhein, merowingisch, um 650. H. 43 cm. Bonn, Rheinisches Landesmuseum.
Christus mit der Sonnengloriole steht sieghaft auf dämonischen Wesen.

66 Buchmalerei, westgotisch mit irischem Einfluß, frühes Mittelalter. Vatikan, Bibl. Apostolica Vaticana, Ms. Pal. lat. 220, fol. 1.
Christus auf Tieren stehend, zu beiden Seiten des Hauptes Vögel.

67 Bischofsstab, Walroßzahn, englisch, 11. Jh., gefunden in Alcester. B. 14,4 cm. London, British Museum.
Christus steht auf den Tieren.

68 Utrecht-Psalter, fol. 36 r, Illustration zu Psalm 65 (64), Ausschnitt, um 830. Utrecht. Siehe Nr. 16.
Christus steht auf Löwe und Drache.

69 Stuttgarter Psalter, aus St. Germain-des-Près, um 820 –830. H. 26,5 cm, B. 17,4 cm. Stuttgart, Württembergische Landesbibl., Cod. lat. 23, fol. 107 v, unten. Illustration zu Psalm 91(90),13.
Christus steht auf Löwe und Drache, darüber die Versuchung.

70 Diptychon von Genoels-Elderen, Elfenbeinrelief; ursprünglich Vorderdeckel eines Bucheinbands, Rhein-Maas-Gebiet, letztes Drittel 8. Jh. H. 30 cm, B. 18 cm. Vgl. Vorderdeckel Bd. 1, Abb. 75. Brüssel, Musées Royaux d'Art et d'Histoire.
Christus steht auf Löwe und Drache, Aspis und Basilisk.

71 Vorderdeckel des Lorscher Evangeliars, fünfteilige Elfenbeintafel, Hofschule Karls d. G., nach frühchristlichem Vorbild, um 810, H. 37,7, B. 27,5 cm. Vatikan, Museo Sacro. (Die Rückseite des Einbandes befindet sich in London, Victoria and Albert Museum.)
Christus victor steht auf Löwe und Drache, seitlich Aspis und Basilisk. Auf den Seitentafeln je ein Engel Oben: Zwei schwebende Engel mit der crux invicta. Unten: Die drei Magier vor Herodes und die Anbetung der Magier.

72 Homilien Gregors d. Gr. zu den Evangelien, Oberitalien (Nonantola), um 800. H. 28,6 cm, B. 22 cm. Vercelli, Bibl. Capitolare, Ms. CXLVIII, fol. 72 r.
L-Initiale: Christus steht auf einem Tier.

73 Utrecht-Psalter, um 830, Utrecht. Siehe Nr. 16, 68. Fol. 53 v, Ausschnitt. Illustration zu Psalm 91 (90), 13.
Christus, umgeben von der Mandorla, steht auf Löwe und Schlange und erhält von einem Engel den Siegeskranz.

74 Werdener Psalter, 2. Viertel 11. Jh. H. 25,4 cm, B. 17,4 cm. Berlin, Stiftung Preußischer Kulturbesitz, Staatl. Museen, Staatsbibliothek, theol. lat. 358, fol. 64 r; Illustration zu Psalm 100.
Christus steht auf Löwe und Drache.

75 Hamilton-Psalter, spätes 11. Jh. Berlin, Staatl. Museen, Stiftung Preußischer Kulturbesitz, Kupferstichkabinett, Nr. 78 A 5, fol. 79 v, Ausschnitt.
Christus tritt auf die vier Tiere.

76 Peterborough-Psalter, englisch, um 1000. Oxford, Bodleian-Library, Ms. Douce 296; Illustration zu Psalm 91(90),13.
Christus steht auf Löwe und Drache.

77 Elfenbeintafel (beschädigt), Buchdeckel, belgisch-rheinisch (?), um 1000. H. 11,6 cm, B. 9,3 cm. Dresden, Kunstgewerbemuseum.
Christus steht auf Löwe und Drache.

78 Arenberg Evangeliar, 11. Jh. New York, Pierpont Morgan Library, M. 869, fol. 13 v, Ausschnitt einer Kanontafel.
Christus victor tritt auf Löwe und Drache, zwei Engel.

79 Albanipsalter, aus der Abtei St. Albans (bei London), 1. Hälfte 12. Jh. E-Initiale zu Psalm 68(67),2, p. 198. H. 27,6 cm, B. 18,4 cm. Hildesheim, St. Godehard.
Christus tötet die Tiere.

80 Ottobeurener Collectar, 1181. London, British Museum, Ms. PSG/14 392, Yates Thompson 2, fol. 79 v.
Der auferstehende Christus tötet den Drachen und befreit einen Menschen aus der Hölle (?, vgl. Text).

81 Albanipsalter, 1. H. 12. Jh., Hildesheim. Siehe Nr. 79. Q-Initiale zu Psalm 91(90),13, p. 256.
Christus schreitet über vier Tiere.

82 Troia (Italien), Kathedrale, Tympanon des Nordportals, Ende 12. Jh.
Christus steht auf den Tieren, seitlich Engel.

83 Odoschrein, erhaltene Schmalseite, Amay (Maas), Treibarbeit, um 1080, Rahmenornamente 12. Jh. Baltimore, The Walters Art Gallery.
Christus steht auf Löwe und Drache.

84 Einbanddeckel des Ratmann-Missale, vergoldete, gravierte Kupferplatte, 1159. H. 34,5 cm, B. 23,5 cm. Hildesheim, Domschatz, Hs. 37.
Christus steht auf Löwe und Drache.

85 Psalter aus St. Bertin, 989–1008, Illustration zu Psalm 91(90),13, Q-Initiale. Boulogne-sur-Mer, Bibl. Municipale, Cod. 20, fol. 101 r.
Christus steht auf Löwe und Drache, daneben der Versucher mit dem Stein (1. Versuchung).

86 Hadelinus-Schrein, aus der Abtei Celles (Dinant), Treibarbeit, Silber, um 1070–1080. L. 150 cm, B. 35 cm, H. 54 cm. Schmalseite. Die Langseiten sind um 1140 entstanden. Visé, St. Martin.
Christus steht auf Löwe und Basilisk.

87 Einbanddeckel des »Dalby-Buches« (Evangeliar des 11. Jh.), Vorderseite, Silbergravierung, Anfang 13. Jh. Kopenhagen, Königliche Bibliothek, GKS 1325.
Christus steht auf dem Drachen, zwei Cherubim.

88 Pignatta-Sarkophag, Mittelteil der Vorderseite, Steinrelief, 400–410. Ravenna, Braccioforte.
Der thronende Christus tritt auf Löwe und Natter.

89 Mainz, Dom, Tympanon des Marktportals (Ausschnitt), Anfang 13. Jh.
Der thronende Christus tritt auf den Drachen. (Typus der Majestas Domini)

90 Lisbjerg-Altar, Treibarbeit, um 1150, Ausschnitt. Kopenhagen, Nationalmuseum.
Thronender Christus, ihm zu Füßen zwei Löwen.

91 Psalter, englisch, 1. Viertel 13. Jh., München, Bayr. Staatsbibl., Clm. 835, fol. 29.
Der thronende Christus tritt auf Löwe und Drache, Evangelistensymbole. (Typus der Majestas Domini)

92 Eleutherius-Schrein, Treibarbeit, Stirnseite, vollendet 1247. L. 120 cm, B. 50 cm, H. 107 cm. Tournai, Kathedrale Notre-Dame. In dem Schrein ruhen die Gebeine des Hauptpatrons der Stadt Tournai, Bischof Eleutherius.
Der thronende Christus (Typus des Auferstandenen) tritt auf zwei Tiere.

93 Chartres, Kathedrale, Steinplastik am Trumeau des mittleren Südportals, 1. Viertel 13. Jh.
Beau-Dieu-Christus auf den Tieren als lehrender Christus.

94 Giovanni Pisano (1245/1248 – nach 1314), Marmorkanzel in Pistoia, S. Andrea, vollendet 1301. Eckfigur.
Mystischer Christus (Typus Schmerzensmann) tritt auf die Tiere, Trinitätszeichen, Lebensbaumsymbolik.

95 Lektionar aus Bruchsal, 1197–1198. I-Initiale. Karlsruhe, Badische Landesbibl., Cod. Bruchsal 1, fol. 36 v, Ausschnitt.
Christus steht auf der Schlange.

96 Kreuzfuß, Steinrelief, aus Vallstena (Schweden), 13. Jh. Visby, Besitz Gotlands Fomsal.
Der auferstehende Christus tritt auf die Grabeswächter; Maria Magdalena.

97 Heilsspiegel (Spiegel menschlicher Behältnis), um 1498, Holzschnitt, aus der Drach'schen Druckerei in Speyer.
Christus bekämpft den Teufel mit Kreuz und Auferstehungsfahne.

98 Ulrich Krafft, Holzschnitt aus »Der geistige Streit«, 1517.
Christus tritt auf Löwe und Schlange.

99 Pectoral- und Reliquienkreuz, Silber vergoldet, Niello, syrisch-palästinensisch, 1. Hälfte 8. Jh. H. 12 cm, B. 8 cm. Vicopisano (Prov. Pisa), Pieve di S. Maria e S. Giovanni.
Oben: Himmelfahrt Christi. Unten: Abstieg in das Totenreich.

100 Rom, S. Clemente, Unterkirche, Wandmalerei, 847–855 (unter Papst Leo IV.).
Abstieg in das Totenreich.

101 Sogenanntes Fieschi-Reliquiar, Silber mit Niello, frühbyzantinisch oder syrisch, um 700. Innenseite des Deckels, Ausschnitt. Siehe Bd. 1, Abb. 156. New York, Metropolitan Museum of Art.
Anastasis.

102 Cimitile (Unteritalien), SS. Martiri, Wandmalerei, um 900, römischer Einfluß.
Abstieg in das Totenreich.

103 Rom, S. Clemente, Unterkirche, Wandmalerei, entstanden unter Papst Johannes VII., letztes Viertel 9. Jh.
Abstieg in das Totenreich.

104 S. Angelo in Formis, Nordwand, unteres Register. Siehe Nr. 38.
Abstieg in das Totenreich.

105 Elfenbeinrelief, byzantinisch, Vorderwand eines Kästchens. 9. (Belting) oder 10. (Weitzmann) Jh., Stuttgart, Württembergisches Landesmuseum.
Anastasis und Auferstehung der Toten.

106 Elfenbeindiptychon, rechter Flügel, byzantinisch (Romanus-Gruppe), Mitte 10. Jh. H. 22,6 cm, B. 12,2 cm. Dresden, Museum Grünes Gewölbe.
Christus erscheint den zwei Frauen und Anastasis.

107 Lektionar (Fragment), fol. 2, Mitte 10. Jh. Leningrad. Siehe Nr. 33.
Anastasis.

108 Mosaikdiptychon, Konstantinopel, 1. Hälfte 14. Jh. H. 27 cm, B. 8 cm. Rechter Flügel, Ausschnitt. Gesamt siehe Bd. 2, Abb. 12. Florenz, Domopera.
Anastasis.

109 Silberbehälter für ein Gemmenkreuz, um 820. Vatikan. Siehe Nr. 54.
Christus führt Adam aus dem Totenreich.

110 Elfenbeintäfelchen von einem Antependium oder Ambo, Unteritalien, 2. Hälfte 11. Jh. H. 25,5 cm, B. 24,5 cm, Ausschnitt. Salerno, Museo del Duomo.
Anastasis.

111 Daphni (bei Athen), Klosterkirche, Mosaikzyklus im Naos, 1080/1100.
Anastasis.

112 Hosios Lukas, Katholikon, Mosaikzyklus, um 1025.
Anastasis.

113 Psalter der Königin Melissande, fol. 9 v. 11. Jh. London. Siehe Nr. 36.
Anastasis.

114 Buchmalerei, griechisch, 1122 oder 1128/1129. Vatikan, Bibl. Apostolica Vaticana, cod. vat. urb. graec. 2, fol. 260 v.
Anastasis.

115 Torcello, Dom, Mosaiken, um 1175, Westwand.
Anastasis (über der Gerichtsdarstellung).

116 Venedig, San Marco, Mosaiken, um 1200, sog. Passionsgewölbe zwischen Pfingst- und Himmelfahrtskuppel.
Anastasis.

117 Lektionar, byzantinisch, Ende 10. Jh., Athos. Kloster Iveron, Ms. Iveron 1.
Anastasis (Verklärungstypus).

118 Bucheinband (Rückseite), Treibarbeit, Silber vergoldet, byzantinisch. 14. Jh. (?). H. 33 cm, B. 20 cm. Venedig, Bibl. Marciana, Cl. 1, Nr. 55.
Mitte: Anastasis.

119 Istanbul, Kariye Cami (Erlöserkirche von Chora), Wandmalerei in der Apsis des Parakleitos (Totenkapelle), um 1310–1320.
Anastasis.

120 Chludoff-Psalter, Konstantinopel. 2. Hälfte 9. Jh. Nach Grabar vermutlich unter dem ersten Patriarchat des Photius (858–867) im Kloster St. Nikolaus für den Gebrauch in der Hagia Sophia geschrieben. Text im 12. Jh. weitgehend überschrieben. Marginalillustrationen. Moskau, Historisches Museum, Ms. gr. 129, fol. 63, Ausschnitt. Illustration zu Psalm 68(67).
Anastasis.

121 Pantokrator-Psalter Nr. 61, byzantinisch, 2. Hälfte 9. Jh. H. 16,2 cm, B. 14,2 cm. Athos, Pantokrator-Kloster, fol. 83, Ausschnitt, Marginalillustration.
Anastasis.

122 Chludoff-Psalter, fol. 82, Ausschnitt, 2. Hälfte 9. Jh., Moskau. Siehe Nr. 120.
Anastasis.

123 Serbischer Psalter, Anf. 15. Jh., München, Bayer. Staatsbibl., Cod. slav. 4, fol. 228, Ausschnitt.
Anastasis, Engel fesseln den Satan.

124 Serbischer Psalter, Anf. 15. Jh., München. Siehe Nr. 123.
Illustration zu Psalm 118, fol. 229, Ausschnitt.
Der auf dem Schoß der Gottesmutter thronende Christusknabe reißt Adam und Eva aus ihren Gräbern.

125 Psalter (Fragment), byzantinisch, 10. Jh. Paris. Bibl. Nationale, 3593 grec. 20, fol. 19 v, Ausschnitt. Illustration zu Psalm 107(106),13 f.
Anastasis.

126 Homilien des Mönchs Jakobus, byzantinisch, Ende 11./ Anfang 12. Jh. Vatikan, Bibl. Apostolica Vaticana, cod. graec. 1162, fol. 48 v. Illustration zu Psalm 68(67),7.
Anastasis – Ankunft und Auszug Christi.

127 Stuttgarter Psalter, um 820–830, Stuttgart. Siehe Nr. 69.
Illustration zu Psalm 24(23),7 ff. fol. 29 v, Ausschnitt.
Höllenfahrt.

128 Ikone, Nowgorod, 15/16. Jh. Wologda, Museum.
Anastasis.

129 Exultetrolle, Monte Cassino, 11. Jh. B. 23 cm. Capua Kathedralarchiv.
Höllenfahrt.

130 Exultetrolle 2, Benevent, 11/12. Jh. B. 20,3 cm. Gaeta, Kathedralarchiv.
Höllenfahrt.

131 Cotton-Psalter, Winchester, um 1050, Federzeichnung London, British Museum, Ms. Tib CVI, fol. 14.
Höllenfahrt.

132 Exultetrolle, Benevent, um 981–987. Vatikan, Bibl. Apostolica Vaticana, Cod. lat. 9820.
Höllenfahrt (Abstieg).

133 Exultetrolle, Benevent, um 981–987. Vatikan. Siehe Nr. 132.
Höllenfahrt (Aufstieg).

134 Exultetrolle 4, süditalienisch, um 1000. Manchester, John Rylands Library, Ms. lat. 2.
Christus als Sieger (regis victoria).

135 Exultetrolle 5, um 1000. Manchester. Siehe Nr. 134.
Höllenfahrt mit Gerichtsmotiv (resurrectio mortuorum).

136 Beatus-Apokalypse, katalanisch, 975 von Mönch Emeterius und der Malerin Ende angefertigt. H. 36 cm, B. 26 cm. Gerona, Kathedralarchiv, fol. 17.
Höllenfahrt.

137 Perikopenbuch Heinrichs III., Echternach, um 1040, H. 18,5 cm, B. 14,5 cm. Bremen, Staatsbibl., Ms. b 21, fol. 61r.
Höllenfahrt.

138 Liutold-Evangeliar vom Mondsee, Salzburger Schule. 3. Viertel 12. Jh., H. 28,8 cm, B. 19,8 cm. Wien, Österreichische Nationalbibl., Cod. 1244, fol. 1890, Ausschnitt.
Höllenfahrt.

139 Collectar, Reichenau, um 1018 (unter Godehard). Hildesheim, Dombibl. (Beverinische Bibl.), Ms. 688, fol. 57 r.
Höllenfahrt.

140 Psalter des Landgrafen Hermann von Thüringen, 1211–1213. Stuttgart, Württembergische Landesbibl., Cod. HB II 24, fol. 91 v.
Höllenfahrt.

141 Sog. Basilewsky-Situla, um 980, London. Siehe Nr. 3, 10.
Höllenfahrt.

142 Antependium aus Ölst, Treibarbeit, 12. Jh. Thronender Christus. Neutestamentliche Szenen u. a. Kopenhagen, Nationalmuseum.
Höllenfahrt in zwei Szenen.

143 Steinplatte, Relieffragment, angelsächsisch-normannisch, Mitte 11. Jh. H. 215 cm. Bristol, Kathedrale, südl. Querhaus.
Höllenfahrt.

144 Nowgorod, Sophienkirche, Bronzetür des Westportals, rechter Flügel, Reliefplatte aus der 6. Reihe. 1152–1154, gegossen in Magdeburg.
Höllenfahrt.

145 Ciboriumssäule, Marmorrelief, Ausschnitt, 2. Viertel 13. Jh. (nach E. Lucchesi-Palli), Venedig, S. Marco, Presbyterium.
Höllenfahrt – Auferstehung der Toten.

146 Klosterneuburger Altar, Grubenschmelz, Nikolaus von Verdun, vollendet 1181. 51 Tafeln mit typologisch einander gegenübergestellten Szenen aus dem Alten und Neuen Testament. Klosterneuburg bei Wien, Stiftskirche.
Höllenfahrt.

147 Marienschrein, Treibarbeit, Medaillon vom Dach, vollendet 1205 unter Mitarbeit von Nikolaus von Verdun. Tournai, Kathedrale.
Höllenfahrt.

148 Tavant (Indre-et-Loire), St. Nicolas, Wandmalerei in der Krypta, Mitte 12. Jh.
Höllenfahrt.

149 Köln, St. Maria Lyskirchen, Wandmalerei, westl. Gewölbe, um 1250.
Höllenfahrt.

150 Psalter mit Hymnen und Litaneien, 2. Viertel 13. Jh. München, Bayer. Staatsbibl., Clm. 11 308, fol. 10 v.
Höllenfahrt.

151 Buchmalerei, 2. Hälfte 13. Jh., Illustration zu Psalm 1. New York, Pierpont Morgan Library, Ms. M. 72, fol. 14 v. Ausschnitt.
Auferstehung Christi und Höllenfahrt.

152 Albanipsalter, p. 49, 1. Hälfte 12. Jh., Hildesheim. Siehe Nr. 79.
Höllenfahrt.

153 Arundel-Psalter, ostenglisch, Ende 13. Jh. London, British Museum, Ms. Arundel 83, fol. 132, vier Szenen, Ausschnitt.
Höllenfahrt.

154 Elfenbeinkästchen aus der Abtei Farfa, Schule von Monte Cassino, 1070–1975, Langseite. Rom, S. Paolo fuori le mura.
Kreuzigung, Höllenfahrt und Himmelfahrt.

155 Elfenbeinplatte, Buchdeckel, deutsch, 12. Jh., Ausschnitt oberhalb der Kreuzigung. Leningrad, Eremitage.
Frauen am Grab. Höllenfahrt.

156 Codex Helmstedtensis, fol. 12 r, Ausschnitt unterhalb der Grablegung, 1195, Wolfenbüttel. Siehe Nr. 41.
Höllenfahrt.

157 Taufstein, um 1129. Freckenhorst, Nonnenstiftskirche. Sieben Reliefszenen aus dem Leben Christi, Ausschnitt.
Höllenfahrt, Engel am Grab.

158 Parament, Stickerei auf Seide, aus Narbonne, 1374 bis 1378, H. 78 cm, B. 286 cm, rechte Seite. Paris, Louvre.
Grablegung, Höllenfahrt, Noli me tangere.

159 Altartafel, Malerei auf Eichenholz, Kölner Meister, um 1380. Gesamtgröße: H. 62 cm, B. 44 cm. Ausschnitt. Köln, Wallraf-Richartz-Museum.

Christus im Grab, darüber Gnadenstuhl und Höllenfahrt.

160 Meister Bertram von Minden, Passionsaltar, Mitteltafel, 3. Feld unten; letztes Jahrzehnt 14. Jh. Größe der Mitteltafel: H. 124 cm, B. 229 cm. Hannover, Niedersächsische Landesgalerie.
Höllenfahrt.

161 Passionale der Äbtissin Kunigunde, 1314–1321, Prag. Siehe Nr. 58; Ausschnitt einer Seite.
Höllenfahrt.

162 Speculum, Nürnberg, um 1420. Nürnberg, Germanisches Nationalmuseum, Bredt 781, Hs. 5970, Ausschnitt einer Seite.
Höllenfahrt.

163 Geschnitzter Passionsaltar, Hochaltar der Nicolaikirche in Kalkar/Niederrhein. Schrein von Meister Loedewich, 1498–1500. Hohlkehle mit Szenen aus dem Leben Christi von Derik Jaeger aus derselben Zeit, Ausschnitt.
Christus tritt das Höllentor ein.

164 Werkstatt Lucas Cranach d. Ä., Tafelbild, 1537–1540. Aschaffenburg, Staatsgalerie.
Auferstehung und Höllenfahrt Christi.

165 Albrecht Dürer (1471–1528), Große Passion, Holzschnitt (B 14), dat. 1510. H. 39,2 cm, B. 28 cm.
Höllenfahrt.

166 Hans Brüggemann (um 1480–1540), Schnitzaltar für das Kloster Bordesholm, vollendet 1521, Ausschnitt. Schleswig, Dom.
Höllenfahrt Christi.

167 Andrea da Firenze und Werkstatt, Fresken in der Spanischen Kapelle, Gewölbezwickel. S. Maria Novella, Florenz, 1365–1368. Siehe Nr. 51.
Höllenfahrt.

168 Jacopo Bellini (um 1400–1470), Tafelbild, H. 29 cm, B. 58,5 cm. Predellentafel eines Altars, um 1460. Padua, Museo Civico.
Höllenfahrt.

169 Donatello (1386–1466), südliche Bronzekanzel, Ausschnitt. Florenz, S. Lorenzo, um 1460.
Höllenfahrt.

170 Fra Angelico, Fresko in der 31. Klosterzelle von S. Marco, Florenz. Siehe Nr. 53.
Höllenfahrt.

171 Jacopo Robusti, gen. Tintoretto (1518–1594), Altar-

gemälde, 1568, H. 342 cm, B. 372 cm. Venedig, S. Cassiano.
Höllenfahrt.

172 Angelo Bronzino (1503–1572), Altargemälde aus S. Croce, 1552. H. 443 cm, oben abgerundet, B. 372 cm. Florenz, Museo dell'Opera di S. Croce.
Höllenfahrt.

173 Elfenbeintafel, kölnisch, um 1000. London, Victoria and Albert Museum.
Kreuzigung, darunter acht Auferstehende, dazwischen die überwundene Schlange; Engel, Luna und Sol.

174 Wys'schrader Krönungsevangelistar, fol. 43 r. 1085 bis 1086, Prag. Siehe Nr. 32.
Auferstehung der Toten.

175 Kleinkomburg (bei Schwäbisch-Hall), ehem. Klosterkirche St. Gilgen, Deckenmalerei (Tonnengewölbe), um 1108, stark übermalt, Ausschnitt.
Auferstehung Christi und der Toten.

176 Bibel, nordfranzösisch, Ende 12. Jh. 's-Gravenhage, Königliche Bibl. Ms. 76 F5, fol. 21 v.
Salbung des Leichnams, Auferstehung Christi, Höllenfahrt, Auferstehung der Toten.

177 Chludoff-Psalter, fol. 44, Ausschnitt, 2. Hälfte 9. Jh. Moskau. Siehe Nr. 120.
Lauschender David und die Grabeswache der Frauen.

178 Pantokrator-Psalter Nr. 61, 2. Hälfte 9. Jh. Athos. Siehe Nr. 121. Marginalillustration zu Psalm 31,5 (30,5).
Auferstehung Christi.

179 Theodor-Psalter, byzantinisch, 1066, nach Vorlagen des 9. Jh. London, British Museum, Ms. Add. 19352, fol. 153, Ausschnitt. Illustration zu Psalm 7,7.
David lauscht am Grabe Christi.

180 Theodor-Psalter, fol. 55 v, Ausschnitt, 1066. London. Siehe Nr. 179. Illustration zu Psalm 44,24(43,20).
Der Auferstandene steht im Eingang des Grabbaus, David.

181 Theodor-Psalter, fol. 10, Ausschnitt, 1066. London. Siehe Nr. 179, 180. Illustration zu Psalm 31,5(30,5).
Christus steht neben dem verschlossenen Grab.

182 Theodor-Psalter, fol. 10, Ausschnitt, 1066. London. Siehe Nr. 179–181. Illustration zu Psalm 10,12(9,33).
David und der Auferstandene.

183 Utrecht-Psalter, fol. 10 v, Ausschnitt, um 830. Utrecht. Siehe Nr. 16. Illustration zu Psalm 19(18).

Auferstehung Christi nach dem apokryphen Petrusevangelium.

184 Psalter aus St. Bertin, 989–1008. Boulogne-sur-Mer. Siehe Nr. 85. Illustration zu Psalm 3,6, Ausschnitt.
Christus (?) erwacht vom Tode.

185 Stuttgarter Psalter, fol. 157 r, Ausschnitt, um 820–830. Stuttgart. Siehe Nr. 69. Illustration zu Psalm 143,3 (142,3).
Christus richtet sich im Grab auf.

186 Albanipsalter, 1. Hälfte 12. Jh. Hildesheim. Siehe Nr. 79, 81, 152. Illustration zu Psalm 19(18),6. C-Initiale, p. 104.
Christus schreitet aus dem Grab und sieht die Sonne.

187 Evangeliar aus dem Bamberger Domschatz, Reichenau, um 1020. H. 30,1 cm, B. 23,1 cm. München, Bayr. Staatsbibl., Clm. 4454, fol. 86 v, Ausschnitt.
Autorenseite des Markus; in der Lünette Auferstehung Christi. Löwe als Auferstehungs- und Markussymbol.

188 Perikopenbuch, westfälisch oder niederrheinisch, 1. Hälfte 12. Jh. Paris, Bibl. Nationale, Ms. lat. 17 325, fol. 30 v.
Auferstehung Christi.

189 Epistolar aus Trient, Reichenau, Ende 10. Jh. Berlin, Stiftung Preußischer Kulturbesitz, Staatsbibliothek. Ms. theol. lat. fol. 18. E-Initiale Illustration zur Osterepistel.
Auferstandener Christus (Majestas-Typus) mit 2 Engeln.

190 Missale, 2. Hälfte 12. Jh., geschrieben in einer oberösterreichischen Schule für Kloster St. Florian. St. Florian bei Linz, Stiftsbibliothek, Cod. III/208, Ausschnitt einer Seite.
Auferstehung Christi.

191 Buchmalerei, 12. Jh., Einzelblatt mit M-Initiale. Heidelberg, ehem. Slg. Goldschmidt.
Auferstehung Christi mit zwei Propheten.

192 Perikopenbuch aus dem Kloster St. Erentrud auf dem Nonnberg in Salzburg, gegen 1140. H. 30,8 cm, B. 22 cm. E-Initiale. München, Bayr. Staatsbibl., Clm. 15 903, fol. 27 v.
Auferstehung Christi.

193 Schulterstück eines liturgischen Gewandes, aus der Kathedrale von Vladimir, Email, 1165–1170, Rhein-Maas-Gebiet. 11,5 x 14,7 cm. Paris, Louvre.
Auferstehung Christi.

194 Klosterneuburger Altar, Email, vollendet 1181. Siehe Nr. 146.
Auferstehung Christi.

195 Ratmann-Missale, geschrieben 1159 vom Mönch Ratmann, niedersächsisch, O-Initiale. Hildesheim, Domschatz, Hs. 37. Siehe auch Nr. 84.
Auferstehung Christi.

196 Albinusschrein, Treibarbeit, um 1186, aus Köln, St. Pantaleon, Dachrelief. Köln, Domschatz.
Auferstehung Christi.

197 Briefe des hl. Hieronymus, Manuskript des englischen Abtes Stephan Harding in Citeaux. 1. Hälfte 12. Jh. Dijon, Bibl. Municipale, Ms. 135, fol. 142, Ausschnitt.
Auferstehung Christi.

198 Evangeliar, westdeutsch, 3. Viertel 12. Jh. München, Bayr. Staatsbibl., Clm. 23 339, fol. 27 v.
Auferstehung Christi.

199 Gumbertus-Bibel, Regensburg-Prüfening, um 1180. Erlangen, Universitätsbibl., Ms. 1, fol. 380 v, acht neutest. Szenen, Ausschnitt.
Auferstehung Christi.

200 Psalter aus St. Fuscien in Amiens, nordfranzösisch, 2. Hälfte / Ende 12. Jh. Amiens, Bibl. Municipale, Ms. 19, fol. 9 v, Ausschnitt.
Auferstehung Christi (darunter Höllenfahrt).

201 Psalter der Gräfin Mechthild von Ascharien, Fürstin von Anhalt, sächsisch, um 1235. Illustration zu Psalm 51. Berlin, Deutsche Staatsbibl., Ms. theol. lat. 4° 31, fol. 57 v.
Auferstehung Christi.

202 Buchmalerei, Federzeichnung, aus dem Kloster Heiligenkreuz bei Wien, 1. Viertel 13. Jh. Wien, Österreichische Nationalbibl. Cod. 20, fol. 75 r, Ausschnitt.
Auferstehung Christi.

203 Exultetrolle Nr. 3 aus Troia, 12. Jh. Troia, Kathedralarchiv.
Auferstehung Christi.

204 Evangelistar aus der ehem. Benediktinerabtei Groß-St.-Martin, Köln, rheinisch, um 1250. Brüssel, Bibl. Royale Albert Ier, Ms. 9222, fol. 93 r.
Auferstehung Christi.

205 Codex Blankenburg, Psalter aus der Gegend um Hildesheim, nach 1235. H. 24,7 cm, B. 18 cm. Wolfenbüttel, Herzog-August-Bibl., Cod. Blankenburg 147, fol. 79 r.
Auferstehung Christi.

206 Altardecke aus Halberstadt, Seidenstickerei auf Leinen, Fragment, um 1200, Ausschnitt. Berlin, Stiftung Preußischer Kulturbesitz, Kunstgewerbemuseum.
Auferstehung Christi und die drei Frauen am Grab.

207 Ehemaliger Hochaltar der Aegidienkirche in Quedlinburg, Tafelmalerei, niedersächsisch, um 1250. H. 170 cm, B. 285 cm. Ausschnitt: rechter Teil des kleeblattförmigen Abschlusses. Ehem. Berlin, Staatl. Museen, 1945 verbrannt.
Auferstehung Christi.

208 Mönchen-Gladbach, Klosterkirche St. Vitus, Glasmalerei aus dem mittleren Chorfenster mit typologischen Szenen, sog. Bibelfenster, um 1260–1270.
Auferstehung Christi.

209 Buchdeckel (Vorderseite) des Evangeliars aus St. Chapelle, Paris. Goldblech, getrieben, Mitte 13. Jh. Paris, Bibl. Nationale, Cod. lat. 8892.
Auferstehung Christi. Im Rahmen: Himmelfahrt, unten: Noli me tangere, Thomas, Hölenfahrt.

210 Evangeliar, rheinisch (Gegend um Speyer), 1198. Karlsruhe, Badische Landesbibl., Cod. Bruchsal 1, fol. 15 r.
Ezechiel und der Auferstandene, der durch die verschlossene Tempeltür tritt (typologische Szene zur Auferstehung).

211 Gurk (Kärnten), Dom, Holztür der westl. Vorhalle, Lindenholzreliefs, um 1220, oberes Drittel des rechten Flügels.
Auferstehung Christi.

212 Elisabethschrein, Treibarbeit, Email. L. 187 cm, B. 63 cm, H. 135 cm. 1236–1249, rechtes Medaillon im Kreuzfeld. Marburg, Elisabethkirche.
Auferstehung Christi.

213 Suitbertschrein, Treibarbeit, rheinisch, um 1264, Ausschnitt. L. 160 cm, H. 76 cm, B. 45 cm. Kaiserswerth, Suitbertuskirche.
Auferstehung Christi.

214 Eichenholzplastik, alte Fassung, lüneburgisch, um 1280 –1290, H. 108 cm. (Krone, Auferstehungsfahne und zwei Engel sind verlorengegangen.) Kloster Wienhausen bei Celle.
Der Auferstandene.

215 Passionsaltar, Tafelmalerei, westfälisch, um 1320; vermutlich gemalt für die 1228 geweihte Franziskanerkirche in Hofgeismar. H. 112 cm, B. 59 cm. Rechter Flügel der Innenseite. Hofgeismar, Liebfrauenkirche.
Auferstehung Christi.

216 Gruppe aus dem Tympanon von St. Croix, Lüttich. Steinplastik, 1300–1330. H. 128 cm, B. 165 cm. Heute Lüttich, Museum.
Auferstehung Christi.

217 Schule des Pietro Cavallini (gest. um 1330), Wandmalerei, Passionszyklus aus S. Maria Donnaregina, um 1320. Neapel, Museo Civico.
Auferstehung und Höllenfahrt Christi.

218 Pietro Lorenzetti (um 1280–1348?), Wandmalerei in der Unterkirche von S. Francesco in Assisi, westl. Querschiff, 1342–1348.
Auferstehung Christi.

219 Psalter aus Gent (?), um 1250–1260. Illustration zu Psalm 80, E-Initiale. London, British Museum, Ms. Royal 2BIII.
Auferstehung Christi.

220 Turin-Mailänder Stundenbuch, Brüder van Eyck, um 1415–1417. Der Turiner Teil ist 1902 verbrannt, der Mailänder Teil (Slg. Trivulzio) befindet sich heute in Turin, Museo Civico.
Auferstehung Christi und drei Frauen am Grabe.

221 Hohenfurther Altar, Tafelmalerei, Meister von Hohenfurth (Südböhmen), 1346–1356. Eine der Tafeln mit Darstellungen aus dem Leben und der Passion Christi. Der Altar befand sich bis 1646 auf dem Hochaltar der Stiftskirche; ursprüngliche Anordnung ungewiß. H. 95 cm, B. 85,5 cm. Prag, Nationalgalerie.
Auferstehung Christi und drei Frauen am Grabe.

222 Meister Bertram, Passionsaltar, Ende 14. Jh., Hannover. Siehe Nr. 160. Mitteltafel, 4. Feld unten.
Auferstehung Christi.

223 Meister Francke, Englandfahrer-Altar, rechter Flügel, Innenseite, oberes Bild. Der Altar wurde von der Englandfahrer-Gesellschaft in Hamburg 1424 in Auftrag gegeben und stand urspr. in der ehem. Johanniskirche in Hamburg. Nur teilweise erhalten. Wegen seiner Darstellungen aus dem Leben des hl. Thomas von Canterbury wird er auch Thomas-Altar genannt. Tafelmalerei auf Eichenholz. Höhe der Tafel 99 cm, B. 88,8 cm. Hamburg, Kunsthalle.
Auferstehung Christi.

224 Wittingauer Altar, böhmisch, um 1380–1390; vier Passionstafeln, auf den Rückseiten Heiligenfiguren. Tafelmalerei auf Lindenholz, H. 132 cm, B. 92 cm. Prag, Nationalgalerie.
Auferstehung Christi.

225 Flügelaltar, sog. Raigerner Meister, Tafelmalerei, um 1420, Kloster Raigern bei Brünn.
Auferstehung Christi.

226 Hans Multscher (um 1400–1467), Wurzacher Altar, 1437. Tafelmalerei auf Tannenholz, H. 148 cm, B. 140 cm. Acht Tafeln, z. T. mit Passionsszenen. Der Schrein enthielt vermutlich eine geschnitzte Kreuzigung. Berlin, Staatl. Museum, Stiftung Preußischer Kulturbesitz, Gemäldegalerie.
Auferstehung Christi.

227 Arnstädter Altar, Tafelmalerei, thüringisch, Anfang 15. Jh., Ausschnitt der Mitteltafel. H. 127 cm, B. 133 cm. Staatliche Museen zu Berlin (-Ost), Gemäldegalerie.
Auferstehung Christi.

228 Konrad von Soest (um 1370 bis nach 1422), Passionsaltar, 13 Darstellungen mit Szenen aus dem Leben und der Passion Christi. Tafelmalerei, 1403. Mitteltafel, links unten. Bad Wildungen, Stadtpfarrkirche.
Auferstehung Christi.

229 Altartafel aus St. Lorenz, Köln. Zugeschrieben Dieric Bouts d. Ä. oder dem Meister der Münchener Gefangennahme. Tafelmalerei, entstanden vor 1464. H. 105,3 cm, B. 68,2 cm. München, Alte Pinakothek.
Auferstehung Christi.

230 Hans Memling (um 1433–1494), Szenen aus dem Leben Marias und Christi, gen. »Die sieben Freuden Mariae«. Ausschnitt. Tafelmalerei, um 1480. H. 81 cm, B. 189 cm. München, Alte Pinakothek.
Auferstehung Christi mit Nebenszenen.

231 Donatello (1386–1466), südliche Bronzekanzel (Ausschnitt) aus S. Lorenzo, Florenz, um 1460. Siehe Nr. 169.
Auferstehung und Himmelfahrt Christi.

232 Andrea Mantegna (1431–1506), Predella (Ausschnitt) vom Zeno-Altar (Verona), Tafelmalerei, 1457–1459. Tours, Musée des Beaux-Arts.
Auferstehung Christi.

233 Piero della Francesca (um 1415–1492), Fresko aus dem Rathaussaal von Borgo S. Sepolcro, um 1460–1464. H. 230 cm, B. 200 cm. Heute abgelöst. San Sepolcro bei Arezzo, Pinacoteca Comunale.
Auferstehung Christi.

234 Nanni di Bartolo, gen. Rosso Fiorentino. Grabmal des Niccolò Rangoni di Brenzone, errichtet 1425/1426, Ausschnitt. Verona, S. Fermo Maggiore.
Auferstehung Christi.

235 Niccolò di Pietro Gerini (gest. 1415), Wandmalerei in der Sakristei von S. Croce, Florenz, um 1370.
Auferstehung Christi.

236 Giovanni Bellini (um 1430–1516), Tafelbild, um 1479. H. 148 cm, B. 128 cm. Berlin, Stiftung Preußischer Kulturbesitz, Staatl. Museen, Gemäldegalerie.
Auferstehung Christi.

237 Albrecht Dürer (1471–1528), Große Passion, Holzschnitt (B. 15), dat. 1510. H. 39,1 cm, B. 27,7 cm.
Auferstehung Christi.

238 Mathis Gothardt-Nithardt, gen. Grünewald (um 1475 bis 1528), Isenheimer Altar, 1513–1515, ehem. Hochaltar der Antoniterkirche in Isenheim. Wandelaltar mit neun Gemälden. Colmar, Museum Unterlinden.
Auferstehung Christi.

239 Epitaph Ulrich Fuggers (gest. 1510). Nach Zeichnungen von Dürer. Augsburg, St. Anna, Fuggerkapelle.
Auferstehung Christi.

240 Jörg Ratgeb (um 1480–1526), Herrenberger Altar, Tafelmalerei, 1518–1519. Altar mit Doppelflügeln, geschnitzter Mittelschrein und Predella verloren. Geschlossen: Abschied der Apostel; einmal geöffnet: Leiden Christi; zweimal geöffnet: Marienleben; im Schrein war vermutlich Geburt Christi. Rechter Außenflügel, Holz, H. 270 cm, B. 147 cm. Stuttgart, Staatsgalerie.
Auferstehung Christi, als Nebenszenen Auferstehung der Toten und Noli me tangere.

241 Altdorfer-Schule, Gemälde, Pergament auf Holz, H. 35 cm, B. 24 cm, dat. 1527. Basel, Öffentliche Kunstsammlung.
Auferstehung Christi.

242 Hans Holbein d. Ä. (um 1465–1524), Passionsaltar für das Frankfurter Dominikaner-Kloster, Tafelmalerei, 1501. Innenseite des rechten Außenflügels, H. 166 cm, B. 150,5 cm. Frankfurt, Städelsches Kunstinstitut.
Auferstehung Christi.

243 Jan Joest von Kalkar (nachweisbar 1505–1519), Flügelaltar mit 16 Szenen aus dem Leben Jesu. Tafelmalerei, 1505–1508. Kalkar, St. Nikolai, Hochaltar.
Auferstehung Christi, Höllenfahrt als Nebenszene.

244 Mömpelgarter Altar, Flügelaltar mit 157 Szenen des Alten und Neuen Testaments mit Bibeltexten der Lutherübersetzung. Für die den Protestanten zur Verfügung gestellte ehem. Klosterkirche Mainboeuf in Mömpelgart (Rhein-Rhônegebiet), gemalt 1525–1530. Wien, Kunsthistorisches Museum.
Auferstehung Christi.

245 Albrecht Altdorfer (um 1480–1538), Altar von St. Florian, Tafelmalerei, um 1518, Predella. Wien, Kunsthistorisches Museum. (Bis auf Grablegung ebenfalls Wien, alle übrigen Tafeln in St. Florian/Linz, Chorherrenstift.)
Auferstehung Christi.

246 Tizian (um 1477–1576), Polyptychon Averoldi, Tafelmalerei, 1520–1522. Mittelbild: H. 278 cm, B. 122 cm. Auf den Seitentafeln die hll. Nazzaro, Celso, Sebastian und die Verkündigung. Brescia, SS. Nazzaro e Celso.
Auferstehung Christi.

247 Michelangelo (?), Kreidezeichnung, um 1532, H. 32,7 cm, B. 28,9 cm, beschnitten. London, British Museum.
Auferstehung Christi.

248 Leonardo da Vinci-Schule, Tafelbild, um 1500. Berlin, Stiftung Preuß. Kulturbes., Staatl. Museen. Gemäldegalerie.
Auferstehung Christi.

249 El Greco (um 1541–1613), Öl auf Lw., H. 275 cm, B. 127 cm. Um 1595. Madrid, Prado.
Auferstehung Christi.

250 Philipp Uffenbach (1566–1636), Kupferstich, dat. 1588. Hamburg, Kunsthalle, Kupferstichkabinett.
Auferstehung Christi.

251 Maerten de Vos (1532–1603), Tafelbild, H. 347 cm, B. 280 cm. Um 1590. Antwerpen, Kon. Museum voor Schone Kunsten.
Auferstehung Christi, Petrus und Paulus, zwei Heilige.

252 Pieter Coecke van Aelst (1502–1550), Flügelaltar, Malerei auf Eiche, um 1535–1540. Mitteltafel: H. 74 cm, B. 55 cm. Karlsruhe, Staatl. Kunsthalle.
Links: Nebukadnezar und die drei Männer im Feuerofen. Mitte: Auferstehung Christi. Rechts: Jona wird vom Walfisch an Land gespien.

253 Tintoretto (1518–1594), Öl auf Lw., H. 529 cm, B. 485 cm. Venedig, Scuola di S. Rocco, Gemälde im oberen Saal. Entstanden zwischen 1579 und 1581.
Auferstehung Christi.

254 Rembrandt Harmensz van Rijn (1606–1669), Öl auf Lw., auf Holz übertragen, 1639, H. 91,9 cm, B. 67 cm, oben abgerundet. Gehört zu dem Zyklus, den der Her-

zog von Oranienburg Rembrandt in Auftrag gab. München, Alte Pinakothek.
Auferstehung Christi.

255 Peter Paul Rubens (1577–1640), Predellentafel des Triptychons in Mecheln, St. Jean, 1617–1619. H. 65 cm, B. 100 cm. Marseille, Musée des Beaux-Arts. (Die Hauptbilder mit der Anbetung der Könige und den Martyrien Johannes d. Ev. und Johannes d. T. befinden sich noch in der Kirche, das zweite Predellenbild mit der Anbetung der Hirten ebenfalls in Marseille.)
Auferstehung Christi.

256 Paul Troger (1698–1762), Entwurf für ein Deckengemälde, um 1722. Innsbruck, Ferdinandeum, Tiroler Landesmuseum.
Auferstehung Christi.

257 Holzplastik, Eiche, Ende 13. Jh., Visby/Gotland, Marienkirche.
Der Auferstandene (Schmerzensmanntypus)

258 Holzplastik, Linde, um 1310, aus der Kirche in Murau. Graz, Diözesan-Museum.
Der Auferstandene.

259 Lorenzo di Pietro, gen. Il Vecchietta (1402–1480), Bronzeplastik, 1476. Siena, S. Maria della Scala, am Hochaltar.
Der Auferstandene.

260 Giovanni da Bologna (um 1524–1608), Marmorplastik, 1579. Lucca, Dom.
Der Auferstandene auf Weltkugel und Schlange.

261 Joseph Matthias Götz (1696–1760), Holzplastik des Hochaltars, 1723. Aldersbach/Niederbayern.
Der Auferstandene steht auf Weltkugel und Schlange.

262 Sog. Apostelsarkophag, römisch, leztes Viertel 4. Jh., aus der Vatikanischen Basilika, heute verloren. Stich von G. A. Bosio, 1651, Ausschnitt aus einer Kreuzverehrung der Apostel.
Christus erscheint zwei Frauen in Verbindung mit dem Siegeskreuz.

263 Rom, S. Sabina, Relieftafel von der Holztür, vollendet 432. Siehe Nr. 15.
Christus erscheint zwei Frauen.

264 Elfenbeinrelief, Buchdeckel, Trier, 2. Hälfte 10. Jh. H. 29,4 cm, B. 12,1 cm, Ausschnitt. Manchester, John Rylands Library.
Christus erscheint den zwei Frauen, links ein sitzender Engel vor dem Grabbau.

265 Utrechtpsalter, um 830, fol. 24 r, Utrecht. Siehe Nr. 16, 68, 73, 183.
Christus erscheint den zwei Frauen (Ausschnitt).

266 Elfenbeinplatte, Ausschnitt, 2. Hälfte 11. Jh., Salerno. Siehe Nr. 110.
Christus erscheint den zwei Frauen.

267 Tetra-Evangeliar, byzantinisch, 11. Jh. (?), Florenz, Bibl. Laurenziana, Cod. Conv. soppr. 160, fol. 214.
Christus erscheint zwei Frauen.

268 Elfenbeindiptychon (Teil I, Passionsszenen, siehe Bd. 2, Nr. 276), Teil II. H. 31,5 cm, B. 11,5 cm. Steenbock: gegen 500; Volbach 9./10. Jh., Kopie nach frühchristlichem Vorbild. Mailand, Domschatz.
Zwei Frauen am Grabe, Christus erscheint zwei Frauen, Erscheinung vor den elf Jüngern, ungläubiger Thomas.

269 Silberbehälter für ein Gemmenkreuz, um 820, Vatikan. Siehe Nr. 54, 109.
Christus erscheint zwei Frauen.

270 Elfenbeinrelief, Buchdeckel, St. Gallen (?), 10. (?) Jh. Gesamt H. 15,9 cm, B. 6,3 cm, obere Hälfte. Vatikan, Museo Sacro.
Christus erscheint in Begleitung von zwei Engeln zwei Frauen, Engel am Grab (darunter die Geburt Christi).

271 Sakramentar aus Fulda, um 975, H. 27 cm, B. 24 cm. Göttingen, Niedersächsische Staats- und Universitätsbibl., Ms. theol. 231, fol. 64. Ausschnitt.
Drei Frauen am Grabe, Christus erscheint zwei Frauen.

272 Bibel von Floreffe, Maasschule, um 1160. London, British Museum, Ms. Add. 17737/38, fol. 179 v.
Drei Frauen am Grabe, Christus erscheint drei Frauen, Löwe erweckt seine Jungen.

273 Sog. Basilewsky-Situla, um 980. London. Siehe Nr. 3, 10, 141.
Christus erscheint zwei Frauen.

274 Passionale der Äbtissin Kunigunde, fol. 14a, Ausschnitt, 1314–1321, Prag. Siehe Nr. 58, 161.
Christus erscheint drei Frauen.

275 Patene zu dem Henkelkelch aus Stift Wilten (Innsbruck), Goldschmiedearbeit, graviert. 1160–1170. Wien, Kunsthistorisches Museum.
Mitte: Drei Frauen am Grabe. Rand: Noli me tangere, Gang nach Emmaus, Emmausmahl, Ungläubiger Thomas, Himmelfahrt Christi.

276 Elfenbeinrelief, Einbanddeckel eines Evangeliars, Met-

zer Schule, 9./(10.) Jh. Ehem. im Besitz des Großherzogs von Hessen, verschollen.
Hüter am Grab, Noli me tangere, die Frauen am Grabe, Gang nach Emmaus, Emmausmahl, Christus erscheint den Jüngern.

277 Drogo-Sakramentar, Metz, geschrieben für Bischof Drogo von Metz (826–855). Raddatz: um 830, Köhler: nach 844. H. 26,4 cm, B. 21,4 cm. D-Initiale zu Joh 20, 11–18, H. 33 mm. Paris, Bibl. Nationale, Cod. lat. 9428, fol. 63 v, Ausschnitt.
Maria Magdalena erblickt zwei Engel am leeren Grab, Noli me tangere.

278 Egbert-Evangelistar, fol. 90v, um 980, Trier. Siehe Nr. 18.
Noli me tangere.

279 Bernward-Evangeliar, entstanden wahrscheinlich zwischen 1011 und 1014 für Bischof Bernward von Hildesheim (993–1022). H. 18,3 cm, B. 14,5 cm. Hildesheim, Domschatz, Cod. 18, fol. 75.
Noli me tangere.

280 Sog. Evangeliar Ottos III., Reichenau, Ende 10. Jh. Wahrscheinlich Geschenk Heinrichs II. an den Bamberger Domschatz im Jahre 1012. H. 34,7 cm, B. 24,5 cm. München, Bayr. Staatsbibl., Cod. lat. 4453, fol. 251, Ausschnitt.
Noli me tangere.

281 Bernwardstür, Bronzereliefs, vollendet 1015, rechter Flügel, oberstes Feld. Hildesheim, Dom.
Noli me tangere.

282 Autun, St. Lazare, Kapitellplastik, 2. Viertel 12. Jh. Mittelschiff.
Noli me tangere.

283 Elfenbeinrelief, fränkisch (Bamberg), um 1090. H. 14,3 cm, B. 10,3 cm. Würzburg, Universitätsbibl., Cod. theol. q. 4.
Noli me tangere.

284 Monreale, Dom, Bronzetür des Bonanus von Pisa, dat. 1186. Linker Flügel, 10. Reihe, rechtes Feld.
Noli me tangere.

285 Elfenbeinrelief, spanisch, Datierung Museum: 10. Jh., de Palol/Hirmer: Ende 11. Jh. H. 26,8 cm, B. 13,3 cm. New York, Metropolitan Museum of Art. (Vermutlich Gegenstück zum Fragment »Frauen am Grabe« in Leningrad, Eremitage.)
Gang nach Emmaus, Noli me tangere.

286 Exultetrolle, Monte Cassino, 11. Jh. London, British Museum, Ms. Add. 30 337.
Noli me tangere.

287 Farfa-Bibel, 1. Hälfte 11. Jh. Vatikan. Ausschnitt der Seite mit den Auferstehungsszenen, siehe Nr. 24.
Erscheinungen vor den Jüngern (beim Mahl, am See Tiberias und Mahl), Noli me tangere, Petrus und Johannes am Grab, Ungläubiger Thomas.

288 Buchmalerei, 2. Einzelblatt aus einem Psalter (?), Ausschnitt, Schule von St. Albans, 2. Viertel 12. Jh. H. 22,5 cm, B. 7,25 cm. London, Victoria and Albert Museum, Ms. 661.
Szenen nach der Kreuzigung Christi, drei Frauen am Grab, Petrus und Johannes am Grab, Noli me tangere, vier Emmausszenen, zwei Erscheinungen vor den Jüngern, zwei Thomasszenen, Erscheinung am See Tiberias und Mahl, Erscheinung vor den Jüngern, Himmelfahrt und Pfingsten.

289 Perikopenbuch aus St. Erentrud in Salzburg, um 1140, fol. 46 r, Ausschnitt. München. Siehe Nr. 192.
Noli me tangere.

290 Marienschrein, Medaillon vom Dach, vollendet 1205. Tournai. Siehe Nr. 147.
Noli me tangere.

291 Evangeliar von Bury St. Edmunds, Federzeichnungen, englisch, um 1120–1140. Cambridge, Pembroke College, Ms. 120, fol. 4 v.
Höllenfahrt Christi, Noli me tangere, Gang nach Emmaus, Emmausmahl, Rückweg von Emmaus, Ungläubiger Thomas.

292 Magdalenenmeister, Ausschnitt aus Magdalenentafel mit Szenen aus dem Leben der Heiligen, italienisch, um 1280, Florenz, Galleria dell'Accademia.
Noli me tangere.

293 Giotto (1266–1337), Scrovegni (Arena)-Kapelle, Padua, Wandmalerei, 1305–1307.
Noli me tangere.

294 Tafelmalerei, österreichischer Meister, 1330–1335. H. 108 cm, B. 120 cm. Eine der vier Tafeln von der Rückseite des Klosterneuburger Altars. Die 1181 von Nikolaus von Verdun vollendeten Emailtafeln, ehemals Kanzelverkleidung, wurden nach einem Kirchenbrand von 1330, unter Hinzufügung weiterer Emailtafeln und der vier Tafelbilder, zu einem Flügelaltar umgestaltet. Klosterneuburg, Stiftsmuseum.
Noli me tangere, Besuch der Frauen am Grabe.

295 Albrecht Altdorfer (um 1480–1538), Tafelbild, um 1525. H. 65,7 cm, B. 42,9 cm. Rückseite des Bildes »Maria mit dem Kind in der Engelsglorie«. München, Alte Pinakothek.
Maria Magdalena am Grabe des Herrn, Noli me tangere.

296 Federico Barocci (um 1535–1612), Gemälde, Öl auf Leinw., 1590, H. 256 cm, B. 185 cm. Wiederholung eines Gemäldes in Florenz, Uffizien. München, Alte Pinakothek.
Noli me tangere.

297 Rembrandt Harmensz van Rijn (1606–1669) Gemälde, Öl auf Holz, 1638, H. 61,5 cm, B. 50 cm. London, Buckingham Palace, Royal Collection.
Christus erscheint Maria Magdalena als Gärtner.

298 Elfenbeinrelief, Ausschnitt, 2. Hälfte 11. Jh., Salerno. Siehe Nr. 110, 266.
Zwei Frauen verkünden den Jüngern die Auferstehung des Herrn.

299 Pamplona, Kapitellplastik aus dem Kreuzgang der Kathedrale, spanisch, um 1145. Pamplona, Muséo de Navarra. Siehe Nr. 47.
Maria Magdalena verkündet Petrus die Auferstehung des Herrn.

300 Albanipsalter, p. 51, 1. Hälfte 12. Jh. Hildesheim. Siehe Nr. 79, 81, 152, 186.
Maria Magdalena verkündet den Jüngern die Auferstehung des Herrn.

301 Ingeborg-Psalter (Königin Ingeborg von Dänemark, 2. Frau Philipps II.), Paris, um 1200. Chantilly, Musée Condé, Cod. 9, fol. 30.
Gang nach Emmaus, Maria Magdalena verkündet den Jüngern die Auferstehung des Herrn.

302 Evangeliar Heinrichs des Löwen aus dem Braunschweiger Dom, im Kloster Helmarshausen von Mönch Hermann im Auftrag Heinrichs des Löwen gefertigt, um 1175. Slg. des Herzogs von Braunschweig, Schloß Gmunden.
Maria Magdalena verkündet den Jüngern die Auferstehung des Herrn.

303 Ravenna, S. Apollinare Nuovo, Mosaik, Südwand des Langhauses, um 520–526. Siehe Nr. 8, 63.
Gang nach Emmaus.

304 Drogo-Sakramentar, fol. 61 v, D-Initiale, H. 35 mm. Paris. Siehe Nr. 277.
Gang nach Emmaus, Emmausmahl.

305 Silberbehälter für ein Gemmenkreuz, Seitenwand, Ausschnitt, um 820. Vatikan. Siehe Nr. 54, 109.
Emmausmahl.

306 S. Angelo in Formis, Wandmalerei, Nordwand, unteres Register. Siehe Nr. 38, 104.
Gang nach Emmaus.

307 Elfenbeinrelief, Buchdeckel, Metzer Schule, 9./10. Jh. H. 24 cm, B. 12,5 cm. Paris, Bibl. Nationale, Cod. lat. 9390.
Die drei Frauen am Grabe, Gang nach Emmaus, Christus erscheint den Jüngern und erbittet Speise (Lk).

308 Elfenbeinrelief, Längswand eines verlorenen Kästchens, Metz, 2. Hälfte 9. Jh. H. 11,6 cm, B. 23 cm. Luzern, Sammlung Kofler-Truniger.
Ankunft in Emmaus, Emmausmahl.

309 Tafelkreuz (croce dipinta), Ausschnitt, Pisaner Schule, 2. Hälfte 12. Jh. Pisa, Museo Civico. Vgl. Bd. 2, Abb. 499 (da falsch datiert).
Gang nach Emmaus, Emmausmahl.

310 Athos, Lavra Katholikon, Wandmalerei, 1535.
Emmausmahl (Ausschnitt).

311 Psalter, englisch, 11. Jh. London, British Museum, Ms. Royal 1 DX, fol. 7 v.
Emmausmahl, Ungläubiger Thomas.

312 Albanipsalter, p. 69, 1. Hälfte 12. Jh. Hildesheim. Siehe Nr. 79, 81, 152, 186, 300.
Gang nach Emmaus.

313 Albanipsalter, p. 70, 1. Hälfte 12. Jh. Hildesheim. Siehe Nr. 79, 81, 152, 186, 300, 312.
Emmausmahl.

314 Albanipsalter, p. 71, 1. Hälfte 12. Jh. Hildesheim. Siehe Nr. 79, 81, 152, 186, 300, 312, 313.
Christus entschwindet beim Emmausmahl.

315 San Domingo de Silos (Nordspanien), Kreuzgang des Klosters, Relief vom nordwestlichen Pfeiler, Nordseite, 1085–1100.
Gang nach Emmaus.

316 Monreale, Dom, Mosaik, um 1182–1192, Langhauswand.
Gang nach Emmaus, Emmausmahl.

317 Monreale, Dom, Mosaik. Siehe Nr. 316.
Emmausjünger nach der Erscheinung des Auferstandenen, sie berichten den anderen.

318 Michelangelo da Caravaggio (1573–1610), Gemälde,

Öl auf Lw., 1606, H. 145 cm, B. 195 cm. Mailand, Pinacoteca di Brera.
Emmausmahl.

319 Rembrandt Harmensz van Rijn (1606–1669), Gemälde, Öl auf Holz, H. 68 cm, B. 65 cm, sign. und dat. 1648. Paris, Louvre.
Emmausmahl.

320 Rom, S. Sabina, Relieftafel von der Holztür, vollendet 432. Siehe Nr. 15, 263.
Christus erscheint drei Jüngern (?).

321 Silberbehälter für ein Gemmenkreuz, um 820, Deckel, Ausschnitt. Vatikan. Siehe Nr. 54, 109, 305.
Christus erscheint den Jüngern bei verschlossener Tür.

322 Evangeliar, Reichenau(?), 1. Viertel 9. Jh. H. 31 cm, B. 20,7 cm. München, Bayr. Staatsbibl., Cod. lat. 23 631, fol. 197 r. Fol. 197 r/v (siehe Nr. 372), ungefärbtes Pergament, nachträglich in die Handschrift eingebunden, vermutlich Kopien nach Vorlagen des 5./6. Jh.
Zwei Emmausjünger(?), Erscheinung bei verschlossener Tür, Ungläubiger Thomas, Evangelistensymbole.

323 Elfenbeinrelief, Ausschnitt, 2. Hälfte 11. Jh. Salerno. Siehe Nr. 110, 266, 298.
Christus erscheint elf Jüngern.

324 Sog. Evangeliar Ottos III., fol. 251, Ausschnitt, Ende 10. Jh. München. Siehe Nr. 280.
Christus erscheint zehn Jüngern, Ungläubiger Thomas.

325 Sog. Basilewsky-Situla, Ausschnitt, um 980. London. Siehe Nr. 3, 10, 141, 273.
Christus erscheint den Jüngern bei verschlossener Tür.

326 Buchmalerei, aus Nonantola, 1039. Rom, Bibl. Angelica, Ms. 123, fol. 128 r.
Christus spendet den Jüngern den Hl. Geist.

327 Perikopenbuch aus St. Erentrud in Salzburg, fol. 48 v, um 1140. München. Siehe Nr. 192, 289.
Christus erscheint zehn Jüngern bei verschlossener Tür.

328 Tafelkreuz, Ausschnitt, 2. Hälfte 12. Jh. Pisa. Siehe Nr. 309.
Christus erscheint elf Jüngern bei verschlossener Tür.

329 Duccio, Tafelmalerei, ehem. Hochaltar des Domes in Siena, 1308–1311. Siehe Nr. 49.
Christus erscheint zehn Jüngern bei verschlossener Tür.

330 Tafelkreuz, Ausschnitt, 2. Hälfte 12. Jh. Pisa. Siehe Nr. 309, 328.
Christus erscheint elf Jüngern beim Mahl.

331 Elfenbeindiptychon (heute Vorder- und Rückseite eines Bucheinbandes des 14. Jh.), Hofschule Karls d. Gr., Anfang 9. Jh. Je Tafel: H. 31,7 cm, B. 10,8 cm. Aachen, Domschatz.
a) Ungläubiger Thomas, Christus erscheint den Jüngern bei verschlossener Tür und segnet sie, Unterweisung der Jünger.
b) Bericht der Emmausjünger von der Begegnung mit Christus, Mahlszene, Gang nach Emmaus.

332 Evangeliar von Bury St. Edmunds, fol. 5 r, um 1120 bis 1140. Cambridge. Siehe Nr. 291.
Mahlszene (Lk), Christus am See Tiberias (drei Szenen), Erscheinung auf dem Berg, Erscheinung beim Mahl der Jünger (Mk).

333 Egbert-Evangelistar, fol. 88 v, um 980. Trier. Siehe Nr. 18, 278.
Erscheinung beim Mahl der Jünger.

334 Evangeliar, Mainz, um 1260. H. 34,2 cm, B. 26 cm. Aschaffenburg, Hofbibliothek, Ms. 13, fol. 54 r.
Erscheinung beim Mahl der Jünger, Erscheinung auf dem Berg (Aussendung).

335 Passionale der Äbtissin Kunigunde, fol. 15 r, 1314–1321. Prag. Siehe Nr. 58, 161, 274.
Christus erscheint den Jüngern, Ungläubiger Thomas, Erscheinung am See Tiberias.

336 Altartafel, Gemälde, Augsburg, um 1470. H. 168 cm, B. 75 cm. Nürnberg, Germanisches Nationalmuseum.
Erscheinung bei der verschlossenen Tür mit Spendung des Hl. Geistes.

337 Duccio, Tafelmalerei, ehem. Hochaltar des Domes in Siena, 1308–1311. Siehe Nr. 49, 329.
Erscheinung beim Mahl der Jünger.

338 Heisterbacher Altar, aus der Zisterzienserabtei Heisterbach/Siebengebirge. (Meister nach diesem Altar benannt). Tafelmalerei, kölnisch, 2. Viertel 15. Jh. H. 100 cm, B. 75 cm. München, Alte Pinakothek.
Christus erscheint den Jüngern bei verschlossener Tür.

339 Mömpelgarter Altar, 1525–1530, Wien. Siehe Nr. 244.
Christus zeigt seine Wundmale bei der Erscheinung vor den Jüngern, Mahlszene.

340 Londoner Elfenbeintäfelchen, 420–430. Siehe Nr. 4.
Ungläubiger Thomas.

341 Sarkophag, 2. Hälfte 4. Jh., Frontseite, rechter Teil. Mailand, S. Celso.
Frauen am Grabe, ungläubiger Thomas.

342 Ravenna, S. Apollinare Nuovo, Mosaik, Langhaus, Südwand, oberes Register, um 520–526. Siehe Nr. 8, 63, 303.
Ungläubiger Thomas.

343 Ölampulle (Pilgerfläschchen), Bleirelief, aus Palästina, Ende 6. Jh. Monza, Domschatz, Ampulle Nr. 9 revers.
Ungläubiger Thomas.

344 Drogo-Sakramentar, um 844, fol. 66 v, P-Initiale, H. und B. 5,5 cm. Paris. Siehe Nr. 277, 304.
Ungläubiger Thomas.

345 Silberbehälter für ein Gemmenkreuz, um 820, Ausschnitt. Vatikan. Siehe Nr. 54, 109, 305, 321.
Ungläubiger Thomas.

346 Diptychonflügel, Elfenbeinrelief, Trier – Echternach. um 990–1000. H. 24 cm, B. 10 cm. Berlin, Staatliche Museen, Stiftung Preußischer Kulturbesitz, Skulpturenabteilung. Ungläubiger Thomas (auf dem anderen Flügel: Moses empfängt die Gesetzestafeln).

347 Lektionar (Fragment), Mitte oder Ende 10. Jh., fol. 3 v, Leningrad. Siehe Nr. 33, 107, 265.
Ungläubiger Thomas.

348 Silberbehälter für ein Gemmenkreuz, um 820, Ausschnitt. Vatikan. Siehe Nr. 54, 109, 305, 321, 345.
Christus ermahnt Thomas.

349 Venedig, S. Marco, Mosaik, um 1200. Siehe Nr. 116.
Christus erscheint zwei Frauen, Ungläubiger Thomas.

350 Elfenbeinrelief, Ausschnitt, 2. Hälfte 11. Jh. Salerno. Siehe Nr. 110, 266, 298, 323.
Ungläubiger Thomas.

351 Egbert-Evangelistar, fol. 92 v, um 980. Trier. Siehe Nr. 18, 278, 333.
Ungläubiger Thomas.

352 Ikone, Stil der Palaiologen, H. 38 cm, B. 31,8 cm. 1367–1384. Meteora, Transfigurationskloster.
Ungläubiger Thomas mit Stifterfiguren.

353 Psalter, englisch, Ende 12. Jh. Glasgow, Hunterian Museum, Ms. 229 (nicht foliiert).
Ungläubiger Thomas.

354 Perikopenbuch aus St. Erentrud, fol. 49 v. Salzburg, um 1140. München. Sie Nr. 192, 289, 327.
Ungläubiger Thomas.

355 Albanipsalter, p. 51, englisch, 1. Hälfte 12. Jh. Hildesheim. Siehe Nr. 79, 81, 152, 186, 300, 312, 313, 314.
Ungläubiger Thomas.

356 Evangelistar aus Groß-St.-Martin, Köln, um 1250. Brüssel. Siehe Nr. 204.
Ungläubiger Thomas.

357 Sog. Gebetbuch der hl. Hildegard von Bingen, mittelrheinisch, Federzeichnungen, um 1190. H. 15,9 cm, B. 10,3 cm. München, Bayr. Staatsbibl., Cod. lat. 935, fol. 65 v.
Darreichung von Fisch und Honigseim an Christus durch Petrus und einen anderen Jünger, Ungläubiger Thomas.

358 Elfenbeinrelief, Köln, 2. Hälfte 12. Jh. H. 21,2 cm, B. 19,5 cm. New York, Slg. George Blumenthal.
Ungläubiger Thomas.

359 Evangeliar aus St. Peter, Salzburg, Mitte 11. Jh. New York, Pierpont Morgan Library, Ms. 781, p. 224.
Ungläubiger Thomas.

360 Kloster Santo Domingo de Silos (Nordspanien), Kreuzgang, Relief des Nordwestpfeilers, Westseite. Siehe Nr. 315.
Ungläubiger Thomas.

361 Straßburg, Thomaskirche, Tympanonrelief (heute im Kircheninnern eingemauert), um 1230.
Ungläubiger Thomas mit Petrus und Johannes.

362 Schule Pietro Cavallinis, Wandmalerei, um 1320. Neapel. Siehe Nr. 217.
Ungläubiger Thomas (Ausschnitt).

363 Tür eines Sakristeischränkchens (Bonifatiustür) aus Arnstadt, Malerei, Mitte 14. Jh. Hannover, Niedersächsische Landesgalerie.
Ungläubiger Thomas.

364 Meister des Bartholomäusaltars (tätig 1460–1510, meist in Köln), Thomasaltar, Mittelbild. Tafelmalerei, entstanden um 1499 für die Karthäuserkirche in Köln. H. 143 cm, B. 106 cm. Köln, Wallraf-Richartz-Museum. Christus mit dem ungläubigen Thomas, umgeben von Engeln und den Heiligen Helena, Hieronymus, Ambrosius und Magdalena, darüber Gottvater.

365 Holzplastik, Mitte 14. Jh., neue Fassung, H. 55 cm. Landerzhofen/Mittelfranken, St. Thomas.
Christus-Thomas-Gruppe.

366 Mömpelgarter Altar, 1525–1530, Innenflügel, Wien. Siehe Nr. 244, 339.
Ungläubiger Thomas.

367 Holzplastik, niederbayrisch, um 1520. Nürnberg, Germanisches Nationalmuseum.
Ungläubiger Thomas.

368 Andrea Verrocchio (1436–1488), Bronzeplastik, vollendet 1480. Florenz, Orsanmichele, Außennische.
Ungläubiger Thomas.

369 Caravaggio (1573–1610), Gemälde, Öl auf Lw., H. 107 cm, B. 146 cm, um 1595. Potsdam, Neues Palais.
Ungläubiger Thomas.

370 Drogo-Sakramentar, fol. 63 r, D-Initiale zu Joh., H. 4 cm. Paris. Siehe Nr. 277, 304, 344.
Christus erscheint am See Tiberias, Mahlszene.

371 Egbert-Evangelistar, fol. 89 v, um 980, Trier. Siehe Nr. 18, 278, 333, 351.
Christus erscheint am See Tiberias.

372 Evangeliar, fol. 197 v, 1. Viertel 9. Jh. München. Siehe Nr. 322.
Zwei Jünger(?), Christus erscheint am See Tiberias – Fischzug, Emmausmahl(?).

373 Athos, Lavra Katholikon, Wandmalerei, nördliches Querschiff, 1535.
Christus erscheint am See Tiberias.

374 Elfenbeinrelief, Ausschnitt, 2. Hälfte 11. Jh. Salerno. Siehe Nr. 110, 266, 298, 323, 350.
Christus erscheint am See Tiberias.

375 Psalter, Ende 12. Jh. Glasgow. Siehe Nr. 353.
Christus erscheint am See Tiberias.

376 Perikopenbuch aus St. Erentrud in Salzburg, fol. 44 r, um 1140. München. Siehe Nr. 192, 289, 327, 354.
Christus erscheint am See Tiberias.

377 Sog. Gebetbuch der hl. Hildegard von Bingen, fol. 66 r, um 1190. München. Siehe Nr. 357.
Christus erscheint am See Tiberias.

378 S. Angelo in Formis, Wandmalerei, Nordwand, unteres Register. Siehe Nr. 38, 104, 306.
Christus erscheint am See Tiberias.

379 Hans von Kulmbach (um 1480–1522), Flügel eines Petrusaltars, Tafelmalerei, um 1510. Insgesamt acht Tafeln. H. 130 cm, B. 100 cm. Florenz, Uffizien.
Christus erscheint am See Tiberias.

380 Mömpelgarter Altar, 1525–1530. Wien. Siehe Nr. 244, 339, 366.
Christus erscheint am See Tiberias.

381 Konrad Witz (um 1400–1446), Flügelaußenseite des Petrusaltars, Tafelmalerei, um 1444, im Auftrag des Bischofs François de Mies für die Genfer Kathedrale St.

Pierre. Vier Tafeln sind erhalten. H. 132 cm, B. 155 cm. Genf, Musée d'art et d'histoire.
Christus erscheint am See Tiberias.

382 Gemälde, Holz, schwäbisch, um 1530. H. 88 cm, B. 172 cm. (Votivbild des Georg Hörmann und seiner Gattin Barbara, geb. Reihinger). Nürnberg, Germanisches Nationalmuseum.
Christus erscheint am See Tiberias.

383 Arnulfziborium, gestiftet von König Arnulf von Kärnten (um 850–899). Goldblech mit Treibarbeit über Holzkern, Steine, Perlen. Spätstufe von Reims oder Corbie, um 890. H. 59 cm, B. 31 cm, T. 24 cm. Dachschräge. München, Schatzkammer der Residenz.
Pasce oves meas. Beischrift: Petre amas me.

384 Carmen Paschale des Sedulius (Vers 411–413), nach 814. Antwerpen, Plantin-Moretus-Museum, M. 17.4, fol. 38 r.
Pasce oves meas.

385 Elfenbeinrelief, byzantinisch, 2. Hälfte 10. Jh. H. 21 cm, B. 13,4 cm. Paris, Louvre.
Sendung der Apostel.

386 Perikopenbuch aus St. Erentrud, um 1140, fol. 51 v. München. Siehe Nr. 192, 289, 327, 354, 376.
Pasce oves meas.

387 Orationes und Meditationes des hl. Anselm von Canterbury, englisch, um 1130. Verdun, Bibl. Municipale, Ms. 70, fol. 68 v.
»Weide meine Lämmer« mit Schlüsselübergabe an Petrus.

388 Raffael (1483–1520) und Schüler, Karton für Teppiche der Sixtinischen Kapelle, 1515/16. London, Victoria and Albert Museum.
»Weide meine Lämmer« und Schlüsselübergabe an Petrus.

389 Egbert-Evangelistar, um 980, fol. 100 v. Trier. Siehe Nr. 18, 278, 333, 351, 371.
Erscheinung beim Mahl und Sendung der Jünger (Mk).

390 Drogo-Sakramentar, um 844, fol. 64 v., O-Initiale zu Mt 28,16–20. H. 32 mm. Paris. Siehe Nr. 277, 304, 344, 377.
Christus erscheint den Jüngern auf dem Berg, Sendung der Jünger.

391 Perikopenbuch Heinrichs II., 1007 oder 1012, fol. 136 r. München. Siehe Nr. 20.
Sendung der Jünger.

392 Evangeliar aus der Abtei Abdinghof bei Paderborn, um 1080, H. 27,5 cm, B. 19,8 cm. Berlin, Staat-

liche Museen, Stiftung Preußischer Kulturbesitz, Kupferstichkabinett, Ms. 78 A 3, fol. 1 v / 2 r
Sendung der Jünger.

393 Duccio, Tafelmalerei, 1308–1311, ehem. Hochaltar des Domes in Siena. Siehe Nr. 49, 329, 337.
Erscheinung auf dem Berg, Sendung der Jünger.

394 Sog. Passionssarkophag (Fragment), Mitte 4. Jh., Ausschnitt. Rom, ehem. Lateranmuseum.
Ein Adler hält über dem Kreuz einen Kranz mit dem Christusmonogramm.

395 Grabstele, Sandsteinrelief, aus Erment (Luxor), 6./7. Jh. Staatliche Museen zu Berlin (-Ost), Frühchristlich-Byzantinische Sammlung.
Adler als Auferstehungssymbol, Kreuz im Siegeskranz, Alpha und Omega.

396 Relieffries (Bruchstück), aus der Apsis der 1. Kathedrale von Faras (Nubien), 7. Jh. H. 24 cm, Ausschnitt. Warschau, Nationalmuseum.
Adler, darüber ein Kreuz.

397 Elfenbeinrelief, oströmisch, um 450(?) nach Delbrück. London, British Museum.
Apotheose eines römischen Herrschers.

398 Tympanonrelief aus Schêch Abâde (Antinoe), koptisch, 6. Jh. Recklinghausen, Ikonenmuseum.
Adler unter einer imago clipeata.

399 Grabstele, vermutlich aus Edfu, koptisch, 7. Jh. H. 81,2 cm. London, British Museum.
Auffliegender Adler mit dem Triumphkreuz.

400 Grabstein (Kalkstein), Fragment, aus Gondorf/Mosel, merowingisch, um 600; Rademacher: frühkarolingisch, um 800. H. 84 cm, B. 67 cm. Bonn, Rheinisches Landesmuseum.
Bildnis eines Verstorbenen mit zwei Adlern und Dämonen.

401 Steinkreuz, irisch, Anfang 10. Jh., Mitte der Ostseite. Clonmacnoise (Offaly).
Christus als Weltenrichter mit einem Adler auf dem Haupt und einer Schlange unter den Füßen.

402 Grabstein der Königin Gisela (gest. 1045, Gemahlin Stephans I. von Ungarn, Äbtissin in Passau-Niedernburg), um 1095. Passau-Niedernburg.
Zwei Adler auf dem Kreuz als Auferstehungssymbol.

403 Gernrode, ehem. Kloster St. Cyriakus, Heiliges Grab, Reliefs aus Sandstein und Stuck, um 1100–1120. Westwand im Innern der Grabkammer.

Maria Magdalena als Symbol der Auferstehung; oben: Tiersymbole zur Auferstehung Christi; unten: Tiersymbole des Bösen.

404 Agraffe, Elfenbein, Vorderseite, belgisch-rheinisch(?), um 1100. Florenz, Museo Nazionale.
Adler, vier Evangelisten (auf der Rückseite das Lamm Gottes).

405 Drogo-Sakramentar, um 830, I-Initiale zu Joh 1,1. Paris. Siehe Nr. 277, 304, 344, 370.
Adler auf Schlange stehend als Christus- und Johannessymbol.

406 Fuß eines Bronzekreuzes, vergoldet, westdeutsch (Köln), 12. Jh. H. 14 cm. Aus St. Clara, Basel. Basel, Historisches Museum.
Thronender Christus, Lamm und Adler im Clipeus in Händen haltend.

407 Le Thor (Vanduse), Kirche, Schlußstein des Apsisgewölbes, Ende 12. Jh.
Lamm Gottes, umgeben von fünf Adlern.

408 Reliefplatte, Marmor, byzantinisch, 10/11. Jh. London, British Museum.
Drei Adler, triumphierend auf Schlange und Hasen.

409 Reliefplatte, vermutlich 12. Jh., östliche Ornamentplatte an der Südseite der Kleinen Metropolis, Athen.
Adler triumphierend auf Hase.

410 Lesepult, Bronzeguß, 13. Jh., Hildesheim, Dom.
Johannes-Adler als Auferstehungssymbol auf einem Drachen stehend.

411 Tarragona, Kathedrale, Kapitellplastik des Portals, das vom Kreuzgang in den Chor führt. Marmor, um 1200.
Zwei Adler triumphierend auf zwei Hasen, Frauen am Grabe.

412 Scheibenkreuz, Goldschmiedearbeit, niedersächsisch oder englisch, um 1150–1160. Durchmesser 28,5 cm. Kremsmünster, Schatzkammer des Benediktinerstifts.
Auferstehung und Himmelfahrt Christi. Löwe, die Jungen zum Leben erweckend, zwei auffliegende Adler und ein zur Quelle herabfliegender als Symbole der darüber erscheinenden Szenen.

413 Albanipsalter, 1. Hälfte 12. Jh., B-Initiale, Illustration zu Psalm 103(102),5, p. 274 Hildesheim. Siehe Nr. 79, 81, 152, 186, 300, 312–314, 355.
Ein auffliegender und ein zur Quelle herabfliegender Adler.

414 Chorgestühl, Holzrelief, Ausschnitt, um 1325. Köln, Dom.
Adler bringt Junge zur Sonne (Jungenprobe), Simson zerreißt den Löwen.

415 Cismar, Klosterkirche, Holzrelief vom Hochaltar, Lübecker Werkstatt, 1310–1320.
Adler fliegt zur Sonne (Jungenprobe).

416 Sog. Nester- (oder Pelikan-)Kelch, 2. Hälfte 15. Jh. Nodus. Soest, Petrikirche.
Phönix, Adler und Pelikan.

417 Rom, Katakombe an der Via Latina, Wandmalerei, 320 bis 350.
Phönix auf dem Scheiterhaufen.

418 Physiologus-Handschrift, um 1100. Ehem. Smyrna, Bibliothek der evangelischen Schule, Cod. B VIII, fol. 16 v. Verbrannt 1923.
Phönix in Heliopolis.

419 Fußbodenmosaik aus Antiochia, Ausschnitt, 5. Jh. Paris, Louvre.
Phönix auf dem Berg.

420 Wiener Bestiar, entstanden wahrscheinlich in Reun/ Steiermark, Anf. 13. Jh. Teil des Reuner Musterbuches. Wien, Österreichische Nationalbibl., Cod. 507, fol. 3, Ausschnitt.
Phönix sich vom Baum ernährend und auf dem brennenden Scheiterhaufen.

421 Bronzebogen (Arcatura) mit Relief, wahrscheinlich von einem Kastenreliquiar aus S. Maria in Vulturella bei Tivoli, 12. Jh., Vorderseite, Ausschnitt. Rom, Museo del Palazzo di Venezia.
Lamm Gottes, umgeben von den Evangelistensymbolen und dem Himmelstor. Löwe und Adler als Christussymbol zwischen Aposteln.

422 Codex Aureus von St. Emmeram in Regensburg, Evangeliar Karls des Kahlen, 893 von Kaiser Arnulf dem Kloster geschenkt. Schule von Corbie-St. Denis, dat. 870, geschrieben von Beringar und Liuthard. München, Bayr. Staatsbibl., Cod. lat. 14 000, fol. 17 r, Titelseite des Matthäusevangeliums.
Löwe als Symbol des auferstandenen Christus, Evangelistensymbole.

423 Liber floridus, 1250–1270. Paris, Bibl. Nationale, Cod. lat. 8865, fol. 43.
Löwe mit Kreuzstab als Symbol des auferstandenen Christus.

424 Klosterneuburger Altar, Emailplatte, vollendet 1181. Siehe Nr. 146, 194.
Die Segenssprüche Jacobs – Löwe von Juda.

425 Glasmalerei aus der Ritterstiftskirche in Wimpfen, 1270/ 1280. Darmstadt, Hessisches Landesmuseum.
Löwe erweckt seine totgeborenen Jungen – Auferstehungsallegorie.

426 Jaca (Aragon), Kathedrale, Tympanon des Westportals, kurz vor 1100.
Christusmonogramm und zwei Löwen als Sinnbild des Erlösers, Alpha und Omega.

427 Holzrelief, Wange vom Chorgestühl aus der Stiftskirche in Berchtesgaden, um 1340. München, Bayr. Nationalmuseum.
Löwe erweckt seine totgeborenen Jungen, Pelikan tränkt die Jungen mit seinem Blut.

428 Elisabethschrein, Blaugoldemail, 1236–1249. Knauf über dem Elisabethgiebel. Marburg, Elisabethkirche. Siehe Nr. 212.
Adler steht auf Hase.

429 Elisabethschrein, 1236–1249. Siehe Nr. 212, 428. Knauf über dem Elisabethgiebel.
Löwe erweckt sein totgeborenes Junges.

430 Hieronymus Bosch (ca. 1462–1516). Tafelbild, H. 63 cm, B. 43 cm, um 1490. Flügel eines Altars, Ausschnitt. Rückseite des Gemäldes »Johannes auf Patmos«. Berlin, Staatliche Museen, Stiftung Preußischer Kulturbesitz, Gemäldegalerie.
Pelikan auf dem Grabfelsen inmitten von Szenen aus der Leidensgeschichte Christi.

431 Osterteppich aus dem Kloster Lüne, Stickerei, niedersächsisch, um 1503–1515. Hamburg, Museum für Kunst und Gewerbe.
Auferstehung Christi mit Adler, Phönix, Pelikan, Löwe.

432 Ebstorfer Weltkarte, um 1300. Für das Kloster Ebstorf (Hannover) auf Veranlassung des Propstes Gervasius von Tilburg hergestellt. Durchmesser 3,5 m. Original in Hannover verbrannt, Kopie im Kloster.
Auferstehung Christi im Zentrum der Welt.

433 Klosterneuburger Altar, Emailplatte, vollendet 1181. Reihe 12, a. Siehe Nr. 146, 194, 424.
Die letzte Plage Ägyptens – Tötung der Erstgeburt.

434 Klosterneuburger Altar, Emailplatte, vollendet 1181. Reihe 12, c. Siehe Nr. 146, 194, 424, 433.
Simson zerreißt den Löwen.

435 Emailtriptychon, Maasgegend, um 1150, aus dem Tower in London. London, Victoria and Albert Museum. Links: Jona wird vom Wal verschluckt und ausgespien. Isaaks Opferung. Leviathan wird geangelt. Mitte: Frauen am Grabe, Kreuzigung, Höllenfahrt, Caritas, Justitia, Paradiesesflüsse, Sonne und Mond trauernd, Evangelistensymbole. Rechts: Totenerweckung, Erhöhung der ehernen Schlange, Simson trägt die Türen von Gaza auf den Berg.

436 Glasmalerei aus der Benediktinerabtei Alpirsbach, um 1200. Stuttgart, Württembergisches Landesmuseum. Simson hebt das Stadttor von Gaza aus und trägt es auf den Berg Horeb.

437 Gurk (Kärnten), Dom, Holztür, rechter Flügel, Ausschnitt, um 1220. Siehe Nr. 211. Die Errettung Jonas aus dem Walfisch.

438 Bourges, Kathedrale, Glasmalerei, um 1225. Auferstehung Christi. Elias erweckt Knaben, Errettung Jonas, Pelikan und König David, Löwe erweckt seine Jungen.

439 Strechau (Steiermark), Deckenmalerei, 1579, in der protestantischen Burgkapelle, Ausschnitt. Der Auferstandene, das Evangelium, Evangelistensymbole, Adam (der Mensch).

440 Strechau (Steiermark), Deckenmalerei, 1579. Siehe Nr. 439. Jonageschichte als typologische Szene zur Auferstehung. (Schema zum Gesamtprogramm siehe Text).

441 Epitaph »Paulus Grundlachs«, Steinrelief, um 1590. Nürnberg, Johannisfriedhof, Abteilung A. Die Errettung Jonas aus dem Walfisch, Auferstehung Christi.

442 Walfischkanzel, Holz, 1736. Bad Reinerz (Schlesien), Kirche. Kanzelkorb in Gestalt eines Walfisches. Alttestamentliche Gestalten. Als Bekrönung der auferstandene Christus in der Glorie.

443 Sog. Evangeliar des hl. Korbian (Valerianus-Evangeliar), nordostitalienisch oder illyrisch, um 675 (?). H. 25,6 cm, B. 21 cm. München, Bayr. Staatbibl. Cod. lat. 6224, fol. 202 v, Ausschnitt der letzten Seite des Johannesevangeliums. Der Auferstandene in Halbfigur über dem Kreuz, an den Querbalken zwei Adler und Alpha und Omega. Im Schnittpunkt des Kreuzes ein Schreibvermerk: EGO VALERIANUS SCRIPSI.

444 Geschnitztes Elfenbeinkruzifix, 1063 gestiftet von König Ferdinand I. und seiner Gemahlin Sancha an die Colegiata S. Isidoro in León. Ausschnitt. Madrid, Museo Arqueológico. Der Auferstandene über dem Kruzifixus.

445 Kruzifix mit Gravierung, 11. Jh (?), aus Lundoe/Dänemark. H. 66 cm, B. 40 cm, Ausschnitt. Kopenhagen, Nationalmuseum. Himmelfahrt Christi (über dem Corpus).

446 Altarkreuz aus Limoges, 12. Jh. (Kreuzenden in 13. Jh. ergänzt), Ausschnitt. Köln, Domschatz. Auferstandener Adler über dem Kruzifixus. – Symbolische Himmelfahrt.

447 Kalksteinrelief, koptisch, 2. Hälfte 4. Jh., H. 24 cm, B. 48 cm. Recklinghausen, Ikonenmuseum. Himmelfahrt Christi.

448 Stadttorsarkophag (früher Stilicho-Sarkophag genannt), oberitalienisch (östl. Einfluß), um 380–390, Schmalseite. Mailand, S. Ambrogio. Himmelfahrt des Elia, Noah in der Arche, Gesetzesübergabe an Mose, Sündenfall.

449 Sarkophag der Adelphia (Frau des Comes Valerius), römisch, um 340/345, Ausschnitt der Vorderseite, vgl. Bd. 1, Abb. 57. Syrakus, Museo Nazionale. Porträtbüsten der Verstorbenen. Links: Gesetzesübergabe an Moses. Rechts: Abrahams Opfer.

450 Konsekrationsmünze Konstantins d. Gr., Rückseite, Bronze, 337. Privatbesitz, München. Apotheose Konstantins d. Gr.

451 Elfenbeinrelief (sog. Reidersche Tafel), Ausschnitt, um 400. München. Siehe Nr. 12. Himmelfahrt Christi – Aufstieg zum Vater.

452 Rom, S. Sabina, Relieftafel von der Holztür, vollendet 432. Siehe Nr. 15, 263, 320. Himmelfahrt Elias.

453 Elfenbeinpyxis, 6. Jh., oberitalienisch, aus Moggio (Udine), Ausschnitt. Washington, Dumbarton Oaks Collection. Adler als Symbol des Auferstandenen, Gesetzesübergabe an Moses.

454 Klosterneuburger Altar, Emailtafel, vollendet 1181. Siehe Nr. 194, 424, 433, 434. Die Entrückung Henochs.

455 Klosterneuburger Altar, Emailtafel, vollendet 1181. Siehe Nr. 146, 194, 424, 433, 434, 456. Himmelfahrt Elias.

456 Metallkreuz mit Gravierung, syrisch, 8. Jh. (?), Leningrad, Eremitage.
Himmelfahrt Christi, Gottesmutter (Theotokos), Verklärung Christi.

457 Rom, S. Sabina, Relieftafel von der Holztür, vollendet 432. Siehe Nr. 15, 263, 320, 454.
Himmelfahrt Christi.

458 Rom, S. Sabina, Relieftafel von der Holztür, vollendet 432. Siehe Nr. 15, 263, 320, 454, 457.
Himmelfahrt Christi – triumphierender Christus, Maria-Ekklesia, Paulus und Petrus.

459 Rabula-Codex, Evangeliar, dat. 586, fol. C 13 v. Florenz. Siehe Nr. 7.
Himmelfahrt Christi.

460 Ölampulle, Ton aus Palästina, Ende 6. Jh. Monza, Domschatz, Ampulle Nr. 1, revers. Vorderseite siehe Bd. 1, Abb. 258.
Himmelfahrt Christi, Thron, vier tragende Engel.

461 Bawît, Apollonkloster, Wandmalerei, koptisch, Ende 6. Jh., Nische der Kapelle XVII. Kairo, Koptisches Museum, Kopie.
Himmelfahrt Christi (Hesekielwagen).

462 Chludoff-Psalter, 2. Hälfte 9. Jh. Moskau. Siehe Nr. 120, 122, 177.
Himmelfahrt Christi (Regenbogenthron, vier tragende Engel).

463 Elfenbeinrelief, Deckel eines Kästchens, süditalienisch, byzantinischer Einfluß, 9./10. Jh. H. 16,3 cm, B. 9 cm. Stuttgart, Württembergisches Landesmuseum.
Himmelfahrt Christi.

464 Elfenbeinrelief, 2. Hälfte 11. Jh., Salerno. Siehe Nr. 110, 266, 298, 323, 350, 374.
Himmelfahrt Christi.

465 Venedig, S. Marco, Mosaik der Hauptkuppel, um 1200. Siehe auch Nr. 116, 349.
Himmelfahrt Christi, Maria und die Apostel, die Tugenden und die Seligkeiten, die vier Evangelisten (erneuert).

466 Monreale, Dom, Mosaiken im Chor, um 1170/1180. Siehe Nr. 316, 317.
Himmelfahrt Christi.

467 Rom, S. Clemente, Unterkirche, Wandmalerei, 847 bis 855. Kopie (1863).
Himmelfahrt Christi.

468 Drogo-Sakramentar, um 830 (844), C-Initiale zu Mk

469 Utrecht-Psalter, um 830, Illustration zum Symbolum Apostolorum, fol. 90 r. Utrecht. Siehe Nr. 16, 68, 73, 183, 265.
Himmelfahrt Christi.

470 Evangeliar aus St. Médard in Soissons, Hofschule Karls d. Gr., um 810. Paris, Bibl. Nationale, Cod. lat. 8850, fol. 10 v, Kanonseite, Ausschnitt.
Himmelfahrt Christi – Repräsentation des sieghaften Christus.

471 Evangeliar aus der Abtei Poussay, Reichenau, um 980. Paris, Bibl. Nationale, Cod. lat. 10914, fol. 66 v.
Himmelfahrt Christi.

472 Bibel von S. Paolo fuori le mura, Corbie, um 870, für Karl den Dicken geschrieben. Fol. 308 v, Ausschnitt. Rom, S. Paolo fuori le mura.
Himmelfahrt Christi (Darunter Ausgießung des Hl. Geistes, vgl. Band 4).

473 Elfenbeinbuchdeckel, Metzer Schule, 9./10. Jh. H. 22,8 cm, B. 11,7 cm. St. Paul in Lavanttal (Kärnten), Stiftsbibliothek.
Himmelfahrt Christi verbunden mit Majestas Domini.

474 Egbert-Evangelistar, fol. 101 r, um 980. Trier. Siehe Nr. 18, 278, 333, 351, 371, 389.
Himmelfahrt Christi.

475 Benediktionale des Bischofs Aethelwold von Winchester, Winchester, um 980. London, British Museum, Ms. Add. 49598, fol. 64 v.
Himmelfahrt Christi.

476 Elfenbeinrelief, Vorderseite eines Buchdeckels, angelsächsisch(?), 2. Hälfte 9. Jh. H. 13 cm, B. 8,1 cm, Ausschnitt. Siehe Bd. 1, Abb. 412. London, Victoria and Albert Museum.
Himmelfahrt Christi.

477 Sakramentar aus St. Gereon, Köln, fol. 72 r, zwischen 996 und 1002.
Paris. Siehe Nr. 34.
Himmelfahrt Christi.

478 Emailplatte, 1150–1160. H. 13,8 cm, B. 8,9 cm. London, Victoria and Albert Museum.
Christus fährt von der Hölle zum Himmel auf.

479 Elfenbeinbuchdeckel, verwandt mit der Hofschule

Karls d. Gr., 9./10. Jh. H. 14 cm, B. 9 cm. Staatliche
Museen zu Berlin(-Ost), Skulpturen-Sammlung.
Himmelfahrt Christi.

480 Elfenbeinrelief, südwestdeutsch, um 1000, H. 11 cm,
B. 8,5 cm. Köln, Schnütgen-Museum.
Himmelfahrt Christi.

481 Elfenbeinrelief, Deckel eines Reliquienkastens, fränkisch (?), um 1100. Staatliche Museen zu Berlin(-Ost),
Skulpturen-Sammlung.
Himmelfahrt Christi. Links: Christus am Kreuz, Kreuzabnahme. Rechts: Grablegung, Frauen am Grabe. Unten: Segnung der Apostel, Evangelistensymbole.

482 Elfenbeinbuchdeckel, Lüttich, 1. Hälfte 11. Jh. H. 17,5
cm, B. 11,3 cm. Brüssel, Musée Cinquantenaire.
Himmelfahrt Christi mit Öffnung der Himmelstür,
Kreuzigung mit Auferstehung der Toten, Geburt Christi, Evangelisten mit ihren Symbolen.

483 Elfenbeinrelief, Reimser Schule, 10./11. Jh. H. 22,2 cm,
B. 10,2 cm. Weimar, Staatl. Kunstsammlungen, Schloß-
museum.
Himmelfahrt Christi, Ungläubiger Thomas.

484 Evangeliar, aus dem Bamberger Domschatz, um 1020.
Ausschnitt aus der Titelseite zum Johannesevangelium,
fol. 194 v. München. Siehe Nr. 187.
Himmelfahrt Christi, Adler (Himmelfahrts- und Johannessymbol).

485 Perikopenbuch Heinrichs II., 1007 oder 1012, fol. 131 v,
München. Siehe Nr. 20, 390.
Himmelfahrt Christi.

486 Evangeliar aus Echternach, um 1050, H. 16,5 cm, B.
11,5 cm. London, British Museum. Ms. EG 608, fol. 134.
Himmelfahrt Christi.

487 Evangeliar aus Echternach, um 1050. London, British
Museum, Ms. Harley 2821, fol. 152.
Himmelfahrt Christi.

488 Evangeliar aus St. Gallen, 1. Hälfte 11. Jh. St. Gallen,
Stiftsbibliothek, Cod. 340.
Himmelfahrt Christi.

489 Sakramentar aus St. Etienne, Limoges, um 1100, fol.
84 v. Paris. Siehe Nr. 30.
Himmelfahrt Christi.

490 Elfenbeinrelief, Einband (Vorderseite) eines Evangeliars, mainfränkisch (Bamberg), Ende 11. Jh. H. 26,8
cm, B. 15,5 cm. München, Bayr. Staatsbibl., Cod. lat.
23 630.

Himmelfahrt Christi, Frauen am Grabe, Kreuzigung.
Randleisten: vier Paradiesesflüsse, zwei offene Para-
diestore, zwei Cherubim, vier Erzengel.

491 Psalter des Odbert von St. Bertin, um 1000, Titelseite
zum Johannesevangelium. New York, Pierpont Morgan Library, Ms. 333, fol. 85.
I-Initiale: Kreuzigung mit Maria und Johannes, Ekklesia und Synagoge. Rand: Höllenfahrt, drei Frauen
am Grabe, Himmelfahrt Christi, vier Paradiesflüsse,
Gaia und Oceanus.

492 Bernwardsevangeliar, zwischen 1011 und 1014, Titel-
blatt zum Johannesevangelium, fol. 175 v, Ausschnitt.
Hildesheim. Siehe Nr. 279.
Himmelfahrt Christi.

493 Missale (Sakramentar) des Erzbischofs Robert von Ju-
mièges, Winchester, zwischen 1006 und 1023. Rouen,
Bibl. Municipale, Ms. Y 6 (274).
Himmelfahrt Christi.

494 Cotton-Psalter, fol. 15, um 1050. London. Siehe Nr.
131.
Himmelfahrt Christi.

495 Psalter (?), englisch, 11. Jh. London, British Museum,
Ms. Caligula A XIV, fol. 18.
Himmelfahrt Christi.

496 Suitbertschrein. Ausschnitt, um 1264. Kaiserswerth.
Siehe Nr. 213.
Himmelfahrt Christi.

497 Klosterneuburger Altar, Emailplatte, vollendet 1181.
Siehe Nr. 146, 194, 424, 433, 434, 456, 457.
Himmelfahrt Christi.

498 Sog. Hardehäuser Evangeliar (aus Lippoldsberg), Helmarshausen, um 1155–1165. Kassel, Murhardsche Bibliothek der Stadt Kassel und Landesbibl., 2° Ms.
theol. 59, fol. 17 v. Seit 1945 verschollen.
Himmelfahrt Christi.

499 Sog. Stammheimer Missale, um 1160. Schloß Stammheim. Siehe Nr. 21.
Himmelfahrt Christi, Mose und Adler, Himmelfahrt
des Elias, Entrückung des Henoch.

500 Bibel von Floreffe, fol. 199, Titelseite des Johannesevangeliums, um 1160. London. Siehe Nr. 272.
Himmelfahrt Christi, Christus als Adler, Hesekiel weist
auf Tetramorph (Christussymbol), Moses und Hiob,
Adler.

501 Emailplättchen, vermutlich von einem Reliquiar, Hil-

desheim, um 1160. H. 14 cm, B. 39 cm. Die Reihenfolge der Bildmotive entspricht hier nicht dem Original. Hildesheim, Domschatz.
Erscheinung bei verschlossener Tür, Himmelfahrt Christi, Pfingsten.

502 Evangeliar Heinrichs des Löwen, um 1175. Schloß Gmunden. Siehe Nr. 302.
Himmelfahrt Christi.

503 u. 504 Tuscania, S. Pietro, Wandmalerei, um 1093 (Isermeyer) oder 2. Viertel 12. Jh. (Demus), Apsis.
Himmelfahrt Christi und Ausschnitt.

505 Pemmo-Altar (Ratchis-Altar), Marmorrelief, Vorderseite, langobardisch, zwischen 734 und 749; aus S. Martino in Cividale. H. 96 cm. Vgl. Bd. 1, Abb. 262. Cividale (Friaul), Museo Cristiano.
Majestas Domini – Himmelfahrt (ohne Jünger).

506 St. Génies-des-Fontaines, Türsturz vom Westportal der Kirche, 1020–1021.
Himmelfahrt Christi (Majestastypus mit sechs Aposteln).

507 Toulouse, St. Sernin, Tympanon und Sturz vom Portal des südlichen Querschiffs, um 1118.
Himmelfahrt Christi mit zwei stützenden und vier huldigenden Engeln, zwölf Apostel mit den beiden Botschaftsengeln.

508 Chartres, Kathedrale, Tympanon und Sturz vom linken Portal der Westfassade, 1150–1155. Vgl. Bd. 1, Abb. 62.
Himmelfahrt Christi.

509 Cahors, St. Etienne, Tympanon des Nordportals (Ausschnitt), geweiht 1119.
Himmelfahrt Christi.

510 Kloster S. Domingo de Silos, Relief im Kreuzgang, um 1085–1100. Siehe Nr. 315, 360.
Himmelfahrt Christi.

511 Tympanon und Sturz vom Ostportal der ehem. Klosterkirche Petershausen (Konstanz). 1173–1180. Karlsruhe, Badisches Landesmuseum.
Himmelfahrt Christi.

512 Regensburg, St. Ulrich, Tympanon des Südportals, um 1250.
Himmelfahrt Christi (verkürzte Form).

513 Giotto, Arenakapelle, 1305–1307. Siehe Nr. 293.
Himmelfahrt Christi.

514 Andrea da Firenze und Werkstatt, Wandmalerei, Spa-

nische Kapelle, Florenz, 1365–1368. Siehe Nr. 51, 167. Gewölbezwickel.
Himmelfahrt Christi.

515 Andrea Mantegna (1431–1506), Tafelmalerei, Triptychon, linker Flügel: H. 86 cm, B. 42,5 cm. 1463/1464. Florenz, Uffizien.
Himmelfahrt Christi (Mitte: Anbetung der Könige; rechts: Darstellung im Tempel).

516 Jacopo Robusti, gen. Tintoretto (1518–1594), Gemälde, Öl auf Lw., H. 587 cm, B. 427 cm. Entstanden zwischen 1577 und 1581. Gemälde im oberen Saal der Scuola di S. Rocco, Venedig.
Himmelfahrt Christi.

517 u. 518 Correggio (um 1489–1534), Vierungskuppelfresko in S. Giovanni Evangelista, Parma. 1520–1524.
Himmelfahrt Christi – Ausschnitt des aufsteigenden Christus nach einem Aquarell von P. Toschi.

519 Rembrandt Harmensz van Rijn, (1606–1669), Gemälde, Öl auf Lw., H. 93 cm, oben abgerundet, B. 68 cm, sign. u. dat. 1636. Das Bild gehört zum Passionszyklus für den Statthalter Prinz von Oranien – Nassau, entstanden zwischen 1632/1633–1669. München, Alte Pinakothek.
Himmelfahrt Christi.

520 Konrad von Soest, Wildunger Altar, 1403. Siehe Nr. 228. Mitteltafel, rechts unten.
Himmelfahrt Christi.

521 Jan Joest von Kalkar, Tafelmalerei, 1505–1508, Tafel vom Hochaltar von St. Nikolai in Kalkar. H. 107 cm, B. 86 cm. Siehe Nr. 243.
Himmelfahrt Christi.

522 Jairussarkophag (Ausschnitt), frühes 4. Jh. Arles, Musée Lapidaire.
Thronender Christus zwischen Aposteln (Audienz).

523 Sog. Barberini-Diptychon, linker Flügel, Elfenbein, Konstantinopel (?), um 500. H. 34,1 cm, B. 26,6 cm. Paris, Louvre.
Triumphierender Kaiser zu Pferd, Offizier mit Viktoria, Nike mit Siegespalme.
Oben: Imago Christi mit Gestirnszeichen.
Unten: Besiegte bringen ihren Tribut.

524 Goldmünze, konstantinisch, 2. Viertel 4. Jh. London, British Museum.
Labarum auf Schlange (Christus-victor-Vorform).

525 Missorium Theodosius' I. (379–395), Silbermedaillon,

dat. 388, ⌀ 7,4 cm. Gefunden in Almendralejo. Madrid, Real Academia de la Historia.
Theodosius I. überreicht einem Konsul das Codicillar-Diptychon. Seitlich die Kaisersöhne Arcadius (links) und Valentinianus II. Unten: Personifikation der Erde.

526 Diptychon des Konsuls Probus, Elfenbeinrelief, römisch, 406. Aosta, Domschatz.
Kaiser Honorius mit Labarum und Globus, auf dem eine Victoria steht.

527 Largitionsschale des Kaisers Valentinianus I. (364 bis 375) oder II. (375–392), Silberrelief. Genf, Musée d'Art et d'Histoire.
Kaiser Valentinianus mit Monogrammnimbus, Labarum und Globus, auf dem eine Viktoria mit Kranz steht.

528 Sarkophag des Junius Bassus (Ausschnitt, Mitte obere Zone), Gesamt siehe Bd. 2, Abb. 2. Römisch, 359. Rom, Grotten von St. Peter. Thronender Christus über dem personifizierten Coelus, zwei Apostel. Darunter der Adler, der zum Einzug in Jerusalem der unteren Zone gehört.

529 Sarkophag, oberitalienisch, um 380, Seitenwandgiebel. Mailand, S. Ambrogio. Siehe Nr. 448 und den anderen Giebel, Bd. 1, Abb. 143.
Christogramm im Kranz, zwei Tauben, die die Seelen im Paradies symbolisieren, Alpha und Omega, zwei Tauben an Fruchtkörben.

530 Prinzensarkophag, gefunden in Istanbul-Lykostal (Sarigüzel), um 390. H. 47,5 cm, L. 136 cm. Istanbul, Archäol. Museum.
Zwei Engel halten die corona triumphalis mit Christogramm.

531 Probus-Sarkophag, römisch, um 395, Ausschnitt des Mittelteils. Rom, Grotten von St. Peter.
Christus als Sieger mit Gemmenkreuz auf Paradiesesberg zwischen Petrus und Paulus, Apostelhuldigung.

532 Ravenna, Mausoleum der Galla Placidia, Kuppelmosaik, 2. Viertel 5. Jh.
Siegeskreuz-Parusiekreuz im Sternenhimmel, die vier Wesen, huldigende Apostel.

533 Prinzensarkophag, um 390, Schmalseite. Istanbul. Siehe Nr. 530.
Zwei Apostel verehren das Siegeskreuz.

534 Rom, S. Stefano Rotondo, Apsismosaik (Ausschnitt), um 650.

Siegeskreuz, Christusbüste im Clipeus, Hand Gottes mit Kranz (seitlich die hll. Primus und Felicianus).

535 Neapel, Baptisterium S. Giovanni in fonte, Kuppelmosaik, um 400.
Crux monogrammatica vor Sternenhimmel, bekränzt durch die Hand Gottes. Phönix im Früchtekranz.

536 Huesca (Prov. Aragón), Kathedrale S. Pedro, Tympanonrelief des Nordportals, kurz nach 1117.
Engel halten das Christogramm mit Alpha und Omega.

537 Rom, S. Giovanni in Laterano, Mosaik in der Kapelle Johannes des Evangelisten, Zentrum der Deckendekoration, 461–468.
Agnus victor mit Kreuznimbus im Jahreszeitenkranz.

538 Ravenna, S. Vitale, Mosaiken des Presbyteriums, um 547. – Apsis: Thronender Christus zwischen Engeln, S. Vitale und Erzbischof Ecclesius. – Bogen: Christogramm zwischen Adlern und Füllhörnern. – Gewölbe: Verherrlichung des Lammes. – Bogen der Eingangswand: Christus und Apostelmedaillons, Delphine. – Linke Lünette: Besuch der Engel bei Abraham, Isaaks Opferung, Gesetzesübergabe an Mose. – Rechte Lünette: Mose vor dem brennenden Busch, Mose als Hirte, Abel und Melchisedek. (Nicht mit abgebildet Justinian und Theodora bei der Darbringung der Patene und des Kelches mit Gefolge).

539 Evangeliar, Nordostfrankreich oder Westdeutschland, um 800. H. 34,5 cm, B. 23,5 cm. Essen, Münsterschatz, fol. 29 v.
Kreuz zwischen den Evangelistensymbolen, Christusbüste mit REX im Nimbus.

540 Evangeliar aus der Abtei Fleury bei Orleans, um 820. H. 24,8 cm, B. 19,8 cm. Bern, Burgerbibl., Cod. 348, fol. 8 v.
Vier Evangelistensymbole und die Hand Gottes als Christussymbol.

541 Evangeliar von St. Médard in Soissons, Hofschule Karls d. Gr., um 810. H. 36,2 cm, B. 26,7 cm, (oberer Teil). Paris, Bibl. Nationale, Cod. lat. 8850, fol. 1 v. Siehe Nr. 470.
Anbetung des Lammes durch die Ältesten und die vier Wesen.

542 Steinrelief von einer Bischofskathedra, frühes Mittelalter. Torcello, Dom.
Siegeskreuz, Hand als Symbol Christi mit Sol und Luna, Lebensbäume.

543 Kreuz Kaiser Justinians II. (565–578), Silberrelief, vergoldet, um 575. Vatikan, Museo Sacro.
In Medaillons: Lamm Gottes, Christusbüsten, Kaiserpaar.

544 Golblattkreuz, langobardisch, gefunden in Flero, 1. Viertel 7. Jh. Brescia, Museo d'Antichità.
Adlersymbol und Flechtband.

545 Deckel eines Reliquienschreins, gestiftet von König Alfons II. d. Gr. (866–910). Aus der Werkstatt in Gazón. Astorga, Kathedrale.
Lamm Gottes mit Kreuzzstab.

546 Silberdose mit Reliefs, nordafrikanisch, 4./5. Jh., Vatikan, Museo Sacro.
Christogramm auf Paradiesesberg, aus den Paradiesflüssen trinkende Hirsche.

547 Brüstungsplatte, Marmorrelief, 6. Jh. Staatliche Museen zu Berlin-(Ost).
Aus dem Lebensbrunnen trinkende Pfauen, Weinstock.

548 Sarkophag der Äbtissin Theodora, Marmorreliefs, Vorderseite, langobardisch. Aus dem Kloster S. Maria della Pusterola, um 735. H. 66 cm, B. 176 cm. Pavia, Museo Civico Malaspina.
Zwei Pfauen trinken aus dem Lebensbrunnen (Kantharos), Weinranken mit pickenden Vögeln.

549 Grabstele, Kalksteinrelief, koptisch, 7./8. Jh. Staatl. Museen zu Berlin-(Ost).
Kreuz und Palmzweige zu einem Christogramm angeordnet, Inschrift IC XC.

550 Sog. Harbaville-Triptychon, Rückseite, Elfenbeinrelief, Konstantinopel (Romanusgruppe), 3. Viertel 10. Jh. H. 24,2 cm, B. 14,2 cm. Paris, Louvre.
Lebensbäume und Kreuz mit fünf Rosetten, Pflanzen und Vögel im Paradiesesgarten. Beischrift: Jesus Christus siegt. (Die Vorderseite mit geöffneten Flügeln zeigt eine Große Deesis).

551 Limburger Staurothek, Reliquiar für das »Wahre Kreuz«, Rückseite. Goldprägung, byzantinisch, um 960. H. 48 cm, B. 35 cm. Limburg/Lahn, Domschatz.
Doppelkreuz mit Lebensbaumranken.

552 Sigvaltplatte, Steinrelief, gestiftet für das Dombaptisterium in Cividale von Sigvalt (762–776 Patriarch von Aquileia), langobardisch-östlicher Mischstil. Cividale, Calixtus-Baptisterium des Doms.
Die vier Evangelistensymbole mit Inschrifttafeln, Sie-

geskreuz, Lebensbäume. Greifen und Adler am tierköpfigen Baum (übernommenes Textilmotiv).

553 Sog. Caja de las Agatas, Reliquienschrein, gestiftet von König Fruela, Silber, vergoldet, asturisch, 910. B. 41 cm. Oviedo, Kathedrale, Cámara Santa.
Kreuz und vier Evangelistensymbole (mit Wirbelrosetten).

554 Sog. Lindauer Evangeliar, Mitte 9. Jh., Rückdeckel nachträglich mit Handschrift verbunden. Goldschmiedearbeit mit Grubenschmelz, Almadineinlagen, Perlen und Steinen, wahrscheinlich allemannisch mit insularem Einfluß, um 800, teilweise später erneuert. H. 34,4 cm, B. 26,6 cm. New York, Pierpont Morgan Library, M. 1.
Kreuz mit vier Christusdarstellungen, die in die Himmelsrichtungen ausstrahlen. Mittelquadrat mit Namen Christi, vier Evangelisten (16. Jh. hinzugefügt).

555 Türrelief (Ausschnitt), Bronze, byzantinisch, 6. Jh. Istanbul, Hagia Sophia, Haupteingang (Kaisertür).
Thron mit Evangelienbuch und Taube als Christussymbol.

556 Riefelsarkophag aus Tusculum (Ausschnitt), 2. Hälfte 4. Jh. Frascati, Villa Parisi.
Thron Christi mit Tuch, Kissen und Christogramm im Kranz.

557 Rom, S. Maria Maggiore, Mosaik vom Triumphbogen, 432–440 unter Sixtus III. Gesamt siehe Bd. 1, Abb. 52.
Petrus und Paulus verehren das Kreuz auf dem himmlischen Thron mit Diadem und versiegelter Rolle, die vier Wesen bringen Kränze dar.

558 Ravenna, Baptisterium der Orthodoxen (Dom), Kuppelmosaik, untere Zone (Ausschnitt), 449–458.
Vier Throne mit Purpur und Kreuz, acht Stühle mit Diadem, vier Altäre mit geöffnetem Buch. Kranzdarbringung der Apostel.

559 Ravenna, Baptisterium der Arianer, Kuppelmosaik (Ausschnitt), um 500. Gesamt siehe Bd. 1, Abb. 355.
Der Thron Christi mit dem Gemmenkreuz, Paulus und Petrus. (Die anderen Apostel, die Kränze darbringen, nicht mit abgebildet).

560 S. Maria di Capua Vetere bei Neapel, Nischenmosaik in der Kapelle S. Matrona bei der Kirche S. Prisco, 1. Hälfte 5. Jh.
Thron mit Schriftrolle und Taube, von zwei Wesen verehrt.

561 Elfenbeinkassette aus Sagmagher, um 420 oder später, Fragment. Pola, Nationalmuseum.
Vorderseite: Sechs Apostel verehren den Thron mit dem Christuslamm auf dem Vierströmeberg (Kreuz zerstört). Oben: Lämmerfries. Deckel: Taubenfries (Apostelallegorien).

562 Rom, S. Paolo fuori le mura, Mosaiken am Triumphbogen, entstanden unter Leo I. 440–461 (Restaurationen im 18. u. 19. Jh.), und in der Apsis, Erneuerung unter Honorius III. um 1220, zerstört bei Brand von 1823, heute Kopie des 19. Jh.
Apsis: Thronender Christus zwischen Petrus, Andreas, Paulus und Lukas, darunter Etimasia und Apostelhuldigung. Bogen (Frontseite): Medaillonbüste Christi, die 24 Ältesten, die vier Wesen, zwei Engel, Petrus und Paulus.

563 Marmorrelief, 9. Jh., Nachahmung eines frühchristlichen Vorbildes. Venedig, S. Marco, Arkade der Nordfassade.
Thron mit Kreuz und Christuslamm, flankiert von je sechs Apostel-Lämmern, zwei Palmen und Bienenkorb.

564 Venedig, S. Marco, Zentrum des Mosaiks der Pfingstkuppel, 1170–1200.
Thron mit Taube auf Buch in der Gloriole.

565 Sog. Thron des hl. Markus (Reliquiar in Gestalt eines Sitzes), Marmor (orientalischer Cipollino) mit Flachreliefs, alexandrinisch (?), 6./7. Jh. Venedig, S. Marco, Schatzkammer.
Rücklehne innen: Christuslamm mit Lebensbaum und Paradiesesflüssen, Kreuzverehrung. Seitenwangen außen: Seraphim (Matthäussymbol), Engel mit Posaunen.

566 Grottaferrata, Kirche S. Maria der griechischen Basilianerabtei, Triumphbogenwand, Mosaik der unteren Zone, Ende 12./Anf. 13. Jh.
Pfingsten, inmitten der Apostel Thron mit Christuslamm (erneuert).

567 Sakramentar des Bischofs Siegebert von Minden, 1002 –1036. Berlin-(Ost). Deutsche Staatsbibl., Ms. theol. lat. fol. 2, fol. 8 v.
Christuslamm auf Thron mit offenem Buch zwischen den vier apokalyptischen Wesen.

568 Sog. Vivian-Bibel (Bibel Karls d. Kahlen), Tours, St. Martin, 846. H. 49,5 cm, B. 37,5 cm. Paris, Bibl. Nationale, Ms. lat. 1, fol. 415 v.
Das Christuslamm und der Löwe von Juda öffnen das Buch mit den sieben Siegeln auf dem Thron; darunter Enthüllung Moses.

569 Qeledjlar (Kappadozien), Kirche, Deckenmalerei, Ende 10. Jh.
Pfingsten mit Thronsymbol.

570 Triest, S. Giusto, Apsismalerei der Cappella S. Apollinare, Anf. 13. Jh., römischer Einfluß.
Verehrung des Throns mit Gemmenkreuz und Taube im Paradies.

571 Psalter, byzantinisch, um 1059. Vatikan, Bibl. Apostolica Vaticana, Cod. grec. 752, fol. 27 v.
Thronender Christus zwischen Engeln und Heiligen, Verehrung des Throns (Etimasia).

572 Pala d'Oro, untere Tafel, Ausschnitt des Mittelteils, Goldschmiedearbeit mit Emailtafeln, byzantinischer Meister. Untere Tafel bestellt vom Dogen O. Falier (1102–1118), vollendet 1105. Ausschnitt: H. 13,9 cm, B. 13,5 cm. Venedig, S. Marco, Presbyterium.
Etimasia (Buch, Taube, Kreuz, Lanze, Ysopstab) oberhalb des thronenden Christus, vgl. Abb. 652.

573 Anagni, Kathedrale, Deckenmalerei der Krypta, römischer Einfluß, 2. Drittel 13. Jh.
Thron mit Taube, Christogramm, Alpha und Omega im Clipeus, von vier Engeln gehalten.

574 Säulensarkophag (ehem. Lateranmuseum Nr. 174), römisch, um 350/360. Rom, Grotten von S. Peter.
Gesetzesübergabe (Traditio legis) an Petrus mit thronendem Christus inmitten von Passionsszenen: Abrahamsopfer, Gefangennahme Petri, Christus vor Pilatus und Handwaschung.

575 Fragment eines Säulensarkophags (Mittelteil), römisch, um 370. Rom, S. Sebastiano, Museum.
Gesetzesübergabe an Petrus auf dem Paradiesesberg, links Paulus, Christuslamm und Apostellämmer.

576 Sog. Reliquiar der hll. Julitta und Quirinus, Marmorkästchen, Seitenwand, Gallien (?), Anf. 5. Jh. Ravenna, Erzbischöfl. Museum. Siehe Nr. 22.
Traditio legis.

577 Rom, S. Costanza, Apsismosaik des Nordumgangs, um 350 (stark restauriert).
Traditio legis in Paradieslandschaft, vier Lämmer.

578 Grottaferrata bei Rom, Katakombe S. Zotico ad Decinum, Wandmalerei, Ende 4. Jh.
Traditio legis mit Gotteshand und Kranz, Palmen, Phönix und vermutlich ehem. vier Lämmern.

579 Neapel, Baptisterium S. Giovanni in Fonte, Teil des Kuppelmosaiks, um 400 (stark beschädigt). Siehe Nr. 535.
Traditio legis.

580 Säulensarkophag, Mitte der Vorderseite, theodosianisch, um 400. Arles, Musée Lapidaire Nr. 17. Gesamt siehe Bd. 2, Abb. 3.
Traditio legis mit zwei huldigenden Aposteln, Lämmer.

581 Friessarkophag des hl. Maximin, Anf. 5. Jh. St. Maximin, Abteikirche, Krypta.
Mitte: Traditio legis. Links: Gesetzesübergabe an Mose, Verleugnungsansage. Rechts: Schlüsselübergabe an Petrus, Abrahamsopfer. Deckel: Kindermord, Magieranbetung.

582 Stadttorsarkophag des T. I. Gorgonius, römisch, Ende 4. Jh. Ancona, Dom S. Ciriaco.
Traditio legis mit Apostelhuldigung und kniendem Stifterpaar. (Seitenwände: Gesetzesübergabe an Mose, Abrahamsopfer und Verweigerung der drei Männer, das Kaiserbild anzubeten).

583 Stadttorsarkophag, Vorderseite, oberitalienisch, um 380. H. 114 cm, L. 230 cm, T. 150 cm. Mailand. Siehe Nr. 448, 529.
Traditio legis. Christuslamm auf Paradiesesberg, Lämmerfries.

584 Sarkophag, Vorderseite, ravennatisch, Anf. 5. Jh. H. 102 cm, L. 211 cm. Ravenna, Museo Nazionale.
Traditio legis und Stifterpaar (?).

585 Sarkophag, ravennatisch, Anf. 5. Jh., Ravenna, S. Francesco.
Gesetzesübergabe an Paulus, drei Apostel.

586 Zwölfapostelsarkophag, Vorderseite, ravennatisch, Ende 5./6. Jh., Ravenna, S. Apollinare in Classe.
Gesetzesübergabe an Paulus, rechts Petrus mit dem Schlüssel, weitere Apostel, mit Kränzen oder akklamierend, setzen sich auf den Seitenwänden fort.

587 Sarkophag (Ausschnitt), ravennatisch, Anf. 5. Jh. Ravenna, S. Maria in Porto fuori.
Gesetzesübergabe an Paulus.

588 Ravenna, Baptisterium der Orthodoxen (Dom), Stuckrelief einer Nischenbekrönung, um 450. Siehe Nr. 558.
Gesetzesübergabe an Petrus (links), Paulus (rechts), Christus hält Kreuz.

589 Sog. Sarkophag Honorius' III., ravennatisch, Anf. 6. Jh. Ravenna, Mausoleum der Galla Placidia.

Christuslamm auf dem Paradiesberg, dahinter Kreuz mit Tauben. Seitlich Arkaden mit Kreuzen, die Paulus und Petrus symbolisieren.

590 Marmorsarkophag, byzantinisch, 7. Jh. Ravenna, S. Apollinare in Classe.
Kreuz mit Alpha und Omega, flankiert von zwei Lämmern (Paulus und Petrus) und Palmen. Deckel: Kranz mit Monogrammkreuz in corona vitae, Alpha und Omega, zwei Pfauen.

591 Sog. Sarkophag des Constantius III. (Gemahl der Galla Placidia), Marmor, ravennatisch, Ende 5. Jh. Ravenna, Mausoleum der Galla Placidia.
Christuslamm auf dem Paradiesberg, flankiert von zwei Lämmern (Paulus und Petrus) und Palmen.

592 Sog. Lesepult der hl. Radegundis (gest. 587), mehrteiliges Holzrelief, merowingisch, 2. Hälfte 6. Jh. H. 18 cm, B. 26 cm. Poitiers, Kloster Ste. Croix.
Christuslamm im Paradies, Apostelkreuze, die vier Wesen in Medaillons, Adler mit Monogrammkreuzen.

593 Rom, SS. Cosma e Damiano, Mosaiken der Apsis und
u. des Triumphbogens (teilweise restauriert und durch Ein-
594 bauten zerstört), zwischen 526 und 530.
Apsis: Stehender Christus in den Wolken, neben ihm Palmen und Phönix (Typus der römischen Traditio legis). Petrus und Paulus präsentieren Cosmas und Damian, die ihre Märtyrerkronen darbringen; Papst Felix mit Kirchenmodell und der hl. Theodor. Lämmerfries mit Christuslamm. Triumphbogen: Verehrung des Lammes auf dem Thron.

595 Rom, S. Prassede, Mosaiken der Triumphbogenwand und Apsis, entstanden unter Papst Paschalis Anf. 9. Jh.
Triumphbogen: Himmlisches Jerusalem. Apsiswand: Die 24 Ältesten huldigen dem apokalyptischen Lamm, Engel und Evangelistensymbole. Apsiswölbung: Stehender Christus; Paulus führt ihm die hl. Praxedis und Papst Paschalis zu, und Petrus die hll. Pudenziana und Zeno. Paradieslandschaft, Lämmerfries.

596 Rom, S. Marco, Apsismosaik, entstanden unter Papst Gregor IV. 833–844.
Stehender Christus, links von ihm Papst Marcus und die Märtyrer Agapitus und Agnes; rechts von ihm der hl. Felicissimus, der Evangelist Markus und Papst Gregor IV. Fries: Agnus Dei auf Paradiesberg, 12 Apostel-Lämmer.

597 Tivoli, S. Silvestro, Apsismalerei, 1. Viertel 13. Jh.
Gesetzesübergabe an Petrus, Paulus mit Schriftband.

598 Berzé-la-Ville (Burgund), Apsisfresko, entstanden unter Abt Hugo von Cluny 1049–1109 oder später, 1. Drittel 12. Jh.
Thronender Christus (Typus Majestas Domini), mit der Rechten segnend, mit der Linken Übergabe eines Spruchbandes an Petrus, rechts Paulus mit Spruchband; Diakone, Patrone und Heilige.

599 Castel S. Elia di Nepi (Latium), S. Anastasio, Apsisfresko (Ausschnitt), Ende 11. Jh., von den römischen Meistern Giovanni, Stefano und Niccolò signiert.
Stehender Christus auf dem Paradiesberg (Römische Tradition); Petrus und Paulus, Elias (Heiliger) und Anastasius (?), Christuslamm, Lämmerfries.

600 Apsisfresken aus Châlières, Ende 11. oder 1. Viertel 12. Jh. Zürich, Schweizerisches Landesmuseum.
Selbstoffenbarung des eschatologischen Christus-Majestas Domini mit stehender Christusgestalt. Darunter paarweise die Apostel. Stirnwand: Christusmedaillon, Kain und Abel.

601 Müstair (Graubünden), St. Johann, Wandmalerei, karolingisch, um 800, Nordapsis.
Gesetzes- und Schlüsselübergabe.

602 Teil des Magdeburger Antependiums Ottos I. (?), jetzt am Einband des Codex Wittekindeus, Elfenbeinrelief, 962–973. H. 12,7 cm, B. 11,7 cm. Berlin-(Ost), Deutsche Staatsbibl., Ms. theol. Lat. fol. 1.
Traditio legis (Dominus legem dat.)

603 Evangelistar, 1. Hälfte 13. Jh. H. 25,6 cm, B. 15,3 cm. Brandenburg, Domarchiv.
Gesetzes- und Schlüsselübergabe.

604 Poitiers, Notre-Dame-la-Grande, Tympanonplastik des Westportals, 2. Viertel 12. Jh.
Stehender Christus in Wolkenmandorla mit den vier Wesen, Sol und Luna.

605 Komburger Antependium, Treibarbeit, Kupfer, vergolu. det, 1104–1139. Großkomburg, Stiftskirche St. Niko-
606 laus.
Stehender Christus in Mandorla, Evangelistensymbole. Auf Seitentafeln die zwölf Apostel.

607 Baseler Antependium, dem Baseler Münster von Heinrich II. gestiftet; Treibarbeit, Gold, Reichenau oder Fulda, um 1020. H. 100 cm, L. 178 cm. Paris, Musée Cluny.
Stehender Christus mit Weltkugel zwischen drei Erz-

engeln und dem hl. Benedikt. Zu Füßen Christi kniet das Stifterpaar, Heinrich II. und Kunigunde.

608 Kommentar zur Beatus-Apokalypse des Liébana (gest. 798), Santo Domingo de Silos, vollendet 1109, geht auf ältere spanische Apokalypsehandschriften zurück. London, British Museum, Ms. Add. 11695, fol. 21.
Das zweite Kommen Christi-Parusie.

609 Buchdeckel, Vorderseite, Goldschmiedearbeit mit Zellenschmelz, byzantinisch, 2. Hälfte 12. Jh. H. 35 cm, B. 25,5 cm. Venedig, Bibl. Marciana, Ms. lat. Cl. 1, Nr. 100.
Stehender segnender Christus, zwölf Apostelmedaillons.

610 Evangeliar aus dem Bamberger Domschatz, Reichenau, um 1020. München, Bayr. Staatsbibl., Cod. lat. 4454, fol. 20.
Christus im Lebensbaum umgeben von den Evangelistensymbolen, vier Weltströmen, Sonne und Mond, Himmel und Erde.

611 Rom, Coemeterium Majus, Wandmalerei, 1. Hälfte 4. Jh.

612 Rom, Domitilla-Katakombe, Bäckergruft, Wandmalerei in einer Nische (Ausschnitt), Mitte 4. Jh.
Christus als Lehrer der Apostel.

613 Rom, Domitilla-Katakombe, Wandmalerei in der Lünette eines Arcosoliums bei der Ampliatuskrypta, um 340. H. 38 cm, B. 130 cm.
Christus als Lehrer der Apostel.

614 Mailand, S. Aquilino bei S. Lorenzo (ehem. Baptisterium), Mosaik der Nebenapsis, um 400, heute auch Mitte 5. Jh. datiert.
Christus (Monogrammnimbus mit Alpha und Omega) als himmlischer Lehrer der Apostel.

615 Sarkophag des Concordius, Bischof von Arles (gest. um 390), Marmor, Gallien, um 390. H. 48 cm, L. 219 cm. Arles, Musée Lapidaire.
Christus als Lehrer der Apostel – himmlisches Konzil (Buchaufschrift »Dominus legem dat« später hinzugefügt). Seitlich werden Verstorbene in die himmlische Ecclesia triumphans eingeführt. Im Torgiebel die corona vitae.

616 Stadttorsarkophag, Rückseite, Marmor, um 380. Mailand, S. Ambrogio. Siehe Nr. 448, 529, 583.
Christus als himmlischer Lehrer der Apostel. Vor dem Thron das Christuslamm und zwei Verstorbene. Deckel (ursprünglich an der Vorderseite): Die drei chaldäischen

Männer verweigern die Anbetung des Kaiserbildes, Clipeus mit zwei Porträtbüsten, Anbetung der Weisen.

617 Sarkophag der Eugenia (Ausschnitt), Marmor, Gallien, um 400. Marseille, Musée Borély.
Christus als Lehrer der Apostel. Vor dem Thron das Christuslamm auf dem Paradiesberg.

618 Rom, S. Pudenziana, Apsismosaik, entstanden unter Papst Innozenz I. 402–417; durch Einbauten von 1588 einige Teile zerstört bzw. restauriert.
Christus thront zwischen den Aposteln im himmlischen Jerusalem. Die Ecclesia ex circumsione (Judenkirche) bekränzt Petrus, die Ecclesia ex gentibus (Heidenkirche) Paulus. Im Himmel (Paradiesberg und Wolken) ein Gemmenkreuz und die vier Wesen. (Vor dem Thron ursprünglich vielleicht noch das Christuslamm).

619 Sog. Lipsanothek von Brescia, Kasten mit Elfenbeinreliefs (Ausschnitt Vorderseite, Mitte), wahrscheinlich Mailand, um 360–370. H. 22 cm, B. 24 cm, L. 32,7 cm. Brescia, Museo Civico.
Christus lehrt die Apostel.

620 Sog. Abrahamspyxis, Elfenbeinrelief, vermutlich alexandrinisch, 370–400. H. 12 cm, ⌀ 14,6 cm. Berlin, Stiftung Preußischer Kulturbesitz, Staatliche Museen, Skulpturenabteilung.
Thronender Christus als Lehrer der Apostel (Rückseite: Abraham opfert Isaak).

621 Deckel eines Reliquienkastens, Treibarbeit, Silber, vergoldet, Mailand (?), Ende 4. Jh. H. 20 cm, B. 17,5 cm. Mailand, S. Nazzaro.
Christus als Lehrer der Apostel; Brotkörbe und Weinkrüge.

622 Elfenbeinrelief, vermutlich syrisch, 5. Jh. H. 18,2 cm, B. 12,9 cm. Dijon, Museum.
Christus als Lehrer der Apostel.

623 Elfenbeinrelief, Buchdeckel, um 1000. H. 28,5 cm, B. 18,7 cm. Köln, Kunstgewerbemuseum.
Christus als Lehrer der Apostel; Paradiesesflüsse als Symbol der vier Evangelien.

624 Rom, Katakombe SS. Pietro e Marcellino, Kammer 22,
u. Deckenmalerei, um 400.
625 Lehrender Christus zwischen Petrus und Paulus. Verehrung des Christuslamms auf dem Paradiesberg durch die Märtyrer Gorgonius, Petrus, Marcellinus und Tiburtius; Jordan (Apok 21,5 ff.), Ausschnitt: Haupt Christi.

626 Rom, Cimeterio an der Via Latina, Katakomben,

Saal 1, Wandmalerei in einem Arcosolium (Fragment), 2. Hälfte 4. Jh.
Thronender lehrender Christus mit Paulus (Petrus zerstört).

627 Ravenna, Mausoleum der Galla Placidia, Mosaik der Eingangslünette, 2. Viertel 5. Jh. Siehe Nr. 532.
Christus als göttlicher Hirte im Paradies Schafe weidend.

628 Pignatta-Sarkophag, Vorderseite, 400–410. Ausschnitt. Siehe Nr. 88. Ravenna, Braccioforte.
Thronender Christus auf Drache und Natter tretend, Petrus und Paulus, Paradiespalmen.

629 Ravenna, S. Apollinare Nuovo, Mosaiken, 520–526. Ausschnitt der Südwand, Zone der Märtyrerprozession. Siehe Nr. 8, 63, 303, 342.
Thronender Christus zwischen Engeln.

630 Sarkophag, Vorderseite, Marmor, 420–430. (Bischof Rinaldo von Concorreggio, gest. 1321, liegt darin begraben.) Ravenna, Dom.
Thronender Christus (Paradiespalmen, Vierströmeberg, Wolken), Kranzdarbringung durch Paulus und Petrus.

631 Ravenna, S. Vitale, Mosaiken, geweiht 547. Apsiswölbung. Siehe Nr. 538.
Christus thront auf der Sphaira über dem Paradiesberg zwischen zwei Engeln, die den Titelheiligen Vitalis, dem Christus die Märtyrerkrone reicht, und den Bischof Ecclesius, der das Kirchenmodell darbringt, einführen.

632 Bleisiegelrelief, byzantinisch, 6. Jh. Medaillon. Vatikan, Museo Sacro.
Stehender Christus mit Kreuz und Buch zwischen zwei anbetenden Engeln, Gestirnszeichen, Palmen. Unten: Zwei Hirsche aus dem fons vitae trinkend.

633 Apsismosaik aus S. Michele in Affricisco, Ravenna, um 545. 1845 abgenommen, mehrmals durchgreifend restauriert, zuletzt 1951/1952. Staatl. Museen zu Berlin-(Ost).
Stehender Christus mit Gemmenkreuz und Buch zwischen Gabriel und Michael. Bogen: Christuslamm und zwölf Tauben (Apostel). Apsiswand: Thronender Christus zwischen zwei Engeln mit Lanze und Ysopstab und sieben Engeln mit Posaunen (Tuben).

634 Rom, S. Lorenzo fuori le mura, Triumphbogenmosaik, 578–590.
Christus mit Kreuz thront auf der Sphaira zwischen Petrus und Paulus; der Titelheilige Laurentius führt Bischof Pelagius, der hl. Stephanus Bischof Hippolytus ein. Jerusalem und Bethlehem.

635 Parenzo (Poreč/Istrien), Dom S. Eufrasiana, Apsismosaiken, um 540.
Wölbung: Thronende Madonna (Nikopaia-Typ) zwischen Engeln und Heiligen.
Stirnwand: Thronender Christus auf Sphaira zwischen
den zwölf Aposteln, die Buch oder Kranz tragen.

636 Diptychonflügel, Elfenbeinrelief, byzantinisch, Mitte
6. Jh. Berlin, Stiftung Preußischer Kulturbesitz, Staatl.
Museen, Skulpturenabteilung.
Thronender Christus, dahinter Petrus und Paulus.

637 Ambrosius-Handschrift, italienisch, um 500, St. Paul
im Lavanttal, Stiftsbibl., fol. 72 v.
Thronender Christus auf Weltkugel zwischen Paulus
und Petrus, beide mit Kreuz und Lorbeerkranz.

638 Behälter für ein Emailkreuz, Deckel, Silberrelief, ver-
goldet, um 820. Vatikan, Museo Sacro.
Thronender Christus zwischen Petrus und Paulus. In
Medaillons Engelbüsten.

639 Godescalc-Evangelistar, geschrieben 781–783 von Go-
descalc für Karl d. Gr. und seine Frau Hildegard. Hofschule. Paris, Bibl. Nationale, Ms. nouv. aq. lat. 1203,
fol 3 r. Christus thront vor dem himmlischen Jerusalem.

640 Homilien Gregors d. Großen zu den Evangelien, ober-
italienisch (Nonantola), um 800. H. 28,6 cm, B. 22 cm.
Vercelli, Bibl. Capitolare, Ms. CXLVIII, fol. 8 r. Siehe
Nr. 72.
Christus auf dem Gemmenthron. Im Kreuznimbus REX.
Im Hintergrund REX REGUM.

641 Lorscher Evangeliar, Teil I, Hofschule Karls d. Gr., um
810. H. 37 cm, B. 27,1 cm. Bukarest, Nationalbibl.,
Codex Aureus, p. 36.
Beginn des Matthäusevangeliums: Thronender Christus.
In der Kreisaureole die vier Wesen und Engel.

642 S. Angelo in Formis, Wandmalerei, Apsis (Ausschnitt),
1072–1087. Siehe Nr. 38, 104, 306, 378.
Thronender Christus. Buch: Ego sum alfa et o primus
et novissimus. (Die apokalyptischen Wesen nicht mit
abgebildet.)

643 Einbanddeckel des Uta-Codex, Goldschmiedearbeit, Regensburg (Codex im Auftrag der Äbtissin von Niedermünster zwischen 1002 und 1025 mit Miniaturen geschmückt). Siehe auch Nr. 28. München, Bayr. Staatsbibl., Cod. lat. 13 601.
Thronender Christus (Evangelistensymbole später zugefügt).

644 Kalksteinrelief, Regensburg, St. Emmeram, nördl. Vor-
halle, zwischen 1049 und 1060.
Thronender Christus (mit Buch). Unten Brustbild des
Stifters, Abt Reginward (1049–1060).

645 Poitiers, Ste. Radegonde, Steinrelief, Ende 11. Jh.
Thronender Christus.

646 Chorschrankenreliefs aus Gustorf (wohl ursprünglich
aus Knechtstedten), Steinrelief (Ausschnitt), um 1160.
H. der Figur: 87,4 cm. Bonn, Rheinisches Landesmuseum.
Thronender Christus, Gestirnszeichen (die Apostel nicht
abgebildet).

647 Bronzetür, Relief (rechter Flügel, oberes Querfeld),
Bonanus von Pisa, 1186. Monreale, Dom. Siehe Nr. 284.
Thronender Christus mit vier Seraphim, von sechs En-
geln verehrt.

648 Basel, Münster, Tympanonrelief und Türsturz der Galluspforte, lombardisch-provenzalischer Einfluß, um
1180.
Thronender Christus zwischen Petrus und einem Heiligen. Heinrich II. mit dem Kirchenmodell, Kunigunde
wird eingeführt. Türsturz: Kluge und törichte Jungfrauen.

649 Schrein der hl. Dreikönige, Goldschmiedearbeit, Ent-
wurf 1181 von Nikolaus von Verdun, Ausführung unter
Mitarbeit der Kölner Schule bis um 1230. L. 180 cm,
B. 110 cm, H. 170 cm. Giebel der Vorderwand. Köln,
Dom.
Thronender Christus, zwei Engel bringen Kelch, Potene,
Krone.

650 Elisabethschrein, Goldschmiedearbeit, um 1236–1249
(Ausschnitt). Marburg, Elisabethkirche. Siehe Nr. 212,
428, 429.
Thronender Christus mit Apostelkollegium. Dach: Vier
Szenen aus der Legende der hl. Elisabeth.

651 Istanbul, Hagia Sophia, Mosaiklünette über dem Haupt-
portal, byzantinisch, 886–912. B. 470 cm.
Wahrscheinlich Leo VI. (886–912) in Proskynese vor
dem thronenden Christus. In Medaillons Maria und ein
Erzengel (Gabriel?).

652 Pala d'Oro, vollendet 1105, untere Tafel, Mittelteil.
Venedig, S. Marco. Siehe Nr. 572.
Thronender Christus umgeben von den vier Evangeli-
sten.

653 Palermo, Cappella Palatina, Mosaiken, beg. 1143, Wand
über dem Seggio Reale (Ausschnitt).

Thronender Christus zwischen Petrus und Paulus, darüber Engel.

654 Pisa, Dom, Apsismosaik, Cimabue, 1301/1302. Byzantinischer Einfluß (restauriert).
Thronender Christus zwischen Maria und Johannes d. Evangelisten. Christus tritt auf Basilisk und Aspis, seitlich zwei weitere Tiere, auf dem Thron Löwen.

655 Rom, S. Ermete an der Via Salaria Vetus, Wandmalerei, Apsiskalotte (Ausschnitt), Ende 8. Jh.
Erhöhter Christus (Halbfigur), zwei Engel, Paradieswiese.

656 Daphni, Klosterkirche, Kuppelmosaik, byzantinisch, um 1100. Siehe Nr. 111.
Pantokrator.

657 Rom, SS. Giovanni e Paolo, antikes Wohnhaus unter der Kirche, Wandmalerei, byzantinisch, 9./10. Jh.
Pantokrator (stehend), flankiert von Engeln und den Märtyrern Johannes und Paulus (stark beschädigt).

658 Mosaikikone, byzantinischer Typus, Mitte 12. Jh. H. 54 cm, B. 41 cm. Florenz, Museo Nazionale del Bargello.
Pantokrator (Halbfigur).

659 Cefalù, Kathedrale, Apsismosaik, vor 1148.
Pantokrator, Maria Orans und Engel.

660 Monreale, Dom, Apsismosaik, 1182–1192. Siehe Nr. 316, 317, 466.

661 Palermo, Cappella Palatina, Kuppelmosaik, byzantinisch, um 1143–1153. Siehe Nr. 653.
Pantokrator umgeben von acht Engeln.

662 Saloniki (Thessaloniki), ehem. Klosterkirche Hosios David, Apsismosaik, Ende 5. Jh.
Majestas Domini auf Regenbogen in Aureole; Paradiesströme, personifizierter Jordan, Hesekiel und Habakuk (Gotteswagen nach Hesekiel).

663 Bawît (Mittelägypten), Apsismalerei in einer Kapelle des Klosters, 6./7. Jh. (Foto nach Kopie).
Majestas Domini auf Gotteswagen (Cherubimthron der Hesekielvision).

664 Pantokratorhöhle (Asketenhöhle) bei Heraklea am Latmos, Wandmalerei (Kopie), 1. Hälfte 7. Jh.
Majestas Domini – Gotteswagen mit zwei Trageengeln, Sol und Luna.

665 Aratus-Handschrift (Phénomènes), abhängig von Hs. in St. Bertin, auf Spätstufe von Reims, um 1000. H. 36 cm, B. 30 cm. Boulogne-sur-Mer, Bibl. Municipale, Ms. 188. Sol auf Quadriga.

666 Ampulle Bobbio Nr. 2, Bleirelief, palästinensisch, um 600. Bobbio, S. Columban.
Majestas Domini, Mandorla von zwei Engeln getragen, zwei Engel verehren das Arbor-vitae-Kreuz.

667 Moralia Gregors d. Gr., katalanisch, 945. Madrid, Bibl. Nacional, Cod. Vit. 14, fol. 2.
Majestas-Domini-Gotteswagen mit zwei Seraphim und zwei Engeln.

668 Weltchronik des Cosmas Indicopleustes, Konstantinopel, 9. Jh., Kopie nach einer alexandrinischen Handschrift des 6. Jh., in der sich vermutlich diese Darstellung noch nicht befand. Vatikan, Bibl. Apostolica Vaticana, Ms. grec. 699.
Vision des Jesaja.

669 Codex Vigilanus, fol. 16 v, katalanisch, 976. Escorial.
Majestas Domini (Jesaja-Vision); Alpha und Omega, Michael und Gabriel.

670 Bibel aus dem Kloster Wearmouth-Yarrow, 690–716 (wahrscheinlich nach südital. Vorlage vom Ende des 6. Jh.). Florenz, Bibl. Laurenziana, Cod. Amiatinus I, fol. 796 v.
Majestas Domini. Zwei Engel zu seiten Christi innerhalb der Kreisgloriole; vier Wesen, vier Evangelisten.

671 Sakramentarfragment, Palastschule Karls d. Kahlen, St. Denis oder Metz, um 870. H. 27 cm, B. 21 cm. Paris, Bibl. Nationale Cod. lat. 1141, fol. 6 r.
Majestas Domini mit Seraphim, Oceanus und Tellus.

672 Utrecht-Psalter, um 830, fol. 64 v. Utrecht. Siehe Nr. 16, 68, 73, 183, 265, 469.
Illustration zu Psalm 110(109),1. Gott und Christus thronend, die besiegten Feinde zu ihren Füßen.

673 Bibel von S. Paolo fuori le mura, Corbie, geschrieben für Karl den Dicken von Ingebertus, um 870–875. Rom, S. Paolo fuori le mura, fol. 115 r. Siehe Nr. 472.
Titelblatt zum Buch Jesaja; Majestas Domini, vier Tetramorphe, zwei Seraphim, die Ältesten (Jes. 24,23).

674 Ikone, palästinensisch (?), 7./8. Jh. H. 77 cm, B. 55 cm. Sinai, Katharinenkloster.
Majestas Domini auf Regenbogenthron.

675 Stuttgarter Psalter, um 820, fol. 19 v. Stuttgart. Siehe Nr. 69, 127, 185. Illustration zu Psalm 18(17),11.

Majestas Domini, Mandorla von Engeln gehalten, Cherubim mit der Bundeslade.

676 Stuttgarter Psalter, um 820, fol. 77. Stuttgart. Siehe Nr. 69, 127, 185, 675.
Illustration zu Psalm 68(67),12. – Majestas Domini und die vier Wesen – alle einzeln in Kreisgloriolen.

677 Psalter aus Shaftesbury Abbey, 1. Hälfte 12. Jh. Illustration zu Ps 110(109),1. London, British Museum, Lans. Ms. 383, fol. 108 v. Siehe Nr. 31.
Gott und Christus thronend, die besiegten Feinde zu ihren Füßen.

678 Gundohinus-Evangeliar, Burgund, dat. 754. H. 32 cm, B. 24,5 cm. Autun, Bibl. Municipale, Ms. 3, fol. 12 v.
Majestas Domini mit zwei Cherubim.

679 Evangeliar aus Ste. Croix in Poitiers, Amiens (langobardisch-mittelmeerischer Einfluß), Ende 8. Jh. H. 31,5 cm, B. 22,5 cm. Poitiers, Bibl. Municipale, Ms. 17, fol. 31 r.
Majestas Domini.

680 Sarkophag des Bischofs Agilbert (gest. 680), Schmalseite, Kalksteinrelief, merowingisch, vermutlich koptischer Einfluß, 2. Hälfte 7. Jh. Jouarre, ehem. Abtei St. Paul. Nordkrypta.
Majestas Domini.

681 Evangeliar Kaiser Lothars, Tours, zwischen 849 und 851. H. 32 cm, B. 25 cm. Paris, Bibl. Nationale, Cod. lat. 266.
Majestas Domini (gegenüber das Herrscherbildnis).

682 Evangeliar aus Weingarten, Tours, um 830. H. 33,8 cm, B. 25 cm. Stuttgart, Württembergische Landesbibl., HB. II. 40, fol. 1 v.
Majestas Domini mit Kreuzstab. Beischriften: »Hic mundi caelique sedet rex summus et auctor«, »Adorant mundum aetherioque animalia sensu«.

683 Evangeliar, westkarolingisch, 9./10. Jh. Trier, Stadtbibl. Ms. 23, Bd. 1, fol. 22 r.
Majestas Domini.

684 Sog. Vivian-Bibel, Tours, 846, fol. 330 v. Paris. Siehe Nr. 568.
Majestas Domini, vier Propheten und vier schreibende Evangelisten.

685 Bibel von Moutier-Grandval, Tours, um 840. H. 51 cm, B. 38 cm, London, British Museum. Add. Ms. 10 546, fol. 352 v.
Majestas Domini mit Propheten.

686 Codex Aureus von St. Emmeram in Regensburg, 870, fol. 6 v. München. Siehe Nr. 422.
Majestas Domini, vier Propheten und vier Evangelisten, die von ihren Symbolen inspiriert werden.

687 Sakramentarfragment, um 870, fol. 5 r. Paris. Siehe Nr. 671.
Majestas Domini, darunter vier Evangelisten (Halbfigur), zehn Engel und ein Seraph.

688 Beatus-Apokalypse, katalanisch, 975, fol. 2 (Ausschnitt). Gerona. Siehe Nr. 136.
Majestas Domini, Gestirnszeichen, Atlanten als Thronträger.

689 Pala d'Oro, goldenes Altarfrontale, Treibarbeit, gearbeitet von Volvinus in Mailand, zwischen 824 und 859, im Auftrage des Erzbischofs Angilbert II. (824–859). H. 85 cm, B. 220 cm, T. 122 cm, Mittelteil der Vorderseite. Mailand, S. Ambrogio.
Majestas Domini als Mitte einer Kreuzform, in den Eckfeldern je drei Apostel.

690 Einbanddeckel des Codex Aureus von St. Emmeram, Goldschmiedearbeit, vermutlich Reims, um 870. H. 42 cm, B. 33 cm (Ausschnitt). Siehe auch Nr. 422, 686. München, Bayr. Staatsbibl., Cod. lat. 14 000.
Majestas Domini, vier schreibende Evangelisten mit ihren Symbolen.

691 Einbanddeckel des Evangeliars des Erzbischofs Aribert, Goldschmiedearbeit mit Email und Edelsteinen, oberitalienisch, 2. Viertel 11. Jh. Mailand, Domschatz.
Christus der Himmelfahrt über dem Kruzifixus als Majestas Domini aufgefaßt; Gestirnszeichen. Inschrifttafel: Lux mundi. Seitlich: die Frauen am Grab, Christus führt Schächer ins Paradies. (Nicht abgebildeter unterer Teil: Höllenfahrt, Maria und Johannes, Longinus und Stephaton unter dem Kreuz).

692 Sog. Tuotilo-Tafel, Elfenbeindiptychon, gearbeitet von Tuotilo (nachweisbar 895–912) in St. Gallen, um 900. H. 32 cm, Gesamtbreite: 39,2 cm (Ausschnitt). St. Gallen, Stiftsbibl. Cod. 53.
Majestas Domini, zwei Seraphim, vier Evangelisten; Sol, Luna, Oceanus und Gaia als die vier Elemente. »Hic residet XPC virtutum stemmate septus.«

693 Einband des Evangeliars aus St. Jacob, Lüttich, (2. Viertel 12. Jh.), Elfenbeinrelief, Belgien (?), Anfang 10. Jh. H. 27,5 cm, B. 9,1 cm. Darmstadt, Hessisches Landesmuseum.
Majestas Domini, die Evangelistensymbole blicken zu Christus, Alpha und Omega.

694 Elfenbeinrelief, wahrscheinlich Spätstufe der Hofschule
Karls d. Gr., 9. Jh. H. 19 cm, B. 13 cm. Berlin, Stiftung
Preußischer Kulturbesitz, Staatl. Museen, Skulpturen-
abteilung.
Majestas Domini, zwei Seraphim, Sol und Luna.

695 Elfenbeinrelief, westdeutsch, um 1000. Darmstadt, Hes-
sisches Landesmuseum.
Majestas Domini, schreibende Evangelisten. »Lux-Lex-
Rex-Pax«.

696 Elfenbeinrelief, Nordfrankreich oder Belgien, um 1100.
H. 14,6 cm, B. 8,6 cm. London, Victoria and Albert
Museum.
Majestas Domini, Christus hält Schlüssel, Lampe und
Kreuzszepter.

697 Evangeliar aus St. Bertin, um 1000, fol. 10 r. Boulogne-
sur-Mer. Siehe Nr. 85, 184.
Majestas-Domini-Kosmokrator, Alpha und Omega.

698 Evangeliar aus St. Maria ad Gradus in Köln, Köln, um
1030. H. 31,6 cm, B. 22,5 cm. Köln, Erzbischöfliches
Priesterseminar, Ms. 1 a, fol. 1 v.
Majestas Domini mit Propheten.

699 Wys'schrader Krönungsevangelistar, 1085–1086, fol. 9 v.
Prag. Siehe Nr. 32, 174.
Majestas Domini, Mandorla von Engeln getragen.

700 Sakramentar aus St. Gereon, Köln, aus der Zeit Ottos
III., zwischen 996 und 1002. H. 26,8 cm, B. 18,4 cm.
Paris, Bibl. Nationale, Cod. lat. 817, fol. 15 v. Siehe
Nr. 34.
Majestas Domini, zwei Cherubim innerhalb der Man-
dorla. Steht am Beginn des Canon missae.

701 Evangeliar aus der Abtei Abdinghof bei Paderborn,
Kölner Schule, um 1080, fol. 13 v. Berlin. Siehe Nr. 392.
Majestas Domini.

702 Handschrift aus Trier, letztes Viertel 10. Jh. Koblenz,
Staatsarchiv, Cod. 701.
Majestas Domini.

703 Stavelot-Bibel, englisch, 1094–1097. London, British
Museum, Add. 28 107, fol. 136.
Majestas Domini.

704 Moissac, St. Pierre, Tympanonrelief des Südportals, um
1120.
Majestas Domini mit Krone, die 24 Ältesten (Apk 4).

705 Steinrelief, 11. Jh. Pisa, Camposanto.
Majestas Domini, Lamm (Widder) mit Kreuz.

706 Arles, St. Trophîme, Tympanonrelief des Westportals,
Mitte 12. Jh.
Majestas Domini mit Krone.

707 Chartres, Kathedrale, Tympanonrelief vom Mittelportal
der Westfassade, 1145–1151.
Majestas Domini, darüber Taube des Hl. Geistes.
Archivolten: Engel, 24 Älteste (Ausschnitt), (Türsturz,
nicht abgebildet: die sitzenden Apostel).

708 Ely, Kathedrale, Tympanonrelief der Prior's Door, süd-
liches Seitenschiff, um 1140.
Majestas Domini, Mandorla wird von zwei Engeln getragen.

709 Carrión de los Candes, Kathedrale Santiago, Relieffries über dem Nordportal, nordspanischer Meister, um
1165.
Majestas Domini.

710 Nowgorod, Sophienkirche, Bronzetür mit Reliefs, rechter Flügel, obere Reihe. 1152–1154. Siehe Nr. 144.
Majestas Domini, Christus setzt Füße auf Löwe und
Drache. Mandorlathron wird von vier Engeln getragen,
vier Wesen, Gestirnszeichen.

711 Carennac, Kirche, Tympanonrelief (Ausschnitt), Mitte
12. Jh.
Majestas Domini (seitlich die 12 Apostel).

712 St. Jacques-des-Guérets, Dorfkirche, Wandmalerei im
Südflügel der östlichen Rundmauer, um 1200.
Majestas Domini.

713 León, Panteón de los Reyes (Vorhallenbau der Colegiata San Isidoro), Deckenmalerei, 2. Hälfte 12. Jh.
(Unter König Ferdinando II. 1167/1175 oder 1181/
1188.)
Majestas Domini, Evangelistensymbole in Menschengestalt bringen Evangelien dar.

714 Montoire (Loire et Cher), St. Gilles (erhalten nur noch
Chorpartie), Wandmalerei in der Konche der Südapsis,
Mitte 12. Jh.
Majestas Domini (Richter).

715 Apostelteppich, um 1180, Mittelstück. Halberstadt,
Domschatz.
Majestas Domini, Mandorlathron wird von Michael
und Gabriel getragen (Apostel nicht abgebildet).

716 Apsisfresko aus S. Clemente de Tahull (Prov. Lerida),
Ausschnitt, Weihe der Kirche 1123. Barcelona, Museo
de Arte de Cataluña.
Majestas Domini, zwei Engel, zwei Cherubim.

717 Knechtstedten, ehem. Prämonstratenserabtei S. Maria und Andreas, Wandmalerei der Westapsis, um 1170/1180 (restauriert).
Majestas Domini mit Petrus und Paulus und Stifterfigur (darunter elf Apostel, nicht abgebildet).

718 Schwarzrheindorf, Doppelkapelle, jetzt Pfarrkirche S. Klemens. Wandmalerei in der Apsis der Oberkirche, 3. Viertel 12. Jh.
Majestas Domini mit den Kirchenstiftern Graf Arnold von Wied und seiner Schwester Hedwig. Heilige.

719 Altarfrontale von S. Pedro de Seo de Urgel, Malerei, Anf. 12. Jh., Barcelona, Museo de Arte de Cataluña.
Majestas Domini mit Aposteln.

720 Tragaltar des Eilbertus, Meister Eilbertus von Köln. Emailplatten auf Holzkern, Bergkristallplatte, Pergamentminiatur. Aus dem Welfenschatz. 1150–1160. Platte: B. 21 cm, L. 35,7 cm. Berlin, Stiftung Preußischer Kulturbesitz, Kunstgewerbemuseum.
Majestas Domini, zwölf Apostel mit Schriftbändern, die je einen Satz des Glaubensbekenntnisses enthalten. Links Geburtszyklus, rechts Passions-Auferstehungszyklus.

721 Hans Memling (um 1433–1494), Triptychon, Tafelmalerei, um 1490, ehem. Orgeltribüne der Kirche S. Maria la Real in Najera (Kastilien). Mittelteil: H. 164 cm, B. 212 cm. Antwerpen, Kon. Museum voor schone Kunsten.
Christus als König und Priester zwischen Engeln.

Bildquellen

ACL, Brüssel: 204 – Alinari, Florenz: 7, 13, 15, 49, 51, 53, 54, 100, 103, 116, 168, 171, 172, 217, 231, 235, 246, 259, 260, 293, 298, 309, 321, 323, 328, 330, 337, 349, 350, 361, 368, 374, 378, 393, 457, 458, 464, 465, 466, 513, 514, 515, 516, 518, 528, 531, 532, 534, 557, 559, 562, 565, 572, 574, 577, 582, 589, 590, 591, 593, 595, 596, 618, 627, 635, 642, 652, 653, 654, 657, 659, 660, 689, 705 – Anderson, Rom: 64, 82, 104, 115, 167, 170, 218, 233, 253, 316, 317, 329, 342 – Antikvarisk Topagrafiska Arkivet, Stockholm: 96 – Arbeitsstelle Nord für Heimatvertriebene, Köln: 442 – Archiv Maria Laach: 199, 356, 639, 687 – Archives Photographiques, Paris: 232, 438 – Badische Landesbibliothek, Karlsruhe: 95, 210 – Badisches Landesmuseum, Karlsruhe: 511 – Baldass, Peter, Wien: 190 – Bayerisches Nationalmuseum, München: 12, 427, 451 – Bayerische Staatsbibliothek, München: 20, 28, 91, 123, 124, 150, 289, 322, 327, 354, 357, 372, 376, 377, 422, 443, 643, 686, 690 – Bayerische Staatsgemäldesammlungen, München: 229, 230, 254, 295, 296, 338, 519 – Bayerische Verwaltung der Staatlichen Schlösser, München: 383 – Biblioteca Apostolica Vaticana, Rom: 54, 109, 114, 126, 132, 133, 269, 270, 287, 305, 321, 345, 571, 632, 638, 668 – Bibliotecario e Archivista della Curia Vescovile, Padua: 42 – Bibliothèque Municipale, Boulogne-sur-Mer: 85, 184, 665 – Bibliothèque Municipale, Dijon: 197 – Bibliothèque Municipale, Rouen: 493 – Bibliothèque Nationale: Paris: 30, 125, 277, 304, 307, 344, 370, 390, 468, 470, 471, 489, 541, 568, 684, 700 – Bodleian Library, Oxford: 76 – Boeck, Werner, Cismar: 415 – Bredol-Lepper, Aachen: 27, 308, 331, 539, 678 – British Museum, London: 4, 31, 36, 67, 80, 113, 131, 179, 180, 181, 182, 219, 247, 311, 397, 399, 408, 475, 486, 494, 487, 495, 500, 608, 703 – Brogi, Florenz: 94, 169, 292 – Bundesdenkmalamt, Wien: 439, 440 – Caisse Nationale, Paris: 158, 193, 506 – Collezione Lotze, Verona: 234 – Denkmalpflegeamt, München: 365, 402 – Denkmalpflegeamt, Münster: 416 – Denkmalpflegeamt, Wien: 146, 424, 433, 454, 455, 497 – Deutsches Archäologisches Institut, Rom: 8, 88, 303, 448, 538, 561, 575, 580, 581, 585, 586, 588, 615, 628 – Deutsche Fotothek, Dresden: 77, 106 – Diözesanbildstelle, Linz: 412 – Dumberton Oaks Museum, Washington: 453 – Eremitage, Leningrad: 456 – Fabbrica del Duomo, Mailand: 691 – S. t'Felt, Antwerpen: 384 – Foto Marburg: 18, 34, 39, 58, 59, 86, 89, 92, 93, 107, 140, 143, 144, 147, 148, 161, 187, 188, 189, 192, 196, 198, 201, 209, 212, 215, 225, 226, 228, 237, 238, 242, 248, 272, 278, 280, 281, 282, 285, 290, 301, 324, 333, 335, 347, 351, 361, 371, 386, 389, 391, 403, 407, 409, 414, 423, 428, 429, 474, 484, 485, 498, 507, 508, 509, 512, 520, 522, 544, 552, 592, 603, 604, 607, 610, 617, 644, 647, 648, 650, 651, 675, 683, 704, 706, 708, 710, 711, 712, 715, 721 – Gabinetto Fotografico Nazionale, Rom: 55, 71, 99, 421, 472, 503, 504, 566, 573, 594, 597, 599 – Gauske, Karlsruhe: 210 – Germanisches Nationalmuseum, Nürnberg: 162, 336, 367, 382 – Grubenbecher, Kaltenkirchen: 214 – Hauptstaatsarchiv, Stuttgart: 682 – Herzog-August-Bibliothek, Wolfenbüttel: 41, 156, 205 – Hessisches Landesmuseum, Darmstadt: 425, 693, 695 – Hohnholt, Bremen: 137 – Hirmer-Verlag, München: 4, 11, 37, 46, 47, 118, 119, 145, 268, 271, 299, 315, 334, 340, 352, 360, 411, 426, 460, 523, 530, 533, 536, 545, 550, 551, 553, 584, 587, 598, 609, 614, 619, 621, 630, 658, 662, 709, 714, 716 – Historisches Museum, Basel: 406 – Humm, Zürich: 601 – Hunterian Museum, Glasgow: 353, 375 – Ikonenmuseum, Recklinghausen: 398 – Institut Royal du Patrimoine Artistique, Brüssel: 216, 482 – Istituto d'Antichità, Ravenna: 576 – John Rylands Library, Manchester: 19, 134, 135 – Kilian, Stuttgart: 185 – Königliche Bibliothek, Kopenhagen: 87 – Koninklijk Museum voor Schone Kunsten, Antwerpen: 251 – Kreisbildstelle, Vilshofen: 261 – Krupp, Essen: 396 – Kunsthalle Hamburg: 97, 165, 223, 250 – Kunsthalle Karlsruhe: 252 – Kunsthistorisches Museum, Wien: 244, 245, 275, 339, 366, 380 – Landesamt für Denkmalpflege, Kiel: 166 – Landesbibliothek Stuttgart: 69, 436 – Landesbildstelle Düsseldorf: 208 – Landesbildstelle Stuttgart: 605, 606 – Landesmuseum für Kunst und Kulturgeschichte, Münster: 40 – Leigh, Edward, Cambridge: 332 – Lichtbildstelle »Alpenland«, Wien: 418, 420 – Makovec, Lüneburg: 432 – MAS, Barcelona: 61, 136, 249, 510 – Metropolitan Museum of Art, New York: 101, 284 – Münzkabinett, München: 450 – Murhardsche Bibliothek und Landesbibliothek, Kassel: 17 – Musée d'art et d'histoire, Genf: 381 – Musée des Beaux-Arts, Marseille: 255 – Musées Royaux d'Art et d'Historie, Brüssel: 70 – Museo Arqueologico, Madrid: 444 – Museo Nazionale, Florenz: 13, 404 – Museum für Kunst und Gewerbe, Hamburg: 431 – Nationalgalerie, Prag: 221, 224 – National Monuments Branch, Dublin: 401 – Nationalmuseum, Kopenhagen: 45, 90, 142, 445 – Niedersächsische Landesgalerie, Hannover: 52, 160, 222, 363 – Österreichische Nationalbibliothek, Wien: 138, 202, 211, 437, 637 – Papahadjidakis, Athen: 112 – Pembroke College, Cambridge: 291 – Pierpont Morgan Library, New York: 57, 78, 151, 491, 554 – Dr. Pineider, Florenz: 459 – Pontificio Commissione di Archeologia Sacra, Rom: 417, 529, 546, 578, 583, 612, 613, 616, 624, 666 – Rheinisches Bildarchiv, Köln: 21, 29, 74, 149, 159, 163, 213, 243, 364, 446,

480, 496, 499, 521, 623, 699, 717, 718 – Rheinisches Landesmuseum, Bonn: 65, 400, 646 – Rijksuniversiteit Bibliotheek, Utrecht: 6, 68, 73, 183, 265, 469 – Schmidt-Glassner, Stuttgart: 175 – Schweizer Landesmuseum, Zürich: 600 – Service de Documentation Photographique, Paris: 419 – Staatliche Kunstsammlungen, Schloßmuseum Weimar: 483 – Staatliches Museum zu Berlin, Berlin Ost: 227, 395, 479, 481, 547, 567, 602 – Staatsarchiv Koblenz: 702 – Staatsgalerie Stuttgart: 127, 240 – Stadtbildstelle Aachen: 72, 641 – Städtisches Bauamt, Nürnberg: 441 – Stiftung Preußischer Kulturbesitz, Berlin: 48, 50, 75, 201, 206, 236, 346, 430, 392, 633, 636, 694, 701, 720 – Studio Remy, Dijon: 622 – Tiroler Landesmuseum, Innsbruck: 256 – Universitätsbibliothek Prag: 32, 174, 274, 335, 699 – Vachi, Parma: 517 – Victoria and Albert Museum, London: 3, 10, 14, 141, 173, 273, 288, 325, 388, 435, 476, 696 – Vogel, Inge, Augsburg: 239 – The Walters Art Gallery, Baltimore: 83 – Warburg Institute, London: 79, 81, 152, 186, 300, 302, 312, 313, 314, 355, 413, 502 – Wehmeyer, Hildesheim: 84, 139, 195, 279, 410, 492, 501 – Wiemann, Recklinghausen: 447 – Winter, St. Paul, Lavanttal: 473 – Württembergisches Landesmuseum, Stuttgart: 26, 105, 463 – Zumbühl, St. Gallen: 488 – Zwicker, Würzburg: 283.

Bildteil

1

1 Dura Europos, um 250, Wandmalerei, New Haven. Drei Frauen am Grabe.
2 Gürtelschnalle, Elfenbein, 1. H. 6. Jh., Arles. Wächter am Grab.
3 Sog. Basilewsky-Situla, Elfenbein, um 980, London. Wächter am Grab.

4 Elfenbeintäfelchen, um 420/430, oberitalienisch, London. Frauen und Wächter am Grab.
5 Ölampulle, E. 6. Jh., Monza. Kreuzigung mit Schächern, Frauen am Grabe.
6 Ölampulle, E. 6. Jh., Washington. Frauen am Grabe.

2

3

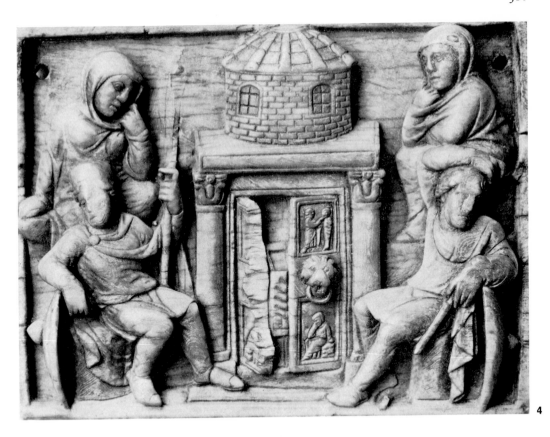

4

5

6

7 Rabula-Codex, 586, Florenz. Frauen am Grabe, Erscheinung des Auferstandenen.

8 Ravenna, S. Apollinare Nuovo, 520–526. Frauen am Grabe.

9 Holzkästchen, Palästina, 6./7. Jh., Vatikan. Frauen am Grabe, Himmelfahrt Christi.

10 Sog. Basilewsky-Situla, um 980, London. Frauen am Grabe.

9

10

11

12

11 Diptychonflügel, Elfenbein, um 400, Mailand. Christus vor dem Grab sitzend, zwei Frauen am Grabe.

12 Reidersche Tafel, Elfenbein, um 400, München. Frauen am Grabe, Himmelfahrt Christi (westlicher Typus).

13 Elfenbeintafel, Hofschule Karls d. Gr., A. 9. Jh., Florenz. Frauen am Grabe.

14 Buchdeckel, Elfenbein, süddeutsch, E. 10. Jh., London. Frauen am Grabe.

15 Rom, S. Sabina, Holztür, vollendet 432. Frauen am Grabe.

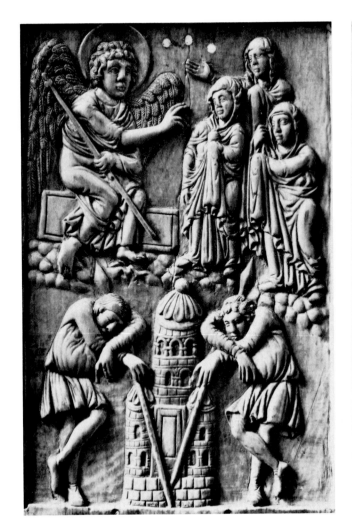

13

14

15

QUIINCRIDITURSINE   ISTINCONSPECTUEIUS   TERNUM:
MACULA · ETOPERATUR   MALICNUS · TIMENTES
IUSTITIAM ·   AUTEMDNMCLORIFICAT·
QUILOQUITURUERITA   QUIIURATPROXIMO
TEMINCORDISUO·   SUOETNONDECIPIT·
QUINONECITDOLU   QUIPECUNIAMSUA
INLINCUASUA   NONDEDITADUSURA

16

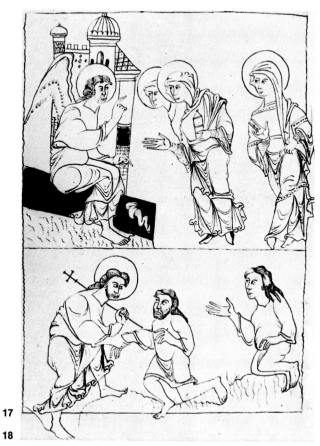

17

18

16 Utrecht-Psalter, um 830, Reims. Frauen am Grabe, Höllenfahrt.
17 Abdinghofer Evangeliar, um 1000. Frauen am Grabe, Höllenfahrt.
18 Egbert-Evangelistar, Reichenau, um 980, Trier. Frauen am Grabe.

MULIERES   ANGELUS·DÑI.

19

20

19 Perikopenbuch, Prüm, 2. V. 11. Jh., Manchester. Frauen am Grabe.

20 Perikopenbuch Heinrichs II., Reichenau, A. 11. Jh. Frauen am Grabe.

21 Stammheimer Missale, Hildesheim, um 1160. Frauen am Grabe mit Erhöhung Christi.

22 Marmorrelief, Gallien (?), A. 5. Jh., Ravenna. Frauen am Grabe mit Erhöhung Christi.

23 Tatzenkreuz, englisch, 11./12. Jh., New York. Frauen am Grabe, auferstandener Christus.

24 Farfa-Bibel, katalanisch, 1. H. 11. Jh., Vatikan. Frauen am Grabe mit Erhöhung Christi.

25

25 Dax (Landes), St. Paul, Steinrelief, M. 12. Jh. Frauen am
Grabe.
26 Reliquienschrein, Elfenbein, kölnisch, 13. Jh., Stuttgart.
Frauen am Grabe, der erhöhte Christus.

26

27

28

29

30

Frauen am Grabe

31

32

33

34

35

36

Frauen am Grabe

37

324

38

40

39

Frauen am Grabe

38 S. Angelo in Formis, Schule Monte Cassino, Fresko, 1072—1087.

39 Bronzetür, Benevent, E. 12. Jh.

40 Elfenbeintäfelchen (Fragment), Belgien, 1. H. 11. Jh., Münster. Geburt Christi und Frauen am Grabe.

41 Codex Helmstedtensis, 1195, Wolfenbüttel. Frauen am Grabe, Ungläubiger Thomas.

42 Epistular, 1259, Padua. Frauen am Grabe.

43 Bibel von Avila, katalanisch, 13. Jh., Madrid. Frauen am Grabe.

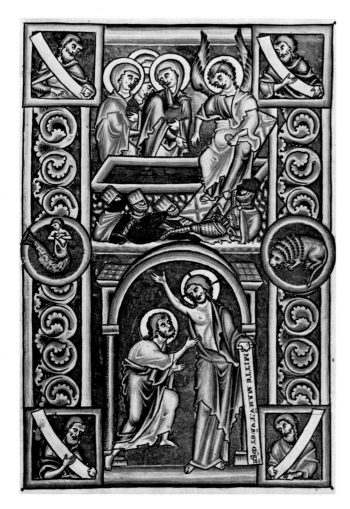

41

42

43

44

45

44 Weihwasserbecken, 12. Jh., Modena. Drei Frauen kaufen Salben ein.

45 Holzrelief, Jütland (?), um 1250, Kopenhagen. Drei Frauen am Grabe.

46 León, Tympanonrelief, 12. Jh. Himmelfahrt Christi, Kreuzabnahme, Frauen am Grabe.

47 Pamplona, Nordspanien, Kapitell, um 1145. Frauen am Grabe.

46

48

48 Altarretabel, Wiesenkirche Soest, um 1240, Berlin. Frauen am Grabe.

49 Duccio, ehem. Hochaltar, 1308–1311, Siena. Frauen am Grabe.

50 Hamiltonbibel, Neapel, um 1350, Berlin. Auferstehung Christi. Frauen am Grabe.

51 Andrea da Firenze, Spanische Kapelle, Florenz, 1365–1368. Frauen am Grabe, Erhöhung Christi.

52 Goldene Tafel aus Lüneburg, um 1418, Hannover. Frauen am Grabe.

53 Fra Angelico, S. Marco, Florenz, 1436–1445. Frauen am Grabe, der Auferstandene.

49

54

55

54 Silberbehälter, um 820, Vatikan. Frauen am Grabe, Gang nach Emmaus, Johannes und Petrus am leeren Grabe.

55 Rom, S. Maria Egiziaca, 872–882. Petrus und Johannes am Grabe.

56 Tetraevangeliar, byzant., E. 10. Jh., Leningrad. Petrus und Johannes am Grabe.

57 Handschrift des Bertolt aus Regensburg, 2. H. 11. Jh., New York. Petrus und Johannes am Grabe.

58 Kunigunde-Passionale, 1314–1321, Prag. Petrus und Johannes am Grabe.

59 Evangelistar des Kuno von Falkenstein, 1380, Trier. Petrus und Johannes am Grabe.

56

57

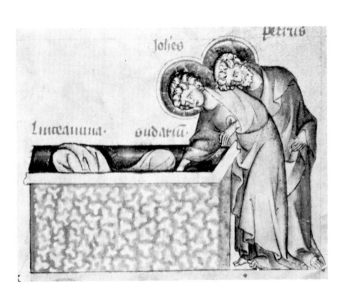

58

59

60

61

62

63

Der sieghafte Christus tritt auf symbolische Tiere
(vgl. Ps 90[91],13).

60 Öllampe, Ton, 5./6. Jh. (Nachzeichnung). Christus steht auf
der Schlange.

61 Sarkophag, 4. Jh., Gerona.
Christus steht auf Löwe und
Schlange, Isaaks Opferung.

62 Ravenna, Dombaptisterium,
Stuckrelief, um 450. Christus
steht auf Löwe und Schlange.

63 Ravenna, San Apollinare
Nuovo, 520–526. Christus
steht auf der Schlange.
Zwei Apostel.

64 Ravenna, Ezbischöfl. Kapelle,
um 500. Christus steht auf
Löwe und Schlange.

64

65

66

67

Der sieghafte Christus tritt auf symbolische Tiere (Vgl. Ps 90[91],13).

65 Grabstein, um 650, Bonn.
66 Buchmalerei, westgotisch, frühes Mittelalter, Vatikan.
67 Bischofsstab, Elfenbein, 11. Jh., London.
68 Utrecht-Psalter, Reims um 830, Utrecht.
69 Stuttgarter Psalter, 820—830.

68

69

70

70 Diptychon von Geneols-Elderen, Rhein-Maas-Gebiet, 3. Dr. 8. Jh., Brüssel. Christus steht auf Löwe und Drache, Aspis und Basilisk.

71 Einbanddeckel des Lorscher Evangeliars, Elfenbein, um 810, Hofschule Karls d. Gr., Vatikan. Christus steht auf den vier Tieren.

72

75

Christus tritt auf Tiere – Ps 90(91),13

72 Homilien Gregors d. Gr., Oberitalien, um 800, Vercelli.
73 Utrecht-Psalter, um 830.
74 Werdener Psalter, 2. V. 11. Jh., Berlin.
75 Hamilton-Psalter, E. 11. Jh., Berlin.

Christus auf Löwe und Drache

76 Peterborough-Psalter, englisch, um 1000, Oxford.
77 Elfenbeinbuchdeckel, belgisch-rheinisch (?), um 1000, Dresden.
78 Arenberg-Evangeliar, 11. Jh., New York.

73

74

76

77

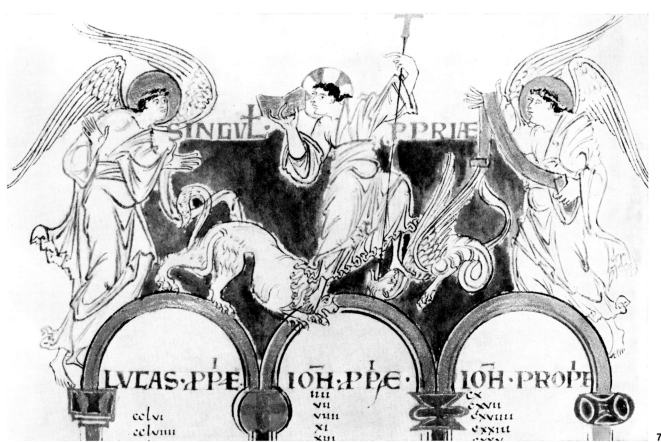

78

79
80

peccatoref afacie dei.

EUS QUI HODIERNA
die punigenitum tuy
eternitatis nobif achny
deuncla morte reserafti
uota nra que puemendo aspiras etiã
adiuuando prosequere, Pe. AD PROC

&opul manuum nrarũ dirige
Sup aspidẽ & basilisci ãbulabif.
VI HABITAT
inadiutorio altis
simi : inprectione
dei celi comorabit.
Dicet domino
susceptor ms estu:
&retugium meũ.
deuf meuf sperabo ineum

81

79 Albanipsalter, 1. H. 12. Jh.,
Hildesheim. Christus tötet
den Feind.

80 Ottobeurener Collectar, 1181,
London. Christus tötet den
Drachen.

81 Albanipsalter, englisch, 1. H.
12. Jh. Christus tritt auf die Tiere.

Christus steht auf Tieren

82 Troja, Tympanon, 12. Jh.
83 Odoschrein, Amay (Maas), 1080,
Baltimore.
84 Ratmann-Missale, Metalleinband,
1159, Hildesheim.

82

83

84

ui habitat

tectione

Dict

refigiun

85

86

87

Christus tritt auf Tiere

85 Psalter aus St. Bertin, 989–1008, Boulogne-sur-Mer.
86 Hadelius-Schrein aus Celles, um 1070–1080, Visé.
87 Einbanddeckel des »Dalby-Buches«, A. 13. Jh., Kopenhagen.

Thronender Christus tritt auf Tiere

88 Pignatta-Sarkophag, Ravenna, 400–410, Ravenna.
89 Mainz, Dom, Tympanon, A. 13. Jh.

88

89

90

91

90 Lisbjerg-Altar, Treibarbeit, um 1150, Kopenhagen.
91 Psalter, englisch, 1. V. 13. Jh., München.
92 Eleutherius-Schrein, Maasgebiet, 1247, Tournai.

93

94

93 Chartres, Südportal, 1. V. 13. Jh., Lehrender Christus auf Tieren (Beau Dieu).

94 Giovanni Pisano, 1301, Pistoia. Christus auf Tieren (Schmerzensmann), Lebensbaumsymbolik, Trinitätszeichen.

95 Lektionar Bruchsal, 1197–1198, Karlsruhe. Christus tritt auf die Schlange.

96 Kreuzfuß Vallstena, 13. Jh., Visby. Christus tritt auf Grabwächter.

97 Heilsspiegel, Holzschnitt, 1498. Christus bekämpft den Teufel.

98 Ulrich Krafft, Holzschnitt, 1517. Christus besiegt den Teufel und die Schlange.

95

96

97

98

Anastasis

99 Reliquienkreuz, syrisch-palästinensisch, 1. H. 8. Jh.
100 Rom, S. Clemente, 847–855.
101 Fieschi-Reliquiar, um 700, New York.

102 Cimitile, SS. Martiri, um 900.
103 Rom, S. Clemente, Unterkirche, letztes V. 9. Jh.
104 S. Angelo in Formis, 1072–1087.

99
100

101
102

103

104

105

105 Elfenbeinkästchen, byzantinisch, 9. oder 10. Jh., Stuttgart. Anastasis und Totenauferstehung.
106 Elfenbeindiptychonflügel, byzantinisch, Mitte 10. Jh., Dresden. Christus erscheint Frauen, Anastasis.
107 Lektionar aus Trapezunt, Mitte 10. Jh., Leningrad. Anastasis.
108 Mosaikdiptychonflügel (Ausschnitt), Konstantinopel, 1. H. 14. Jh., Florenz. Anastasis.

109 Silberbehälter, um 820, Vatikan. Christus führt Adam aus dem Totenreich.
110 Elfenbeintäfelchen, Unteritalien, 2. H. 11. Jh., Salerno. Anastasis.
111 Daphni bei Athen, Mosaik, 1080/1100. Anastasis.

106

107

112

Anastasis

112 Hosios Lukas, Mosaik,
griechisch, um 1025.
113 Melissande-Psalter,
11. Jh., London.
114 Buchmalerei, A. 12. Jh.,
griechisch, Vatikan.
115 Torcello, Dom, Mosaik,
um 1175.
116 Venedig, San Marco,
1. H. 12. Jh.

113

114

115

116

117

118

119

Anastasis

120

121

122

123 Serbischer Psalter, A. 15. Jh., München. Anastasis, Engel fesseln den Satan.
124 Serbischer Psalter. Christusknabe reißt Adam und Eva aus dem Grabe.

125 Psalter, Fragment, byzant., 10. Jh., Paris. Anastasis.
126 Homilien des Jacobus, E. 11./A. 12. Jh., Vatikan. Anastasis, Ankunft im Totenreich und Auszug.

125

127 Stuttgarter Psalter (siehe Nr. 69). Höllenfahrt.
128 Ikone Nowgorod, 15./16. Jh. Anastasis.
129 Exultetrolle, Monte Cassino, 11. Jh., Capua. Höllenfahrt.
130 Exultetrolle, Benevent, 11./12. Jh., Gaeta. Höllenfahrt.
131 Cotton-Psalter, Winchester, 1050, London. Höllenfahrt.

127

128

129

130

132

133

132 u. **133** Exultetrolle, Benevent, 981–987, Vatikan. Höllenfahrt (Abstieg und Aufstieg).

134 u. **135** Exultetrolle, süditalienisch, um 1000, Manchester. Christus als Sieger – Höllenfahrt mit Gerichtsmotiven.

Nächste Seite:

136 Beatus-Apokalypse, katalanisch, 975, Gerona. — Höllenfahrt.

134

135

137

138

Höllenfahrt

137 Perikopenbuch Heinrich III., Echternach, 1040, Bremen.
138 Liutold-Evangeliar, 12. Jh., Wien.

139 Collectionar, Reichenau, 1018, Hildesheim.
140 Psalter des Landgrafen von Thüringen, 1210–1220, Stuttgart.

139

140

141

142

143

144

141 Basilewsky-Situla, um 980, London.
142 Antependium aus Ölst, 12. Jh., Kopenhagen.
143 Steinrelief, Mitte 11. Jh., Bristol.
144 Bronzetür, 1152–1154, Nowgorod,
Sophienkirche.
145 Ciboriumssäule, 2. V. 13. Jh., Venedig,
San Marco.

145

146

147

Höllenfahrt

146 Klosterneuburger Altar, Email, 1181.
147 Marienschrein, Treibarbeit, Tournai, 1205.
148 Tavant, St. Nicolas, Krypta, M. 12. Jh.
149 St. Maria Lyskirchen, Köln, um 1250.

148

149

150

151

152

153

154

155

156

157

158

159

160

161

162

163

164

165

163 Passionsaltar, Schnitzerei, 1500, Kalkar. Christus tritt das
Höllentor ein.
164 L. Cranach d. Ä. – Werkstatt, 1537–1540, Aschaffenburg.
Auferstehung und Höllenfahrt.
165 A. Dürer, Große Holzschnitt-Passion, 1510. Höllenfahrt.
166 H. Brüggemann, Bordesholmer Altar, 1521, Schleswig. Höllenfahrt.

166

167

168

169

170

Höllenfahrt

167 Andrea da Firenze, Spanische Kapelle, 1365 bis 1368, Florenz.
168 Jacopo Bellini, Tafelbild, um 1560, Padua.
169 Donatello, Bronzekanzel, um 1460, S. Lorenzo, Florenz.
170 Fra Angelico, 1436–1445, S. Marco, Florenz.

Höllenfahrt

171 Tintoretto, Altarbild, 1568, S. Cassiano, Venedig.
172 Angelo Brozino, 1552, S. Croce, Florenz.

171

174

173

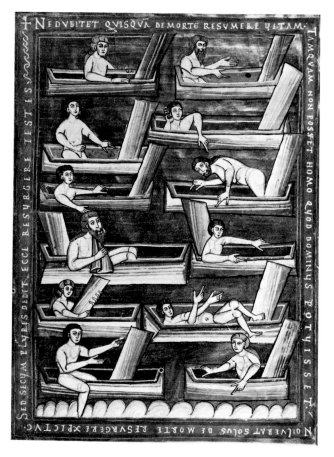

175

176

177

178

180

179

181

182

185

Auferstehung Christi

179—182 Theodor-Psalter, Konstantinopel, 1066, London.
183 Utrecht-Psalter, um 830.
184 Psalter aus St. Bertin, um 1000, Boulogne sur mer.
185 Stuttgarter Psalter, 820–830.
186 Albanipsalter, 1. H. 12. Jh., Hildesheim.

186

ECCE LEO FORTIS·TRANSIT DIS CRIMINA MORTIS·

187

188

189

190

191

Auferstehung Christi

187 Evangeliar, Reichenau, um 1020, München.
188 Perikopenbuch, westfäl., 1. H. 12. Jh., Paris.
189 Epistolar aus Trient, Reichenau, E. 10. Jh., Berlin.
190 Missale, Oberösterr., 2. H. 12. Jh., St. Florian.

191 Einzelblatt, 12. Jh., Heidelberg.
192 Perikopenbuch aus St. Erentrud, Salzburg, gegen 1140, München.
193 Schulterstück, Email, Rhein-Maas-Gebiet, 1165/70, Paris.

192

193

194

195

196

Auferstehung Christi

194 Klosterneuburger Altar, Email, 1181.
195 Ratmann-Missale, 1159, Hildesheim.
196 Albinusschrein, um 1186, Köln.

197 Briefe des Hieronymus, 1. H. 12. Jh., Dijon.
198 Evangeliar, westdeutsch, 3. V. 12. Jh., München.
199 Gumbertusbibel, um 1180, Erlangen.
200 Psalter aus St. Fuscien, 12. Jh., Amiens.

201

202

Auferstehung Christi

201 Psalter, sächsisch, um 1235, Berlin.
202 Federzeichnung, Österreich, 1. V. 13. Jh., Wien.
203 Exultetrolle, südital., 12. Jh., Troia.

204 Evangelistar aus Groß-St. Martin Köln, um 1250, Brüssel.
205 Codex Blankenburg, nach 1235, Wolfenbüttel.
206 Altardecke aus Halberstadt, um 1200, Berlin.

203

204

205

206

207

208

209

210

211

212

Auferstehung Christi

207 Ehemaliger Hochaltar
Quedlinburg, 1250,
früher Berlin.

208 Glasmalerei, 1260–1270,
Mönchen-Gladbach.

209 Buchdeckel, Goldblech,
13. Jh., Paris.

210 Evangeliar, rheinisch,
1198, Karlsruhe.

211 Gurk, Holztür des Domes,
um 1220.

212 Elisabethschrein, 1236 bis
1249, Marburg.

213 Suitbertusschrein, 1264,
Kaiserswerth.

213

214 Holzplastik, lüneburgisch, 1280–1290, Kloster Wienhausen. Auferstehung Christi.

215 Passionsaltar, westfälisch, um 1320, Hofgeismar. Auferstehung Christi.

216

216 Steinplastik, 1330–1350, Lüttich. Auferstehung.
217 Pietro-Cavallini-Schule, um 1320, Neapel. Auferstehung und Höllenfahrt.
218 Pietro Lorenzetti, 1342–1348, Assisi. Auferstehung.
219 Psalter aus Gent, 1250–1260, London. Auferstehung.
220 Turin-Mailänder Stundenbuch, Brüder van Eyck, 1415–1417. Auferstehung und Frauen am Grabe.

217

218

219
220

221 Hohenfurther Altar, 1346–1356, Prag. Auferstehung und Frauen am Grabe.

222 Meister Bertram, Passionsaltar, E. 14. Jh., Hannover. Auferstehung.

223 Meister Francke, Englandfahrer-Altar, 1. Drittel 15. Jh. Auferstehung.

224 Wittingauer Altar, 1380–1390, Prag. Auferstehung.

225 Flügelaltar, 1420, Kloster Raigern. Auferstehung und Frauen am Grabe.

221

222

223

224

225

226 Hans Multscher, Wurzacher Altar, 1437, Berlin. Auferstehung Christi.

227 Arnstädter Altar, A. 15. Jh., Berlin. Auferstehung Christi.

228 Konrad von Soest, Passionsaltar, 1403, Bad Wildungen. Auferstehung Christi.

229 Altartafel aus Köln, M. 15. Jh., München. Auferstehung Christi.

230 Hans Memling, Ausschnitt aus Altartafel, 1480, München. Auferstehung Christi.

226

231

232

234

235

Vorige Seiten

231 Donatello, Bronzekanzel, um 1460, Florenz. Auferstehung und Himmelfahrt.
232 Mantegna, Predella vom St. Zeno-Altar, 1457–1459, Tours. Auferstehung.
233 Piero della Francesca, Wandbild, 1460–1464, Borgo, S. Sepolcro. Auferstehung.

234 Rosso Fiorentino, Grabmal, 1425–1426, Verona. Auferstehung.
235 Nicole Gerini, um 1370, Florenz, S. Croce. Auferstehung.
236 Giovanni Bellini, 1479, Berlin. Auferstehung.

237 A. Dürer, Große Holzschnitt-Passion, 1510. Auferstehung Christi.

238 M. Grünewald, Isenheimer Altar, 1513–1515, Kolmar. Auferstehung Christi.

238

239

240

241

242

243

244

245 A. Altdorfer, Predella des Altars von St. Florian, 1518, Wien. Auferstehung.

246 Tizian, 1520–1522, Polyptychon Averoldi, Brescia. Auferstehung.

247 Michelangelo (?), Kreidezeichnung, um 1532, London. Auferstehung.

248 Leonardo-Schule, Tafelbild, um 1500, Berlin. Auferstehung.

249 El Greco, Tafelbild, um 1595, Madrid. Auferstehung.

245

246

408

250

251

252

Auferstehung

250 Philipp Uffenbach, Kupferstich, 1588.
251 Martin de Vos, Tafelbild um 1590, Antwerpen.

252 P. Coecke van Alst, Flügelaltar, 1535–1540, Karlsruhe.
253 J. Tintoretto, um 1580, Scuola di S. Rocco, Venedig.

253

255

256

412

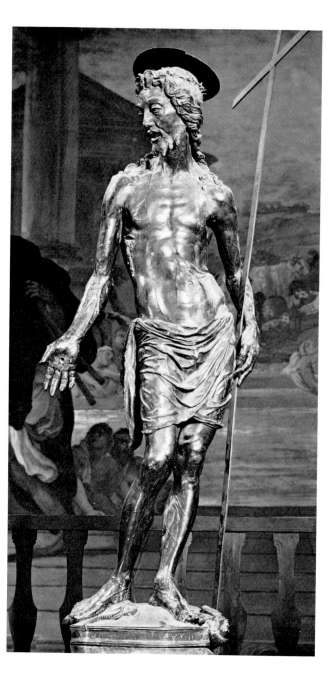

Vorige Seiten

Auferstehung

254 Rembrandt, Gemälde, 1639, München.
255 Rubens, Predella eines Triptychons aus Mecheln, 1617–1619, Marseille.
256 Paul Troger, Entwurf für Deckengemälde, um 1722, Innsbruck.

257

258

259

260

Der Auferstandene

257 Holzplastik, E. 13. Jh., Visby.
258 Holzplastik, Murau, 1310, Graz.
259 Lorenzo di Pietro, Bronzeplastik, 1476, Siena.
260 Giovanni da Bologna, Marmorplastik, 1579, Lucca.
261 Joseph Matthias Götz, Holzplastik, 1723, Aldersbach.

261

262

263

264

265

266

267

269

270

268

Christus erscheint den Frauen

262 G. A. Bosio, Stich, 1651, nach einem verschollenen Sarkophag des 4. Jh., Mittelteil.
263 Holztür S. Sabina, 431, Rom.
264 Elfenbeinbuchdeckel, Trier, 10. Jh., Manchester.
265 Utrecht-Psalter, um 830, Utrecht.
266 Elfenbeinplatte, 2. H. 11. Jh., Salerno.
267 Tetraevangeliar, byzant., 11. Jh., Florenz.
268 Elfenbeindiptychon, gegen 500 oder karol. Kopie, Mailand.
269 Silberbehälter, um 820, Vatikan.
270 Elfenbeinbuchdeckel, St. Gallen, 10. Jh., Vatikan.

271

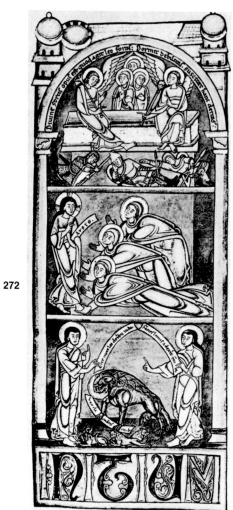

272

273

274

Christus erscheint den Frauen

271 Sakramentar, Fulda, um 975, Göttingen.
272 Bibel von Floreffe, Maasschule, um 1160, London.
273 Basilewsky-Situla, um 980, London.

274 Kunigunde-Passionale, 1314–1321, Prag.
275 Patene, Stift Wilten, 1160/1170, Wien. Frauen am Grab –
Noli me tangere, Emmaus, Thomas, Himmelfahrt.

275

Noli me tangere

276 Elfenbeintafel, Metzer Schule, 9. Jh. (Frauen am Grab,
   Emmaus, Erscheinung vor den Jüngern).
277 Drogo-Sakramentar, 830 oder nach 844, Paris.

278 Egbert-Evangelistar, um 980, Trier.
279 Bernward-Evangeliar, zwischen 1011 und 1014, Hildesheim.
280 Evangeliar Ottos III., Reichenau, E. 10. Jh., München.

279

280

281

282

Noli me tangere

281 Hildesheim, Bernwardstür, Bronze, vollendet 1015.

282 Autun, St. Lazare, Kapitell, 2. V. 12. Jh.

283 Elfenbeinrelief, fränkisch, um 1090, Bamberg.

284 Monreale, Bronzetür, 1186.

285 Elfenbeinrelief, spanisch, 10./11. Jh., New York.

283

284

285

286

287

424

289

290

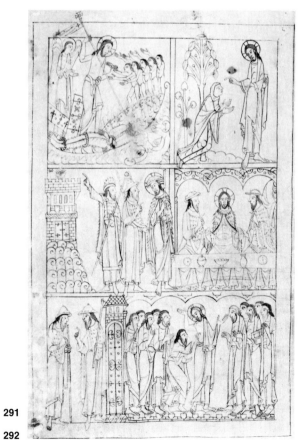

291

292

Noli me tangere

293

294

Noli me tangere

295 A. Altdorfer, um 1525, München.
296 Federico Barocci, 1590, München.
297 Rembrandt, 1638, London.

295

296

298

Verkündigung der Auferstehung an die Jünger

298 Elfenbeinrelief, 2. H. 11. Jh., Salerno.
299 Pamplona, Kapitell, um 1145.
300 Albanipsalter, 1. H. 12. Jh., Hildesheim.
301 Ingeborg-Psalter, Paris, um 1200, Chantilly.
302 Evangeliar Heinrichs des Löwen, Helmarshausen, um 1175, Priv. Slg.

299

300

301

302

303

304

305

306

307

308

309

310

315

Emmausjünger

315 S. Domingo de Silos, 1085
bis 1100.
316—317 Monreale, Dom,
1182–1192.

QVI·SVO·HR·SERMONES·O·S·
CONPERIIS·AD·IVICĒ·A·M
EVIAHFS·7·ESITS·TRISTES

COGNOVERVNTEVÏFRÑE·PANIS

316

NŌNE·COR·NRM·ARDĒS·ERAT·Ï·NOBI·DE
IESV

R·EGRESSI·FIEREMDVO·D·BŪ·IERLM·IVN
CLREVATIS·VDECIDICETES
CIOVRREX·ŌNS·VE·7APPA
RVIT·SYMONI

317

318

Emmausjünger

318 Caravaggio, 1606, Mailand.
319 Rembrandt, 1648, Paris.

320

321

322

323

Christus erscheint den Jüngern

320 Rom, S. Sabina, Holztür,
432.
321 Silberbehälter, um 820,
Vatikan.
322 Evangeliar, Reichenau (?),
1. V. 9. Jh., München.
323 Elfenbeinrelief, 2. H.
11. Jh., Salerno.
324 Evangeliar Ottos III.,
Reichenau, E. 10. Jh.,
München.
325 Sog. Basilewsky-Situla,
um 980, London.

324

325

326

327

328

329

Christus erscheint den Jüngern

326 Buchmalerei, Nonantola, 1039, Vatikan.
327 Perikopenbuch, St. Erentrud Salzburg, um 1140, München.
328 Tafelkreuz, 2. H. 12. Jh., Ausschnitt, Pisa.
329 Duccio, 1308–1311, Siena.
330 Tafelkreuz, 2. H. 12. Jh., Pisa.

330

331

Christus erscheint den
Jüngern

331 Elfenbeinbuchdeckel,
Hofschule Karls d. Gr.,
A. 9. Jh., Aachen.
332 Evangeliar von Bury
St. Edmunds,
1120–1140, Cambridge.

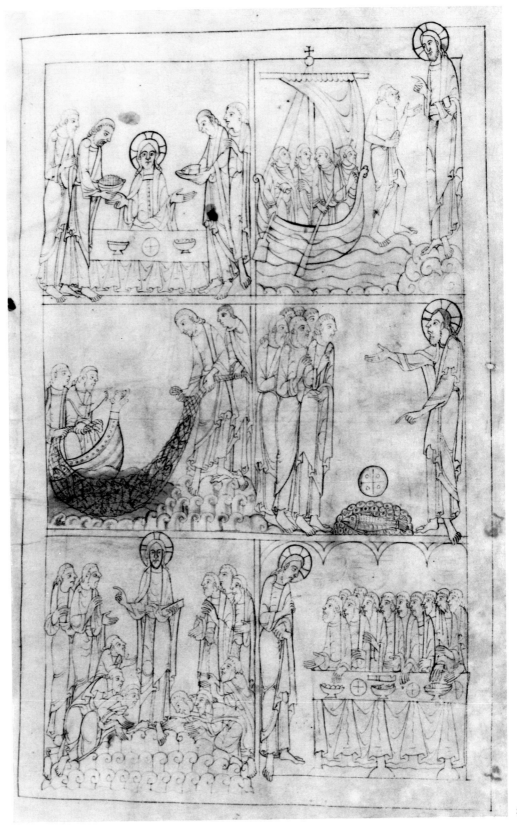

332

333

334

335

336

Christus erscheint den Jüngern

333 Egbert-Evangelistar, um 980, Trier.

334 Evangeliar Mainz, um 1260, Aschaffenburg.

335 Passionale der Kunigunde, 1314 bis 1321, Prag.

336 Altartafel, Augsburg, um 1470, Nürnberg.

337 Duccio, 1308–1311, Siena.

338 Heisterbacher Altar, kölnisch, 2. V. 15. Jh., München.

339 Mömpelgarter Altar, 1525–1530, Wien.

337

338

339

Der ungläubige Thomas

340 Londoner Elfenbeintäfelchen, oberital., 420–430.
341 Sarkophag, 2. H. 4. Jh., Mailand.
342 Ravenna, S. Apollinare Nuovo, 520–526.

343 Ölampulle, Palästina, E. 6. Jh., Monza.
344 Drogo-Sakramentar, um 830, Paris.
345 Silberbehälter, um 820, Vatikan.
346 Elfenbeintafel, Trier-Echternach, vor 1000, Berlin.

342

344

343

345

346

347

348

349

Ungläubiger Thomas

347 Lektionar, Trapezunt, M. 10. Jh.,
Leningrad.
348 Silberbehälter, um 820, Vatikan.
349 Venedig, S. Marco, 1. H. 12. Jh.
350 Elfenbeinrelief, 2. H. 11. Jh.,
Salerno.
351 Egbert-Evangelistar, um 980,
Trier.
352 Ikone, 1367—1384, Meteora,
Transfigurationskloster.

352

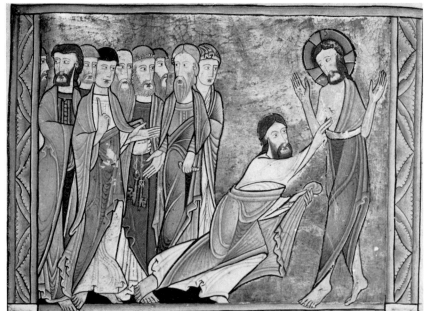

353
354

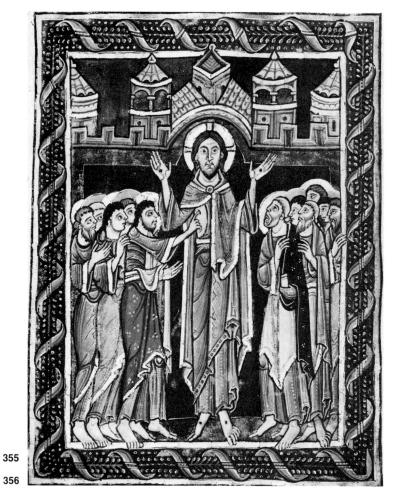

355
356

357

358

359

Ungläubiger Thomas

353 Psalter, englisch, E. 12. Jh., Glasgow.

354 Perikopenbuch, um 1140, St. Erentrud Salzburg, München.

355 Albanipsalter, 1. H. 12 Jh., Hildesheim.

356 Evangeliar, Groß St. Martin Köln, um 1250, Brüssel.

357 Gebetbuch der Hildegard von Bingen, mittelrheinisch, um 1190, München.

358 Elfenbeinrelief, Köln, 2. H. 12. Jh., New York.

359 Evangeliar aus St. Peter, Salzburg, M. 11. Jh., New York.

361

Ungläubiger Thomas

360 Santo Domingo de Silos, Pfeiler-
relief, 1085–1100.
361 Straßburg, Thomaskirche,
Tympanon, 1230.
362 Schule Cavallinis, 1320, Neapel.

362

363

364

365

366

367

368

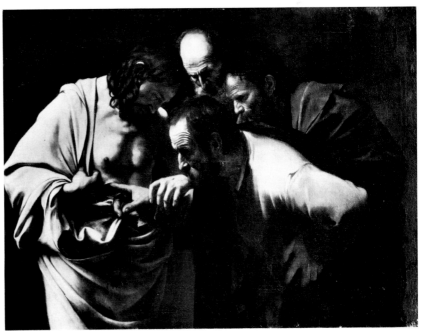

Ungläubiger Thomas

363 Tür eines Sakristeischrankes, Arnstadt, M. 14. Jh., Hannover.

364 Thomasaltar, 1499, Köln.

365 Holzplastik, M. 14. Jh., Landerzhofen.

366 Mömpelgarter Altar, 1525–1530, Wien.

367 Holzplastik, niederbayrisch, 1520, Nürnberg.

368 A. Verocchio, Bronzegruppe, 1480, Florenz.

369 Caravaggio, um 1595, Potsdam.

369

Christus erscheint am See Tiberias

370 Drogo-Sakramentar, um 830, Paris.
371 Egbert-Evangelistar, um 980, Trier.

372 Evangeliar, 1. V. 9. Jh., Reichenau (?), München.
373 Athos, Lavra Katholikon, 1535.

374

375

Christus erscheint am See Tiberias

374 Elfenbeinrelief, 2. H. 11. Jh., Salerno.
375 Psalter, englisch, E. 12. Jh., Glasgow.
376 Perikopenbuch, St. Erentrud Salzburg, um 1140.
377 Gebetbuch der Hildegard von Bingen, um 1190, München.

376

377

378

379

380

381

382

383

384

385

Weide meine Lämmer

383 Arnulfziborium, Reims oder Corbie, um 890, München.
384 Carmen Paschale des Sedulius, nach 814, Antwerpen.
385 Elfenbeinrelief, byzant., 2. H. 10. Jh., Paris.
386 Perikopenbuch, St. Erentrud Salzburg, um 1140, München.
387 Orationes des Anselm von Canterbury, um 1130, Verdun.
388 Raffael und Schüler, Karton für Teppich, 1515–1516, London.

386

387

388

389

390

391

Sendung der Jünger

389 Egbert-Evangelistar, um 980, Trier.
390 Drogo-Sakramentar, um 830, Paris.
391 Perikopenbuch Heinrich II., 1007 oder 1012, München.
392 Evangeliar aus Abdinghof, 1060–1080, Berlin.
393 Duccio, 1308–1311, Siena.

EGO SV
HOSTIV
PERMIE
SIQVIS
INTRO
IERIT

SALVA
BITVR·
ETPAS
CVA
INVE
NIET·

ITE INOR
BEM VNI
VERSVM
PREDICATE
EVVANGE
LIVM MEV
OMNI CRE
A TVRAE·

392

393

395

394

396

397

Adlersymbol

394 Sarkophag, Mittelteil, M. 4. Jh., Rom.
395 Grabstele aus Erment, koptisch, 6./7. Jh.,
Berlin.
396 Relieffries aus Faras, 7. Jh., Warschau.
397 Elfenbeinrelief, oströmisch, 450 (?),
London.
398 Tympanonrelief aus Schêch Abâde, 6. Jh.,
Recklinghausen.
399 Grabstele aus Edfu, koptisch, 7. Jh.,
London.
400 Grabstein aus Gondorf, merowing.
oder frühkarol., Bonn.

398

399

400

401

402

403

401 Steinkreuz, irisch, A. 10. Jh., Clonmacnoise. Weltenrichter mit Adler.

402 Grabstein der Gisela, 1095, Passau. Adler auf Kreuz.

403 Gernrode, St. Cyriakus-Kloster, 1100–1120. Tiersymbole.

404 Elfenbeingaraffe, belgisch (?), 1100, Florenz. Adler.

405 Drogo-Sakramentar, um 830. Adler auf Schlange.

406 Bronzekreuzfuß, westdeutsch, 12. Jh., Basel. Thronender Christus mit Lamm und Adler.

407 Le Thor, Schlußstein, E. 12. Jh. Lamm Gottes und Adler.

408

408 Marmorrelief, byzant., 10./11. Jh., London. Adler auf Schlange und Hasen.

409 Reliefplatte, 12. Jh.(?), Athen. Adler auf Hasen.

410 Bronzelesepult, 13. Jh., Hildesheim. Adler auf Drachen.

411 Tarragona, Kathedrale, um 1200. Adler auf Hasen.

412 Scheibenkreuz, niedersächsisch oder engl., 1150–1160, Kremsmünster. Auferstehung und Himmelfahrt, Löwe- und Adlerallegorie.

409

410

411

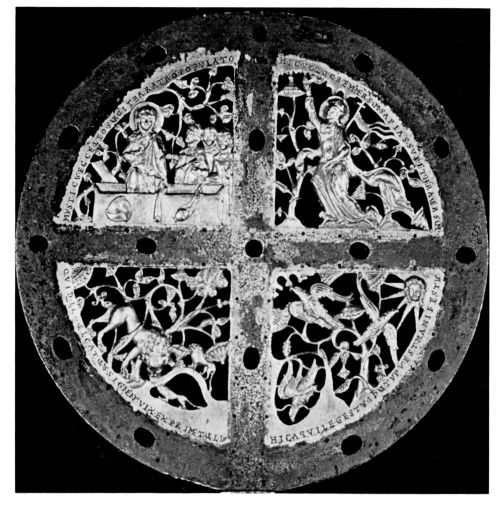

412

qui fanat omf infirmitat

413

414

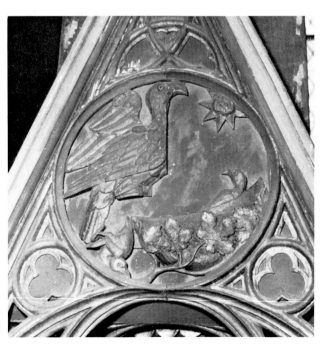

415

416

413 Albanipsalter, 1. H. 12. Jh., Illustration zu Ps 103,5.
414 Chorgestühl, Köln, 1325. Adler (Jungenprobe).
415 Cismarer Altar, 1310–1320. Adler (Jungenprobe).
416 Sog. Nester-Kelch, 2. H. 15. Jh., Soest. Phönix, Adler, Pelikan.

417 Rom, Katakombe an der Via Latina, 320–350. Phönix.
418 Physiologushandschrift, um 1100, früher Smyrna. Phönix.
419 Fußbodenmosaik, Antiochia, 5. Jh., Paris. Phönix.
420 Wiener Bestiar, A. 13. Jh., Wien. Phönixlegende.

Xpe morte cadit surgit sup ethera uadit.

421 Bronzerelief, S. Maria in Vulturella, 12. Jh., Rom. Lamm
Gottes, Evangelistensymbole, Löwe — Adler.

422 Codex Aureus aus St. Emmeram, Regensburg, 870,
München. Löwe.

423 Liber floridus, 1250–1270, Paris. Löwe mit Kreuzstab.

424 Klosterneuburger Altar, Löwe von Juda.

425 Glasmalerei Wimpfen, 1270–1280, Darmstadt. Löwe erweckt seine totgeborenen Jungen.

426 Jaca (Aragon), Tympanon, vor 1100. Christusmonogramm, Löwen.

421

422

423

424
425

426

428

427

429

430

427 Chorgestühl, Berchtesgaden, 1340, München. Löwengleichnis.
428 u. 429 Elisabethschrein, 1236–1249, Marburg. Adler auf
Hase – Löwengleichnis.

430 H. Bosch, Altarflügel, um 1490, Berlin. Pelikan auf dem
Grabfelsen, Passionszyklus.

476

431

431 Osterteppich Lüne, 1503–1515, Hamburg. Auferstehung Christi, Adler, Phönix, Pelikan, Löwe.

432 Ebstorfer Weltkarte, um 1300, Auferstehung Christi im Zentrum der Welt.

432

433

434

Typologische Szenen zur Auferstehung

433 u. **434** Klosterneuburger Altar. Tötung der Erstgeburt, Simson zerreißt den Löwen.
435 Emailtriptychon, Maasgegend, 1150, London.

435

480

436

437

438

439

440

441 Epitaph, um 1590, Nürnberg. Jona.
　　　Auferstehung Christi.
442 Walfischkanzel, 1736, Reinerz,
　　　Schlesien.

443

444

445

446

447

448

443 Valeriaus-Evangeliar, 675 (?), München. Kreuz mit zwei Adlern, Alpha und Omega, Christus in der Erhöhung.

444 Elfenbeinkruzifix, oberer Teil, 1063, León. Madrid. Der Auferstandene (über dem Kruzifixus).

445 Kruzifix, oberer Teil, 11. (?) Jh., Lundoe. Kopenhagen. Himmelfahrt.

446 Altarkreuz, oberer Teil, Limoges, 12. Jh., Köln. Auffliegender Adler.

447 Kalksteinrelief, koptisch, 2. H. 4. Jh., Recklinghausen. Himmelfahrt.

448 Stadttorsarkophag, oberital., 380–390, Mailand. Himmelfahrt des Elia, Noah, Gesetzesübergabe an Mose, Sündenfall.

449 Adelphiasarkophag, römisch, 340–345, Syrakus. Porträtsbüsten, links: Gesetzesübergabe an Mose, rechts: Abrahams Opfer.

449

450

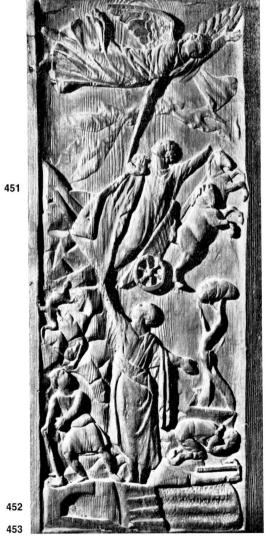

451

452

453

454

455

456

457

458

Himmelfahrt Christi

457 u. **458** Rom, Holztür,
432, S. Sabina.
459 Rabula-Codex, syrisch,
586.

460

461

462

Himmelfahrt Christi

460 Ölampulle, E. 6. Jh., Monza.
461 Bawît, koptisch, E. 6. Jh., Kairo.
462 Chludoff-Psalter, Konstantinopel, 2. H. 9. Jh., Moskau.
463 Elfenbeindeckel, südital./byzant., 9./10. Jh., Stuttgart.
464 Elfenbeinrelief, 2. H. 11. Jh., Salerno.

463

464

Himmelfahrt Christi

465 Venedig, S. Marco,
Hauptkuppel, um 1200.
466 Monreale, Dom, Mosaikzyklus, 1170–1180.
467 Rom, S. Clemente,
Unterkirche, 847–855
(Kopie).

466

467

Himmelfahrt Christi

468 Drogo-Sakramentar, Metz, um 830, Paris.
469 Utrecht-Psalter, Reims, um 830, Utrecht.
470 Evangeliar aus St. Médard, Hofschule Karls d. Gr., um 810, Paris.

471 Evangeliar aus Poussay, Reichenau, 980, Paris.
472 Bibel von S. Paolo, Corbie, um 870, Rom.
473 Elfenbeinbuchdeckel, Metz, 9./10. Jh., St. Paul (Lavanttal).
474 Egbert-Evangelistar, Reichenau, um 980, Trier.

472

473

474

Himmelfahrt Christi

475 Benedictionale des Aethelwold, Winchester, 980, London.
476 Elfenbeinbuchdeckel, 2. H. 9. Jh., London.
477 Sakramentar aus St. Gereon, Köln, 983–996, Paris.
478 Emailplatte, 1150–1160, London.

476

477

478

479

480

481

482

483

Himmelfahrt Christi

484

Himmelfahrt Christi

484 Evangeliar aus Bamberg, Reichenau,
um 1020, München.

485 Perikopenbuch Heinrichs II.,
Reichenau, 1007 oder 1012, München.

486 Evangeliar, Echternach, um 1050, London.

487 Evangeliar, Echternach, um 1050, London.

488 Evangeliar aus St. Gallen, 1. H. 11. Jh.,
St. Gallen.

489 Sakramentar St. Etienne, Limoges, um 1100,
Paris.

485

486

487

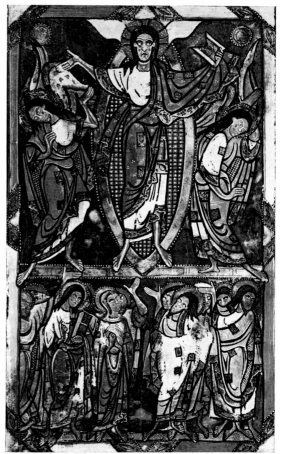

488

489

490

Himmelfahrt Christi

490 Elfenbeinrelief, Bamberg,
E. 11. Jh., München.
491 Psalter St. Bertin, 1000,
New York.

IN PRINCI
PIO ERAT
VERBVM
ET VERBVM

492

Himmelfahrt Christi

492 Bernwardsevangeliar, zwischen 1011 und 1114, Hildesheim.
493 Missale des Erzbischofs Robert von Jumièges, Winchester, zwischen 1006 und 1023, Rouen.
494 Cotton-Psalter, um 1050, London.
495 Psalter, englisch, 11. Jh., London.
496 Suitbertschrein, rhein., um 1264, Kaiserswerth.

493

494

495

496

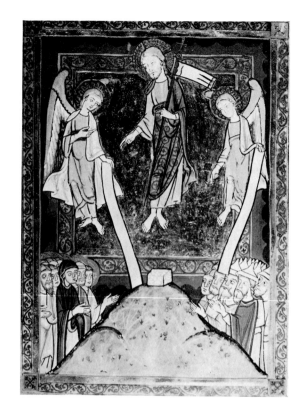

497
498

499

500

501

Himmelfahrt

497 Klosterneuburger Altar,
1181 vollendet.

498 Evangeliar aus Hardes-
hausen, 1. H. 12. Jh.,
Kassel.

499 Stammheimer Missale,
Hildesheim, um 1160.

500 Bibel von Floreffe,
Maasschule, um 1160,
London.

501 Emailplättchen, um 1160,
Domschatz Hildesheim.

502 Evangeliar Heinrichs des
Löwen, Helmarshausen,
um 1175.

502

503 u. **504** Tuscania, S. Pietro, 1093.
Himmelfahrt.
505 Pemmo-Altar, langobardisch (?),
Cividale. Majestas Domini –
Himmelfahrt.

504

505

506

507

508

Himmelfahrt Christi

506 St. Genis-des-Fontaines, Türsturz,
1020–1021.

507 Toulouse, St. Sernin, Tympanon, gegen 1118.

508 Chartres, Kathedrale, Westfassade,
1150–1155.

509 Cahors, St. Etienne, um 1119, Nordportal.
Ausschnitt.

509

510

511

512

513

514

515

516

516

517

Himmelfahrt Christi

517 u. **518** Correggio, Kuppelfresko, 1520–1524, Parma.
519 Rembrandt, Gemälde, 1636, München.
520 Konrad von Soest, Wildungen, Altar, 1403.
521 Jan Joest von Kalkar, Hochaltar, 1505–1508, St. Nikolai, Kalkar.

518

519

520

521

522

523

522 Jairus-Sarkophag, 4. Jh., Ausschnitt, Arles. Thronender Christus.
523 Barberini-Diptychon, Konstantinopel, 500, Paris. Thriumphierender Kaiser.
524 Goldmünze, konstantinisch, 4. Jh., London. Labarum auf Schlange.
525 Missorium Theodosius' I., Silbermedaillon, Madrid. Theodosius überreicht einem Konsul das Codicillar-Diptychon.
526 Diptychon des Konsuls Probus, Elfenbein, römisch, 406, Aosta. Honorius mit Labarum und Globus.
527 Largitionschale, Silberrelief, 2. H. 4. Jh., Genf. Valentinianus mit Monogrammnimbus, Labarum und Globus.

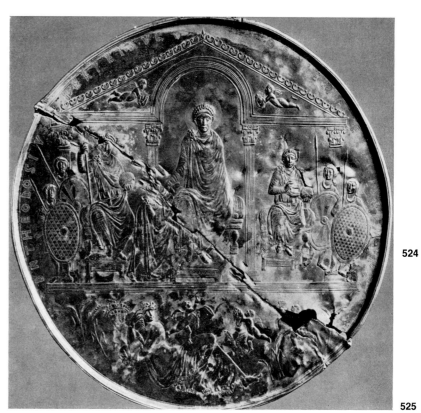

524

525

526

527

520

528

528 Sarkophag des Junius Bassus, Ausschnitt, römisch, 359, Rom. Thronender Christus über dem Coelus.

529 Sarkophag, um 380, Deckel, Mailand, S. Ambrogio. Christogramm im Kranz.

530 Prinzensarkophag, um 390, Istanbul. Corona triumphalis mit Christogramm.

531 Probus-Sarkophag, Ausschnitt, römisch, um 395, Rom. Christus mit Gemmenkreuz auf Paradiesberg.

529

530

531

532

533

534

532 Ravenna, Mausoleum der Galla
Placidia, Kuppelmosaik, 2. V.
5. Jh., Siegeskreuz.

533 Prinzensarkophag, Schmalseite,
um 390, Konstantinopel. Zwei
Apostel verehren das Siegeskreuz.

534 Rom, S. Stefano Rotondo,
Nischenmosaik, Ausschnitt,
um 650. Siegeskreuz,
Christusbüste im Clipeus.

535 Neapel, Baptisterium S. Giovanni in fonte, Kuppelmosaik,
400. Crux monogrammatica.

536 Huesca, S. Pedro, Nordportal,
nach 1117. Engel halten das
Christogramm.

535

536

537 Rom, Kapelle S. Giovanni Evang. beim Lateranbaptisterium, Deckenmosaik, 461–468. Agnes victor mit Kreuznimbus.

538 Ravenna, S. Vitale, um 537. Mosaikschmuck des Presbyteriums; in der Wölbung Verherrlichung des Lammes.

537

539

540

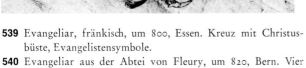

539 Evangeliar, fränkisch, um 800, Essen. Kreuz mit Christusbüste, Evangelistensymbole.

540 Evangeliar aus der Abtei von Fleury, um 820, Bern. Vier Evangelistensymbole. Hand Gottes.

541 Evangeliar aus St. Médard in Soissons, Hofschule Karls d. Gr., A. 9. Jh., Paris. Anbetung des Lammes.

541

542 Steinrelief der Bischofskathedra, Torcello. Siegeskreuz mit
   Gotteshand.

543 Kreuz Justinians II. (565–578), Vatikan. Lamm Gottes mit
   Kreuzstab.

544 Goldblattkreuz, langobardisch, 1. V. 7. Jh., Brescia. Adlersymbol.

545 Reliquienschreindeckel, asturisch, 9./10. Jh., Astorga. Lamm
   Gottes mit Kreuzstab.

542

543

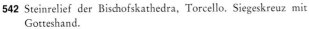

544

545

546

547

548

546 Silberdose, nordafrikanisch, 4./5. Jh., Rom. Christogramm auf Paradiesberg. Hirsche an der fons vitae.

547 Marmorplatte, 6. Jh., Berlin-(Ost). Pfauen trinken aus dem Lebensbrunnen, Weinstock.

548 Marmorsarkophag der Äbtissin Theodora, langobardisch, 735, Pavia. Pfauen trinken aus dem Lebensbrunnen.

549 Grabstele, Kalkstein, koptisch, 7./8. Jh., Berlin-(Ost). Kreuz aus Palmzweigen.

550 Harbaville-Triptychon, Konstantinopel, 10. Jh., Paris. Kreuz und Lebensbäume.

551 Limburger Staurothek, Rückseite, byzantinisch, um 960, Limburg. Doppelkreuz mit Ranken.

549

550

551

552

552 Sigvaltplatte, Steinrelief, 8. Jh., Cividale. Evangelistensymbole, Siegeskreuz, Lebensbäume.

553 Sog. Caja de las Agatas, Reliquienschrein, asturisch, 910,
Oviedo. Kreuz und Evangelistensymbole.

554 Lindauer Evangeliar, Rückdeckel, M. 9. Jh., New York.
Kreuz mit vier Christusdarstellungen.

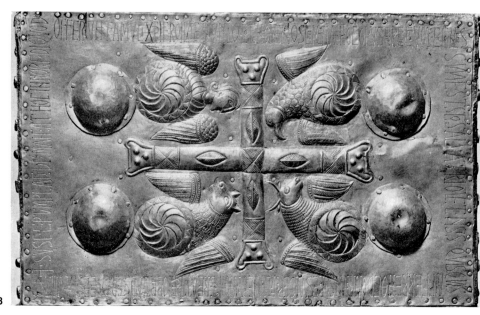

553

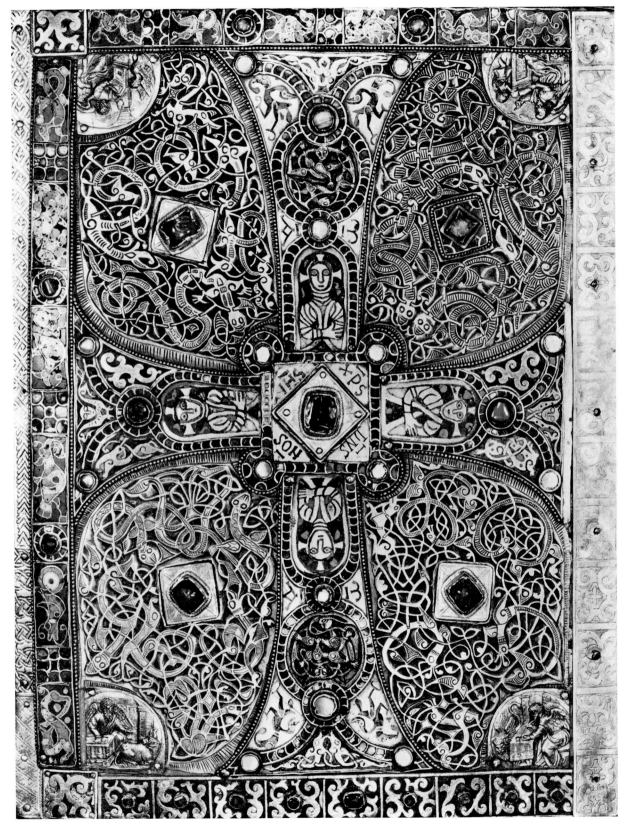

555

556

555 Türrelief, Bronze, byzantinisch, 6. Jh., Istanbul, Hagia Sophia. Thron mit Evangelienbuch und Taube.

556 Riefelsarkophag aus Tusculum, 2. H. 4. Jh., Frascati. Thron mit Christogramm.

557 Rom, S. Maria Maggiore, Triumphbogen, Ausschnitt, 432 bis 440. Petrus und Paulus verehren das Kreuz auf dem Thron.

558 Ravenna, Baptisterium des Doms, Kuppelmosaik, Ausschnitt, 449–458. Thron mit Kreuz, Altar mit Buch.

559 Ravenna, Baptisterium der Arianer, Kuppelmosaik, Ausschnitt, um 500. Thron Christi mit Gemmenkreuz.

557

558

559

560

560 S. Maria di Capua Vetere, Nischenmosaik, 1. H. 5. Jh., Thron mit Schriftrolle und Taube.

561 Elfenbeinkassette aus Samagher, um 420, Pola. Apostel verehren den Thron, Christuslamm auf Paradiesberg.

562 Rom, S. Paolo, Mosaikschmuck der Apsis und des Triumphbogens, Kopie des 19. Jh.

563 Marmorrelief, 9. Jh., Venedig. Thron mit Kreuz und Christuslamm. Zwölf Apostellämmer.

561

562

563

564

565

564 S. Marco, Venedig, 1170–1200. Thron mit Taube auf dem Buch in der Gloriole (Zentrum der Pfingstkuppel).

565 Sog. Thron des Markus, alexandrinisch (?), 6./7. Jh., Venedig.

566 Grottaferrata, Kirche der Basilianerabtei, Mosaik, 12./13. Jh. Thron mit Christuslamm (Ausschnitt aus der Pfingstdarstellung).

567 Sakramentar des Bischofs Siegebert von Minden, 1002–1036. Berlin-(Ost). Apokalyptisches Lamm auf dem Thron.

568 Vivian-Bibel aus Saint Martin in Tours, 846, Paris. Christuslamm und Löwe von Juda, Buch mit sieben Siegeln auf dem Thron.

569 Qeledjlar (Kappadokien), Kirche, Deckenmalerei, E. 10. Jh. Pfingsten mit Thronsymbol.

566

567

568

569

570

571

572

573

570 Triest, S. Giusto, Apsismalerei, A. 13. Jh. Verehrung des
Throns mit Gemmenkreuz und Taube.

571 Psalter, byzantinisch, um 1059, Rom. Thronender Christus,
Etimasia.

572 Pala d'Oro, untere Tafel, Ausschnitt, A. 12. Jh., Etimasia.

573 Anagni, Krypta der Kathedrale, 2. Dr. 13. Jh. Thron mit
Taube, Christogramm.

574

575

576

577

Traditio legis – Gesetzesübergabe an Petrus bzw. Paulus

574 Säulensarkophag, 350/360, Rom, Grotten von St. Peter.

575 Säulensarkophag, Fragment, 370, Rom, S. Sebastiano.

576 Reliquiar der Julitta und Quirinus, Seitenwand, A. 5. Jh., Ravenna.

577 Rom, S. Costanza, Apsismosaik, um 350.

578 Grottaferrata, Katakombe S. Zotico ad Decinum, E. 4. Jh.

579 Neapel, Baptisterium S. Giovanni in Fonte, um 400.

578

579

580

581

582

Traditio legis

580 Säulensarkophag, theodosianisch, um 400, Arles.
581 Friessarkophag des Maximin, A. 5. Jh., St. Maximin.

582 Stadttorsarkophag des Gorgonius, E. 4. Jh., Ancona.
583 Stadttorsarkophag, oberitalienisch, um 380, Mailand, S. Ambrogio.

583

584

Traditio legis

584 Sarkophag, ravennatisch, A. 5. Jh., Ravenna, Mus. Naz.
585 Sarkophag, ravennatisch, A. 5. Jh., Ravenna, S. Francesco.
586 Zwölfapostelsarkophag, ravennatisch, 5./6. Jh., Ravenna-Classe.

587 Sarkophag, ravennatisch, A. 5. Jh., Ravenna, S. Maria in Porto fuori.
588 Ravenna, Dombaptisterium, Stuckrelief, um 450.

585

586

587

588

589

590

591

Symbolische Darstellungen Christi zwischen Petrus und Paulus

589 Sog. Honoriussarkophag, ravennatisch, A. 6. Jh., Ravenna.
590 Marmorsarkophag, byzantinisch, 7. Jh., Ravenna.

591 Sarkophag Constantius' III., ravennatisch, E. 5. Jh., Ravenna.
592 Lesepult der Radegundis, merowingisch, 6. Jh., Poitiers.

592

593

593 u. 594 Rom, SS. Cosma e Damiano, Mosaiken der Apsis und des Triumphbogens, 526–530. Christus in den Wolken, Petrus und Paulus und Cosmas und Damian, Lämmerfries mit Christuslamm. Verehrung des apokalyptischen Lammes auf dem Thron.

595 Rom, S. Prassede, Mosaiken der Apsis und der Triumphbogenwand, A. 9. Jh. Himmlisches Jerusalem, Verehrung des apokalyptischen Lammes, Erhöhter Christus, Zuführung von Heiligen, Lämmerfries.

596 Rom, S. Marco, Apsismosaik, 833–844. Erhöhter Christus, Zuführung von Heiligen, Agnus Dei, Lämmerfries.

594

595

596

597

598

599

597 Tivoli, S. Silvestro, 1. V. 13. Jh. Gesetzesübergabe an Petrus, Lämmerfries.

598 Berzé-la-Ville, 12. Jh. Verbindung von Majestas Domini und Gesetzesübergabe.

599 Castel S. Elia di Nepi, S. Anastasio, E. 11. Jh. Christus auf Paradiesberg stehend, Petrus und Paulus, Christuslamm, Lämmerfries.

600 Apsisfresken aus Châlières, um 1100, Zürich. Majestas Domini mit stehender Christusgestalt.

600

601

602

603

601 Müstair, St. Johann, karolingisch, um 800. Gesetzes- und Schlüsselübergabe.

602 Teil des Magdeburger Antependiums, 962–973. Traditio legis.

603 Evangelistar, 1. H. 13. Jh., Brandenburg. Gesetzes- und Schlüsselübergabe.

604 Poitiers, Notre-Dame-la-Grande, Tympanon West- portal, 12. Jh. Stehender Christus mit vier Wesen, Sol und Luna.

605 u. **606** Komburger Antependium, 1104–1139, Groß- komburg. Stehender Christus in Mandorla, Evange- listensymbole, zwölf Apostel.

607

608

609

611

612

611 Rom, Coemetrius Majus, 1. H. 4. Jh.
Christus als Lehrer.
612 Rom, Domitilla-Katakombe,
M. 4. Jh., Christus als Lehrer.
613 Rom, Domitilla-Katakombe,
um 340. Christus als Lehrer.
614 Mailand, S. Aquilino bei S. Lorenzo,
Mosaik, um 400. Erhöhter Christus
als Lehrer der Apostel.

613

614

615

Erhöhter Christus als Lehrer der Apostel

615 Sarkophag des Concordius, Gallien, um 390, Arles.
616 Stadttorsarkophag, Rückwand, um 380, Mailand,
      S. Ambrogio.

617 Sarkophag der Eugenia, Gallien, um 400, Marseille.
618 Rom, S. Pudenziana, Apsismosaik, 402–417.

616

617

618

619

620

Erhöhter Christus als Lehrer der Apostel

619 Lipsanothek, Ausschnitt, Vorderseite, Mailand, 360–370, Brescia.
620 Abrahamspyxis, alexandrinisch, 370–400, Berlin.
621 Deckel eines Reliquienkastens, E. 4. Jh., Mailand.
622 Elfenbeinrelief, syrisch, 5. Jh., Dijon.
623 Elfenbeinbuchdeckel, um 1000, Köln.

621

622

623

624 u. **625** Rom, Katakombe SS. Pietro e Marcellino, um 400.
Lehrender Christus, Verehrung des Christuslammes auf dem
Paradiesberg.

626 Rom, Cimeterio an der Via Latina, 2. H. 4. Jh. Lehrender
Christus.

627 Ravenna, Mausoleum der Galla Placidia, Nischenmosaik,
2. V. 5. Jh. Christus als göttlicher Hirte im Paradies.

624

625

626

627

628

629

630

Thronender Christus

628 Pignatta-Sarkophag, Vorderfront, 400–410, Ravenna.
629 Ravenna, S. Apollinare Nuovo, Mosaik der Südwand,
520–526.

630 Marmorsarkophag, 420–430, Ravenna, Dom.
631 Ravenna, San Vitale, Apsismosaik, um 547.

631

632

632 Bleisiegelmedaillon, byzantinisch, 6. Jh., Vatikan. Stehender Christus zwischen Engeln, Gestirnzeichen, Palmen. Zwei Hirsche an der Quelle.

633 Apsismosaik aus S. Michele in Affricisco, Ravenna, um 545, Berlin. Stehender Christus zwischen Engeln. Stirnwand: Thronender Christus, Engel.

634 Rom, San Lorenzo f. l. m., Triumphbogenmosaik, 578–590. Thronender Christus, Zuführung und Kranzdarbringung.

635 Apsismosaiken Poreč, Stirnwand, 540. Christus thront auf der Sphaira, die zwölf Apostel mit Kranz oder Buch. Wölbung: Die Theotokos zwischen zwei Engeln, Kranzdarbringung und Zuführung von Heiligen.

633

634

635

637

636

638

639

640

Thronender Christus

636 Diptychonflügel, byzantinisch, M. 6. Jh., Berlin.
637 Ambrosius-Handschrift, italienisch, um 500, St. Paul im Lanvanttal.
638 Deckel eines Kreuzbehälters, um 820, Vatikan.
639 Godescalc-Evangelistar, Hofschule, 781–783, Paris.
640 Homilien Gregors d. Gr., oberitalienisch, um 800, Vercelli.

641

642

643

Thronender Christus

641 Lorscher Evangeliar I, Hofschule Karls d. Gr., um 810, Bukarest.

642 S. Angelo in Formis, Apsisfresko, 1072–1087, Ausschnitt.

643 Einbanddeckel des Uta-Codex, Regensburg, zwischen 1002 und 1025, München.

644 Regensburg, St. Emmeram, Kalksteinrelief, 1049–1060.

645 Poitiers, St. Radegonde, Steinrelief, E. 11. Jh.

646 Chorschrankenrelief aus Gustorf, Ausschnitt, um 1160, Bonn.

644

645

646

647

648

Thronender Christus

647 Monreale, Domtür, Bronzerelief, um 1186.
648 Basel, Galluspforte des Münsters, um 1180.
649 Dreikönigsschrein, Köln, vollendet 1230.
650 Elisabethschrein, Marburg, 1236–1249.

649

650

651

652

Thronender Christus

651 Istanbul, Hagia Sophia, 886–912.

652 Pala d'Oro, untere Tafel, Mittelteil,
1105–1118.

653 Palermo, Cappella Palatina,
M. 12. Jh.

654 Pisa, Dom, Apsismosaik, 1301–1302,
Cimabue.

653

654

655

656

Pantokrator

655 Rom, S. Ermete, Fresko der Apsiskalotte, E. 8. Jh.
656 Daphni, Klosterkirche, Kuppelmosaik, um 1100.
657 Rom, SS. Giovanni e Paolo, Untergeschoß, Fresko, 9./11. Jh.
658 Mosaikikone, byzantinisch, M. 12. Jh., Florenz.
659 Cefalù, Kathedrale, Apsismosaik, vor 1148.

657

658

659

Pantokrator

660 Monreale, Dom, Apsismosaik, 1182–1192.
661 Palermo, Cappella Palatina, Kuppelmosaik, 1143–1153.

662

663

662 Saloniki, Hosios David,
Apsismosaik, E. 5. Jh.,
Majestas Domini.

663 Bawît, Nischenfresko,
koptisch, 6./7. Jh.,
Majestas Domini.

664 Pantokratorhöhle bei
Heraklea, 1. H. 7. Jh.,
Majestas Domini.

665 Aratus-Handschrift, 1000,
Boulogne-sur-Mer.
Sol auf Quadriga.

666 Ampulle Bobbio, Nr. 2,
palästinensisch, um 600,
Majestas Domini.

664

665

666

667 Moralia Gregors d. Gr., katalanisch, 945, Madrid. Majestas
  Domini.
668 Weltchronik des Cosmas Indicopleustes, Konstantinopel,
  9. Jh., Rom. Vision des Jesaja.
669 Codex Vigilanus, katalanisch, 976, Escorial. Majestas Domini.
670 Codex Amiatinus I, angelsächsisch, 690–716, Florenz.
  Majestas Domini.

668

669

670

675

676

674

677

671 Sakramentarfragment, Palastschule Karls d. Kahlen, um 870, Paris. Majestas Domini.

672 Utrechtpsalter, Reims, um 830, Illustr. zu Ps 110(109),1. Gott und Christus thronend.

673 Bibel von St. Paul, Reims, um 870–875, Rom. Titelblatt zum Buch Jesaja.

674 Ikone, palästinensisch, 7./8. Jh., Sinai. Majestas Domini.

675 Stuttgarter Psalter, um 820, Illustr. zu Ps 18(17),11. Majestas Domini – Bundeslade.

676 Stuttgarter Psalter, Illustr. zu Ps 68(67),12. Majestas Domini.

677 Psalter aus der Shaftesbury Abbey, 12. Jh., London. Gott und Christus thronend.

678

679

680

Majestas Domini

681

682

683

684

Majestas Domini

684 Sog. Vivian-Bibel, Paris, Tours, 846, Paris.
685 Bibel von Moutier-Grandval, Tours, um 840, London.

686 Codex Aureus von St. Emmeram, Spätstufe Reims, 870. München.
687 Sakramentarfragment, Hofschule Karls d. Kahlen, um 870.
688 Beatus-Apokalypse, katalanisch, 975, Gerona.

685

686

687

688

689

Majestas Domini

689 Pala d'Oro, Mittelteil der Vorderseite, zwischen 824 und 859, Mailand.

690 Einbanddeckel des Codex Aureus von St. Emmeram, um 870, München.

691 Einbanddeckel des Evangeliars von Erzbischof Aribert, Ausschnitt, oberitalienisch, 2. V. 11. Jh., Mailand.

690

691

692

693

694

695

696

Majestas Domini

692 Sog. Tuotilo-Tafel, Elfenbeintafel eines Diptychons,
St. Gallen, 900.

693 Einband des Evangeliars aus St. Jacob, Lüttich, A. 10. Jh.,
Darmstadt.

694 Elfenbeinrelief, Spätstufe der Hochschule Karls d. Gr., 9. Jh.,
Berlin.

695 Elfenbeinrelief, westdeutsch, um 1000, Darmstadt.

696 Elfenbeinrelief, Nordfrankreich oder Belgien, um 1100,
London.

697

698

Majestas Domini

697 Evangeliar aus St. Bertin, um 1000, Boulogne-sur-Mer.

698 Evangeliar aus St. Maria ad Gradus in Köln, um 1030, Köln.

699 Wys'schrader Krönungsevangelistar, böhmisch, 1085–1086, Prag.

700 Sakramentar aus St. Gereon in Köln, um 1000, Paris.

701 Evangeliar aus der Abtei Abdinghof zu Paderborn, Kölner Schule, um 1080, Berlin.

702 Evangeliar aus Trier, 980–1000, Koblenz.

703 Stavelot-Bibel, englisch, 1094–1097, London.

699

701

700

702

703

704

Majestas Domini

704 Moissac, St. Pierre, Tympanon des Südportals um 1120.
705 Pisa, Campo Santo, Steinrelief, 11. Jh.

706 Arles, St. Trophime, Westportal, M. 12. Jh.
707 Chartres, Mittelportal der Westfassade, 1145–1151.

705

706

707

708

709

710

711

Majestas Domini

708 Ely, Kathedrale, Tympanon, um 1140.
709 Carrión de los Candes, Kathedrale, 1165.
710 Nowgorod, Sophienkirche, Relief der Bronzetür, 1152–1154.
711 Carennac, Tympanonrelief, Ausschnitt, M. 12. Jh.

712

713

714

715

716

717

718

719

Majestas Domini

717 Knechtstedten, S. Maria und Andreas, Westapsis, 1170–1180.
718 Schwarzrheindorf, Apsis der Oberkirche, 3. V. 12. Jh.

719 Altarfrontale aus S. Pedro de Seo de Urgel, A. 12. Jh., Barcelona.
720 Tragaltar des Eilbertus, Deckel, Email, um 1130, Berlin.

720

721 Hans Memling, Triptychon, Mittelteil, um 1490, Antwerpen.
Christus als König und Priester zwischen Engeln.